CW00376676

GUERRE ET PAIX

**

Paru dans Le Livre de Poche :

ANNA KARÉNINE

LA MORT D'IVAN ILLITCH
suivi de MAÎTRE ET SERVITEUR
et de TROIS MORTS

TOLSTOÏ

Guerre et paix

**

TRADUIT DU RUSSE PAR ÉLISABETH GUERTIK

Préface et commentaires de Jean Thieulin

LE LIVRE DE POCHE

Jean Thieulin est agrégé de russe et maître de conférences à l'université de Rouen.

ISBN : 978-2-253-02070-7 – 1re publication LGF

LIVRE TROISIÈME

PREMIÈRE PARTIE

I

À partir de la fin de 1811 commencèrent l'armement intensif et la concentration des forces de l'Europe occidentale, et en 1812 ces forces – des millions d'hommes (y compris ceux qui transportaient et ravitaillaient l'armée) – se mirent en marche d'Occident en Orient, en direction des frontières russes, vers lesquelles, depuis 1811, les forces russes marchaient exactement de même. Le 12 juin, les forces de l'Europe occidentale franchirent les frontières russes et la guerre commença, c'est-à-dire que s'accomplit un événement contraire à la raison et à toute la nature humaine. Des millions d'hommes commirent les uns à l'égard des autres un nombre si infini de forfaits, de duperies, de trahisons, de vols, de fraudes et d'émissions de faux assignats, de pillages, d'incendies et de meurtres que les archives de tous les tribunaux du monde ne pourraient en réunir autant d'exemples en des siècles entiers, mais qu'au cours de cette période ceux qui s'en rendirent coupables ne considéraient pas comme des crimes.

Qu'est-ce qui donna naissance à cet événement extraordinaire ? Quelles en furent les causes ? Les historiens disent avec une assurance naïve que ces causes sont : l'offense faite au duc d'Oldenbourg, la non-observation du système continental, l'esprit de domination de Napoléon, la fermeté d'Alexandre, les fautes des diplomates, etc.

En conséquence, il eût suffi que Metternich, Roumiantzev ou Talleyrand, entre une réception à la cour et un raout, s'appliquassent à rédiger une note bien habile ou que Napoléon écrivît à Alexandre : « *Monsieur mon frère, je consens à rendre le duché au duc d'Oldenbourg* », et la guerre n'aurait pas eu lieu.

On comprend que les choses se soient présentées ainsi aux contemporains. On comprend que Napoléon ait pu attribuer la cause de la guerre aux intrigues de l'Angleterre (comme il l'a dit à Sainte-Hélène), on comprend que les membres du Parlement anglais aient vu cette cause dans l'esprit de domination de Napoléon ; le prince d'Oldenbourg, dans la violence dont il avait été la victime ; les commerçants, dans le blocus continental qui ruinait l'Europe ; les vieux soldats et les généraux, avant tout dans la nécessité de les employer ; les légitimistes de l'époque, dans celle de rétablir *les bons principes*, et les diplomates dans le fait que l'alliance conclue en 1809 entre la Russie et l'Autriche n'avait pas été assez habilement dissimulée à Napoléon, et dans la mauvaise rédaction du *mémorandum* n° 178. On conçoit que les contemporains aient invoqué ces causes et une infinité d'autres, dont le nombre provient de l'immense diversité des points de vue ; mais à nous, la postérité, qui considérons cet événement grandiose dans toute son ampleur et qui en scrutons le sens simple et terrible, ces causes paraissent insuffisantes. Nous ne comprenons pas que des millions de chrétiens aient pu s'entre-tuer et se faire souffrir parce que Napoléon était avide de puissance, Alexandre ferme, la politique de l'Angleterre retorse et le duc d'Oldenbourg offensé. Nous ne comprenons pas le lien qu'il peut y avoir entre ces circonstances et le fait même des meurtres et des violences ; nous ne voyons pas comment l'affront fait à un duc a pu déterminer des milliers d'hommes venus de l'autre bout de l'Europe à tuer et à ruiner les habitants des provinces de Smolensk et de Moscou et à être tués par eux.

À nous, la postérité, qui ne sommes pas des historiens, qui ne nous laissons pas égarer par la passion des investigations et qui, par suite, pouvons considérer l'événement avec un bon sens non obnubilé, ces causes apparaissent en nombre incalculable. Plus nous nous plongeons dans la recherche de ces causes, plus nombreuses elles se découvrent à nous, et chacune d'elles prise séparément ou toute une série d'entre elles nous apparaît aussi juste en soi que fausse par son insignifiance en regard de l'immensité de l'événement et par son incapacité (sans l'intervention de toutes les autres causes concordantes) à l'avoir déterminé. Le désir ou le refus de rengager du premier venu parmi les caporaux français nous apparaît comme une cause tout aussi valable que le refus de Napoléon de retirer son armée derrière la Vistule et de rendre le grand-duché d'Oldenbourg : car si ce caporal, si tel soldat, puis un deuxième, un troisième, un millième avaient refusé de reprendre du service, l'armée de Napoléon aurait compté d'autant moins d'hommes et la guerre n'aurait pas pu avoir lieu.

Si Napoléon n'avait pas pris ombrage de la demande de se retirer derrière la Vistule et n'avait pas fait avancer ses troupes, il n'y aurait pas eu de guerre ; mais si tous les sergents avaient refusé de rengager, la guerre n'aurait pas non plus pu avoir lieu. De même, la guerre aurait été impossible sans les intrigues de l'Angleterre, sans le prince d'Oldenbourg, sans l'offense ressentie par Alexandre, sans le pouvoir absolu en Russie, sans la Révolution française, le Directoire et l'Empire qui ont suivi, sans tout ce qui a provoqué la Révolution française, et ainsi de suite. Sans l'une quelconque de ces causes rien n'aurait pu arriver. Par conséquent, toutes ces causes – des milliards de causes – se rencontrèrent pour produire l'événement. Et par conséquent, aucune n'en fut la cause exclusive et l'événement se produisit uniquement parce qu'il devait se produire. Il fallait que des millions d'hommes, abdiquant la raison et tout sentiment humain, marchassent d'Ouest en Est et tuassent leurs semblables, de même que, quelques siècles auparavant, des foules d'hommes avaient marché d'Est en Ouest en tuant également leurs semblables.

Les actes de Napoléon et d'Alexandre, d'un mot de qui dépendait, semblait-il, que l'événement se produisît ou ne se produisît pas, étaient tout aussi peu libres que ceux de chacun des soldats qui faisaient campagne par tirage au sort ou par recrutement. Il ne pouvait en être autrement car, pour que la volonté de Napoléon et d'Alexandre (maîtres apparents de l'événement) fût accomplie, il fallait la concordance d'innombrables circonstances; une seule d'entre elles aurait manqué et l'événement n'aurait pu avoir lieu. Il fallait que des millions d'hommes, entre les mains desquels se trouvait la force effective, les soldats qui tiraient, qui transportaient vivres et canons, il fallait que ces hommes acceptassent d'accomplir la volonté de ces individus isolés et faibles et qu'ils y fussent déterminés par un nombre infini de causes diverses et complexes.

Le fatalisme en histoire est inévitable pour expliquer des phénomènes irrationnels (c'est-à-dire ceux dont nous ne comprenons pas le sens). Plus nous nous efforçons de les expliquer logiquement, plus ils nous apparaissent déraisonnables et incompréhensibles.

Tout homme vit pour soi, exerce sa liberté pour atteindre des fins particulières et sent de tout son être qu'il peut ou non accomplir tel ou tel acte mais, dès l'instant qu'il l'a accompli, cet acte accompli à un certain moment devient irrévocable et appartient à l'histoire, où il cesse d'être libre mais prend une signification prédéterminée.

Il y a deux faces dans la vie de tout homme : la vie individuelle qui est d'autant plus libre que ses intérêts sont plus abstraits, et la vie élémentaire, grégaire, où l'homme se soumet inévitablement aux lois qui lui sont prescrites.

L'homme vit consciemment pour soi, mais il sert d'instrument inconscient pour la poursuite des buts historiques, communs à toute l'humanité. L'acte accompli est irrévocable et, par sa concordance dans le temps avec des millions d'actes accomplis par d'autres hommes, il acquiert une valeur historique. Plus l'homme est placé haut sur l'échelle sociale, plus le nombre de ceux avec qui il a partie liée est important, et plus grand est son pouvoir sur les autres hommes, plus évident le caractère prédéterminé et inévitable de chacun de ses actes.

« Le cœur des rois est dans la main de Dieu. »

Le roi est l'esclave de l'histoire.

L'histoire, c'est-à-dire la vie inconsciente, commune, grégaire de l'humanité, se sert de chaque instant de la vie des rois comme d'un instrument pour l'accomplissement de ses desseins.

Quoique maintenant, en 1812, Napoléon fût plus persuadé que jamais qu'il dépendait de lui de *verser* ou de *ne pas verser le sang de ses peuples* (comme le lui disait Alexandre dans sa dernière lettre), il n'avait jamais été plus soumis à ces lois inéluctables qui l'obligeaient (alors qu'il croyait agir selon son bon plaisir) à accomplir pour l'œuvre commune, pour l'histoire, ce qui devait s'accomplir.

Les hommes de l'Occident étaient en marche vers ceux de l'Orient afin de s'entre-tuer. Et en vertu de la loi de coïncidence des causes, des milliers de petites causes de ce mouvement et de cette guerre s'offrirent d'elles-mêmes et coïncidèrent avec cet événement : les reproches pour la violation du système continental, et le duc d'Oldenbourg, et l'entrée des armées en Prusse entreprise (croyait Napoléon) uniquement pour assurer la paix armée, et l'amour, l'habitude de la guerre de l'empereur de France coïncidant avec les dispositions de son peuple, l'entraînement causé par des préparatifs grandioses, et les frais que ces préparatifs avaient entraînés, et la nécessité de s'assurer des avantages qui compenseraient ces frais, et les honneurs grisants de Dresde, et les pourparlers diplomatiques qui, de l'avis des contemporains, furent menés avec le désir sincère de paix, mais qui ne firent que froisser l'amour-propre de part et d'autre, et des millions de millions d'autres causes qui concoururent à l'accomplissement de l'événement, coïncidèrent avec lui.

Quand une pomme est mûre et qu'elle tombe, pourquoi tombe-t-elle ? Est-ce parce que son poids l'entraîne vers la terre, parce que sa queue s'est desséchée, parce que le soleil l'a brûlée, parce qu'elle est devenue trop lourde, parce que le vent l'a secouée, est-ce parce que le gamin qui se tient au pied de l'arbre a envie de la manger ?

Rien de tout cela ne constitue la cause. Il n'y a là qu'une concordance des conditions dans lesquelles s'accomplit tout événement vital, organique, élémentaire. Et le botaniste qui trouverait que la pomme tombe par suite de la décomposition du tissu cellulaire ou autres causes analogues, aurait tout aussi raison que l'enfant sous le pommier qui dirait qu'elle est tombée parce qu'il avait envie de la manger et qu'il l'a demandé au bon Dieu. Celui qui dirait que Napoléon a marché sur Moscou parce qu'il le voulait et qu'il y a trouvé sa perte parce qu'Alexandre le voulait, aurait tout aussi raison et tout aussi tort que celui qui dirait qu'une montagne pesant des milliers de tonnes et sapée à sa base s'est effondrée par suite du dernier coup de pioche donné par le dernier ouvrier. Dans les événements historiques, les prétendus grands hommes ne sont que des étiquettes qui donnent leur nom à l'événement et qui, de même que les étiquettes, ont le moins de rapport avec cet événement.

Chacun de leurs actes qui leur paraît libre est involontaire au sens historique, se trouve lié à la marche générale de l'histoire et est déterminé de toute éternité.

II

Le 29 mai, Napoléon quitta Dresde, où il avait passé trois semaines, entouré d'une cour de princes, de ducs, de rois et même d'un empereur. Avant son départ, il avait flatté les princes, les rois et l'empereur qui le méritaient, admonesté les rois et les princes dont il était mécontent, fait cadeau à l'impératrice d'Autriche de ses propres perles et diamants, c'est-à-dire de ceux qu'il avait pris à d'autres rois, et après avoir serré tendrement dans ses bras l'impératrice Marie-Louise l'avait laissée, comme le dit son historien, affligée d'une séparation que cette Marie-Louise, qui était considérée comme son épouse bien qu'il en eût laissé une autre à Paris, semblait n'avoir pas la force de supporter. Quoique les diplomates ne doutassent pas encore de la possibilité de maintenir la paix et s'employassent avec zèle dans ce sens, quoique l'empereur Napoléon eût adressé une lettre personnelle à l'empereur Alexandre où, en l'appelant *Monsieur mon frère*, il l'assurait sincèrement qu'il ne désirait pas la guerre et qu'il l'aimerait et le respecterait toujours, il allait à l'armée et, à chaque relais, donnait de nouveaux ordres qui ne tendaient qu'à précipiter le mouvement des troupes d'Ouest en Est. Dans une berline attelée de six chevaux, entouré de pages, d'aides de camp et d'une escorte, il suivait la grande route de Posen, Thorn, Dantzig et Kœnigsberg. Dans chacune de ces villes, des milliers de personnes l'accueillaient avec enthousiasme et effroi.

L'armée avançait d'Ouest en Est et l'attelage de six chevaux changés à chaque relais l'emportait dans la même direction. Le 10 juin, il rejoignit l'armée et passa la nuit, en pleine forêt de Wilkowiski, dans le domaine d'un comte polonais, où un appartement avait été préparé à son intention.

Le lendemain, dépassant l'armée, Napoléon atteignit en voiture le Niemen, et, afin de reconnaître un gué, revêtit un uniforme polonais et se rendit sur les bords du fleuve.

Apercevant sur l'autre rive *les Cosaques, les steppes* qui s'y étendaient et au milieu desquelles était Moscou, *la ville sainte*, la capitale de cet empire semblable à celui des Scythes envahi par Alexandre le Grand, Napoléon, à la surprise générale et au mépris de toutes les considérations stratégiques et diplomatiques, ordonna la marche en avant et, le lendemain, les troupes passèrent le Niemen.

Le 12 juin de bonne heure, il sortit de sa tente, dressée ce jour-là sur la rive gauche escarpée du Niemen, et observa avec une lunette les flots de ses troupes qui déferlaient de la forêt de Wilkowiski pour se répandre sur les trois ponts jetés sur le Niemen. Les soldats savaient l'Empereur présent, le cherchaient des yeux et, lorsqu'ils découvraient sur la hauteur, devant la tente, à l'écart de la suite, sa silhouette en redingote et en petit chapeau, ils lançaient leurs bonnets en l'air et criaient : « *Vive l'Empereur !* » puis, les uns après les autres, sans fin, s'écoulaient toujours hors de l'immense forêt qui les avait dissimulés jusque-là, et en se dispersant passaient sur les trois ponts de l'autre côté.

« *On fera du chemin cette fois-ci. Oh ! quand il s'en mêle lui-même, ça chauffe... Nom de Dieu !... Le voilà... Vive l'Empereur !... Nous voilà dans les steppes de l'Asie ! Vilain pays tout de même. Au revoir, Beauché, je te réserve le plus beau palais de Moscou. Au revoir ! Bonne chance... L'as-tu vu, l'Empereur ? Vive l'Empereur... preur ! Si on me fait gouverneur aux Indes, Gérard, je te fais ministre du Cachemire, c'est arrêté. Vive l'Empereur ! Vive ! vive ! vive ! Les gredins de cosaques, comme ils filent. Vive l'Empereur ! Le voilà ! Le vois-tu ? Je l'ai vu deux fois comme je te vois. Le petit caporal !... Je l'ai vu donner la croix à l'un des vieux... Vive l'Empereur !...* » disaient jeunes et vieux, gens de tous caractères et de toute condition. Les visages de tous ces hommes reflétaient la même joie de voir commencer la campagne depuis longtemps attendue, le même enthousiasme et le même dévouement pour l'homme en redingote grise, debout sur la hauteur.

Le 13 juin, on amena à Napoléon un petit pur-sang arabe, il se mit en selle et partit au galop vers un des ponts du Niemen, sans cesse assourdi par les acclamations enthousiastes qu'il ne supportait visiblement que parce qu'il était impossible d'interdire à ces hommes d'exprimer par ces cris l'affection qu'ils lui portaient ; mais ces acclamations qui l'accompagnaient partout lui étaient à charge et le distrayaient des préoccupations d'ordre militaire qui s'étaient emparées de lui depuis qu'il avait rejoint l'armée. Il passa le fleuve sur un des ponts qui ondulaient sur les canots, tourna brusquement à gauche et galopa dans la direction de Kovno, précédé des chasseurs de la garde à cheval qui, délirants de bonheur, lui frayaient un chemin à travers les troupes. Arrivé au bord de la large Vilia, il s'arrêta auprès d'un régiment de uhlans polonais qui y stationnait.

« *Vivat !* » crièrent avec le même enthousiasme les Polonais, rompant l'alignement et s'écrasant pour le voir. Napoléon inspecta la rivière, mit pied à terre et s'assit sur un tronc d'arbre au bord de l'eau. Sur un signe de lui, on lui présenta une lunette d'approche, il l'appuya sur le dos d'un page accouru, tout heureux, et examina l'autre rive. Puis il se plongea dans l'étude de la carte étalée entre des troncs d'arbre. Sans lever la tête, il dit quelque chose et deux aides de camp partirent au galop vers les uhlans polonais.

« Qu'est-ce que c'est ? Qu'a-t-il dit ? » demanda-t-on dans les rangs lorsqu'un des aides de camp eut rejoint les uhlans.

L'ordre était de chercher un gué et de passer de l'autre côté. Le colonel des uhlans, un beau vieillard empourpré et que l'émotion faisait bafouiller, demanda à l'aide de camp s'il lui serait permis de passer avec ses uhlans la rivière à la nage sans chercher un gué. Avec la peur visible d'un refus, comme un gamin qui demande la permission de monter à cheval, il sollicita l'autorisation de le faire sous les yeux de l'Empereur. L'aide de camp répondit que l'Empereur ne serait sans doute pas mécontent de cet excès de zèle.

Dès qu'il l'eut dit, le vieil officier moustachu, l'air heureux et les yeux brillants, cria en brandissant son sabre : « Vivat ! » et donnant aux uhlans l'ordre de le suivre, éperonna son cheval et galopa vers la rivière. Il poussa rageusement sa monture qui hésitait sous lui et se jeta à l'eau, se dirigeant vers le milieu où le courant était rapide. Des centaines de uhlans le suivirent au galop. On était saisi de froid et de peur au milieu du courant rapide. Les uhlans s'accrochaient les uns aux autres, tombant de cheval. Quelques chevaux se noyèrent, des hommes se noyaient aussi, les autres s'efforçaient de gagner la rive et, bien qu'il y eût un gué à une demi-verste de là, ils étaient fiers de nager et de se noyer sous les yeux de l'homme assis sur le tronc d'arbre et qui ne regardait même pas ce qu'ils faisaient. Quand l'aide de camp fut revenu et que, profitant d'un instant propice, il se permit d'attirer l'attention de l'Empereur sur le dévouement des Polonais à sa personne, le petit homme en redingote grise se leva et, appelant Berthier, se promena avec lui au bord de l'eau, donnant des ordres et de temps à autre jetant un coup d'œil mécontent sur les uhlans qui se noyaient et distrayaient son attention.

La conviction que sa présence sur tous les points de l'univers, depuis l'Afrique jusqu'aux steppes de la Moscovie, produisait le même effet et frappait les hommes de la folie du sacrifice, cette conviction n'était pas nouvelle pour lui. Il se fit amener son cheval et regagna son cantonnement.

Une quarantaine de uhlans s'étaient noyés dans la rivière, malgré les barques envoyées à leur secours. La plupart refluèrent vers le bord. Le colonel et quelques hommes atteignirent l'autre rive et sortirent péniblement de l'eau. Mais dès qu'ils eurent pris pied, leurs vêtements tout ruisselants, ils crièrent : « Vivat ! » en regardant avec enthousiasme l'endroit où s'était arrêté Napoléon mais où il n'était plus, et à cet instant ils se croyaient heureux. Dans la soirée, entre deux ordres – l'un pour hâter l'envoi des faux assignats russes destinés à être introduits en Russie, l'autre pour faire fusiller un Saxon sur qui l'on avait saisi une lettre contenant des indications sur les mouvements de l'armée française – Napoléon en donna un troisième, conférant la Légion d'honneur, dont il était lui-même le chef, au colonel polonais qui s'était sans nécessité jeté à l'eau.

Quos vult perdere dementat.

III

Cependant l'empereur de Russie, depuis plus d'un mois déjà, séjournait à Vilna, passait des revues et assistait à des manœuvres. Rien n'était prêt pour la guerre que tout le monde attendait et pour la préparation de laquelle l'empereur avait quitté Pétersbourg. Il n'y avait pas de plan général d'opérations. L'hésitation quant au choix entre tous les plans qu'on proposait s'accrut encore quand l'empereur eut passé un mois au grand quartier. Les trois armées avaient chacune son commandant en chef, mais il n'y avait pas de commandement unique et l'empereur n'assumait pas ces fonctions lui-même.

Plus son séjour à Vilna se prolongeait, moins on se préparait à la guerre, las de l'attendre. Tous les efforts de son entourage ne semblaient tendre qu'à lui faire oublier la guerre qui venait, en lui faisant passer agréablement le temps.

Après beaucoup de bals et de fêtes donnés par les magnats polonais, les courtisans et l'empereur lui-même, un des généraux aides de camp polonais eut l'idée, au mois de juin, d'offrir à l'empereur un dîner et un bal au nom de ses collègues. Cette idée fut accueillie avec joie par tout le monde. L'empereur donna son assentiment. Les aides de camp généraux ouvrirent une souscription. La personne dont le choix pouvait être le plus agréable à l'empereur fut invitée à tenir le rôle de maîtresse de maison. Le comte Bennigsen, qui possédait des domaines dans la province de Vilna, offrit pour la fête sa maison de campagne de Zakrest, et il fut décidé que le bal, le dîner, une promenade sur l'eau et un feu d'artifice y auraient lieu le 13 juin.

Le jour même où Napoléon donnait l'ordre de traverser le Niemen et où ses avant-gardes, repoussant les cosaques, franchissaient la frontière russe, Alexandre passait la soirée à la villa de Bennigsen, au bal que lui donnaient ses généraux aides de camp.

Ce fut une fête joyeuse et brillante ; les connaisseurs disaient qu'on avait rarement vu réunies tant de jolies femmes. La comtesse Bezoukhov qui, parmi d'autres dames russes, avait suivi l'empereur de Pétersbourg à Vilna, y assistait, éclipsant les fines dames polonaises par sa beauté sculpturale dite russe. Elle fut remarquée et l'empereur lui fit l'honneur d'une danse.

Boris Droubetzkoï, *en garçon*, disait-il, ayant laissé sa femme à Moscou, était là également, et bien qu'il ne fût pas aide de camp général, avait participé pour une forte somme à la souscription pour ce bal. C'était maintenant un homme riche qui était allé loin sur le chemin des honneurs, qui ne recherchait plus des appuis mais traitait d'égal à égal avec les plus haut placés parmi les hommes de son âge.

À minuit on dansait encore. Hélène, qui n'avait pas trouvé de cavalier digne d'elle, invita elle-même Boris pour la mazurka. Ils formaient le troisième couple. Boris, tout en jetant des regards indifférents sur les éblouissantes épaules nues d'Hélène qui émergeaient de sa robe de gaze foncée brodée d'or, parlait de leurs anciennes connaissances communes et en même temps, à l'insu de tous et de lui-même, ne cessait d'observer l'empereur qui se trouvait dans le même salon. L'empereur ne dansait pas, il se tenait près d'une porte et arrêtait tantôt l'un, tantôt l'autre par un de ces mots aimables que lui seul savait dire.

Au début de la mazurka, Boris s'aperçut que le général aide de camp Balachov, un des familiers les plus proches de l'empereur, s'avançait de celui-ci et, selon l'étiquette, s'arrêtait trop près de l'empereur qui parlait à une dame polonaise. Ayant échangé quelques mots avec elle, l'empereur jeta à Balachov un regard interrogateur et, comprenant sans doute qu'il n'eût pas agi ainsi sans de sérieuses raisons, il fit un léger signe de tête à son interlocutrice, puis se tourna vers lui. Dès que Balachov eut commencé à parler, la surprise se peignit sur le visage de l'empereur. Il le prit par le bras et traversa avec lui le salon sans prêter attention aux gens qui s'écartaient en lui laissant un large passage. Boris remarqua le visage ému d'Araktcheiev au moment où l'empereur s'en allait avec Balachov. En lui jetant des regards en dessous et en soufflant de son nez rouge, il s'avança hors de la foule, comme s'il attendait que l'empereur lui adressât la parole. (Boris comprit qu'Araktcheiev était jaloux de Balachov et mécontent qu'une nouvelle, de toute évidence importante, fût transmise par un autre que lui.)

Mais l'empereur et Balachov passèrent sans le remarquer et sortirent dans le parc illuminé. Araktcheiev, maintenant son sabre et jetant autour de lui des regards courroucés, les suivit à une vingtaine de pas de distance.

Tout en continuant à exécuter les figures de la mazurka, Boris ne cessait de se tourmenter en se demandant quelle était cette nouvelle qu'apportait Balachov et comment il pourrait l'apprendre avant les autres.

À un moment où il devait choisir une danseuse, il murmura à Hélène qu'il voulait inviter la comtesse Potocka qui, croyait-il, était sortie sur le balcon, il s'élança en glissant sur le parquet vers la porte du parc et s'arrêta à la vue de l'empereur qui, en compagnie de Balachov, montait les marches de la terrasse. L'empereur et Balachov se dirigeaient vers la porte d'entrée. En toute hâte, comme s'il n'avait pas eu le temps de s'écarter, Boris se serra respectueusement contre le chambranle et s'inclina.

L'empereur, avec l'émotion d'un homme qui a subi une offense personnelle, terminait l'entretien par les mots suivants :

« Entrer en Russie sans déclaration de guerre ! Je ne ferai la paix que lorsqu'il ne restera plus sur mon sol un seul ennemi en armes. » Boris eut l'impression que l'empereur prononçait ces mots avec plaisir : il était satisfait de la forme donnée à sa pensée mais mécontent que Boris l'eût entendu.

« Que personne n'en sache rien ! » ajouta-t-il en fronçant les sourcils. Boris comprit que ces paroles le visaient, et, fermant les yeux, il inclina légèrement la tête. L'empereur rentra dans le salon et resta encore près d'une demi-heure au bal.

Boris fut le premier à apprendre que les troupes françaises avaient franchi le Niemen et il eut ainsi l'occasion de montrer à certains hauts personnages que bien des choses celées aux autres lui étaient connues, ce qui le grandit encore dans leur opinion.

La nouvelle inattendue du passage du Niemen par les Français fut d'autant plus inattendue qu'elle venait après un mois de vaine attente et en plein bal ! L'empereur, au premier moment, sous l'effet de l'indignation et de l'affront, avait trouvé la formule, devenue célèbre par la suite, qui lui avait plu à lui-même et qui exprimait pleinement ses sentiments. En rentrant du bal, il envoya un courrier à deux heures du matin chercher le secrétaire Chichkov et le chargea de rédiger un ordre du jour aux troupes ainsi qu'un rescrit au maréchal prince Saltikov, où il tint expressément à faire figurer les mots par lesquels il affirmait qu'il ne ferait pas la paix tant qu'un seul Français en armes demeurerait sur le sol russe.

Le lendemain, la lettre suivante fut adressée à Napoléon :

« *Monsieur mon frère. J'ai appris hier que malgré la loyauté avec laquelle j'ai maintenu mes engagements envers Votre Majesté, ses troupes ont franchi les frontières de la Russie, et je reçois à l'instant de Pétersbourg une note par laquelle le comte Lauriston, pour cause de cette agression, annonce que Votre Majesté s'est considérée comme en état de guerre avec moi dès le moment où le prince Kourakine a fait la demande de ses passeports. Les motifs sur lesquels le duc de Bassano fondait son refus de les lui délivrer n'auraient jamais pu me faire supposer que cette démarche servirait jamais de prétexte à l'agression. En effet, cet ambassadeur n'y a jamais été autorisé comme il l'a déclaré lui-même, et aussitôt que j'en fus informé, je lui ai fait connaître combien je le désapprouvais en lui donnant l'ordre de rester à son poste. Si Votre Majesté n'est pas intentionnée de verser le sang de nos peuples pour un malentendu de ce genre et qu'elle consente à retirer ses troupes du territoire russe, je regarderai ce qui s'est passé comme non avenu et un accommodement entre nous sera possible. Dans le cas contraire, Votre Majesté, je me verrai forcé de repousser une attaque que rien n'a provoquée de ma part. Il dépend encore de Votre Majesté d'éviter à l'humanité les calamités d'une nouvelle guerre.*

« *Je suis, etc.*

(*signé*) ALEXANDRE. »

IV

Le 13 juin, à deux heures du matin, l'empereur convoqua Balachov et après lui avoir lu sa lettre à Napoléon, le chargea de la porter et de la remettre personnellement à l'empereur de France. En le congédiant, il lui répéta encore une fois qu'il ne ferait pas la paix aussi longtemps qu'un seul ennemi en armes resterait sur le sol russe et lui dit de ne pas manquer de répéter ces mots à Napoléon. L'empereur ne les avait pas fait figurer dans sa lettre car il sentait, avec son tact inné, qu'ils étaient peu compatibles avec une dernière tentative de réconciliation; mais il insista pour que Balachov les transmît à Napoléon de vive voix.

Parti dans la nuit du 13 au 14, Balachov, accompagné d'un trompette et de deux cosaques, arriva à l'aube au village de Rykonty, aux avant-postes français, de ce côté-ci du Niemen. Il fut arrêté par les sentinelles de la cavalerie française.

Un sous-officier de hussards français, en uniforme amarante et bonnet à poil, cria à Balachov qui s'approchait de s'arrêter. Balachov n'obéit pas aussitôt mais continua à avancer au pas.

Le sous-officier, les sourcils froncés, et grommelant des injures, poussa son cheval contre Balachov, porta la main à son sabre et apostropha grossièrement le général russe en lui demandant s'il était sourd qu'il n'entendît pas ce qu'on lui disait. Balachov se nomma. Le sous-officier envoya un soldat chercher un officier.

Sans prêter attention à Balachov, sans regarder le général russe, le sous-officier s'entretint avec ses camarades de leurs affaires.

Étant donné ses rapports étroits avec le pouvoir suprême et la puissance, étant donné la conversation qu'il avait eue, trois heures plus tôt, avec l'empereur et, en général, habitué qu'il était par ses fonctions aux honneurs, Balachov fut déconcerté de voir ici, sur le sol russe, cette hostilité et surtout d'être traité sans aucun égard par la force brutale.

Le soleil commençait à peine à percer les nuages ; l'air était frais et humide de rosée. Du village un troupeau s'en allait aux prés. Dans les champs, l'une après l'autre, comme des bulles à la surface de l'eau, des alouettes jaillissaient en turlutant.

Balachov promenait les yeux autour de lui, attendant l'arrivée de l'officier qu'on était allé chercher au village. De temps à autre les cosaques et le trompette russe échangeaient en silence des regards avec les hussards français.

Le colonel des hussards français qui venait visiblement de se lever arriva du village sur un beau cheval gris bien nourri, escorté par deux de ses hommes. L'officier, les soldats et leurs chevaux avaient un air de contentement et d'élégance.

C'était ce début de campagne où les troupes sont encore en bon état comme à une revue de temps de paix, avec pourtant une sorte d'élégance plus martiale et cette nuance de gaieté et d'énergie qui accompagnent toujours une entrée en guerre.

Le colonel français retenait avec peine des bâillements mais se montra courtois et sembla saisir toute l'importance de la mission de Balachov. Il lui fit franchir le cordon des avant-postes et lui déclara que, selon son désir, il allait sans doute être aussitôt présenté à l'Empereur, puisque le grand quartier de celui-ci se trouvait, croyait-il, dans le voisinage.

Ils traversèrent le village de Rykonty au milieu des piquets de hussards français, des sentinelles et des soldats qui saluaient leur colonel et regardaient avec curiosité l'uniforme russe, et sortirent du village. Le colonel dit que le commandant de la division qui recevrait Balachov et le conduirait à destination se trouvait à deux kilomètres de là.

Le soleil s'était levé et brillait gaiement sur la verdure éclatante.

À peine eurent-ils dépassé une auberge, au haut d'une côte, qu'ils aperçurent, venant à leur rencontre sur l'autre versant, un groupe de cavaliers en tête duquel marchait, sur un cheval noir dont les harnais brillaient au soleil, un homme de haute taille enveloppé dans une cape rouge, en chapeau à plumes, ses cheveux noirs tombant en boucles sur ses épaules et ses longues jambes tendues en avant comme montent les Français. Cet homme vint au galop au-devant de Balachov, ses plumes, ses pierreries et ses galons d'or étincelant et chatoyant au soleil éclatant de juin.

Balachov n'était plus qu'à deux longueurs de cheval de ce cavalier aux allures solennelles et théâtrales, avec ses bracelets, ses plumes, ses colliers et ses dorures, quand Ulner, le colonel français, lui murmura respectueusement : « *Le roi de Naples.* » C'était en effet Murat qu'on appelait maintenant le roi de Naples. Bien qu'il fût absolument incompréhensible pourquoi il était le roi de Naples, on l'appelait ainsi et il était si convaincu lui-même d'être ce roi que cela lui donnait un air plus important et plus solennel qu'auparavant. Il en était si certain que lorsque, la veille de son départ, pendant qu'il se promenait avec sa femme dans les rues de Naples, quelques Italiens crièrent : « *Viva il re !* » il se tourna avec un triste sourire vers son épouse et dit : « *Les malheureux, ils ne savent pas que je les quitte demain !* »

Mais bien qu'il fût pleinement convaincu d'être le roi de Naples et qu'il compatît au chagrin de ses sujets qu'il quittait, ces temps derniers, depuis qu'il avait reçu l'ordre de reprendre du service, et surtout depuis son entrevue avec Napoléon à Dantzig, lorsque son auguste beau-frère lui avait dit : « *Je vous ai fait roi pour régner à ma manière mais pas à la vôtre* », il s'était gaiement remis à sa besogne familière et, comme un cheval bien nourri mais non alourdi de graisse, aussitôt qu'il se sentit attelé, se mit à jouer dans les brancards et, paré de la façon la plus bigarrée et la plus pompeuse, caracola, gai et content, sur les routes de Pologne, sans savoir lui-même où il allait ni pourquoi.

À la vue du général russe, il rejeta en arrière, d'un geste royal, solennel, sa tête aux longs cheveux bouclés et interrogea du regard le colonel français. Le colonel indiqua respectueusement à Sa Majesté la qualité de Balachov dont il ne pouvait prononcer le nom.

« *De Bal-machève !* » dit le roi, tranchant par sa décision la difficulté qui s'était présentée au colonel, « *charmé de faire votre connaissance, général* », ajouta-t-il avec un geste de condescendance royale. Dès que le roi eut commencé à parler haut et vite, toute sa dignité royale le quitta instantanément et, sans s'en apercevoir, il reprit le ton de bonhomie familière qui était le sien. Il posa sa main sur le garrot du cheval de Balachov.

« *Eh bien, général, tout est à la guerre, à ce qu'il paraît*, dit-il comme s'il déplorait une situation dont il n'était pas juge.

– *Sire, l'empereur mon maître ne désire point la guerre, comme Votre Majesté le voit* », répondit Balachov en abusant à toutes fins utiles du titre de *Votre Majesté*, comme il en est inévitablement lorsqu'on s'adresse à un personnage pour qui ce titre est encore une nouveauté.

Le visage de Murat rayonnait d'une satisfaction niaise pendant qu'il écoutait *Monsieur de Balachoff*. Mais *royauté oblige* : il sentait qu'il devait entretenir l'envoyé d'Alexandre de politique, en tant que roi et allié. Il mit pied à terre, prit le bras de Balachov et l'emmenant à quelques pas de sa suite qui attendait respectueusement, se promena avec lui de long en large en s'efforçant de parler avec importance. Il dit qu'en exigeant que Napoléon retirât ses troupes de Prusse on l'avait offensé, particulièrement depuis que, par la publicité donnée à cette exigence, la dignité de la France s'était trouvée blessée. Balachov répliqua que cette exigence n'avait rien de blessant car… Murat l'interrompit :

« Alors vous estimez que ce n'est pas l'empereur Alexandre qui est l'instigateur ? » dit-il soudain avec un sourire plein d'une bonhomie stupide.

Balachov expliqua pourquoi il estimait en effet que l'instigateur de la guerre était Napoléon.

« *Eh, mon cher général*, l'interrompit de nouveau Murat, *je désire de tout mon cœur que les empereurs s'arrangent entre eux et que la guerre commencée malgré moi se termine le plus tôt possible* », dit-il du ton dont parlent entre eux les domestiques désireux de rester bons amis malgré les querelles de leurs maîtres. Et il s'enquit du grand-duc, de sa santé et évoqua les bons moments qu'ils avaient passés ensemble à Naples. Puis tout à coup, comme si la conscience de sa dignité royale lui revenait, Murat se redressa solennellement, prit la même pose qu'à son couronnement et agitant la main droite dit : « *Je ne vous retiens plus, général ; je souhaite le succès de votre mission* », et sa cape rouge brodée et ses plumes flottant au vent, étincelant de pierreries, il rejoignit sa suite qui l'attendait respectueusement.

Balachov poursuivit son chemin, croyant, au dire de Murat, être présenté dans peu de temps à Napoléon en personne. Mais au lieu d'une entrevue prochaine avec Napoléon, les sentinelles du corps d'infanterie de Davout le retinrent de nouveau à la localité suivante, comme on l'avait fait aux avant-postes, et un aide de camp du commandant de corps qu'on prévint le conduisit dans le village auprès du maréchal Davout.

V

Davout était l'Araktcheiev de l'empereur Napoléon – un Araktcheiev qui, sans être poltron, était tout aussi zélé, cruel et incapable de témoigner son dévouement autrement que par la cruauté. Dans les rouages d'un État, ces hommes sont aussi nécessaires que les loups dans la nature, et ils existent, surgissent et se maintiennent toujours, si peu compréhensibles que puissent paraître leur présence et leur familiarité avec le chef de l'État.

Seule cette nécessité peut expliquer que cet Araktcheiev cruel, qui arrachait de ses propres mains la moustache à des grenadiers et, par faiblesse nerveuse, ne pouvait affronter le danger, que cet homme inculte et mal dégrossi ait pu se maintenir dans toute sa puissance auprès de la nature noble, chevaleresque et tendre d'Alexandre.

Balachov trouva Davout assis sur un tonneau dans la grange d'une maison paysanne et occupé à écrire (il était en train de vérifier des comptes). Son aide de camp se tenait debout auprès de lui. Il aurait été possible de trouver un meilleur logement, mais le maréchal Davout était de ces gens qui se placent volontairement dans les plus pénibles conditions d'existence afin d'avoir le droit d'être sombres. Pour la même raison, ils sont toujours la proie d'occupations urgentes. « Comment penser aux agréments de l'existence quand, vous voyez, on est assis sur un tonneau dans une grange sordide et qu'on travaille », disait l'expression de son visage. Le plus grand plaisir et le principal besoin de ces gens-là consistent, en rencontrant ceux qui sont dans le mouvement de la vie, à leur jeter à la face leur activité morose et obstinée. Ce plaisir, Davout ne se le refusa pas lorsque Balachov fut introduit auprès de lui. Il se plongea encore davantage dans son travail à l'entrée du général russe et, après un coup d'œil jeté à travers ses lunettes sur le visage de Balachov, animé par la magnifique matinée et sa conversation avec Murat, il ne se leva pas, ne fit même pas un mouvement, mais fronça encore davantage les sourcils et eut un sourire mauvais.

S'apercevant de l'impression désagréable que cet accueil produisait sur Balachov, Davout leva la tête et demanda froidement ce qu'il désirait.

Ne pouvant attribuer un accueil de cette sorte qu'à l'ignorance dans laquelle se trouvait Davout de sa qualité d'aide de camp général et de représentant de l'empereur Alexandre, Balachov s'empressa de lui faire connaître ses titres et l'objet de sa mission. Contrairement à son attente, Davout après l'avoir écouté n'en devint que plus sévère et plus grossier.

« Où est votre pli ? demanda-t-il. *Donnez-le-moi, je l'enverrai à l'Empereur.* »

Balachov lui dit qu'il avait l'ordre de le remettre à l'Empereur en main propre.

« Les ordres de votre empereur sont valables dans votre armée mais non ici, dit Davout, vous devez faire ce qu'on vous dit. »

Et comme pour faire mieux sentir au général russe sa dépendance de la force brutale, Davout envoya son aide de camp chercher l'officier de service.

Balachov tira le pli qui contenait la lettre de l'empereur et le mit sur la table (cette table était une porte posée sur deux tonneaux et d'où pendaient encore les gonds). Davout prit le pli et lut la suscription.

« Vous êtes parfaitement libre de me témoigner ou non des égards, dit Balachov. Mais permettez-moi de vous faire remarquer que j'ai l'honneur d'être un aide de camp général de Sa Majesté… »

Davout lui jeta un regard en silence et eut visiblement plaisir à constater un certain trouble et une certaine confusion sur les traits de Balachov.

« On observera les égards qui vous sont dus », dit-il, et mettant l'enveloppe dans sa poche, il quitta la grange.

Un instant après, l'aide de camp du maréchal, M. de Castries, entra et conduisit Balachov à la chambre préparée à son intention.

Balachov dîna ce jour-là avec le maréchal dans la grange, sur la même planche posée sur des tonneaux.

Le lendemain, Davout partit de bonne heure, après avoir convoqué Balachov et lui avoir dit avec autorité qu'il le priait de rester où il était, de se déplacer avec les bagages si tels devaient être les ordres et de ne parler à personne d'autre qu'à M. de Castries.

Après quatre jours de solitude, d'ennui, de conscience de sa dépendance et de son impuissance, d'autant plus sensible qu'elle succédait à cette atmosphère de pouvoir où il se trouvait si peu de temps auparavant, après quelques étapes faites avec les bagages du maréchal et les troupes françaises qui occupaient toute la région, Balachov fut ramené à Vilna, maintenant aux mains des Français, par la même barrière d'où il était parti quatre jours plus tôt.

Le lendemain, un chambellan de l'Empereur, M. de Turenne, vint le trouver et lui annonça que l'empereur Napoléon lui accordait une audience.

Quatre jours plus tôt, des sentinelles du régiment Préobrajensky montaient la garde devant la maison à laquelle on conduisit Balachov ; maintenant il y avait deux grenadiers français en uniforme bleu échancré sur la poitrine et en bonnet à poil, une escorte de hussards et de lanciers et une suite brillante d'aides de camp, de pages et de généraux qui, au perron, attendaient la sortie de Napoléon autour de son cheval de selle et du mamelouk Roustan. Napoléon recevait Balachov dans la même maison, à Vilna, d'où Alexandre l'avait envoyé en mission.

VI

Tout habitué aux munificences des cours qu'était Balachov, il fut frappé du luxe et du faste de celle de Napoléon.

Le comte de Turenne l'introduisit dans une vaste salle de réception où attendaient beaucoup de généraux, de chambellans et de magnats polonais dont Balachov avait vu un grand nombre à la cour de l'empereur de Russie. Duroc annonça que l'empereur Napoléon recevrait le général russe avant sa promenade.

Après quelques instants d'attente, le chambellan de service apparut et, s'inclinant courtoisement devant Balachov, l'invita à le suivre.

Balachov entra dans un petit salon dont une porte donnait sur le cabinet de travail, ce même cabinet où l'avait chargé de mission l'empereur de Russie. Il attendit quelques minutes. Des pas hâtifs se firent entendre derrière la porte. Elle s'ouvrit vivement à deux battants, tout se tut et d'autres pas, fermes, résolus retentirent, venant du cabinet : c'était Napoléon. Il venait de finir sa toilette pour monter à cheval. Son uniforme bleu s'ouvrait sur un gilet blanc qui descendait sur son ventre rond, une culotte de peau blanche moulait les cuisses dodues de ses courtes jambes chaussées de bottes à l'écuyère. On voyait que ses cheveux courts venaient d'être peignés, mais une mèche tombait sur le milieu de son large front. Son cou blanc et gras tranchait sur le col noir de l'uniforme; il sentait l'eau de Cologne. Son visage plein resté jeune, au menton saillant, reflétait une grâce accueillante et majestueuse de souverain.

Il s'avança vivement en tressautant à chaque pas, la tête légèrement rejetée en arrière. Toute sa courte silhouette alourdie, aux larges épaules grasses, le ventre et la poitrine portés malgré lui en avant, avait cet aspect imposant, prospère des hommes de quarante ans habitués à une vie confortable. En outre, on voyait qu'il était ce jour-là d'excellente humeur.

Il fit un signe de tête en réponse au profond salut respectueux de Balachov et allant à lui se mit aussitôt à parler en homme qui n'a pas un instant à perdre et qui ne condescend pas à préparer ses discours, sûr de toujours dire ce qu'il faut et de le bien dire.

« Bonjour, général ! J'ai reçu la lettre de l'empereur Alexandre que vous avez apportée et je suis enchanté de vous voir. » Il posa ses grands yeux sur le visage de Balachov et aussitôt regarda ailleurs.

Il était évident que la personne de Balachov ne l'intéressait nullement. On voyait que seul ce qui se passait dans son âme présentait de l'intérêt pour lui. Rien de ce qui était extérieur n'avait d'importance puisque tout le monde ne dépendait que de sa seule volonté.

« Je ne désire et je n'ai jamais désiré la guerre, dit-il, mais on m'y a contraint. MAINTENANT encore (il appuya sur ce mot), je suis prêt à accepter toutes les explications que vous pourrez me fournir. » Et il exposa clairement et brièvement les causes de son mécontentement contre le gouvernement russe.

À en juger par le ton calme, modéré et amical dont il parlait, Balachov fut fermement convaincu qu'il désirait la paix et qu'il avait l'intention d'engager des pourparlers.

« *Sire ! l'empereur, mon maître…* » dit Balachov, commençant son discours depuis longtemps préparé, lorsque Napoléon, ayant terminé, posa sur l'envoyé russe un regard interrogateur ; les yeux de l'Empereur fixés sur lui troublèrent celui-ci. « Vous êtes troublé, remettez-vous », sembla dire Napoléon en examinant avec un imperceptible sourire l'uniforme et l'épée de Balachov. Balachov se ressaisit et commença à parler. Il dit que l'empereur Alexandre ne jugeait pas la demande de passeports présentée par Kourakine comme un motif suffisant de guerre, que Kourakine avait agi ainsi sur sa propre initiative et sans l'assentiment de son souverain, que l'empereur Alexandre ne désirait pas la guerre et qu'il n'y avait point de relations avec l'Angleterre.

« Il n'y en a pas ENCORE », répliqua Napoléon, et comme s'il craignait de se laisser entraîner par ses sentiments, il fronça les sourcils et fit un léger signe de tête pour indiquer à Balachov qu'il pouvait continuer.

Après avoir exposé tout ce qu'il avait mission de dire, Balachov déclara que l'empereur Alexandre désirait la paix, mais qu'il n'entamerait des pourparlers qu'à condition… Ici il hésita : il se souvint des paroles que l'empereur Alexandre n'avait pas fait figurer dans sa lettre, mais qu'il avait tenu à inclure dans son rescrit à Saltikov et qu'il avait donné l'ordre de transmettre à Napoléon. Il se souvenait de ces mots : « tant qu'un seul ennemi en armes restera sur le sol russe », mais un sentiment complexe le retint. Il ne put les prononcer, malgré son désir. Il hésita et dit : « À condition que les troupes françaises se retirent derrière le Niemen. »

Napoléon avait remarqué le trouble de Balachov à ces derniers mots : son visage tressaillit, son mollet gauche fut parcouru de tremblements réguliers. Sans bouger de place, il reprit la parole d'une voix plus haute et plus précipitée qu'au début. Pendant le discours qui suivit, Balachov, baissant plus d'une fois les yeux, observa malgré lui le tremblement du mollet gauche de Napoléon qui s'accentuait à mesure que celui-ci élevait la voix.

« Je ne désire pas moins la paix que l'empereur Alexandre, commença-t-il. N'est-ce pas moi qui, depuis dix-huit mois, fais tout pour l'obtenir ? Il y a dix-huit mois que j'attends des explications. Mais pour engager les pourparlers, qu'exige-t-on donc de moi ? ajouta-t-il en fronçant le sourcil et en faisant un geste énergique et interrogateur de sa petite main blanche et grasse.

– Le retrait des troupes derrière le Niemen, Sire, dit Balachov.

– Derrière le Niemen ? répéta Napoléon. Alors vous voulez maintenant que je me retire derrière le Niemen, derrière le Niemen seulement ? » répéta-t-il en regardant Balachov dans les yeux.

Balachov inclina respectueusement la tête.

Au lieu de l'évacuation de la Poméranie qu'on exigeait quatre mois auparavant, on n'exigeait plus maintenant que le retrait derrière le Niemen. Napoléon fit vivement demi-tour et se mit à arpenter la pièce.

« Vous dites qu'on exige de moi de me replier derrière le Niemen pour ouvrir des pourparlers ; mais, il y a deux mois, on me demandait de même de me retirer derrière l'Oder et la Vistule et, malgré cela, vous acceptez d'engager des pourparlers. »

Il marcha en silence d'un bout de la pièce à l'autre et s'arrêta de nouveau devant Balachov. Son visage semblait s'être pétrifié dans une expression sévère et sa jambe gauche tremblait encore davantage. Napoléon se connaissait cette particularité. « *La vibration de mon mollet gauche est un grand signe chez moi* », a-t-il dit par la suite.

« Des propositions comme celle d'évacuer l'Oder et la Vistule peuvent être faites au prince de Bade, pas à moi, cria-t-il presque, à sa propre surprise. Quand vous me donneriez Pétersbourg et Moscou, je n'accepterais pas ces conditions. Vous dites que j'ai déclenché la guerre ? Et qui a le premier rejoint l'armée ? L'empereur Alexandre et non moi. Et vous me proposez de négocier, alors que j'ai dépensé des millions, alors que vous êtes alliés à l'Angleterre et que votre situation est mauvaise – vous me proposez de négocier ! Et quel est le but de votre alliance avec l'Angleterre ? Que vous a-t-elle donné ? » disait-il précipitamment, son discours ne tendant manifestement plus à faire valoir les avantages de la conclusion de la paix et à en examiner la possibilité, mais uniquement à démontrer son bon droit et sa force et à prouver les torts et les fautes d'Alexandre.

L'introduction à son discours avait évidemment eu pour objet de mettre en lumière les avantages de sa situation et de montrer qu'il acceptait néanmoins l'ouverture des négociations. Mais plus il parlait, moins il était maître de ses paroles.

Le seul objet de son discours consistait maintenant de toute évidence à se grandir lui-même et à offenser Alexandre, c'est-à-dire à faire précisément ce qu'il voulait le moins au début de l'entrevue.

« On dit que vous avez fait la paix avec les Turcs ? »

Balachov inclina la tête en signe d'assentiment.

« La paix est conclue… » commença-t-il. Mais Napoléon ne le laissa pas parler. On voyait qu'il éprouvait le besoin de parler seul, et il poursuivit avec cette éloquence et cette irritation non contenue auxquelles sont si enclins les gens gâtés par la vie.

« Oui, je sais, vous avez fait la paix avec les Turcs sans avoir obtenu la Moldavie ni la Valachie. Et moi j'aurais donné ces provinces à votre empereur comme je lui ai donné la Finlande. Oui, j'avais promis à l'empereur Alexandre de lui donner la Moldavie et là Valachie, et je les lui aurais données, tandis que maintenant il n'aura pas ces belles provinces. Il aurait pourtant pu les annexer à son empire et, en un seul règne, il aurait étendu les frontières russes du golfe de Botnie à l'embouchure du Danube. Catherine la Grande n'aurait pu faire davantage, poursuivit Napoléon qui, s'échauffant de plus en plus, se promenait dans la pièce et répétait à Balachov presque mot pour mot ce qu'il avait dit à Alexandre lui-même à Tilsitt. *Tout cela il l'aurait dû à mon amitié. Ah ! quel beau règne, quel beau règne !* » répéta-t-il plusieurs fois ; il s'arrêta, tira de sa poche une tabatière en or et aspira avidement une prise.

« *Quel beau règne aurait pu être celui de l'empereur Alexandre !* »

Il regarda Balachov avec compassion, et à peine celui-ci voulut-il faire une observation qu'il l'interrompit de nouveau précipitamment.

« Que pouvait-il désirer et chercher qu'il n'aurait pas trouvé dans mon amitié ? dit-il en haussant les épaules d'un air complexe. Mais non, il a préféré s'entourer de mes ennemis, et desquels ? Il a appelé auprès de lui les Stein, les Armfeldt, les Bennigsen, les Wintzingerode. Stein est un traître chassé de son pays, Armfeldt un débauché et un intrigant, Wintzingerode un sujet français transfuge, Bennigsen un peu plus militaire que les autres mais tout de même un incapable qui n'a rien su faire en 1807 et qui devrait éveiller chez l'empereur Alexandre de terribles souvenirs… Si encore ils étaient capables de quelque chose, on pourrait les employer, poursuivit Napoléon dont la parole arrivait à peine à suivre les arguments qui se présentaient en foule pour lui démontrer son bon droit ou sa force (ce qui, à ses yeux, était la même chose) ; mais il n'y a même pas cela ; ils ne sont bons ni pour la guerre, ni pour la paix ! Barclay, paraît-il, est le plus capable de tous, mais je ne le dirais pas à en juger par ses premiers mouvements. Et que font-ils, que font tous ces courtisans ? Pfuhl propose, Armfeldt discute, Bennigsen examine, et quant à Barclay, appelé pour agir, il ne sait quel parti prendre, et le temps passe. Bagration seul est un homme de guerre. Il est stupide mais il a de l'expérience, du coup d'œil et de la décision… Et quel est le rôle que joue votre jeune empereur parmi ce ramassis de gens ? Ils le compromettent et rejettent sur lui la responsabilité de tout ce qui se passe. *Un souverain ne doit être à l'armée que quand il est général* », conclut-il en lançant ces mots comme un défi à la face de l'empereur. Napoléon savait combien l'empereur Alexandre aurait voulu être un chef de guerre.

« Il y a huit jours que la campagne est commencée, et vous n'avez pas su défendre Vilna. Vous êtes coupés en deux et chassés des provinces polonaises. Votre armée murmure.

– Au contraire, Sire, dit Balachov qui parvenait à peine à retenir ce qu'on lui disait et suivait difficilement ce feu d'artifice verbal, les troupes brûlent du désir de…

– Je sais tout, l'interrompit Napoléon, je sais tout, et je sais le nombre de vos bataillons aussi exactement que celui des miens. Vous n'avez pas deux cent mille hommes, et moi j'en ai trois fois autant : je vous donne ma parole d'honneur, ajouta-t-il, oubliant que sa parole d'honneur ne pouvait avoir aucune valeur, je vous donne *ma parole d'honneur que j'ai cinq cent trente mille hommes de ce côté de la Vistule*. Les Turcs ne peuvent vous aider : ils ne sont bons à rien et ils l'ont démontré en faisant la paix avec vous. Les Suédois, leur destin est d'être gouvernés par des rois fous. Le roi était fou, ils l'ont changé et en ont pris un autre, Bernadotte, qui a aussitôt perdu la raison, car seul un fou, étant Suédois, peut conclure une alliance avec la Russie. » Napoléon sourit méchamment et porta de nouveau sa tabatière à son nez.

À chacune des phrases de Napoléon, Balachov voulait et pouvait opposer une objection ; il faisait sans cesse le geste de vouloir parler, mais Napoléon ne lui en laissait pas le temps. À propos de la démence des Suédois, il voulait dire que la Suède est une île quand elle a la Russie derrière elle. Mais Napoléon poussa une exclamation rageuse pour étouffer sa voix. Il était dans cet état d'irritation où l'on a besoin de parler, de parler et de parler, uniquement pour se prouver à soi-même qu'on a raison. La situation de Balachov devenait difficile : en tant qu'ambassadeur, il craignait de compromettre sa dignité faute de présenter des objections ; mais en tant qu'homme, il se contractait moralement devant la colère immotivée dont Napoléon était à n'en pas douter la proie. Il savait que ce que celui-ci disait en ce moment n'avait pas d'importance, qu'il en aurait honte lui-même une fois calmé. Il restait là, les yeux baissés, regardant les grosses jambes de Napoléon qui s'agitaient et s'efforçant d'éviter son regard.

« Mais que m'importent vos alliés ? continuait Napoléon. Moi aussi, j'ai des alliés, les Polonais : ils sont quatre-vingt mille, ils se battent comme des lions. Et ils seront deux cent mille. »

Et probablement encore plus irrité en disant cela d'avoir dit un mensonge et de voir Balachov, dans la même attitude résignée, se tenir en silence devant lui, il fit une brusque volte-face, s'approcha tout contre lui, et, avec des gestes énergiques et rapides de ses mains blanches, cria presque :

« Sachez que si vous soulevez contre moi la Prusse, je l'effacerai de la carte de l'Europe, dit-il, le visage pâle, contracté par la colère, en frappant d'un geste énergique une de ses petites mains contre l'autre. Oui, je vous rejetterai au-delà de la Dvina, au-delà du Dnieper, et je rétablirai contre vous cette barrière que l'Europe a été assez criminelle et assez aveugle pour laisser abattre. Oui, voilà ce qui vous attend, voilà ce que vous aurez gagné en vous éloignant de moi », et il fit quelques pas en silence, ses épaules grasses agitées de soubresauts. Il remit sa tabatière dans la poche de son gilet, la reprit, et la porta plusieurs fois à son nez et s'arrêta en face de Balachov. Il garda quelques instants le silence, le regarda ironiquement dans les yeux et dit d'une voix calme : « *Cependant quel beau règne aurait pu avoir votre maître !* »

Balachov, sentant qu'il fallait répliquer, dit que, du côté russe, les choses ne se présentaient pas sous un jour si sombre. Napoléon se taisait tout en continuant de le regarder ironiquement, visiblement sans l'écouter. Balachov dit qu'en Russie on attendait de la guerre les meilleurs résultats. Napoléon fit un signe condescendant de la tête comme pour dire : « Je sais, c'est votre devoir qui parle ainsi, mais vous n'en croyez rien, je vous ai convaincu. »

Quand Balachov eut fini, Napoléon prit de nouveau sa tabatière, aspira et, en guise de signal, frappa deux fois du pied sur le parquet. La porte s'ouvrit ; un chambellan respectueusement courbé présenta à l'Empereur son chapeau et ses gants, un autre son mouchoir. Sans les regarder, Napoléon se tourna vers Balachov.

« Assurez en mon nom l'empereur Alexandre, dit-il en prenant son chapeau, que je lui suis dévoué comme par le passé : je le connais très bien et j'apprécie grandement ses hautes qualités. *Je ne vous retiens plus, général, vous recevrez ma lettre à l'empereur.* » Et Napoléon se dirigea rapidement vers la porte. Du salon de réception, tout se précipita dans l'escalier.

VII

Après tout ce que lui avait dit Napoléon, après ces explosions de colère et les derniers mots prononcés sèchement : « *Je ne vous retiens plus, général, vous recevrez ma lettre* », Balachov était convaincu que non seulement Napoléon ne voudrait plus le voir, mais même qu'il l'éviterait, lui, l'ambassadeur humilié et, surtout, le témoin de son inconvenant emportement. Mais, à sa surprise, il fut invité le même jour, par l'intermédiaire de Duroc, à la table de l'Empereur.

Bessière, Caulaincourt et Berthier assistaient au dîner.

Napoléon reçut Balachov d'un air gai et affable. Non seulement il n'y avait pas ombre chez lui de gêne ou de regret de son explosion du matin mais, au contraire, ce fut lui qui s'efforça de mettre Balachov à son aise. On voyait que Napoléon était depuis longtemps convaincu qu'il ne pouvait se tromper et qu'à ses yeux tout ce qu'il faisait était bien fait, non parce que cela concordait avec la notion du bien et du mal, mais parce que c'était LUI qui le faisait.

L'Empereur était très gai, au retour de sa promenade à cheval dans Vilna, où la foule l'avait accueilli et escorté avec enthousiasme. Toutes les fenêtres sur son passage étaient décorées de tapis, de drapeaux, de son chiffre, et les dames polonaises le saluaient en agitant leurs mouchoirs.

À table, ayant fait placer Balachov à côté de lui, il le traita non seulement avec affabilité mais comme s'il le comptait au nombre de ses courtisans, au nombre de ceux qui approuvaient ses projets et devaient se réjouir de ses succès. Entre autres choses, il en vint à parler de Moscou et questionna Balachov sur la capitale russe, non seulement comme un voyageur curieux se renseigne sur l'endroit qu'il compte visiter, mais avec, semblait-il, la conviction qu'en tant que Russe Balachov devait être flatté de cette curiosité.

« Combien d'habitants y a-t-il à Moscou, combien de maisons ? Est-il vrai qu'on l'appelle *Moscou la Sainte* ? Combien d'églises compte-t-elle ? » demandait-il.

Et comme on lui répondait qu'il y en avait plus de deux cents, il dit :

« Pourquoi une telle masse d'églises ?
– Les Russes sont très pieux, répondit Balachov.
– D'ailleurs, un grand nombre de monastères et d'églises est toujours le propre d'un peuple arriéré », dit Napoléon en cherchant des yeux l'approbation de Caulaincourt.

Balachov se permit respectueusement de ne pas partager l'avis de l'empereur de France.

« Chaque pays a ses mœurs, dit-il.

– Mais il n'y a plus rien de semblable nulle part en Europe, dit Napoléon.

– Je demande pardon à Votre Majesté, dit Balachov : outre la Russie, il y a l'Espagne où les églises et les monastères sont tout aussi nombreux. »

Cette réponse de Balachov qui faisait allusion à la récente défaite des Français en Espagne fut hautement appréciée, rapportée par lui, à la cour de l'empereur Alexandre, mais fort peu à la table de Napoléon où elle passa inaperçue.

On voyait d'après les visages indifférents et perplexes de messieurs les maréchaux qu'ils se demandaient où était le sel de cette réponse que soulignait l'intonation de Balachov. « Même s'il y a là une allusion, nous ne l'avons pas comprise ou ce n'est pas spirituel du tout », lisait-on sur leurs traits. Cette réponse fut si peu appréciée que Napoléon n'y prit même pas garde et demanda naïvement à Balachov par quelles villes passait la route la plus directe pour aller à Moscou. Balachov qui fut sur ses gardes pendant tout le repas répondit que *comme tout chemin mène à Rome, tout chemin mène à Moscou*, que les chemins étaient nombreux et que, parmi eux, il y avait celui qui passait par Poltava et qu'avait choisi Charles XII ; et malgré lui il rougit de plaisir d'avoir trouvé une réponse si réussie. Mais il n'avait pas encore achevé de prononcer le nom de Poltava que Caulaincourt parlait déjà du mauvais état de la route de Pétersbourg à Moscou et évoquait ses souvenirs de Pétersbourg.

Après le repas, on passa pour prendre le café dans le cabinet de Napoléon qui, quatre jours plus tôt, était celui d'Alexandre. Napoléon s'assit et, en remuant son café dans une tasse de Sèvres, désigna à Balachov un siège près de lui.

Un certain état d'esprit d'après dîner prédispose, plus que toute autre vraie raison, à se sentir satisfait de soi-même et à ne voir partout que des amis. Napoléon se trouvait dans cet état. Il lui semblait être entouré de gens qui l'adoraient. Il était convaincu qu'après avoir dîné à sa table, Balachov était lui aussi son ami et son admirateur. Il se tourna vers lui avec un sourire agréable et légèrement railleur.

« C'est là, m'a-t-on dit, la pièce qu'occupait l'empereur Alexandre. C'est étrange, n'est-ce pas, général ? » dit-il, semblant ne pas se douter que cette remarque pût ne pas plaire à son interlocuteur, puisqu'elle était une preuve de sa supériorité à lui, Napoléon, sur Alexandre.

Balachov ne put rien répondre à cela et inclina en silence la tête.

« Oui, dans cette pièce, il y a quatre jours, tenaient conseil Wintzingerode et Stein, poursuivit Napoléon avec le même sourire railleur et plein d'assurance. Ce que je ne puis comprendre, c'est que l'empereur Alexandre se soit entouré de tous mes ennemis personnels. Je ne comprends pas… cela. Il n'a donc pas songé que je pouvais en faire autant ? » demanda-t-il à Balachov, et à n'en pas douter ce souvenir le rendit à sa colère du matin, encore toute fraîche en lui.

« Et qu'il sache que je le ferai, dit-il en se levant et en repoussant sa tasse. Je chasserai d'Allemagne tous ses parents, les Wurtemberg, les Bade, les Weimar… oui, je les chasserai. Qu'il leur prépare un refuge en Russie ! »

Balachov inclina la tête, laissant voir par son attitude qu'il désirait se retirer et n'écoutait que parce qu'il ne pouvait faire autrement. Napoléon ne remarqua pas cette attitude ; il parlait à Balachov non pas comme à l'ambassadeur de son ennemi, mais comme à un homme qui lui était maintenant pleinement dévoué et qui devait se réjouir de l'humiliation de son ancien maître.

« Et pourquoi l'empereur Alexandre a-t-il pris le commandement de ses armées ? À quoi bon ? La guerre est mon métier, le sien est de régner et non de commander des troupes. Pourquoi a-t-il assumé une telle responsabilité ? »

Napoléon prit de nouveau sa tabatière, fit en silence quelques pas dans la pièce et soudain, à l'improviste, s'approcha de Balachov et, d'un mouvement assuré, prompt, simple, comme s'il accomplissait un acte non seulement important mais flatteur pour celui-ci, il leva la main vers le visage du général russe quadragénaire et lui tira légèrement l'oreille en souriant des lèvres seulement.

Avoir l'oreille tirée par l'Empereur passait, à la cour de France, pour le suprême honneur, la suprême faveur.

« *Eh bien, vous ne dites rien, admirateur et courtisan de l'empereur Alexandre ?* » dit-il comme s'il trouvait ridicule qu'en sa présence on pût être le *courtisan* et *l'admirateur* de quelqu'un d'autre que lui, Napoléon.

« Les chevaux sont-ils prêts pour le général ? » ajouta-t-il en inclinant légèrement la tête en réponse au salut de Balachov.

« Donnez-lui les miens, il a un trajet à faire... »

La lettre qu'emportait Balachov fut la dernière que Napoléon adressa à Alexandre. Tous les détails de l'entretien furent rapportés à l'empereur de Russie et la guerre commença.

VIII

Après son entrevue à Moscou avec Pierre, le prince André se rendit à Pétersbourg, pour affaires, avait-il dit à sa famille, mais en réalité pour y rencontrer le prince Anatole Kouraguine qu'il jugeait indispensable d'affronter. Kouraguine, dont il s'informa à son arrivée, n'était plus à Pétersbourg. Pierre avait prévenu son beau-frère que le prince André partait à sa recherche. Anatole Kouraguine avait aussitôt obtenu du ministre de la Guerre une affectation et était parti pour l'armée de Moldavie. Pendant le même séjour, le prince André rencontra à Pétersbourg Koutouzov, son ancien général, toujours bien disposé à son égard, et celui-ci lui proposa de l'accompagner à l'armée de Moldavie dont le vieux général venait d'être nommé commandant en chef. Le prince André, en qualité d'attaché à l'état-major du quartier général, partit pour la Turquie.

Il jugeait inopportun d'écrire à Kouraguine pour le provoquer en duel. Sans un nouveau prétexte, il estimait que cela serait compromettant pour la comtesse Rostov ; c'est pourquoi il cherchait à le rencontrer personnellement, comptant trouver ainsi un nouveau prétexte au duel. Mais à l'armée de Turquie il ne put pas davantage rencontrer Kouraguine qui, peu de temps après l'arrivée du prince André, était rentré en Russie. Dans ce pays nouveau et dans de nouvelles conditions d'existence, le prince André se sentit plus à son aise. Depuis la trahison de sa fiancée qui lui avait porté un coup d'autant plus sensible qu'il le cachait plus soigneusement à tout le monde, les conditions de vie dans lesquelles il avait été heureux lui étaient devenues pénibles, et encore plus pénibles la liberté et l'indépendance qui avaient tant de prix pour lui autrefois. Non seulement il ne s'abandonnait plus aux pensées qui lui étaient venues pour la première fois sur le champ de bataille d'Austerlitz, qu'il aimait développer devant Pierre et qui avaient peuplé sa solitude à Bogoutcharovo, puis en Suisse et à Rome, il redoutait même le souvenir de ces pensées qui lui ouvraient des horizons infinis et lumineux. Seules l'intéressaient maintenant les questions pratiques les plus immédiates, sans lien avec ses anciennes préoccupations, et auxquelles il se raccrochait avec une avidité d'autant plus grande que les anciennes lui étaient plus fermées. C'était comme si cette voûte céleste infinie qui s'étendait autrefois au-dessus de lui s'était soudain transformée en une voûte basse, délimitée, qui l'écrasait, où tout était net, mais où il n'y avait plus rien d'éternel ni de mystérieux.

De toutes les activités qui s'offraient à lui, le service dans l'armée était la plus simple et celle qu'il connaissait le mieux. Général aide de camp à l'état-major de Koutouzov, il s'acquittait de ses fonctions avec zèle et assiduité, surprenant Koutouzov par son goût du travail et sa ponctualité. N'ayant pas trouvé Kouraguine en Turquie, le prince André ne jugeait pas nécessaire de le poursuivre à la trace jusqu'en Russie ; mais il n'en savait pas moins que malgré le temps qui passait, malgré tout le mépris qu'il éprouvait pour lui, malgré toutes les raisons qu'il avait de ne pas s'abaisser jusqu'à une rencontre avec lui, il savait que, mis en sa présence, il ne pourrait pas ne pas le provoquer, comme un affamé ne peut pas ne pas se jeter sur la nourriture. Et la conscience que l'outrage n'était pas encore vengé, que la colère non encore libérée lui pesait toujours sur le cœur, cette conscience empoisonnait le calme artificiel qu'il s'était créé en Turquie grâce à une activité fébrile et quelque peu ambitieuse et vaniteuse.

En 1812, lorsque la nouvelle de la guerre avec Napoléon parvint à Bucarest (où Koutouzov se trouvait depuis deux mois en passant ses journées et ses nuits chez sa Valaque), le prince André demanda sa mutation à l'armée de l'ouest. Koutouzov, pour qui l'activité de Bolkonski était comme un reproche à sa propre oisiveté, le laissa bien volontiers partir et le chargea d'une mission auprès de Barclay de Tolly.

Avant de rejoindre l'armée qui, au mois de mai, se trouvait au camp de Drissa, le prince André passa par Lissi Gori, le domaine de son père, qui se trouvait sur son chemin, étant situé à trois verstes de la grande route de Smolensk. Pendant ces trois dernières années, il y avait eu tant de bouleversements dans sa vie, il avait pensé, vécu, vu tant de choses (il avait visité l'Occident et l'Orient) qu'en entrant dans Lissi Gori il fut étrangement surpris de retrouver tout dans le même état, jusqu'au moindre détail – le même cours de l'existence. Ce fut comme s'il pénétrait dans un château enchanté, endormi, lorsqu'il eut suivi l'allée et franchi le portail de pierre. La même dignité, la même propreté, le même silence régnaient dans cette maison, c'étaient les mêmes meubles, les mêmes murs, les mêmes bruits, la même odeur et les mêmes visages craintifs, un peu vieillis seulement. La princesse Maria était toujours la même jeune fille timide, sans beauté, qui vieillissait dans la crainte et de perpétuels tourments moraux, passant sans profit et sans joie les meilleures années de sa vie. Mlle Bourienne était toujours la même coquette, satisfaite d'elle-même, pleine des plus joyeux espoirs et qui jouissait de chaque instant de sa vie. Le prince André la trouva seulement encore plus sûre d'elle. Dessales, le précepteur qu'il avait ramené de Suisse, était vêtu d'une redingote de coupe russe et s'adressait en mauvais russe aux domestiques, mais c'était le même pédagogue d'une intelligence bornée, instruit, vertueux et pédant.

Le seul changement physique qu'on remarquât chez le vieux prince était l'absence d'une dent au coin de la bouche ; moralement il était toujours le même, si ce n'est que son irascibilité et son scepticisme envers ce qui se passait dans le monde s'étaient encore accentués. Seul le petit Nicolas avait grandi, changé, pris des couleurs, ses cheveux foncés bouclaient et, sans le savoir, en riant et en s'amusant, il relevait la lèvre supérieure de sa jolie bouche exactement comme la relevait la petite princesse. Lui seul dans ce château ensorcelé, endormi, n'obéissait pas à la loi d'immuabilité. Mais bien qu'en apparence tout fût resté le même, les relations intimes entre toutes ces personnes avaient changé depuis que le prince André ne les avait vues. Les habitants de la maison étaient divisés en deux camps étrangers et hostiles qui ne se réunissaient maintenant qu'à cause de sa présence, ne changeant que pour lui leur genre de vie habituel. À l'un appartenaient le vieux prince, Mlle Bourienne et l'architecte, à l'autre la princesse Maria, Dessales, le petit Nicolas et toutes les nourrices et les bonnes.

Pendant le séjour du prince André à Lissi Gori, tous prirent leurs repas ensemble, mais tous étaient mal à l'aise, et le prince André sentait qu'il était un hôte pour qui l'on faisait une exception, que sa présence gênait tout le monde. Pendant le dîner, le premier jour, sentant cela malgré lui, il fut silencieux, et le vieux prince, remarquant son air contraint, se renferma aussi dans un sombre silence et tout de suite après le repas se retira chez lui. Quand, dans la soirée, le prince André alla le voir et, s'efforçant de le secouer, lui parla de la campagne du jeune comte Kamenski, le vieux prince se mit à l'improviste à lui parler de la princesse Maria, la blâmant pour sa superstition, son antipathie pour Mlle Bourienne qui, à l'en croire, était la seule à lui être sincèrement dévouée.

Le vieux prince disait que s'il était malade, la faute n'en était qu'à la princesse Maria, qu'elle le tourmentait et l'irritait à dessein; que par ses gâteries et ses propos stupides elle pourrissait le petit prince Nicolas. Le vieux prince savait parfaitement que c'était lui qui faisait souffrir sa fille dont la vie était très pénible; mais il savait aussi qu'il ne pouvait pas ne pas la faire souffrir et qu'elle le méritait. « Pourquoi le prince André qui voit cela ne me parle-t-il pas de sa sœur? pensait-il. Croit-il donc que je suis un scélérat ou un vieil imbécile qui s'est sans raison éloigné de sa fille et a rapproché de lui la Française? Il ne comprend pas, il faut donc lui expliquer, il faut qu'il m'entende. » Et il entreprit d'exposer les raisons pour lesquelles il ne pouvait plus supporter le caractère absurde de sa fille.

« Si vous me le demandez, dit le prince André sans regarder son père (il le blâmait pour la première fois de sa vie), je ne voulais pas en parler, mais si vous me le demandez, je vous dirai franchement mon opinion sur tout cela. S'il y a des malentendus et un désaccord entre vous et Macha, je ne puis en aucun cas l'en rendre responsable : je sais combien elle vous aime et vous vénère. Dès l'instant que vous me le demandez, poursuivit-il en s'irritant, car il était toujours prêt à s'irriter depuis quelque temps, je ne puis dire qu'une chose : si malentendu il y a, la faute en est à cette femme de rien qui ne devrait pas être la compagne de ma sœur. »

Le vieillard regarda d'abord son fils avec des yeux fixes en découvrant par un sourire contraint l'absence d'une dent, à quoi le prince André ne parvenait pas à s'habituer.

« Quelle compagne donc, mon cher ? Hein ? Vous en avez déjà discuté ! hein ?

– Mon père, je ne voulais pas juger, dit le prince André d'un ton bilieux et dur, mais vous avez provoqué cette conversation, et j'ai dit et je dirai toujours que la faute n'en est pas à la princesse Maria, mais… la faute en est à cette Française…

– Ah ! tu as jugé !… tu as jugé !… » dit le vieillard à voix basse, avec confusion, sembla-t-il au prince André ; mais ensuite il sauta soudain sur ses pieds et cria : « Hors d'ici, hors d'ici ! Qu'on ne te revoie plus jamais ici !… »

Le prince André voulut partir sur-le-champ, mais la princesse Maria le supplia de rester un jour encore. Ce jour-là, il ne vit pas son père qui ne se montra pas et ne laissa personne entrer chez lui, à l'exception de Mlle Bourienne et de Tikhon, et qui demanda à plusieurs reprises si son fils était parti. Le lendemain, avant son départ, le prince André alla chez son fils. Le petit garçon robuste, à la tête bouclée comme celle de sa mère, s'assit sur ses genoux. Le prince André commença à lui raconter l'histoire de Barbe-Bleue mais sans terminer se prit à réfléchir. Il ne pensait pas à ce joli gamin, son fils, qu'il tenait sur ses genoux, mais à lui-même. Il cherchait avec horreur et ne trouvait pas en lui le repentir d'avoir irrité son père, ni le regret de le quitter (pour la première fois de sa vie, brouillé avec lui). Le plus grave était qu'il cherchait en vain en lui son ancienne tendresse pour son fils qu'il avait espéré réveiller en caressant le petit garçon et en le prenant sur ses genoux.

« Eh bien, raconte donc », disait son fils. Le prince André, sans lui répondre, le fit descendre de ses genoux et sortit de la pièce.

Dès qu'il eut quitté ses occupations quotidiennes, surtout depuis qu'il avait retrouvé les anciennes conditions d'existence qu'il avait connues du temps qu'il était heureux, le dégoût de la vie l'avait saisi avec autant de force que naguère, et il avait hâte de fuir ces souvenirs et de retrouver au plus vite une occupation.

« Tu pars décidément, André ? demanda sa sœur.

– Dieu merci, je peux partir, dit le prince André, je regrette beaucoup que tu ne puisses en faire autant.

– Pourquoi dis-tu cela ? s'écria la princesse Maria. Pourquoi le dis-tu maintenant que tu pars pour cette terrible guerre et qu'il est si vieux ! Mlle Bourienne a dit qu'il s'informait de toi… » Dès qu'elle eut abordé ce sujet, ses lèvres tremblèrent et des larmes jaillirent de ses yeux. Le prince André se détourna et se mit à arpenter la pièce.

« Ah ! mon Dieu ! Mon Dieu ! Quand on pense qui, quels êtres méprisables peuvent être la cause du malheur des gens ! » dit-il avec un ressentiment qui fit peur à la princesse Maria.

Elle comprit qu'en parlant des gens qu'il traitait de méprisables il entendait non seulement Mlle Bourienne qui faisait son malheur mais aussi l'homme qui avait détruit son bonheur.

« André, je t'en supplie, je ne te demande qu'une chose, dit-elle en lui touchant le coude et en le regardant avec des yeux qui rayonnaient à travers ses larmes. Je te comprends (elle baissa les yeux). Ne crois pas que ce soient les hommes qui font le malheur des autres. Les hommes sont un instrument entre Ses mains. » Elle posa, un peu plus haut que la tête du prince André, un de ces regards assurés qu'on fixe sur la place où l'on sait trouver un portrait. « La douleur nous est envoyée par Lui et non par les hommes. Les hommes sont des instruments entre Ses mains, ils ne sont pas coupables. Si tu crois quelqu'un coupable envers toi, oublie et pardonne. Nous n'avons pas le droit de châtier. Et tu comprendras le bonheur de pardonner.

– Si j'étais une femme, je le ferais, Marie. C'est la vertu de la femme. Mais un homme ne doit pas et ne peut pas oublier et pardonner », dit-il, et bien que jusqu'à cet instant il n'eût pas pensé à Kouraguine, toute la rancune non vengée se leva soudain dans son cœur. « Si la princesse Maria elle-même m'exhorte au pardon, c'est donc qu'il y a longtemps que j'aurais dû châtier », se dit-il. Et sans plus répondre, il songea à l'instant de colère exaltante où il rencontrerait Kouraguine qui (il le savait) était à l'armée.

La princesse Maria supplia son frère d'attendre un jour de plus, lui dit qu'elle savait combien leur père serait malheureux si André partait sans s'être réconcilié avec lui ; mais le prince André répondit qu'il pourrait sans doute revenir bientôt de l'armée, qu'il ne manquerait pas d'écrire à son père et que plus longtemps il resterait maintenant, plus cela envenimerait leur brouille.

« *Adieu, André ! Rappelez-vous que les malheurs viennent de Dieu et que les hommes ne sont jamais coupables* », telles furent les dernières paroles qu'il entendit de sa sœur en lui disant adieu.

« Il doit en être ainsi ! se disait le prince André en quittant l'allée de Lissi Gori. La pauvre et innocente créature qu'elle est reste la proie d'un vieillard tombé en enfance. Il se sent coupable mais il ne peut pas se changer. Mon petit garçon grandit, heureux de la vie dans laquelle il sera comme tous les autres, trompé ou trompeur lui-même. Je vais à l'armée, pourquoi ? je n'en sais rien, et je désire rencontrer un homme que je méprise, pour lui donner l'occasion de me tuer et de me bafouer ! » Autrefois aussi, les éléments de sa vie étaient les mêmes, mais autrefois ils s'harmonisaient, tandis que maintenant tout se désagrégeait. Seules des images dénuées de sens, sans aucun lien entre elles, se présentaient l'une après l'autre à son esprit.

IX

Le prince André arriva au quartier général de l'armée à la fin du mois de juin. Les troupes de la première armée auprès de laquelle se trouvait l'empereur occupaient le camp retranché de Drissa ; celles de la deuxième armée se repliaient en s'efforçant de rejoindre la première dont – disait-on – elles étaient coupées par d'importantes forces françaises. Tout le monde était mécontent de la marche générale des opérations ; mais personne ne pensait au danger d'invasion des provinces russes, personne ne supposait même que la guerre pût être portée au-delà des provinces polonaises à l'ouest.

Le prince André trouva Barclay de Tolly, à qui il avait été attaché, installé sur les bords de la Drissa. En l'absence de tout bourg ou localité de quelque importance dans le voisinage du camp, les très nombreux généraux et courtisans qui se trouvaient à l'armée occupaient, dans un rayon de dix verstes, les plus belles maisons des villages, des deux côtés de la rivière. Barclay de Tolly logeait à quatre verstes de l'empereur. Il reçut Bolkonski sèchement et froidement et dit avec son accent allemand qu'il en référerait à l'empereur au sujet d'une affectation à lui donner et qu'en attendant il serait attaché à son état-major. Anatole Kouraguine, que le prince André avait espéré trouver à l'armée, n'était pas là : il se trouvait à Pétersbourg et cette nouvelle fit plaisir à Bolkonski. Une fois au centre des opérations grandioses en cours, il y prit intérêt et il était content de ne plus en être distrait pour quelque temps par la pensée de Kouraguine. Les quatre premiers jours pendant lesquels personne ne le réclama, il parcourut tout le camp fortifié et à l'aide de ses propres connaissances et de ses entretiens avec des hommes compétents, il s'en fit une idée précise. Mais la question de savoir si ce camp présentait ou non un avantage demeura pour lui non résolue. Son expérience de la guerre lui avait permis de se convaincre que les plans les mieux étudiés n'ont guère d'importance (comme il l'avait vu à Austerlitz), que tout dépend de la façon de parer les coups inattendus et imprévisibles de l'ennemi, que tout dépend de la conduite des opérations et de la valeur des chefs. Afin d'éclaircir cette dernière question, le prince André, usant de sa situation et de ses relations, s'efforça de pénétrer le caractère du commandement de l'armée, des personnes et des groupes qui y participaient, et il s'en fit l'image suivante.

Quand l'empereur était encore à Vilna, nos forces avaient été divisées en trois parties : la première armée était placée sous le commandement de Barclay de Tolly, la seconde sous celui de Bagration, la troisième de Tormassov. L'empereur était avec la première armée, mais non en qualité de commandant en chef. Les ordres du jour portaient non pas qu'il exercerait le commandement, mais qu'il serait seulement présent à l'armée. En outre, il n'avait pas d'état-major de commandant en chef mais seulement l'état-major du grand quartier impérial. Il avait auprès de lui le chef de l'état-major impérial, le général quartier-maître prince Volkonski, des généraux, des aides de camp, des diplomates et un grand nombre d'étrangers, mais il n'y avait pas d'état-major de l'armée. De plus, sans fonction spéciale, il avait à ses côtés Araktcheiev, l'ancien ministre de la Guerre, le comte Bennigsen, le plus ancien en grade des généraux, le tsarevitch Constantin Pavlovitch, le chancelier comte Roumiantzev, Stein, l'ancien ministre de Prusse, Armfeldt, le général suédois, Pfuhl, le principal auteur du plan de campagne, le général aide de camp Paulucci, émigré sarde, Wolzogen, et beaucoup d'autres. Quoique ces personnages n'eussent pas de fonctions officielles à l'armée, par leur rang ils exerçaient une influence, et souvent un chef de corps et le commandant en chef lui-même ne savaient pas à quel titre Bennigsen, ou le grand-duc, ou Araktcheiev, ou le prince Volkonski demandait ou conseillait telle ou telle chose, ni si tel ordre transmis sous forme de conseil émanait d'eux ou de l'empereur et s'il fallait ou non l'exécuter. Mais ce n'était là qu'apparence, la vraie signification de la présence de l'empereur et de tous ces personnages, du point de vue de la cour (et en présence de l'empereur tout le monde devient courtisan), n'échappait à personne. Elle était la suivante : l'empereur n'avait pas pris le titre de commandant en chef, mais il dirigeait toutes les armées, les gens qui l'entouraient étaient ses collaborateurs. Araktcheiev était le fidèle gardien de l'ordre et le garde du corps de l'empereur. Bennigsen, propriétaire dans la province de Vilna, semblait faire *les honneurs* du pays mais, en fait, était un bon général, utile par ses conseils et qu'on gardait sous la main afin de remplacer Barclay. Le grand-duc était là parce que tel était son bon plaisir. L'ancien ministre Stein était là parce qu'il était de bon conseil et parce que l'empereur Alexandre appréciait hautement ses qualités personnelles. Armfeldt était un ennemi juré de Napoléon et un général sûr de lui, ce qui en imposait toujours à Alexandre. Paulucci était là parce qu'il était hardi et énergique en paroles. Les aides de camp généraux étaient là parce qu'ils étaient partout où était l'empereur, et enfin – et surtout – Pfuhl était là parce qu'il avait établi le plan de la campagne contre Napoléon et, ayant convaincu Alexandre de l'excellence de ce plan, dirigeait toutes les opérations. Il avait auprès de lui Wolzogen qui traduisait sous une forme plus accessible les idées de Pfuhl, ce théoricien, homme tranchant et si sûr de lui qu'il professait un souverain mépris pour tous les autres.

En dehors des personnages énumérés, russes et étrangers (surtout les étrangers qui, avec la témérité propre à ceux dont l'activité s'exerce dans un milieu qui n'est pas le leur, proposaient chaque jour de nouvelles idées inattendues), il y avait encore un grand nombre de personnages secondaires qui se trouvaient à l'armée parce que là étaient leurs patrons.

Parmi toutes les idées et les opinions qui se faisaient jour dans cet immense monde agité, brillant et orgueilleux, le prince André distinguait des subdivisions bien tranchées des tendances et des partis.

Le premier parti comprenait Pfuhl et ses partisans, théoriciens convaincus de l'existence d'une science de la guerre qui comporte ses lois immuables, les lois du mouvement oblique, de l'enveloppement, etc. Pfuhl et ses adeptes exigeaient le repli vers l'intérieur du pays, conformément aux lois rigoureuses prescrites par la prétendue théorie de la guerre, et dans toute dérogation à cette théorie ne voyaient qu'un signe de barbarie, d'ignorance ou de malveillance. À ce parti appartenaient les princes allemands, Wolzogen, Wintzingerode et d'autres, principalement des Allemands.

Le second parti était à l'opposé du premier. Comme il en est toujours, à côté d'un extrême il y avait des représentants de l'autre. À ce parti appartenaient ceux qui, depuis Vilna, réclamaient l'offensive en Pologne et l'affranchissement de tout plan établi à l'avance. Outre qu'ils étaient les représentants de l'audace dans l'action, ils représentaient aussi l'esprit national, ce qui les rendait encore plus exclusifs dans la discussion. C'étaient des Russes : Bagration, Ermolov qui commençait alors à faire parler de lui, et d'autres. On citait un mot fameux d'Ermolov qui aurait demandé à l'empereur une seule faveur, celle d'être promu Allemand. Les hommes de ce parti disaient en évoquant le souvenir de Souvorov qu'il fallait non pas réfléchir, non pas piquer des épingles sur les cartes, mais se battre, vaincre l'ennemi, lui interdire l'entrée de la Russie et ne pas laisser fléchir le moral des troupes.

Au troisième parti qui inspirait le plus de confiance à l'empereur appartenaient des courtisans, favorables aux accommodements entre les deux tendances. Ces gens-là, pour la plupart des civils et parmi eux Araktcheiev, pensaient et disaient ce que disent généralement ceux qui n'ont pas de convictions mais désirent passer pour en avoir. Ils prétendaient que la guerre, surtout contre un génie tel que Bonaparte (on l'appelait de nouveau Bonaparte), exige certes une profonde réflexion, une science consommée et, à cet égard, Pfuhl était génial ; mais en même temps on était bien obligé de reconnaître que les théoriciens sont souvent d'esprit étroit, aussi ne fallait-il pas leur accorder une confiance absolue, mais prêter l'oreille à ce que disaient les adversaires de Pfuhl, à ce que disaient les gens pratiques, expérimentés, et faire une moyenne entre les deux. Ils avaient obtenu que, tout en maintenant le camp de Drissa conformément au plan de Pfuhl, on modifiât les mouvements des deux autres armées. Bien que de cette façon on n'atteignît ni un but ni l'autre, les gens de ce parti croyaient que c'était mieux ainsi.

Le quatrième courant d'opinion avait pour représentant le plus en vue le grand-duc héritier qui ne pouvait oublier sa déception d'Austerlitz, où il s'était avancé comme à la parade à la tête de la garde, en casque et veste de chevalier-garde, comptant écraser avec intrépidité les Français et, s'étant trouvé à l'improviste en première ligne, n'avait pu s'échapper qu'à grand-peine dans le désarroi général. Les hommes de ce parti avaient dans leurs jugements la qualité et le défaut d'être sincères. Ils craignaient Napoléon, voyaient en lui la force et en eux-mêmes la faiblesse, et le disaient ouvertement. Ils répétaient : « Tout cela n'apportera que malheur, honte et désastre ! Nous avons déjà abandonné Vilna, nous avons abandonné Vitebsk, nous abandonnerons aussi Drissa. La seule chose qui nous reste à faire est de conclure la paix le plus tôt possible, tant qu'on ne nous a pas chassés de Pétersbourg ! »

Cette opinion, fort répandue dans les hautes sphères de l'armée, trouvait un appui et à Pétersbourg et auprès du chancelier Roumiantzev qui, pour d'autres raisons, des raisons d'État, désirait également la paix.

En cinquième lieu, il y avait les partisans de Barclay de Tolly, moins en tant qu'homme qu'en tant que ministre de la Guerre et commandant en chef. Ils disaient : « Quels que soient ses défauts (c'est ainsi qu'on commençait toujours), c'est un homme honnête, sérieux, et il n'y en a pas de meilleur. Donnez-lui un véritable pouvoir, car la guerre ne peut être conduite avec succès sans unité de commandement, et il montrera ce qu'il peut faire, comme il l'a montré en Finlande. Si notre armée est organisée, si elle est forte et qu'elle ait pu se replier jusqu'à la Drissa sans subir aucune défaite, nous ne le devons qu'à Barclay seul. Si on le remplace maintenant par Bennigsen, tout sera perdu ; car Bennigsen a déjà montré son incapacité en 1807. »

Le sixième groupe, les partisans de Bennigsen, soutenait au contraire que tout de même personne n'était plus capable et plus expérimenté que Bennigsen et que, malgré qu'on en eût, on en reviendrait toujours à lui. Et ils faisaient valoir que notre repli jusqu'à la Drissa était la plus honteuse des défaites et une série ininterrompue d'erreurs. « Plus on multipliera les fautes, disaient-ils, mieux cela vaudra, du moins comprendra-t-on plus vite que cela ne peut continuer ainsi. Ce qu'il nous faut, ce n'est pas un quelconque Barclay, mais un homme comme Bennigsen, qui a déjà fait ses preuves en 1807, à qui Napoléon lui-même a rendu justice, et un chef dont on reconnaîtrait volontiers l'autorité ; or ce ne peut être que Bennigsen. »

Le septième parti se composait des gens qu'on trouve toujours dans l'entourage des souverains, surtout des jeunes souverains, et qui étaient particulièrement nombreux auprès de l'empereur Alexandre, généraux et aides de camp, passionnément dévoués moins au souverain qu'à l'homme qu'ils adoraient sincèrement et avec désintéressement, comme Rostov l'adorait en 1805, et qui lui attribuaient non seulement toutes les vertus mais aussi toutes les qualités humaines. Ces personnages, tout en admirant la modestie de l'empereur qui refusait le commandement des armées, le blâmaient pour cet excès de modestie et ne désiraient qu'une chose, n'insistaient que sur une chose, que leur souverain adoré, laissant de côté tout excès de défiance de soi, proclamât qu'il se plaçait à la tête de l'armée, constituât auprès de lui le grand quartier de commandant en chef et, prenant au besoin conseil des théoriciens et des praticiens expérimentés, menât lui-même au combat ses troupes que ce seul fait galvaniserait au plus haut point.

Le huitième groupe, le plus nombreux et dont le rapport avec les autres groupes était de quatre-vingt-dix-neuf à un, se composait de gens qui ne voulaient ni la paix ni la guerre, ni la marche en avant, ni de camp retranché sur la Drissa ou ailleurs, ni de Barclay, ni de l'empereur, ni de Pfuhl, ni de Bennigsen, mais ne convoitaient qu'une chose, et la plus essentielle de toutes : le maximum d'avantages et de plaisirs pour eux-mêmes. Dans cette eau trouble d'intrigues qui s'entrecroisaient et s'enchevêtraient au grand quartier de l'empereur, on pouvait réussir dans bien des choses qui eussent été impensables en d'autres temps. L'un, soucieux seulement de ne pas perdre un poste avantageux, épousait aujourd'hui les vues de Pfuhl, demain celles de son adversaire, affirmait après-demain qu'il n'avait aucune opinion sur tel sujet, uniquement pour esquiver toute responsabilité et plaire à l'empereur. Un autre, désireux de s'assurer des avantages, attirait sur lui l'attention de l'empereur en faisant grand bruit à propos de ce à quoi celui-ci avait fait allusion la veille, discutait et criait au conseil en se frappant la poitrine, provoquait ses contradicteurs en duel, montrant ainsi qu'il était prêt à se sacrifier au bien général. Un troisième sollicitait tout simplement, entre deux conseils et en l'absence de ses ennemis, un secours pécuniaire en récompense de ses fidèles services, sachant qu'en ce moment on n'aurait pas le loisir de le lui refuser. Un quatrième, par hasard, se trouvait sans cesse accablé de travail sous les yeux de l'empereur. Un cinquième, afin d'atteindre un but depuis longtemps convoité – une invitation à la table impériale – démontrait avec acharnement la vérité ou l'erreur d'une opinion nouvellement émise et pour cela avançait des arguments plus ou moins frappants et justes.

Tous ces gens-là faisaient la chasse à l'argent, aux croix, aux grades et, dans cette chasse, n'observaient que l'orientation de la girouette de la faveur impériale ; dès qu'ils constataient qu'elle tournait d'un côté, tout cet essaim de frelons soufflait dans la même direction, si bien qu'il était d'autant plus difficile à l'empereur de la faire tourner dans un autre sens. Dans l'incertitude de la situation, la gravité du danger menaçant qui donnait à tout un caractère particulièrement angoissant, au milieu de ce tourbillon d'intrigues, d'amours-propres, de conflits entre des opinions et des sentiments opposés, parmi tous ces personnages de nationalités diverses, ce huitième groupe, le plus nombreux, de gens occupés de leurs intérêts personnels ne faisait que compliquer la situation et la rendre plus confuse. Quelque question qu'on soulevât, cet essaim de frelons, sans avoir encore fini de claironner le sujet précédent, volait déjà vers le nouveau et par son bourdonnement étouffait les voix sincères qui discutaient.

Tous ces partis, au moment de l'arrivée du prince André à l'armée, avaient donné naissance à un neuvième parti qui commençait à se manifester. C'était celui des gens d'âge, raisonnables, rompus aux affaires de l'État et qui savaient, sans partager aucune des opinions contradictoires, examiner objectivement tout ce qui se passait au grand quartier et chercher les moyens de mettre fin à l'incertitude, à l'irrésolution, à la confusion et à la faiblesse.

Ceux-là disaient et pensaient que tout le mal venait avant tout de la présence à l'armée de l'empereur et de sa cour militaire ; qu'on y avait transporté cette instabilité incertaine et conventionnelle des rapports qui convient à la cour mais qui est néfaste à l'armée ; que l'empereur devait régner et non pas commander les troupes, que l'unique issue à cette situation était son départ et celui de sa cour ; que sa seule présence paralysait cinquante mille hommes nécessaires pour assurer sa sécurité personnelle ; que le plus médiocre commandant en chef mais qui fût indépendant serait préférable au meilleur lié par la présence et l'autorité de l'empereur.

Pendant que le prince André séjournait sans affectation à Drissa, le secrétaire d'État Chichkov, l'un des représentants les plus en vue de ce parti, adressa à l'empereur une lettre que Balachov et Araktcheiev acceptèrent de signer avec lui. Dans cette lettre, usant de la permission que lui avait accordée l'empereur de discuter la marche générale des opérations, il lui proposait respectueusement, sous le prétexte de la nécessité d'insuffler aux populations de la capitale de l'enthousiasme pour la guerre, de quitter l'armée.

Cette tâche de susciter l'enthousiasme pour la guerre et de faire appel au peuple pour la défense de la patrie – cet enthousiasme national (pour autant qu'il fût suscité par la présence de l'empereur à Moscou) qui fut la principale raison du triomphe de la Russie – cette tâche fut présentée à l'empereur et acceptée par lui comme un prétexte pour son départ de l'armée.

X

Cette lettre n'avait pas encore été remise à l'empereur quand un jour Barclay, au cours du dîner, annonça à Bolkonski que l'Empereur désirait le voir pour le questionner sur la Turquie et qu'il devait se présenter le jour même, à six heures de l'après-midi, au quartier de Bennigsen.

Ce jour-là, le quartier de l'empereur avait appris un nouveau mouvement de Napoléon qui pouvait devenir dangereux pour l'armée, nouvelle qui par la suite devait se révéler fausse. Et dans la matinée le colonel Michaux, en parcourant avec l'empereur les fortifications de Drissa, lui avait démontré que ce camp retranché construit par Pfuhl et que jusque-là on avait tenu pour un *chef-d'œuvre* de tactique destiné à causer la perte de Napoléon, que ce camp était une absurdité et qu'il serait la perte de l'armée russe.

Le prince André arriva au quartier du général Bennigsen qui occupait une petite gentilhommière sur le bord même de la rivière. Ni Bennigsen ni l'empereur n'étaient là; mais Tchernichov, un des aides de camp de l'empereur, reçut Bolkonski et lui annonça que Sa Majesté était partie en compagnie du général Bennigsen et du marquis

Paulucci inspecter, pour la seconde fois de la journée, les fortifications du camp de Drissa, de l'utilité duquel on commençait à douter.

Tchernichov lisait un roman français près d'une fenêtre, dans la première pièce. Cette pièce avait sans doute été une salle de bal ; il y avait encore un orgue sur lequel s'entassaient des tapis et, dans un coin, se dressait le lit de l'aide de camp de Bennigsen. Cet aide de camp était là. Visiblement épuisé par un festin ou par le travail, il était assis sur son lit replié et sommeillait. Deux portes donnaient de la salle, l'une, en face, sur l'ancien salon, l'autre, à droite, sur le cabinet de travail. Par la première porte arrivait un bruit de voix qui parlaient allemand et, de temps à autre, français. Là, dans l'ancien salon, se tenait, selon le désir de l'empereur, non pas un conseil de guerre (l'empereur aimait l'imprécision), mais une réunion de certains personnages dont, dans les difficultés présentes, il désirait connaître l'opinion. Ce n'était pas un conseil de guerre, mais une sorte de réunion d'élus appelés à élucider certaines questions pour l'empereur personnellement. À cette réunion avaient été convoqués : le général suédois Armfeldt, le général aide de camp Wolzogen, Wintzingerode que Napoléon appelait sujet français transfuge, Michaux, Toll, le comte Stein, nullement un militaire, et enfin Pfuhl lui-même qui, d'après ce qu'on avait dit au prince André, était *la cheville ouvrière* de toute l'affaire. Le prince André eut l'occasion de bien l'examiner car Pfuhl arriva peu de temps après lui et, avant de passer dans le salon, s'arrêta un instant pour parler à Tchernichov.

Au premier coup d'œil, le prince André eut l'impression, bien qu'il ne l'eût jamais vu, de connaître Pfuhl, avec son uniforme mal coupé de général russe qui l'engonçait au point de le faire paraître déguisé. Il y avait en lui et du Weirother, et du Mack, et du Schmidt, et de bien d'autres généraux théoriciens allemands qu'il avait eu l'occasion de rencontrer en 1805 ; mais il était le plus typique de tous. Le prince André n'avait jamais encore vu un Allemand qui réunît à ce point tous les traits caractéristiques des autres théoriciens allemands.

Pfuhl était un petit homme très maigre mais fortement charpenté, taillé à coups de serpe, au large bassin et aux omoplates osseuses. Son visage était ridé et ses yeux profondément enfoncés. Ses cheveux, par-devant, aux tempes, avaient visiblement été lissés à coups de brosse hâtifs, tandis que par-derrière ils se hérissaient en touffes ingénues. Il entra en jetant à la ronde des regards inquiets et irrités, comme si tout lui faisait peur dans la grande pièce dans laquelle il pénétrait. Maintenant son épée d'un geste gauche, il se tourna vers Tchernichov et lui demanda en allemand où était l'empereur. On voyait qu'il avait hâte de traverser les pièces, d'en finir avec les salutations et les politesses et de se mettre au travail devant une carte, où il se sentait à sa place. Il hocha hâtivement la tête en réponse à ce que lui disait Tchernichov et sourit ironiquement en l'entendant expliquer que l'empereur inspectait les fortifications que lui, Pfuhl, avait construites conformément à sa théorie. Il grommela à part lui, de cette rude voix de basse qu'ont les Allemands sûrs d'eux-mêmes : « *Dummkopf*[1] »… ou : « *zu Grunde die ganze Geschichte*[2] »… ou : « *'s wird was gescheites d'raus werden*[3] »… Le prince André n'entendit pas bien et voulut passer, mais Tchernichov le présenta à Pfuhl, faisant observer qu'il arrivait de Turquie où la guerre avait été si heureusement terminée. Pfuhl jeta à peine un coup d'œil non pas tant au prince André que par-delà, et prononça en riant : « *Da muss ein schöner tactischer Krieg gewesen sein*[4]. » Et, en ricanant dédaigneusement, il entra dans la pièce d'où parvenait le bruit de voix.

On voyait que Pfuhl, toujours prêt à ironiser avec aigreur, était aujourd'hui particulièrement irrité de savoir

1. « Imbécile… »
2. « Au diable toute l'histoire… »
3. « Il en sortira du propre… »
4. « Ça a dû être une belle guerre tactique. »

qu'on s'était permis d'inspecter sans lui et de juger son camp. Cette seule et brève entrevue avec Pfuhl permit au prince André, grâce à ses souvenirs d'Austerlitz, de se faire une idée bien nette de ce personnage. Pfuhl était un de ces hommes sûrs d'eux-mêmes, immuablement, sans espoir, jusqu'au martyre, comme ne le sont que les Allemands, et cela parce que seuls les Allemands fondent leur confiance en soi sur une idée abstraite, la science, c'est-à-dire la prétendue connaissance de la vérité absolue. Le Français est sûr de lui parce qu'il croit exercer, tant par son esprit que par son physique, une séduction irrésistible sur les hommes comme sur les femmes. L'Anglais est sûr de lui parce qu'il est le citoyen de l'État le mieux organisé du monde, parce que, en tant qu'Anglais, il sait toujours ce qu'il doit faire, et qu'il a conscience que tout ce qu'il fait en tant qu'Anglais est indiscutablement bien fait. L'Italien est sûr de lui parce qu'il est émotif et qu'il oublie facilement et lui-même et les autres. Le Russe est sûr de lui parce qu'il ne sait rien et ne veut rien savoir, et parce qu'il ne croit pas qu'on puisse savoir quelque chose à fond. L'assurance de l'Allemand est la pire de toutes, et la plus tenace, et la plus odieuse, car il s'imagine connaître la vérité, c'est-à-dire la science qu'il a inventée lui-même mais qui pour lui est la vérité absolue. Tel était manifestement Pfuhl. Il possédait une science, cette théorie du mouvement oblique qu'il avait déduite de l'histoire des campagnes de Frédéric le Grand, et tout ce qu'il pouvait savoir de l'histoire des guerres plus récentes lui paraissait absurde, c'étaient des mêlées chaotiques où, de part et d'autre, on avait commis tant de fautes que ces guerres ne méritaient pas le nom de guerre ; elles ne s'accordaient pas avec la théorie et ne pouvaient être l'objet de la science.

En 1806, Pfuhl avait été un des auteurs du plan de la campagne qui avait abouti à Iéna et à Austerlitz ; mais dans cette issue de la guerre il ne voyait pas la moindre preuve de l'erreur de sa théorie. Au contraire, les dérogations apportées à sa théorie étaient à ses yeux la seule cause de l'échec et, avec la joyeuse ironie qui lui était propre, il disait : « *Ich sagte ja, dass die ganze Geschichte zum Teufel gehen werde*[1]. » Pfuhl était un de ces théoriciens si entichés de leur théorie qu'ils en oublient le but, son application pratique ; par amour de la théorie, il haïssait toute pratique et s'en moquait bien. Il se réjouissait même des insuccès parce qu'un insuccès dû à une violation de la théorie dans la pratique lui prouvait seulement la justesse de sa théorie.

Il échangea avec le prince André et Tchernichov quelques mots sur la guerre du ton d'un homme qui sait d'avance que tout irait mal et qui n'en est même pas mécontent. Les touffes de cheveux qui se dressaient sur sa nuque et les tempes hâtivement brossées le disaient avec une éloquence toute particulière.

Il passa dans l'autre pièce d'où parvinrent aussitôt les accents grondeurs de sa voix de basse.

XI

Le prince André venait à peine de quitter Pfuhl des yeux que le comte Bennigsen entra précipitamment et, avec un signe de tête à Bolkonski, passa sans s'arrêter dans le cabinet tout en donnant des ordres à son aide de camp. L'empereur le suivait, et Bennigsen s'était empressé de le devancer pour prendre certaines dispositions et pouvoir le recevoir. Tchernichov et le prince André sortirent sur le perron. L'empereur descendait de cheval d'un air las. Le marquis Paulucci lui disait quelque chose. L'empereur, la tête inclinée à gauche, écoutait d'un air mécontent Paulucci qui parlait avec une ardeur particulière. L'empereur fit quelques pas en avant, visiblement désireux de mettre fin à la conversation, mais

1. « Je disais bien que tout irait au diable. »

l'Italien, empourpré, surexcité, oubliant les convenances, le suivit tout en continuant de parler :

« *Quant à celui qui a conseillé ce camp, le camp de Drissa* », disait-il tandis que l'empereur, montant les marches et ayant aperçu le prince André, examinait ce visage nouveau.

« *Quant à celui, Sire*, poursuivit Paulucci avec la résolution d'un homme prêt à tout et comme incapable de se retenir, *qui a conseillé le camp de Drissa, je ne vois pas d'autre alternative que la maison jaune*[1] *ou le gibet.* » L'interrompant et semblant ne pas avoir entendu les paroles de l'Italien, l'empereur, reconnaissant Bolkonski, lui dit avec bienveillance :

« Je suis enchanté de te voir, va dans la pièce où on s'est réuni et attends-moi. » L'empereur entra dans le cabinet. Le prince Pierre Mikhaïlovitch Volkonski le suivit ainsi que le baron Stein, et la porte se referma sur eux. Le prince André, usant de la permission de l'empereur, suivit Paulucci, qu'il avait connu en Turquie, dans le salon où se tenait le conseil.

Le prince Pierre Mikhaïlovitch Volkonski faisait fonction de chef d'état-major de l'empereur. Il sortit du cabinet avec des cartes qu'il étala sur la table du salon et soumit à la réunion les questions sur lesquelles il désirait connaître son opinion. On avait en effet reçu pendant la nuit la nouvelle (démentie dans la suite) que les Français tournaient le camp de Drissa.

Le premier à prendre la parole fut le général Armfeldt qui, pour parer à la difficulté qui se présentait, proposa d'une façon inattendue d'occuper une position absolument nouvelle que rien ne pouvait justifier (sinon son désir de montrer qu'il était lui aussi capable d'avoir une opinion), à l'écart des routes de Pétersbourg et de Moscou, où, à son avis, l'armée devait se concentrer et attendre l'ennemi. On voyait que ce plan avait été depuis longtemps conçu

1. On appelle ainsi en Russie les asiles d'aliénés qui étaient peints en jaune.

par Armfeldt et qu'il l'exposait maintenant moins pour répondre aux questions posées, auxquelles il ne répondait d'ailleurs pas, que pour profiter de l'occasion de le faire connaître. C'était une de ces innombrables propositions qui pouvait être tout aussi bonne qu'une autre quand on n'avait aucune idée du caractère que revêtirait la guerre. Certains la combattirent, d'autres la défendirent. Le jeune colonel Toll critiqua avec le plus d'ardeur le projet du général suédois et, au cours de la discussion, tira de sa poche de côté un cahier couvert de notes qu'il demanda la permission de lire. Dans un exposé copieux, il proposait un autre plan de campagne, diamétralement opposé à celui d'Armfeldt comme à celui de Pfuhl. Paulucci, réfutant Toll, proposa un plan d'offensive et d'attaque qui seules, selon lui, pouvaient nous tirer de l'incertitude et du traquenard (qu'était à son avis le camp de Drissa). Pfuhl se contenta de renifler dédaigneusement et de se détourner, montrant ainsi qu'il ne s'abaisserait jamais à discuter pareilles sottises. Lorsque le prince Volkonski qui dirigeait les débats l'invita à donner son avis, il se borna à dire :

« Pourquoi me le demander ? Le général Armfeldt a proposé une excellente position avec les arrières découverts. Ou encore vous avez l'attaque *von diesem italienischen Herrn, sehr schön.* Ou la retraite. *Auch gut*[1]. À quoi bon me le demander ? Vous savez vous-mêmes mieux que moi. » Mais quand Volkonski, fronçant les sourcils, lui représenta qu'il lui demandait son avis au nom de l'empereur, Pfuhl se leva et s'animant soudain se mit à parler :

« On a tout gâché, tout embrouillé, tout le monde voulait en savoir plus long que moi, et maintenant on fait appel à moi. Comment réparer les choses ? Il n'y a rien à réparer. Il faut appliquer rigoureusement les principes que j'ai exposés, disait-il en frappant de ses doigts osseux sur la table. Où est la difficulté ? Sottises, *Kinderspiel*[2]. » Il s'approcha de la table et se mit à parler rapidement en pointant de son

1. « De ce monsieur italien, c'est parfait. – Également bien. »
2. Jeu d'enfants.

doigt sec sur la carte et démontrant qu'aucune éventualité ne pouvait diminuer la valeur du camp de Drissa, que tout avait été prévu et que, si l'ennemi entreprenait vraiment un mouvement tournant, il serait inévitablement anéanti.

Paulucci, qui ne savait pas l'allemand, lui posa des questions en français. Wolzogen vint au secours de son patron qui parlait mal le français et lui traduisit ses paroles, suivant à grand-peine Pfuhl qui soutenait avec volubilité que non seulement ce qui était arrivé mais tout ce qui pouvait encore arriver était prévu dans son plan, et que si des difficultés se présentaient maintenant, elles ne provenaient que de ce qu'on n'avait pas tout exécuté exactement. Il ne cessait de rire ironiquement, et enfin il abandonna dédaigneusement sa démonstration, comme un mathématicien qui cesse de vérifier par différents moyens l'exactitude d'un problème résolu. Wolzogen le remplaça et continua d'exposer en français les idées de Pfuhl en lui disant de temps à autre : « *Nicht wahr, Excellenz*[1] ? » Pfuhl, comme un homme qui, dans le feu du combat, tire sur les siens, lui criait rageusement à lui aussi :

« *Nun ja, was soll denn da noch expliziert werden*[2] ? » Paulucci et Michaux attaquaient Wolzogen à deux voix en français. Armfeldt s'adressait en allemand à Pfuhl. Toll expliquait le tout en russe au prince Volkonski. Le prince André écoutait et observait en silence.

De tous ces personnages, celui qui éveillait le plus de sympathie chez le prince André était Pfuhl, aigri, résolu et absurdement sûr de lui. Seul de toute l'assistance, il ne désirait de toute évidence rien pour lui-même, n'éprouvait d'animosité pour personne, ne voulait qu'une chose : faire exécuter son plan, établi d'après une théorie dont l'élaboration lui avait coûté des années de travail. Il était ridicule, son ironie déplaisante, mais il inspirait un respect involontaire par son attachement fanatique à ses idées. En outre, dans les propos de tous les autres, à l'exception de ceux

1. « N'est-ce pas, Excellence ? »
2. « Mais oui, qu'y a-t-il donc encore à expliquer là ? »

de Pfuhl, il y avait un trait commun qui était absent lors du conseil de guerre de 1805 : c'était une terreur panique, quoique dissimulée, que leur inspirait le génie de Napoléon, terreur qui perçait sous chacune des objections. On admettait que tout était possible pour lui, on s'attendait à le voir surgir de tous les côtés à la fois et l'on se servait de son nom redouté pour anéantir les propositions les uns des autres. Pfuhl seul semblait tenir Napoléon pour un barbare, au même titre que tous les adversaires de sa théorie. Mais outre le respect, Pfuhl inspirait aussi au prince André de la pitié. D'après le ton que les courtisans prenaient avec lui, d'après ce que Paulucci s'était permis de dire à l'empereur, mais surtout d'après une sorte de violence désespérée chez Pfuhl lui-même, on voyait que les autres savaient sa chute imminente et qu'il le sentait lui-même. Et malgré son assurance et son ironie grincheuse d'Allemand, il faisait pitié avec ses cheveux lissés sur les tempes et ses mèches hérissées sur la nuque. On voyait que, bien qu'il le dissimulât sous des dehors irrités et méprisants, il était au désespoir de voir lui échapper cette occasion unique de vérifier sa théorie sur une échelle grandiose et d'en prouver la justesse au monde entier.

Les débats se prolongèrent longtemps, et plus ils se prolongeaient, plus les discussions se faisaient passionnées jusqu'à en venir aux cris et aux personnalités, et moins il était possible de tirer quelque conclusion générale de tout ce qui se disait. Le prince André, en écoutant ces débats en plusieurs langues, ces hypothèses, ces plans, ces réfutations et ces cris, ne faisait que s'étonner de ce qu'ils disaient tous. L'idée qui lui était venue souvent et depuis longtemps, au cours de son activité militaire, qu'une science de la guerre n'existe pas et ne peut exister et que, partant, ne peut exister ce qu'on appelle « génie militaire », cette idée éclatait maintenant à ses yeux avec l'évidence de la vérité. « Quelle théorie et quelle science peut-il y avoir dans une affaire dont les conditions et les circonstances sont inconnues et ne peuvent être définies, où les forces agissantes peuvent encore moins être définies ? Personne n'a jamais pu et ne peut savoir quelle sera demain la position de notre armée et celle de l'ennemi, et personne ne peut savoir la valeur de tel ou tel autre détachement. Parfois, quand, au lieu d'un poltron aux premiers rangs qui crie : "Nous sommes coupés !" et qui prend la fuite, il y a un homme gai, courageux qui crie : "Hourra !", un détachement de cinq mille hommes en vaut trente mille comme à Schœngraben, et parfois cinquante mille fuient devant huit mille comme à Austerlitz. Quelle science peut-il donc y avoir dans une affaire où, comme dans tout le problème pratique, rien ne peut être prévu et où tout dépend d'innombrables conditions dont l'importance se révèle à un instant dont personne ne sait quand il viendra ? Armfeldt prétend que notre armée est coupée, tandis que Paulucci assure que nous avons placé l'armée française entre deux feux ; Michaux soutient que le défaut du camp de Drissa est d'avoir la rivière derrière, et Pfuhl trouve que c'est là sa force. Toll propose un plan, Armfeldt en propose un autre ; tous sont bons et tous sont mauvais, et les avantages de toutes les propositions ne peuvent apparaître qu'au moment où s'accomplit l'événement. Pourquoi tout le monde parle-t-il de génie militaire ? Est-il donc un génie celui qui sait donner au bon moment l'ordre de distribuer des biscuits et envoyer l'un à droite, l'autre à gauche ? C'est uniquement parce que les militaires sont revêtus de l'éclat et du pouvoir et que la foule des lâches flatte les puissants en leur attribuant à tort des qualités de génie qu'on les appelle des génies. Bien au contraire, les meilleurs généraux que j'ai connus étaient stupides ou distraits. Le meilleur d'entre eux est Bagration, même Napoléon l'a reconnu. Et Bonaparte lui-même ! Je me souviens de son visage suffisant et borné sur le champ de bataille d'Austerlitz. Un bon capitaine n'a besoin ni de génie ni même de qualités particulières, il doit au contraire être dépourvu des plus hautes, des meilleures qualités de l'homme, l'amour, la poésie, la tendresse, le doute philosophique. Il doit être borné, fermement convaincu de la haute importance de ce qu'il fait (sinon il manquerait de patience), et c'est alors seulement qu'il sera un vaillant capitaine. Dieu le préserve d'être humain, d'aimer quelqu'un, de prendre quelqu'un en pitié, de penser à ce qui est juste ou injuste. On comprend que de tout temps on ait façonné pour eux la théorie du génie, car ils ont la puissance. Le mérite d'une victoire ne revient pas à eux mais à l'homme qui, dans le rang, crie : "Nous sommes fichus !" ou "Hourra !" Et c'est dans le rang seulement qu'on peut servir avec la certitude d'être utile ! »

Ainsi songeait le prince André en écoutant ces discussions et il ne revint à lui que lorsque Paulucci l'appela, alors que tout le monde se retirait.

Le lendemain, à la revue, l'empereur demanda au prince André où il désirait être affecté, et le prince André se perdit à jamais dans l'opinion de la cour en ne demandant pas à être attaché à Sa Majesté, mais en sollicitant l'autorisation de servir dans l'armée.

XII

Avant l'ouverture de la campagne, Rostov avait reçu une lettre de ses parents qui, tout en lui annonçant brièvement la maladie de Natacha et sa rupture avec le prince André (on lui expliquait cette rupture par le refus de Natacha), lui demandaient encore une fois de donner sa démission et de revenir à la maison. Nicolas ayant reçu cette lettre ne songea même pas à demander un congé ou à donner sa démission, mais écrivit à ses parents qu'il déplorait vivement la maladie de Natacha et sa rupture avec son fiancé, et qu'il ferait tout son possible pour déférer à leur désir. À Sonia, il écrivit à part.

« Amie adorée de mon âme, lui disait-il, seul l'honneur a pu m'empêcher de revenir à la maison. Mais en ce moment, à la veille de l'entrée en campagne, je me croirais déshonoré, non seulement devant tous mes camarades mais envers moi-même, si je préférais mon bonheur à mon devoir et à l'amour de la patrie. Mais ce sera notre dernière séparation. Sois certaine qu'aussitôt après la guerre, si je suis encore en vie et toujours aimé de toi, je quitterai tout et volerai vers toi pour te serrer, cette fois à tout jamais, sur mon ardente poitrine. »

En effet, seule l'entrée en campagne retint Rostov et l'empêcha de revenir – comme il l'avait promis – et d'épouser Sonia. L'automne à Otradnoïe avec les parties de chasse, l'hiver avec les fêtes de Noël, et l'amour de Sonia, lui avaient ouvert une perspective de calmes joies dont était faite la vie de gentilhomme campagnard, joies qu'il ignorait auparavant et qui maintenant l'attiraient, « Une excellente épouse, des enfants, une bonne meute de chiens courants, dix ou douze couples d'intrépides lévriers, l'administration des terres, les voisins, des fonctions auxquelles je serais appelé par le suffrage de mes pairs », se disait-il. Mais maintenant la campagne commençait et il devait rester au régiment. Et puisqu'il le fallait, Nicolas Rostov, par son caractère, n'était pas moins satisfait de la vie qu'il menait au régiment et qu'il avait su se rendre agréable.

À son retour de congé, accueilli avec joie par ses camarades, Nicolas avait été envoyé en mission de remonte et avait ramené de Petite Russie d'excellents chevaux dont il était enchanté et qui lui avaient valu les compliments de ses chefs. Pendant son absence, il avait été promu capitaine et lorsque le régiment fut mis sur pied de guerre et ses effectifs renforcés, il obtint de nouveau son ancien escadron.

La campagne commença, le régiment fut dirigé en Pologne, les soldes furent doublées, de nouveaux officiers arrivèrent, de nouveaux hommes, des chevaux ; surtout, il y régna cette excitation joyeuse qui accompagne un début de guerre ; et Rostov, conscient des avantages de sa situation dans le régiment, s'adonna tout entier aux plaisirs et aux devoirs du service, tout en sachant cependant que tôt ou tard il devrait le quitter.

Les troupes avaient évacué Vilna pour diverses raisons politiques et tactiques. Chaque pas en arrière s'accompagnait au grand quartier d'un jeu complexe d'intérêts, de combinaisons et de passions. Mais pour les hussards de Pavlograd cette retraite au cœur de l'été, avec des approvisionnements suffisants, était une simple partie de plaisir. On ne pouvait perdre courage, s'inquiéter et intriguer qu'au grand quartier, dans l'armée on ne se demandait même pas où on allait et pourquoi. Si l'on regrettait de devoir se replier, ce n'était que parce qu'il fallait quitter un logement auquel on s'était habitué, se séparer de quelque jolie Polonaise. S'il arrivait à quelqu'un de se dire que les choses allaient mal, il s'efforçait, comme il sied à tout bon militaire, d'être gai et de ne pas penser à la situation générale, pour ne se soucier que de sa tâche immédiate. Au début, on cantonna joyeusement aux abords de Vilna, liant connaissance avec les hobereaux polonais et attendant les revues que passaient l'empereur et d'autres grands chefs. Puis l'ordre vint de se replier sur Swienciany et de détruire les vivres qu'on ne pouvait emporter. Swienciany laissa aux hussards le souvenir du « camp des saouleries », comme l'avait baptisé toute l'armée, et parce qu'on eut beaucoup à s'y plaindre des troupes qui, profitant de l'ordre de s'approvisionner chez l'habitant, réquisitionnaient, en sus des vivres, et des chevaux, et des voitures, et des tapis chez les seigneurs polonais. Rostov se souvenait de Swienciany parce que, le jour même de leur arrivée dans cette localité, il avait mis à pied son maréchal des logis et ne put venir à bout de son escadron, ivre mort pour avoir, à son insu, emporté cinq tonneaux de vieille bière. De Swienciany, on recula encore et encore, jusqu'à la Drissa, puis de nouveau on battit en retraite au-delà de la Drissa, se rapprochant cette fois des frontières russes.

Le 13 juillet, les hussards de Pavlograd prirent pour la première fois part à une affaire sérieuse.

Dans la nuit du 12 juillet, veille de l'action, il y eut un violent orage avec pluie et grêle. L'été de 1812 se signala en général par ses orages.

Deux escadrons du régiment de Pavlograd bivouaquaient dans un champ de seigle en épis et complètement versé par le piétinement du bétail et des chevaux. La pluie tombait à torrents et Rostov, en compagnie d'un jeune officier, Iline, qu'il avait pris sous sa protection, s'abritait sous une hutte construite à la hâte. Un officier de leur régiment, à la longue moustache, qui revenait de l'état-major et avait été surpris par la pluie, s'approcha de Rostov.

« J'arrive de l'état-major, comte. Avez-vous entendu parler de l'exploit de Raievski ? » et il raconta les détails de la bataille de Saltanovka.

Rostov, rentrant son cou le long duquel s'infiltrait la pluie, fumait sa pipe et écoutait distraitement en jetant de temps à autre un regard vers le jeune Iline qui se serrait auprès de lui. Cet officier, un garçon de seize ans arrivé récemment au régiment, était maintenant par rapport à Nicolas ce que celui-ci avait été lui-même par rapport à Denissov, sept ans plus tôt. Iline s'efforçait de l'imiter en tout et était amoureux de lui comme une femme.

L'officier à la longue moustache, Zdrjinski, racontait avec emphase que la digue de Saltanovka était devenue les Thermopyles russes, que sur cette digue le général Raievski avait accompli une action d'éclat digne de l'Antiquité. Il s'était avancé sur la digue avec ses deux fils sous un feu terrible et, à leurs côtés, était allé à l'attaque. Rostov écoutait ce récit et non seulement ne disait rien pour approuver l'enthousiasme de Zdrjinski, mais au contraire semblait avoir honte de ce qu'on lui racontait, quoique sans avoir l'intention de contredire. Depuis les campagnes d'Austerlitz et de 1807, il savait par expérience personnelle qu'en racontant des faits de guerre on ment toujours, comme il l'avait fait lui-même ; en outre, il avait assez d'expérience pour savoir qu'à la guerre tout se passe tout autrement qu'on ne l'imagine et ne le raconte. C'est pourquoi le récit de Zdrjinski ne lui plaisait pas, non plus que Zdrjinski lui-même qui, avec ses moustaches lui mangeant les joues, se penchait selon son habitude tout contre le visage de son interlocuteur et qui le gênait dans la hutte exiguë. Rostov le regardait en silence. « D'abord, il devait y avoir sur la digue qu'on attaquait une telle confusion et une telle presse que même si Raievski s'est avancé avec ses fils, cela n'a pu produire de l'effet que sur une dizaine de personnes tout au plus, dans son voisinage immédiat, se disait-il, les autres ne pouvaient même pas voir comment et avec qui il s'avançait. Mais même ceux qui l'ont vu n'ont pas pu en être autrement enthousiasmés, car que leur importaient les tendres sentiments paternels de Raievski alors que leur propre peau était en jeu ? Puis, qu'on ait pris ou non la digue de Saltanovka, le sort de la patrie n'en dépendait nullement, comme on nous dit que c'était le cas pour les Thermopyles. Par conséquent, à quoi donc pouvait servir un tel sacrifice ? Et puis pourquoi mêler ici, à la guerre, ses enfants ? Non seulement je n'y aurais pas conduit mon frère Petia, mais même Iline, ce garçon qui ne m'est rien mais qui est un brave garçon, je me serais efforcé de le mettre quelque part à l'abri », pensait toujours Rostov en écoutant Zdrjinski. Mais il ne dit rien de ses pensées : il avait pour cela trop d'expérience. Il savait que ce récit contribuait à la glorification de nos armes et qu'il fallait donc faire semblant de ne pas en douter. C'est ce qu'il faisait.

« Vraiment, on ne peut plus y tenir, dit Iline qui voyait que les paroles de Zdrjinski ne plaisaient pas à Rostov. Tout est trempé, et les chaussettes, et la chemise, et il y a une flaque sous moi. Je vais aller chercher un abri. Je crois qu'il pleut moins. » Iline sortit et Zdrjinski partit à son tour.

Cinq minutes plus tard, Iline, pataugeant dans la boue, revint en courant à la hutte.

« Hourra ! Rostov, viens vite. J'ai trouvé ! Il y a une auberge à deux cents pas d'ici, les nôtres y sont déjà. Nous pourrons au moins nous sécher, et Maria Henrikhovna y est aussi. »

Maria Henrikhovna était la femme du médecin du régiment, une jeune et jolie Allemande qu'il avait épousée en Pologne. Soit qu'il n'eût pas les moyens de faire autrement, soit qu'il ne voulût pas, les premiers temps de son mariage, se séparer de sa jeune femme, le médecin l'emmenait partout avec lui à la suite du régiment, et sa jalousie était devenue l'objet habituel des plaisanteries des officiers de hussards.

Rostov jeta son manteau sur ses épaules, cria à Lavrouchka de le suivre avec ses affaires et partit avec Iline, glissant ici dans la boue, pataugeant là dans les flaques, sous la pluie qui s'apaisait, dans l'obscurité du soir que rayaient parfois des éclairs lointains.

« Rostov, où es-tu ?

– Ici. Quel éclair ! » se disaient-ils.

XIII

Cinq ou six officiers se trouvaient déjà dans l'auberge devant laquelle stationnait la kibitka du médecin. Maria Henrikhovna, une petite Allemande blonde et grassouillette, en camisole et bonnet de nuit, était assise sur un large banc à la place d'honneur. Son mari, le médecin, dormait derrière elle. Rostov et Iline entrèrent, accueillis par des rires et de joyeuses exclamations.

« Tiens ! vous avez l'air de bien vous amuser, dit Rostov en riant.

– Pourquoi, aussi, n'êtes-vous pas venus plus tôt ?

– Ils sont jolis ! Ça ruisselle ! N'inondez pas notre salon.

– Ne salissez pas la robe de Maria Henrikhovna », répondit-on.

Rostov et Iline se hâtèrent de trouver un coin où ils pussent changer de vêtements sans blesser la pudeur de Maria Henrikhovna. Ils voulurent passer dans un petit réduit derrière la cloison, mais le remplissant entièrement, trois officiers y jouaient aux cartes à la lueur d'une seule bougie posée sur une caisse vide, et ils ne voulurent à aucun prix leur céder la place. Maria Henrikhovna leur prêta une jupe en guise de rideau et, derrière ce paravent, Rostov et Iline, aidés de Lavrouchka qui avait apporté les bagages, purent échanger leurs vêtements mouillés contre des vêtements secs.

On alluma du feu dans le poêle démoli. On se procura une planche et, l'assujettissant sur deux selles, on la recouvrit d'une housse de cheval, on apporta un samovar, une cantine et une demi-bouteille de rhum, et après avoir demandé à Maria Henrikhovna de faire la maîtresse de maison, tout le monde se pressa autour d'elle. L'un lui proposait un mouchoir propre pour essuyer ses charmantes petites mains, un autre mettait son dolman sous ses pieds pour la préserver de l'humidité, un troisième bouchait la fenêtre avec son manteau pour éviter les courants d'air, un quatrième chassait les mouches du visage de son mari pour qu'il ne se réveillât point.

« Laissez-le, dit Maria Henrikhovna avec un sourire timide et heureux, il dort bien comme ça après une nuit blanche.

– Impossible, Maria Henrikhovna, répondit un officier, il faut prendre soin du docteur. On ne sait jamais, il aura peut-être pitié de moi à son tour quand il me coupera une jambe ou un bras. »

Il n'y avait que trois verres ; l'eau était si sale qu'on ne pouvait se rendre compte si le thé était fort ou non, et il n'y en avait dans le samovar que pour six verres, mais il n'en était que d'autant plus agréable de recevoir son verre à tour de rôle, par ancienneté, des petites mains potelées de Maria Henrikhovna, aux ongles courts et pas tout à fait nets. Tous les officiers paraissaient vraiment amoureux d'elle, ce soir. Même ceux qui jouaient aux cartes derrière la cloison, cédant à l'empressement général auprès d'elle, laissèrent bientôt leur jeu et rejoignirent les autres autour du samovar. Maria Henrikhovna, se voyant entourée d'une jeunesse si brillante et si courtoise, rayonnait de bonheur, malgré les efforts qu'elle faisait pour le dissimuler et malgré l'évidente frayeur que lui causait chaque mouvement de son mari endormi derrière elle.

Il n'y avait qu'une cuillère ; le sucre abondait mais on n'arrivait pas à le faire fondre, aussi décida-t-on qu'elle le remuerait pour chacun à tour de rôle. Quand Rostov eut reçu son verre, il y versa du rhum et pria Maria Henrikhovna de le remuer.

« Mais vous le prenez sans sucre ? dit-elle en souriant toujours comme si tout ce qu'elle pouvait dire ou ce que pouvaient dire les autres était très amusant et avait par surcroît un sens caché.

– Peu m'importe le sucre, tout ce que je veux c'est que vous remuiez mon thé de votre jolie main. »

Maria Henrikhovna acquiesça et se mit à la recherche de la cuillère dont s'était déjà emparé quelqu'un.

« Faites-le donc avec votre doigt, Maria Henrikhovna, dit Rostov, ce sera encore mieux.

– C'est chaud ! » dit-elle en rougissant de plaisir.

Iline prit le seau d'eau, y versa quelques gouttes de rhum et s'approchant de Maria Henrikhovna, la pria de le remuer avec son doigt.

« C'est ma tasse, dit-il. Trempez-y seulement le doigt et je boirai tout. »

Lorsqu'on eut vidé le samovar, Rostov prit les cartes et proposa de jouer aux « rois » avec Maria Henrikhovna. On tira au sort pour savoir qui ferait sa partie. Rostov proposa comme règle du jeu que celui qui serait « roi » aurait le droit de baiser la main de Maria Henrikhovna et que le « coquin » préparerait un nouveau samovar pour le médecin quand il se réveillerait.

« Et si c'est Maria Henrikhovna qui est roi ? demanda Iline.

– Elle est déjà reine ! Et ses ordres sont la loi. »

Le jeu commençait à peine que la tête ébouriffée du médecin se dressa derrière Maria Henrikhovna. Il y avait longtemps déjà qu'il ne dormait plus et prêtait l'oreille, mais on voyait qu'il ne trouvait rien d'amusant ni de gai dans ce qui se disait et se faisait. Son visage était triste et morne. Il ne salua pas les officiers, se gratta et demanda à sortir car on lui barrait le passage. Dès qu'il fut parti, les officiers éclatèrent d'un rire bruyant, tandis que Maria Henrikhovna rougissait jusqu'aux larmes, ce qui la rendit encore plus charmante aux yeux des officiers. En revenant le médecin dit à sa femme (qui avait perdu son sourire heureux et, dans l'attente de sa sentence, le regardait anxieusement) que la pluie avait cessé et qu'il fallait aller passer la nuit dans la kibitka car autrement tout serait pillé.

« Mais je vais envoyer une ordonnance... deux ! dit Rostov, ce n'est pas la peine, docteur !

– Je monterai moi-même la garde ! dit Iline.

– Non, messieurs, vous avez dormi, mais moi je n'ai pas fermé l'œil depuis deux nuits », dit le médecin, et il s'assit d'un air sombre auprès de sa femme, attendant la fin de la partie.

À la vue du visage sombre du médecin qui louchait vers sa femme, les officiers se sentirent encore plus gais, et beaucoup d'entre eux ne purent retenir leur rire auquel ils s'empressaient de trouver des prétextes plausibles. Quand le médecin fut parti en emmenant sa femme et se fut installé dans sa petite kibitka, les officiers se couchèrent dans l'auberge en s'enveloppant dans leurs manteaux mouillés ; mais ils furent longtemps sans dormir, tantôt évoquant l'inquiétude du médecin et la gaieté de sa femme, tantôt sortant sur le perron et racontant aux autres ce qui se passait dans la kibitka. Plusieurs fois Rostov, ramenant son manteau sur sa tête, essaya de trouver le sommeil ; mais quelqu'un faisait une nouvelle remarque qui le distrayait, les conversations reprenaient et des rires joyeux d'enfants éclataient de nouveau, sans aucune raison.

XIV

Vers trois heures du matin, personne ne dormait encore quand le maréchal des logis se présenta apportant l'ordre de gagner Ostrovnia.

Toujours en bavardant et en riant, les officiers se préparèrent en hâte ; on alluma de nouveau le samovar rempli d'eau sale. Mais sans attendre le thé, Rostov alla rejoindre son escadron. Le jour se levait déjà ; la pluie avait cessé, les nuages se dissipaient. Il faisait humide et froid, surtout avec des vêtements mal séchés. En sortant de l'auberge, Rostov et Iline jetèrent un regard, à la lueur de l'aube, vers la kibitka du médecin à la capote de cuir luisante de pluie ; les jambes du docteur émergeaient du tablier, à l'intérieur on apercevait, sur un coussin, le bonnet de sa femme et l'on entendait la respiration de quelqu'un qui dort.

« Vraiment, elle est très gentille ! dit Rostov à Iline qui l'accompagnait.

– Une femme charmante ! » répondit Iline avec le sérieux de ses seize ans.

Une demi-heure plus tard, l'escadron était aligné sur la route. Au commandement : « En selle ! », les soldats se signèrent et enfourchèrent leurs chevaux. Rostov se plaçant en tête commanda : « En avant, marche ! » et, par rangs de quatre, les hussards, au milieu du clapotement des sabots dans la boue, du cliquetis des sabres et du murmure des conversations, s'ébranlèrent sur la large route bordée de bouleaux, à la suite de l'infanterie et d'une batterie de canons.

Le vent chassait à toute vitesse des nuages déchiquetés d'un bleu violet, rouges à l'orient. Il faisait de plus en plus clair. On distinguait maintenant nettement, encore trempée de pluie, cette petite herbe frisée qui pousse toujours dans les chemins de traverse ; les branches penchées des bouleaux, trempées elles aussi, se balançaient sous le vent et laissaient tomber obliquement des gouttes limpides. On distinguait de plus en plus nettement les visages des soldats. Avec Iline qui ne le quittait pas Rostov suivait le bas-côté de la route, entre une double rangée de bouleaux.

En campagne, Rostov se permettait de monter non pas un cheval régimentaire mais un cheval de cosaque. Connaisseur aussi bien qu'amateur, il s'était récemment procuré un bon alezan du Don, fougueux et puissant, qui ne se laissait dépasser par personne. Le monter procurait à Rostov une véritable jouissance. Il pensait à son cheval, à la matinée qu'il faisait, à la femme du médecin, et pas une fois il ne songea au danger imminent.

Autrefois, avant l'action, Rostov avait peur ; maintenant il n'éprouvait plus la moindre appréhension. S'il n'avait pas peur, ce n'était pas parce qu'il s'était habitué au feu (on ne peut s'habituer au danger), mais parce qu'il avait appris à se dominer. Il avait pris l'habitude en allant au combat de penser à tout sauf à ce qui semblait devoir l'intéresser le plus, le danger qui l'attendait. Malgré tous ses efforts, malgré tous les reproches de lâcheté qu'il se faisait, les premiers temps il n'y parvenait pas ; mais avec les années cela s'était fait tout naturellement. Il avançait maintenant aux côtés d'Iline, arrachant de temps à autre une feuille qui lui tombait sous la main, effleurant du pied le flanc de son cheval, tendant sans se retourner sa pipe éteinte au hussard qui le suivait, avec un air aussi tranquille et insouciant que s'il avait été à la promenade. Il avait peine à voir le visage inquiet d'Iline qui parlait beaucoup ; il connaissait par expérience cette attente poignante de la peur et de la mort dont était la proie le cornette, et il savait qu'il n'y avait pas à cela d'autre remède que le temps.

À peine le soleil eut-il apparu de derrière un nuage que le vent tomba, comme s'il n'osait pas gâter cette exquise matinée d'été qui succédait à l'orage ; des gouttes tombaient encore mais verticalement, et tout s'apaisa. Le soleil était complètement levé ; il se montra à l'horizon et disparut derrière un long et étroit nuage qui le surplombait. Au bout de quelques instants, il reparut encore plus clair au-dessus du nuage dont il déchira les bords. Tout s'illumina et se mit à briller. Et comme pour répondre à ce flot de lumière, le canon gronda en avant.

Rostov n'avait pas eu le temps d'évaluer la distance de ces coups de feu qu'un aide de camp du comte Ostermann-Tolstoï arrivait au galop du côté de Vitebsk avec l'ordre de prendre le trot sur la route.

L'escadron dépassa l'infanterie et la batterie qui pressaient également le pas, dévala une côte et, après avoir traversé un village abandonné par ses habitants, remonta une autre côte ; les chevaux se couvrirent d'écume, les visages des hommes s'empourpraient.

« Halte, alignement ! commanda en tête le divisionnaire.

– Demi-tour à droite, au pas, en avant, marche ! »

Et les hussards longèrent le front des troupes vers le flanc gauche et se postèrent derrière nos uhlans placés en première ligne. À droite, notre infanterie était massée en une colonne compacte : c'étaient les réserves ; au-dessus d'elle, sur une hauteur, nos canons se détachaient à l'horizon dans l'air transparent, sous la vive lumière oblique du matin. En avant, au-delà du vallon, on apercevait les colonnes et les canons ennemis. Dans le vallon, nos avant-postes, déjà engagés, échangeaient avec l'ennemi d'allègres coups de feu.

Comme s'il se fût agi de la plus gaie des musiques, ces bruits qu'il n'avait pas entendus depuis longtemps emplirent Rostov de joie. Trap-ta-ta-tap ! Les coups éclataient soudain, tantôt isolés, tantôt dans une succession rapide. Tout se taisait, et de nouveau on entendait comme un crépitement de pétards sur lesquels quelqu'un aurait marché.

Les hussards restèrent sur place près d'une heure. La canonnade se fit entendre à son tour. Le comte Ostermann passa avec sa suite derrière l'escadron, s'arrêta pour parler au commandant du régiment et s'éloigna du côté des canons sur la hauteur.

Peu de temps après son départ, on entendit le commandement donné aux uhlans :

« En colonnes d'attaque ! » L'infanterie, en avant, doubla ses lignes pour laisser passer la cavalerie. Les uhlans s'ébranlèrent dans un frémissement des flammes des lances et dévalèrent au trot la côte, à la rencontre de la cavalerie française apparue au pied de la colline, sur la gauche.

Dès que les uhlans furent en bas, les hussards reçurent l'ordre de se porter sur la hauteur pour couvrir la batterie.

Pendant qu'ils prenaient la place des uhlans, des balles perdues partirent en sifflant des lignes, au loin.

Ce bruit qu'il n'avait pas entendu depuis longtemps stimula Rostov encore plus joyeusement que les premiers coups de feu. Se redressant, il examinait le champ de bataille qu'on découvrait de la hauteur, et de toute son âme il était avec les uhlans. Les uhlans chargèrent les dragons français, il y eut une mêlée dans la fumée et, cinq minutes plus tard, les uhlans refluèrent en arrière, non pas vers leur point de départ, mais plus à gauche. Parmi les uhlans orange sur des chevaux alezans, on voyait en un groupe compact des dragons français bleus sur des chevaux gris.

XV

De son œil perçant de chasseur, Rostov avait été un des premiers à voir ces dragons bleus qui poursuivaient nos uhlans. Plus près, toujours plus près, les uhlans approchaient en foules désordonnées, talonnés par les dragons français. On pouvait déjà voir ces hommes qui, de la hauteur, paraissaient tout petits, s'affronter, se heurter et agiter bras et sabres.

Rostov observait comme une chasse à courre ce qui se passait devant lui. Il sentait d'instinct que, si en ce moment il tombait avec ses hussards sur les dragons français, ceux-ci ne tiendraient pas ; mais il fallait le faire tout de suite, à l'instant même, sinon il serait trop tard. Il jeta un regard autour de lui. Le capitaine qui était à ses côtés ne quittait pas non plus des yeux la cavalerie à leurs pieds.

« André Sevastianitch, dit Rostov, nous pourrions les culbuter…

– Ce serait fameux, dit celui-ci ; ma parole… »

Rostov, sans en entendre davantage, piqua son cheval, se porta en avant de l'escadron, et il eut à peine commandé le mouvement que l'escadron, qui éprouvait le même sentiment que lui, s'élançait tout entier à sa suite. Rostov ne savait pas comment et pourquoi il avait agi ainsi. Il avait fait tout cela comme à la chasse, sans réfléchir, sans rien peser. Il voyait que les dragons étaient tout près, qu'ils galopaient, débandés ; il savait qu'ils ne tiendraient pas ; il savait que c'était la question d'un instant qui ne reviendrait plus s'il le manquait. Le sifflement et le crépitement des balles étaient si excitants, son cheval si impatient de s'élancer en avant, qu'il n'avait pu résister. Il donna de l'éperon, cria le commandement, et au même instant, entendant le martèlement des sabots de son escadron qui se déployait derrière lui, il dévala au grand trot la pente en direction des dragons. À peine arrivés en bas, les chevaux passèrent malgré eux du trot au galop, accélérant de plus en plus à mesure qu'ils approchaient de nos uhlans et des dragons français à leurs trousses. Les dragons étaient tout près. Ceux qui étaient en tête tournèrent bride à la vue de nos hussards, tandis que les autres s'arrêtaient. Avec le même sentiment que lorsqu'il galopait pour barrer le chemin au loup, Rostov, rendant les rênes à son cheval du Don, galopait perpendiculairement aux rangs débandés des dragons français. Un uhlan s'arrêta, un autre, démonté, se plaqua au sol pour ne pas être écrasé, un cheval sans cavalier se mêla aux hussards. Presque tous les dragons français avaient tourné bride. Rostov en choisit un monté sur un cheval gris et s'élança à sa poursuite. Un buisson se rencontra sur son chemin, son bon cheval le lui fit franchir d'un bond et, retrouvant avec peine son aplomb, Nicolas s'aperçut qu'il était sur le point de rejoindre l'ennemi qu'il s'était choisi. Ce Français, un officier à en juger par son uniforme, galopait courbé sur son cheval gris qu'il frappait du plat de son sabre. Un instant plus tard, le cheval de Rostov vint donner du poitrail contre l'arrière-train du cheval de l'officier, faillit le renverser, et au même instant Rostov, sans savoir pourquoi il le faisait, brandit son sabre et en frappa l'officier.

Instantanément, toute son ardeur l'abandonna. L'officier tomba, moins par suite du coup de sabre qui ne lui avait que légèrement entaillé le bras au-dessus du coude, que par suite de la secousse et de la peur. Rostov, retenant son cheval, chercha des yeux son ennemi pour voir qui il avait terrassé. L'officier de dragons français sautillait par terre, un pied pris dans l'étrier. Clignant des yeux comme s'il s'attendait à tout instant à recevoir un nouveau coup, le visage contracté, il regarda Rostov de bas en haut avec une expression de terreur. Son visage, blême et éclaboussé de boue, tout jeune avec ses cheveux blonds, une fossette au menton et les yeux bleu clair, n'était pas du tout celui d'un ennemi sur le champ de bataille, mais tout à fait ordinaire, un visage de tous les jours. Avant même que Rostov eût décidé ce qu'il allait faire de lui, l'officier cria : « *Je me rends !* » Il faisait de vains efforts pour dégager son pied de l'étrier et ne quittait pas Rostov de ses yeux bleus effrayés. Des hussards qui accouraient le libérèrent et le remirent en selle. De tous côtés, les hussards s'affairaient autour des dragons : l'un de ceux-ci était blessé mais, le visage en sang, ne voulait pas livrer son cheval ; un autre, tenant un hussard enlacé, montait en croupe ; un troisième se remettait en selle, soutenu par un hussard. L'infanterie française courait en tirant. Les hussards tournèrent hâtivement bride avec leurs prisonniers. Rostov les suivit, le cœur serré par un étrange sentiment de malaise. Quelque chose de confus, d'embrouillé dont il ne parvenait pas à prendre conscience lui avait été révélé par la capture de cet officier et par le coup qu'il lui avait porté.

Le comte Ostermann-Tolstoï vint à la rencontre des hussards, félicita Rostov, le remercia et lui dit qu'il porterait son acte de bravoure à la connaissance de l'empereur et le proposerait pour la croix de Saint-Georges. Quand on était venu le chercher de la part du comte Ostermann, Rostov, se souvenant d'être parti à l'attaque sans en avoir reçu l'ordre, était absolument persuadé que son chef le demandait pour lui infliger une punition pour sa conduite indisciplinée. Par conséquent, les paroles flatteuses d'Ostermann et la promesse d'une récompense auraient dû lui causer une surprise d'autant plus agréable; mais le même sentiment pénible et confus lui soulevait le cœur. « Voyons, qu'est-ce donc qui me tourmente ? se demanda-t-il en quittant le général. Iline ? Non, il est sain et sauf. Ai-je fait quelque chose de honteux ? Non, ce n'est pas cela non plus. » Quelque chose d'autre le tourmentait comme un remords. « Oui, oui, c'est cet officier français à la fossette. Et je me souviens bien que mon bras s'est arrêté quand je le levais. »

Rostov aperçut les prisonniers qu'on emmenait et les suivit pour voir son Français à la fossette au menton. Dans son étrange uniforme, il montait un cheval de hussards et jetait autour de lui des regards inquiets. Sa blessure au bras n'en était presque pas une. Il sourit à Rostov d'un air contraint et le salua de la main. Rostov se sentait toujours mal à l'aise et honteux de quelque chose.

Tout ce jour-là et le lendemain, ses amis et ses camarades remarquèrent qu'il était non pas précisément ennuyé ni fâché, mais silencieux, pensif et concentré. Il buvait sans plaisir, recherchait la solitude et réfléchissait à quelque chose.

Rostov pensait toujours à son brillant fait d'armes qui, à sa surprise, lui avait valu la croix de Saint-Georges et même acquis la réputation d'un brave, et il y avait quelque chose qu'il ne parvenait pas à comprendre. « Alors ils ont donc encore plus peur que nous ! se disait-il. Alors ce n'est donc que cela ce qu'on appelle de l'héroïsme ? Est-ce vraiment pour la patrie que je l'ai fait ? Et en quoi est-il coupable, avec sa fossette et ses yeux bleus ? Comme il a eu peur ! Il croyait que j'allais le tuer. Pourquoi l'aurais-je tué ? Ma main a tremblé. Et on m'a donné la croix de Saint-Georges. Je n'y comprends rien, absolument rien ! »

Mais pendant que Nicolas ruminait ces questions sans cependant parvenir à voir clair dans ce qui le troublait, la roue de la fortune, comme il arrive souvent, tournait en sa faveur. Après l'affaire d'Ostrovnia, on le mit en vedette, on le nomma chef d'escadron et quand on avait besoin d'un officier courageux, c'est à lui qu'on confiait les missions.

XVI

En apprenant la maladie de Natacha, la comtesse, pas tout à fait rétablie et encore faible, arriva à Moscou avec Petia et tous les siens, et la famille Rostov réunie quitta Maria Dmitrievna pour s'installer définitivement dans son hôtel.

La maladie de Natacha était si sérieuse qu'heureusement pour elle et pour ses parents, la pensée de ce qui avait été à l'origine de cette maladie, sa conduite, et sa rupture avec son fiancé, fut reléguée au second plan. Elle était si malade qu'on ne pouvait plus se demander dans quelle mesure elle était à blâmer de ce qui s'était passé, alors qu'elle ne mangeait plus, ne dormait plus, maigrissait à vue d'œil, toussait et que les médecins laissaient entendre que ses jours étaient en danger. Il ne fallait penser qu'à la soigner. Les médecins venaient la voir, et séparément, et en consultation, parlaient beaucoup, et en français, et en allemand, et en latin, se critiquaient les uns les autres, prescrivaient les remèdes les plus divers contre toutes les maladies qu'ils connaissaient ; mais aucun d'eux n'eut la simple idée qu'ils ne pouvaient connaître celle dont elle souffrait, comme ils ne pouvaient connaître aucune des maladies qui affligent les humains, car tout homme a ses particularités, tout homme a toujours sa maladie à lui, nouvelle, complexe, inconnue de la médecine, une maladie non pas des poumons, du foie, de la peau, du cœur, des nerfs, etc., classée par la faculté, mais qui consiste en une des innombrables combinaisons des affections de ces organes. Cette simple idée ne pouvait venir aux médecins (non plus qu'il ne peut venir à l'esprit d'un sorcier de renoncer à ses pratiques), leur raison d'être étant de guérir puisque pour cela ils touchaient de l'argent et qu'ils y avaient consacré les meilleures années de leur vie. Mais surtout cette idée ne pouvait leur venir parce qu'ils se voyaient indiscutablement utiles, et ils l'étaient en effet à toute la famille Rostov. Ils l'étaient non pas parce qu'ils faisaient avaler à la malade des drogues, pour la plupart nocives (leur nocivité était peu sensible car les doses étaient infimes) ; ils étaient utiles, indispensables, inévitables (pour la même raison qui fait qu'il y aura toujours de prétendus guérisseurs, des rebouteux, des homéopathes) parce qu'ils satisfaisaient un besoin moral de la malade et de ceux qui l'aimaient. Ils satisfaisaient cet éternel besoin d'espoir, de soulagement, ce besoin de sympathie et d'empressement qu'éprouve l'homme quand il souffre. Ils satisfaisaient ce besoin – qu'on observe chez l'enfant dans sa forme la plus primitive – le besoin de frotter l'endroit où l'on s'est fait mal. L'enfant se donne un coup et aussitôt il court se jeter dans les bras de sa mère, de sa nounou, pour qu'on embrasse et frotte l'endroit meurtri et, sous leurs caresses, il se sent immédiatement soulagé. L'enfant ne conçoit pas que des gens plus forts et plus sages que lui puissent ne pas disposer du remède propre à soulager sa douleur. Et l'espoir d'un soulagement et la sympathie que sa mère lui témoigne en lui frottant sa bosse le consolent. Les médecins étaient utiles à Natacha en ce qu'ils embrassaient et frottaient son bobo en l'assurant que cela passerait aussitôt si le cocher allait chercher à la pharmacie de l'Arbate pour un rouble soixante-dix kopeks de poudres et de pilules dans une jolie boîte, et si elle prenait ces poudres toutes les deux heures, ni plus ni moins, dans de l'eau bouillie.

Qu'auraient fait Sonia, le comte, la comtesse, comment auraient-ils supporté de rester sans rien entreprendre, s'ils n'avaient pas eu ces pilules à faire prendre à heures fixes, ces boissons chaudes, ces croquettes de volaille et toutes les prescriptions des médecins dont l'observation était pour eux une occupation et une consolation ? Comment le comte aurait-il pu supporter la maladie de sa fille chérie s'il n'avait pas su que cette maladie lui coûterait des milliers de roubles et qu'il en donnerait volontiers des milliers encore pour qu'elle se rétablît ; s'il n'avait pas su que si elle ne se rétablissait pas il n'hésiterait pas à dépenser des milliers de roubles encore et l'emmènerait à l'étranger pour y consulter des lumières ; s'il n'avait pas eu la possibilité de raconter en détail que Métivier et Feller n'avaient rien compris, tandis que Frise au contraire avait compris et que Moudrov avait encore mieux diagnostiqué la maladie ? Qu'aurait fait la comtesse si elle n'avait pu se disputer de temps en temps avec la malade qui n'observait pas exactement les prescriptions du médecin ?

« Tu ne guériras jamais, disait-elle avec une irritation qui lui faisait oublier son chagrin, si tu n'écoutes pas le médecin et ne prends pas les médicaments à l'heure. On ne peut pas plaisanter quand cela peut dégénérer en pneumonie », et rien qu'à prononcer ce mot, incompréhensible pas seulement pour elle, elle trouvait un grand réconfort. Qu'aurait fait Sonia si elle n'avait pas eu la satisfaction de se dire que, les premiers temps, elle avait passé trois nuits sans se déshabiller pour être prête à exécuter ponctuellement toutes les prescriptions médicales, et que maintenant encore elle dormait à peine pour ne pas laisser passer l'heure d'administrer les pilules peu nocives de la petite boîte en or ? Natacha elle-même avait beau prétendre qu'aucun médicament ne pourrait la guérir et que tout cela n'était que des bêtises, elle avait plaisir à voir qu'on faisait tant de sacrifices pour elle, à devoir prendre des médicaments à heures fixes. Et elle avait même plaisir en négligeant les prescriptions à pouvoir montrer qu'elle ne croyait pas aux traitements et ne tenait pas à la vie.

Le médecin venait chaque jour, lui tâtait le pouls, regardait sa langue et, sans prendre garde à son visage défait, plaisantait avec elle. Mais en revanche, quand il passait dans la pièce voisine et que la comtesse l'y suivait en hâte, il prenait un air sérieux et, hochant pensivement la tête, disait que bien qu'il y eût danger, il comptait sur l'effet du dernier médicament, qu'il fallait attendre et voir ; que la maladie était plutôt morale mais…

La comtesse, se cachant d'elle-même et du médecin, lui glissait dans la main une pièce d'or et, le cœur plus tranquille, revenait auprès de la malade.

Les symptômes de la maladie de Natacha consistaient en ceci qu'elle mangeait peu, dormait peu, toussait et était toujours apathique. Les médecins disaient qu'on ne pouvait laisser la malade sans soins, aussi la retenaient-ils dans l'air étouffant de la ville. Et les Rostov n'allèrent pas à la campagne cet été 1812.

En dépit du grand nombre de pilules avalées, de gouttes et de poudres, contenues dans des flacons et des boîtes dont Mme Schoss, grand amateur de ce genre d'objets, avait réuni toute une collection, en dépit de la privation de la vie au grand air à laquelle elle était habituée, la jeunesse reprenait ses droits : le chagrin de Natacha se recouvrait d'une couche d'impressions nouvelles, il perdit de sa violence, fut peu à peu relégué dans le passé, et Natacha commença à se rétablir physiquement.

XVII

Natacha était plus calme mais non pas plus gaie. Non seulement elle évitait toutes les occasions extérieures de joie : bals, promenades, concerts, théâtre ; mais elle ne riait jamais sans qu'à travers son rire on sentît les larmes. Elle ne pouvait plus chanter. Dès qu'elle commençait à rire ou, seule avec elle-même, essayait de chanter, les larmes l'étouffaient : des larmes de repentir, des larmes dédiées au passé pur à jamais révolu ; des larmes de dépit d'avoir ainsi gâché pour rien sa jeune vie qui aurait pu être si heureuse. Le rire et particulièrement le chant lui semblaient être une profanation de son chagrin. Elle ne songeait même pas à être coquette ; elle n'avait aucun effort à faire pour cela. Elle disait et sentait que les hommes ne comptaient pas plus pour elle que le bouffon Nastassia

Ivanovna. Son juge intérieur lui interdisait sévèrement toute joie. Au demeurant, elle était maintenant bien loin de ce qui avait été sa vie insouciante, pleine d'espoirs de naguère. Le souvenir qui lui revenait le plus souvent et le plus douloureusement était celui des mois d'automne, de la chasse, de l'oncle et des fêtes de Noël passées avec Nicolas à Otradnoïe. Que n'aurait-elle pas donné pour faire revenir fût-ce un seul jour d'alors ! Mais cela était irrémédiablement révolu. Le pressentiment ne l'avait pas trompée en lui disant que cet état de liberté et de disponibilité pour toutes les joies ne reviendrait jamais plus. Mais il fallait vivre.

Elle puisait un réconfort dans la pensée qu'elle n'était pas meilleure que les autres comme elle l'avait cru jadis, mais pire, bien pire que tous au monde. Pourtant cela ne suffisait pas. Elle le savait et elle se demandait : « Et après ? » Or après il n'y avait rien. La vie ne lui réservait aucune joie, et la vie passait. Natacha s'efforçait seulement de n'être à charge à personne, de ne gêner personne, mais pour elle-même elle n'avait besoin de rien. Elle se tenait à l'écart de tous ses proches et ne se sentait à l'aise qu'avec son frère Petia. Elle préférait sa compagnie à celle de tous les autres ; et parfois, en tête-à-tête avec lui, elle riait. Elle ne sortait presque pas et, de ceux qui venaient les voir, n'aimait que les visites de Pierre. On ne pouvait lui montrer plus de tendresse, de délicatesse et en même temps plus de sérieux que ne le faisait le comte Bezoukhov. Natacha sentait d'instinct cette tendresse, aussi trouvait-elle beaucoup de plaisir à sa compagnie. Mais elle ne lui en était même pas reconnaissante. Rien de ce qui était bien ne lui paraissait de sa part un effort. Il semblait qu'être bon avec tout le monde était pour Pierre si naturel qu'il n'avait aucun mérite à cela. Parfois Natacha remarquait chez lui du trouble et de l'embarras en sa présence, surtout lorsqu'il craignait que quelque chose dans la conversation ne lui rappelât de pénibles souvenirs. Elle remarquait cela et l'attribuait à sa bonté et à sa timidité qui, croyait-elle, devait être la même avec tout le monde. Depuis les paroles qui lui avaient échappé quand, à un moment si pénible pour elle, il s'était laissé aller à lui dire que s'il était libre, il lui demanderait à genoux sa main et son amour, Pierre ne lui avait jamais plus parlé de ses sentiments ; et il était évident pour elle que ces paroles, qui lui avaient été d'un si grand réconfort alors, avaient été dites comme toutes les paroles dénuées de sens qu'on dit pour consoler un enfant en larmes. Non pas parce que Pierre était marié, mais parce que Natacha sentait très fortement entre lui et elle l'existence des barrières morales – dont elle avait senti l'absence avec Kouraguine – et qu'il ne lui était jamais venu à l'idée que leurs rapports pussent donner naissance non seulement à l'amour de sa part et encore moins de la part de Pierre, mais même à cette amitié tendre, poétique, acceptée sans réserve entre un homme et une femme, dont elle connaissait plusieurs exemples.

À la fin du carême de la Saint-Pierre, Agrafena Ivanovna Belov, une voisine des Rostov à Otradnoïe, vint à Moscou visiter les sanctuaires moscovites. Elle proposa à Natacha de faire ses dévotions en sa compagnie, et Natacha sauta avec joie sur cette idée. Malgré l'interdiction des médecins qui ne voulaient pas qu'elle sortît de bonne heure, elle insista pour le faire et le faire non pas comme on le pratiquait chez les Rostov, c'est-à-dire en entendant à la maison trois messes, mais comme le faisait Agrafena Ivanovna, c'est-à-dire pendant une semaine entière, sans manquer un seul des offices, vêpres, messe et matines.

Ce zèle de Natacha plut à la comtesse ; elle espérait au fond de son cœur, après l'insuccès du traitement médical, que la prière lui ferait plus de bien que les médicaments et, quoique non sans inquiétude et en cachette du médecin, elle céda et confia Natacha à Mme Belov. Agrafena Ivanovna venait réveiller Natacha à trois heures du matin et, le plus souvent, la trouvait déjà éveillée. Elle avait peur de manquer l'office. Sa toilette faite en hâte, vêtue modestement de la moins jolie de ses robes et d'une vieille pèlerine, frissonnante à la fraîcheur de la nuit, Natacha sortait dans les rues désertes éclairées par la lueur transparente de l'aurore. Selon le conseil d'Agrafena Ivanovna, elle n'allait pas dans sa paroisse mais dans une église dont le prêtre, au dire de la pieuse Mme Belov, menait une vie très austère et digne. Il y avait toujours peu de monde à l'église ; Natacha et Mme Belov se mettaient à leur place habituelle, devant une icône de la Vierge, du côté gauche du chœur, et un sentiment nouveau pour elle d'humilité devant quelque chose de grand, d'inaccessible s'emparait de Natacha lorsque, à cette heure insolite du matin, les yeux fixés sur la face noircie de la Vierge, éclairée par les cierges allumés devant elle et la lumière de l'aube qui tombait d'une fenêtre, elle écoutait l'office qu'elle s'efforçait de suivre en le comprenant. Lorsqu'elle le comprenait, ses sentiments intimes avec toutes leurs nuances particulières se mêlaient à sa prière ; lorsqu'elle ne comprenait pas, elle éprouvait encore plus de joie à penser que le désir de tout comprendre est de l'orgueil, qu'on ne peut tout comprendre, qu'il faut seulement croire et s'abandonner à Dieu qui – elle le sentait – était à ces instants maître de son âme. Elle se signait, s'inclinait, et quand elle ne comprenait pas, se contentait, horrifiée de son abjection, de demander à Dieu de tout lui pardonner, tout, et d'avoir pitié d'elle. Les prières auxquelles elle s'abandonnait le plus étaient celles du repentir. En rentrant chez elle à une heure très matinale, alors qu'on ne rencontrait dans les rues que des maçons allant à leur travail, des concierges balayant devant les maisons, et qu'à l'intérieur tout le monde dormait encore, Natacha éprouvait un sentiment nouveau pour elle qui la faisait croire à la possibilité d'un relèvement, d'une vie nouvelle, pure, et de bonheur.

Durant toute la semaine où elle mena cette vie, ce sentiment grandit de jour en jour. Et le bonheur de communier ou, comme lui disait Agrafena Ivanovna en jouant avec enthousiasme sur le mot, de communiquer avec Dieu, lui apparaissait si grand qu'il lui semblait qu'elle ne pourrait tenir jusqu'à ce bienheureux dimanche.

Mais le jour heureux arriva et quand, en ce dimanche mémorable pour elle, Natacha, en robe de mousseline blanche, revint de la communion, pour la première fois depuis bien des mois elle se sentit l'âme en paix et la vie qui l'attendait ne lui parut plus à charge.

Le médecin qui vint ce jour-là examina Natacha et ordonna de continuer la poudre qu'il avait prescrite quinze jours plus tôt.

« Il faut absolument continuer à la prendre matin et soir, dit-il, sa conscience professionnelle visiblement satisfaite du succès obtenu. Seulement, je vous en prie, plus ponctuellement. Soyez sans crainte, comtesse, ajouta-t-il d'un ton enjoué en attrapant la pièce d'or dans le creux de la main, elle va bientôt chanter et s'ébattre de nouveau. Le dernier médicament lui a fait beaucoup, beaucoup de bien. Elle a bien meilleure mine. »

Pour conjurer le mauvais sort, la comtesse cracha en regardant ses ongles et revint au salon, le visage gai.

XVIII

Au début de juillet, des bruits de plus en plus alarmants se répandirent à Moscou sur la marche des opérations ; on parlait d'un appel de l'empereur au peuple, de son arrivée de l'armée. Et comme le 11 juillet le manifeste et la proclamation n'avaient pas encore été reçus, des rumeurs tout à fait exagérées coururent à ce sujet et au sujet de la situation de la Russie. On disait que l'empereur quittait l'armée parce qu'elle était en danger, on disait que Smolensk était tombé, que Napoléon avait un million d'hommes et que seul un miracle pouvait sauver la Russie.

Le 11 juillet, un samedi, on reçut le manifeste mais il n'était pas encore imprimé ; et Pierre, qui était ce jour-là chez les Rostov, promit de venir dîner le lendemain dimanche et d'apporter le manifeste et la proclamation qu'il se procurerait chez le comte Rostoptchine.

Ce dimanche-là, les Rostov allèrent comme d'habitude entendre la messe à la chapelle privée des Razoumovski. C'était une journée chaude de juillet. Dès dix heures, quand ils descendirent de voiture devant la chapelle, l'air torride, les cris des colporteurs, les vêtements clairs de la foule, les arbres poussiéreux du boulevard, les accents de la musique et les pantalons blancs d'un bataillon qui faisait la relève, le roulement des voitures sur le pavé et l'ardeur du soleil éclatant, tout cela donnait cette impression de langueur, de satisfaction de son sort et de déception qu'on ressent avec une intensité particulière par une journée chaude d'été en ville. Toute la noblesse de Moscou, toutes les connaissances des Rostov étaient réunies à la chapelle des Razoumovski (cette année-là, comme dans l'attente de quelque chose, beaucoup de gens riches qui d'habitude se rendaient dans leurs terres étaient demeurés en ville). En suivant, aux côtés de sa mère, le valet de pied en livrée qui écartait la foule, Natacha entendit la voix d'un jeune homme qui parlait d'elle dans un murmure trop indiscret :

« C'est Mlle Rostov, celle qui…

– Comme elle a maigri, et pourtant elle est belle ! »

Elle entendit ou crut entendre les noms de Kouraguine et de Bolkonski. Au demeurant, elle avait constamment cette impression. Il lui semblait toujours qu'en la voyant tout le monde ne pensait qu'à ce qui lui était arrivé. Le cœur douloureusement serré, comme chaque fois qu'elle se trouvait dans une foule, Natacha s'avançait dans sa robe de soie mauve garnie de dentelle noire, comme savent marcher les femmes, d'autant plus calme et majestueuse qu'elle se sentait plus misérable et plus honteuse au fond du cœur. Elle se savait belle, elle ne s'y trompait pas, mais maintenant elle n'en éprouvait plus de plaisir comme autrefois. Au contraire, c'est cela qui la tourmentait le plus ces temps derniers, et surtout par cette éclatante et chaude journée d'été en ville. « Encore un dimanche passé, encore une semaine, se disait-elle en se souvenant qu'elle était déjà venue ici le dimanche précédent, et c'est toujours la même vie qui n'est pas une vie, et toujours les mêmes conditions d'existence dans lesquelles la vie était si facile jadis. Je suis belle, je suis jeune, et je sais que maintenant je suis bonne ; autrefois j'étais mauvaise, mais maintenant je suis bonne, je le sais, et les meilleures années, les meilleures, passent ainsi, pour rien, sans profit pour personne. » Elle prit place à côté de sa mère et échangea des signes de tête avec quelques personnes de connaissance les plus proches. Par habitude, elle examina les toilettes, critiqua la *tenue* d'une dame tout près d'elle et la façon peu décente qu'elle avait de faire des signes de croix étriqués, pensa de nouveau avec dépit qu'on la jugeait, qu'elle jugeait elle aussi les autres, et soudain, entendant les paroles de l'office, elle fut horrifiée de son abjection, horrifiée d'avoir de nouveau perdu son ancienne pureté.

Un petit vieillard digne et propret officiait avec cette sérénité solennelle qui a un effet si apaisant et plein de grandeur sur l'âme des fidèles. Les portes de l'iconostase se fermèrent, le rideau se tira lentement, une voix basse, mystérieuse parvint de l'intérieur. Des larmes dont elle ne comprenait pas la cause remplissaient le cœur de Natacha et une joyeuse émotion l'agitait.

« Enseigne-moi ce que je dois faire, que faire de ma vie, comment me réformer à jamais, à jamais !... » pensait-elle.

Le diacre s'avança sur l'ambon, dégagea de son pouce largement écarté ses longs cheveux de dessous son surplis et, portant la main en croix à son épaule, se mit à dire d'une voix haute et solennelle les paroles de la prière :

« Tous ensemble, prions le Seigneur. »

« Tous ensemble, sans distinction de classes, sans inimitié, mais unis dans l'amour fraternel, prions », pensait Natacha.

« Pour la paix d'en haut et pour le salut de nos âmes ! »

« Pour le monde des anges et des âmes de toutes les créatures incorporelles qui vivent au-dessus de nous », priait Natacha.

Quand on pria pour les armées, elle se souvint de son frère et de Denissov. Quand on pria pour les navigateurs et les voyageurs, elle se souvint du prince André, pria pour lui et demanda à Dieu de lui pardonner le mal qu'elle lui avait fait. Quand on pria pour ceux qui nous aiment, elle pria pour tous les siens, pour son père, sa mère, Sonia, consciente pour la première fois de tous ses torts envers eux et sentant toute la force de l'amour qu'elle leur portait. Quand on pria pour ceux qui nous haïssent, elle se chercha des ennemis pour pouvoir prier pour eux. Elle compta parmi les ennemis les créanciers de son père et tous ceux qui avaient affaire à lui, et chaque fois à la pensée de nos ennemis et de ceux qui nous haïssent, elle se souvenait d'Anatole qui lui avait fait tant de mal, et bien qu'il ne fût pas de ceux qui la haïssaient, elle pria avec joie pour lui comme pour un ennemi. C'est en priant seulement qu'elle se sentait le courage d'évoquer avec sérénité et calme le souvenir et du prince André et d'Anatole pour qui elle éprouvait alors des sentiments qui s'effaçaient devant le sentiment de crainte et d'adoration qu'elle éprouvait pour Dieu. Quand on pria pour la famille impériale et pour le Synode, elle se signa et s'inclina avec une ferveur toute particulière en se disant que, si elle ne comprenait pas, elle ne pouvait douter et qu'elle aimait malgré tout le Synode et priait pour lui.

La prière finie, le diacre croisa son étole sur sa poitrine et proféra :

« Remettons nous-mêmes et notre vie au Christ notre Dieu. »

« Remettons-nous à Dieu, répéta Natacha au fond de son cœur. Mon Dieu, je me confie à Ta volonté. Je ne veux rien, je ne désire rien ; enseigne-moi ce que je dois faire, comment user de ma volonté ! Mais prends-moi donc, prends-moi ! » disait-elle avec une impatience exaltée dans l'âme, sans se signer, laissant retomber ses bras minces et comme si elle s'attendait à ce qu'une force invisible la prît et la délivrât d'elle-même, de tous ses regrets, de tous ses désirs, de ses remords, de ses espoirs et de ses vices.

Plusieurs fois au cours de la messe, la comtesse jeta malgré elle un regard sur le visage recueilli aux yeux brillants de sa fille et pria Dieu de lui venir en aide.

Soudain, au milieu de l'office et par dérogation à l'ordinaire que Natacha connaissait bien, le sacristain apporta un petit banc, celui sur lequel on lit les prières à genoux le jour de la Pentecôte, et le plaça devant les portes de l'iconostase. Le prêtre sortit en calotte de velours violet, arrangea ses cheveux et s'agenouilla péniblement. Tout le monde fit de même et l'on se regarda avec surprise. C'était la prière qu'on venait de recevoir du Synode, la prière pour le salut de la Russie envahie par l'ennemi.

« Seigneur tout-puissant, Dieu de notre salut », commença le prêtre de cette voix claire, modeste et sans emphase que n'ont que les officiants slaves et dont l'effet est si irrésistible sur les cœurs russes.

« Seigneur tout-puissant, Dieu de notre salut ! Jette aujourd'hui un regard dans Ta clémence et Ta générosité sur Tes humbles serviteurs et entends-nous avec amour, épargne-nous et aie pitié de nous. L'ennemi qui sème le trouble sur Ta terre et qui veut dévaster tout l'univers s'est levé contre nous ; ces impies se sont rassemblés pour anéantir Ton bien, ravager Ta fidèle Jérusalem, Ta bien-aimée Russie : profaner Tes temples, renverser les autels et insulter nos choses saintes. Jusques à quand, Seigneur, jusques à quand les pécheurs triompheront-ils ? Jusques à quand useront-ils de leur puissance criminelle ?

« Seigneur tout-puissant ! Entends nos prières : soutiens de Ta force notre très pieux et autocrate tsar et empereur Alexandre Pavlovitch ; souviens-Toi de sa loyauté et de sa douceur, traite-le selon la même mansuétude qu'il nous traite, nous, Ton Israël bien-aimée. Bénis ses décisions, ses entreprises et ses initiatives ; soutiens son règne de Ta dextre toute-puissante et accorde-lui la victoire sur l'ennemi comme Tu l'as accordée à Moïse sur Amalec, à Gédéon sur Madian et à David sur Goliath. Protège ses armées, place l'arc des Mèdes dans la main de ceux qui se sont levés en Ton nom et ceins-les de Ta force pour le combat. Prends Tes armes et Ton bouclier et viens à notre secours pour que la honte et la défaite frappent ceux qui nous veulent du mal, qu'ils soient à la face de Tes fidèles armées comme la poussière devant le vent, et que Ton Ange puissant les outrage et les pourchasse ; qu'un filet les enserre sans qu'ils s'en doutent et qu'ils se prennent à leurs propres pièges ; qu'ils tombent aux pieds de Tes serviteurs et qu'ils soient foulés par nos armées. Seigneur ! Tu es le salut de ce qui est grand comme de ce qui est petit. Tu es Dieu, et l'homme ne peut rien contre Toi.

« Dieu de nos pères ! Souviens-Toi de Ta générosité et de Ta grâce qui sont éternelles, ne nous repousse pas de Ta face et ne prends pas en aversion notre indignité, mais dans Ta grande clémence et toutes Tes générosités sois indulgent pour notre iniquité et nos péchés. Donne-nous un cœur pur et renouvelle un esprit droit dans notre sein ; fortifie-nous tous dans la foi en Toi, affermis-nous par l'espérance, inspire-nous un vrai amour les uns pour les autres, arme-nous d'unanimité pour la défense légitime du patrimoine que Tu nous a donné, à nous et à nos pères, que le sceptre des impies ne s'élève pas sur le lot des élus.

« Seigneur notre Dieu en qui nous croyons et en qui nous espérons, ne déçois pas notre attente de Ta clémence et fais un signe en notre faveur pour que ceux qui nous haïssent, nous et notre foi orthodoxe, le voient et qu'ils soient confondus et périssent ; et que toutes les nations sachent que Ton nom est Seigneur et que nous sommes Ton peuple. Manifeste-nous aujourd'hui Ta grâce, Seigneur, et accorde-nous Ton salut ; réjouis le cœur de Tes serviteurs par Ta grâce, frappe nos ennemis et précipite-les bientôt aux pieds de Tes fidèles. Tu es le refuge, le secours et la victoire, de ceux qui espèrent en Toi, et nous glorifions le Père, le Fils et le Saint-Esprit, maintenant et toujours et dans les siècles des siècles. Amen. »

Dans les dispositions où était Natacha, l'âme ouverte à tout, cette prière la remua profondément. Elle écoutait chaque mot sur la victoire de Moïse sur Amalec, et de

Gédéon sur Madian, et de David sur Goliath, et la destruction de Ta Jérusalem, et elle priait Dieu avec la tendresse et la ferveur dont son cœur était plein ; mais elle ne comprenait pas bien ce qu'elle demandait à Dieu dans sa prière. Elle s'associa de toute son âme à la prière pour obtenir un esprit droit, l'affermissement de nos cœurs par la foi, l'espoir et leur inspiration par l'amour. Mais elle ne pouvait prier pour l'anéantissement de nos ennemis puisque, quelques instants plus tôt, elle ne désirait qu'en avoir davantage encore pour pouvoir les aimer, prier pour eux. Pourtant elle ne pouvait douter du bien-fondé de la prière qu'on venait de dire à genoux. Elle ressentait dans son âme une terreur sacrée et frémissante devant le châtiment qui frappe les hommes pour les punir de leurs péchés et surtout devant ses propres péchés, et elle demandait à Dieu d'accorder le pardon à tous, et à elle-même, de leur accorder à tous, et à elle, la paix et le bonheur dans cette vie. Et il lui semblait que Dieu entendait sa prière.

XIX

Depuis le jour où Pierre, quittant les Rostov encore sous l'impression du regard reconnaissant de Natacha, avait contemplé la comète dans le ciel et senti quelque chose de nouveau s'ouvrir devant lui, le problème de la vanité et de l'insanité de toutes choses terrestres qui l'avait toujours tourmenté cessa de le hanter. Cette terrible question : pourquoi ? à quoi bon ? qui jadis surgissait au milieu de chacune de ses occupations avait maintenant fait place non pas à une autre question ni à une réponse, mais à SON image. Qu'il écoutât ou menât lui-même une conversation banale, qu'il lût ou qu'il apprît une bassesse ou une sottise, il n'était plus horrifié comme auparavant ; il ne se demandait plus pourquoi les gens s'agitent quand tout est si bref et si incertain, mais évoquait son image telle qu'il l'avait vue la dernière fois et tous ses doutes s'évanouissaient, non pas parce qu'elle répondait aux questions qui se posaient à lui, mais parce que son image le transportait immédiatement dans la lumineuse région de la vie spirituelle où il ne pouvait y avoir ni juste ni coupable, dans la région de la beauté et de l'amour pour lesquels la vie valait la peine d'être vécue. Quelque abjection qu'il rencontrât dans l'existence, il se disait :

« Qu'importe qu'un tel ait volé l'État et le tsar, et que l'État et le tsar le comblent d'honneurs ; elle m'a souri hier et m'a prié de revenir, et je l'aime, et personne ne le saura jamais. »

Pierre continuait toujours d'aller dans le monde, de boire beaucoup et de mener la même existence oisive et dissipée, puisque, en dehors des heures qu'il passait chez les Rostov, il fallait bien passer aussi le reste du temps et que les habitudes et les relations qu'il s'était faites à Moscou l'entraînaient irrésistiblement vers ce genre de vie. Mais les derniers temps, quand les nouvelles qui arrivaient du théâtre de la guerre devinrent de plus en plus alarmantes, et que la santé de Natacha commençant à s'améliorer, elle cessa de lui inspirer le même sentiment de pitié attentive, une incompréhensible inquiétude croissante s'empara de lui. Il sentait que cette vie ne pouvait durer, qu'une catastrophe approchait qui devait bouleverser son existence et il cherchait avec impatience à en découvrir partout les signes. Un des frères maçons lui avait révélé la prophétie suivante concernant Napoléon, extraite de l'Apocalypse de saint Jean.

Au chapitre treize de l'Apocalypse, verset dix-huit, il est dit : « C'est ici la sagesse. Que celui qui a de l'intelligence compte le nombre de la bête ; car c'est un nombre d'homme et ce nombre est six cent soixante-six. »

Au même chapitre, verset cinq : « Et il lui fut donné une bouche proférant des paroles arrogantes et blasphématoires, et il lui fut donné pouvoir d'agir pendant quarante-deux mois. »

L'alphabet français, suivant la numération hébraïque où les dix premières lettres correspondent aux unités et les suivantes aux dizaines, a la signification suivante :

a	b	c	d	e	f	g	h	i	k	l	m	n	o	p
1	2	3	4	5	6	7	8	9	10	20	30	40	50	60

q	r	s	t	u	v	w	x	y	z
70	80	90	100	110	120	130	140	150	160

En écrivant en chiffres, d'après cet alphabet, les mots : *L'empereur Napoléon*, on constate que la somme de ces chiffres égale 666 et, par conséquent, c'est Napoléon qui est la bête prédite dans l'Apocalypse. En outre, en écrivant d'après le même alphabet le mot *quarante-deux*, c'est-à-dire le terme assigné à la bête pour proférer des paroles arrogantes et blasphématoires, le total des chiffres est de nouveau égal à 666, d'où il résulte que la limite de la puissance de Napoléon sera l'année 1812 où l'empereur de France a atteint quarante-deux ans. Cette prophétie avait beaucoup frappé Pierre et il se demandait souvent ce qui au juste mettrait un terme à la puissance de la bête, c'est-à-dire de Napoléon, et à l'aide de la même représentation par les chiffres et par des calculs, il s'efforçait de trouver une réponse à la question qui l'occupait. Il écrivit d'abord : *l'empereur Alexandre ? La nation russe ?* Il additionna les lettres, mais le total était bien supérieur ou bien inférieur à 666. Une fois, en s'occupant de ces calculs, il écrivit son nom : *comte Pierre Besuhoff*; la somme fut également loin du chiffre voulu. Changeant l'orthographe, il mit un *z* à la place de l'*s*, ajouta la particule *de*, ajouta l'article *le*, mais toujours sans obtenir le résultat voulu. L'idée lui vint alors que, si la réponse à la question se trouvait bien dans son nom, il fallait nécessairement y faire figurer aussi sa nationalité. Il écrivit *le Russe Besuhoff*, et en additionnant les chiffres obtint 671. Il n'y avait que 5 de trop ; le 5 signifie un *e*, ce même *e* qui était élidé dans l'article devant le mot *L'empereur*.

En l'élidant de même quoique incorrectement, il obtint la réponse cherchée : *l'Russe Besuhoff* égale 666. Cette découverte l'émut. Comment, par quel lien il était rattaché à ce grand événement prédit par l'Apocalypse, il l'ignorait ; mais il ne douta pas un instant de l'existence de ce lien. Son amour pour Mlle Rostov, l'Antéchrist, l'invasion de Napoléon, la comète, 666, *l'empereur Napoléon* et *l'Russe Besuhoff*, tout cela ensemble devait mûrir, éclater un jour et le tirer de ce monde enchanté et médiocre des habitudes moscovites où il se sentait prisonnier, pour le conduire vers une glorieuse épreuve et un grand bonheur.

La veille de ce dimanche où on lut la prière, Pierre avait promis aux Rostov de leur apporter de chez le comte Rostoptchine qu'il connaissait bien l'appel à la Russie et les dernières nouvelles de l'armée. Le matin, il passa chez le comte Rostoptchine et y trouva un courrier qui venait d'arriver de l'armée.

Ce courrier était un des danseurs assidus des bals de Moscou que Pierre connaissait.

« Je vous en supplie, ne pourriez-vous pas me soulager, dit le courrier, j'ai un sac plein de lettres pour des parents. »

Parmi ces lettres, il y en avait une de Nicolas Rostov à son père. Pierre la prit. En outre, le comte Rostoptchine lui remit l'appel de l'empereur à Moscou qui venait d'être imprimé, les derniers ordres du jour à l'armée et sa dernière affiche. En parcourant les ordres du jour, Pierre découvrit, parmi une liste de blessés, de morts et des récompenses décernées, le nom de Nicolas Rostov décoré de la croix de Saint-Georges de quatrième classe pour la bravoure dont il avait fait preuve dans l'affaire d'Ostrovnia, et, dans le même ordre du jour, la nomination du prince André Bolkonski au commandement d'un régiment de chasseurs. Bien qu'il n'eût pas voulu rappeler aux Rostov le souvenir de Bolkonski, Pierre ne put se retenir de leur faire une joie en leur apprenant la nouvelle de la distinction accordée à leur fils, et laissant chez lui l'appel, l'affiche et les autres ordres du jour afin de les apporter lui-même en venant dîner, il leur fit porter l'imprimé et la lettre.

Sa conversation avec le comte Rostoptchine, le ton préoccupé et affairé de celui-ci, la rencontre avec le courrier qui racontait avec insouciance combien les choses allaient mal à l'armée, le bruit qu'on avait découvert des espions à Moscou, qu'un papier y circulait dans lequel il était dit que Napoléon promettait d'être avant l'automne dans les deux capitales russes, l'arrivée de l'empereur qu'on attendait pour le lendemain, tout cela ranima avec une force nouvelle en Pierre cette émotion et cette attente qui ne l'avaient pas quitté depuis l'apparition de la comète et surtout depuis le début de la guerre.

L'idée de s'engager lui venait depuis longtemps et il l'aurait fait s'il n'en était pas empêché, d'une part par son appartenance à la société maçonnique à laquelle il était lié par un serment et qui prêchait la paix perpétuelle et l'abolition des guerres, et d'autre part parce qu'à la vue du grand nombre des Moscovites qui endossaient l'uniforme et exaltaient le patriotisme, il avait honte de faire ce geste. Mais la raison principale qui l'empêchait de prendre du service résidait dans cette vague idée que c'était lui, *l'Russe Besuhoff*, qui figurait le chiffre de la bête 666, que sa participation à la grande œuvre devant mettre un terme au pouvoir de la bête qui profère des paroles arrogantes et blasphématoires avait été déterminée de toute éternité, et qu'il ne devait donc rien entreprendre mais attendre ce qui ne pouvait pas ne pas s'accomplir.

XX

Comme tous les dimanches, les Rostov avaient quelques amis intimes à dîner.

Pierre arriva de bonne heure, pour les trouver seuls.

Il avait tellement grossi depuis un an qu'il eût paru monstrueux s'il n'avait été si grand, si fort et de carrure si puissante qu'il supportait aisément son embonpoint.

Il monta l'escalier en soufflant et en marmonnant quelque chose à part lui. Son cocher ne demandait plus s'il devait l'attendre. Il savait que, quand le comte était chez les Rostov, il y restait jusqu'à minuit. Les laquais se précipitèrent joyeusement pour le débarrasser de son manteau et lui prendre sa canne et son chapeau. Selon l'habitude du club, il laissait toujours sa canne et son chapeau dans le vestibule.

La première personne qu'il vit chez les Rostov fut Natacha. Avant même de la voir, il l'avait entendue en enlevant son manteau dans le vestibule. Elle faisait du solfège dans la salle de bal. Il savait qu'elle ne chantait plus depuis sa maladie, aussi le ton de sa voix lui causa-t-il une agréable surprise. Il ouvrit doucement la porte et vit Natacha qui, vêtue de la robe mauve qu'elle portait à la messe, allait et venait en chantant. Elle lui tournait le dos, mais quand elle se retourna brusquement et aperçut sa grosse figure étonnée, elle rougit et alla vivement à lui.

« Je veux essayer de me remettre au chant, dit-elle. C'est malgré tout une occupation, ajouta-t-elle comme pour s'excuser.

– Vous avez parfaitement raison.

– Comme je suis contente que vous soyez venu ! Je suis si heureuse aujourd'hui ! dit-elle avec son ancienne animation qu'il ne lui avait pas vue depuis longtemps. Vous savez, Nicolas a la croix de Saint-Georges. Je suis fière de lui.

– Bien sûr, c'est moi qui vous ai envoyé l'ordre du jour. Mais je ne veux pas vous déranger, ajouta-t-il en se dirigeant vers le salon.

– Comte ! ai-je tort de chanter ? dit-elle en rougissant, mais en le regardant interrogativement sans le quitter des yeux.

– Non… Pourquoi donc ? Au contraire… Mais pourquoi me le demandez-vous ?

– Je ne sais pas, répondit vivement Natacha, mais je ne voudrais rien faire qui vous déplût. J'ai une confiance absolue en vous. Vous ne savez pas à quel point vous comptez pour moi et tout ce que vous avez fait pour moi ! » Elle parlait rapidement et sans remarquer que Pierre avait rougi à ces mots. « J'ai vu dans le même ordre du jour que LUI, Bolkonski (elle dit ce nom précipitamment et tout bas), est en Russie et qu'il a repris du service. Qu'en pensez-vous ? dit-elle vivement, visiblement pressée de parler par crainte que ses forces ne la trahissent, me pardonnera-t-il un jour ? Il ne me gardera pas rancune ? Qu'en pensez-vous ? Qu'en pensez-vous ?

– Je pense... dit Pierre. Il n'a rien à pardonner... Si j'étais à sa place... » Par un enchaînement de souvenirs, il se reporta instantanément à l'époque où en la consolant il lui avait dit que, si au lieu d'être ce qu'il était il était le meilleur des hommes et qu'il fût libre, il lui demanderait sa main à genoux, et le même sentiment de pitié, de tendresse, d'amour s'empara de lui, et les mêmes paroles furent sur ses lèvres. Mais elle ne lui laissa pas le temps de les prononcer.

« Oui, vous... vous... dit-elle en prononçant ce mot avec exaltation, vous c'est autre chose. Je ne connais personne de meilleur, de plus généreux que vous, et il ne peut y en avoir. Si je ne vous avais pas eu alors, si je ne vous avais pas maintenant encore, je ne sais pas ce que je serais devenue car... » Des larmes jaillirent soudain de ses yeux, elle se détourna, cacha son visage derrière le cahier de musique, se remit à chanter et à aller et venir dans la pièce.

À ce moment Petia accourut du salon.

C'était maintenant un beau garçon de quinze ans aux joues roses, aux grosses lèvres rouges, qui ressemblait à Natacha. Il se préparait à entrer à l'université mais depuis quelque temps, avec son ami Obolenski, il avait décidé en secret de se faire hussard.

Petia accourait vers son homonyme pour lui parler de son affaire.

Il lui avait demandé de se renseigner s'il serait accepté dans les hussards.

Pierre passait sans écouter Petia.

Petia le tira par le bras pour attirer son attention.

« Eh bien, où en est mon affaire, Pierre Kirilitch, pour l'amour de Dieu ! Vous êtes mon seul espoir, dit-il.

– Ah ! oui, ton affaire. Les hussards ? J'en parlerai, j'en parlerai. Je le ferai aujourd'hui.

– Eh bien, *mon cher*, eh bien, avez-vous le manifeste ? demanda le vieux comte. La comtesse est allée à la messe chez les Razoumovski, elle y a entendu la nouvelle prière. Elle la dit très belle.

– Oui, je l'ai, répondit Pierre. L'empereur arrive demain… Il y aura une réunion extraordinaire de la noblesse et on parle d'une levée de dix sur mille. Au fait, je vous félicite.

– Oui, oui, Dieu merci ! Voyons, et de l'armée quelles nouvelles ?

– Nous avons encore reculé. Jusqu'à Smolensk paraît-il, répondit Pierre.

– Mon Dieu, mon Dieu ! dit le comte. Où est donc le manifeste ?

– La proclamation ! Ah ! oui ! » Pierre fouilla dans ses poches et ne put trouver les papiers. Tout en continuant à tapoter ses poches, il baisa la main de la comtesse qui entrait et jeta des regards anxieux autour de lui, attendant apparemment Natacha qui ne chantait plus mais ne se montrait pas dans le salon.

« Ma parole, je ne sais plus ce que j'en ai fait, dit-il.

– Il perd toujours tout », dit la comtesse. Natacha entra, le visage adouci, ému, et s'assit en regardant Pierre sans rien dire. Dès son entrée, le visage de Pierre, jusque-là sombre, s'éclaira et, tout en continuant ses recherches, il la regarda plusieurs fois.

« Je vais aller les chercher, j'ai dû les oublier chez moi. Vraiment…

– Mais vous serez en retard pour le dîner.

– Ah ! et le cocher qui est parti. » Mais Sonia qui était allée chercher les papiers dans le vestibule, les trouva dans le chapeau de Pierre où il les avait soigneusement glissés derrière la doublure. Pierre voulut lire.

« Non, après le dîner », dit le vieux comte qui escomptait visiblement beaucoup de plaisir de cette lecture.

Pendant le dîner où l'on but du champagne à la santé du nouveau chevalier de Saint-Georges, Chinchine raconta les nouvelles de la ville, la maladie d'une vieille princesse géorgienne, la disparition de Métivier, l'histoire d'un Allemand qu'on avait amené à Rostoptchine en déclarant que c'était un « champignon » (c'est ainsi que le racontait le comte Rostoptchine lui-même) et que celui-ci avait fait relâcher en disant à la foule que ce n'était pas un champignon mais tout simplement un vieux cornichon d'Allemand[1].

« On s'en empare, on s'en empare, fit le comte, je dis bien à la comtesse de ne pas tant parler français. Ce n'est pas le moment.

– Et savez-vous, dit Chinchine, que le prince Golitzine a engagé un professeur de russe – il apprend le russe – *il commence à devenir dangereux de parler français dans les rues*.

– Eh bien, Pierre Kirilitch, quand on lèvera la milice, il faudra que vous aussi vous montiez à cheval ? » dit le vieux comte à Pierre.

Pierre avait été silencieux et pensif pendant tout le dîner. À ces mots, il regarda le comte sans paraître comprendre.

« Oui, oui, partir pour la guerre, dit-il, non ! Je ferais un piètre guerrier ! D'ailleurs tout est si étrange, si étrange ! Je n'y comprends plus rien. Je ne sais pas, j'ai si peu de penchant pour les choses militaires, mais par le temps qui court personne ne peut répondre de rien. »

1. Confusion populaire entre les mots *chpion* (espion) et « champignon ».

Après le dîner, le comte s'installa confortablement dans un fauteuil et d'un air sérieux pria Sonia, qui avait la réputation d'être une excellente lectrice, de faire la lecture.

« À Moscou, notre première capitale.

« L'ennemi a franchi avec des forces considérables les frontières russes. Il vient pour dévaster notre chère patrie », lisait avec application Sonia de sa voix fluette. Le comte, les yeux clos, écoutait en soupirant à certains passages.

Natacha se tenait bien droite et fixait un regard scrutateur tantôt sur son père, tantôt sur Pierre.

Pierre sentait son regard posé sur lui et s'efforçait de ne pas se tourner de son côté. La comtesse hochait la tête avec désapprobation et mécontentement à chaque expression emphatique du manifeste. Elle ne voyait dans chacun de ces mots que la confirmation que les dangers qui menaçaient son fils n'étaient pas près de cesser. Chinchine, les lèvres arquées en un sourire ironique, se préparait visiblement à se moquer à la première occasion de la façon de lire de Sonia, de ce que dirait le comte, même de la proclamation, à défaut d'un meilleur prétexte.

Après avoir lu les passages relatifs aux dangers qui menaçaient la Russie, aux espoirs que l'empereur fondait sur Moscou et surtout sur son illustre noblesse, Sonia, avec un tremblement dans la voix dû principalement à l'attention avec laquelle on l'écoutait, lut les derniers mots : « Nous ne tarderons pas à nous trouver nous-même au milieu de notre peuple, dans cette capitale et en d'autres lieux de notre empire, pour délibérer et guider toutes nos armées, tant celles qui barrent aujourd'hui la route à l'ennemi que celles qui seront formées pour l'abattre partout où il se montrera. Que le malheur dans lequel il médite de nous précipiter retombe sur sa tête et que l'Europe délivrée de l'esclavage glorifie le nom de la Russie ! »

« Ça c'est parfait ! s'écria le comte en ouvrant ses yeux humides de larmes, interrompu plusieurs fois par des reniflements comme si l'on portait à son nez un flacon de sels. L'empereur n'a qu'à dire un mot, nous sacrifierons tout sans aucun regret. »

Chinchine n'avait pas encore eu le temps de placer la plaisanterie qu'il avait préparée sur le patriotisme du comte, que Natacha bondit sur ses pieds et courut à son père.

« Quel amour que ce papa ! dit-elle en l'embrassant, et elle jeta un nouveau regard à Pierre avec cette coquetterie inconsciente qui lui revenait avec son animation.

– En voilà une patriote ! dit Chinchine.

– Mais pas du tout, simplement... répondit-elle froissée. Vous riez toujours, mais ce n'est pas du tout une plaisanterie...

– Il s'agit bien de plaisanteries ! répéta le comte. Qu'il dise seulement un mot et nous partirons tous... Nous ne sommes pas des Allemands quelconques...

– Avez-vous remarqué, intervint Pierre, qu'il est dit : "pour délibérer".

– Ma foi, que ce soit pour n'importe quoi... »

À ce moment, Petia à qui personne ne faisait attention s'approcha de son père et, tout rouge, dit d'une voix qui muait, tantôt rude, tantôt aiguë :

« Eh bien, maintenant, papa, je déclare résolument – et à vous aussi, maman, que vous le vouliez ou non – je déclare résolument que vous devez me laisser m'engager parce que je ne peux pas... voilà tout... »

Le comtesse terrifiée leva les yeux au ciel, joignit les mains et se tourna avec colère vers son mari :

« Et voilà ! » dit-elle.

Mais le comte surmonta aussitôt son émotion.

« Allons, allons, dit-il. En voilà un guerrier ! Laisse donc ces bêtises : tu dois faire tes études.

– Ce ne sont pas des bêtises, papa. Fedia Obolenski est plus jeune que moi et il part aussi, et surtout je ne peux de toute façon pas travailler maintenant que... » Petia s'arrêta, rougit au point que des gouttes de sueur perlèrent sur son visage, mais acheva quand même sa phrase :

« ... que la patrie est en danger.

– Allons, allons, bêtises que tout cela.

– Mais vous avez dit vous-même que nous sacrifierions tout.

– Petia ! Tais-toi, je te dis, cria le comte en jetant un regard à sa femme qui, toute pâle, regardait fixement son fils.

– Et moi je vous dis… Et Pierre Kirilovitch vous le dira aussi…

– Je te répète que ce sont des bêtises, si on lui pressait le nez il en sortirait encore du lait, et il veut être soldat ! Assez, assez, te dis-je ! et emportant les papiers, sans doute pour les relire dans son cabinet avant de se reposer, le comte se dirigea vers la porte.

– Pierre Kirilovitch, venez donc fumer… »

Pierre était troublé et indécis : les yeux animés de Natacha, brillant d'un éclat inaccoutumé, se tournaient sans cesse vers lui avec plus que de la cordialité.

« Je crois que je vais rentrer…

– Comment rentrer, mais vous vouliez passer la soirée avec nous… Déjà vous vous faites rare depuis quelque temps. Et celle-là… dit le comte avec bonhomie en montrant Natacha, elle n'est gaie que quand vous êtes là…

– Oui, j'avais oublié… Je dois absolument rentrer… Des affaires… dit précipitamment Pierre.

– Eh bien, au revoir alors, dit le comte en sortant.

– Pourquoi partez-vous ? Pourquoi êtes-vous troublé ? Pourquoi ? » demanda Natacha à Pierre en le regardant dans les yeux d'un air de défi.

« Parce que je t'aime ! » voulut-il dire, mais il ne le dit pas ; il rougit jusqu'à la racine des cheveux et baissa les yeux.

« Parce qu'il vaut mieux que je vienne moins souvent chez vous… Parce que… non, simplement j'ai affaire.

– Pourquoi ? Non, dites-le », commença Natacha résolument, et soudain elle se tut. Ils se regardèrent, effrayés et gênés. Il tenta de sourire mais ne le put ; son sourire refléta la souffrance, il lui baisa la main sans rien dire et sortit.

Pierre décida de ne plus aller chez les Rostov.

XXI

Petia, après le refus catégorique qu'il avait essuyé, s'enferma dans sa chambre et y pleura à chaudes larmes. Tout le monde fit semblant de ne rien remarquer lorsqu'il vint prendre le thé, taciturne et sombre, les yeux rouges.

L'empereur arriva le lendemain. Plusieurs domestiques des Rostov demandèrent la permission d'aller le voir passer. Ce matin-là Petia mit longtemps à s'habiller, à se coiffer et à arranger son col à la manière des grandes personnes. Il fronçait les sourcils devant la glace, faisait des gestes, haussait les épaules et enfin, sans rien dire à personne, il mit sa casquette et sortit par l'escalier de service en s'efforçant de passer inaperçu. Il avait décidé de se rendre tout droit là où était l'empereur et d'expliquer carrément à un chambellan (il savait que l'empereur était toujours entouré de chambellans) qu'en dépit de son âge il désirait, lui, le comte Rostov, servir la patrie, que la jeunesse ne pouvait être un obstacle au dévouement et qu'il était prêt… Petia en se préparant à sortir avait composé beaucoup de belles phrases qu'il dirait au chambellan.

Il comptait sur le succès de sa démarche auprès de l'empereur précisément parce qu'il était un enfant (il songeait même à la surprise que sa jeunesse causerait à tout le monde), et cependant, par l'arrangement de son col, par sa coiffure et sa démarche lente et digne, il voulait se donner l'air d'un homme d'âge. Mais plus il avançait, plus il se laissait distraire par la foule qui affluait de partout vers le Kremlin, et moins il pensait à observer la pondération et la lenteur propres aux gens mûrs. En approchant du Kremlin, il dut prendre garde à ne pas être bousculé et écarta résolument les coudes d'un air menaçant. Mais à la porte de la Trinité, malgré son air résolu, la foule qui ignorait sans doute dans quelles intentions patriotiques il se rendait au Kremlin, le pressa si fort contre le mur qu'il dut se résigner à s'arrêter pour laisser passer une file de voitures dans un grondement répercuté par la voûte. À côté de lui, il y avait une femme du peuple avec un laquais, deux marchands et un soldat retraité. Après un arrêt à la porte, Petia, sans attendre que toutes les voitures fussent passées, voulut reprendre son chemin avant tous les autres et se mit à jouer énergiquement des coudes; mais la femme contre laquelle il en fit tout d'abord usage lui cria avec colère :

« Hé, là, le petit monsieur, qu'as-tu à pousser, tu vois, tout le monde attend. Pas la peine d'essayer de passer !

– Comme ça chacun pourrait en faire autant », dit le laquais, et jouant lui aussi des coudes, il refoula Petia vers l'angle malodorant de la porte.

Petia essuya la sueur qui ruisselait sur son visage, rajusta son col tout ramolli qu'il avait si bien arrangé à la maison à la manière des grandes personnes.

Il sentait qu'il n'était plus présentable et craignait s'il se montrait dans cet état aux chambellans de ne pas être admis auprès de l'empereur. Mais dans cette cohue il lui était absolument impossible de remettre de l'ordre dans ses vêtements et de changer de place. Un des généraux qui passaient était une connaissance des Rostov. Petia voulut lui demander assistance, mais jugea que c'était contraire à sa dignité d'homme. Lorsque toutes les voitures furent passées, la foule se rua en avant et emporta Petia sur la place qui était noire de monde. Non seulement sur la place même, mais sur les talus, sur les toits, partout il y avait foule. Dès que Petia se fut trouvé là, il entendit distinctement le son des cloches qui emplissait tout le Kremlin et le brouhaha joyeux de la foule.

Pendant un temps, la cohue diminua sur la place, mais soudain toutes les têtes se découvrirent, tout se jeta de nouveau en avant. Petia était si comprimé qu'il ne pouvait plus respirer, et tout cria : « Hourra ! Hourra ! Hourra ! » Petia se dressait sur la pointe des pieds, poussait, pinçait ses voisins, mais ne pouvait rien voir d'autre que la foule autour de lui.

Tous les visages reflétaient le même attendrissement et le même enthousiasme. Une marchande près de Petia sanglotait et des larmes coulaient de ses yeux.

« Notre père, notre ange, notre père ! répétait-elle en s'essuyant les yeux avec ses doigts.

– Hourra ! » criait-on de tous côtés.

Il y eut un instant d'arrêt ; puis la foule se jeta de nouveau en avant.

Petia, sans plus savoir ce qu'il faisait, serra les dents et, les yeux hors des orbites, se précipita en avant en jouant des coudes et en criant : « Hourra ! » comme si, à cet instant, il était prêt à tuer et les autres et lui-même, mais à ses côtés des gens aux visages tout aussi frénétiques se ruaient en avant aux mêmes cris de « Hourra ! »

« Alors voilà ce que c'est que l'empereur ! se disait Petia. Non, je ne peux pas lui remettre personnellement ma demande, ce serait trop téméraire ! » Néanmoins, il continuait tout aussi frénétiquement à se frayer un chemin en avant et, de derrière les dos de ceux qui étaient devant lui, il aperçut en un éclair, au milieu d'un espace vide, un chemin tendu de drap rouge ; mais à ce moment la foule reflua (en avant, la police refoulait ceux qui s'étaient avancés trop près du cortège ; l'empereur se rendait du palais à la cathédrale de l'Assomption) et Petia reçut dans les côtes un coup si violent et fut tellement comprimé que soudain sa vue se brouilla et qu'il perdit connaissance. Lorsqu'il revint à lui, un ecclésiastique en soutane bleue râpée, une petite queue de cheveux grisonnants sur la nuque, sans doute un diacre, le soutenait d'une main sous l'aisselle, de l'autre le protégeait contre la pression de la foule.

« On a écrasé le petit monsieur ! disait-il. Voyons !… doucement… on l'a écrasé, on l'a écrasé ! »

L'empereur était entré dans la cathédrale. La foule se détendit et le diacre emmena Petia, pâle et respirant à peine, vers le Roi des canons. Quelques personnes s'apitoyèrent sur son sort, soudain toute la foule se tourna de son côté et cette fois on se bouscula autour de lui. Ceux qui étaient le plus près s'empressèrent, déboutonnèrent sa veste, le firent asseoir sur le piédestal du canon et couvrirent de reproches ceux qui l'avaient écrasé.

« On aurait pu l'écraser à mort. A-t-on idée ! Assassiner les gens ! Tu vois, il est blanc comme un linge, le cher petit », disait-on.

Petia se remit bientôt, les couleurs lui revinrent, la douleur passa, et cet ennui passager lui valut une place sur le canon d'où il espérait pouvoir voir l'empereur à son retour. Petia ne songeait plus à remettre une demande. Qu'il pût seulement le voir, et il s'estimerait heureux !

Pendant le service à la cathédrale de l'Assomption – un *Te Deum* à l'occasion de l'arrivée de l'empereur et un service d'action de grâces pour la conclusion de la paix avec les Turcs – la foule s'éclaircit ; on vit apparaître des colporteurs de kvass, de pains d'épice, de graines de pavot dont Petia était particulièrement amateur, et des propos banals s'échangèrent. Une marchande montrait son châle déchiré et disait qu'il lui avait coûté bien cher, une autre assurait que toutes les soieries étaient aujourd'hui hors de prix. Le diacre qui avait sauvé Petia expliquait à un fonctionnaire qui officiait aujourd'hui avec Son Éminence. Il répéta plusieurs fois le mot « pontifical » que Petia ne comprenait pas. Deux jeunes bourgeois plaisantaient avec des servantes qui grignotaient des noisettes. Toutes ces conversations, surtout les plaisanteries échangées avec les jeunes filles, plaisanteries qui, à son âge, devaient présenter un attrait spécial pour Petia, ne l'intéressaient pas maintenant ; juché sur son canon, il était toujours aussi ému à la pensée de l'empereur et de l'amour qu'il éprouvait pour lui. La sensation de la douleur et de la peur qu'il avait ressentie dans la bousculade, en coïncidant avec son enthousiasme, renforçait encore en lui la conscience de la solennité de l'instant.

Soudain des coups de canon parvinrent des quais (on tirait une salve pour célébrer la paix avec les Turcs), et la foule s'y rua aussitôt pour voir tirer. Petia voulut y courir aussi, mais le diacre qui avait pris le petit monsieur sous sa protection l'en empêcha. On tirait encore quand des officiers, des généraux, des chambellans sortirent en toute hâte de la cathédrale, puis d'autres, avec moins de précipitation ; les têtes se découvrirent de nouveau et ceux qui avaient couru pour voir les canons refluèrent sur la place. Enfin, quatre personnages en uniformes et grands cordons apparurent à leur tour sur le seuil de la cathédrale. « Hourra ! Hourra ! » cria de nouveau la foule.

« Lequel est-ce ? Lequel ? » demanda Petia à ses voisins d'une voix pleine de larmes, mais personne ne lui répondit ; tout le monde était trop transporté, et Petia, choisissant l'un de ces quatre personnages qu'il ne pouvait pas bien distinguer à travers les larmes de joie qui lui montaient aux yeux, concentra sur lui tout son enthousiasme, bien que ce ne fût pas l'empereur, poussa un « Hourra ! » frénétique et décida que, coûte que coûte, il se ferait soldat dès le lendemain.

La foule courut derrière l'empereur, l'accompagna jusqu'au palais et commença à se disperser. Il était déjà tard et Petia n'avait encore rien mangé, la sueur ruisselait sur son front ; mais il ne s'en allait pas et parmi la foule, maintenant moins dense mais encore assez nombreuse, resta devant le palais pendant que l'empereur dînait, regardant les fenêtres, attendant quelque chose encore et enviant aussi bien les dignitaires qui arrivaient au perron – invités à la table impériale – que les laquais qui servaient et qu'on apercevait par les fenêtres.

Au cours du repas, Valouiev dit en jetant un regard audehors :

« Le peuple espère toujours voir Votre Majesté. »

Le repas était fini, l'empereur se leva en achevant un biscuit et sortit sur le balcon. La foule, et Petia au milieu d'elle, se jeta vers le balcon.

« Notre ange, notre père ! Hourra ! Notre père !... » criait la foule, et Petia avec elle, et de nouveau des femmes et quelques hommes plus émotifs, dont Petia, pleurèrent de bonheur. Un assez gros morceau du biscuit que l'empereur tenait à la main se cassa et tomba sur la rampe du balcon, puis de là par terre. Un cocher en blouse qui était le plus près se précipita sur ce morceau de biscuit et s'en empara. Quelques-uns dans la foule se ruèrent sur lui. En s'en apercevant, l'empereur se fit apporter une assiette de biscuits et en jeta du haut du balcon. Les yeux de Petia s'injectèrent de sang, le risque d'être écrasé l'excitait encore davantage, il fonça sur les biscuits. Il ne savait pas pourquoi, mais il lui fallait un de ces biscuits tombés des mains du tsar et il ne devait pas céder. Il se jeta en avant et renversa une vieille femme qui cherchait à en attraper un. Mais la vieille ne se tint pas pour battue, bien qu'elle fût par terre (elle cherchait en vain à saisir un biscuit). Petia repoussa son bras d'un coup de genou, s'empara du biscuit et comme s'il eût peur d'être en retard, cria de nouveau « Hourra ! » d'une voix maintenant enrouée.

L'empereur s'en alla et, cette fois, la foule se dispersa presque entièrement.

« J'avais bien dit qu'il fallait attendre encore, j'ai eu raison », disait-on joyeusement de divers côtés.

Si heureux que fût Petia, il se sentait triste de rentrer chez lui et de savoir que toute la joie de cette journée était finie. Du Kremlin il ne rentra pas directement mais passa chez son camarade Obolenski qui avait quinze ans et qui s'engageait aussi. De retour à la maison, il déclara résolument et fermement que si on ne le laissait pas faire, il se sauverait. Et le lendemain, bien que n'ayant pas encore complètement cédé, le comte Ilia Andreitch alla s'informer de la possibilité de caser quelque part Petia sans trop l'exposer.

XXII

Le surlendemain 15 au matin, d'innombrables voitures stationnaient devant le palais Slobodski.

Les salles étaient combles. Dans la première étaient réunis les nobles en uniformes, dans la seconde les marchands barbus en caftans bleus avec leurs médailles. La salle de la noblesse était pleine d'animation et bourdonnait de voix. À une grande table, sous le portrait de l'empereur, les plus importants personnages siégeaient sur des chaises à haut dossier ; mais la plupart des autres allaient et venaient dans la salle.

Tous les nobles, les mêmes que Pierre voyait chaque jour tantôt au club, tantôt chez eux, portaient l'uniforme, qui du temps de Catherine, qui du temps de Paul, qui le nouvel uniforme du règne d'Alexandre, qui simplement la tenue de la noblesse, et cette communauté de l'uniforme conférait quelque chose d'étrange et de fantastique à ces figures vieilles ou jeunes, très diverses et familières. Particulièrement frappants étaient les vieillards, la vue basse, édentés, chauves, bouffis de graisse jaune ou ratatinés, maigres. Ils restaient pour la plupart assis à leur place et se taisaient, ou s'ils se promenaient et parlaient, ils recherchaient la compagnie de quelqu'un de plus jeune. De même que dans la foule sur la place dans laquelle s'était trouvé Petia, tous les visages frappaient par une expression de préoccupations contradictoires : sous l'attente commune de quelque chose de solennel perçaient les soucis de tous les jours, la partie de boston, le cuisinier Petrouchka, la santé de Zinaïda Dmitrievna, etc.

Pierre, sanglé depuis le matin de bonne heure dans son uniforme de noble devenu trop étroit, se trouvait dans la salle. Il était ému : cette réunion extraordinaire non seulement de la noblesse mais aussi des marchands – des divers ordres, les *États généraux* – réveillait en lui tout un flot d'idées depuis longtemps délaissées mais profondément ancrées dans son esprit et qui tournaient autour du *Contrat social* et de la Révolution française. Les paroles du manifeste qu'il avait remarquées et où l'empereur disait qu'il viendrait dans la capitale pour « délibérer » avec son peuple, le confirmaient dans ce sentiment. Supposant que quelque chose d'important se préparait dans ce sens, quelque chose qu'il attendait depuis longtemps, il allait et venait, observait, prêtait l'oreille aux conversations, mais ne trouvait nulle part d'écho aux pensées qui l'occupaient.

On donna lecture du manifeste de l'empereur qui souleva l'enthousiasme, puis des groupes se reformèrent et les conversations reprirent. Outre les sujets habituels, Pierre entendait discuter de la place que devaient occuper les maréchaux de la noblesse à l'entrée de l'empereur, de la date à laquelle on devrait donner un bal en son honneur, de l'opportunité de se réunir par districts ou de le faire au nom de toute la province, etc. ; mais dès qu'on en venait à la guerre et à l'objet pour lequel la noblesse avait été réunie, les propos se faisaient indécis et vagues. Tout le monde préférait écouter plutôt que de parler.

Un bel homme d'un certain âge à l'allure virile, en uniforme d'officier de marine en retraite, discourait dans une des salles au milieu d'un groupe. Pierre s'approcha et prêta l'oreille. Le comte Ilia Andreitch qui, en caftan de voïevode du temps de Catherine, déambulait avec un air affable parmi la foule où il connaissait tout le monde, s'approcha également et se mit à écouter avec un bon sourire, comme il écoutait toujours, en hochant la tête avec approbation aux paroles de l'orateur. Le marin tenait des propos très hardis ; cela se voyait à l'expression de ses auditeurs et au fait que certains, que Pierre connaissait pour être des gens les plus dociles et les plus paisibles, s'éloignaient de lui avec désapprobation ou le contredisaient. Pierre se fraya un passage jusqu'au centre du groupe et constata que celui qui parlait était en effet un libéral mais dans un tout autre sens que lui-même. Le marin parlait de cette voix de baryton particulièrement sonore, chantante des gentilshommes, en grasseyant agréablement et en avalant les consonnes, de celle dont on crie : « Ga-çon, ma pipe ! » ou autres choses du même genre, d'une voix de fêtard habituée au commandement.

« Qu'importe que les nobles de Smolensk aient proposé des miliciens à l'empereur ? Est-ce à eux de nous faire la loi ? Si l'honorable noblesse de la province de Moscou le juge nécessaire, elle peut témoigner son dévouement à l'empereur par d'autres moyens. Avons-nous oublié la milice de 1807 ? Cela n'a servi qu'à enrichir les rats d'église et les filous... »

Le comte Ilia Andreitch avait un sourire suave et hochait la tête avec approbation.

« Nos miliciens ont-ils été utiles au pays ? Nullement ! ils n'ont fait que ruiner nos terres. Mieux vaut encore le recrutement... sinon ce ne sont ni des soldats ni des paysans qui nous reviendront, il n'y aura plus que des débauchés. Les nobles sont prêts à verser leur sang, nous partirons tous jusqu'au dernier, nous amènerons même des recrues ; l'empereur n'a qu'à faire appel à nous, nous mourrons tous pour lui », ajouta l'orateur en s'exaltant.

Ilia Andreitch avalait de plaisir sa salive et poussait Pierre du coude, mais Pierre avait lui aussi envie de parler. Il s'avança dans un mouvement impulsif, sans savoir encore ce qu'il dirait. Il avait à peine ouvert la bouche qu'un sénateur absolument édenté, au visage intelligent et courroucé, qui se tenait près de l'orateur, l'en empêcha. Visiblement habitué à conduire les débats, il dit d'une voix basse mais distincte :

« Je suppose, monsieur, que nous n'avons pas été convoqués ici pour discuter ce qui présente plus d'avantages pour le pays à l'heure actuelle, le recrutement ou la milice. Nous avons été convoqués pour répondre à l'appel dont nous a honorés Sa Majesté l'empereur. Quant à décider ce qui présente plus d'avantages, le recrutement ou la milice, nous en laisserons le soin au pouvoir suprême... »

Pierre trouva soudain une issue à son exaltation. Il fut pris de colère contre ce sénateur qui voulait introduire cette légalité et cette étroitesse de vues dans les délibérations de la noblesse. Il se porta en avant et lui coupa la parole. Il ne savait pas ce qu'il allait dire, mais il commença à parler avec vivacité, s'exprimant dans un russe livresque entremêlé d'expressions françaises.

« Excusez-moi, Excellence, commença-t-il (il connaissait bien ce sénateur mais jugeait nécessaire de lui parler ici sur un ton officiel), bien que je ne sois pas d'accord avec monsieur… (Pierre hésita. Il voulait dire *mon très honorable préopinant*) avec monsieur… *que je n'ai pas l'honneur de connaître*, j'estime que l'ordre de la noblesse a été convoqué non seulement pour manifester sa sympathie et son enthousiasme, mais aussi pour examiner les mesures que nous pouvons prendre pour venir en aide à la patrie. J'estime, continua-t-il en s'exaltant, que l'empereur lui-même serait mécontent s'il ne trouvait en nous que des propriétaires des paysans que nous lui donnons… de la *chair à canon*, et non pas un… un… un conseil… »

De nombreuses personnes quittèrent le groupe en voyant le sourire dédaigneux du sénateur et en entendant le langage trop libre de Pierre ; seul Ilia Andreitch était satisfait de son discours, comme il avait été satisfait de celui du marin, de celui du sénateur et du général et toujours du dernier qu'il entendait.

« J'estime qu'avant de discuter ces questions, poursuivit Pierre, nous devons demander à l'empereur, prier respectueusement Sa Majesté de nous faire connaître l'importance de nos troupes, la situation de nos armées, et alors… »

Mais Pierre ne put achever car on l'attaqua de trois côtés à la fois. Le plus acharné de ses adversaires fut un amateur de boston qu'il connaissait depuis longtemps et qui avait toujours été bien disposé à son égard, Stepan Stepanovitch Adraksine. Il était maintenant en uniforme et soit à cause de cela, soit pour une autre raison, Pierre vit en lui un tout autre homme. Les traits soudain contractés par une colère sénile, Stepan Stepanovitch lui cria :

« Tout d'abord je vous dirai que nous n'avons pas le droit de demander cela à l'empereur, et puis même si la noblesse russe avait ce droit, l'empereur ne pourrait pas nous répondre. Les mouvements des armées sont fonction de ceux de l'ennemi, leur nombre diminue et augmente… »

Une autre voix interrompit Adraksine, celle d'un homme de taille moyenne, d'une quarantaine d'années, que Pierre rencontrait autrefois chez les tziganes et qu'il savait être un mauvais joueur de cartes; transformé lui aussi par son uniforme, il s'avança à son tour vers Pierre.

« D'ailleurs ce n'est pas le moment de discuter, dit-il, il faut agir : la guerre est en Russie. L'ennemi s'avance pour anéantir la Russie, pour profaner les tombeaux de nos pères, pour emmener nos femmes, nos enfants. » Il se frappa la poitrine. « Nous nous lèverons tous, nous partirons tous jusqu'au dernier, tous pour notre père le tsar ! » criait-il en écarquillant des yeux injectés de sang. Quelques voix approbatrices se firent entendre dans la foule. « Nous sommes Russes et prêts à verser notre sang pour la défense de la foi, du trône et de la patrie. Quant aux divagations, il faut les laisser de côté si nous sommes de vrais fils de la patrie. Nous montrerons à l'Europe comment la Russie se lève pour la Russie. »

Pierre voulut répliquer mais ne put articuler un mot. Il sentait que ses paroles, indépendamment de l'idée qu'elles exprimeraient, porteraient moins que celles de ce gentilhomme exalté.

Ilia Andreitch approuvait derrière le groupe; certains, à la fin des phrases, se tournaient crânement vers l'orateur et disaient :

« C'est ça, c'est ça ! Parfait ! »

Pierre voulait dire qu'il était prêt aux sacrifices en argent et en hommes, prêt à se sacrifier lui-même, mais que, pour pouvoir y remédier, il fallait connaître la situation; il ne put le faire. Trop de voix parlaient et criaient à la fois, au point qu'Ilia Andreitch ne parvenait plus à les approuver tous de la tête; le groupe s'enflait, se dispersait, se reformait encore et enfin il s'avança tout entier, bourdonnant de voix, vers la grande table dans la salle principale. Non seulement Pierre ne parvenait pas à placer un mot, mais on l'interrompait grossièrement, on le repoussait, on se détournait de lui comme de l'ennemi commun. Non pas qu'on fût mécontent du sens de son discours, on l'avait oublié après les nombreux autres qui l'avaient suivi, mais la surexcitation de la foule avait besoin de trouver un objet tangible de son amour ou de sa haine. Pierre était devenu ce dernier. De nombreux orateurs prirent la parole après le gentilhomme exalté, et tous parlèrent dans le même sens. Beaucoup le firent fort bien et d'une manière originale. Le directeur du « Messager russe », Glinka, qui fut reconnu (« l'écrivain, l'écrivain ! » s'écria-t-on dans la foule), dit que l'enfer devait être repoussé par l'enfer, qu'il avait vu un enfant sourire à la lueur des éclairs et au grondement du tonnerre, mais que nous ne serions pas cet enfant.

« Oui, oui, aux grondements du tonnerre ! » répétait-on avec approbation aux derniers rangs.

La foule s'approcha de la grande table à laquelle, en uniformes barrés de grands cordons, siégeaient les hauts dignitaires septuagénaires, chenus et chauves, que Pierre connaissait presque tous pour les avoir vus chez eux avec leurs bouffons ou au club jouant au boston. La foule s'approcha de la table sans cesser de bourdonner. L'un après l'autre et parfois deux ensemble, les orateurs parlaient, serrés contre les hauts dossiers des chaises par la foule qui poussait. Ceux qui se tenaient derrière notaient ce que l'orateur n'avait pas dit et s'empressaient de le dire à leur tour. D'autres, dans cette chaleur et cette cohue, se creusaient la tête pour découvrir quelque idée et se hâtaient de la faire connaître. Les vieux dignitaires que Pierre connaissait jetaient des regards tantôt à l'un tantôt à l'autre, et l'expression de la plupart d'entre eux disait seulement qu'ils avaient très chaud. Pierre se sentait cependant ému, et le désir général de montrer que rien ne saurait nous arrêter, ce désir qui se reflétait plutôt dans le son des voix et l'expression des visages que dans le sens des discours, se communiquait à lui. Il ne reniait pas ses idées, mais il se sentait coupable de quelque chose et désirait se justifier.

« J'ai seulement dit qu'il nous serait plus facile de faire des sacrifices quand nous saurions de quoi on a besoin », dit-il en s'efforçant de couvrir les autres voix. Un petit vieux, son plus proche voisin, tourna la tête vers lui, mais fut aussitôt distrait par des exclamations qui s'élevaient à l'autre bout de la table.

« Oui, Moscou sera abandonnée ! Elle sera notre rédemptrice ! criait l'un.

– Il est l'ennemi du genre humain ! criait un autre. Laissez-moi parler… Messieurs, vous m'écrasez !… »

XXIII

À ce moment, le comte Rostoptchine, en uniforme de général, la poitrine barrée du grand cordon, le menton saillant et les yeux vifs, entra d'un pas rapide et passa au milieu de la foule qui s'écarta.

« Sa Majesté l'empereur va arriver, dit-il, je viens du palais. Je pense que, dans la situation où nous nous trouvons, il n'y a guère à discuter. L'empereur nous a fait l'honneur de nous réunir ainsi que les marchands. Des millions vont couler de là-bas (il montra la salle des marchands), quant à nous, notre rôle est de fournir la milice et de ne pas nous ménager… C'est le moins que nous puissions faire ! »

Les dignitaires assis à la table se consultèrent entre eux. Tout se fit à voix plus que basse. Il parut même triste d'entendre isolément, après le récent bruit, ces voix de vieillards dire, l'une : « je suis d'accord », l'autre, pour varier la formule : « moi aussi je suis du même avis », etc.

Le secrétaire reçut l'ordre de rédiger la résolution de la noblesse de Moscou, à savoir qu'à l'instar des nobles de Smolensk, les Moscovites donnaient dix hommes sur mille avec l'équipement complet. Les notables se levèrent comme soulagés, repoussèrent bruyamment leurs chaises et se répandirent dans la salle pour se dégourdir les jambes, prenant certains par le bras et engageant la conversation.

« L'empereur ! L'empereur ! » cria-t-on soudain dans les salles et tout le monde se précipita vers l'entrée.

Le long d'un large passage, au milieu d'une haie de gentilshommes, l'empereur s'avança dans la salle. Tous les visages reflétaient une curiosité respectueuse et intimidée. Pierre se trouvait assez loin et ne put entendre l'allocution de l'empereur. Il comprit seulement qu'il parlait du danger que courait la patrie et des espoirs qu'il fondait sur la noblesse de Moscou. Une voix répondit en portant à sa connaissance la résolution qui venait d'être prise.

« Messieurs ! » dit l'empereur d'une voix qui tremblait ; un frémissement parcourut la foule, puis tout s'apaisa et Pierre entendit distinctement la voix si agréablement humaine et émue de l'empereur qui disait : « Je n'ai jamais douté du zèle de la noblesse russe. Mais en ce jour il a dépassé mon attente. Je vous remercie au nom de la patrie. Messieurs, agissons, le temps est précieux… »

L'empereur se tut, la foule se pressa autour de lui et de tous côtés des exclamations enthousiastes s'élevèrent.

« Oui, le plus précieux… c'est la parole du tsar », dit en sanglotant, aux derniers rangs, la voix d'Ilia Andreitch qui n'avait rien entendu mais qui comprenait tout à sa façon.

De la salle de la noblesse, l'empereur passa dans celle des marchands. Il y resta une dizaine de minutes. Mêlé aux autres, Pierre le vit en sortir, des larmes d'attendrissement aux yeux. Comme on devait l'apprendre plus tard, il avait à peine commencé son discours aux marchands que les larmes avaient jailli de ses yeux et il avait achevé d'une voix tremblante. Quand Pierre le vit, deux marchands l'accompagnaient. Pierre en connaissait un, un gros concessionnaire de l'État, l'autre, au maigre visage jaune et à la barbe étroite, était le maire. Tous deux pleuraient. Le maigre avait les larmes aux yeux, mais le gros sanglotait comme un enfant et ne cessait de répéter :

« Prends et notre vie et nos biens, Votre Majesté ! »

Pierre n'éprouvait plus à cet instant que le désir de montrer que rien ne l'arrêterait et qu'il était prêt à tout sacrifier. Il se reprochait son discours aux tendances constitutionnelles : il cherchait l'occasion de réparer. En apprenant que le comte Mamonov offrait un régiment, Bezoukhov déclara sur-le-champ au comte Rostoptchine qu'il donnait mille hommes et se chargeait de leur entretien.

Le vieux Rostov ne put retenir ses larmes en racontant à sa femme ce qui s'était passé, et il céda aussitôt aux instances de Petia et alla lui-même le faire inscrire.

Le lendemain l'empereur partit. Tous les nobles convoqués enlevèrent leur uniforme, reprirent leur place chez eux et dans les clubs, et en gémissant donnèrent des ordres à leurs intendants au sujet de la milice, tout en s'étonnant de ce qu'ils avaient fait.

DEUXIÈME PARTIE

I

Napoléon avait commencé la guerre avec la Russie parce qu'il ne pouvait pas ne pas aller à Dresde, parce qu'il ne pouvait pas ne pas être grisé par les honneurs, ne pas revêtir l'uniforme polonais, ne pas céder aux sollicitations d'une matinée de juillet, parce qu'il n'avait pu réprimer une explosion de colère en présence de Kourakine, puis de Balachov.

Alexandre se refusait à tous pourparlers parce qu'il s'estimait personnellement offensé. Barclay de Tolly s'efforçait de commander de son mieux l'armée afin de faire son devoir et d'acquérir la gloire d'un grand capitaine. Rostov s'était lancé à l'attaque des Français parce qu'il n'avait pu résister à l'envie de galoper en rase campagne. Et c'est exactement de même, suivant leurs dispositions personnelles, leurs habitudes, leurs conditions de vie et leurs desseins, qu'agissaient tous les innombrables individus qui prenaient part à cette guerre. Ils avaient peur, paradaient, se réjouissaient, s'indignaient, raisonnaient, croyant savoir ce qu'ils faisaient et le faire pour eux-mêmes, alors qu'ils étaient tous des instruments inconscients de l'histoire et accomplissaient une œuvre dont le sens leur était celé mais que nous comprenons. Tel est le sort invariable de tous les hommes d'action et plus haut ils sont placés dans la hiérarchie humaine, moins ils sont libres.

Aujourd'hui, les acteurs des événements de 1812 ont depuis longtemps quitté la scène, leurs intérêts personnels ont disparu sans laisser de trace, et seuls demeurent devant nous les résultats historiques de cette époque.

Mais admettons que ces hommes de l'Europe, sous la conduite de Napoléon, DEVAIENT s'enfoncer au cœur de la Russie et y périr, et toute la conduite insensée, contradictoire, cruelle des combattants de cette guerre nous devient compréhensible.

La Providence contraignait tous ces hommes à concourir, tout en poursuivant des fins personnelles, à un résultat unique et grandiose dont aucun homme (ni Napoléon, ni Alexandre, ni encore moins l'un quelconque des combattants) n'avait la moindre idée.

Nous voyons clairement aujourd'hui ce qui détermina, en 1812, la perte de l'armée française. Nul ne contestera que la cause en fut, d'une part, l'entrée trop tardive au cœur de la Russie sans préparation pour une campagne d'hiver, d'autre part, le caractère donné à la guerre par l'incendie des villes russes et la haine de l'ennemi éveillée chez le peuple russe. Mais alors nul ne prévoyait que c'est ainsi seulement (ce qui aujourd'hui paraît évident) que pouvait périr une armée de huit cent mille hommes, la meilleure du monde et conduite par le plus grand capitaine, en face de l'armée russe deux fois plus faible, inexpérimentée et conduite par des chefs également sans expérience ; non seulement NUL NE LE PRÉVOYAIT mais, DU CÔTÉ DES RUSSES, on faisait tout pour empêcher ce qui seul pouvait sauver la Russie et DU CÔTÉ DES FRANÇAIS, en dépit de l'expérience et du prétendu génie militaire de Napoléon, tous les efforts tendaient à atteindre Moscou à la fin de l'été, c'est-à-dire à faire précisément ce qui devait les perdre.

Dans les ouvrages historiques sur 1812, les auteurs français se complaisent à démontrer que Napoléon sentait le danger de l'étirement de sa ligne, qu'il cherchait le combat, que les maréchaux lui conseillaient de s'arrêter à

Smolensk, et ils mettent en avant d'autres arguments analogues tendant à prouver qu'on se rendait compte du péril ; tandis que les auteurs russes se complaisent encore davantage à parler de l'existence, dès le début de la campagne, d'un plan de guerre scythe qui consistait à attirer Napoléon au cœur de la Russie, et ils attribuent ce plan qui à Pfuhl, qui à un Français, qui à Toll, qui à l'empereur Alexandre lui-même, en s'appuyant sur des mémoires, des projets et des lettres qui contiennent en effet des allusions à ce plan d'action. Mais toutes ces allusions à une prévision de ce qui est arrivé, tant du côté français que du côté russe, ne sont mises en avant aujourd'hui que parce que l'événement les a justifiées. Si l'événement ne s'était pas produit, ces allusions seraient oubliées, comme sont oubliées aujourd'hui mille et mille allusions et hypothèses qui circulaient alors mais qui se sont montrées inexactes (et par conséquent sont tombées dans l'oubli). L'issue de tout événement en cours donne toujours lieu à tant d'hypothèses que, quelle que soit cette issue, il se trouve chaque fois des gens pour assurer : « Je l'avais bien dit ! » tout en oubliant complètement que, parmi les innombrables hypothèses avancées, il y en a eu aussi d'absolument contraires.

Les hypothèses quant à la conscience que Napoléon aurait eue du danger présenté par l'extension de sa ligne et, du côté des Russes, quant au dessein d'attirer l'ennemi au cœur de la Russie, appartiennent de toute évidence à cette catégorie, et pour attribuer ces considérations à Napoléon et à ses maréchaux et ces plans aux chefs militaires russes, les historiens doivent beaucoup forcer les faits. Tous les faits contredisent ces hypothèses à l'évidence. Non seulement, pendant toute la guerre, il n'y avait eu, du côté russe, aucun désir d'attirer les Français à l'intérieur du pays, mais on fit tout ce que l'on put pour les arrêter dès leur entrée ; et non seulement Napoléon ne craignait pas l'extension de sa ligne, mais il se réjouissait comme d'un triomphe de chaque pas en avant et cherchait très mollement la bataille, tout à fait à l'opposé de ses campagnes précédentes.

Dès le début de la guerre, nos armées sont coupées et l'unique but auquel nous tendons consiste à les réunir, bien que pour battre en retraite et attirer l'ennemi au fond du pays cette jonction ne présente aucun avantage. L'empereur se trouve à l'armée pour l'encourager à défendre chaque pouce du sol russe et non pas à battre en retraite. On organise l'immense camp de Drissa conformément au plan de Pfuhl, et l'on n'envisage pas de reculer au-delà. L'empereur adresse des reproches aux commandants en chef pour chaque pas en arrière. La possibilité non seulement de l'incendie de Moscou mais même de l'abandon de Smolensk ne peut effleurer son esprit, et quand les armées opèrent leur jonction, il s'indigne de voir Smolensk tombée aux mains de l'ennemi et incendiée sans qu'une bataille générale ait été livrée sous ses murs.

Ainsi pense l'empereur, mais les chefs militaires russes et le peuple russe tout entier sont encore plus indignés à l'idée que les nôtres reculent à l'intérieur du pays.

Napoléon, après avoir coupé nos armées, s'enfonce au cœur du pays et laisse échapper plusieurs occasions de livrer combat. Au mois d'août, il est à Smolensk et ne pense qu'à aller plus loin, bien que, comme nous le voyons aujourd'hui, cette marche en avant lui fût évidemment fatale.

Les faits prouvent à l'évidence que Napoléon ne prévoyait pas le danger d'une marche en direction de Moscou et qu'Alexandre et les chefs militaires russes ne songeaient pas à attirer Napoléon mais projetaient tout le contraire. Que Napoléon eût été attiré à l'intérieur du pays, cela se produisit non pas conformément à quelque plan (personne même ne croyait la chose possible), mais par suite d'un jeu extrêmement complexe d'intrigues, d'intérêts, de désirs d'hommes qui prenaient part à la guerre sans deviner ce qui devait arriver et qui pourtant serait l'unique salut de la Russie. Tout arrive par hasard. Nos armées sont coupées au début de la campagne. Nous nous efforçons de les réunir avec l'intention évidente de livrer bataille et de contenir l'avance de l'ennemi et, au cours de cette tentative de jonction, tout en évitant le combat avec un ennemi plus fort et en reculant malgré nous sous un angle aigu, nous entraînons les Français jusqu'à Smolensk. Mais il est peu de dire que nous reculons sous un angle aigu parce que les Français avancent entre les deux armées : cet angle devient encore plus aigu et nous reculons encore plus loin parce que Barclay de Tolly, cet Allemand[1] impopulaire, est haï de Bagration (qui doit lui être subordonné), commandant la deuxième armée, qui s'efforce de retarder le plus possible sa jonction pour ne pas se placer sous ses ordres. Bagration tarde longtemps à opérer cette jonction (bien qu'elle constitue le but principal de tout le commandement) parce qu'il lui semble que par ce mouvement il mettrait son armée en danger et que le plus avantageux pour lui est de reculer plus à gauche et plus au sud en harcelant le flanc et les arrières de l'ennemi, et de compléter ses effectifs en Ukraine. Et pourtant on a l'impression qu'il a trouvé cela parce qu'il ne veut pas se placer sous les ordres de l'Allemand Barclay qu'il hait et qui est plus jeune que lui en grade.

L'empereur se trouve à l'armée pour la stimuler, mais sa présence et son indécision ainsi que le nombre énorme de ses conseillers et de plans en présence annihilent la force offensive de la première armée et l'armée bat en retraite.

On projette de s'arrêter au camp de Drissa ; mais soudain Paulucci, qui vise le commandement en chef, agit par son énergie sur Alexandre, et le plan de Pfuhl est abandonné, tout est confié à Barclay. Mais comme Barclay n'inspire pas confiance, on limite ses pouvoirs.

Les armées sont fractionnées, il n'y a pas d'unité de commandement, Barclay est impopulaire ; mais de cette confusion, de ce fractionnement et de l'impopularité du commandant en chef allemand découlent, d'une part, l'indécision et le refus de la bataille (qu'on aurait pu éviter si les armées avaient été réunies et commandées par

1. En fait, Barclay était d'origine écossaise mais, autrefois, le mot « Allemand » s'appliquait souvent par extension aux étrangers en général.

un autre que Barclay), d'autre part une indignation croissante contre les étrangers et une exaltation du sentiment patriotique.

Enfin, l'empereur quitte l'armée et, pour prétexte unique et le plus commode à son départ, on choisit la nécessité d'éveiller l'enthousiasme des capitales pour une guerre nationale. Et ce voyage de l'empereur à Moscou triple les forces de l'armée russe.

L'empereur quitte l'armée pour ne pas gêner la liberté d'action du commandant en chef et il espère que des mesures plus énergiques seront prises ; mais la situation du commandement des armées s'en trouve encore compliquée et affaiblie. Bennigsen, le grand-duc et une nuée de généraux aides de camp restent à l'armée afin de contrôler le commandant en chef et de stimuler son énergie, et Barclay, se sentant encore moins libre sous la surveillance de tous ces « yeux de l'empereur », redouble de prudence et évite la bataille.

Barclay est partisan de la prudence. Le tsarevitch prononce le mot trahison et insiste sur une bataille générale. Lubomirski, Branicki, Wlocki et d'autres grossissent tant tout ce bruit que Barclay, sous prétexte de faire parvenir des papiers à l'empereur, renvoie les généraux aides de camp polonais à Pétersbourg et entre en lutte ouverte contre Bennigsen et le grand-duc.

À Smolensk enfin, malgré toute la répugnance de Bagration, les armées opèrent leur jonction.

Bagration arrive en voiture à la maison qu'occupe Barclay. Barclay revêt son écharpe, vient au-devant de lui et fait son rapport à Bagration, son ancien en grade. Bagration, dans un élan de générosité, se place sous les ordres de Barclay malgré son ancienneté ; mais ensuite est encore moins d'accord avec lui. Sur l'ordre de l'empereur, il adresse directement ses rapports à celui-ci. Il écrit à Araktcheiev : « Que l'empereur me pardonne, je ne peux pas m'entendre avec le "ministre" (Barclay). Au nom du Ciel, envoyez-moi quelque part, fût-ce pour commander un régiment, je ne peux pas rester ici ; tout le quartier général est rempli d'Allemands, si bien qu'il est impossible à un Russe d'y vivre et cela ne sert à rien. Je pensais servir vraiment l'empereur et la patrie, mais il se trouve, tout bien considéré, que je sers Barclay. J'avoue que cela je ne le veux pas. » La nuée des Branicki, des Wintzingerode et autres envenime encore les rapports entre les généraux et il y a moins que jamais unité de commandement. On se prépare à attaquer les Français devant Smolensk. On envoie un général inspecter les positions. Ce général qui hait Barclay va chez un ami, un commandant de corps, et après avoir passé la journée avec lui, revient et critique point par point le champ de bataille qu'il n'a pas vu.

Pendant qu'on se dispute et qu'on intrigue au sujet du futur champ de bataille, pendant que nous cherchons les Français en nous trompant sur leur position, les Français se heurtent à la division de Neverovski et s'avancent sous les murs mêmes de Smolensk.

Il faut accepter une bataille imprévue devant Smolensk afin de sauver les communications. La bataille est livrée. Des milliers d'hommes tombent de part et d'autre.

On abandonne Smolensk contrairement à la volonté de l'empereur et du peuple tout entier. Mais Smolensk est incendiée par ses habitants eux-mêmes, trompés par leur gouverneur, et les habitants ruinés, servant d'exemple aux autres Russes, s'en vont à Moscou, ne pensant qu'à leurs pertes et attisant la haine de l'ennemi. Napoléon poursuit son avance, nous reculons, et ainsi est atteint précisément ce qui devait vaincre Napoléon.

II

Le lendemain du départ de son fils, le prince Nicolas Andreitch fit venir la princesse Maria.

« Eh bien, tu es maintenant contente ? lui dit-il, tu m'as brouillé avec mon fils ? Tu es contente ? C'est tout ce que tu voulais ! Tu es contente ?... Cela me fait de la peine, de la peine... Je suis vieux et faible, et c'est ce que tu voulais. Eh bien, réjouis-toi... réjouis-toi... » Et après cela la princesse Maria ne vit plus son père de toute la semaine. Il était malade et ne sortait pas de son cabinet.

À sa surprise, la princesse Maria constata que, pendant sa maladie, le vieux prince n'admettait pas non plus auprès de lui Mlle Bourienne. Seul Tikhon le soignait.

Au bout de huit jours, le prince reparut et reprit son ancienne vie, se montrant particulièrement actif à propos des constructions et des plantations et changeant complètement envers Mlle Bourienne. Son aspect et le ton froid qu'il prenait avec la princesse Maria semblaient dire : « Tu vois, tu as tout inventé, tu m'as calomnié auprès du prince André au sujet de mes rapports avec cette Française et tu m'as brouillé avec lui ; mais tu vois que je n'ai besoin ni de toi ni de la Française. »

La princesse Maria passait la moitié de la journée auprès du petit Nicolas, surveillant ses études, lui donnant elle-même des leçons de russe et de musique et s'entretenant avec Dessales ; l'autre moitié, en lectures, avec sa vieille nounou et avec les hommes de Dieu qui venaient par l'entrée de service.

Quant à la guerre, la princesse Maria en pensait ce qu'en pensent les femmes. Elle s'inquiétait pour son frère qui était là-bas, était horrifiée, sans la comprendre, par la cruauté des hommes qui les poussait à s'entre-tuer ; mais elle ne comprenait pas l'importance de cette guerre qui lui semblait être comme toutes les précédentes. Elle ne la comprenait pas, bien que Dessales, son interlocuteur habituel qui s'intéressait passionnément à la marche des opérations, s'efforçât de lui expliquer ses vues, bien que, chacun à sa façon, les hommes de Dieu qui venaient la voir parlassent avec épouvante des rumeurs populaires sur l'invasion de l'Antéchrist, et bien que Julie, maintenant princesse Droubetzkoï, qui avait repris sa correspondance avec elle, lui adressât de Moscou des lettres patriotiques.

« Je vous écris en russe, ma bonne amie, disait Julie, car j'ai la haine de tous les Français ainsi que de leur langue que je ne peux plus entendre parler… Nous sommes tous à Moscou transportés d'enthousiasme pour notre empereur adoré.

« Mon pauvre mari endure les peines et la faim dans les auberges juives ; mais les nouvelles que j'ai ne font que me galvaniser encore.

« Vous avez dû entendre parler de l'exploit héroïque de Raievski embrassant ses deux fils et disant : “Je mourrai avec eux mais nous ne fléchirons pas !” Et en effet, quoique l'ennemi fût deux fois plus fort que nous, nous n'avons pas fléchi. Nous passons notre temps comme nous pouvons, mais à la guerre comme à la guerre. La princesse Alina et Sophie me tiennent compagnie des journées entières et, infortunées veuves de maris vivants, nous menons d'admirables conversations tout en faisant de la charpie ; il n'y a que vous, mon amie, qui nous manquiez… », etc.

La raison principale qui empêchait la princesse Maria de comprendre toute l'importance de cette guerre était que le vieux prince n'en soufflait jamais mot, affectait de l'ignorer et, à table, se moquait de Dessales qui en parlait. Le ton du prince était si calme et si assuré que la princesse Maria lui faisait confiance sans se poser de questions.

Pendant tout le mois de juillet, le vieux prince fut extrêmement actif et même animé. Il fit planter un nouveau parc et commencer un nouveau corps de logis pour les domestiques. Une chose inquiétait la princesse Maria : il dormait peu et, rompant avec son habitude de coucher dans son cabinet, couchait chaque nuit à un autre endroit. Tantôt il faisait dresser son lit de camp dans la galerie ; tantôt il restait dans le salon, sur le divan ou dans un fauteuil Voltaire, et sommeillait tout habillé, tandis que, remplaçant Mlle Bourienne, le jeune Petroucha lui faisait la lecture ; tantôt il passait la nuit dans la salle à manger.

Le 1er août, on reçut la deuxième lettre du prince André. Dans la première, arrivée peu de temps après son départ, il demandait avec soumission pardon à son père de ce qu'il s'était permis de lui dire et le priait de lui rendre son affection. Le vieux prince lui avait répondu par une lettre affectueuse et, dès lors, tint la Française à l'écart. La deuxième lettre du prince André, écrite des abords de Vitebsk, après la prise de cette ville par les Français, consistait en une brève description de la campagne avec un plan tracé dans la lettre même, et en considérations sur le développement futur des opérations. Le prince André représentait à son père les inconvénients qu'il y avait pour lui à demeurer près du théâtre de la guerre, sur la ligne même du mouvement des troupes, et lui conseillait de se rendre à Moscou.

Au dîner, ce jour-là, comme Dessales disait que Vitebsk était déjà, paraît-il, aux mains des Français, le vieux prince se souvint de cette lettre.

« J'ai reçu une lettre du prince André, dit-il à la princesse Maria, tu ne l'as pas lue ?

– Non, *mon père* », répondit la princesse effrayée. Elle ne pouvait avoir lu la lettre dont elle ignorait même l'arrivée.

« Il parle de cette guerre, dit le prince avec le sourire dédaigneux qui lui était devenu habituel quand il abordait ce sujet.

– Cela doit être très intéressant, dit Dessales. Le prince est en mesure de savoir…

– Ah ! oui, très intéressant ! dit Mlle Bourienne.

– Allez me la chercher, dit le vieux prince à celle-ci. Vous savez, sur la petite table, sous le presse-papiers. »

Mlle Bourienne sauta joyeusement sur ses pieds.

« Ah ! non, cria-t-il en se renfrognant. Vas-y, toi, Michel Ivanitch ! »

Michel Ivanitch se leva et alla dans le cabinet de travail. Mais il était à peine sorti que le vieux prince, promenant autour de lui des regards inquiets, jeta sa serviette et y alla lui-même.

« On ne sait rien faire, on embrouillerait tout. »

Pendant son absence, la princesse Maria, Dessales, Mlle Bourienne, même le petit Nicolas échangeaient des regards en silence. Le vieux prince revint à pas rapides, accompagné de Michel Ivanitch, avec la lettre et le plan que, sans permettre à personne de les lire pendant le repas, il posa à côté de lui.

Une fois qu'on fut passé au salon, il remit la lettre à la princesse Maria, et étalant devant lui le plan de la nouvelle construction sur lequel il fixa les yeux, lui dit de lire à haute voix. Quand elle eut lu la lettre, la princesse Maria posa sur son père un regard interrogateur. Il examinait le plan, visiblement plongé dans ses pensées.

« Que pensez-vous de tout cela, prince ? se permit de demander Dessales.

– Moi ? moi ?... répondit le prince comme s'il se réveillait à regret, sans quitter le plan des yeux.

– Il est fort possible que le théâtre des opérations se rapproche tellement de nous...

– Ha, ha, ha ! Le théâtre des opérations ! dit le prince. J'ai toujours dit et je dis encore que le théâtre des opérations est la Pologne et que l'ennemi n'ira jamais plus loin que le Niemen. »

Dessales regarda avec surprise le prince qui parlait du Niemen alors que l'ennemi était déjà sur le Dnieper ; mais la princesse Maria qui avait oublié la situation géographique du Niemen pensait que ce que son père disait était vrai.

« Au moment de la fonte des neiges ils se noieront dans les marais de Pologne. Il n'y a qu'eux pour ne pas le voir, fit le prince qui pensait visiblement à la campagne de 1807, si récente lui semblait-il. Bennigsen aurait dû entrer plus tôt en Prusse, les choses auraient pris une autre tournure...

– Mais, prince, objecta timidement Dessales, dans la lettre il est question de Vitebsk...

– Ah ! la lettre ? Oui... dit le prince mécontent... Oui, oui... » Son visage se fit soudain sombre. Il se tut un instant. « Oui, il écrit que les Français ont été battus, près de quelle rivière déjà ? »

Dessales baissa les yeux.

« Le prince ne dit rien à ce sujet, répondit-il à voix basse.

– Vraiment ? Je n'ai pas pu l'inventer pourtant. » Il y eut un long silence.

« Oui… oui… Eh bien, Michel Ivanitch, reprit-il soudain en relevant la tête et en montrant le plan, raconte-moi comment tu veux modifier cela… »

Michel Ivanitch s'approcha et le prince, après lui avoir parlé du plan de la nouvelle construction, lança un coup d'œil courroucé à la princesse Maria et à Dessales et se retira chez lui.

La princesse Maria avait vu le regard gêné et surpris de Dessales fixé sur son père, elle avait remarqué son silence et était frappée de voir que son père avait oublié la lettre de son fils sur la table du salon ; mais elle avait peur non seulement de parler et de questionner Dessales sur la cause de son embarras et de son silence, elle avait peur même d'y penser.

Dans la soirée, Michel Ivanitch, envoyé par le prince, vint chez la princesse Maria pour chercher la lettre du prince André oubliée dans le salon. La princesse Maria la lui remit. Si désagréable que ce lui fût, elle se permit de lui demander ce que faisait son père.

« Il se tracasse toujours, répondit Michel Ivanitch avec un sourire de respectueuse ironie qui la fit pâlir. Il se fait beaucoup de soucis au sujet du nouveau corps de logis. Il a lu un peu et maintenant, ajouta-t-il en baissant la voix, il doit sans doute s'occuper à son bureau de son testament. » (Depuis quelque temps, une des occupations favorites du prince était de compulser les papiers qu'il voulait laisser après sa mort et qu'il appelait son testament.)

« Et il envoie Alpatitch à Smolensk ? demanda la princesse Maria.

– Certainement, il y a longtemps qu'il attend. »

III

Quand Michel Ivanitch revint au cabinet avec la lettre, le prince, ses lunettes sur le nez et un écran devant les yeux, était assis devant son bureau ouvert et, les tenant loin de ses yeux d'un geste quelque peu solennel, lisait les papiers (ses remarques, comme il les appelait) qui devaient être transmis à l'empereur après sa mort.

Lorsque Michel Ivanitch entra, il avait les larmes aux yeux au souvenir du temps où il avait écrit ce qu'il était en train de lire. Il lui prit la lettre, la mit dans sa poche, rangea les papiers et appela Alpatitch qui attendait depuis longtemps.

Il avait noté sur un bout de papier ce qu'il fallait acheter à Smolensk et, tout en allant et venant dans la pièce devant Alpatitch qui attendait près de la porte, il lui donna ses ordres.

« Tout d'abord, du papier à lettres, tu entends, huit mains, d'après l'échantillon que voici ; doré sur tranche... absolument conforme à l'échantillon ; du vernis, de la cire à cacheter, d'après la liste de Michel Ivanitch. »

Il fit quelques pas dans la pièce et jeta un coup d'œil sur son aide-mémoire.

« Puis tu remettras au gouverneur en main propre ma lettre au sujet de l'enrôlement. »

Ensuite il fallait des verrous pour les portes du nouveau bâtiment, exactement du modèle qu'il avait inventé lui-même. Puis commander un carton spécial pour y placer le testament.

Les ordres à Alpatitch durèrent près de deux heures. Le prince ne le laissait toujours pas partir. Il s'assit, se prit à réfléchir et, fermant les yeux, s'assoupit. Alpatitch fit un mouvement.

« Eh bien, va, va, si j'ai besoin de quelque chose encore je te rappellerai. »

Alpatitch sortit. Le prince retourna à son bureau, y jeta un coup d'œil, passa la main sur ses papiers, referma le bureau et s'assit à la table pour écrire au gouverneur.

Il était tard quand il se leva après avoir cacheté sa lettre. Il avait sommeil, mais il savait qu'il ne pourrait pas s'endormir et que les plus sombres pensées lui venaient toujours au lit. Il appela Tikhon et parcourut avec lui les pièces pour lui dire où il fallait dresser son lit pour cette nuit. Il examinait soigneusement chaque coin.

Rien ne convenait mais le pis était encore le divan habituel dans le cabinet. Ce divan lui faisait peur, sans doute à cause des pénibles pensées qu'il y avait remuées. Il n'était bien nulle part, mais le mieux était encore le petit coin dans le fumoir, derrière le piano : il n'y avait jamais encore dormi.

Tikhon, aidé d'un valet, apporta le lit et se mit en devoir de l'installer.

« Pas comme ça, pas comme ça ! » cria le prince, et il éloigna lui-même le lit de quelques pouces du coin, puis le rapprocha de nouveau.

« Eh bien, j'ai enfin tout fait, je vais me reposer maintenant », pensa le prince, et il se laissa déshabiller par Tikhon.

Grimaçant avec dépit sous l'effort qu'il devait faire pour enlever son caftan et sa culotte, le prince se déshabilla, se laissa lourdement tomber sur le lit et parut se plonger dans ses réflexions en regardant avec mépris ses jambes jaunes et décharnées. Il ne réfléchissait pas mais hésitait devant l'effort qu'il devait encore fournir pour soulever ses jambes et s'étendre. « Oh ! comme c'est difficile ! Oh ! si seulement ces peines pouvaient bientôt finir et que vous me laissiez partir ! » pensait-il. En serrant les lèvres, il fit cet effort pour la vingt millième fois et s'étendit. Mais à peine était-il couché que le lit se mit à bouger régulièrement sous lui d'avant en arrière, comme s'il respirait péniblement et le poussait. Cela lui arrivait presque chaque nuit. Il rouvrit ses yeux qui s'étaient fermés un instant.

« Pas moyen d'être tranquille, les maudits ! grommela-t-il en s'emportant contre quelqu'un. Oui, oui, il y avait encore quelque chose d'important, quelque chose de très important que je m'étais gardé pour la nuit au lit. Les verrous ? Non, je l'ai dit. C'est quelque chose qui s'est passé au salon. La princesse Maria a raconté des sottises quelconques. Dessales, cet imbécile, disait quelque chose. J'ai quelque chose dans ma poche – je ne peux pas me rappeler.

– Tichka ! de quoi a-t-on parlé à table ?

– Du prince Michel…

– Tais-toi, tais-toi. » Le prince frappa la table de la main. « Oui, je sais, la lettre du prince André. La princesse Maria l'a lue. Dessales disait quelque chose au sujet de Vitebsk. Je vais la lire maintenant. »

Il fit prendre la lettre dans sa poche et approcher du lit la petite table avec sa limonade et une bougie en torsade, chaussa ses lunettes et se mit à lire. Maintenant seulement, dans le calme de la nuit, en lisant la lettre à la faible lumière que tamisait l'abat-jour vert, il en comprit pour un instant la portée.

« Les Français sont à Vitebsk, en quatre étapes ils peuvent être à Smolensk ; peut-être y sont-ils déjà. »

« Tichka ! » Tikhon sauta sur ses pieds. « Non, pas la peine, pas la peine ! »

Il mit la lettre sous le bougeoir et ferma les yeux. Et il revit le Danube par un midi lumineux, les roseaux, le camp russe et lui-même, jeune général, sans une ride, alerte, gai, le teint frais, pénétrant sous la tente décorée de Potemkine, et, aussi puissant qu'alors, un sentiment cuisant de jalousie à l'égard du favori l'envahit. Et il se souvient de toutes les paroles qui ont été échangées lors de cette première entrevue avec Potemkine. Et il voit devant lui une petite femme corpulente au visage gras et jaune – notre mère l'impératrice – il voit ses sourires, il entend les paroles gracieuses qu'elle a dites alors en le recevant pour la première fois, et il se souvient du même visage sur le catafalque et du conflit avec Zoubov, devant le cercueil, à propos du droit de lui baiser la main.

« Ah ! revenir vite, vite à ce temps, et que tout ce qu'il y a aujourd'hui soit fini au plus vite, qu'ils me laissent en paix ! »

IV

Lissi Gori, le domaine du prince Nicolas Andreitch Bolkonski, était situé à soixante verstes en arrière de Smolensk et à trois verstes de la route de Moscou.

Le même soir où le prince donnait ses instructions à Alpatitch, Dessales demanda une entrevue à la princesse Maria et lui dit que, puisque le prince n'était pas tout à fait bien portant et ne prenait aucune mesure de sécurité alors qu'on voyait d'après la lettre du prince André que le séjour à Lissi Gori n'était pas sans présenter de danger, il lui conseillait respectueusement de faire parvenir par Alpatitch une lettre au gouverneur de la province à Smolensk en le priant de la mettre au courant de la situation et de lui dire dans quelle mesure Lissi Gori était menacé. Dessales écrivit la lettre qu'elle signa et qui fut confiée à Alpatitch avec ordre de la remettre au gouverneur en main propre et, en cas de danger, de revenir dès que possible.

Ayant reçu ces instructions et accompagné par ses familiers, Alpatitch, coiffé d'un chapeau de castor blanc (cadeau du prince), muni de la même canne que son maître, alla prendre place dans une petite kibitka à capote de cuir, attelée d'une troïka de rouans bien nourris.

La clochette était attachée et les grelots enveloppés de papier. Le prince ne permettait à personne d'en faire usage à Lissi Gori. Mais Alpatitch aimait entendre les clochettes et les grelots au cours d'un long trajet. La cour d'Alpatitch, le commis, le comptable, la cuisinière des maîtres et celle des serviteurs, deux vieilles femmes, un garçon de courses, les cochers et d'autres domestiques étaient venus lui souhaiter bon voyage.

Sa fille mit sur le dossier et sur le siège des coussins de duvet recouverts d'indienne. Sa vieille belle-sœur y glissa en cachette un petit paquet. Un des cochers l'aida à monter en le soutenant sous les bras.

« Allons, allons, ces préparatifs de bonnes femmes ! Bonnes femmes, bonnes femmes ! » dit Alpatitch en soufflant et en parlant avec exactement le même débit rapide que le vieux prince, et il s'installa dans la kibitka. Après avoir donné ses dernières instructions au sujet des travaux, Alpatitch, sans plus imiter le prince, découvrit sa tête chauve et se signa trois fois.

« S'il arrive quelque chose… revenez, Iakov Alpatitch ; pour l'amour de Dieu, aie pitié de nous, lui cria sa femme en faisant allusion aux bruits qui couraient sur la guerre et l'ennemi.

– Bonnes femmes, bonnes femmes, ces préparatifs de bonnes femmes ! » fit Alpatitch à part lui, et il partit en contemplant tout autour, ici du seigle déjà jaune, là de l'avoine touffue et verte, ailleurs des champs encore noirs qu'on commençait à peine de labourer. Il admirait la magnifique venue des blés de printemps, examinait les pièces de seigle qu'on commençait çà et là de moissonner, songeait aux semailles et aux moissons et se demandait s'il n'avait pas oublié quelque ordre du prince.

Après avoir donné deux fois à manger aux chevaux en cours de route, Alpatitch arriva en ville le 4 août dans la soirée.

En chemin, il avait rencontré et dépassé des convois et des troupes. En approchant de Smolensk, il entendit au loin des coups de feu, mais n'y prêta pas attention. Ce qui le frappa le plus ce fut de voir, aux abords de la ville, un magnifique champ d'avoine que des soldats fauchaient, sans doute pour donner du fourrage à leurs chevaux, et où ils bivouaquaient : cette circonstance le surprit mais il l'oublia bientôt en pensant à ce qu'il avait à faire.

Tout l'intérêt de la vie, depuis plus de trente ans, était circonscrit pour Alpatitch dans la seule volonté du prince et il ne sortait jamais de ce cercle. Tout ce qui ne concernait pas l'exécution des ordres de son maître non seulement ne l'intéressait pas mais n'existait même pas pour lui.

En arrivant dans la soirée du 4 août à Smolensk, Alpatitch descendit, de l'autre côté du Dnieper, au faubourg de Gatcha, dans une auberge tenue par un ancien portier, Ferapontov, chez qui il avait l'habitude de descendre depuis trente ans. Ferapontov, conseillé par Alpatitch, avait acheté douze ans plus tôt un bois au prince, s'était mis à faire du commerce et possédait maintenant une maison, une auberge et un magasin de farine. C'était un gros homme rougeaud de quarante ans, avec des cheveux noirs, de grosses lèvres, un gros nez en boule, des bosses au-dessus de ses sourcils noirs froncés et une confortable bedaine.

En gilet et blouse d'indienne, il se tenait devant sa boutique qui donnait sur la rue. En apercevant Alpatitch, il alla à lui.

« Sois le bienvenu, Iakov Alpatitch. Les gens quittent la ville, et toi tu y arrives, dit-il.

– Et pourquoi quitte-t-on la ville ? demanda Alpatitch.

– C'est ce que je dis moi aussi, les gens sont bêtes. Ils ont peur des Français.

– Racontars de bonnes femmes, racontars de bonnes femmes ! fit Alpatitch.

– C'est bien mon avis, Iakov Alpatitch, je dis : puisqu'on a donné l'ordre de ne pas les laisser entrer, c'est que c'est vrai. Et puis les gens demandent des trois roubles par chariot, ils n'ont pas de conscience ! » Iakov Alpatitch écoutait attentivement. Il demanda le samovar et du foin pour les chevaux et, après avoir pris le thé, se coucha.

Pendant toute la nuit, des troupes défilèrent dans la rue devant l'auberge. Le lendemain, Alpatitch endossa la redingote qu'il ne mettait qu'en ville et se rendit à ses affaires. La matinée était ensoleillée et, à huit heures, il faisait déjà chaud. « Belle journée pour la moisson », se dit-il. Au-delà de la ville, depuis le matin de bonne heure, on entendait une fusillade.

À partir de huit heures, la canonnade se joignit aux coups de fusil. Les rues étaient pleines de soldats, de gens qui se hâtaient, mais, comme toujours, les fiacres circulaient, les marchands se tenaient sur le seuil de leurs boutiques et on disait la messe dans les églises. Alpatitch alla dans les boutiques, dans les administrations, à la poste et chez le gouverneur. Dans les administrations, dans les boutiques, à la poste, tout le monde parlait de l'armée, de l'ennemi qui attaquait déjà la ville ; tous demandaient les uns aux autres ce qu'il fallait faire et tous s'efforçaient de se rassurer mutuellement.

Devant la maison du gouverneur, Alpatitch trouva beaucoup de monde, des cosaques et la berline du gouverneur. Sur le perron, il rencontra deux gentilshommes dont il connaissait l'un. Celui-ci, un ancien chef de la police du district, disait avec feu :

« Il ne s'agit pas de plaisanter. Passe encore pour celui qui est seul. Quand on n'a qu'une tête, on ne pleure qu'une fois en cas de malheur, mais quand il s'agit d'une famille de treize personnes et de tous les biens... On s'y est si bien pris que nous sommes tous fichus, qu'est-ce que c'est que ces chefs !... Ah ! je les pendrais tous, ces bandits...

– Mais voyons, calmez-vous, disait l'autre.

– Qu'est-ce que ça me fait, on n'a qu'à entendre ! Nous ne sommes tout de même pas des chiens, dit l'ancien chef de police, et en se retournant il aperçut Alpatitch.

– Ah ! Iakov Alpatitch, que viens-tu faire ici ?

– Je vais sur l'ordre de Son Excellence chez M. le gouverneur, répondit Alpatitch en relevant fièrement la tête et en passant une main dans l'entrebâillement de sa redingote, ce qu'il faisait toujours quand il parlait de son maître. Le prince a bien voulu me charger de m'informer de la situation.

– Eh bien, informe-toi donc, cria le hobereau, on s'est si bien arrangé qu'il n'y a même plus de chariots, rien !...

La voilà la situation, tu entends ? dit-il en indiquant la direction d'où venaient les détonations.

« On a si bien fait que nous sommes tous fichus… les bandits ! » répéta-t-il en descendant le perron.

Alpatitch hocha la tête et s'engagea dans l'escalier. Dans la salle d'attente, des marchands, des femmes, des fonctionnaires échangeaient des regards en silence. La porte du cabinet s'ouvrit, tout le monde se leva et s'avança. Un fonctionnaire en sortit en hâte, dit quelque chose à un marchand, cria à un gros fonctionnaire qui portait une décoration au cou de le suivre et disparut de nouveau derrière la porte, se dérobant aux regards dirigés sur lui et à toutes les questions. Alpatitch s'avança et, à une nouvelle apparition du fonctionnaire, s'adressa à lui en lui tendant les deux lettres, une main passée dans sa redingote boutonnée.

« Pour monsieur le baron Asch de la part du général en chef prince Bolkonski », proclama-t-il d'un ton si solennel et si imposant que le fonctionnaire se tourna vers lui et prit les lettres. Quelques instants plus tard, le gouverneur reçut Alpatitch et lui déclara précipitamment :

« Dis au prince et à la princesse que je n'étais au courant de rien, j'ai agi selon des ordres supérieurs, voici… »

Il lui tendit un papier.

« D'ailleurs, puisque le prince est souffrant, je leur conseille d'aller à Moscou. Je pars moi-même à l'instant. Dis-leur… » Mais le gouverneur n'acheva pas ; un officier tout en nage et couvert de poussière fit irruption dans la pièce et lui parla en français. L'épouvante se peignit sur les traits du gouverneur.

« Va », dit-il en faisant un signe de tête à Alpatitch, et il se mit à questionner l'officier. Des regards avides, pleins d'effroi et d'impatience se tournèrent vers Alpatitch quand il sortit du cabinet du gouverneur. En prêtant l'oreille malgré lui aux détonations maintenant proches et toujours plus violentes, Alpatitch retourna en hâte à l'auberge. La teneur du papier que lui avait remis le gouverneur était la suivante :

« Je vous donne l'assurance que la ville de Smolensk ne court pas le moindre danger et il n'est pas vraisemblable qu'elle soit jamais menacée. Le prince Bagration d'un côté, moi de l'autre, nous marchons pour opérer notre jonction, qui aura lieu devant Smolensk le 22 de ce mois, et les deux armées avec leurs forces conjuguées défendront leurs compatriotes de la province qui vous est confiée, jusqu'à ce que leurs efforts éloignent les ennemis de la patrie ou que le dernier soldat tombe dans leurs rangs valeureux. Vous voyez donc que vous êtes pleinement en droit de rassurer les habitants de Smolensk, car lorsqu'on est défendu par deux si braves armées, on peut être sûr de la victoire. » (Ordre du jour de Barclay au gouverneur civil de Smolensk, le baron Asch, 1812.)

La population inquiète circulait dans les rues.

Des chariots surchargés de vaisselle, de chaises, de petites armoires sortaient sans cesse des cours et s'engageaient dans les rues. Devant la maison voisine de l'auberge de Ferapontov il y avait aussi des chariots ; des femmes pleuraient et se lamentaient en faisant leurs adieux. Un roquet aboyait entre les jambes des chevaux attelés.

Alpatitch entra dans la cour d'un pas plus pressé que de coutume et se dirigea directement vers le hangar où se trouvaient ses chevaux et sa voiture. Le cocher dormait ; il le réveilla, fit atteler et entra dans la maison. Dans la chambre des patrons, on entendait des pleurs d'enfant, des sanglots déchirants de femme et les cris furieux et rauques de Ferapontov. La cuisinière s'agitait dans le vestibule comme une poule affolée quand Alpatitch entra.

« Il l'a assommée, il a assommé la patronne !... Ce qu'il a pu la battre, la traîner par terre !...

– Pourquoi donc ? demanda Alpatitch.

– Elle demandait à partir. Une femme, ça se comprend ! "Emmène-moi, qu'elle disait, ne me laisse pas périr avec mes petits enfants ; les gens sont tous partis, qu'elle disait, et nous, qu'est-ce que nous attendons ?" Alors il a commencé à la battre... Ce qu'il l'a battue, ce qu'il l'a traînée ! »

Alpatitch hocha la tête comme s'il approuvait ces mots et, sans vouloir en entendre davantage, se dirigea vers la porte d'en face, celle de la chambre des patrons, où il avait laissé ses emplettes.

« Scélérat, assassin », cria à ce moment une femme maigre et pâle avec un enfant dans les bras, son fichu à moitié arraché de sa tête, en s'échappant de la pièce et en se précipitant dans l'escalier qui menait à la cour. Ferapontov sortit à son tour et, à la vue d'Alpatitch, arrangea son gilet, ses cheveux, bâilla et le suivit dans la chambre.

« C'est-y que tu veux déjà partir ? » demanda-t-il.

Sans répondre à sa question, sans le regarder, Alpatitch demanda combien il lui devait.

« On s'arrangera toujours ! Alors, tu es allé chez le gouverneur ? demanda Ferapontov. Qu'est-ce qu'on a décidé ? »

Alpatitch répondit que le gouverneur ne lui avait absolument rien dit.

« Une affaire comme la nôtre, est-ce que ça peut se déménager ? dit Ferapontov. Rien que jusqu'à Dorogobouje on demande sept roubles pour un chariot. Je dis bien : ils n'ont pas de conscience !

« Selivanov, lui, a fait une bonne affaire : il a vendu jeudi sa farine à l'armée à neuf roubles le sac. Alors, vous allez prendre le thé ? » ajouta-t-il. Pendant qu'on attelait, Alpatitch et Ferapontov prirent le thé tout en parlant du prix des blés, de la récolte et du temps propice à la moisson.

« Ça se calme, on dirait, observa Ferapontov qui se levait après avoir vidé trois tasses de thé, les nôtres ont le dessus, faut croire. On avait bien dit qu'on ne les laisserait pas entrer. On est donc les plus forts… Il paraît que l'autre jour Matveï Ivanitch Platov les a jetés dans la Marina, il en a noyé en un jour quelque chose comme dix-huit mille. »

Alpatitch rassembla ses emplettes, les remit au cocher qui entrait, régla le patron. Près du portail on entendit le bruit des roues de la petite kibitka qui sortait, le martèlement des sabots et le tintement des grelots.

L'après-midi était bien avancé ; un côté de la rue était plongé dans l'ombre, l'autre brillamment éclairé par le soleil. Alpatitch jeta un coup d'œil par la fenêtre et se dirigea vers la porte. Soudain, on entendit au loin un sifflement étrange et un bruit de chute, suivis d'un grondement continu de canonnade qui fit trembler les vitres.

Alpatitch sortit dans la rue ; deux hommes passèrent en courant dans la direction du pont. De divers côtés, on entendait des sifflements, la percussion des boulets, l'éclatement des grenades qui tombaient dans la ville. Mais ces bruits étaient presque imperceptibles et n'attiraient guère l'attention des habitants à côté de la canonnade qui grondait aux abords de la ville. C'était le bombardement que, par cent trente pièces, Napoléon avait fait commencer à cinq heures contre Smolensk. Au premier moment, la population ne comprit pas de quoi il s'agissait.

Le bruit des grenades et des boulets qui tombaient n'éveilla tout d'abord que la curiosité. La femme de Ferapontov, qui n'avait pas cessé jusque-là de se lamenter dans le hangar, se tut et, avec son enfant sur ses bras, alla au portail d'où elle regarda en silence les passants et écouta les bruits.

La cuisinière et un boutiquier vinrent la rejoindre. Tous cherchaient avec une curiosité joyeuse à apercevoir les projectiles qui passaient au-dessus de leur tête. Quelques hommes apparurent à l'angle de la rue en parlant avec animation.

« Ça en a une force ! disait l'un, et le toit et le plafond tout a volé en éclats.

– Ça a aussi labouré la terre comme un porc avec son groin, dit un autre. Fameux, ça vous donne du cœur au ventre ! ajouta-t-il en riant.

– Heureusement que tu as fait un bond de côté, autrement ça t'aurait bien écrabouillé. » Des gens interpellèrent ces hommes. Ils s'arrêtèrent et racontèrent qu'un boulet était tombé sur une maison tout à côté d'eux. Cependant d'autres obus, tantôt des boulets avec un sifflement lugubre et rapide, tantôt des grenades avec un sifflotement agréable, continuaient à passer sans cesse au-dessus des têtes; mais aucun ne tombait à proximité, tous passaient par-dessus. Alpatitch montait en voiture. Le patron se tenait sur le pas de la porte.

« Qu'est-ce qu'il y a à voir? cria-t-il à la cuisinière en jupon rouge qui, les manches retroussées, balançant ses coudes nus, s'était approchée du coin de la rue pour entendre ce qu'on racontait.

– Il s'en passe des choses », disait-elle, mais entendant la voix du patron, elle revint sur ses pas en tirant sur sa jupe retroussée.

De nouveau, mais cette fois tout près, quelque chose siffla et, comme un oiseau qui se laisse tomber d'en haut, un éclair jaillit au milieu de la rue, une détonation retentit et tout se couvrit de fumée.

« Scélérat, qu'est-ce qu'il fait ? » cria le patron en accourant vers la cuisinière.

Au même instant, des cris plaintifs de femmes s'élevèrent de différents côtés, un enfant effrayé se mit à pleurer et la foule, silencieuse et pâle, s'attroupa autour de la cuisinière. Les gémissements et les exclamations de celle-ci dominaient tous les bruits.

« Oh-oh-oh, mes amis ! Mes bons amis ! Ne me laissez pas mourir ! Mes blanches colombes !... »

Au bout de cinq minutes, il ne restait plus personne dans la rue. On avait transporté dans sa cuisine la cuisinière qui avait la hanche brisée par un éclat d'obus. Alpatitch, son cocher, la femme de Ferapontov avec ses enfants, le gardien s'étaient réfugiés à la cave et prêtaient l'oreille. Le grondement du canon, le sifflement des obus et les gémissements pitoyables de la cuisinière qui dominaient tous les bruits ne cessaient pas un instant. La femme de l'aubergiste tantôt berçait et calmait son enfant, tantôt demandait dans un murmure plaintif à tous ceux qui descendaient à la cave où était son mari resté dans la rue. Le boutiquier lui dit qu'il avait suivi la foule à la cathédrale où l'on procédait à la levée de l'icône miraculeuse de Smolensk.

Au crépuscule, la canonnade s'apaisa. Alpatitch sortit de la cave et s'arrêta sur le pas de la porte. Le ciel, jusque-là clair, était tout obscurci de fumée. Et à travers cette fumée, le croissant de la lune, haut dans le ciel, laissait filtrer une lueur étrange. Après le terrible fracas des canons, la ville semblait être enveloppée d'un silence que ne rompait que la sourde rumeur, répandue partout, de pas, de gémissements, de cris au loin et du crépitement des incendies. Les plaintes de la cuisinière s'étaient tues. Des deux côtés, des colonnes noires de fumée montaient au-dessus des incendies et s'étendaient. Dans la rue, non plus en rangs mais comme les fourmis d'une fourmilière saccagée, des soldats en uniformes disparates marchaient ou couraient dans toutes les directions. Sous les yeux d'Alpatitch, quelques-uns d'entre eux s'engouffrèrent dans la cour de Ferapontov. Alpatitch s'avança vers la porte cochère. Un régiment, se bousculant et se hâtant, encombrait la rue en battant en retraite.

« On abandonne la ville, partez, partez », lui dit en l'apercevant un officier qui se tourna aussitôt vers les soldats en criant :

« Je vous apprendrai à entrer dans les cours ! »

Alpatitch regagna la maison et, appelant le cocher, lui dit de se préparer au départ. À la suite d'Alpatitch et du cocher, tous les familiers de Ferapontov sortirent à leur tour. À la vue de la fumée et même des flammes des incendies qu'on distinguait maintenant dans le crépuscule, les femmes jusque-là silencieuses se mirent soudain à se lamenter. Comme pour leur faire écho, les mêmes pleurs s'élevèrent aux deux bouts de la rue. Sous l'auvent, Alpatitch dont les mains tremblaient aidait le cocher à débrouiller les guides et les traits qui s'étaient emmêlés.

Comme la voiture franchissait le portail, il aperçut, dans la boutique ouverte de Ferapontov, une dizaine de soldats qui remplissaient leurs sacs de farine et de graines de tournesol. Au même instant Ferapontov y entra, revenant de la rue. À la vue des soldats, il voulut crier mais soudain il s'arrêta et, se prenant les cheveux, éclata d'un rire plein de sanglots.

« Emportez tout, les gars ! Ne laissez rien à ces démons », cria-t-il en empoignant lui-même les sacs et en les jetant dans la rue. Quelques soldats, pris de peur, se sauvèrent, d'autres continuèrent à remplir les sacs. Apercevant Alpatitch, Ferapontov se tourna vers lui.

« Fichue ! La Russie ! cria-t-il. Alpatitch ! elle est fichue ! Je vais mettre le feu moi-même. Fichue... » Il se précipita dans la cour.

Dans la rue qu'ils bouchaient entièrement, les soldats défilaient en un flot ininterrompu, si bien qu'Alpatitch ne put passer et dut attendre. La femme de Ferapontov, installée avec ses enfants sur un chariot, attendait également de pouvoir partir.

Il faisait maintenant tout à fait nuit. Dans le ciel étoilé, le croissant de la lune brillait par moments à travers un rideau de fumée. À la descente du Dnieper, les chariots d'Alpatitch et de la femme de l'aubergiste qui avançaient lentement au milieu d'une file d'autres voitures et de soldats durent s'arrêter. Non loin du carrefour où ils s'étaient arrêtés, une maison et des boutiques brûlaient dans une ruelle. L'incendie tirait à sa fin. Le feu tantôt mourait et se perdait dans une fumée noire, tantôt soudain lançait une gerbe de flammes en éclairant avec une étrange netteté les visages des gens qui se pressaient au carrefour. Alpatitch descendit de voiture et, constatant qu'on ne le laisserait pas passer de sitôt, tourna dans la ruelle pour voir l'incendie de plus près. Des soldats allaient et venaient sans cesse devant le brasier et Alpatitch en vit deux, aidés d'un homme en manteau de frise, traîner à travers la rue, vers une cour voisine, des poutres enflammées, d'autres des brassées de foin.

Alpatitch s'approcha d'une foule nombreuse qui stationnait devant un haut entrepôt où l'incendie faisait rage. Les murs étaient tout en flammes, celui du fond s'était écroulé, le toit en voliges menaçait de s'effondrer, les poutres flambaient. La foule attendait apparemment le moment où le toit s'effondrerait. C'est aussi ce qu'attendait Alpatitch.

« Alpatitch ! lui cria soudain une voix connue.

– Mon Dieu, Votre Excellence », répondit Alpatitch, reconnaissant instantanément la voix de son jeune prince.

Le prince André, enveloppé d'une cape et monté sur un cheval noir, se tenait derrière la foule et le regardait.

« Que fais-tu ici ? demanda-t-il.

– Votre… Votre Excellence, fit Alpatitch, et il éclata en sanglots. Votre, Votre… sommes-nous vraiment perdus ?…

– Que fais-tu ici ? » répéta le prince André.

Une flamme jaillit et éclaira pour les yeux d'Alpatitch le visage pâle et exténué de son jeune maître. Alpatitch raconta comment il avait été envoyé à Smolensk et qu'il avait eu grand-peine à repartir.

« Alors, Votre Excellence, sommes-nous vraiment perdus ? » demanda-t-il encore.

Le prince André, sans répondre, tira son carnet, et, sur son genou relevé, écrivit quelques mots au crayon sur une page qu'il arracha. Il écrivait à sa sœur :

« Smolensk sera abandonné. Lissi Gori sera occupé par l'ennemi d'ici huit jours. Partez tout de suite pour Moscou. Fais-moi savoir aussitôt quand vous partez en m'envoyant un courrier à Ousviaje. »

Ayant écrit et remis le papier à Alpatitch, il lui donna de vive voix des instructions pour le départ du prince, de la princesse et de son fils avec son précepteur, ainsi qu'au sujet de la réponse à lui faire immédiatement. Il n'avait pas encore achevé qu'un officier d'état-major, à cheval, accompagné d'une suite, s'élançait vers lui.

« Vous êtes colonel ? cria-t-il avec un accent allemand et d'une voix familière au prince André. On incendie des maisons en votre présence et vous restez tranquillement là ? Qu'est-ce que cela veut dire ? Vous en répondrez », criait Berg qui était maintenant sous-chef de l'état-major du flanc gauche de l'infanterie de la première armée, poste fort agréable et en vue, comme il disait.

Le prince André le regarda et, sans lui répondre, continua à parler à Alpatitch :

« Donc, tu diras que j'attends une réponse le 10, et si le 10 je n'ai pas reçu le message que tout le monde est parti, je serai obligé de tout laisser là et d'aller moi-même à Lissi Gori.

– Si je parle ainsi, prince, dit Berg pour se justifier en reconnaissant le prince André, c'est que je dois exécuter les ordres et que je les exécute toujours scrupuleusement… Excusez-moi, je vous en prie. »

Il y eut un craquement au milieu des flammes. Le feu s'apaisa un instant ; des colonnes de fumée noire s'échappèrent du toit. Un craquement encore plus violent se fit entendre et une masse énorme s'effondra.

« Hou-hou-hou ! » rugit la foule, saluant ainsi la chute du toit de l'entrepôt, d'où monta une odeur de pain brûlé. La flamme jaillit et éclaira les visages exténués mais pleins d'une joyeuse animation des gens attroupés autour du brasier.

L'homme au manteau de frise criait, le bras levé en l'air :

« Et allez donc ! ça flambe fameusement ! Fameux, les gars !…

– C'est le propriétaire lui-même, dirent des voix.

– Alors c'est entendu, dit le prince André à Alpatitch, répète-leur tout cela comme je te l'ai dit. » Et sans répondre un mot à Berg qui se taisait maintenant à ses côtés, il piqua son cheval et disparut dans la ruelle.

V

Après Smolensk, les troupes continuèrent à battre en retraite. L'ennemi les suivait. Le 10 août, le régiment que commandait le prince André passait sur la grande route devant l'avenue qui menait à Lissi Gori. La chaleur et la sécheresse persistaient depuis plus de trois semaines. Chaque jour des nuages moutonneux passaient dans le ciel, cachant de temps à autre le soleil ; mais vers le soir ils se dissipaient et le soleil se couchait dans une brume d'un rouge brunâtre. Seule l'abondante rosée de la nuit rafraîchissait le sol. Les blés restés sur pied brûlaient et s'égrenaient. Les marais étaient à sec. Le bétail beuglait de faim, ne trouvant pas de nourriture dans les prés calcinés par le soleil. La nuit seulement et dans les bois, tant que la rosée subsistait encore, on trouvait de la fraîcheur. Mais sur la route, sur la grande route que suivaient les troupes, même la nuit, même en traversant les bois, il n'y avait pas de fraîcheur. La rosée se perdait dans la poussière sablonneuse de la route, brassée à un demi-pied de profondeur. Dès l'aube, le mouvement commençait. Les convois, l'artillerie avançaient sans bruit, s'enfonçant jusqu'au moyeu et les fantassins jusqu'à la cheville dans cette brûlante poussière molle, étouffante qui ne se refroidissait pas la nuit. Une partie en était brassée par les pieds et les roues, l'autre s'élevait en un nuage au-dessus des troupes, pénétrant dans les yeux, les cheveux, les oreilles, les narines et surtout dans les poumons des hommes et des chevaux. Plus le soleil montait haut, plus ce nuage s'élevait et, à travers cette fine et brûlante poussière, on pouvait regarder à l'œil nu le soleil que ne cachait aucun vrai nuage. Il apparaissait comme une grosse boule pourpre. Il n'y avait pas de vent et l'on étouffait dans cette atmosphère immobile. On marchait avec un mouchoir devant le nez et la bouche. En traversant les villages, tout le monde se précipitait vers les puits. On se battait pour avoir de l'eau et on l'épuisait jusqu'à la boue.

Le prince André commandait un régiment, et l'administration, le bien-être de ses hommes, la nécessité de recevoir et de donner des ordres l'absorbaient. L'incendie de Smolensk et son abandon avaient gravé une date en lui. Un sentiment nouveau de colère contre l'ennemi lui faisait oublier son chagrin. Il se donnait tout entier aux intérêts de son régiment, était plein de sollicitude et d'affabilité envers ses hommes et ses officiers. On l'appelait « notre prince », on était fier de lui et on l'aimait. Mais il n'était bon et patient qu'avec ceux de son régiment, avec Timokhine et les autres, des gens tout à fait nouveaux pour lui et appartenant à un autre milieu, qui ne pouvaient ni connaître ni comprendre son passé ; dès qu'il se trouvait en présence d'un de ses anciens camarades, ceux de l'état-major, il se hérissait aussitôt, devenait acerbe, railleur et méprisant. Tout ce qui le rattachait aux souvenirs du passé lui répugnait, et c'est pourquoi son seul souci était, dans ses rapports avec ce monde d'autrefois, de ne pas être injuste et de faire son devoir.

À la vérité, tout se présentait au prince André sous un jour sombre, surtout depuis l'abandon, le 6 août, de Smolensk (que, selon lui, on aurait pu et dû défendre), et depuis que son père malade avait été obligé de se réfugier à Moscou et d'abandonner au pillage son Lissi Gori qu'il aimait tant, où il avait tant bâti et qu'il avait peuplé ; néanmoins, grâce au dérivatif que lui offrait son régiment, il pouvait ne pas penser à toutes ces préoccupations générales. Le 10 août, la colonne dont faisait partie son régiment arriva à la hauteur de Lissi Gori. Le prince André avait reçu, deux jours plus tôt, la nouvelle que son père, son fils et sa sœur étaient partis pour Moscou. Bien qu'il n'eût rien à faire à Lissi Gori, il décida qu'il devait y passer, cédant à ce besoin qui lui était propre de retourner le fer dans la plaie.

Il fit seller un cheval et, de l'étape, partit pour le domaine de son père où il était né et avait passé son enfance. En longeant l'étang où des dizaines de femmes battaient et rinçaient toujours leur linge en bavardant, il s'aperçut qu'il n'y avait personne et que le petit radeau détaché, à moitié coulé, flottait au milieu. Il s'approcha de la maison du gardien. Près du grand portail de pierre, il n'y avait personne et la porte était ouverte. L'herbe poussait déjà dans les allées du parc, et des veaux et des chevaux se promenaient dans le jardin à l'anglaise. Le prince André se dirigea vers les serres : des vitres étaient brisées et les arbustes en caisses étaient les uns renversés, d'autres desséchés. Il appela Tarass, le jardinier. Personne ne répondit. Il fit le tour des serres vers la terrasse et s'aperçut que la palissade en voliges sculptées était toute démolie et que, pour cueillir les prunes, on avait arraché les fruits avec les branches. Un vieux paysan (le prince André le voyait dans son enfance auprès du portail) tressait un chausson, assis sur le banc vert.

Il était sourd et ne l'entendit pas approcher. Il était assis sur le banc où aimait s'asseoir le vieux prince, et ses écheveaux de tille étaient suspendus aux branches cassées d'un magnolia desséché.

Le prince André s'approcha de la maison. Quelques tilleuls dans l'ancien parc avaient été coupés, une jument pie errait avec son poulain devant la maison même, entre les rosiers. Des contrevents étaient cloués aux fenêtres. Une seule était ouverte. À la vue du prince André, un gamin se précipita dans la maison.

Alpatitch, qui avait fait partir sa famille, demeurait seul à Lissi Gori ; il était chez lui, en train de lire la Vie des Saints. Apprenant l'arrivée du prince André, il sortit en se boutonnant, ses lunettes sur le nez, s'approcha précipitamment de lui et sans rien dire fondit en larmes en lui embrassant les genoux.

Puis il se détourna, rageant contre sa propre faiblesse, et lui rendit compte de la situation. Tous les objets de valeur avaient été évacués à Bogoutcharovo. Le blé, deux cent cinquante quintaux environ, y avait également été transporté ; le foin et les blés de printemps, une récolte exceptionnelle, disait Alpatitch, avaient été pris en vert et fauchés par les troupes. Les paysans étaient ruinés, certains avaient également gagné Bogoutcharovo, une minorité était restée.

Le prince André, sans le laisser achever, demanda :

« Quand mon père et ma sœur sont-ils partis ? » entendant : partis pour Moscou. Alpatitch, supposant qu'il parlait de leur départ pour Bogoutcharovo, répondit qu'ils étaient partis le 7 et s'étendit de nouveau sur les affaires du domaine, demandant des instructions.

« Faut-il donner l'avoine aux troupes contre reçu ? Il nous reste encore douze cents quintaux », demanda-t-il.

« Que lui répondre ? » songeait le prince André en regardant le crâne chauve du vieillard qui luisait au soleil et en lisant sur son visage qu'il comprenait lui-même l'inopportunité de ces questions et ne les posait que pour étouffer son chagrin.

« Oui, fais-le, dit-il.

– Si vous avez remarqué du désordre dans le parc, dit Alpatitch, c'est qu'il a été impossible de l'empêcher : trois régiments ont passé la nuit ici, surtout des dragons. J'ai noté le grade et le nom du commandant pour présenter une réclamation.

– Et toi, que vas-tu faire ? Vas-tu rester si l'ennemi vient ici ? » demanda le prince André.

Alpatitch, le visage tourné vers lui, le regarda et soudain, d'un geste solennel, leva le bras vers le ciel :

« Il est mon protecteur, que Sa volonté soit faite ! » proféra-t-il.

Une foule de paysans et de domestiques, tête nue, s'avançait sur la pelouse vers le prince André.

« Eh bien, adieu ! dit celui-ci en se penchant vers Alpatitch. Pars, toi aussi, emporte ce que tu pourras et dis aux gens de s'en aller dans le domaine de Riazan ou dans celui des environs de Moscou. » Alpatitch se serra contre sa jambe et éclata en sanglots. Le prince André l'écarta doucement et, lançant son cheval au galop, descendit l'allée.

À la terrasse devant les serres, aussi indifférent qu'une mouche sur le visage d'un mort cher, le vieillard tapotait le chausson mis sur la forme, et deux petites filles qui accouraient, leurs jupes relevées pleines de prunes qu'elles venaient de cueillir aux arbres des serres, se heurtèrent au prince André. À la vue du jeune prince, la plus âgée, la mine effrayée, saisit sa jeune compagne par la main et toutes deux se cachèrent derrière un bouleau sans prendre le temps de ramasser les prunes vertes qui roulaient par terre.

Le prince André détourna la tête en hâte, craignant de leur montrer qu'il les avait aperçues. Il avait pitié de cette jolie fillette effrayée. Il craignait de la regarder mais en même temps il en avait irrésistiblement envie. Un sentiment nouveau, réconfortant et apaisant, s'était emparé de lui quand, à la vue de ces fillettes, il avait compris l'existence d'autres intérêts dans la vie, tout à fait étrangers aux siens mais tout aussi légitimes. On voyait que ces fillettes ne désiraient passionnément qu'une chose, emporter ces prunes vertes et les manger sans se faire prendre, et le prince André souhaitait avec elles le succès de leur entreprise. Il ne put s'empêcher de leur jeter encore un regard. Se croyant hors de danger, elles avaient quitté leur embuscade et piaillant de leurs voix aiguës, retenant le bas de leurs robes, couraient gaiement et vivement de leurs petites jambes nues et hâlées sur l'herbe de la pelouse.

Le prince André s'était un peu rafraîchi en quittant la poussière de la grande route que suivaient les troupes. Mais non loin de Lissi Gori il la rejoignit et rattrapa son régiment qui faisait halte près de la digue d'un petit étang. Il était deux heures de l'après-midi. Le soleil, boule rouge dans la poussière, brûlait intolérablement le dos à travers la tunique noire. La poussière, toujours la même, planait immobile sur les troupes qui s'étaient arrêtées, bourdonnantes de voix. Il n'y avait pas de vent. En longeant la digue, le prince André sentit l'odeur de vase et la fraîcheur de l'étang. Il eut envie de se plonger dans l'eau, quelque sale qu'elle fût. Il tourna la tête vers l'étang d'où parvenaient des cris et des rires. Le petit étang trouble couvert de lentilles d'eau semblait avoir monté de moitié et inondait la digue, car il était rempli de corps nus et blancs de soldats qui y pataugeaient, les mains, le visage et le cou d'un rouge brique. Au milieu des rires et des cris, toute cette chair humaine nue et blanche barbotait dans cette mare sale comme des poissons entassés dans un arrosoir. Cette baignade respirait la gaieté et cela la rendait particulièrement triste.

Un jeune soldat blond de la troisième compagnie – le prince André le connaissait – une courroie passée à son mollet, se reculait en se signant pour prendre son élan et plonger. Un autre, un sous-officier noiraud toujours échevelé, dans l'eau jusqu'à la ceinture, roulait son torse musclé, s'ébrouait joyeusement en s'arrosant la tête de ses mains noires jusqu'au poignet. On entendait un bruit de claques, des cris aigus et des exclamations.

Sur les rives, sur la digue, dans l'étang, partout s'étalait une chair blanche, saine, musclée. Timokhine, l'officier au petit nez rouge, s'essuyait avec une serviette sur la digue mais, gêné à la vue du prince André, il lui dit pourtant :

« Ça fait du bien, Excellence, si vous essayiez !

– C'est sale, dit le prince André en faisant une grimace.

– Nous allons tout de suite vous nettoyer ça. » Et Timokhine, encore dévêtu, courut faire le nécessaire.

« Le prince a envie de se baigner.

– Quel prince ? Le nôtre ? » firent des voix, et tous s'empressèrent, au point que le prince André eut grand-peine à les calmer. Il décida de prendre plutôt une douche dans le hangar.

« La chair, le corps, la *chair à canon* », pensait-il en regardant son corps nu, et il frissonnait moins de froid que d'un dégoût et d'une horreur qu'il ne comprenait pas lui-même et qui l'avaient saisi au spectacle de tous ces corps barbotant dans l'étang fangeux.

Le 7 août, de son campement de Mikhaïlovka, sur la route de Smolensk, le prince Bagration écrivait ce qui suit :

« Monsieur le comte Alexis Andreievitch.

(Il écrivait à Araktcheiev, mais il savait que sa lettre serait lue par l'empereur, aussi, autant qu'il en était capable, pesait-il chaque mot.)

« Je pense que le ministre a déjà rendu compte de l'abandon de Smolensk à l'ennemi. C'est pénible, c'est triste, et l'armée tout entière est au désespoir que la place la plus importante ait été abandonnée sans nécessité. Pour ma part, j'ai insisté personnellement auprès de lui de la façon la plus pressante, enfin je lui ai même écrit, mais rien n'a pu le convaincre. Je vous jure sur mon honneur que Napoléon était dans une poche comme jamais encore et qu'il aurait perdu la moitié de son armée sans pouvoir prendre Smolensk. Nos troupes se sont battues et se battent comme jamais encore. Avec quinze mille hommes, j'ai contenu l'ennemi pendant plus de trente-cinq heures et je l'ai battu ; mais il n'a pas voulu tenir même quatorze heures. C'est une honte et une tache pour notre armée ; et quant à lui, il me semble qu'il n'est même pas digne de vivre au monde. S'il annonce que les pertes sont lourdes, ce n'est pas vrai ; quatre mille hommes peut-être, pas plus, même pas ; quand il y en aurait eu dix mille, que faire, c'est la guerre ! Mais en revanche l'ennemi a subi des pertes incalculables...

« Qu'en coûtait-il de tenir encore deux jours ? Du moins, ils seraient partis d'eux-mêmes ; car ils n'avaient plus d'eau ni pour les hommes ni pour les chevaux. Il m'avait donné sa parole de ne pas reculer, mais soudain le voilà qui m'envoie un dispositif annonçant qu'il s'en va dans la nuit. On ne peut pas faire la guerre de cette façon et nous ne pourrons qu'amener bientôt l'ennemi à Moscou...

« Le bruit court que vous songez à la paix. Faire la paix, que Dieu nous en préserve ! Après tous les sacrifices et après des replis si insensés, faire la paix ! Vous dresserez toute la Russie contre vous et chacun de nous tiendra pour une honte de porter l'uniforme. Puisque nous en sommes là, il faut se battre tant que la Russie est en mesure de le faire et tant que les hommes sont debout...

« Il faut qu'un seul commande et non deux. Votre ministre est peut-être bon dans son ministère ; mais en tant que général il n'est pas seulement mauvais, il est même exécrable, et c'est à lui qu'on a confié le sort de notre patrie... Je deviens vraiment fou de rage ; pardonnez-moi de vous écrire avec impertinence. On voit que celui-là n'aime pas l'empereur et désire notre perte à tous qui conseille de faire la paix et de laisser le ministre commander l'armée. Ainsi donc, je vous dis la vérité : formez la milice. Car de la façon la plus magistrale le ministre emmène l'hôte avec lui dans la capitale. M. l'aide de camp Wolzogen inspire de graves soupçons à toute l'armée. On dit qu'il est l'homme de Napoléon plus que le nôtre, et c'est lui qui conseille en tout le ministre. Pour ma part, je suis non seulement courtois avec lui mais je lui obéis comme un caporal, bien que plus ancien. Cela fait de la peine ; mais par amour pour mon bienfaiteur et empereur, je me soumets. Je plains seulement l'empereur de confier notre glorieuse armée à de pareilles gens. Imaginez-vous que, par notre retraite, nous avons perdu plus de quinze mille hommes d'épuisement et dans les hôpitaux ; et si nous étions allés de l'avant, cela ne serait pas arrivé. Dites-moi, au nom du Ciel, que dira notre Russie – notre mère – en voyant que nous avons tellement peur et que nous livrons à des canailles une si bonne et si zélée patrie, que nous insufflons à chaque citoyen la haine et la honte ? Pourquoi avoir peur et qui avons-nous à craindre ? Ce n'est pas ma faute si le ministre est indécis, poltron, absurde, lent et s'il a tous les défauts. Toute l'armée pleure unanimement et le maudit sans pitié… »

VI

Parmi les innombrables subdivisions qui peuvent être pratiquées dans les manifestations de la vie, on peut distinguer celles où domine le fond, d'autres où domine la forme. Au nombre de ces dernières, à l'inverse de la vie de la campagne, du district, de la province, même de celle de Moscou, on peut ranger la vie de Pétersbourg, en particulier celle des salons. Cette vie est immuable.

Depuis 1805, nous nous réconciliions et nous brouillions avec Bonaparte, nous faisions et défaisions des constitutions, mais le salon d'Anna Pavlovna et le salon d'Hélène demeuraient exactement ce qu'ils étaient, l'un sept ans et l'autre cinq ans plus tôt. Chez Anna Pavlovna, on parlait toujours avec stupeur des succès de Bonaparte et on voyait aussi bien dans ses succès que dans la complaisance à son égard des souverains d'Europe un perfide complot destiné uniquement à causer des désagréments et de l'inquiétude à ce clan de la cour dont Anna Pavlovna était la représentante. Chez Hélène, que Roumiantzev lui-même honorait de ses visites et considérait comme une femme d'une intelligence remarquable, en 1812 de même qu'en 1808 on parlait toujours avec enthousiasme de la grande nation et du grand homme, et on déplorait la rupture avec la France, rupture qui, de l'avis des habitués de ce salon, devait se terminer par la paix.

Ces derniers temps, après le retour de l'empereur de l'armée, une certaine émotion s'était faite dans ces salons opposés et certaines manifestations hostiles avaient eu lieu de l'un à l'autre, mais leurs tendances demeuraient inchangées. Dans le cercle d'Anna Pavlovna, on n'admettait, en fait de Français, que des légitimistes invétérés, et l'on avançait ici l'idée patriotique qu'il ne fallait pas fréquenter le théâtre français dont l'entretien coûtait autant que celui de tout un corps d'armée. On y suivait avidement les événements militaires et l'on propageait les bruits les plus favorables sur notre armée. Dans le clan d'Hélène, celui de Roumiantzev, le clan pro-français, on démentait les bruits qui couraient sur la cruauté de l'ennemi et de la guerre, et l'on discutait toutes les tentatives de réconciliation faites par Napoléon. Ici, on blâmait ceux qui conseillaient d'une façon intempestive de préparer l'évacuation à Kazan de la cour et des institutions d'enseignement pour jeunes filles placées sous le patronage de l'impératrice mère. De manière générale, les opérations militaires n'étaient considérées dans le salon d'Hélène que comme de futiles démonstrations qui aboutiraient très prochainement à la paix, et l'opinion qui y faisait loi était celle de Bilibine, qui maintenant, à Pétersbourg, était un familier de ce salon (tout homme intelligent se devait d'en faire partie), c'est-à-dire que ce n'était pas la poudre qui trancherait la question mais ceux qui l'avaient inventée. Dans ce groupe, on raillait avec beaucoup d'esprit quoique non sans prudence l'enthousiasme de Moscou dont la nouvelle était parvenue à Pétersbourg lors du retour de l'empereur.

Dans le cercle d'Anna Pavlovna, au contraire, on admirait ces enthousiasmes et on en parlait comme Plutarque parle des anciens. Le prince Vassili qui occupait toujours les mêmes postes importants était le trait d'union entre ces deux groupes. Il allait chez *ma bonne amie* Anna Pavlovna et *dans le salon diplomatique de ma fille*, et souvent, dans ce va-et-vient continuel entre les deux camps, il se trompait et disait chez Hélène ce qu'il fallait dire chez Anna Pavlovna, et inversement.

Peu de temps après le retour de l'empereur, le prince Vassili, parlant chez Anna Pavlovna de la guerre, avait sévèrement jugé Barclay de Tolly et s'était montré indécis quant au choix possible d'un autre commandant en chef. Un des invités, connu sous le nom d'*un homme de beaucoup de mérite*, raconta avoir vu le jour même Koutouzov, élu chef de la milice de Pétersbourg, présider à la Chambre des finances la réception des miliciens, et se permit de hasarder que Koutouzov pourrait être l'homme qui répondrait à toutes les exigences.

Anna Pavlovna eut un triste sourire et fit remarquer que Koutouzov n'avait jamais causé à l'empereur que des ennuis.

« Je l'ai dit et redit à l'assemblée de la noblesse, interrompit le prince Vassili, mais on ne m'a pas écouté. J'ai dit que son élection comme chef de la milice ne plairait pas à l'empereur. Ils ne m'ont pas écouté.

– Toujours cette manie de fronder, reprit-il. Et devant qui ? Tout cela parce que nous voulons singer les stupides enthousiasmes de Moscou », dit-il, s'embrouillant un instant et oubliant que c'est chez Hélène qu'il fallait railler les enthousiasmes de Moscou et chez Anna Pavlovna les admirer. Mais il se reprit aussitôt. « Voyons est-il convenable que le comte Koutouzov, le plus ancien des généraux russes, siège là-bas, *et il en restera pour sa peine!* Est-il possible de nommer commandant en chef un homme qui ne peut monter à cheval, qui s'endort au conseil, un homme des plus mauvaises mœurs ! Il s'est fait une belle réputation à Bucarest ! Je ne parle même pas de ses qualités de général, mais peut-on réellement, dans un tel instant, nommer un homme sénile et aveugle, tout bonnement aveugle ? Ce serait joli, un général aveugle ! Il n'y voit rien. Ce qui lui convient c'est de jouer à colin-maillard... Il n'y voit absolument rien ! »

Personne n'éleva d'objection.

Le 24 juillet, cela était parfaitement fondé. Mais, le 29 juillet, Koutouzov reçut le titre de prince. Cela pouvait signifier qu'on voulait se débarrasser de lui, et alors l'opinion du prince Vassili serait demeurée fondée, bien qu'il ne se hâtât plus de l'exprimer. Mais, le 8 août, un comité composé du maréchal Saltikov, d'Araktcheiev, de Viazmitinov, de Lopoukhine et de Kotchoubey fut réuni pour délibérer sur la guerre. Le comité conclut que les échecs provenaient de la dualité de commandement et, tout en sachant que Koutouzov n'était pas en faveur auprès de l'empereur, proposa, après une courte délibération, de le nommer commandant en chef. Et le jour même Koutouzov était nommé commandant en chef des armées et de tout le territoire qu'elles occupaient.

Le 9 août, le prince Vassili se rencontra de nouveau chez Anna Pavlovna avec *l'homme de beaucoup de mérite. L'homme de beaucoup de mérite*, qui briguait le poste de curateur d'une institution de jeunes filles, faisait la cour à Anna Pavlovna. Le prince Vassili entra avec l'air triomphant d'un homme dont les désirs ont été exaucés.

« *Eh bien, vous savez la grande nouvelle? Le prince Koutouzov est maréchal.* Tous les dissentiments sont finis. J'en suis si content, si heureux ! *Enfin, voilà un homme* », proféra-t-il en promenant sévèrement les yeux sur l'assistance. *L'homme de beaucoup de mérite*, malgré son désir d'obtenir le poste en question, ne put s'empêcher de rappeler au prince Vassili qu'il avait été auparavant d'un autre avis. (C'était peu courtois à l'égard du prince Vassili dans le salon d'Anna Pavlovna, aussi bien qu'à l'égard d'Anna Pavlovna elle-même qui avait accueilli la nouvelle avec tant de joie, mais il ne put se retenir.)

« *Mais on dit qu'il est aveugle, mon prince*, dit-il en rappelant au prince Vassili ses propres paroles.

– *Allons donc, il y voit assez*, dit vivement celui-ci de sa voix basse et en toussotant, de cette voix, avec ce toussotement par lesquels il tranchait toujours toutes les difficultés. *Allez, il y voit assez*, répéta-t-il. Et ce dont je suis particulièrement content, c'est que l'empereur lui a donné plein pouvoir sur toutes les armées, sur tout le territoire, pouvoir que n'a jamais eu aucun commandant en chef. C'est un second autocrate, conclut-il avec un sourire triomphant.

– Dieu le veuille, Dieu le veuille », dit Anna Pavlovna. *L'homme de beaucoup de mérite*, encore novice dans le monde de la cour et désireux de flatter Anna Pavlovna en justifiant son ancienne opinion, dit :

« Il paraît que l'empereur ne l'a investi de ce pouvoir qu'à contrecœur. *On dit qu'il rougit comme une demoiselle à laquelle on lirait Joconde en lui disant : "Le souverain et la patrie vous décernent cet honneur."*

– *Peut-être que le cœur n'était pas de la partie*, dit Anna Pavlovna.

– Oh ! non, non », s'écria avec chaleur le prince Vassili. Il ne pouvait plus maintenant abandonner Koutouzov. À son avis, non seulement Koutouzov lui-même était parfait, mais tout le monde l'adorait. « Non, ce n'est pas possible, car l'empereur savait si bien l'apprécier autrefois.

– Dieu veuille seulement que le prince Koutouzov, dit Anna Pavlovna, prenne vraiment le pouvoir en main et ne permette à PERSONNE de lui mettre *des bâtons dans les roues.* »

Le prince Vassili comprit aussitôt qui était « personne ». Il dit dans un murmure :

« Je sais de source sûre que Koutouzov a posé comme condition absolue que le tsarevitch ne soit pas à l'armée. *Vous savez ce qu'il a dit à l'empereur.* » Et le prince Vassili répéta les paroles que Koutouzov aurait dites à l'empereur : « Je ne peux le punir s'il fait mal, ni le récompenser s'il fait bien. » « Oh ! c'est le plus intelligent des hommes, le prince Koutouzov, *je le connais de longue date.*

– On dit même, remarqua *l'homme de beaucoup de mérite* à qui manquait encore le tact des courtisans, que le Sérénissime a posé comme condition absolue que l'empereur lui-même ne vienne pas à l'armée. »

À peine avait-il dit cela qu'au même instant le prince Vassili et Anna Pavlovna se détournèrent de lui et échangèrent un triste regard en soupirant de sa naïveté.

VII

Pendant que tout cela se passait à Pétersbourg, les Français avaient déjà passé Smolensk et approchaient de plus en plus de Moscou. L'historien de Napoléon, Thiers, de même que les autres, prétend, pour justifier son héros, que Napoléon fut attiré malgré lui sous les murs de Moscou. Il a raison comme ont raison tous les historiens qui cherchent l'explication des événements historiques dans la volonté d'un seul homme; il a tout aussi raison que les historiens russes qui affirment que Napoléon fut attiré jusqu'à Moscou par l'habileté des généraux russes. Ici, outre la loi de rétrospectivité qui présente tout le passé comme une préparation du fait accompli, il y a encore une interférence qui embrouille les choses. Un bon joueur qui perd une partie d'échecs est sincèrement persuadé de l'avoir perdue par suite d'une faute qu'il a commise et il cherche cette faute au début de la partie, oubliant que tout le long du jeu il en a commis d'autres, qu'aucun de ses coups n'a été parfait. Il ne remarque la faute qui attire son attention que parce que son adversaire en a profité. Combien plus complexe est le jeu de la guerre, qui se déroule dans certaines conditions de temps, où ce n'est pas une volonté unique qui dirige des machines inertes, mais où tout découle de la rencontre d'innombrables volontés individuelles.

Après Smolensk, Napoléon chercha la bataille au-delà de Dorogobouje, devant Viazma, puis devant Tsarevo-Zaïmistché ; mais par suite d'innombrables circonstances, les Russes ne purent accepter le combat avant Borodino, à cent douze verstes de Moscou. Après Viazma, Napoléon donna des instructions pour la marche droit sur Moscou.

Moscou, la capitale asiatique de ce grand empire, la ville sacrée des peuples d'Alexandre, Moscou avec ses innombrables églises en forme de pagodes chinoises ! Cette Moscou ne laissait pas l'imagination de Napoléon en paix. Pendant l'étape de Viazma à Tsarevo-Zaïmistché, il montait son demi-sang isabelle qui trottait l'amble, accompagné de la garde, d'une escorte, des pages et des aides de camp. Le chef d'état-major Berthier était resté en arrière pour interroger un Russe fait prisonnier par la cavalerie. Il rejoignit Napoléon au galop, en compagnie de l'interprète Lelorme d'Ideville, et arrêta son cheval, l'air joyeux.

« Eh bien ? dit Napoléon.

– *Un cosaque de Platov* qui dit que le corps de Platov est en train d'opérer sa jonction avec le gros de l'armée, que Koutouzov a été nommé commandant en chef. *Très intelligent et bavard !* »

Napoléon sourit, fit donner un cheval à ce cosaque et se le fit amener. Il désirait s'entretenir personnellement avec lui. Quelques aides de camp partirent au galop et, une heure plus tard, Lavrouchka, le serf que Denissov avait cédé à Rostov, vêtu de sa veste d'ordonnance, sur une selle de cavalerie française, s'approcha de Napoléon, le visage malicieux, aviné et gai. Napoléon lui dit de marcher au pas à côté de lui et le questionna :

« Vous êtes cosaque ?
– Oui, Votre Honneur. »
« Le cosaque, ignorant la compagnie dans laquelle il se trouvait car la simplicité de Napoléon n'avait rien qui pût révéler à une imagination orientale la présence d'un souverain, s'entretint avec la plus extrême familiarité des affaires de la guerre actuelle », dit Thiers en racontant cet épisode. En fait, Lavrouchka, la veille, pris de boisson et ayant laissé son maître sans dîner, avait reçu les verges, puis, envoyé dans un village chercher des volailles, s'y était laissé entraîner à marauder et avait été capturé par les Français. C'était un de ces domestiques grossiers et insolents qui en ayant vu de toutes les couleurs, croient de leur devoir d'agir en tout avec bassesse et fourberie et sont prêts à rendre n'importe quel service à leur maître dont ils devinent subtilement toutes les mauvaises pensées, surtout quand elles sont inspirées par la vanité et la mesquinerie.

Mis en présence de Napoléon qu'il avait parfaitement et très facilement reconnu, Lavrouchka n'en fut nullement ému et s'efforça seulement de toute son âme de complaire à ses nouveaux maîtres.

Il savait très bien que c'était là Napoléon en personne, mais sa présence ne pouvait pas plus le troubler que celle de Rostov ou du maréchal des logis chargé de lui donner les verges, car ni le maréchal des logis, ni Napoléon n'avait prise sur lui.

Il débita tout ce qui se disait entre ordonnances. Il y avait beaucoup de vrai. Mais lorsque Napoléon lui demanda si les Russes pensaient ou non vaincre Bonaparte, il plissa les yeux et se prit à réfléchir.

Il vit dans cette question un piège subtil, comme les gens de son espèce en voient toujours et partout, se renfrogna et garda le silence.

« C'est-à-dire, s'il y a une bataille, dit-il pensif, et bientôt, vous prendrez le dessus. C'est bien ça. Mais si trois jours passent et après cette même date, alors c'est que cette même bataille traîne en longueur. »

Ce qui fut traduit ainsi à Napoléon : « *Si la bataille est donnée avant trois jours, les Français la gagneraient, mais si elle était donnée plus tard, Dieu sait ce qui en arriverait* », lui dit en souriant Lelorme d'Ideville. Napoléon ne sourit pas, bien qu'il fût visiblement de fort bonne humeur, et se fit répéter ces mots.

Lavrouchka s'en aperçut et, pour le dérider, dit en feignant d'ignorer qui il était :

« Nous le savons, vous avez Bonaparte, il a battu tout le monde, seulement nous ce sera une autre affaire... » Il ne savait comment ni pourquoi au juste ce patriotisme vaniteux se glissa dans ces mots. L'interprète les traduisit à Napoléon en omettant la fin, et Bonaparte sourit. « *Le jeune cosaque fit sourire son puissant interlocuteur* », dit Thiers. Après avoir fait quelques pas en silence, Napoléon se tourna vers Berthier et lui dit qu'il voulait voir quel effet produirait *sur cet enfant du Don* l'annonce que l'homme avec qui il parlait était l'Empereur en personne, cet empereur qui avait inscrit sur les Pyramides son nom glorieux et immortel.

La nouvelle fut transmise.

Lavrouchka (comprenant qu'on voulait l'embarrasser et que Napoléon croyait lui faire peur), pour être agréable à ses nouveaux maîtres, joua aussitôt la surprise, la stupeur, écarquilla les yeux et prit la mine qui lui était habituelle quand on l'emmenait pour lui donner les verges. « *À peine l'interprète de Napoléon*, dit Thiers, *avait-il parlé que le cosaque, saisi d'une sorte d'ébahissement, ne proféra plus une parole et marcha les yeux constamment attachés sur ce conquérant dont le nom avait pénétré jusqu'à lui, à travers les steppes de l'Orient. Toute sa loquacité s'était subitement arrêtée, pour faire place à un sentiment d'admiration naïve et silencieuse. Napoléon, après l'avoir récompensé, lui fit donner la liberté, comme à un oiseau qu'on rend aux champs qui l'ont vu naître.* »

Napoléon poursuivit son chemin, rêvant à cette Moscou qui captivait tant son imagination, tandis que *l'oiseau qu'on rendit aux champs qui l'ont vu naître* galopa vers les avant-postes en inventant d'avance ce qui ne s'était jamais passé et qu'il raconterait aux nôtres. Quant à ce qui lui était réellement arrivé, il ne voulait pas le raconter parce qu'à son avis c'était indigne d'un récit. Il rejoignit les cosaques, demanda où était son régiment qui faisait partie du détachement de Platov et, dans la soirée, retrouva son maître Nicolas Rostov qui cantonnait à Iankovo et qui venait de se mettre en selle pour faire avec Iline une promenade dans les villages avoisinants. Il fit donner un autre cheval à Lavrouchka et l'emmena avec lui.

VIII

La princesse Maria n'était pas à Moscou et hors de danger, comme le croyait le prince André.

Au retour d'Alpatitch de Smolensk, le vieux prince parut sortir subitement d'un rêve. Il donna l'ordre de lever des milices dans les villages, de les armer et écrivit au commandant en chef en l'informant de son intention de demeurer à Lissi Gori et de se défendre jusqu'à la dernière extrémité, lui laissant le soin de prendre des mesures pour la protection d'un domaine où serait capturé ou tué un des plus anciens généraux russes ; puis il déclara à ses familiers qu'il restait.

Mais, tout en restant lui-même à Lissi Gori, le prince prit des dispositions pour le départ de la princesse et de Dessales avec le petit prince pour Bogoutcharovo et de là pour Moscou. La princesse Maria, effrayée de cette activité fébrile de son père qui succédait à sa récente apathie, ne put se décider à le laisser seul et, pour la première fois de sa vie, se permit de ne pas lui obéir. Elle refusa de partir et eut à subir le terrible orage de la colère du prince. Il lui rappela tous ses anciens griefs injustes. Cherchant à l'accuser, il lui dit qu'il n'en pouvait plus, qu'elle l'avait brouillé avec son fils, qu'elle nourrissait d'odieux soupçons à son endroit, qu'elle s'était fixé pour tâche unique de lui empoisonner l'existence, et la chassa de son cabinet en lui disant qu'il lui était égal qu'elle partît ou non. Il ajouta qu'il se désintéressait complètement d'elle et la prévenait qu'elle ne devait jamais reparaître devant lui. Qu'il ne l'eût pas fait emmener de force comme elle le craignait, mais se contentait de lui défendre de paraître devant lui, cela soulagea la princesse Maria. Elle savait que cela prouvait que, tout au fond de lui-même, il était content qu'elle restât à la maison.

Le lendemain du départ du petit Nicolas, le vieux prince revêtit dès le matin la grande tenue et se disposa à se rendre chez le commandant en chef. La voiture était déjà avancée. La princesse Maria le vit sortir de la maison en uniforme, avec toutes ses décorations, et prendre le chemin du parc pour passer la revue des paysans et des domestiques en armes. Assise à une fenêtre, elle prêtait l'oreille à sa voix qui parvenait du parc. Soudain quelques hommes débouchèrent en courant de l'allée, l'air effrayé.

La princesse Maria courut sur le perron, dans le sentier entre les massifs de fleurs, dans l'allée. À sa rencontre venait une foule de miliciens et de domestiques et, au milieu de cette foule, on traînait sous les bras le petit vieillard en uniforme constellé de décorations. La princesse Maria courut vers lui et, dans le miroitement de la lumière qui trouait de petites taches rondes l'ombre des tilleuls, elle ne put d'abord se rendre compte du changement de ses traits. La seule chose qu'elle vit était que l'ancienne expression sévère et résolue de son visage avait fait place à une expression craintive et humble. À la vue de sa fille, il remua ses lèvres impuissantes et émit des sons rauques. On ne pouvait comprendre ce qu'il voulait dire. On le prit à bras-le-corps, on le transporta dans son cabinet et on le déposa sur ce divan qu'il craignait tant, depuis quelque temps.

Le médecin qu'on alla chercher la nuit même fit une saignée et déclara que le prince était paralysé du côté droit.

Le séjour à Lissi Gori devenait de plus en plus dangereux et, le lendemain, on transporta le prince à Bogoutcharovo. Le médecin l'accompagna.

Quand ils arrivèrent à Bogoutcharovo, Dessales et le petit prince Nicolas étaient déjà partis pour Moscou.

Toujours dans le même état, ni meilleur ni pire, le vieux prince paralysé passa trois semaines à Bogoutcharovo, dans la maison nouvellement construite par le prince André. Il était sans connaissance ; il restait étendu là comme un cadavre défiguré. Il ne cessait de marmonner en remuant les sourcils et les lèvres, et il était impossible de savoir s'il se rendait ou non compte de ce qui l'entourait. Une chose seulement dont on pouvait être sûr, c'était qu'il souffrait et éprouvait le besoin de dire encore quelque chose. Mais ce que c'était personne ne parvenait à le comprendre : était-ce quelque nouveau caprice de malade délirant, cela se rapportait-il aux événements, aux affaires de famille ?

Le médecin disait que l'inquiétude qu'il manifestait ne signifiait rien, qu'elle avait des causes purement physiques ; mais la princesse Maria pensait (et le fait qu'en sa présence son inquiétude croissait toujours confirmait sa supposition) qu'il voulait lui dire quelque chose. Il souffrait à n'en pas douter, et physiquement et moralement.

Il n'y avait aucun espoir de guérison. Il était intransportable. Qu'aurait-on fait s'il était mort en route ? « Ne vaudrait-il pas mieux que ce soit fini, tout à fait fini ? » pensait parfois la princesse Maria. Elle l'observait jour et nuit, presque sans sommeil, et, chose terrible à dire, elle le faisait souvent non pas avec l'espoir de constater une amélioration, mais en *souhaitant* de découvrir les signes d'une fin proche.

Si étrange qu'il lui parût de reconnaître en elle ce sentiment, il était là. Et ce qui était encore plus terrible pour elle, c'est que depuis la maladie de son père (peut-être même avant, ne serait-ce pas quand, dans l'attente de quelque chose, elle était restée avec lui ?) tous ses désirs et ses espoirs personnels, assoupis, oubliés, s'étaient réveillés en elle. Les pensées qui, depuis des années, ne lui venaient plus à l'esprit – pensées d'une vie libre, affranchie de la crainte de son père, même celles de la possibilité d'amour et de bonheur conjugal – hantaient son imagination comme des tentations du diable. Quoi qu'elle fît pour l'écarter, la question de savoir comment elle allait organiser sa vie maintenant, après CELA, lui traversait constamment l'esprit. C'étaient là des tentations du diable, et la princesse Maria le savait. Elle savait que l'unique arme contre LUI était la prière et elle essayait de prier. Elle en prenait l'attitude, fixait les yeux sur les icônes, récitait les paroles de la prière, mais ne pouvait prier. Elle sentait qu'un autre monde l'avait happée, celui de l'action, difficile et libre, absolument à l'opposé du monde moral dans lequel elle avait été enfermée jusque-là et où le meilleur refuge était la prière. Elle ne pouvait prier, ne pouvait pleurer, et la vie s'emparait d'elle.

Rester à Bogoutcharovo devenait dangereux. De tous côtés, on entendait parler de l'approche des Français et dans un village, à quinze verstes de Bogoutcharovo, un domaine avait été pillé par leurs maraudeurs.

Le médecin insistait sur la nécessité d'emmener le prince plus loin ; le maréchal de la noblesse envoya à la princesse Maria un fonctionnaire pour l'engager à partir au plus tôt ; le chef de police vint insister en personne, disant que les Français étaient à quarante verstes, que des proclamations françaises circulaient dans les villages et que, si elle ne partait pas avec son père avant le 15, il ne répondait de rien.

La princesse décida de partir le 15. Les préparatifs, les ordres à donner puisque tout le monde s'adressait à elle, l'occupèrent toute la journée. Elle passa comme d'habitude la nuit du 14 au 15 sans se déshabiller dans la chambre voisine de celle du vieux prince. Plusieurs fois, se réveillant, elle l'entendit gémir, marmonner, elle entendit le grincement de son lit et les pas de Tikhon et du médecin qui le changeaient de position. Plusieurs fois elle alla écouter à la porte et il lui sembla que, cette nuit, il gémissait et s'agitait plus que d'habitude. Elle ne pouvait dormir et plus d'une fois elle s'approcha de la porte, tendant l'oreille, désirant entrer et n'osant le faire. Bien qu'il ne pût parler, elle voyait, elle savait combien toute manifestation d'inquiétude à son sujet lui était désagréable. Elle avait remarqué qu'il se détournait impatiemment en rencontrant le regard qu'elle ne pouvait parfois s'empêcher de fixer sur lui avec insistance. Elle savait que sa visite, la nuit, à une heure insolite, l'irriterait.

Mais jamais elle n'avait éprouvé tant de peine, une telle peur de le perdre. Elle évoquait toute sa vie avec lui et, dans chacun de ses mots, chacun de ses actes, découvrait des preuves de son amour pour elle. De temps à autre, parmi ces souvenirs se glissaient les tentations du diable, elle pensait à ce qui arriverait après sa mort et comment s'organiserait sa vie nouvelle et libre. Mais elle chassait ces pensées avec dégoût. Vers le matin, il s'apaisa et elle s'endormit.

Elle se réveilla tard. Cette sincérité qui accompagne le réveil lui fit soudain voir clairement ce qui la préoccupait le plus dans la maladie de son père. Elle se réveilla, alla écouter à sa porte et, entendant ses gémissements, se dit avec un soupir que rien n'était changé.

« Mais que pouvait-il arriver ? Qu'est-ce donc que je voulais ? Je veux sa mort ! » s'écria-t-elle, saisie de dégoût pour elle-même.

Elle s'habilla, fit sa toilette, dit ses prières et sortit sur le perron. Des voitures non encore attelées y stationnaient, sur lesquelles on chargeait les bagages.

La matinée était chaude et grise. La princesse Maria resta un moment sur le perron, toujours remplie d'horreur devant son abjection morale et s'efforçant de mettre de l'ordre dans ses pensées avant d'aller le voir.

Le médecin descendit l'escalier et vint à elle.

« Il va un peu mieux aujourd'hui, dit-il. Je vous cherchais. On peut plus ou moins comprendre ce qu'il dit, il est plus lucide. Venez. Il vous demande… »

À cette nouvelle, le cœur de la princesse Maria battit si fort qu'elle pâlit et dut s'appuyer à la porte pour ne pas tomber. Le voir, lui parler, affronter son regard, maintenant que son âme était pleine de ces terribles tentations criminelles, cela l'effrayait et lui causait une joie douloureuse.

« Venez », répéta le médecin.

La princesse Maria entra chez son père et s'approcha du lit. Il était couché sur le dos, le buste surélevé, ses petites mains osseuses aux veines violettes et noueuses posées sur la couverture, l'œil gauche fixé droit devant lui et l'œil droit louchant, les sourcils et les lèvres immobiles. Il était si maigre, si petit et si pitoyable. Son visage paraissait desséché et fondu, ses traits s'étaient amenuisés. La princesse Maria s'approcha et lui baisa la main. Sa main gauche serra la sienne d'une façon qui lui fit comprendre qu'il l'attendait depuis longtemps. Il secoua sa main, et ses sourcils et ses lèvres se contractèrent avec irritation.

Elle le regardait effrayée, s'efforçant de deviner ce qu'il voulait d'elle. Quand elle changea de position de façon que son œil gauche voyait son visage, il se calma pour quelques instants sans la quitter des yeux. Puis ses lèvres et sa langue remuèrent, des sons s'échappèrent de sa bouche et il se mit à parler en la regardant d'un air timide et implorant, dans la crainte manifeste qu'elle ne le comprît pas.

La princesse Maria le regardait en concentrant toute son attention. Les efforts comiques qu'il faisait pour remuer la langue lui firent baisser les yeux et elle réprima à grand-peine les sanglots qui lui montaient à la gorge. Il dit quelque chose, répétant plusieurs fois les mêmes mots. La princesse Maria ne put le comprendre ; elle s'efforçait de deviner ce qu'il disait et reprenait sur un ton interrogateur les mots qu'elle croyait saisir.

« Aaa… mm… mm… », répéta-t-il plusieurs fois. Il était impossible de comprendre ces mots. Le médecin crut avoir deviné et demanda : « La princesse a peur ? » Il fit non de la tête et répéta une fois de plus la même chose…

« L'âme, l'âme souffre », devina la princesse Maria. Il approuva d'un ton indistinct, lui prit la main et l'appuya sur différents points de sa poitrine comme s'il cherchait sa vraie place.

« Toutes mes pensées ! pour toi… pensées… » articula-t-il ensuite, beaucoup mieux et beaucoup plus distinctement, maintenant qu'il était sûr d'être compris. La princesse Maria appuya la tête sur la main de son père, s'efforçant de dissimuler ses sanglots et ses larmes.

Il lui passa la main sur les cheveux.

« Je t'ai appelée toute la nuit… fit-il.

– Si j'avais su… dit-elle à travers ses larmes. Je n'osais pas entrer. »

Il lui pressa la main.

« Tu ne dormais pas ?

– Non, je ne dormais pas », dit la princesse Maria avec un signe de tête négatif. Imitant malgré elle son père, elle s'efforçait maintenant de parler plutôt par signes, comme si, elle aussi, remuait difficilement la langue.

« Ma chère âme… ou : ma chère amie… » La princesse Maria ne put bien distinguer ; mais, d'après son regard, il avait certainement dit un mot tendre, affectueux, comme il ne lui en avait jamais dit. « Pourquoi n'es-tu pas venue ? »

« Et moi qui souhaitais, oui, qui souhaitais sa mort ! » pensa la princesse Maria. Il se tut un instant.

« Merci, ma fille, mon amie… pour tout, pour tout… pardon… merci… pardon… merci !… » Et des larmes coulaient de ses yeux. « Appelez Andrioucha », dit-il soudain, et quelque chose d'enfantin, de timide et de méfiant se refléta sur son visage à cette demande. On eût dit qu'il savait lui-même que ce qu'il demandait n'avait pas de sens. Ce fut du moins l'impression de la princesse Maria.

« J'ai reçu une lettre de lui », répondit-elle.

Il la regarda d'un air surpris et timide.

« Où est-il donc ?

– Il est à l'armée, *mon père*, à Smolensk. »

Il garda longtemps le silence, les yeux clos ; puis il fit un signe affirmatif de la tête, comme en réponse à ses propres doutes et pour confirmer que maintenant il avait tout compris, s'était tout rappelé, et il rouvrit les yeux.

« Oui, dit-il d'une voix basse et distincte. La Russie est perdue ! Ils l'ont perdue ! » Et il éclata de nouveau en sanglots et des larmes coulèrent de ses yeux. La princesse Maria ne pouvait plus se retenir et pleurait aussi en regardant son visage.

Il referma les yeux. Ses sanglots s'apaisèrent. Il montra ses yeux d'un geste de la main ; et Tikhon comprenant son désir lui essuya les larmes.

Puis il rouvrit les yeux et dit quelque chose que longtemps personne ne put comprendre et que ne comprit enfin que le seul Tikhon. La princesse Maria cherchait à interpréter ses paroles dans le sens de ce qu'il avait dit un instant auparavant. Elle pensait tantôt qu'il parlait de la Russie, tantôt que c'était du prince André, ou d'elle, de son petit-fils, ou encore de sa propre mort. Et c'est pourquoi elle ne parvenait pas à deviner.

« Mets ta robe blanche, je l'aime », disait-il.

Quand elle eut compris, les sanglots de la princesse Maria redoublèrent et le médecin la prenant par le bras l'emmena sur la terrasse, l'adjurant de se calmer et de s'occuper des préparatifs du départ. La princesse Maria une fois sortie, le prince parla encore de son fils, de la guerre, de l'empereur, fronça avec irritation les sourcils, éleva sa voix rauque et eut une seconde et dernière attaque.

La princesse Maria était restée sur la terrasse. Le temps s'était levé, il y avait du soleil et il faisait chaud. Elle ne pouvait rien comprendre, penser à rien ni rien sentir que son amour fervent pour son père, cet amour qu'il lui semblait avoir ignoré jusqu'à cet instant. Elle s'enfuit dans le parc et en sanglotant descendit vers l'étang, le long des jeunes allées de tilleuls plantés par le prince André.

« Oui… je… je… je souhaitais sa mort ! Oui, j'ai souhaité que cela finît au plus vite… Je voulais trouver la paix… Mais que vais-je devenir ? À quoi pourra me servir la paix quand il ne sera plus ! » murmurait-elle en parcourant le parc d'un pas rapide et en comprimant de la main sa poitrine d'où s'échappaient des sanglots convulsifs. Ayant fait le tour du parc, ce qui la ramena vers la maison, elle aperçut, venant à sa rencontre, Mlle Bourienne (qui restait à Bogoutcharovo et refusait de partir) et un inconnu. C'était le maréchal de la noblesse du district venu en personne représenter à la princesse l'urgence du départ. La princesse Maria l'écoutait sans comprendre ; elle l'emmena à la maison, lui fit servir à déjeuner et lui tint compagnie. Puis elle s'excusa et alla à la porte du vieux prince. Le médecin en sortit d'un air inquiet et lui dit qu'elle ne pouvait entrer.

« Allez-vous-en, princesse, allez-vous-en, allez-vous-en ! »

La princesse Maria retourna dans le parc et en bas, près de l'étang, à un endroit où nul ne pouvait la voir, elle s'assit sur l'herbe. Elle ne savait pas combien de temps elle était restée là. Elle fut tirée de son état par des pas rapides de femme sur le sentier. Elle se leva et vit Douniacha, sa femme de chambre, qui accourait pour la chercher et s'arrêtait comme effrayée à la vue de sa maîtresse.

« Veuillez venir, princesse... le prince... dit-elle d'une voix entrecoupée.

– J'y vais, j'y vais, dit précipitamment la princesse Maria sans lui donner le temps d'achever et, évitant son regard, elle courut à la maison.

– Princesse, la volonté de Dieu s'accomplit, vous devez être prête à tout, dit le maréchal de la noblesse venant au-devant d'elle à la porte d'entrée.

– Laissez-moi, ce n'est pas vrai », lui cria-t-elle avec colère. Le médecin voulut la retenir. Elle le repoussa et courut à la porte. « Pourquoi donc tous ces gens aux visages effrayés m'arrêtent-ils ? Je n'ai besoin de personne ! Et que font-ils ici ? » Elle ouvrit la porte et la vive clarté du jour qui inondait cette pièce jusque-là à demi obscure la remplit d'effroi. Des femmes et sa vieille nounou se trouvaient là. Elles s'écartèrent toutes du lit pour la laisser passer. Il était toujours couché dans la même pose ; mais la gravité de son visage calme arrêta la princesse Maria sur le seuil de la porte.

« Non, il n'est pas mort, ce n'est pas possible ! » se dit-elle ; elle s'approcha de lui et, surmontant la terreur qui l'avait saisie, appuya ses lèvres sur sa joue. Mais elle s'écarta aussitôt. Instantanément, toute la tendresse qu'elle éprouvait pour lui s'évanouit et fit place à un sentiment d'horreur devant ce qu'elle avait en face d'elle. « Il n'est plus ! Il n'est plus et ici même, à la place où il était, il y a quelque chose d'étranger, d'hostile, quelque mystère terrible qui remplit d'épouvante et repousse ! » Et, se cachant le visage dans les mains, la princesse Maria s'abattit dans les bras du médecin qui la soutint.

En présence de Tikhon et du médecin, les femmes lavèrent ce qui avait été le vieux prince, lui nouèrent un mouchoir sous le menton pour maintenir la mâchoire fermée et lui lièrent avec un autre mouchoir les jambes qui s'écartaient. Puis on le revêtit de son uniforme constellé de décorations et l'on étendit sur la table le petit cadavre décharné. Dieu sait qui s'en était préoccupé et à quel moment, mais tout parut se faire de soi-même. À la nuit, des cierges brûlaient autour du cercueil, le cercueil était recouvert d'un drap mortuaire, des branches de genièvre avaient été répandues sur le parquet, une prière imprimée glissée sous la tête morte décharnée, et le chantre lisait le Psautier dans un coin.

De même que les chevaux se cabrent, s'attroupent et s'ébrouent devant un cheval mort, une foule se pressait dans le salon autour du cercueil, les familiers comme des étrangers, le maréchal de la noblesse, le staroste, des villageoises, et tous, les yeux fixes, remplis d'effroi, se signaient, s'inclinaient et baisaient la main froide et raidie du vieux prince.

IX

Bogoutcharovo avait toujours été, avant que le prince André s'y fût installé, un domaine délaissé par ses maîtres, et les paysans y étaient tout autres que ceux de Lissi Gori. Ils se distinguaient d'eux et par leur langage et par leurs vêtements et par leurs mœurs. On les appelait les gens des steppes. Le vieux prince les appréciait pour leur endurance dans le travail quand ils venaient à Lissi Gori donner un coup de main aux moissons ou pour creuser des étangs et des fossés, mais il ne les aimait pas à cause de leur sauvagerie.

Le dernier séjour à Bogoutcharovo du prince André et ses innovations – hôpitaux, écoles et allégement de la redevance – n'avaient pas adouci leurs mœurs, mais au contraire avaient accentué chez eux ces traits de leur caractère que le vieux prince qualifiait de sauvagerie. Des rumeurs confuses couraient toujours parmi eux, tantôt qu'on allait les transformer tous en cosaques, tantôt convertir à une nouvelle religion, tantôt on parlait d'ordonnances du tsar, du serment prêté à l'empereur Paul en 1797 (lors duquel ils prétendaient qu'avait été décidé leur affranchissement dont les seigneurs les avaient frustrés), tantôt de l'avènement, dans sept ans, de Pierre III sous qui tout le monde serait libre et tout serait si simple qu'il n'y aurait plus rien. Les bruits sur la guerre, sur Bonaparte et son invasion s'entremêlaient pour eux avec des notions tout aussi vagues sur l'Antéchrist, la fin du monde et la liberté absolue.

Dans les environs de Bogoutcharovo, il y avait de gros bourgs, appartenant soit à la couronne, soit à des particuliers, habités par des paysans à la redevance. Les propriétaires qui résidaient dans cette région étaient fort peu nombreux ; fort peu nombreux aussi les domestiques et les paysans sachant lire, et les mystérieux courants de la vie populaire russe dont les causes et le sens échappent aux contemporains étaient ici plus sensibles et plus forts qu'ailleurs. C'est ainsi que, vingt ans plus tôt, s'était produit parmi eux un mouvement d'émigration vers de mystérieux fleuves aux eaux chaudes. Des centaines de paysans, et parmi eux ceux de Bogoutcharovo, vendirent soudain leur bétail et s'en allèrent avec leurs familles quelque part vers le sud-est. Comme des oiseaux qui s'envolent au-delà des mers, ces gens partaient avec leur femme et leurs enfants vers ces régions où personne d'entre eux n'avait jamais encore mis les pieds. Ils se rachetaient individuellement, d'autres se sauvaient et, en caravanes, à pied ou en voiture, s'en allaient là-bas, vers les eaux chaudes. Beaucoup d'entre eux furent punis, déportés en Sibérie, beaucoup moururent de faim et de froid en route, beaucoup revinrent de leur plein gré, et le mouvement s'apaisa de lui-même comme il était né, sans raison apparente. Mais les courants sous-jacents ne tarirent pas parmi ces gens, ils prenaient une force nouvelle qui devait se manifester d'une manière tout aussi étrange, inopinée et en même temps simple, naturelle et puissante. Ceux qui maintenant, en 1812, vivaient en étroit contact avec le peuple le sentaient profondément travaillé par ces courants sous-jacents prêts à se manifester.

Alpatitch, arrivé à Bogoutcharovo quelque temps avant le décès du vieux prince, avait constaté une certaine agitation parmi les paysans et remarqué qu'à l'opposé de ce qui se passait dans la région de Lissi Gori où, dans un rayon de soixante verstes, les habitants s'en allaient tous en abandonnant leurs villages au pillage des cosaques, dans la région des steppes, celle de Bogoutcharovo, les paysans étaient, prétendait-on, en rapport avec les Français, recevaient d'eux des papiers qui circulaient, et demeuraient sur place. Il savait par des domestiques qui lui étaient dévoués qu'un certain Karp, paysan très influent dans la commune et qui avait conduit récemment un charroi réquisitionné par les autorités, en était revenu en répandant la nouvelle que les cosaques pillaient les villages abandonnés par leurs habitants, alors que les Français n'y touchaient pas. Il savait qu'un autre paysan avait apporté la veille du bourg de Vislooukhovo – occupé par les Français – une proclamation du général français qui annonçait aux populations qu'il ne leur serait fait aucun mal et que si elles restaient on leur paierait tout ce qui leur serait pris. À l'appui de quoi, il avait rapporté de Vislooukhovo un assignat de cent roubles (il ne le savait pas faux) qu'on lui avait avancé pour son foin.

Enfin, chose importante entre toutes, Alpatitch savait que, le jour même où il avait donné l'ordre au staroste de préparer des chariots pour le transport des bagages de la princesse, il y avait eu dans la matinée une assemblée de la commune, à laquelle il avait été décidé de ne pas obéir et d'attendre. Cependant le temps passait. Le 15 août, jour de la mort du prince, le maréchal de la noblesse avait insisté auprès de la princesse Maria pour qu'elle partît le jour même car la situation devenait menaçante. Il disait qu'après le 16 il ne répondait plus de rien. Il était reparti le soir même mais avait promis de revenir le lendemain pour les obsèques. Cependant il ne put le faire, car il avait reçu la nouvelle d'une brusque avance des Français et avait eu tout juste le temps d'emmener de son domaine sa famille et tous les objets les plus précieux.

Depuis une trentaine d'années, Bogoutcharovo était administré par le staroste Dron que le vieux prince appelait Dronouchka.

C'était un de ces paysans physiquement et moralement solides qui, dès qu'ils prennent de l'âge, se laissent envahir par la barbe et restent ainsi sans plus changer jusqu'à soixante ou soixante-dix ans, sans un seul cheveu blanc, sans une dent en moins, tout aussi droits et vigoureux à soixante ans qu'à trente.

Peu de temps après l'exode vers les eaux chaudes auquel il avait pris part comme les autres, Dron avait été nommé staroste de Bogoutcharovo et, depuis vingt-trois ans, remplissait ces fonctions d'une façon irréprochable. Les paysans le craignaient plus que leur maître. Les maîtres, le vieux prince et le jeune, ainsi que l'intendant, l'estimaient et, par plaisanterie, l'appelaient ministre. Pendant tout ce temps, il n'avait pas une seule fois été ivre ni malade; jamais, ni après des nuits blanches, ni après le travail le plus dur, il n'avait donné le moindre signe de fatigue et, sans savoir lire, n'avait jamais fait d'erreur dans les comptes d'argent ou dans le nombre de sacs de farine qu'il vendait par énormes charrois, ni dans celui de gerbes de blé que rendait chaque hectare des champs de Bogoutcharovo.

C'est ce Dron qu'en arrivant de Lissi Gori ravagé, Alpatitch avait fait venir le jour des obsèques du prince; il lui donna l'ordre de préparer douze chevaux pour les voitures de la princesse et dix-huit chariots pour les bagages qu'on devait emporter de Bogoutcharovo. Bien que les paysans fussent à la redevance, l'exécution de cet ordre ne pouvait, selon Alpatitch, rencontrer de difficultés car Bogoutcharovo comptait deux cent trente feux et les habitants étaient à leur aise. Mais le staroste Dron, l'ordre reçu, baissa les yeux. Alpatitch lui nomma des paysans qu'il connaissait et qui pourraient conduire les chariots.

Dron répondit que les chevaux de ces paysans étaient en courses. Alpatitch en nomma d'autres. Ceux-ci non plus, au dire de Dron, n'avaient pas de chevaux : les uns avaient été réquisitionnés, d'autres étaient fourbus, d'autres encore avaient crevé par manque de fourrage. On ne pouvait pas en trouver, à son avis, non seulement pour les chariots mais même pour les voitures.

Alpatitch le regarda attentivement et fronça le sourcil. Si Dron était un staroste modèle, Alpatitch quant à lui était un intendant modèle et ce n'était pas pour rien qu'il gérait depuis vingt ans les domaines du prince. Il était au plus haut point capable de comprendre par intuition les besoins et les instincts des gens à qui il avait affaire, aussi était-il un excellent intendant. Un coup d'œil jeté sur Dron lui révéla aussitôt que ses réponses reflétaient non pas sa propre pensée mais l'état d'esprit général de la commune de Bogoutcharovo dont le staroste subissait l'influence. Mais en même temps, il savait que Dron, enrichi et détesté de la commune, devait hésiter entre les deux camps, celui des maîtres et celui des paysans. Alpatitch lut cette hésitation dans son regard et c'est pourquoi, les sourcils froncés, il s'avança vers lui.

« Écoute-moi bien, Dron ! dit-il. Ne me raconte pas de fariboles. Son Excellence le prince André Nicolaitch m'a donné personnellement l'ordre de faire partir tout le monde et de ne laisser personne avec l'ennemi, il y a aussi à ce sujet un ordre du tsar. Et celui qui restera est un traître au tsar. Tu entends ?

– J'entends », répondit Dron sans lever les yeux.

Cette réponse ne satisfit pas Alpatitch.

« Hé, Dron, ça va mal aller ! dit-il en hochant la tête.

– Comme il vous plaira ! fit tristement Dron.

– Hé, Dron, laisse ça ! répéta Alpatitch en dégageant sa main de l'entrebâillement de son vêtement et en la pointant d'un geste solennel vers le sol, aux pieds de Dron. Ce n'est pas seulement que je te perce à jour, je vois tout à trois pieds sous toi. »

Dron se troubla, jeta à Alpatitch un regard furtif et baissa de nouveau les yeux.

« Laisse là ces bêtises et dis aux gens de se préparer à partir pour Moscou et d'amener demain matin les chariots pour les bagages de la princesse. Et toi, ne va pas à l'assemblée. Tu entends ? »

Dron se jeta soudain à ses pieds.

« Iakov Alpatitch, libère-moi ! Reprends les clefs, libère-moi au nom du Ciel !

– Laisse ! dit sévèrement Alpatitch. Je vois à trois pieds sous toi », répéta-t-il, sachant que son habileté à soigner les abeilles, sa compétence quant aux semailles et le fait d'avoir su, durant vingt ans, donner satisfaction au vieux prince, lui avaient depuis longtemps valu le renom de sorcier et qu'on attribuait aux sorciers le don de voir à trois pieds sous un homme.

Dron se releva et voulut dire quelque chose, mais Alpatitch ne le laissa pas parler.

« Qu'est-ce que vous vous êtes mis en tête ? Hein ?... À quoi pensez-vous donc ? Hein ?

– Qu'est-ce que je peux faire avec les gens ? dit Dron. Ils sont dans tous leurs états. J'ai beau leur dire...

– Leur dire, repartit Alpatitch. Ils boivent ? demanda-t-il brièvement.

– Ils sont dans tous leurs états, Iakov Alpatitch : ça fait le deuxième tonneau qu'ils amènent.

– Alors écoute. Je vais aller chez le chef de police, et toi dis-leur de laisser tout ça et d'amener les chariots.

– À vos ordres », répondit Dron.

Iakov Alpatitch n'insista pas davantage. Il commandait des gens depuis assez longtemps pour savoir que le meilleur moyen de se faire obéir consiste à ne pas leur laisser voir qu'on met leur obéissance en doute. Ayant obtenu de Dron un docile « à vos ordres », Iakov Alpatitch s'en contenta, bien qu'il fût presque certain que les chariots ne seraient pas fournis sans l'intervention de la force armée.

Et en effet le soir les chariots n'étaient pas là. Il y avait eu au village, devant le débit de boisson, une nouvelle assemblée à laquelle il avait été décidé d'emmener les chevaux dans les bois et de ne pas fournir les chariots. On n'en dit rien à la princesse. Alpatitch fit décharger ses bagages personnels des chariots qu'il avait amenés de Lissi Gori et donna l'ordre d'atteler ses chevaux aux voitures de la princesse ; puis il alla lui-même trouver les autorités.

X

Après l'enterrement de son père, la princesse Maria s'enferma dans sa chambre et ne voulut recevoir personne. Une servante vint à sa porte pour lui dire qu'Alpatitch demandait des ordres pour le départ. (C'était avant la conversation avec Dron.) La princesse Maria se dressa sur le divan sur lequel elle était étendue et répondit à travers la porte fermée qu'elle ne songeait pas du tout à partir et qu'elle demandait qu'on la laissât tranquille.

Les fenêtres de sa chambre donnaient au couchant. Étendue sur le divan, face contre le mur, et jouant avec les boutons du coussin de cuir, elle ne voyait que ce coussin, et ses pensées confuses étaient concentrées sur une seule chose : elle pensait à l'irrévocabilité de la mort et à sa propre abjection morale qu'elle ignorait jusqu'alors et qui s'était révélée pendant la maladie de son père. Elle voulait prier mais elle n'osait pas, elle n'osait pas s'adresser à Dieu dans l'état d'âme où elle se trouvait. Elle demeura longtemps ainsi.

Le soleil descendait de l'autre côté de la maison et, par les fenêtres ouvertes, ses rayons obliques illuminèrent la chambre et une partie du coussin de maroquin qu'elle regardait. Le cours de ses pensées fut soudain interrompu. Elle se redressa machinalement, arrangea ses cheveux, se leva et s'approcha de la fenêtre, aspirant malgré elle la brise fraîche de cette belle soirée.

« Oui, maintenant tu peux admirer la soirée à ton aise ! Il n'est plus, personne ne te dérangera désormais », se dit-elle, et se laissant tomber sur une chaise, elle posa la tête sur l'appui de la fenêtre.

Quelqu'un l'appela du jardin d'une voix tendre et douce et la baisa sur la tête. Elle se retourna. C'était Mlle Bourienne, en robe noire garnie de pleureuses. Elle s'approcha doucement, embrassa en soupirant la princesse Maria et aussitôt fondit en larmes. La princesse Maria lui jeta un regard. Tous leurs anciens conflits, sa jalousie envers Mlle Bourienne lui revinrent à la mémoire, elle se souvint aussi combien, les derniers temps, IL avait changé envers celle-ci, qu'il ne pouvait plus la souffrir, et elle se dit combien, par conséquent, avaient été injustes les reproches qu'elle faisait dans son for intérieur à Mlle Bourienne. « Et puis est-ce à moi, à moi qui souhaitais la mort de mon père, de juger quelqu'un ? » pensa-t-elle.

Elle se représenta vivement la situation de Mlle Bourienne, dépendante d'elle, obligée de vivre chez les autres, et que depuis quelque temps elle tenait à l'écart. Et elle eut pitié d'elle. Elle posa sur elle un regard interrogateur plein de douceur et lui tendit la main. Mlle Bourienne se mit aussitôt à pleurer, lui baisa la main et parla du malheur qui frappait la princesse et dont elle prenait sa part. Elle disait que la seule consolation dans son propre chagrin était que la princesse lui permettait de le partager avec elle. Elle disait que tous les anciens malentendus devaient disparaître devant cette grande douleur, qu'elle se sentait la conscience pure envers tout le monde et qu'IL voyait de là-haut son affection et sa gratitude. La princesse l'écoutait sans comprendre ce qu'elle disait, mais, par moments, lui jetait un regard et prêtait l'oreille au son de sa voix.

« Votre situation est doublement terrible, chère princesse, reprit Mlle Bourienne après un bref silence. Je comprends que vous n'ayez pu et que vous ne puissiez penser à vous-même ; mais l'affection que je vous porte m'oblige à le faire pour vous… Vous avez vu Alpatitch ? Vous a-t-il parlé du départ ? » demanda-t-elle.

La princesse Maria ne répondit pas. Elle ne comprenait pas qui devait partir et pour où. « Peut-on maintenant entreprendre quelque chose, penser à quelque chose ? Tout n'est-il pas égal ? » Elle ne répondit pas.

« Savez-vous, *chère Marie*, dit Mlle Bourienne, savez-vous que nous sommes en danger, que nous sommes entourés de Français ; il est dangereux de partir maintenant. Si nous partons, nous serons presque certainement faites prisonnières, et Dieu sait… »

La princesse Maria regardait sa compagne sans comprendre ce qu'elle lui disait.

« Ah ! si quelqu'un savait combien tout m'est égal maintenant, tout, dit-elle. Bien entendu, je ne voudrais LE quitter en aucun cas… Alpatitch m'a dit quelque chose du départ… Arrangez-vous avec lui, moi je ne peux et ne veux rien, rien…

– Je lui ai parlé. Il espère que nous pourrons partir demain ; mais je crois que, maintenant, il vaudrait mieux rester, dit Mlle Bourienne. Parce que, convenez-en, *chère Marie*, tomber en route aux mains des soldats ou de paysans révoltés serait affreux. » Mlle Bourienne tira de son réticule une proclamation (sur du papier qui n'était pas celui des documents russes) du général français Rameau qui invitait les habitants à ne pas quitter leurs maisons, assurant que les autorités françaises leur accorderaient la protection nécessaire, et la tendit à la princesse.

« Je crois qu'il vaut mieux s'adresser à ce général, dit-elle, et je suis sûre qu'on vous témoignera tous les égards dus. »

La princesse Maria lisait le papier et des sanglots sans larmes contractèrent son visage.

« De qui tenez-vous cela ? dit-elle.

– On a dû apprendre d'après mon nom que je suis Française », répondit en rougissant Mlle Bourienne.

La princesse Maria, le papier à la main, s'éloigna de la fenêtre et, toute pâle, se rendit dans l'ancien cabinet de travail du prince André.

« Douniacha, envoyez-moi Alpatitch, Dron, n'importe qui ! dit-elle, et dites à Amélie Carlovna de ne pas entrer chez moi, ajouta-t-elle en entendant la voix de Mlle Bourienne. Partir ! Il faut partir au plus vite ! Au plus vite ! » se disait-elle, remplie d'horreur à l'idée qu'elle pouvait tomber aux mains des Français.

« Si le prince André la savait au pouvoir des Français ! S'il savait qu'elle, la fille du prince Nicolas Andreievitch Bolkonski, priait M. le général Rameau de lui accorder sa protection et qu'elle profitait de ses bienfaits ! » Cette pensée la remplissait d'effroi, la faisait frémir, rougir et lui donnait des accès de colère et de fierté qu'elle n'avait jamais encore connus. Tout ce qu'il y aurait de pénible et surtout d'humiliant avec sa situation lui apparaissait maintenant avec évidence. « Ces Français s'installeront dans cette maison ; M. le général Rameau occupera le cabinet du prince André ; il feuillettera et lira pour se distraire ses lettres et ses papiers. *Mlle Bourienne lui fera les honneurs de Bogoutcharovo.* On me laissera par charité une petite chambre ; les soldats profaneront la tombe toute fraîche de mon père pour lui enlever ses croix et ses décorations ; ils me raconteront leurs victoires sur les Russes, ils me témoigneront une sympathie hypocrite dans mon chagrin... », pensait la princesse Maria, et ses idées étaient moins les siennes que celles de son père et de son frère qu'elle se sentait tenue d'adopter. Personnellement, peu lui importait où elle resterait, ce qui pourrait lui arriver ; mais elle se sentait la représentante de son père défunt et du prince André. Malgré elle, elle éprouvait leurs idées et leurs sentiments. Ce qu'ils auraient dit, ce qu'ils auraient fait en ce moment, elle jugeait de son devoir de le faire. Elle entra dans le cabinet de travail du prince André et, s'efforçant de se pénétrer de ses pensées, réfléchit à sa situation.

Les exigences de la vie qu'elle croyait abolies par la mort de son père avaient surgi devant elle avec une force nouvelle, encore inconnue, et s'étaient entièrement emparées d'elle.

Émue, toute rouge, elle arpentait la pièce, réclamant tantôt Alpatitch, tantôt Michel Ivanovitch, tantôt Tikhon, tantôt Dron. Ni Douniacha, ni la nounou, ni les servantes ne surent rien lui dire qui pût confirmer ou infirmer les assertions de Mlle Bourienne. Alpatitch n'était pas là : il était allé voir les autorités. Michel Ivanovitch, l'architecte, qui se présenta devant elle les yeux pleins de sommeil, ne put rien lui dire non plus. Avec le même sourire approbateur qui lui avait servi quinze ans durant à répondre au vieux prince sans exprimer son avis, il répondit aux questions de la princesse Maria sans qu'on pût en conclure rien de précis. Convoqué à son tour, le vieux valet de chambre Tikhon, dont le visage amaigri aux traits tirés portait l'empreinte d'un chagrin inguérissable, répondit : « à vos ordres » à toutes les questions et en la regardant il avait peine à réprimer ses sanglots.

Enfin, le staroste Dron entra et, après un profond salut, s'immobilisa contre le linteau de la porte.

La princesse Maria fit quelques pas dans la pièce et s'arrêta devant lui.

« Dronouchka, dit-elle, persuadée de parler à un ami, à ce même Dronouchka qui, de son voyage annuel à la foire de Nijni, lui rapportait toujours des pains d'épice spéciaux qu'il lui tendait en souriant. Dronouchka, maintenant, après notre malheur », commença-t-elle, et elle se tut, n'ayant pas la force de poursuivre.

« Nous sommes entre les mains de Dieu », répondit-il avec un soupir. Il y eut un silence.

« Dronouchka, Alpatitch est absent, je n'ai personne à qui m'adresser. Il paraît que je ne peux pas partir, est-ce vrai ?

– Pourquoi ne pourrais-tu pas partir, Votre Excellence, on peut partir, dit Dron.

– On m'a dit que c'est dangereux à cause de l'ennemi. Mon cher, je ne peux rien, je ne comprends rien, je n'ai personne auprès de moi. Je veux absolument partir cette nuit ou demain matin de bonne heure. » Dron se taisait. Il lui jeta un regard en dessous.

« Il n'y a pas de chevaux, dit-il, je l'ai déjà dit à Iakov Alpatitch.

– Pourquoi donc ? dit la princesse.

– Tout ça c'est le châtiment de Dieu, dit Dron. Des chevaux qu'il y avait, les uns ont été pris par les troupes, d'autres ont crevé, c'est une année comme ça. Non seulement on n'a pas de quoi nourrir les chevaux, mais on pourrait bien mourir de faim nous-mêmes ! Il y en a déjà qui restent trois jours sans manger. Il n'y a rien, on nous a complètement ruinés. »

La princesse Maria l'écoutait attentivement.

« Les paysans sont ruinés ? Ils n'ont pas de pain ? demanda-t-elle.

– Ils meurent de faim, dit Dron, comment pourraient-ils penser aux chariots ?

– Mais pourquoi n'en disais-tu rien, Dronouchka ? Ne peut-on pas les aider ? Je ferai tout ce que je pourrai... »

La princesse Maria trouvait étrange qu'en ces instants où son âme était pleine d'un si grand chagrin, il pût exister des riches et des pauvres, et que les riches pussent ne pas aider les pauvres. Elle avait vaguement entendu parler d'un blé réservé aux maîtres et qu'on donnait parfois aux paysans. Elle savait aussi que ni son frère ni son père n'auraient refusé de leur venir en aide, elle craignait seulement de ne pas trouver les mots qu'il fallait pour ordonner cette distribution qu'elle voulait faire. Elle était contente de ce prétexte à sa sollicitude, un prétexte pour lequel elle n'avait pas scrupule d'oublier son chagrin. Elle demanda à Dron des délais sur les besoins des paysans et les réserves de Bogoutcharovo.

« Nous avons, n'est-ce pas, du blé des maîtres, celui de mon frère ?

– Le blé des maîtres est intact, répondit Dron avec fierté, notre prince ne nous a pas donné l'ordre de le vendre.

– Donne-le aux paysans, donne-leur tout ce qu'il leur faut : je t'y autorise au nom de mon frère », dit la princesse Maria.

Dron ne répondit rien et poussa un profond soupir.

« Distribue-le-leur s'il y en a assez pour eux. Distribue tout. Je te l'ordonne au nom de mon frère, et dis-leur que ce qui est à nous est à eux. Nous n'épargnerons rien pour les aider. Dis-le-leur bien. »

Dron regardait fixement la princesse Maria pendant qu'elle parlait.

« Libère-moi, princesse, au nom du Ciel, dis qu'on me reprenne les clefs, dit-il. J'ai servi vingt-trois ans durant, je n'ai rien fait de mal, libère-moi au nom du Ciel. »

La princesse Maria ne comprenait pas ce qu'il lui voulait et de quoi il demandait à être libéré. Elle lui répondit qu'elle n'avait jamais douté de son dévouement et qu'elle était prête à tout faire pour lui et pour les paysans.

XI

Une heure plus tard, Douniacha vint dire à la princesse que Dron était revenu, que, selon son ordre, tous les paysans s'étaient rassemblés près de la grange et désiraient lui parler.

« Mais je ne les ai jamais convoqués, dit la princesse Maria, j'ai seulement dit à Dron de leur distribuer du blé.

– Mais pour l'amour de Dieu, ma bonne princesse, faites-les chasser et n'allez pas les voir vous-même. Tout ça ce n'est que de la tromperie, dit Douniacha, Iakov Alpatitch reviendra et nous partirons… mais vous, n'y allez pas…

– Quelle tromperie peut-il y avoir ? demanda la princesse surprise.

– Je sais ce que je dis, écoutez-moi, au nom du Ciel. Vous n'avez qu'à demander à la nounou. Ils disent qu'ils ne sont pas d'accord pour partir comme vous en avez donné l'ordre.

– Tu dois te tromper. Je ne leur ai jamais donné l'ordre de partir… dit la princesse Maria. Fais venir Dron. »

Dron confirma les paroles de Douniacha : les paysans étaient venus sur l'ordre de la princesse.

« Mais je ne leur ai jamais dit de venir, répondit celle-ci. Tu as dû mal t'expliquer. Je t'ai seulement dit de leur distribuer du blé. »

Dron soupira sans répondre.

« Si vous l'ordonnez, ils s'en iront, dit-il.

– Non, non, je vais aller les voir. »

Malgré les supplications de Douniacha et de la vieille nounou, la princesse Maria sortit sur le perron. Dron, Douniacha, la nounou et Michel Ivanovitch la suivirent.

« Ils croient sans doute que je leur offre du blé à condition qu'ils restent et que je partirai en les abandonnant au bon vouloir des Français, pensait la princesse Maria. Je vais leur promettre une ration mensuelle et un abri dans notre domaine des environs de Moscou ; je suis sûre qu'André ferait encore plus à ma place », se disait-elle en s'approchant, dans le crépuscule, de la foule qui stationnait au pacage près de la grange.

La foule se resserra, s'agita et les têtes se découvrirent en hâte. La princesse Maria, les yeux baissés et se prenant les pieds dans sa robe, s'approcha vivement tout près. Tant de regards, jeunes et vieux, tant de visages divers étaient tendus vers elle qu'elle n'en distinguait pas un seul et, se voyant obligée de s'adresser à tous à la fois, ne savait que faire. Mais de nouveau la conscience d'être la représentante de son père et de son frère lui donna des forces et elle commença bravement son discours.

« Je suis très contente que vous soyez venus, dit-elle en levant les yeux et en sentant son cœur battre rapidement et avec violence. Dron m'a dit que la guerre vous a ruinés. C'est notre malheur commun et je n'épargnerai rien pour vous venir en aide. Je pars parce qu'il est dangereux pour moi de rester ici… et que l'ennemi est proche… parce que… Je vous donne tout, mes amis, je vous prie de le prendre, tout notre blé, pour que vous ne soyez pas dans le besoin. Et si on vous a dit que je vous donne le blé pour que vous restiez ici, ce n'est pas vrai. Je vous demande au contraire de partir avec tous vos biens pour notre domaine des environs de Moscou, et là-bas je prends tout sur moi et je vous promets que vous ne serez pas dans le besoin. On vous donnera et le logement et du pain. » La princesse s'arrêta. Dans la foule on n'entendait que des soupirs.

« Ce n'est pas en mon nom que je fais cela, reprit la princesse, je le fais au nom de feu mon père qui a été un si bon maître pour vous, au nom de mon frère et en celui de son fils. »

Elle s'arrêta de nouveau. Personne ne rompit le silence.

« Notre malheur nous est commun et nous partagerons tout par moitié. Tout ce qui est à moi est à vous », dit-elle en scrutant les visages devant elle.

Tous les yeux étaient fixés sur elle avec la même expression dont elle ne parvenait pas à comprendre le sens. Était-ce curiosité, dévouement, gratitude, ou frayeur et méfiance, elle était identique sur tous les visages.

« Nous sommes bien contents de vos bontés, seulement il ne nous convient pas de prendre le blé des maîtres, dit une voix dans les derniers rangs.

– Mais pourquoi donc ? » demanda la princesse. Personne ne répondit et la princesse Maria s'aperçut que maintenant les yeux que rencontrait son regard se baissaient aussitôt.

« Mais pourquoi donc ne voulez-vous pas ? » demanda-t-elle de nouveau. Personne ne répondit.

Ce silence commençait à la mettre mal à l'aise ; elle tenta de capter un regard.

« Pourquoi ne dites-vous rien ? demanda-t-elle à un vieillard qui, appuyé sur un bâton, se tenait devant elle. Parle si tu crois qu'il vous faut autre chose encore. Je le ferai », dit-elle en rencontrant son regard. Mais comme si cela le fâchait, il baissa la tête et dit :

« Pourquoi accepterions-nous, nous n'avons pas besoin de blé.

– Alors, il faudrait donc tout abandonner ? On n'accepte pas. On n'accepte pas. Nous ne donnons pas notre consentement. Nous te plaignons, mais nous ne consentons pas. Pars toute seule… » dit-on de différents côtés dans la foule. Et de nouveau une seule et même expression apparut sur tous les visages, et cette fois ce n'était certainement pas de la curiosité et de la gratitude, mais une détermination hostile.

« Mais vous n'avez sans doute pas bien compris, dit la princesse Maria avec un triste sourire. Pourquoi ne voulez-vous pas partir ? Je vous promets de vous loger, de vous nourrir. Ici l'ennemi vous ruinera… » Mais sa voix fut étouffée par les voix de la foule.

« Tu n'as pas notre consentement, qu'il nous ruine ! Nous n'acceptons pas ton blé, tu n'as pas notre consentement ! »

La princesse Maria tenta de nouveau de rencontrer un regard dans cette foule, mais aucun n'était fixé sur elle ; tous les yeux l'évitaient. Elle en éprouva un étrange malaise.

« Voyez-vous ça, elle nous donne de bons conseils, il faudrait la suivre en esclavage ! Laisser ruiner nos maisons et accepter la servitude. Tu parles ! Je vous donnerai du blé ! » disaient des voix dans la foule.

La princesse Maria, baissant la tête, sortit du groupe et rentra chez elle. Après avoir répété à Dron qu'il lui fallait le lendemain des chevaux pour partir, elle se retira dans sa chambre et resta seule avec ses pensées.

XII

Longtemps, cette nuit-là, la princesse Maria resta assise à sa fenêtre ouverte, prêtant l'oreille au bruit des voix des paysans qui montait du village, mais elle ne pensait pas à eux. Elle sentait que, malgré tous ses efforts, elle ne pourrait pas les comprendre. Elle ne pensait toujours qu'à une chose, à son chagrin, qui, maintenant, après la diversion causée par les soucis du présent, était devenu pour elle du passé. Maintenant elle pouvait se souvenir, elle pouvait pleurer et prier. Avec le coucher du soleil, le vent était tombé. La nuit était calme et fraîche. Vers minuit, les voix se turent peu à peu, un coq chanta, la pleine lune apparut au-dessus des tilleuls, une brume fraîche et blanchâtre se leva et le silence se fit sur le village et la maison.

L'une après l'autre, elle revoyait les images du passé proche : la maladie et les derniers instants de son père. Et avec une joie mélancolique elle s'y arrêtait maintenant, n'en repoussant avec horreur que la dernière, celle de la mort, que – elle le sentait – elle n'avait pas le courage de contempler, même dans son imagination, à cette heure sereine et mystérieuse de la nuit. Et ces images se présentaient à elle avec une telle netteté et de tels détails qu'elles lui semblaient être réelles, tantôt le présent, tantôt le passé, tantôt l'avenir.

Elle revoyait intensément cet instant où il avait été terrassé par l'attaque : on le ramenait du parc de Lissi Gori en le traînant sous les bras et il marmonnait quelque chose de sa langue impuissante, fronçait ses sourcils blancs et la regardait timidement et avec inquiétude.

« À ce moment déjà il voulait me dire ce qu'il m'a dit le jour de sa mort, songeait-elle. Il a toujours pensé ce qu'il m'a dit. » Et alors lui revint dans tous ses détails le souvenir de la nuit à Lissi Gori qui avait précédé son attaque, alors que pressentant un malheur elle était restée auprès de lui contre son gré. Ne pouvant dormir, elle était descendue sur la pointe des pieds et, s'approchant de la porte du jardin d'hiver où il passait cette nuit-là, avait écouté sa voix. D'une voix lasse, il parlait à Tikhon. Il parlait de la Crimée, des nuits chaudes, de l'impératrice. Il avait manifestement envie de parler. « Pourquoi ne m'a-t-il pas appelée ? Pourquoi ne m'a-t-il pas permis de prendre la place de Tikhon ? pensait-elle maintenant comme elle avait pensé alors. Il ne dira plus jamais à personne tout ce qui se passait dans son âme. Jamais plus ne reviendra ni pour lui ni pour moi cet instant où il aurait dit tout ce qu'il voulait dire et où, au lieu de Tikhon, c'est moi qui l'aurais écouté, et compris. Pourquoi ne suis-je pas entrée alors ! Peut-être m'aurait-il dit dès ce moment-là ce qu'il m'a dit le jour de sa mort. Même alors en parlant à Tikhon il s'est par deux fois enquis de moi. Il avait envie de me voir, et j'étais là, derrière la porte. Il éprouvait de la tristesse, il souffrait de parler à Tikhon qui ne le comprenait pas. Je me souviens qu'il lui a parlé de Lise comme si elle était vivante : il avait oublié qu'elle était morte, et Tikhon lui a rappelé qu'elle n'était plus, et il a crié : "imbécile !" Il souffrait. Je l'ai entendu à travers la porte gémir en s'étendant sur son lit et crier d'une voix forte : "Mon Dieu !" Pourquoi ne suis-je pas entrée alors ? Que m'aurait-il donc fait ? Que risquais-je ? Peut-être se serait-il apaisé dès ce moment-là, m'aurait-il dit ce mot. » Et la princesse Maria prononça à haute voix ce mot tendre qu'il lui avait dit le jour de sa mort. « Ma chère âme ! » répéta-t-elle, et elle éclata en sanglots, versant les larmes qui soulagent le cœur. Elle voyait maintenant son visage devant elle. Non pas ce visage qu'elle avait toujours connu et toujours vu à distance, mais ce visage timide et faible que, le dernier jour, en se penchant vers sa bouche pour mieux entendre ce qu'il disait, elle avait, pour la première fois, contemplé de près, avec toutes ses rides et dans tous ses détails.

« Ma chère âme », répéta-t-elle.

« Que pensait-il en disant ce mot ? Que pense-t-il maintenant ? » se demanda-t-elle soudain, et en réponse à cette question elle le vit devant elle avec l'expression qu'il avait dans le cercueil sur son visage entouré d'un mouchoir blanc. Et cette terreur qui l'avait saisie quand en le touchant elle s'était rendu compte que non seulement ce n'était plus lui, mais qu'elle avait devant elle quelque chose de mystérieux et de repoussant, s'empara de nouveau d'elle maintenant. Elle voulait penser à autre chose, elle voulait prier et ne pouvait rien faire. Les yeux grands ouverts, elle regardait le clair de lune et les ombres, s'attendait à chaque instant à voir apparaître son visage mort et se sentait comme enchaînée par le silence qui régnait sur la maison et à l'intérieur.

« Douniacha ! chuchota-t-elle. Douniacha ! » cria-t-elle d'une voix farouche, et s'arrachant au silence, elle s'élança vers la chambre des servantes, au-devant de la nounou et des femmes qui accouraient vers elle.

XIII

Le 17 août, Rostov et Iline, accompagnés de Lavrouchka, qui venait de rentrer de captivité, et d'un hussard, partirent en promenade de leur bivouac de Iankovo, à quinze verstes de Bogoutcharovo, afin d'essayer le cheval qu'Iline venait d'acheter et de voir s'il n'y avait pas de foin dans les villages.

Bogoutcharovo se trouvait, depuis trois jours, entre les deux armées ennemies, si bien qu'il pouvait aussi facilement être occupé par l'arrière-garde russe que par l'avant-garde française. C'est pourquoi Rostov, en chef d'escadron vigilant, voulait enlever avant les Français les vivres qui pouvaient y rester.

Rostov et Iline étaient de la meilleure humeur qui fût. En se dirigeant vers Bogoutcharovo, ce domaine princier où ils espéraient trouver une nombreuse domesticité et parmi elle de jolies filles, ils questionnaient Lavrouchka sur Napoléon et riaient de ses récits, ou encore faisaient la course pour essayer le cheval d'Iline.

Rostov était loin de songer que le domaine où il se rendait appartenait au Bolkonski qui avait été fiancé avec sa sœur.

Iline et lui lancèrent pour la dernière fois leurs chevaux devant Bogoutcharovo, et Rostov distançant Iline entra le premier au galop dans la rue du village.

« Tu m'as dépassé, dit Iline tout rouge.

– Oui, je suis toujours le premier, et en terrain plat et ici, répondit Rostov en flattant de la main son cheval du Don couvert d'écume.

– Et moi sur ma française, Votre Excellence, dit derrière eux Lavrouchka en appelant française sa rosse de trait, je vous aurais bien distancé, mais je n'ai pas voulu vous faire honte. »

Ils s'approchèrent d'une grange devant laquelle stationnait une foule nombreuse de paysans.

Certains d'entre eux se découvrirent, d'autres se contentèrent de regarder les arrivants. Deux longs vieillards au visage ratatiné et à la barbe clairsemée sortirent du cabaret et souriant, titubant et chantonnant une chanson discordante, s'approchèrent des officiers.

« Quels gaillards ! dit Rostov en riant. Avez-vous du foin ?

– Et comme ils se ressemblent… dit Iline.

– Joy…eu…eu…se com…com… pagnie…e… », chantait l'un des vieux avec un sourire béat.

Un paysan se détacha de la foule et s'avança vers Rostov.
« Qui êtes-vous ? demanda-t-il.

– Des Français, répondit en riant Iline. Et voici Napoléon en personne, ajouta-t-il en montrant Lavrouchka.

– Alors vous êtes donc des Russes ? demanda encore le paysan.

– Êtes-vous en force ? demanda un autre, un petit, en s'approchant à son tour.

– Je pense bien, je pense bien, répondit Rostov. Mais pourquoi êtes-vous tous rassemblés ? ajouta-t-il. Est-ce une fête ?

– Les vieux se sont réunis, pour des affaires de la commune », répondit le paysan en s'éloignant.

À ce moment, sur le chemin qui menait à la maison seigneuriale, apparurent deux femmes et un homme en chapeau blanc qui se dirigeaient vers les officiers.

« Celle qui est en rose est à moi, attention de ne pas me la souffler ! dit Iline à la vue de Douniacha qui accourait vers lui d'un air résolu.

– On l'aura ! dit Lavrouchka en lui clignant de l'œil.

– Que veux-tu, ma belle ? demanda Iline en souriant.

– La princesse fait demander de quel régiment vous êtes et quel est votre nom ?

– C'est le comte Rostov, chef d'escadron, et moi je suis votre humble serviteur.

– Com… com…pagnie…e… », chantait l'ivrogne avec un sourire béat en regardant Iline parler à la servante. À la suite de Douniacha, Alpatitch s'approcha de Rostov en se découvrant de loin.

« Oserais-je vous déranger, Votre Honneur, dit-il avec une déférence nuancée pourtant d'un certain dédain pour la jeunesse de cet officier et la main passée dans son gilet. Ma maîtresse, la fille du général en chef prince Nicolas Andreievitch Bolkonski, décédé le 15 de ce mois, se trouvant en difficulté par suite de l'ignorance de ces personnes – il indiqua les paysans – vous prie de bien vouloir venir… vous plairait-il, ajouta-t-il avec un triste sourire, de vous écarter un peu, ce n'est pas bien commode en présence de… » Alpatitch montra les deux paysans qui, en arrière, tournaient autour de lui comme des taons autour d'un cheval.

« Ah !… Alpatitch… Ah ! Iakov Alpatitch !… Fameux ! pardonne-nous pour l'amour de Dieu. Fameux ! Hein ? » disaient-ils en lui souriant joyeusement. Rostov regarda les ivrognes et sourit.

« À moins que cela n'amuse Votre Excellence ? dit Iakov Alpatitch d'un air digne en montrant de sa main libre les vieillards.

– Non, c'est un piètre amusement, dit Rostov en s'éloignant. De quoi s'agit-il ? demanda-t-il.

– Je me permets d'informer Votre Excellence que les gens grossiers d'ici ne veulent pas laisser ma maîtresse quitter le domaine et menacent de dételer les chevaux, si bien que tout est emballé depuis ce matin, mais la princesse ne peut pas partir.

– Pas possible ! s'écria Rostov.

– J'ai l'honneur de vous dire la pure vérité », répéta Alpatitch.

Rostov mit pied à terre et, remettant son cheval au hussard, se dirigea vers la maison en compagnie d'Alpatitch qu'il questionna sur les détails de l'affaire. En effet, l'offre de blé que la princesse avait faite la veille, son explication avec Dron et avec l'assemblée avaient à ce point gâté les choses que Dron avait définitivement rendu ses clefs, s'était joint aux paysans et ne se présentait pas aux convocations d'Alpatitch ; quand, le matin, la princesse avait donné l'ordre d'atteler pour le départ, les paysans s'étaient rassemblés en une foule nombreuse près de la grange et avaient envoyé dire qu'ils ne la laisseraient pas partir, qu'il y avait ordre de ne pas s'en aller et qu'ils dételleraient les chevaux. Alpatitch était allé leur faire entendre raison, mais on lui avait répondu (celui qui avait parlé le plus était Karp ; Dron ne s'était pas montré, caché dans la foule) qu'on ne pouvait laisser partir la princesse, qu'il y avait des ordres ; elle n'avait qu'à rester et ils la serviraient comme par le passé et lui obéiraient en tout.

Au moment où Rostov et Iline galopaient sur la route, la princesse Maria, sourde aux objurgations d'Alpatitch, de la nounou et des servantes, avait donné l'ordre d'atteler et se disposait à partir ; mais en voyant passer les cavaliers, on les avait pris pour des Français, les cochers s'étaient enfuis et des pleurs de femmes s'étaient élevés dans la maison.

« Mon bon monsieur ! Notre sauveur ! C'est Dieu qui t'envoie », dirent des voix attendries tandis que Rostov traversait le vestibule.

La princesse Maria, désemparée et impuissante, était dans le grand salon quand on introduisit Rostov. Elle ne comprenait pas qui il était, pourquoi il était là et ce qui allait arriver. En voyant son visage russe et d'après sa démarche, les premiers mots qu'il dit, reconnaissant en lui un homme de son monde, elle posa sur lui son regard profond et lumineux et lui adressa la parole d'une voix entrecoupée qui tremblait d'émotion. Rostov vit aussitôt quelque chose de romanesque dans cette rencontre. « Une jeune fille sans protection, accablée de chagrin, seule, abandonnée à la merci de paysans grossiers qui se révoltent ! Quel sort étrange m'a conduit ici ! pensait-il en la regardant et en écoutant son récit timide. Et quelle douceur, quelle noblesse dans ses traits et dans son expression ! »

Lorsqu'elle en vint à dire que tout cela s'était passé le lendemain de l'enterrement de son père, sa voix trembla. Elle se détourna, puis craignant que Rostov ne prît ses paroles pour le désir de l'apitoyer, elle le regarda d'un air interrogateur et effrayé. Rostov avait les larmes aux yeux. La princesse Maria s'en aperçut et lui jeta un regard reconnaissant, ce regard lumineux qui faisait oublier le manque de beauté de son visage.

« Je ne saurais vous dire, princesse, combien je suis heureux d'être par hasard passé par ici et de pouvoir me mettre à votre disposition, dit Rostov en se levant. Partez, et je vous réponds sur mon honneur que personne n'osera vous causer aucun ennui si seulement vous me permettez de vous escorter », et en s'inclinant respectueusement comme on s'incline devant les princesses du sang, il se dirigea vers la porte.

Par son ton déférent Rostov semblait vouloir montrer que, bien qu'il eût été heureux de faire plus ample connaissance, il se refusait à profiter de son malheur pour lui imposer sa présence.

La princesse Maria comprit ce ton et y fut sensible.

« Je vous suis très, très reconnaissante, lui dit-elle en français, mais j'espère que tout cela n'a été qu'un malentendu et que personne n'est coupable. » Elle fondit soudain en larmes. « Excusez-moi », dit-elle.

Rostov fronça les sourcils, lui fit un nouveau salut profond et sortit.

XIV

« Eh bien, est-elle gentille ? La mienne, en rose, est charmante, mon cher, et elle s'appelle Douniacha… » Mais à la vue du visage de Rostov, Iline se tut. Il comprit que son héros et chef était dans un tout autre état d'esprit.

Rostov lui lança un coup d'œil irrité et sans lui répondre se dirigea d'un pas rapide vers le village.

« Je vais leur en faire voir, ils vont voir de quel bois je me chauffe, ces bandits », disait-il à part lui.

Alpatitch, marchant d'un pas allongé pour ne pas courir, eut peine à le rattraper.

« Quelle décision avez-vous bien voulu prendre ? » demanda-t-il quand il l'eut rejoint. Rostov s'arrêta et en serrant les poings s'avança d'un air menaçant sur Alpatitch.

« Une décision ? Quelle décision ? Vieux barbon ! lui cria-t-il. Tu ne pouvais pas ouvrir l'œil ? Hein ? Les paysans se révoltent et tu ne sais pas en venir à bout ? Tu n'es qu'un traître toi-même. Je vous connais, je vous écorcherai tous… » Et comme s'il craignait de gaspiller ses réserves de colère, il laissa là Alpatitch et poursuivit rapidement son chemin. Alpatitch, ravalant l'affront, le suivait en allongeant le pas et continuait de lui exposer ses considérations. Il disait que les paysans étaient butés, qu'en ce moment il serait imprudent de leur tenir tête sans le concours de la force armée, qu'il vaudrait peut-être mieux l'envoyer chercher d'abord.

« Je vais leur en faire voir de la force armée… Je vais leur apprendre », répétait Nicolas sans savoir ce qu'il disait, s'étranglant d'une colère irraisonnée, animale, et du besoin de la déverser. Sans se demander ce qu'il allait faire, il s'avança machinalement vers la foule d'un pas rapide, résolu. Et plus il approchait, plus Alpatitch sentait que son acte déraisonnable pouvait avoir un bon résultat. Les paysans dans la foule le sentaient aussi en voyant sa démarche rapide et énergique et son visage décidé et contracté.

Quand les hussards étaient entrés dans le village et que Rostov était allé voir la princesse, un certain désarroi et des dissentiments s'étaient produits dans la foule. Certains dirent que les nouveaux venus étaient des Russes et qu'ils pourraient être vexés qu'on n'eût pas laissé partir la princesse. Dron partageait cet avis, mais dès qu'il l'eut dit, Karp et d'autres paysans tombèrent sur l'ancien staroste.

« Toi, tu as sucé pendant combien d'années le sang de la commune ? lui criait Karp. Ça t'est bien égal ! Tu vas déterrer ton magot et fiche le camp avec, qu'est-ce que ça te fait qu'on ruine nos maisons ?

– On a dit qu'il faut de l'ordre, que personne ne bouge, qu'on n'emporte pas ça, et voilà tout ! criait un autre.

– C'était le tour de ton fils de partir soldat mais t'as naturellement planqué ton gros, lança soudain un petit vieux en attaquant lui aussi Dron, et t'as envoyé mon Vanka manger à la gamelle. Eh, nous mourrons tous !

– Et comment que nous mourrons tous !

– Je ne me sépare pas de la commune, disait Dron.

– Ouais, t'as bien su l'arrondir, ta panse !… »

Les deux longs paysans parlaient de leur côté. Dès que Rostov, accompagné d'Iline, de Lavrouchka et d'Alpatitch, s'approcha de la foule, Karp s'avança en souriant légèrement, les doigts passés dans sa ceinture. Dron au contraire se réfugia dans les derniers rangs et la foule se resserra.

« Eh là ! lequel de vous est le staroste ? cria Rostov en s'approchant à pas rapides.

– Le staroste ? Qu'est-ce que vous lui voulez ?... » demanda Karp.

Mais il n'avait pas achevé que son bonnet volait en l'air et que sa tête vacillait sous un coup violent.

« Bonnets bas, traîtres ! cria la voix profonde de Rostov. Où est le staroste ? hurla-t-il à tue-tête.

– Le staroste, il demande le staroste... Dron Zakharitch, c'est vous qu'on appelle, se hâtèrent de dire çà et là des voix soumises, tandis que les têtes se découvraient.

– Nous, on n'a pas le droit de nous révolter, on observe les ordres, fit Karp et, au même instant, plusieurs voix par-derrière parlèrent à la fois.

– On fait ce qu'ont décidé les vieux, y en a beaucoup des autorités comme vous...

– On discute ?... C'est une émeute !... Bandits ! Traîtres ! rugit absurdement Rostov d'une voix méconnaissable en empoignant Karp au collet. Ligotez-le, ligotez-le ! » criait-il bien qu'il n'y eût personne pour le ligoter, sauf Lavrouchka et Alpatitch.

Lavrouchka accourut pourtant vers Karp et lui saisit par-derrière les deux mains.

« Faut-il appeler les nôtres d'en bas ? » cria-t-il.

Alpatitch désigna deux paysans par leur nom pour aider à attacher Karp. Ils sortirent docilement de la foule et enlevèrent leurs ceintures.

« Où est le staroste ? » criait Rostov.

Dron, le visage pâle et renfrogné, sortit de la foule.

« C'est toi le staroste ? Ligote-le, Lavrouchka », cria Rostov comme si l'exécution de cet ordre ne pouvait pas non plus rencontrer d'obstacle. Et en effet deux autres paysans se mirent en devoir d'attacher Dron qui, leur venant en aide, enleva lui-même sa ceinture et la leur tendit.

« Et quant à vous tous, écoutez-moi, dit Rostov aux paysans : tout de suite allez, ouste, rentrez chez vous et que je n'entende plus votre voix.

– On n'a rien fait de mal. C'est par bêtise seulement. On n'a fait que des blagues… J'avais bien dit que c'était pas régulier, firent des voix s'adressant mutuellement des reproches.

– Je vous l'avais bien dit, intervint Alpatitch, reprenant l'avantage. Ce n'est pas bien, les gars !

– On est bêtes, Iakov Alpatitch », répondirent des voix, et la foule aussitôt se dispersa et se répandit dans le village.

On emmena les deux paysans attachés dans le domaine. Les deux ivrognes les suivirent.

« Eh, quand je te regarde ! dit l'un d'eux en s'adressant à Karp.

– Est-ce qu'on peut parler comme ça aux maîtres ? Qu'est-ce que tu croyais ?

– Un imbécile, confirmait l'autre, un vrai imbécile ! »

Deux heures plus tard, les chariots stationnaient dans la cour. Les paysans transportaient et y installaient avec entrain les bagages des maîtres, et Dron, libéré sur la demande de la princesse Maria du réduit où on l'avait enfermé, leur donnait des ordres.

« Ne mets pas ça comme ça, disait un grand paysan au visage rond et souriant en recevant une cassette des mains d'une femme de chambre. Ça vaut aussi de l'argent ! S'agit pas de le jeter n'importe comment ou de le fourrer sous une corde, ça s'abîmerait. J'aime pas ça. Faut que tout soit honnête, suivant la loi. Comme ça, mets-moi ça sous la natte et puis recouvre-le de foin, v'là qui est parfait.

– Qu'est-ce qu'il y a comme bouquins, dit un autre qui transportait la bibliothèque du prince André. N'accroche pas ! Ce que c'est lourd, les gars, des bouquins formidables !

– Oui, ils ne flânaient pas ceux qui ont écrit ça ! » dit un grand paysan au visage rond en indiquant avec un clin d'œil entendu les dictionnaires posés sur le dessus.

Rostov, ne voulant pas s'imposer à la princesse, ne retourna pas la voir mais resta dans le village jusqu'à son départ. Quand les voitures s'ébranlèrent, il monta à cheval et l'accompagna jusqu'à la route occupée par nos troupes, à douze verstes de Bogoutcharovo. À l'auberge de Iankovo, il prit respectueusement congé d'elle en se permettant pour la première fois de lui baiser la main.

« Vous me rendez confus, répondit-il en rougissant à la princesse Maria qui le remerciait de l'avoir sauvée (comme elle disait), n'importe quel gendarme en aurait fait autant. Si nous n'avions à faire la guerre qu'aux paysans, nous n'aurions pas laissé l'ennemi avancer si loin, ajouta-t-il, gêné et cherchant à changer de conversation. Je suis seulement heureux d'avoir eu l'occasion de faire votre connaissance. Adieu, princesse, je vous souhaite bonheur et consolation, et je souhaite aussi de vous retrouver dans des circonstances plus heureuses. Si vous ne voulez pas me faire rougir, ne me remerciez pas, je vous en prie. »

Mais la princesse, si elle ne le remerciait plus en paroles, le remerciait par toute l'expression de son visage qui rayonnait de gratitude et de tendresse. Elle ne pouvait croire qu'elle ne lui devait pas de remerciements. Au contraire, elle ne doutait pas que sans lui elle aurait certainement été la victime et des paysans révoltés et des Français, que, pour la sauver, IL s'était exposé aux dangers les plus évidents et les plus terribles; et encore moins qu'il était un homme d'une âme élevée et noble, qui avait su comprendre sa situation et son chagrin. Ses bons yeux honnêtes, qui s'étaient remplis de larmes lorsqu'en se mettant à pleurer elle-même elle lui avait parlé de sa perte, ne quittaient pas son esprit.

Quand elle lui eut dit adieu et fut restée seule, la princesse Maria sentit soudain qu'elle avait les larmes aux yeux, et ce ne fut pas la première fois qu'une étrange question se posa alors à elle : l'aimerait-elle ?

En poursuivant son voyage vers Moscou, bien que la situation de la princesse fût loin d'être rose, Douniacha qui l'accompagnait dans sa voiture s'aperçut plus d'une fois que, passant la tête par la portière, elle souriait d'un air heureux et mélancolique.

« Et quand bien même je l'aimerais ? » se demandait la princesse Maria.

Quelque honte qu'elle éprouvât à s'avouer qu'elle aimait la première un homme qui ne l'aimerait peut-être jamais, elle se consolait en pensant qu'il ne le saurait jamais et qu'elle ne commettrait aucune faute en aimant en silence jusqu'à la fin de ses jours celui qui serait son premier et son dernier amour.

Par moments, ses regards, ses paroles, la sympathie qu'il lui avait témoignée dans son chagrin lui revenaient à la mémoire, et le bonheur ne lui paraissait pas impossible. Et c'est alors que Douniacha remarquait qu'elle regardait en souriant par la portière.

« Il a fallu qu'il vînt à Bogoutcharovo, et juste à ce moment ! pensait la princesse Maria. Et il a fallu que sa sœur rendît sa parole au prince André[1] ! » Et dans tout cela elle voyait la volonté de la Providence.

Rostov, pour sa part, emporta de la princesse Maria un souvenir très agréable. Quand il pensait à elle, il se sentait plus gai, et lorsque ses camarades, apprenant son aventure à Bogoutcharovo, le plaisantaient en disant que parti pour chercher du foin, il avait mis la main sur une des plus riches héritières de Russie, il se fâchait. Il se fâchait précisément parce que l'idée d'un mariage avec la douce et sympathique princesse Maria qui avait une immense fortune lui était plus d'une fois venue malgré lui à l'esprit. Personnellement, il ne pouvait souhaiter une meilleure épouse : ce mariage ferait le bonheur de la comtesse sa mère et rétablirait les affaires de son père ; et même – Nicolas le sentait – ferait le bonheur de la princesse Maria.

1. Allusion à l'interdiction par l'Église orthodoxe de mariages entre beaux-frères et belles-sœurs.

Mais Sonia ? Et la parole donnée ? C'est pour cela que Rostov se fâchait quand on le taquinait au sujet de la princesse Maria.

XV

En prenant le commandement des armées, Koutouzov se souvint du prince André et le convoqua au quartier général.

Le prince André arriva à Tsarevo-Zaïmistché le jour même et au moment même où Koutouzov passait sa première revue des troupes. Il s'arrêta dans le village près de la maison du prêtre, devant laquelle stationnait la voiture du commandant en chef, et s'assit sur le banc près du portail pour attendre le Sérénissime, comme tout le monde appelait maintenant Koutouzov. Du terrain derrière le village parvenaient tantôt les accents d'une musique militaire, tantôt le rugissement d'innombrables voix qui criaient « Hourra ! » au nouveau généralissime. À une dizaine de pas du prince André, deux ordonnances, un planton et le maître d'hôtel profitaient de l'absence du prince et du beau temps. Un lieutenant-colonel de hussards, un petit noiraud avec des moustaches et des favoris, arrêta son cheval près du portail et, jetant un regard au prince André, demanda si c'était là que logeait le Sérénissime et s'il serait bientôt de retour.

Le prince André répondit qu'il n'appartenait pas à l'état-major du Sérénissime et venait lui-même d'arriver. Le hussard s'adressa à un des élégants ordonnances et celui-ci lui répondit avec ce dédain que les ordonnances des commandants en chef affectent en parlant aux officiers :

« Le Sérénissime ? Il va sûrement être là d'un instant à l'autre. Que lui voulez-vous ? »

Le lieutenant-colonel sourit dans sa moustache, mit pied à terre, confia son cheval à un planton et s'approcha de Bolkonski avec un léger salut. Bolkonski lui fit place sur le banc. L'autre s'assit près de lui.

« Vous attendez aussi le commandant en chef? demanda-t-il. Il paraît qu'il reçoit tout le monde, Dieu merci. C'était un malheur avec les bouffeurs de saucisses ! Ce n'est pas pour rien qu'Ermolov demandait à être promu Allemand. Espérons que maintenant les Russes pourront aussi dire leur mot. Sans ça, le diable sait ce qu'ils ont fait. On ne savait que battre en retraite, toujours battre en retraite. Vous avez fait la campagne ? demanda-t-il.

– J'ai eu le plaisir, répondit le prince André, non seulement de prendre part à la retraite, mais aussi de perdre dans cette retraite, sans parler des domaines et de ma maison natale, tout ce qui m'était cher… mon père qui est mort de chagrin. Je suis de la province de Smolensk.

– Ah ?… Vous êtes le prince Bolkonski ? Enchanté de faire votre connaissance : lieutenant-colonel Denissov, plus connu sous le nom de Vaska, dit Denissov en serrant la main du prince André et en scrutant son visage avec une attention particulièrement cordiale. Oui, j'en ai entendu parler », ajouta-t-il avec sympathie et, après un silence, il reprit : « La voilà donc cette guerre scythe. Tout cela est parfait ; mais pas pour ceux qui en font les frais. Alors vous êtes le prince André Bolkonski ? » Il hocha la tête. « Enchanté, prince, enchanté de faire votre connaissance », répéta-t-il avec un triste sourire en lui serrant de nouveau la main.

Le prince André connaissait Denissov d'après ce que Natacha lui avait raconté de son premier prétendant. Ce souvenir doux et pénible le ramena vers ces douloureuses impressions auxquelles il ne pensait plus depuis longtemps, mais qui néanmoins étaient présentes en lui. Ces derniers temps, il avait vécu tant d'autres événements, et d'événements graves, tels que l'abandon de Smolensk, sa visite à Lissi Gori, la récente nouvelle de la mort de son père, que ces souvenirs ne s'étaient plus imposés à son esprit depuis longtemps et, quand ils revinrent, ils furent loin de le remuer avec la même violence. Pour Denissov, le nom de Bolkonski réveillait également les souvenirs d'un lointain et poétique passé quand, après le souper et le chant de Natacha, il avait sans savoir comment fait une déclaration à cette fillette de quinze ans. Il sourit à ces souvenirs d'autrefois et à son amour pour Natacha, puis revint aussitôt à ce qui en ce moment le préoccupait passionnément et exclusivement. C'était le plan de campagne qu'il avait imaginé en se trouvant, pendant la retraite, aux avant-postes. Il l'avait présenté à Barclay de Tolly et avait maintenant l'intention de le soumettre à Koutouzov. Ce plan partait de cette idée que la ligne d'opérations des Français était trop allongée et qu'au lieu d'agir de front en leur barrant la route ou simultanément avec cette tactique, il fallait opérer contre leurs communications. Il entreprit de l'exposer au prince André.

« Ils ne peuvent tenir toute cette ligne. C'est impossible, je me fais fort de la rompre ; donnez-moi cinq cents hommes, et je la coupe, c'est sûr ! le seul bon système, c'est la guerre de partisans. »

Denissov se leva et en gesticulant développa son plan à Bolkonski. Pendant qu'il parlait, les acclamations de l'armée, plus discordantes, plus étendues et qui se confondaient avec la musique et les chants, parvinrent du lieu de la revue. Un martèlement de sabots et des cris se firent entendre dans le village.

« Il arrive, cria un cosaque près du portail, le voilà ! » Bolkonski et Denissov s'approchèrent du portail devant lequel stationnait un groupe de soldats (la garde d'honneur) et aperçurent Koutouzov qui arrivait sur un petit cheval bai. Une très nombreuse suite de généraux l'accompagnait. Barclay était presque à ses côtés ; une foule d'officiers courait derrière eux et tout autour en criant « Hourra ! »

Prenant les devants, les aides de camp pénétrèrent dans la cour. Koutouzov éperonnait impatiemment son cheval qui, pliant sous son poids, trottait l'amble ; inclinant sans cesse la tête, il portait la main à sa casquette blanche de chevalier-garde (à bordure rouge et sans visière). Arrivé à la hauteur de la garde d'honneur composée de beaux grenadiers pour la plupart décorés qui présentaient les armes, il fixa un instant sur eux un regard pénétrant de chef, puis se retourna vers la foule des généraux et des officiers qui l'entouraient. Son visage prit soudain une expression malicieuse, il haussa les épaules d'un geste perplexe.

« Et c'est avec de tels gaillards que nous battons encore et toujours en retraite ! dit-il. Eh bien, au revoir, général », ajouta-t-il, et il dirigea son cheval vers le portail en passant devant le prince André et Denissov.

« Hourra ! hourra ! hourra ! » criait-on derrière lui.

Depuis la dernière fois que le prince André l'avait vu, Koutouzov était devenu encore plus gros, plus flasque et noyé de graisse. Mais son œil blanc et sa cicatrice qu'il connaissait bien, l'air de fatigue de son visage et de sa silhouette étaient restés les mêmes. Il portait une redingote d'uniforme avec un fouet en bandoulière pendu à une mince courroie et, étalé et ballotté lourdement, montait son brave petit cheval.

« Pfui… pfui… pfui… » siffla-t-il doucement en entrant dans la cour. Son visage reflétait la satisfaction d'un homme qui compte se reposer après une corvée officielle. Il enleva son pied gauche de l'étrier, fit passer péniblement la jambe par-dessus la selle, basculant de tout son corps et grimaçant sous l'effort, s'appuya du genou, gémit et se laissa tomber entre les bras des cosaques et des aides de camp qui le soutenaient.

Il se redressa, jeta autour de lui ses yeux plissés et regardant le prince André visiblement sans le reconnaître, se dirigea de sa démarche plongeante vers le perron.

« Pfui… pfui… pfui… » siffla-t-il, et il jeta un nouveau regard au prince André. Il lui fallut quelques secondes (comme il en est souvent chez les vieillards) pour mettre un nom sur sa figure.

« Ah ! bonjour, prince, bonjour, mon cher, viens… » fit-il d'une voix lasse en se retournant, et d'un pas lourd il gravit les marches du perron qui craquaient sous son poids. Il se déboutonna et s'assit sur un petit banc en haut du perron.

« Eh bien, comment va ton père ?

– J'ai reçu hier la nouvelle de son décès », dit brièvement le prince André.

Koutouzov le regarda avec des yeux effrayés et grands ouverts, puis retira sa casquette et se signa : « Dieu ait son âme ! Que la volonté de Dieu s'accomplisse sur nous tous ! » Il poussa un soupir du fond de la poitrine et se tut un instant. « Je l'aimais et le respectais et je suis avec toi de tout cœur », reprit-il. Il étreignit le prince André, le serra contre sa grasse poitrine et resta longtemps ainsi. Quand il le lâcha, le prince André vit que les lèvres molles de Koutouzov tremblaient et qu'il y avait des larmes dans ses yeux. Il soupira et s'appuya des deux mains sur le banc pour se lever.

« Viens, viens chez moi, causons », dit-il ; mais à ce moment Denissov, aussi peu intimidé devant les chefs que devant l'ennemi, gravit résolument les marches en faisant tinter ses éperons, en dépit des aides de camp qui, au bas du perron, cherchaient à l'arrêter à voix basse et courroucée. Koutouzov, les mains toujours appuyées sur le banc, le regarda d'un air mécontent. Denissov, après s'être nommé, déclara qu'il avait à communiquer à Son Altesse une affaire très importante pour le bien de la patrie. Koutouzov fixa sur lui un regard las et croisant d'un geste dépité ses mains sur son ventre, répéta : « Pour le bien de la patrie ? Voyons, de quoi s'agit-il ? Parle. » Denissov rougit comme une jeune fille (voir rougir son vieux visage moustachu d'ivrogne faisait une impression étrange) et entreprit d'exposer hardiment son plan de rupture de la ligne d'opérations de l'ennemi entre Smolensk et le Viazma. Il avait habité cette région et la connaissait bien. Son plan semblait incontestablement bon, surtout par la force de persuasion qu'il mettait dans ses paroles. Koutouzov regardait à ses pieds et par moments jetait un coup d'œil vers la cour de la maison voisine, comme s'il s'attendait à en voir surgir quelque chose de désagréable.

En effet, pendant l'exposé de Denissov, un général sortit de la maison qu'il regardait, une serviette sous le bras.

« Comment ? dit Koutouzov en interrompant Denissov, déjà prêt ?

– Oui, Votre Altesse », dit le général. Koutouzov hocha la tête comme pour dire : « Comment un seul homme peut-il arriver à faire tout cela ? », puis continua à écouter Denissov.

« Je vous donne ma parole d'honneur d'officier russe, disait Denissov, de rompre les communications de Napoléon.

– Quelle parenté y a-t-il entre toi et Cyrille Andreievitch Denissov, l'intendant général ? l'interrompit Koutouzov.

– C'est mon oncle, Votre Altesse.

– Oh ! nous étions amis, dit gaiement Koutouzov. Bien, bien, mon cher, reste ici à l'état-major, nous en reparlerons demain. » Lui ayant fait un signe de tête, il se détourna et tendit la main vers les papiers que lui apportait Konovnitzine.

« Plairait-il à Votre Altesse de passer à l'intérieur ? dit d'une voix mécontente le général de service, il faut absolument examiner des plans et signer quelques papiers. » Un aide de camp sortit de la maison et annonça que tout était prêt. Mais Koutouzov n'avait visiblement pas envie d'entrer avant de s'être débarrassé des affaires. Il fit une grimace.

« Non, mon cher, fais apporter une table, je vais voir tout cela ici, dit-il. Ne pars pas », ajouta-t-il à l'adresse du prince André. Celui-ci resta sur le perron, prêtant l'oreille à ce que disait le général de service.

Pendant le rapport, il entendit derrière la porte d'entrée le chuchotement d'une voix de femme et le frou-frou d'une robe de soie. En se tournant de ce côté, il aperçut à plusieurs reprises, derrière la porte, en robe rose et avec un fichu de soie mauve sur la tête, une belle femme forte au teint frais qui tenait un plateau à la main et attendait visiblement le commandant en chef. L'aide de camp de Koutouzov expliqua à voix basse au prince André que c'était la maîtresse de la maison, la femme du prêtre, qui se disposait à offrir le pain et le sel à Son Altesse Sérénissime. Son mari avait accueilli le Sérénissime à l'église, la croix en main, et elle voulait de son côté l'accueillir à la maison… « Elle est très jolie », ajouta-t-il avec un sourire. À ces mots, Koutouzov tourna la tête. Il écoutait le rapport du général de service (dont l'objet principal était la critique de la position de Tsarevo-Zaïmistché) comme il avait écouté Denissov, comme il avait écouté, sept ans plus tôt, les débats au conseil de guerre d'Austerlitz. Manifestement il n'écoutait que parce qu'il avait des oreilles qui, malgré le tampon qui en bouchait une, ne pouvaient pas ne pas entendre ; mais il était évident non seulement que rien de ce que pouvait lui dire le général de service n'avait le pouvoir de l'étonner et d'éveiller son intérêt, mais qu'il savait d'avance tout ce qu'on pouvait lui dire et n'écoutait tout cela que parce qu'il le fallait bien, comme il faut entendre l'office à l'église. Tout ce que lui avait dit Denissov était sérieux et intelligent. Ce que disait le général de service était encore plus sérieux et plus intelligent mais il était évident que Koutouzov méprisait et le savoir et l'intelligence et qu'il savait quelque chose d'autre qui devait emporter la décision – quelque chose qui était indépendant de l'intelligence et du savoir. Le prince André observait attentivement le visage du général en chef, et la seule expression qu'il put y lire fut l'ennui, la curiosité éveillée par ce chuchotement de femme derrière la porte et le désir de respecter les convenances. On voyait que Koutouzov méprisait l'intelligence et le savoir, même les sentiments patriotiques que venait de manifester Denissov mais que ce mépris ne venait pas de son intelligence, ni de son sentiment, ni de son savoir (car il ne cherchait même pas à en faire preuve), mais de quelque chose d'autre. Il venait de son âge, de son expérience de la vie. La seule mesure qu'il prit personnellement à la suite de ce rapport concernait le maraudage des troupes russes. Le général de service, à la fin de son compte rendu, présenta à la signature du Sérénissime un ordre rendant les chefs de corps responsables des dégâts commis par leurs hommes, à la suite de la réclamation d'un propriétaire dont l'avoine avait été fauchée en herbe.

Koutouzov sifflota et hocha la tête.

« Dans le poêle… au feu ! Et je te le dis une fois pour toutes, mon cher, dit-il, il faut jeter toutes ces affaires-là au feu. Qu'ils fauchent le blé et brûlent du bois tant qu'ils voudront. Je ne le prescris pas et je ne le permets pas, mais je ne peux pas non plus sévir. C'est inévitable. On ne fait pas d'omelette sans casser des œufs. » Il jeta un nouveau coup d'œil sur le papier. « Oh ! cette minutie allemande ! » conclut-il en hochant la tête.

XVI

« Eh bien, maintenant c'est tout », dit Koutouzov en signant le dernier papier et, se levant péniblement tandis que les plis s'effaçaient de son gros cou blanc, il se dirigea vers la porte, le visage plus gai.

La femme du pope, le sang au visage, saisit son plateau que, malgré ses longs préparatifs, elle n'avait pu présenter à temps. Avec un profond salut elle l'offrit à Koutouzov.

Les yeux de Koutouzov se plissèrent ; il sourit, lui prit le menton et dit :

« Quelle beauté ! Merci, ma chère ! »

Il tira de la poche de sa culotte quelques pièces d'or et les posa sur le plateau.

« Tu vas bien ? » dit-il en se dirigeant vers la chambre préparée pour lui. La femme du prêtre, le sourire creusant des fossettes sur son visage rose, l'y suivit. L'aide de camp rejoignit le prince André sur le perron et l'invita à déjeuner ; au bout d'une demi-heure, on vint de nouveau chercher le prince André de la part de Koutouzov. Koutouzov était étendu dans un fauteuil, toujours vêtu de la même redingote déboutonnée. Il tenait à la main un livre français qu'il referma à l'entrée du prince André en marquant la page avec son coupe-papier. C'était *Les Chevaliers du Cygne* par Mme de Genlis, comme le prince André put le voir sur la couverture.

« Eh bien, assieds-toi, assieds-toi là, causons, dit Koutouzov. C'est triste, très triste. Mais souviens-toi, mon ami, que je suis pour toi un père, un second père... » Le prince André lui raconta tout ce qu'il savait des derniers instants de son père et ce qu'il avait vu à son passage à Lissi Gori.

« Voilà... voilà où on nous a menés ! » prononça soudain d'une voix émue Koutouzov qui, d'après le récit du prince André, s'était sans doute représenté nettement la situation de la Russie. « Patience, patience », ajouta-t-il d'un air de colère, et ne voulant visiblement pas poursuivre cette conversation qui le remuait, il dit : « Je t'ai fait venir pour te garder auprès de moi.

– Je remercie Votre Altesse, répondit le prince André, mais je crains de n'être plus bon pour les états-majors », ajouta-t-il avec un sourire que Koutouzov remarqua. Koutouzov le regarda d'un air interrogateur. « Et surtout, reprit le prince André, je me suis habitué à mon régiment, j'ai pris les officiers en affection et les hommes m'aiment aussi, je crois. J'aurais du regret à les quitter. Si je décline l'honneur de rester auprès de vous, croyez bien... »

Une expression intelligente, bonne, mêlée en même temps d'une subtile ironie, éclairait le visage plein de Koutouzov. Il interrompit Bolkonski :

« Je le regrette, j'aurais eu besoin de toi ; mais tu as raison. Ce n'est pas ici qu'il nous faut des hommes. Des conseilleurs il y en a toujours assez, mais les vrais hommes manquent. Les régiments ne seraient pas ce qu'ils sont si tous les conseilleurs y servaient comme toi. Je me souviens de toi depuis Austerlitz... Je me souviens, je me souviens, je te vois encore, le drapeau à la main », et à ce souvenir le prince André rougit de joie. Koutouzov l'attira par le bras en lui tendant la joue, et de nouveau le prince André vit des larmes dans les yeux du vieillard.

Bien qu'il sût que Koutouzov avait la larme facile et qu'il se montrait particulièrement affectueux avec lui parce qu'il voulait lui montrer la part qu'il prenait à sa perte, ce rappel d'Austerlitz lui fit plaisir et le flatta.

« Suis ton chemin avec l'aide de Dieu. Je sais, c'est le chemin de l'honneur. » Il se tut. « Tu m'as manqué à Bucarest : j'aurais eu des missions à te confier. » Et changeant de conversation, il parla de la campagne de Turquie et de la paix conclue. « Oui, m'a-t-on fait assez de reproches, dit-il, et pour la guerre et pour la paix... pourtant tout est venu à son heure. *Tout vient à point à qui sait attendre.* Or, là-bas il n'y avait pas moins de conseilleurs qu'ici... poursuivit-il en revenant à ce sujet qui visiblement le préoccupait. Oh ! les conseilleurs, les conseilleurs ! S'il fallait les écouter tous, nous serions encore en Turquie et nous n'aurions pas conclu la paix, ni même terminé la guerre. Ils veulent toujours qu'on aille vite, mais quand on va trop vite cela traîne souvent en longueur. Si Kamenski n'était pas mort, il aurait été perdu. Il lui fallait trente mille hommes pour enlever les forteresses. Enlever une forteresse n'est pas difficile, ce qui est difficile c'est de gagner la campagne. Et pour cela il n'est pas nécessaire de prendre d'assaut ni d'attaquer, ce qu'il faut c'est LA PATIENCE ET LE TEMPS. Kamenski a lancé ses soldats contre Roustchouk, et moi, avec eux seuls (la patience et le temps), j'ai pris plus de forteresses que lui, et j'ai fait manger aux Turcs de la viande de cheval. » Il hocha la tête. « Et les Français en mangeront aussi ! Crois-moi, fit-il en s'animant et en se frappant la poitrine, je leur ferai manger de la viande de cheval ! » Et de nouveau des larmes brillèrent dans ses yeux.

« Mais il faudra bien cependant accepter la bataille ? dit le prince André.

– Il le faudra bien si tout le monde le veut, rien à faire... Mais crois-moi, mon cher, il n'est pas de soldats plus vaillants que ces deux-là, LA PATIENCE ET LE TEMPS ; ce sont eux qui viendront à bout de tout, mais les conseilleurs *ne l'entendent pas de cette oreille, voilà le mal.* Les uns veulent, les autres ne veulent pas. Alors que faire ? demanda-t-il, attendant une réponse. Oui, que faut-il faire à ton avis ? répéta-t-il, et une expression profonde, intelligente brilla dans ses yeux. Je vais te dire ce qu'il faut faire, reprit-il, comme le prince André ne répondait toujours pas. Je vais te dire ce qu'il faut faire et ce que je fais. *Dans le doute, mon cher*, il marqua un temps d'arrêt et dit lentement : *abstiens-toi*.

« Eh bien, adieu, mon ami ; souviens-toi que je partage de tout cœur ton deuil et que pour toi je ne suis ni Sérénissime, ni prince, ni commandant en chef, je suis pour toi un père. Si tu as besoin de quelque chose, viens directement à moi. Adieu, mon cher. » Il le serra encore une fois dans ses bras et l'embrassa. Et le prince André n'était pas encore sorti que Koutouzov poussait un soupir apaisé et reprenait le roman commencé de Mme de Genlis, *Les Chevaliers du Cygne*.

Comment cela s'était produit et pourquoi, le prince André n'aurait pu l'expliquer ; mais après cet entretien avec Koutouzov, il revint à son régiment rassuré sur la marche générale des opérations et sur le compte de celui à qui elles avaient été confiées. Plus il constatait l'absence de tout élément personnel chez ce vieillard qui semblait ne conserver que les seules habitudes passionnelles et, au lieu de l'intelligence (qui groupe les faits et en tire des conclusions), la capacité seulement de contempler avec sérénité le déroulement des événements, plus il était assuré que tout irait bien. « Il n'introduira rien de personnel. Il n'inventera rien, n'entreprendra rien, pensait le prince André, mais il écoutera tout, se souviendra de tout, mettra tout à sa place, n'empêchera rien d'utile et ne permettra rien de nuisible. Il comprend qu'il existe quelque chose de plus puissant et de plus important que sa volonté, c'est le cours inexorable des événements, et il sait les voir, il sait en saisir la portée et pour cela renoncer à y intervenir, abdiquer sa volonté qu'il dirige vers autre chose. Et surtout, on lui fait confiance parce qu'il est Russe, en dépit du roman de Mme de Genlis et des dictons français, parce que sa voix a tremblé en disant : “Voilà où on nous a menés !” et qu’il pleurait en assurant qu’il leur ferait “manger de la viande de cheval”. » C’est sur ce même sentiment, partagé plus ou moins confusément par tous, que reposait cette adhésion unanime et cette approbation générale qu’avait entraînées le choix national, contraire aux considérations de la cour, de Koutouzov pour commandant en chef.

XVII

Après le départ de l’empereur, la vie de Moscou reprit son cours habituel, si habituel qu’on avait peine à se rappeler l’enthousiasme et l’exaltation patriotiques des derniers jours, qu’on avait peine à croire que la Russie fût vraiment en danger et que les membres du Club anglais fussent aussi des fils de la patrie. La seule chose qui rappelât ce récent enthousiasme patriotique était le recouvrement des dons en hommes et en argent qui, aussitôt offerts, avaient revêtu une forme légale, officielle et parurent dès lors inévitables.

À l’approche de l’ennemi, les Moscovites non seulement n’envisagèrent pas leur situation avec plus de sérieux mais, au contraire, devinrent encore plus insouciants, comme il arrive toujours à ceux qui voient approcher un grave péril. À ces moments, deux voix se font entendre dans l’âme avec une force égale ; l’une invite très sagement à prendre conscience de la nature même du péril et à réfléchir aux moyens d’y échapper ; l’autre dit encore plus sagement qu’il est trop pénible et trop douloureux de penser au danger puisqu’il n’est pas au pouvoir de l’homme de tout prévoir et d’échapper à la marche des événements, et qu’il vaut donc mieux se détourner des choses désagréables tant qu’elles ne sont pas encore là, pour ne penser qu’à ce qui est agréable. Dans la solitude, l'homme obéit le plus souvent à la première voix ; en société au contraire, à la seconde. Il en était de même maintenant pour les habitants de Moscou. Il y avait longtemps qu'on ne s'y était tant amusé que cette année.

Les affiches de Rostoptchine qui reproduisaient, en haut, l'image d'un débit de boisson, d'un cabaretier et du petit bourgeois moscovite Karpouchka Tchiguirine qui, « enrôlé dans la milice et ayant bu un verre de trop, a entendu dire que Bonaparte voulait marcher sur Moscou, s'est fâché, a traité les Français de tous les noms et sortant du débit a harangué sous le panonceau le peuple rassemblé », ces affiches étaient lues et commentées au même titre que les derniers bouts-rimés de Vassili Lvovitch Pouchkine.

Au club, dans la pièce d'angle, on se réunissait pour lire ces affiches, et d'aucuns aimaient la façon dont Karpouchka persiflait les Français en disant que « les choux les feront gonfler, le gruau éclater, les stchi[1] s'étrangler, qu'ils sont tous des nains et qu'une bonne femme serait capable d'en flanquer en l'air trois à la fois d'un coup de fourche ». D'autres désapprouvaient ce ton et disaient que c'était vulgaire et stupide. On racontait que Rostoptchine avait expulsé de Moscou les Français et même tous les étrangers, qu'il y avait parmi eux des espions et des agents de Napoléon ; mais on le racontait surtout pour avoir l'occasion de citer le bon mot que Rostoptchine avait fait en s'adressant à eux lors de leur départ. Comme on faisait embarquer les étrangers pour Nijni, Rostoptchine leur avait dit : « *Rentrez en vous-mêmes, entrez dans la barque et n'en faites pas une barque de Charon.* » On racontait que toutes les administrations avaient déjà été évacuées de Moscou et l'on ajoutait le mot de Chinchine qui avait dit que, rien que pour cela, Moscou devrait être reconnaissante à Napoléon. On racontait que le régiment de Mamonov coûterait à celui-ci huit cent mille roubles, que Bezoukhov avait dépensé plus encore pour ses miliciens, mais que ce

1. Soupe aux choux.

qu'il y avait de plus beau de sa part, c'est qu'il endosserait lui-même l'uniforme et prendrait à cheval la tête de son régiment sans rien faire payer à ceux qui viendraient l'admirer.

« Vous ne faites grâce à personne », dit Julie Droubetzkoï en ramassant une poignée de charpie et en la pressant entre ses doigts minces couverts de bagues.

Julie quittait Moscou le lendemain et donnait sa soirée d'adieu.

« Bezoukhov *est ridicule*, mais il est si bon, si gentil. Quel plaisir avez-vous à être si *caustique* ?

– À l'amende ! » dit un jeune homme en uniforme de la milice que Julie appelait *mon chevalier* et qui l'accompagnait à Nijni.

Dans le salon de Julie comme dans beaucoup d'autres à Moscou, il avait été décidé de ne parler que russe et ceux qui par erreur prononçaient un mot français payaient une amende au profit du comité de secours.

« Une autre amende pour le gallicisme, dit un écrivain russe qui se trouvait là. "Plaisir à être" n'est pas russe.

– Vous ne faites grâce à personne, reprit Julie à l'adresse du milicien sans prendre garde à la remarque de l'écrivain. Pour *caustique*, je me reconnais en faute et je paie, mais pour le plaisir de vous dire la vérité je suis prête à payer encore ; quant aux gallicismes, je n'en réponds pas, ajouta-t-elle en se tournant vers l'écrivain, je n'ai pas les moyens ni le temps de prendre un professeur comme le prince Golitzine et d'apprendre le russe. Ah ! le voici. *Quand on…* Non, non, dit-elle au milicien, vous ne m'y reprendrez plus. Quand on parle du soleil, on en voit les rayons, dit la maîtresse de la maison en souriant aimablement à Pierre. Nous venons de parler de vous, ajouta-t-elle avec le mensonge facile des femmes du monde. Nous disions que votre régiment sera sans doute supérieur à celui de Mamonov.

– Ah ! ne me parlez pas de ce régiment, répondit Pierre en baisant la main de la maîtresse de maison et en s'asseyant près d'elle. J'en ai tellement assez !

– Vous allez sans doute le commander vous-même ? » dit Julie en échangeant un regard railleur avec le milicien.

Celui-ci, en présence de Pierre, n'était plus si *caustique* et parut s'interroger sur le sens du sourire de Julie. En dépit de sa distraction et de sa bonhomie, la personnalité de Pierre coupait court à toute tentative de raillerie en sa présence.

« Non, répondit Pierre en riant et en enveloppant du regard toute sa grande et grosse personne. Je serais une cible trop facile pour les Français, et je crains d'ailleurs de ne pas pouvoir me hisser sur un cheval. »

En parlant des uns et des autres pour trouver un sujet de conversation, Julie en vint aux Rostov.

« Il paraît que leurs affaires vont très mal, dit-elle. Et le comte est si brouillon. Les Razoumovski voulaient lui acheter son hôtel et son domaine près de Moscou, mais cela traîne toujours. Il en demande trop cher.

– Non, je crois que la vente aura lieu ces jours-ci, dit quelqu'un. Quoique ce soit de la folie d'acheter quelque chose à Moscou à l'heure actuelle.

– Pourquoi ? demanda Julie. Croyez-vous donc que Moscou soit vraiment en danger ?

– Et pourquoi partez-vous alors ?

– Moi ? Quelle étrange question. Je pars parce que… enfin, parce que tout le monde part, et puis je ne suis ni une Jeanne d'Arc ni une amazone.

– Mais oui, bien sûr. Donnez-moi encore des chiffons.

– S'il sait s'y prendre, il pourra payer toutes ses dettes, poursuivit le milicien en parlant de Rostov.

– C'est un vieillard qui a bon cœur mais un très *pauvre sire*. Pourquoi restent-ils ici si longtemps ? Il y a beau temps qu'ils voulaient rentrer à la campagne. Je crois que Nathalie est maintenant remise ? demanda Julie à Pierre avec un sourire futé.

– Ils attendent leur plus jeune fils, dit Pierre. Il s'est engagé dans les cosaques d'Obolenski et est parti pour Bela Tserkov. Son régiment se forme là-bas. Et maintenant ils l'ont fait muter dans le mien et l'attendent d'un jour à l'autre. Le comte voulait partir depuis longtemps, mais la comtesse refuse absolument de quitter Moscou avant l'arrivée de son fils.

– Je les ai vus avant-hier chez les Arkharov. Nathalie a de nouveau embelli et est plus gaie. Elle a chanté une romance. Comme tout passe facilement chez certaines gens !

– Qu'est-ce qui passe facilement ? » demanda Pierre d'un ton mécontent. Julie sourit.

« Vous savez, comte, des chevaliers comme vous on n'en rencontre plus que dans les romans de *Madame Suza*.

– Quels chevaliers ? Pourquoi ? demanda Pierre en rougissant.

– Mais voyons, cher comte, *c'est la fable de tout Moscou. Je vous admire, ma parole d'honneur*.

– À l'amende ! À l'amende ! dit le milicien.

– Eh bien, soit. On ne peut plus parler, comme c'est ennuyeux !

– *Qu'est-ce qui est la fable de tout Moscou ?* demanda Pierre, maussade, en se levant.

– Allons, comte, vous le savez bien !

– Je ne sais rien.

– Je sais que vous étiez lié avec Nathalie, et par conséquent… Moi, j'ai toujours été plus liée avec Vera. *Cette chère Vera !*

– *Non, madame*, reprit Pierre d'un ton mécontent. Je n'ai pas assumé le rôle de chevalier servant de Mlle Rostov et il y a près d'un mois que je n'ai pas mis les pieds chez eux. Mais je ne comprends pas la cruauté…

– *Qui s'excuse s'accuse*, dit Julie en souriant et en agitant sa charpie ; et, pour avoir le dernier mot, elle changea aussitôt de conversation. Savez-vous ce que j'ai appris aujourd'hui ? La pauvre Marie Bolkonski est arrivée hier à Moscou. Vous savez qu'elle a perdu son père ?

– Vraiment ! Où est-elle ? J'aimerais beaucoup la voir, dit Pierre.

– J'ai passé la soirée avec elle hier. Elle part aujourd'hui ou demain matin avec son neveu pour leur domaine des environs.

– Et… comment est-elle ? demanda Pierre.

– Pas mal, elle est triste. Mais savez-vous qui l'a sauvée ? C'est tout un roman. Nicolas Rostov. On l'avait cernée, on voulait la tuer, on a blessé ses gens. Il s'est précipité et l'a sauvée…

– Encore un roman, dit le milicien. Décidément, cet exode général semble avoir été fait pour permettre aux vieilles filles de se marier. D'abord Catiche, Mlle Bolkonski maintenant.

– Vous savez que je crois vraiment qu'elle est *un petit peu amoureuse du jeune homme.*

– À l'amende ! À l'amende ! À l'amende !

– Mais comment donc dire cela en russe ?… »

XVIII

Quand Pierre rentra chez lui, on lui remit deux affiches de Rostoptchine apportées le jour même.

L'une disait que non seulement le comte Rostoptchine n'avait pas interdit de quitter Moscou, comme le bruit en courait, mais qu'il était au contraire content de voir partir les dames de la société et les femmes de marchands. « Il y aura ainsi moins de peur, moins de nouvelles, disait l'affiche, mais je réponds sur ma vie que le scélérat ne viendra pas à Moscou. » Pour la première fois, ces mots montrèrent clairement à Pierre que les Français viendraient à Moscou. L'autre affiche disait que notre quartier général était à Viazma, que le comte Wittgenstein avait battu les Français, mais qu'étant donné que de nombreux habitants désiraient s'armer, des armes étaient à leur disposition à l'arsenal : sabres, pistolets, fusils, qu'ils pourraient se procurer à bon compte. Le ton des affiches était moins enjoué que celui des propos de Tchiguirine. Elles rendirent Pierre songeur. À n'en pas douter, cette terrible nuée d'orage qu'il appelait de tous ses vœux et qui en même temps lui inspirait malgré lui de la terreur, cette nuée approchait.

« Dois-je m'engager et partir pour l'armée ou attendre ? » se demanda-t-il pour la centième fois. Il prit sur la table un jeu de cartes et se mit à faire une patience.

« Si elle réussit, se disait-il après avoir battu les cartes et en levant les yeux au ciel, si elle réussit cela signifiera... qu'est-ce que cela signifiera ? » Avant qu'il eût décidé ce que cela signifierait, la voix de l'aînée des princesses se fit entendre derrière la porte, lui demandant si elle pouvait entrer.

« Cela voudra dire que je dois partir pour l'armée, décida Pierre à part lui. Entrez, entrez », ajouta-t-il à haute voix.

(L'aînée des princesses, celle qui avait un long buste et un visage pétrifié, était la seule à demeurer encore dans la maison de Pierre ; les deux plus jeunes s'étaient mariées.)

« Pardonnez-moi, *mon cousin*, d'être venue, dit-elle d'une voix émue et d'un ton de reproche. Il faut bien prendre enfin une décision. Que va-t-il se passer ? Tout le monde est parti et le peuple se soulève. Qu'attendons-nous donc ?

– Je crois au contraire que tout va bien, *ma cousine*, répondit Pierre sur ce ton de plaisanterie que, pour dissimuler la gêne que lui causait toujours son rôle de bienfaiteur de la princesse, il avait adopté envers elle.

– Oui, tout va bien... drôle d'idée ! Varvara Ivanovna m'a raconté tout à l'heure comment nos troupes se distinguent. On peut vraiment dire que cela leur fait grand honneur. Et le peuple se révolte complètement, on cesse d'obéir, ma servante elle-même devient grossière. Si cela continue, on nous molestera bientôt. On ne peut plus se montrer dehors. Et surtout les Français seront ici aujourd'hui ou demain, qu'attendons-nous donc ! Je ne vous demande qu'une chose, *mon cousin*, faites-moi conduire à Pétersbourg : je vaux ce que je vaux, mais je ne veux pas vivre sous la férule de Bonaparte.

– Mais voyons, *ma cousine*, où puisez-vous vos renseignements ? Au contraire…

– Je ne me soumettrai pas à votre Napoléon. Que les autres fassent comme ils voudront… Si vous ne voulez pas faire ce que je vous demande…

– Mais si, je vais tout de suite donner des ordres. »

La princesse fut visiblement dépitée de ne plus pouvoir s'en prendre à personne. Murmurant quelque chose, elle s'assit sur une chaise.

« On vous renseigne mal, dit Pierre. Tout est calme en ville et il n'y a aucun danger. Je viens de lire… Il lui montra les affiches. Le comte écrit que l'ennemi ne viendra pas à Moscou, il en répond sur sa vie.

– Ah ! votre comte, dit la princesse avec colère, c'est un hypocrite, un scélérat qui a lui-même poussé le peuple à la révolte. N'est-ce pas lui qui disait dans ces stupides affiches que, quels qu'ils soient, il fallait traîner les gens par leur toupet au poste (est-ce bête !). Celui qui en prendrait un, honneur et gloire à lui ! Et voilà le résultat de ce libéralisme. Varvara Ivanovna me disait qu'on a failli la tuer parce qu'elle parlait français…

– Mais ce n'est rien… Vous prenez tout trop à cœur », dit Pierre en reprenant sa patience.

Bien que la patience eût réussi, Pierre ne partit pas pour l'armée mais demeura dans Moscou maintenant dépeuplée, attendant avec le même mélange d'inquiétude, d'indécision, de crainte et de joie, quelque chose de terrible.

Le lendemain soir, la princesse partit, et Pierre reçut la visite de son intendant général venu lui annoncer qu'il était impossible sans vendre un domaine de se procurer l'argent qu'il réclamait pour l'équipement du régiment. D'une manière générale, il lui représenta que toutes ces fantaisies devaient le ruiner. Pierre avait de la peine à dissimuler son sourire en l'écoutant.

« Eh bien, vendez, dit-il. Que faire, je ne peux plus me dédire maintenant ! »

Plus la situation générale s'aggravait et surtout plus ses propres affaires allaient mal, plus il en éprouvait de joie, plus il était évident que la catastrophe qu'il attendait était proche. Maintenant il n'y avait presque plus personne en ville de ceux qu'il connaissait. Parmi les amis intimes, seuls restaient les Rostov ; mais Pierre n'allait plus chez eux.

Ce jour-là, pour se distraire, il se rendit au bourg de Vorontzovo pour voir le grand ballon sphérique que construisait Leppich afin d'anéantir l'ennemi, et le ballon d'essai qui devait être lancé le lendemain. Ce ballon n'était pas encore prêt ; mais on apprit à Pierre qu'on le construisait sur l'ordre de l'empereur. L'empereur avait écrit à ce sujet ce qui suit à Rostoptchine :

« *Aussitôt que Leppich sera prêt, composez-lui un équipage pour sa nacelle d'hommes sûrs et intelligents et dépêchez un courrier au général Koutouzov pour l'en prévenir. Je l'ai instruit de la chose.*

« *Recommandez, je vous prie, à Leppich d'être bien attentif sur l'endroit où il descendra la première fois, pour ne pas se tromper et ne pas tomber dans les mains de l'ennemi. Il est indispensable qu'il combine ses mouvements avec le général en chef.* »

Revenant de Vorontzovo et passant par la place du Marais, Pierre vit une foule auprès du pilori ; il s'arrêta et descendit de voiture. C'était le châtiment d'un cuisinier français accusé d'espionnage. Le châtiment venait de prendre fin et le bourreau détachait du chevalet un gros homme à favoris roux, en veste verte et bas bleus, qui gémissait plaintivement. Un autre coupable, maigre et pâle se tenait à côté. Tous deux, à en juger par leurs visages, étaient des Français. Avec un air effrayé et douloureux semblable à celui du Français maigre, Pierre se fraya un passage à travers la foule.

« Qu'est-ce que c'est ? Qui est-ce ? Qu'ont-ils fait ? » demandait-il. Mais l'attention de la foule – fonctionnaires, petits bourgeois, marchands, paysans, femmes en rotondes et en pelisses – était concentrée avec tant d'avidité sur le spectacle que personne ne lui répondit. Le gros homme se releva, haussa les épaules, les sourcils froncés, et, visiblement pour faire preuve de fermeté, se mit en devoir d'enfiler sa veste sans un regard autour de lui ; mais soudain ses lèvres tremblèrent et il fondit en larmes, furieux contre lui-même, comme pleurent les hommes de tempérament sanguin. La foule se mit à parler à haute voix, pour étouffer en elle tout sentiment de pitié, sembla-t-il à Pierre.

« C'est le cuisinier d'un prince…

– Alors, moussiou, il faut croire que la sauce russe est trop aigre pour un Français… cela t'agace les dents », dit un petit fonctionnaire ratatiné, à côté de Pierre, en voyant le Français pleurer. Il jeta un regard autour de lui, comptant visiblement sur le succès de sa plaisanterie. Quelques-uns éclatèrent de rire, d'autres continuèrent à regarder d'un air effrayé le bourgeois qui déshabillait le second coupable.

Pierre souffla fortement du nez, son visage se contracta, et faisant brusquement demi-tour, il revint à sa voiture sans cesser de marmonner à part lui en marchant et pendant qu'il s'installait. Durant le trajet, il tressaillit plus d'une fois et s'exclama d'une voix si forte que le cocher lui demanda :

« Vous dites ?

– Où vas-tu donc ? lui cria Pierre comme il s'engageait dans la Loubianka.

– Vous m'avez dit d'aller chez le gouverneur, répondit le cocher.

– Imbécile ! Animal ! cria Pierre en l'injuriant, ce qui lui arrivait rarement. Je t'ai dit de rentrer à la maison, idiot. »

« Il faut partir aujourd'hui même », dit-il à part lui.

À la vue du Français subissant le supplice et de la foule qui l'entourait, Pierre avait décidé si définitivement qu'il ne pouvait rester plus longtemps à Moscou et qu'il partait le jour même pour l'armée qu'il lui semblait soit qu'il l'avait dit au cocher, soit que le cocher aurait dû le savoir sans cela.

Une fois chez lui, Pierre annonça à son cocher Evstafievitch qui savait tout, connaissait tout le monde et était connu de tout Moscou, qu'il partait dans la nuit pour rejoindre l'armée à Mojaïsk et qu'on lui envoyât là-bas ses chevaux de selle. Mais tout cela ne pouvait se faire le jour même, aussi, sur le conseil d'Evstafievitch, Pierre dut-il ajourner son départ afin de permettre de préparer les relais.

Le 24, le temps se leva et ce jour-là, après le dîner, Pierre quitta Moscou. Dans la nuit, alors qu'il changeait de chevaux à Perkhouchkovo, il apprit qu'il y avait eu une grande bataille dans la soirée. On racontait qu'ici même, à Perkhouchkovo, la canonnade avait fait trembler la terre. Il demanda qui avait gagné, mais personne ne put lui répondre. (C'était la bataille de Chevardino, du 24). À l'aube, Pierre approchait de Mojaïsk.

Toutes les maisons de Mojaïsk étaient occupées par les troupes, et à l'auberge où l'attendaient son écuyer et son cocher, il n'y avait pas de place dans les chambres : tout était pris par des officiers.

À Mojaïsk et au-delà, ce n'étaient partout que des troupes qui bivouaquaient ou passaient. Cosaques, fantassins, cavaliers, fourgons, caissons, canons se voyaient de tous côtés. Pierre avait hâte d'aller de l'avant, et plus il s'éloignait de Moscou, plus il enfonçait dans cette mer de troupes, et plus il sentait croître son inquiétude, son agitation et un sentiment d'allégresse qu'il n'avait jamais encore connu. C'était un sentiment qui rappelait celui qu'il avait éprouvé au palais de Slobodski, lors du séjour de l'empereur, le sentiment de la nécessité d'entreprendre quelque chose et de faire un sacrifice. Il savait maintenant avec satisfaction que tout ce qui fait le bonheur des hommes, les agréments de l'existence, la fortune, jusqu'à la vie elle-même, ne comptait pour rien, qu'on avait plaisir à le rejeter, en regard de quelque chose… Ce quelque chose, Pierre ne pouvait le préciser et ne cherchait d'ailleurs pas à s'expliquer pour qui et pour quoi il trouvait une joie particulière à tout sacrifier. Ce qui comptait, ce n'était pas pourquoi il voulait faire ce sacrifice, c'était le sacrifice lui-même qui lui procurait un sentiment nouveau d'allégresse.

XIX

Le 24 eut lieu la bataille de la redoute de Chevardino, le 25 pas un seul coup de feu ne fut tiré ni d'un côté ni de l'autre, le 26 fut livrée la bataille de Borodino.

Pourquoi et comment les batailles de Chevardino et de Borodino furent-elles engagées et acceptées ? Pourquoi, plus particulièrement, la bataille de Borodino fut-elle engagée ? Ni pour les Français, ni pour les Russes elle n'avait aucun sens. Son résultat le plus immédiat fut et devait être, pour les Russes de précipiter la perte de Moscou (ce que nous redoutions plus que tout au monde), et pour les Français de précipiter la perte de toute leur armée (ce qu'ils redoutaient également plus que tout au monde). Ce résultat était absolument évident dès alors, et cependant Napoléon engagea et Koutouzov accepta cette bataille.

Si les chefs d'armée étaient guidés par des considérations de bon sens, il semble que Napoléon eût dû voir clairement que, s'étant avancé de deux mille verstes et livrant une bataille où il risquait de perdre un quart de son armée, il allait au-devant d'un désastre certain ; et Koutouzov eût dû voir tout aussi clairement qu'en acceptant la bataille et en risquant lui aussi de perdre un quart de son armée, il perdait Moscou à coup sûr. Pour Koutouzov c'était une évidence mathématique, de même qu'il est évident que si, au jeu de dames, j'ai un pion de moins que mon adversaire et que je fasse l'échange, je perdrai à coup sûr et que je dois donc m'abstenir.

Si l'adversaire a seize pions et moi quatorze, je ne suis que d'un huitième plus faible que lui ; mais lorsque j'aurai échangé treize pions, il sera trois fois plus fort que moi.

Avant la bataille de Borodino, le rapport entre nos forces et celles des Français était de cinq à six et, après la bataille, de un à deux, c'est-à-dire avant la bataille, cent mille contre cent vingt mille et, après la bataille, cinquante contre cent. Et pourtant Koutouzov, intelligent et expérimenté, a accepté le combat. Et Napoléon, ce capitaine de génie comme on l'appelle, a livré une bataille qui lui fit perdre un quart de son armée et allongea encore sa ligne. Si l'on dit qu'en occupant Moscou il croyait, comme par la prise de Vienne, mettre fin à la campagne, beaucoup de preuves démontrent le contraire. Les historiens de Napoléon rapportent que, dès Smolensk, il savait le danger de l'extension de sa ligne et qu'il savait aussi que l'occupation de Moscou ne mettrait pas fin à la campagne, car il voyait, depuis Smolensk, dans quel état on lui livrait les villes russes et il ne recevait aucune réponse à ses tentatives réitérées pour ouvrir des pourparlers.

En engageant et en acceptant la bataille de Borodino, Koutouzov et Napoléon n'étaient pas libres de leurs actes ni guidés par la raison. Or, les historiens ont après coup adapté au fait accompli des preuves compliquées et ingénieuses de la prévision et du génie des chefs de guerre qui, de tous les instruments inconscients des événements mondiaux, ont été les agents les plus serviles et les moins libres.

Les anciens nous ont laissé des modèles de poèmes héroïques, où les héros constituent tout l'intérêt de l'histoire, et nous ne pouvons toujours pas nous habituer à l'idée qu'à notre époque d'hommes, cette conception de l'histoire n'a pas de sens.

Sur la seconde question, à savoir comment ont été livrées la bataille de Borodino et celle de Chevardino qui l'avait précédée, il existe aussi une opinion fort précise et bien connue, mais absolument fausse. Tous les historiens décrivent les choses de la façon suivante :

L'ARMÉE RUSSE, prétendent-ils, DANS SA RETRAITE APRÈS SMOLENSK, AURAIT CHERCHÉ LA MEILLEURE POSITION POUR UNE BATAILLE GÉNÉRALE ET CETTE POSITION AURAIT ÉTÉ TROUVÉE À BORODINO.

LES RUSSES AURAIENT FORTIFIÉ D'AVANCE CETTE POSITION, À GAUCHE DE LA ROUTE (DE MOSCOU À SMOLENSK) ET PRESQUE À ANGLE DROIT AVEC CETTE ROUTE, DE BORODINO À OUTITZA, À L'ENDROIT OÙ LA BATAILLE EUT LIEU.

EN AVANT DE CETTE POSITION, ILS AURAIENT ÉTABLI, POUR OBSERVER L'ENNEMI, UN AVANT-POSTE FORTIFIÉ SUR LE MAMELON DE CHEVARDINO. LE 24, NAPOLÉON AURAIT ATTAQUÉ CET AVANT-POSTE ET L'AURAIT PRIS ; ET LE 26, IL AURAIT ATTAQUÉ TOUTE L'ARMÉE RUSSE QUI TENAIT POSITION SUR LA PLAINE DE BORODINO.

C'est ce que disent les ouvrages historiques, et tout cela est absolument inexact, ce dont se convaincra facilement quiconque voudra approfondir la question.

Les Russes n'ont pas cherché la meilleure position ; au contraire, au cours de leur retraite, ils ont laissé derrière eux nombre de positions supérieures à celle de Borodino. Ils ne se sont arrêtés à aucune de ces positions : parce que Koutouzov ne voulait pas accepter une position qu'il n'aurait pas choisie lui-même, et parce que la nécessité de livrer une bataille nationale ne s'imposait pas encore avec assez de force, et parce que Miloradovitch n'était pas encore là avec la milice, et pour d'autres raisons encore qui sont légion. Le fait demeure que les autres positions étaient plus fortes et que celle de Borodino (où fut livrée la bataille) non seulement n'était pas forte, mais n'était pas plus une position que n'importe quel autre point de l'Empire russe qu'on marquerait au hasard avec une épingle sur la carte.

Les Russes non seulement n'ont pas fortifié la position de Borodino, à gauche et à angle droit avec la route (c'est-à-dire à l'endroit où la bataille eut lieu), mais, avant le 25 août 1812, ils n'avaient jamais songé qu'une bataille pût s'engager à cet endroit. La preuve en est, premièrement, que non seulement le 25 il n'y avait pas de fortifications à cet endroit, mais que celles qui furent commencées le 25 n'étaient pas terminées le 26 ; deuxièmement, la position même de la redoute de Chevardino : cette redoute, en avant de la position sur laquelle fut acceptée la bataille, n'avait aucun sens. Pourquoi a-t-elle été fortifiée plus que tout autre point ? Et pourquoi, pour la défendre le 24 jusque tard dans la nuit, est-on allé jusqu'au bout de son effort et a-t-on perdu six mille hommes ? Pour observer l'ennemi, une patrouille de cosaques suffisait. La troisième preuve que la position sur laquelle la bataille eut lieu n'a pas été prévue est que, jusqu'au 25, Barclay de Tolly et Bagration étaient convaincus que la redoute de Chevardino constituait le flanc GAUCHE de la position, et que Koutouzov, dans son rapport rédigé sous le coup de l'émotion toute fraîche après la bataille, l'appelle le flanc GAUCHE de la position. Bien plus tard seulement, dans les rapports rédigés à loisir, on a inventé (sans doute pour justifier les erreurs du commandant en chef qui devait être infaillible) cette fausse et étrange assertion que la redoute de Chevardino servait d'AVANT-POSTE (alors qu'elle n'était qu'un point fortifié du flanc gauche) et que la bataille de Borodino avait été acceptée par nous sur une position fortifiée et choisie d'avance, alors qu'elle eut lieu à un endroit tout à fait imprévu et presque pas fortifié.

Or, les choses se sont passées sans nul doute de la façon suivante : une position fut choisie sur la rivière Kolotcha, qui coupe la grande route non pas à angle droit mais à angle aigu, si bien que le flanc gauche était à Chevardino, le droit près du village de Novoïe et le centre à Borodino, au confluent de la Kolotcha et de la Voïna. Les avantages que cette position, couverte par la Kolotcha, présentait pour une armée ayant pour but d'arrêter l'ennemi en marche le long de la route de Smolensk à Moscou tombent sous le sens de quiconque examine le champ de Borodino en oubliant comment la bataille s'est déroulée.

Napoléon en allant le 24 à Valouievo n'a pas vu (ainsi que le prétendent les historiens) la position russe d'Outitza à Borodino (il ne pouvait la voir car elle n'existait pas), et il n'a pas vu non plus l'avant-poste de l'armée ennemie, mais c'est en poursuivant l'arrière-garde qu'il s'est heurté au flanc gauche de la position russe, la redoute de Chevardino, et qu'il a fait passer la Kolotcha à ses troupes, contrairement aux prévisions des Russes. Et les Russes, empêchés d'engager la bataille générale, ont ramené leur aile gauche de la position qu'ils avaient l'intention d'occuper sur une autre qui n'était ni prévue ni fortifiée. En passant sur la rive gauche de la Kolotcha, à gauche de la route, Napoléon déplaça toute la future bataille de droite à gauche (du côté des Russes) et la transporta dans le terrain entre Outitza, Semenovskoïe et Borodino (terrain qui ne présentait pas plus d'avantage en tant que position que n'importe quel autre en Russie), et c'est là qu'eut lieu la bataille du 26. En gros, le plan de la bataille supposée et celui de la bataille réelle serait le plan figurant à la page suivante.

Si, le 24 au soir, Napoléon n'était pas allé vers la Kolotcha et n'avait pas fait attaquer la redoute le soir même, mais avait lancé l'attaque le lendemain matin seulement, nul n'aurait douté que la redoute de Chevardino était le flanc gauche de notre position ; et la bataille se serait déroulée comme nous le prévoyions. Dans ce cas, nous aurions probablement défendu avec encore plus d'acharnement la redoute de Chevardino, notre flanc gauche ; nous aurions attaqué Napoléon au centre ou à droite, et le 24 la bataille générale aurait eu lieu sur la position qui avait été fortifiée et prévue. Mais comme l'attaque contre notre flanc gauche s'est produite le soir, à la suite du repli de notre arrière-garde, c'est-à-dire immédiatement après la bataille de Gridnevaïa, et comme les chefs russes n'ont pas voulu ou n'ont pas pu engager la bataille générale le soir même du 24, la première et la principale phase de la bataille de Borodino fut perdue dès le 24, ce qui entraînait nécessairement la défaite du 26.

Après la perte de la redoute de Chevardino, nous nous trouvâmes, au matin du 25, privés de position sur le flanc

PLAN DE LA BATAILLE DE BORODINO[1].

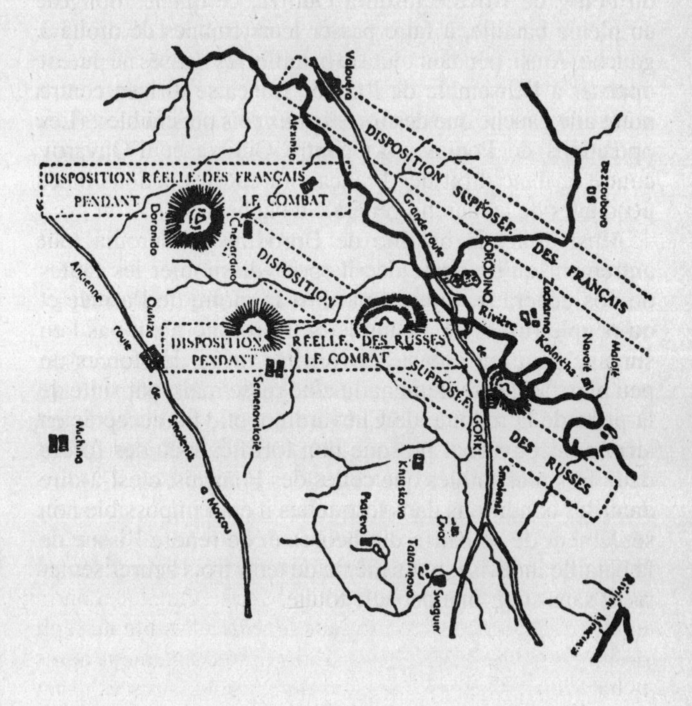

1. D'après un croquis de Tolstoï.

gauche et contraints de replier notre aile gauche et de la fortifier en hâte n'importe où.

Mais si, le 26 août, les troupes russes n'étaient protégées que par de faibles ouvrages inachevés, l'inconvénient de cette position s'aggrava encore, car les généraux, sans tenir compte du fait accompli (la perte de la position du flanc gauche et le déplacement de l'ensemble du futur champ de bataille de droite à gauche), conservèrent la position étirée du bourg de Novoïe jusqu'à Outitza, ce qui les obligea, en pleine bataille, à faire passer leurs troupes de droite à gauche. Ainsi, pendant toute la bataille, les Russes ne purent opposer à l'ensemble de l'armée française dirigée contre notre aile gauche que des forces deux fois plus faibles. (Les opérations de Poniatowski contre Outitza et d'Ouvarov contre le flanc droit des Français furent des actions indépendantes de la marche générale de la bataille.)

Ainsi donc, la bataille de Borodino se déroula tout autrement qu'on ne le décrit (pour dissimuler les fautes de nos généraux, diminuant ainsi la gloire de l'armée et du peuple russes). La bataille de Borodino n'eut pas lieu sur une position choisie et fortifiée, avec des forces un peu plus faibles seulement du côté russe mais, par suite de la perte de la redoute de Chevardino, elle fut acceptée en terrain découvert et presque non fortifié, avec des forces deux fois plus faibles que celles des Français, c'est-à-dire dans des conditions dans lesquelles il était impossible non seulement de se battre dix heures et de rendre l'issue de la bataille indécise, mais même de tenir trois heures seulement sans subir une débâcle totale.

XX

Le 25 au matin, Pierre quittait Mojaïsk. À la descente de la rue abrupte et tortueuse qui conduit hors de la ville en passant devant la cathédrale, située sur la hauteur à droite, où se célébrait la messe et dont les cloches sonnaient, il quitta sa voiture et alla à pied. Derrière lui venait un régiment de cavalerie précédé des chanteurs. À sa rencontre, un convoi de blessés de l'affaire de la veille montait la côte. Les paysans qui conduisaient les chariots à force de cris et de coups de fouet couraient sans cesse d'un côté du chemin à l'autre. Les chariots qui transportaient chacun trois ou quatre soldats blessés, couchés ou assis, rebondissaient sur les pierres jetées çà et là en guise de pavés le long de la côte abrupte. Les blessés, enveloppés de chiffons, pâles, les lèvres serrées et les sourcils froncés, se tenaient aux montants, tressautant et se heurtant dans les chariots. Presque tous regardaient avec une curiosité enfantine le chapeau blanc et l'habit vert de Pierre.

Le cocher de Pierre cria avec colère au convoi de se ranger de côté. Le régiment de cavalerie qui descendait la côte en chantant serra sa voiture et interdit tout passage. Pierre s'arrêta, se rangeant au bord du chemin creusé dans la colline. Le versant empêchait le soleil de parvenir jusqu'au chemin encaissé, il y faisait froid et humide ; au-dessus de la tête de Pierre, c'était une lumineuse matinée d'août et le son des cloches se répandait gaiement. Un des chariots de blessés s'arrêta au bord de la route, tout près de Pierre. Le conducteur, en chaussons de tille, accourut tout essoufflé, glissa une pierre sous les roues arrière sans bandages et arrangea le harnais de la rosse.

Un des blessés, un vieux soldat qui, le bras en écharpe, suivait le chariot à pied, s'y accrocha de sa main valide et regarda Pierre.

« Alors, pays, c'est-y ici qu'on nous laisse ? Ou bien on nous emmène jusqu'à Moscou ? » dit-il.

Pierre était si absorbé dans ses pensées qu'il n'entendit pas la question. Il regardait tantôt le régiment de cavalerie qui était maintenant à la hauteur du convoi de blessés, tantôt le chariot à côté de lui, dans lequel deux soldats étaient assis et un troisième couché. L'un de ceux qui étaient assis avait probablement été blessé à la joue. Sa tête entière était enveloppée de chiffons et une de ses joues, enflée, était grosse comme une tête d'enfant. Sa bouche et son nez étaient tout déjetés. Il regardait la cathédrale et se signait. Un autre, une jeune recrue, un garçon blond et livide qui semblait n'avoir plus une goutte de sang dans son visage fin, regardait Pierre avec un bon sourire figé sur ses lèvres ; le troisième était étendu sur le ventre et l'on ne pouvait voir son visage. Les chanteurs du régiment de cavalerie passaient juste devant le chariot en chantant une chanson de danse :

« Ah ! elle est fichue… la tête de hérisson[1]… loin du pays natal… » Comme pour leur faire écho, mais sur un tout autre mode de joie, les sons métalliques des cloches s'égrenaient sur la hauteur. Et, dans un autre genre de joie encore, les chauds rayons du soleil se déversaient sur l'autre flanc de la colline. Mais en bas où se trouvait Pierre, près du chariot aux blessés et de la rosse essoufflée, il faisait humide, sombre et triste.

Le soldat à la joue enflée regardait les chanteurs d'un air irrité.

« Oh ! ces gars fringants ! dit-il avec reproche.

– Aujourd'hui, c'est pas seulement les soldats qu'on voit mais même des paysans ! Même les paysans on les y traîne, dit avec un triste sourire le soldat qui se tenait derrière le chariot, en s'adressant à Pierre. Aujourd'hui, on n'y regarde pas de si près… On veut tomber dessus avec tout le peuple, c'est pas rien, Moscou. S'agit d'en finir une bonne fois. » Malgré l'obscurité des paroles du soldat, Pierre comprit tout ce qu'il voulait dire et fit un signe approbateur de la tête.

La route redevint libre et, au bas de la pente, Pierre remonta en voiture et poursuivit son chemin.

Il promenait le regard des deux côtés de la route, cherchant des visages de connaissance et ne rencontrant partout que des militaires inconnus de diverses armes qui tous regardaient avec la même curiosité son chapeau blanc et son habit vert.

1. Allusion au crâne rasé des soldats par opposition aux paysans.

Au bout de quatre verstes environ, il rencontra la première personne de connaissance et l'interpella avec joie. C'était un des médecins chefs de l'armée qu'accompagnait un jeune confrère. Sa voiture venait en sens inverse de celle de Pierre. Reconnaissant Pierre, il dit d'arrêter au cosaque qui lui servait de cocher.

« Comte ! Excellence, que faites-vous ici ? demanda le médecin.

– Ma foi, j'ai eu envie de voir…

– Oui, oui, il y aura assez à voir… »

Pierre descendit et lui expliqua qu'il avait l'intention d'assister à la bataille.

Le médecin lui conseilla de s'adresser directement au Sérénissime.

« Pourquoi vous trouveriez-vous Dieu sait où pendant la bataille, sans que personne vous connaisse, dit-il en échangeant un regard avec son jeune confrère, alors que tout de même le Sérénissime vous connaît et vous accueillera avec bienveillance. C'est ce que vous devez faire, mon cher », conclut-il.

Il avait l'air las et pressé.

« Vous croyez… Je voulais encore vous demander, où est donc la position proprement dite ? dit Pierre.

– La position ? répondit le médecin, ça ce n'est plus de mon ressort. Quand vous aurez dépassé Tatarinovo, vous verrez, on y creuse beaucoup. Montez sur le mamelon : de là on voit.

– Vraiment ?… Si vous… »

Mais le médecin l'interrompit et se dirigea vers sa voiture.

« Je vous montrerais bien le chemin, mais je vous jure, j'en ai jusque-là (il montra sa gorge), je cours chez le commandant de corps. Vous savez, comte, comment ça se passe chez nous ?… Nous livrons bataille demain : sur cent mille hommes, il faut compter pour le moins vingt mille blessés ; et nous n'avons ni civières, ni lits, ni infirmiers, ni médecins, même pour six mille hommes. Il y a bien dix mille chariots, mais il faut aussi autre chose ; on n'a qu'à se débrouiller comme on voudra. »

L'étrange pensée frappa Pierre que parmi ces milliers d'hommes vivants, bien portants, jeunes et vieux, qui regardaient son chapeau avec une curiosité amusée, vingt mille étaient voués aux blessures et à la mort certaine (ceux-là précisément peut-être qu'il avait vus).

« Ils vont peut-être mourir demain, pourquoi pensent-ils à autre chose qu'à la mort ? » Et soudain, par une mystérieuse association d'idées, il se représenta la descente de Mojaïsk, les chariots chargés de blessés, le son des cloches, les rayons obliques du soleil et la chanson des cavaliers.

« Ces cavaliers qui vont au feu rencontrent des blessés, et pas un instant ils ne songent à ce qui les attend, mais passent et leur clignent de l'œil. Pourtant, parmi tous ces gens-là, vingt mille sont voués à la mort, et mon chapeau les étonne ! Étrange ! » pensait-il en poursuivant son chemin vers Tatarinovo.

Près d'une maison seigneuriale, sur le côté gauche de la route, stationnaient des voitures, des fourgons, une foule d'ordonnances et des sentinelles. C'est là que logeait le Sérénissime. Mais à l'heure où Pierre arriva il était absent ainsi que presque tout l'état-major. Tous assistaient à l'office. Pierre poursuivit son chemin vers Gorki.

Sa voiture ayant gravi une pente et s'étant engagée dans la petite rue du village, il vit pour la première fois des paysans miliciens en blouses blanches avec une croix à leur bonnet, qui, riant et parlant haut, animés et tout en nage, travaillaient à droite de la route, sur un gros mamelon envahi d'herbe.

Les uns y creusaient des tranchées avec des pelles, d'autres transportaient la terre dans des brouettes sur des planches, d'autres encore ne faisaient rien.

Deux officiers, debout sur le mamelon, leur donnaient des ordres. En voyant ces paysans que leur nouvel état militaire semblait encore amuser, Pierre se souvint des blessés de Mojaïsk et comprit ce qu'entendait le soldat qui disait « qu'on veut tomber dessus avec tout le peuple ».

Le spectacle de ces paysans barbus travaillant sur le champ de bataille, avec leurs étranges chaussures qui les gênaient, leurs nuques ruisselantes de sueur et, chez certains, le col déboutonné laissant voir des clavicules hâlées, témoigna pour lui, plus fortement que tout ce qu'il avait vu ou entendu jusque-là, de la solennité et de la gravité de l'heure.

XXI

Pierre descendit de voiture et, passant devant les miliciens au travail, gravit le mamelon d'où, au dire du médecin, on pouvait voir le champ de bataille.

Il était onze heures du matin. Le soleil que Pierre avait derrière lui, légèrement à gauche, illuminait à travers l'air, pur et rare, l'immense panorama qui se découvrit en amphithéâtre devant lui.

Coupant cet amphithéâtre à gauche, la grande route de Smolensk serpentait en montant à travers un bourg à église blanche, situé à cinq cents pas en avant et en contrebas du mamelon (c'était Borodino). Elle passait sous le village sur un pont et, par des descentes et des montées, s'élevait de plus en plus vers Valouievo qu'on apercevait à quelque six verstes (c'est là que bivouaquait maintenant Napoléon). Au-delà de Valouievo, la route se perdait dans une forêt qui faisait une tache jaune à l'horizon. Dans cette forêt de bouleaux et de sapins, à droite de la direction de la route, brillaient au soleil la croix et le clocher du monastère Kolotski. Dans tout ce lointain bleu, à droite et à gauche de la forêt et de la route, apparaissaient à différents endroits les fumées des feux de camp et les masses indistinctes des troupes, les nôtres et celles de l'ennemi. Sur la droite, le long de la Kolotcha et de la Moscova, le terrain était accidenté et coupé de ravins. Entre les ravins, on voyait au loin les villages de Bezzoubovo et de Zakharino. Sur la gauche, le terrain était plus plat, on y apercevait des champs de blé et les décombres fumants d'un village incendié, Semenovskoïe.

Tout ce que Pierre voyait à droite et à gauche était si vague que ni l'un ni l'autre côté ne répondaient entièrement à l'image qu'il s'en était faite. Partout c'était non le champ de bataille qu'il pensait voir, mais des labours, des prairies, des troupes, des bois, des feux de camp, des villages, des collines, des ruisseaux ; et malgré tous ses efforts, il ne parvenait pas, dans ce paysage vivant, à découvrir la position, ni même à distinguer nos troupes de celles de l'ennemi.

« Il faut demander à quelqu'un de compétent », se dit-il, et il aborda un officier qui regardait avec curiosité son énorme silhouette si peu militaire.

« Permettez-moi de vous demander, lui dit-il, quel est ce village en face ?

– Bourdino, ou comment donc ? répondit l'officier en s'adressant à son camarade.

– Borodino », rectifia celui-ci.

L'officier, visiblement content de cette occasion de bavarder, se rapprocha de Pierre.

« Ce sont les nôtres là-bas ? demanda Pierre.

– Oui, et là, un peu plus loin, ce sont les Français, dit l'officier. Les voilà, on les voit.

– Où ? Où donc ? demanda Pierre.

– On les voit à l'œil nu. Tenez ! » L'officier indiqua les fumées qui s'élevaient à gauche, au-delà de la rivière, et son visage prit cette expression sévère et sérieuse que Pierre avait vue à beaucoup de ceux qu'il avait rencontrés.

« Ah ! ce sont les Français ! Et là ?... » Pierre indiqua, à gauche, un mamelon près duquel on voyait des troupes.

« Ce sont les nôtres.

– Ah ! les nôtres ! Et là ?... » Il montra un autre mamelon, plus loin, couronné d'un grand arbre, près d'un village qu'on apercevait dans un ravin, à côté duquel fumaient également des feux de camp et se distinguait quelque chose de noir.

« C'est encore LUI, dit l'officier. (C'était la redoute de Chevardino.) Hier, c'était à nous, maintenant c'est à LUI.

– Mais où est donc notre position ?

– La position ? dit l'officier avec un sourire de satisfaction, je peux vous expliquer cela clairement parce que c'est moi qui ai construit tous nos retranchements. Tenez, voyez-vous, notre centre est à Borodino, là. » Il montra le village à l'église blanche, droit devant eux. « Là, c'est le passage de la Kolotcha. Là-bas, vous voyez, où il y a dans le bas-fond des rangées de foin coupé, c'est là qu'est le pont. C'est notre centre. Notre flanc droit est là (il lui montra un point à l'extrême droite, loin dans le ravin), c'est là que passe la Moscova et nous y avons construit trois redoutes très puissantes. Le flanc gauche... » Ici l'officier s'arrêta. « Voyez-vous, c'est difficile à expliquer... Hier notre flanc gauche était là-bas, à Chevardino, tenez, là où il y a un chêne ; et maintenant nous avons ramené l'aile gauche en arrière, maintenant c'est là, vous voyez le village et la fumée, c'est Semenovskoïe, et puis là – il montra le mamelon de Raievski. Seulement, il est douteux que la bataille se donne là. Qu'IL ait fait passer ses troupes par ici, c'est une ruse ; IL va certainement nous tourner sur la droite de la Moscova. Mais quoi qu'il en soit, il y en aura beaucoup qui manqueront à l'appel demain ! » conclut-il.

Un vieux sous-officier qui s'était approché pendant qu'il parlait attendait en silence que son chef eût fini ; mais à cet endroit, apparemment mécontent de sa remarque, il l'interrompit.

« Il faut aller chercher des gabions », dit-il sévèrement.

L'officier parut se troubler comme s'il avait compris qu'on pouvait penser que beaucoup manqueraient à l'appel le lendemain, mais qu'il ne convenait pas d'en parler.

« Mais oui, envoie de nouveau la troisième compagnie, dit-il précipitamment.

– Et vous, qui êtes-vous donc ? Un médecin peut-être ?

– Non, je suis là comme ça… » répondit Pierre. Et il descendit en passant de nouveau devant les miliciens.

« Ah ! les maudits ! dit l'officier qui en se bouchant le nez le suivait au pas de course, pressé de dépasser les hommes qui travaillaient.

– Les voilà !… On la porte, ils arrivent… La voilà !… ils vont arriver… » firent soudain des voix, et officiers, soldats et miliciens coururent sur la route.

Venant de Borodino, une procession montait la colline. En tête, sur la route poussiéreuse, marchait en bon ordre l'infanterie, tête nue et arme basse. Derrière l'infanterie, on entendait des chants liturgiques.

Dépassant Pierre, soldats et miliciens, tête nue, couraient au-devant des arrivants.

« On porte notre Mère ! Notre protectrice !… La Vierge d'Ibérie !…

– La Vierge de Smolensk », rectifia un autre.

Les miliciens, ceux qui étaient dans le village et ceux qui travaillaient à la batterie, jetant leurs pelles, coururent au-devant de la procession. À la suite du bataillon qui marchait sur la route poussiéreuse, s'avançaient les prêtres en chasubles, dont un petit vieillard coiffé d'un capuce, avec les diacres et la maîtrise. Derrière eux, des soldats et des officiers portaient une grande icône à la face noircie, dans son revêtement. C'était l'icône qu'on avait emportée de Smolensk et qui, depuis lors, suivait l'armée. Derrière, devant, autour, de tous côtés, marchaient, couraient et s'inclinaient une foule de militaires, tête nue.

Au sommet de la colline, l'icône s'arrêta ; ceux qui la tenaient sur des linges se relayèrent, les sacristains rallumèrent les encensoirs et le service commença. Les chauds rayons du soleil tombaient d'aplomb ; une faible brise jouait dans les cheveux des têtes nues et dans les rubans qui ornaient l'icône ; les chants montaient doucement en plein air. Une immense foule d'officiers, de soldats, de miliciens entourait l'icône, tête nue. Derrière le prêtre et le diacre, dans un espace laissé libre, se tenaient les officiers supérieurs. Un général chauve, la croix de Saint-Georges au cou, était juste derrière le dos du prêtre et sans se signer (c'était certainement un Allemand) attendait patiemment la fin du service auquel il croyait nécessaire d'assister, sans doute parce qu'il devait attiser le patriotisme du peuple russe. Un autre général se tenait dans une pose martiale et se signait d'un geste machinal et hâtif en jetant des regards autour de lui. Dans ce groupe de personnalités, Pierre, mêlé à la foule des paysans, reconnut plusieurs personnes de connaissance ; mais il ne les regardait pas : toute son attention était absorbée par les visages sérieux de cette foule de soldats et de miliciens qui regardaient l'icône avec la même avidité. Dès que les chantres fatigués (ils en étaient à leur vingtième service) entonnaient paresseusement et machinalement : « Sauve du malheur Tes serviteurs, Sainte Mère de Dieu », et que le prêtre et le diacre reprenaient : « car nous avons tous recours à Ton intercession comme à une muraille inébranlable », tous les visages reflétaient de nouveau la même conscience de la solennité de l'heure qu'il avait observée à la descente de Mojaïsk et, fugitivement, sur bien des visages aperçus dans la matinée ; et les têtes s'inclinaient plus souvent en faisant voler les cheveux et on entendait des soupirs et les coups frappés sur la poitrine pour le signe de croix.

La foule qui entourait l'icône s'écarta brusquement et bouscula Pierre. Quelqu'un, sans doute un personnage très important à en juger par la hâte avec laquelle on se rangeait sur son passage, s'approchait de l'icône.

C'était Koutouzov qui revenait d'une inspection de la position. En regagnant Tatarinovo, il venait assister au service. Pierre le reconnut aussitôt à sa silhouette caractéristique.

Son corps énorme vêtu d'une longue redingote, le dos voûté, sa tête blanche découverte et son œil blanc et mort dans son visage bouffi, Koutouzov s'avança de sa démarche plongeante, balancée, et s'arrêta derrière le prêtre. Il se signa d'un geste assuré, toucha le sol de la main et avec un profond soupir inclina sa tête blanche.

Derrière lui venaient Bennigsen et sa suite. Malgré la présence du commandant en chef qui attirait l'attention de tous les officiers supérieurs, les miliciens et les soldats continuaient de prier sans le regarder.

Quand le service fut terminé, Koutouzov s'approcha de l'icône, s'agenouilla péniblement, s'inclina jusqu'au sol et fut longtemps sans pouvoir se relever à cause de sa faiblesse et de son poids. Sa tête blanche tremblait sous l'effort. Enfin il parvint à se relever et, avançant les lèvres d'un air naïf et enfantin, baisa l'icône, puis s'inclina de nouveau en touchant le sol de la main. Les généraux suivirent son exemple ; puis les officiers et, après eux, les soldats et les miliciens, se poussant, soufflant et se bousculant, le visage ému.

XXII

Ballotté par les remous de la foule, Pierre regardait autour de lui.

« Comte, Pierre Kirilovitch ! Comment êtes-vous ici ? » dit une voix. Pierre se retourna.

Boris Droubetzkoï, tout en époussetant ses genoux (qu'il avait probablement salis en se prosternant lui aussi devant l'icône), venait à lui en souriant. Il était vêtu élégamment avec une nuance guerrière, ainsi qu'il convient en campagne. Il portait une longue redingote et un fouet en bandoulière, comme Koutouzov.

Cependant Koutouzov, rentré au village, s'était assis, à l'ombre de la maison la plus proche, sur un banc qu'un cosaque avait apporté en courant et qu'un autre s'était empressé de recouvrir d'un tapis. Une très nombreuse et brillante suite entoura le commandant en chef.

L'icône se remit en marche accompagnée de la foule. Pierre s'arrêta à une trentaine de pas de Koutouzov en causant avec Boris.

Il lui dit son intention d'assister à la bataille et de visiter la position.

« Voici ce que vous allez faire, dit Boris. *Je vous ferai les honneurs du camp.* Pour tout voir, le mieux est que vous soyez là où sera le comte Bennigsen. C'est à lui que je suis attaché. Je vais lui en parler. Et si vous voulez parcourir la position, venez avec nous : nous allons justement au flanc gauche. À notre retour, faites-moi le plaisir d'accepter mon hospitalité pour la nuit, nous ferons une partie. Vous connaissez Dmitri Sergueievitch, n'est-ce pas ? Tenez, c'est là qu'il loge, et il indiqua la troisième maison de Gorki.

– Mais j'aurais voulu voir le flanc droit ; il paraît qu'il est très fort, dit Pierre. J'aurais voulu aussi parcourir toute la position en partant de la Moscova.

– Ma foi, vous pourrez le faire plus tard, ce qui compte avant tout c'est le flanc gauche...

– Oui, oui. Et où est le régiment du prince Bolkonski, ne pourriez-vous pas me l'indiquer ? demanda Pierre.

– Celui d'André Nicolaievitch ? nous passerons devant, je vous conduirai auprès de lui.

– Et le flanc gauche ? demanda Pierre.

– À vrai dire, *entre nous*, notre flanc gauche est Dieu sait dans quel état, dit Boris en baissant confidentiellement la voix, ce n'est pas du tout cela que prévoyait le comte Bennigsen. Il envisageait de fortifier tout autrement l'autre mamelon là-bas... mais – il haussa les épaules – le Sérénissime n'a pas voulu, ou on lui a peut-être monté la tête. C'est que... » Mais Boris n'acheva pas car à ce moment Kaïssarov, un aide de camp de Koutouzov, s'approcha de Pierre. « Ah ! Païssi Sergueitch, reprit-il avec un sourire dégagé en s'adressant à Kaïssarov. J'essaie d'expliquer la position au comte. C'est étonnant comme le Sérénissime a su deviner les intentions des Français !

– Vous parlez du flanc gauche ? demanda Kaïssarov.

– Oui, oui, précisément. Notre flanc gauche est maintenant très, très fort. »

Bien que Koutouzov chassât de l'état-major tous ceux qui étaient de trop, Boris avait su se maintenir au quartier général. Il s'était fait attacher au comte Bennigsen. Ce dernier, comme tous ceux à qui il avait été attaché, tenait le jeune prince Droubetzkoï pour un homme inappréciable.

Le haut commandement se divisait en deux partis bien tranchés : celui de Koutouzov et celui de Bennigsen, chef de l'état-major. Boris appartenait à ce dernier parti et personne ne savait comme lui, tout en témoignant à Koutouzov un respect servile, laisser entendre que le vieux n'était pas à la hauteur et que c'était Bennigsen qui menait tout. Maintenant l'heure décisive de la bataille était venue, celle qui devait soit anéantir Koutouzov et remettre le pouvoir à Bennigsen soit, même si Koutouzov la gagnait, faire comprendre que Bennigsen avait tout fait. En tout cas, la journée du lendemain donnerait lieu à une importante distribution de récompenses et mettrait en avant des hommes nouveaux. Et cela entretenait tout ce jour-là en Boris un état de grande agitation.

À la suite de Kaïssarov, d'autres personnes qu'il connaissait s'approchèrent de Pierre, si bien qu'il avait peine à répondre à toutes les questions sur Moscou qui pleuvaient de tous côtés et à entendre les récits qu'on lui faisait. Sur tous les visages se lisaient l'animation et l'inquiétude. Mais il semblait à Pierre que, chez certains, la cause de cette exaltation ressortissait plutôt à des questions d'intérêt personnel, et il avait toujours présent à l'esprit le souvenir d'une autre expression d'exaltation qu'il avait lue sur d'autres visages et qui traduisait une autre question, non plus personnelle mais générale, celle de la vie et de la mort. Koutouzov remarqua la silhouette de Pierre et le groupe rassemblé autour de lui.

« Dites-lui de venir me parler », dit-il. L'aide de camp transmit le désir du Sérénissime et Pierre se dirigea vers le banc. Mais il fut devancé par un soldat de la milice. C'était Dolokhov.

« Comment est-il ici, celui-là ? demanda Pierre.

– C'est un débrouillard, il sait se faufiler partout ! lui répondit-on. Vous savez qu'il a encore été dégradé. Maintenant il lui faut se faire bien voir. Il a présenté des projets et s'est glissé la nuit dans les lignes ennemies… mais c'est un brave ! »

Pierre se découvrit et s'inclina respectueusement devant Koutouzov.

« J'ai pensé que, si je m'adresse à Votre Altesse, tout ce que je risque est que vous me chassiez ou disiez que vous savez déjà tout cela… disait Dolokhov.

– Bien, bien…

– Mais si j'ai raison, j'aurai rendu service à la patrie pour laquelle je suis prêt à mourir.

– Bien… bien…

– Et si Votre Altesse avait besoin d'un homme qui n'hésite pas à risquer sa peau, veuillez penser à moi… Peut-être serai-je utile à Votre Altesse.

– Bien… bien… » répéta Koutouzov en posant sur Pierre des yeux rieurs.

Pendant ce temps Boris, avec son habileté de courtisan, s'était glissé de façon à se trouver, aux côtés de Pierre, plus près du grand chef, et de l'air le plus naturel, à mi-voix, comme s'il poursuivait une conversation, il dit à Pierre :

« Les miliciens ont mis des chemises blanches toutes propres pour se préparer à la mort. Quel héroïsme, comte ! »

Il disait certainement cela pour être entendu du Sérénissime. Il savait que ces mots attireraient l'attention de Koutouzov et en effet le Sérénissime se tourna vers lui :

« Que dis-tu des miliciens ? lui demanda-t-il.

– Pour se préparer à la journée de demain, à la mort, Altesse, ils ont mis des chemises blanches.

– Ah !… quels gens merveilleux, incomparables », dit Koutouzov, et il hocha la tête en fermant les yeux. « Des gens incomparables ! répéta-t-il en soupirant.

– Vous voulez sentir la poudre ? dit-il à Pierre. Oui, c'est une odeur agréable. J'ai l'honneur d'être un adorateur de madame votre épouse, elle se porte bien ? Mon bivouac est à votre disposition. » Et ainsi qu'il arrive souvent aux vieillards, Koutouzov regarda distraitement autour de lui, comme s'il avait oublié ce qu'il voulait dire ou faire.

Se souvenant sans doute de ce qu'il cherchait, il appela d'un signe André Sergueitch Kaïssarov, frère de son aide de camp.

« Comment est-ce donc, ces vers de Marine, comment est-ce, comment ? Ceux qu'il a composés sur Guerakov : "Tu seras professeur au corps de cadets..." Voyons, rappelle-moi », insista-t-il, se disposant visiblement à rire un peu. Kaïssarov les récita. Koutouzov scandait le rythme en hochant la tête et souriait.

Comme Pierre quittait Koutouzov, Dolokhov le rejoignit et le prit par le bras.

« Je suis enchanté de vous rencontrer ici, comte, lui dit-il à haute voix et d'un ton particulièrement résolu et solennel, nullement gêné par la présence de tiers. La veille du jour où Dieu sait à qui d'entre nous il sera donné de rester en vie, je suis heureux de l'occasion de vous dire que je regrette les malentendus qu'il y a eu entre nous, et je voudrais que vous ne me gardiez pas rancune. Je vous prie de me pardonner. »

Pierre le regardait en souriant, ne sachant que lui dire. Dolokhov, les larmes aux yeux, le serra dans ses bras et l'embrassa.

Boris dit quelques mots à son général, et le comte Bennigsen proposa à Pierre de l'accompagner dans son inspection de la ligne.

« Cela vous intéressera, dit-il.

– Oui, beaucoup », répondit Pierre.

Une demi-heure plus tard, Koutouzov rentra à Tatarinovo tandis que Bennigsen avec sa suite, à laquelle s'était joint Pierre, partait vers les lignes.

XXIII

En sortant de Gorki, Bennigsen descendit par la grande route vers le pont que, sur le mamelon, l'officier avait indiqué à Pierre comme étant le centre de la position et auprès duquel il y avait des rangées de foin coupé odorant. Après avoir passé le pont, ils traversèrent le bourg de Borodino, tournèrent à gauche et, dépassant une masse énorme de troupes et de canons, arrivèrent devant une grande éminence, où des miliciens creusaient des tranchées. C'était la redoute qui n'avait pas encore de nom et qu'on devait appeler plus tard la redoute de Raievski ou batterie du mamelon.

Pierre ne prêta pas autrement attention à cette redoute. Il ne savait pas qu'elle deviendrait pour lui le point le plus mémorable de tout le champ de bataille de Borodino. Puis ils se dirigèrent par un ravin vers Semenovskoïe, où les soldats emportaient les dernières poutres des maisons et des granges. Ensuite, descendant et remontant à travers des seigles brisés et fauchés comme par la grêle, ils arrivèrent par un chemin nouvellement frayé par l'artillerie dans les sillons d'un champ labouré, aux flèches qu'on était également encore en train de creuser.

Bennigsen s'arrêta près des flèches et regarda, en face, la redoute de Chevardino (qui, la veille encore, était à nous), où l'on apercevait quelques cavaliers. Les officiers disaient que Napoléon ou Murat devait être parmi eux. Et tous regardaient avidement ce petit groupe de cavaliers. Pierre fit comme eux, s'efforçant de deviner lequel de tous ces hommes qu'on distinguait à peine pouvait être Napoléon. Enfin les cavaliers arrivèrent au bas du mamelon et disparurent.

Bennigsen se tourna vers un général qui s'approchait et lui expliqua en détail la position de nos troupes. Pierre écoutait ce qu'il disait, faisant tous ses efforts pour saisir le plan de la future bataille, mais il sentait avec amertume que ses facultés mentales étaient insuffisantes pour cela. Il n'y comprenait rien. Bennigsen se tut et, en voyant Pierre l'écouter, lui dit soudain :

« Je pense que cela ne vous intéresse pas ?

– Ah ! au contraire, cela m'intéresse beaucoup », répondit Pierre, pas tout à fait sincère.

Des flèches, ils prirent, encore plus à gauche, un chemin qui serpentait à travers un bois touffu de jeunes boulcaux. Au milieu de ce bois, un lièvre brun à pattes blanches surgit sur la route devant eux et, effrayé par le piétinement d'un si grand nombre de chevaux, perdit la tête au point de sautiller longtemps sur le chemin en attirant l'attention générale et en provoquant des rires ; ce n'est que lorsque plusieurs voix le houspillèrent qu'il se jeta de côté et disparut dans le taillis. Après avoir fait une verste environ sous bois, ils débouchèrent sur une clairière qu'occupait le corps de Toutchkov appelé à défendre le flanc gauche.

Ici, à l'extrême flanc, Bennigsen parla longuement et avec ardeur et prit une disposition qui parut à Pierre importante au point de vue militaire. En face des troupes de Toutchkov s'élevait une éminence. Cette éminence n'était pas garnie de troupes. Bennigsen critiqua cette faute à haute voix, disant que c'était une folie de laisser dégarni un mamelon qui commandait le terrain et de placer des troupes au pied. Certains généraux exprimèrent le même avis. L'un surtout dit avec une impétuosité toute militaire qu'on les envoyait ici à l'abattoir. Bennigsen déplaça les troupes de son propre chef et leur fit occuper la hauteur.

Cette disposition prise au flanc gauche inspira à Pierre encore plus de doutes sur sa capacité à comprendre l'art de la guerre. En écoutant Bennigsen et les généraux qui désapprouvaient la présence des troupes au pied du mamelon, il les comprenait parfaitement et partageait leur opinion ; mais précisément à cause de cela il ne parvenait pas à comprendre comment celui qui avait placé ces troupes en bas avait pu commettre une faute si grossière et si flagrante.

Il ignorait que ces troupes n'avaient pas été placées là pour défendre la position, comme le croyait Bennigsen, mais qu'on les avait dissimulées pour établir un piège, c'est-à-dire pour rester inaperçues et tomber à l'improviste sur l'ennemi en marche. Bennigsen ne le savait pas non plus et les avait déplacées pour des considérations particulières sans en référer au commandant en chef.

XXIV

Pendant cette claire soirée du 25 août, le prince André, appuyé sur un coude, se reposait dans une grange démolie du village de Kniazkovo, à la limite de la position assignée à son régiment. Par un trou du mur, il contemplait une rangée de bouleaux trentenaires, aux basses branches coupées, qui bordaient la clôture, un champ où s'éparpillaient des gerbes d'avoine et un taillis d'où montait la fumée des cuisines des soldats.

Si étroite, si inutile et à charge que lui parût sa vie, le prince André, à la veille de la bataille, se sentait ému et surexcité comme sept ans plus tôt, à Austerlitz.

Les ordres pour la bataille du lendemain étaient reçus et transmis. Il n'avait plus rien à faire. Mais les pensées les plus simples, les plus claires et, partant, les plus angoissantes ne le laissaient pas en paix. Il savait que cette bataille devait être la plus terrible de toutes celles auxquelles il avait pris part et, pour la première fois de sa vie, la possibilité de mourir se présenta à lui avec acuité, presque comme une certitude, simple et implacable, sans lien avec la vie quotidienne, en dehors de toutes considérations sur les répercussions qu'elle pourrait avoir sur les autres, mais uniquement par rapport à lui-même, à son âme. Et, du haut de cette vision, tout ce qui jusque-là l'avait tourmenté et préoccupé s'éclaira soudain d'une froide lumière blanche, sans ombres, sans perspective, sans contours précis. Toute sa vie lui apparut comme une image projetée par une lanterne magique qu'il avait longtemps contemplée à la lumière artificielle. Maintenant il les voyait brusquement sans verre interposé, à la vive clarté du jour, ces tableaux grossièrement coloriés. « Oui, oui, les voici ces visions mensongères qui m'émouvaient, m'exaltaient et me faisaient souffrir », se disait-il en repassant une à une dans son imagination les principales images de la lanterne magique de sa vie et en les regardant maintenant à cette froide lumière blanche du jour, celle de la pensée lucide de la mort. « Les voici, ces images grossièrement peintes qui m'apparaissaient comme quelque chose de beau et de mystérieux. La gloire, le bien public, l'amour de la femme, la patrie elle-même – combien ces images me paraissaient grandes, remplies de quel sens profond ! Or, tout cela est si simple, si pâle et si grossier, à la froide clarté blanche du matin qui, je le sens, se lève pour moi. » Les trois plus grands chagrins de sa vie retenaient particulièrement son attention. Son amour pour une femme, la mort de son père et l'invasion française qui avait gagné la moitié de la Russie. « L'amour !... Cette fillette qui me semblait receler des forces mystérieuses. Comme je l'aimais ! je faisais des rêves poétiques d'amour, de bonheur avec elle. – Ô cher garçon ! » dit-il tout haut avec colère. « Comment donc ! je croyais à un amour idéal qui devait me conserver sa fidélité pendant toute une année d'absence. Comme le tendre pigeon de la fable, elle devait se consumer loin de moi. Or, tout cela est bien plus simple... Tout cela est horriblement simple, répugnant ! »

« Mon père bâtissait aussi à Lissi Gori et il croyait que c'était un coin à lui, son sol, son air, ses paysans. Mais Napoléon est venu et, ignorant jusqu'à son existence, il l'a balayé comme un fétu de paille sur son chemin, et son Lissi Gori s'est effondré, et toute sa vie. Et la princesse Maria prétend que c'est une épreuve envoyée d'En Haut. À quoi bon cette épreuve puisqu'il n'est plus et qu'il ne sera plus ? Jamais il ne sera plus ! Il n'est plus ! Alors pour qui donc cette épreuve ? La patrie, la perte de Moscou ! Et demain on me tuera, même pas un Français mais un des nôtres, comme ce soldat qui, hier, a déchargé son fusil près de mon oreille, et les Français viendront, me prendront par les pieds et par la tête et me jetteront dans une fosse pour que je n'empeste pas sous leur nez, et de nouvelles conditions d'existence s'établiront qui seront tout aussi naturelles pour d'autres, et je ne les connaîtrai pas, et je ne serai plus. »

Il regarda la ligne des bouleaux avec leur feuillage vert et jaune immobile et leur écorce blanche qui brillaient au soleil. « Mourir, qu'on me tue demain, que je ne sois plus… que tout cela existe et que je ne sois plus. » Il se représenta intensément son absence de cette vie. Et ces bouleaux avec leur jeu de lumière et d'ombres, et ces nuages moutonnants, et cette fumée des bivouacs, tout autour de lui se transforma et lui apparut comme quelque chose de redoutable et de menaçant. Un frisson lui parcourut le dos. Se levant brusquement, il sortit de la grange et se mit à faire les cent pas.

Des voix s'élevèrent derrière la grange.

« Qui va là ? » cria le prince André.

Timokhine, le capitaine au nez rouge, l'ancien commandant de compagnie de Dolokhov, promu maintenant, par manque d'officiers, chef de bataillon, entra timidement dans la grange. Un officier d'ordonnance et l'officier trésorier le suivaient.

Le prince André se leva en hâte, écouta le rapport des officiers, leur passa encore quelques consignes et il allait les congédier quand, au-dehors, il entendit une voix familière qui zézayait.

« *Que diable !* » disait quelqu'un qui venait de buter.

Le prince André jeta un regard à l'extérieur et vit venir à lui Pierre qui avait buté contre une perche et avait failli tomber. De voir des gens de son monde en général était désagréable au prince André, et encore plus de voir Pierre qui lui rappelait les pénibles heures qu'il avait vécues lors de son dernier séjour à Moscou.

« Tiens ! dit-il. Par quel hasard ? Si je m'y attendais ! »

Pendant qu'il parlait, il y avait dans ses yeux et dans son visage plus que de la sécheresse, il y avait une hostilité que Pierre remarqua aussitôt. Il arrivait plein d'animation, mais en voyant cette expression du prince André, il se sentit gêné et mal à l'aise.

« Je suis venu... comme ça... vous savez... je suis venu... cela m'intéresse, dit Pierre qui avait déjà répété tant de fois toute la journée ce mot dénué de sens "cela m'intéresse". Je voulais voir la bataille.

– Oui, oui, et les frères maçons, que disent-ils de la guerre ? Quel moyen préconisent-ils pour l'empêcher ? dit le prince André ironiquement. Eh bien, que se passe-t-il à Moscou ? Que deviennent les miens ? Sont-ils enfin arrivés à Moscou ? demanda-t-il sérieusement.

– Oui. Julie Droubetzkoï me l'a dit. Je suis allé les voir mais je ne les ai pas trouvés. Ils étaient déjà partis pour votre domaine de la banlieue. »

XXV

Les officiers voulaient se retirer, mais le prince André, comme s'il ne tenait pas à rester en tête-à-tête avec son ami, les retint et les invita à prendre le thé. On apporta des bancs et l'on servit le thé. Les officiers regardaient non sans surprise l'énorme et massive silhouette de Pierre et l'écoutaient parler de Moscou et des positions de nos troupes qu'il venait d'avoir l'occasion de parcourir. Le prince André se taisait et son visage était si désagréable que Pierre s'adressait au brave chef de bataillon Timokhine plutôt qu'à Bolkonski.

« Alors tu as bien compris la disposition des troupes ? l'interrompit le prince André.

– Oui, c'est-à-dire, répondit Pierre, n'étant pas militaire je ne peux pas dire que je l'aie entièrement comprise, mais j'en ai tout de même saisi les grandes lignes.

– *Eh bien, vous êtes plus avancé que qui que ce soit*, dit le prince André.

– Ah ! fit Pierre perplexe en le regardant à travers ses lunettes. Voyons, que dites-vous de la nomination de Koutouzov ? ajouta-t-il.

– J'ai été très content de cette nomination, voilà tout ce que je sais, dit le prince André.

– Et dites-moi quelle est votre opinion sur Barclay de Tolly ? À Moscou, Dieu sait ce qu'on disait à son sujet. Que pensez-vous de lui ?

– Demande à ces messieurs », dit le prince André en montrant les officiers.

Pierre regarda Timokhine avec ce sourire condescendant et interrogateur que tout le monde avait involontairement en s'adressant à celui-ci.

« Nous avons vu la lumière, Excellence, quand le Sérénissime a pris le commandement, dit Timokhine timidement et en lançant sans cesse des regards vers son colonel.

– Comment cela ? demanda Pierre.

– Tenez, prenons par exemple le bois et le fourrage. Pendant que nous reculions depuis Swienciany, défense de toucher à une brindille ou à une poignée de foin, ou à n'importe quoi. Nous nous en allions pourtant et c'est LUI qui en profitait, n'est-ce pas, Excellence ? ajouta-t-il en s'adressant à son prince ; mais non, c'était interdit. Dans notre régiment, deux officiers ont passé en jugement pour ces choses-là. Mais quand le Sérénissime est arrivé, tout cela est devenu simple. Nous avons vu la lumière…

– Mais pourquoi donc cette interdiction ? »

Timokhine jeta autour de lui des regards embarrassés, ne sachant comment répondre à une pareille question. Pierre s'adressa avec la même question au prince André.

« Mais pour ne pas ruiner le pays que nous abandonnions à l'ennemi, dit celui-ci sur un ton méchant et ironique. C'est parfaitement fondé : on ne peut laisser les troupes piller le pays et s'habituer au maraudage. Quant à Smolensk, là aussi il a eu raison de penser que les Français pouvaient nous tourner et que leurs forces étaient supérieures aux nôtres. Mais il n'a pas pu comprendre, cria-t-il soudain d'une voix de fausset qui semblait lui échapper malgré lui, il n'a pas pu comprendre que là-bas nous nous étions pour la première fois battus pour la terre russe, que l'armée était animée d'un esprit comme je n'en ai jamais encore vu, que deux jours de suite nous avions repoussé les Français et que ce succès avait décuplé nos forces. Il a ordonné la retraite et tous nos efforts, toutes nos pertes ont été pour rien. Il ne songeait pas à trahir, il s'efforçait de tout faire pour le mieux, il avait tout pesé, mais c'est pour cela précisément qu'il n'est bon à rien. Il n'est bon à rien en ce moment, précisément parce qu'il pèse trop soigneusement et minutieusement, comme il convient à tout Allemand. Comment te dire... Suppose que ton père ait un laquais allemand, c'est un excellent laquais et qui répond à tous ses besoins mieux que toi ; qu'il fasse donc son service ; mais que ton père soit à l'article de la mort, tu chasseras le laquais et, de tes propres mains maladroites, inhabiles, tu soigneras ton père et tu lui feras plus de bien qu'un homme habile, mais un étranger. C'est ce qu'on a fait avec Barclay. Tant que la Russie était bien portante, un étranger pouvait la servir et être un excellent ministre, mais dès qu'elle est en danger il lui faut un homme de sa race, de son sang. Et chez vous, dans votre club, on a inventé que c'était un traître ! Le seul résultat en sera qu'un jour, honteux de cette calomnie, on le sacrera soudain héros ou génie, ce qui sera encore plus injuste. C'est un Allemand honnête et très méticuleux...

– On dit pourtant que c'est un habile homme de guerre, dit Pierre.

– Je ne comprends pas ce que signifie ce mot, dit le prince André avec ironie.

– Un habile homme de guerre, dit Pierre, enfin, c'est celui qui prévoit toutes les éventualités... qui devine les intentions de l'adversaire.

– Mais c'est impossible », dit le prince André comme s'il parlait d'une question depuis longtemps tranchée.

Pierre le regarda avec surprise.

« Cependant, dit-il, on dit bien que la guerre est semblable à une partie d'échecs.

– Oui, dit le prince André, mais à cette petite différence près qu'aux échecs tu peux réfléchir tant qu'il te plaît, que le facteur temps n'existe pas, et avec cette différence encore que le cavalier est toujours plus fort que le pion et deux pions plus forts qu'un seul ; tandis qu'à la guerre un bataillon est parfois plus fort qu'une division et parfois plus faible qu'une compagnie. Personne ne peut savoir la force relative des armées. Crois-moi, si quelque chose dépendait des ordres des états-majors, c'est là que je serais et je donnerais des ordres, au lieu de quoi j'ai l'honneur de servir ici, dans le régiment, avec ces messieurs, et j'estime que c'est bien de nous que dépendra la journée de demain et non pas d'eux… Le succès n'a jamais dépendu et ne dépendra jamais ni de la position, ni de l'armement, ni même du nombre, et surtout pas de la position.

– Mais de quoi donc alors ?

– Du sentiment qui est en moi, en lui – il montra Timokhine – en chaque soldat. »

Il jeta un coup d'œil à Timokhine qui regardait son chef d'un air effrayé et perplexe. Tout à l'heure silencieux et réservé, le prince André paraissait maintenant ému. On voyait qu'il ne pouvait se retenir d'exprimer les pensées qui lui venaient soudain.

« Celui-là gagne la bataille qui est fermement décidé à la gagner. Pourquoi l'avons-nous perdue à Austerlitz ? Nos pertes étaient presque égales à celles des Français, mais nous nous sommes dit très tôt que nous la perdrions, et nous l'avons perdue. Et si nous nous le sommes dit, c'est parce que nous n'avions rien pour quoi nous battre : nous avions seulement envie de quitter le champ de bataille au plus vite. "Nous avons perdu, eh bien, fuyons !" et nous avons fui. Si nous ne nous l'étions pas dit jusqu'au soir, Dieu sait comment les choses auraient tourné. Mais demain nous ne le dirons pas. Tu dis : notre position, le flanc gauche est faible, le flanc droit étiré, poursuivit-il, sornettes que tout cela, rien de tout cela ne compte. Qu'est-ce qui nous attend demain ? Cent millions de hasards les plus divers qui décideront à l'instant même qui fuira le premier, eux ou les nôtres, que tel sera tué, puis tel autre ; mais ce qui se fait en ce moment, ce n'est qu'une amusette. En vérité, ceux avec qui tu as visité la position non seulement ne facilitent pas la marche des opérations, mais même la gênent. Ils ne se préoccupent que de leurs petits intérêts personnels.

– En un pareil moment ? dit Pierre d'un ton de reproche.

– En un pareil moment, répéta le prince André ; pour eux, même ce moment n'est que celui où l'on peut saper la situation d'un adversaire et obtenir une croix ou un cordon de plus. Selon moi voici comment cela se présente pour demain : une armée russe de cent mille hommes et une armée française de cent mille hommes se rencontrent pour se battre, et ce qui importe est que ces deux cent mille hommes vont se battre et que celui qui se battra avec le plus d'acharnement et se ménagera le moins, celui-là vaincra. Et veux-tu que je te dise que, quoi qu'il advienne, quelques bêtises qu'on fasse en haut, nous gagnerons la bataille demain. Demain, quoi qu'il arrive, nous gagnerons la bataille !

– Voilà qui est vrai, Excellence, c'est la pure vérité, dit Timokhine, à quoi bon se ménager maintenant ! Les soldats de mon bataillon, le croiriez-vous, n'ont pas voulu de vodka : ce n'est pas le moment, disent-ils. » Un silence se fit.

Les officiers se levèrent. Le prince André les accompagna hors de la grange, donnant les dernières instructions à l'officier d'ordonnance. Quand ils furent partis, Pierre s'approcha de lui, et il avait à peine voulu reprendre la conversation que le bruit de sabots de trois chevaux se fit entendre sur la route, non loin de la grange, et tournant les yeux dans cette direction, le prince André reconnut Wolzogen et Clausewitz accompagnés d'un cosaque. Ils passèrent si près tout en continuant à causer que Pierre et André entendirent malgré eux les phrases suivantes :

« *Der Krieg muss im Raum verlegt werden. Der Ansicht kann ich nicht genug Preis geben*[1], disait l'un.

– *O ja*, dit l'autre voix, *der Zweck ist nur den Feind zu schwächen so kann man gewiss nicht den Verlust der Privat-Personen in Achtung nehmen*[2].

– *O ja*, confirma la première voix.

– Oui, *im Raum verlegen*, répéta le prince André en reniflant avec colère quand ils furent passés. *Im Raum*, mon père, mon fils et ma sœur y sont restés à Lissi Gori. Cela lui est égal. Voilà bien ce que je te disais : ces messieurs les Allemands ne gagneront pas la bataille demain, mais gâcheront tout autant qu'il sera en leur pouvoir, car il n'y a dans leur tête allemande que des raisonnements qui ne valent pas une miette et ils n'ont pas dans le cœur ce qu'il faut pour demain, ce qu'il y a en Timokhine. Ils LUI ont abandonné l'Europe entière et ils sont venus nous donner des leçons – de fameux maîtres ! conclut-il, et de nouveau sa voix monta à un registre aigu.

– Ainsi vous croyez que la bataille de demain sera gagnée ? dit Pierre.

– Oui, oui, répondit distraitement le prince André. Une seule chose, si j'avais le pouvoir, reprit-il, je ne ferais pas de prisonniers. Qu'est-ce que les prisonniers ? C'est de la chevalerie. Les Français ont ruiné ma maison et ils veulent ruiner Moscou, ils m'ont outragé et m'outragent à chaque instant. Ce sont mes ennemis, ils sont tous des criminels, selon mes idées. Et Timokhine et l'armée tout entière pensent comme moi. Il faut les châtier. S'ils sont mes ennemis, ils ne peuvent être mes amis, malgré toutes les conversations de Tilsitt.

– Oui, oui, dit Pierre en le regardant avec des yeux brillants, je suis entièrement d'accord avec vous, entièrement ! »

1. « La guerre doit être transportée dans l'espace. Je ne saurais donner trop d'importance à cette opinion. »

2. « Oh ! oui, le seul but étant d'affaiblir l'ennemi, on ne peut tenir compte des pertes des particuliers. »

Le problème qui l'avait tourmenté depuis la descente de Mojaïsk et au cours de toute la journée lui parut maintenant parfaitement clair et entièrement résolu. Il comprenait maintenant tout le sens et toute la portée de cette guerre et de la prochaine bataille. Tout ce qu'il avait vu au cours de la journée, tous ces visages à l'expression sévère et grave qu'il avait aperçus en passant, s'éclairèrent pour lui d'une lumière nouvelle. Il comprit cette chaleur latente, comme on dit en physique, du patriotisme qui habitait tous ces hommes qu'il avait vus et qui lui expliquait pourquoi ils se préparaient tous à la mort avec calme et avec une apparente insouciance.

« Ne pas faire de prisonniers, poursuivit le prince André. Cela seul transformerait toute la guerre et la rendrait moins cruelle. Or, nous jouons à la guerre, c'est là le mal, nous faisons les généraux. Cette générosité et cette sensiblerie ressemblent à la générosité et à la sensibilité d'une dame qui se trouve mal en voyant abattre un veau ; elle a si bon cœur qu'elle ne peut supporter la vue du sang, mais elle mangera avec appétit le même veau accommodé d'une sauce. On nous parle des lois de la guerre, de la chevalerie, du respect des parlementaires, du devoir d'épargner les malheureux, et ainsi de suite. Sornettes que tout cela. J'ai vu, en 1805, l'esprit chevaleresque, le respect des parlementaires ; on nous a bernés, nous avons berné. Ils pillent les maisons des autres, mettent en circulation de faux billets et, pis que tout, assassinent mes enfants, mon père, et on vient parler des lois de la guerre et de générosité envers l'ennemi. Ne pas faire de prisonniers, mais tuer et marcher à la mort ! Celui qui en est venu là comme moi, au prix des mêmes souffrances… »

Le prince André, qui croyait qu'il lui était maintenant indifférent que Moscou fût prise ou non comme avait été pris Smolensk, s'arrêta net sous l'effet d'un spasme inattendu qui lui serrait la gorge. Il fit quelques pas en silence, mais ses yeux brillaient d'un éclat fiévreux et sa lèvre tremblait quand il reprit :

« Sans cette fausse générosité à la guerre, nous ne marcherions que lorsqu'il vaut la peine d'aller à une mort certaine, comme c'est le cas aujourd'hui. Il n'y aurait pas alors de guerre parce que Paul Ivanovitch a offensé Michel Ivanovitch. Et s'il y en avait une comme celle d'aujourd'hui, ce serait vraiment une guerre. Et alors l'importance des troupes ne serait pas la même que maintenant. Alors tous ces Westphaliens et ces Hessois que mène Napoléon ne l'auraient pas suivi en Russie et nous ne serions pas allés nous battre en Autriche et en Prusse sans savoir pourquoi. La guerre n'est pas de la galanterie mais la chose la plus abjecte de la vie, et il faut le comprendre et ne pas jouer à la guerre. Il faut accepter cette terrible nécessité gravement et sérieusement. Tout est là : rejeter le mensonge, et la guerre est la guerre et non pas un jouet. Sinon, la guerre est la distraction favorite des oisifs et des frivoles... La caste militaire est la plus honorée de toutes. Or qu'est-ce que la guerre, que faut-il pour réussir dans la carrière des armes, quelles sont les mœurs de la caste militaire ? Le but de la guerre est le meurtre, les moyens de la guerre sont l'espionnage, la trahison et son encouragement, la ruine des habitants par le pillage ou le vol pour le ravitaillement de l'armée ; la duperie et le mensonge baptisés du nom de ruses de guerre ; les mœurs de la caste militaire sont la suppression de la liberté, c'est-à-dire la discipline, l'oisiveté, l'ignorance, la cruauté, la débauche, l'ivrognerie. Et en dépit de cela c'est une caste supérieure honorée de tous. Tous les rois, sauf l'empereur de Chine, portent l'uniforme militaire, et celui-là reçoit les plus hautes récompenses qui a tué le plus de gens... On se rencontre, comme ce sera le cas de demain, pour s'entr'assassiner, on massacrera, on estropiera des dizaines de mille hommes, puis on célébrera des services d'action de grâces pour avoir tué beaucoup d'hommes (dont on grossit encore le nombre), et on proclame la victoire en estimant que plus on en a massacré, plus le mérite est grand. Comment Dieu peut-il de là-haut les voir et les écouter ! lança le prince André d'une voix fluette et criarde. Ah ! mon cher, depuis quelque temps la vie m'est à charge. Je vois que je comprends maintenant trop de choses. Or, il ne faut pas que l'homme goûte à l'arbre du bien et du mal… Mais enfin, ce ne sera plus pour longtemps ! ajouta-t-il. Mais tu dors debout et pour moi aussi il est temps de dormir, rentre à Gorki, dit-il soudain.

– Oh ! non, répondit Pierre en le regardant avec des yeux effrayés et pleins de sympathie.

– Pars, pars : à la veille d'une bataille il faut bien dormir », répéta le prince André. Il s'approcha vivement de Pierre, le prit dans ses bras et l'embrassa. « Adieu, va-t'en, cria-t-il. Nous reverrons-nous ou non… » et se détournant vivement, il rentra dans la grange.

Il faisait déjà nuit et Pierre ne put distinguer l'expression de son visage, si elle était méchante ou tendre.

Il resta là quelques instants en silence, se demandant s'il devait le suivre ou repartir. « Non, il n'a pas besoin de moi ! décida-t-il, et je sais que c'est notre dernière rencontre. » Il poussa un profond soupir et regagna Gorki.

Le prince André, rentré dans la grange, s'étendit sur un tapis mais ne put dormir.

Il ferma les yeux. Les images succédaient aux images. Sur l'une d'elles il s'arrêta longuement, avec joie. Il revoyait intensément une soirée à Pétersbourg. Natacha, le visage ému et animé, lui racontait comment, l'été précédent, elle s'était perdue dans une grande forêt en allant cueillir des champignons. Elle lui décrivait à bâtons rompus et la solitude de la forêt, et ses sensations, et sa conversation avec un éleveur d'abeilles qu'elle avait rencontré, s'interrompant à chaque instant pour dire : « Non, je ne peux pas, je ne raconte pas bien ; non, vous ne comprenez pas », quoique le prince André la rassurât en lui disant qu'il comprenait, et en effet il comprenait tout ce qu'elle voulait dire. Natacha était mécontente de son récit, elle sentait qu'elle ne réussirait pas à rendre cette émotion poétique qu'elle avait ressentie ce jour-là et qu'elle voulut exprimer. « Il était si charmant ce vieillard, et il faisait si sombre dans la forêt… et il avait de si bons… non, je ne sais pas raconter », disait-elle, rougissante et émue. Le prince André sourit maintenant du même sourire heureux qu'il avait alors en la regardant dans les yeux. « Je la comprenais, se disait-il. Non seulement je la comprenais, mais c'est cette force de l'âme, cette sincérité, cette âme ouverte, cette âme qui semblait enchaînée par le corps que j'aimais en elle… que j'aimais si fort, avec tant de bonheur… » Et soudain il se souvint comment avait fini son amour. « IL n'avait besoin de rien de tout cela. Il n'en voyait et n'en comprenait rien. Il ne voyait en elle qu'une jolie fille FRAÎCHE à qui il n'a pas daigné lier son sort. Mais moi ?… Et il est toujours vivant et gai. »

Comme si on l'eût brûlé, le prince André sauta sur ses pieds et se remit à faire les cent pas devant la grange.

XXVI

Le 25 août, veille de la bataille de Borodino, M. de Beausset, préfet du palais de l'Empereur de France, et le colonel Fabvier arrivèrent, le premier de Paris, le second de Madrid, au bivouac de Napoléon, à Valouievo.

Ayant endossé son uniforme de cour, M. de Beausset fit porter devant lui un paquet qu'il avait apporté pour l'Empereur et entra dans le premier compartiment de la tente de Napoléon où, tout en causant avec les aides de camp, il se mit en devoir d'ouvrir la caisse.

Fabvier s'arrêta à l'entrée de la tente pour s'entretenir avec des généraux qu'il connaissait.

L'Empereur Napoléon n'était pas encore sorti de sa chambre à coucher où il achevait sa toilette. Il tendait en s'ébrouant et en roucoulant de plaisir tantôt son gros dos, tantôt sa poitrine grasse et velue à la brosse avec laquelle son valet de chambre lui frictionnait tout le corps. Un autre valet de chambre, bouchant du doigt le flacon, aspergeait d'eau de Cologne le corps soigné de l'Empereur, avec un air qui disait que lui seul pouvait savoir en quelle quantité et à quel endroit il fallait en répandre. Les cheveux courts de Napoléon étaient mouillés et emmêlés sur le front. Mais son visage quoique bouffi et jaune, reflétait un bien-être physique : « *Allez ferme, allez toujours* », répétait-il en faisant le gros dos au valet qui le frictionnait. Un aide de camp entré pour rendre compte à l'Empereur du nombre de prisonniers faits dans l'affaire de la veille attendait près de la porte, sa mission remplie, la permission de se retirer. Napoléon lui jeta en grimaçant un regard en dessous.

« *Point de prisonniers*, dit-il en répétant les paroles de l'aide de camp, *ils se font démolir. Tant pis pour l'armée russe. Allez toujours ferme*, reprit-il en arquant le dos et en présentant ses épaules grasses.

« *C'est bien ! Faites entrer M. de Beausset ainsi que Fabvier*, dit-il à l'aide de camp en le congédiant d'un signe de tête.

– *Oui, Sire* », et l'aide de camp disparut.

Les deux valets de chambre habillèrent prestement Sa Majesté qui, en uniforme bleu de la garde, passa d'un pas ferme et rapide dans la pièce de réception.

Beausset à ce moment installait en hâte le cadeau de l'impératrice, qu'il avait apporté sur deux chaises, juste en face de la porte par laquelle l'Empereur devait entrer. Mais celui-ci s'était habillé si vite et était entré si inopinément qu'il n'avait pas encore fini de préparer sa surprise.

Napoléon s'aperçut sur-le-champ de ce qu'il était en train de faire et devina que tout n'était pas encore prêt. Il ne voulut pas le priver du plaisir de lui faire une surprise. Il feignit de ne pas voir M. de Beausset et fit signe à Fabvier d'approcher. Il écouta, les sourcils sévèrement froncés et sans mot dire, ce qu'il lui disait de la bravoure et du dévouement de ses troupes qui s'étaient battues à Salamanque, à l'autre bout de l'Europe, et qui n'avaient qu'une pensée, se montrer dignes de leur empereur, et qu'une peur, ne pas lui donner satisfaction. L'issue de la bataille avait été malheureuse. Napoléon fit des observations ironiques pendant le compte rendu de Fabvier, comme pour laisser entendre qu'il ne s'attendait même pas à ce qu'en son absence les choses pussent se passer autrement.

« Il faut que je répare cela à Moscou », dit-il. « *À tantôt* », ajouta-t-il, et il appela d'un signe Beausset qui, pendant ce temps, avait pu préparer la surprise en installant quelque chose sur des chaises et en le recouvrant d'un voile.

De Beausset fit ce profond salut à la française que seuls savaient faire les vieux serviteurs des Bourbons et s'approcha en tendant une enveloppe.

Napoléon l'accueillit gaiement et lui tira légèrement l'oreille.

« Vous vous êtes dépêché, j'en suis enchanté. Eh bien, que dit-on à Paris, dit-il en remplaçant son expression sévère par la plus gracieuse qui fût.

– *Sire, tout Paris regrette votre absence* », répondit comme il se devait M. de Beausset. Mais bien que Napoléon sût que Beausset devait répondre cela ou quelque chose d'analogue, bien que dans ses moments lucides il sût que ce n'était pas vrai, il lui fut agréable de le lui entendre dire. Il lui fit de nouveau l'honneur d'un pincement d'oreille.

« *Je suis fâché de vous avoir fait faire tant de chemin*, dit-il.

– *Sire ! Je ne m'attendais pas à moins qu'à vous trouver aux portes de Moscou* », dit Beausset.

Napoléon sourit et, levant distraitement la tête, jeta un regard à droite. L'aide de camp s'approcha d'un pas glissant avec une tabatière en or et la lui tendit. Napoléon la prit.

« Oui, c'est une chance pour vous, dit-il en portant la tabatière ouverte à son nez, vous qui aimez voyager, dans trois jours vous verrez Moscou. Vous ne vous attendiez sans doute pas à voir la capitale asiatique. Vous aurez fait un agréable voyage. »

Beausset s'inclina avec reconnaissance envers cette attention pour son goût des voyages qu'il avait ignoré jusque-là.

« Ah ! qu'est-ce là ? » dit Napoléon en voyant que tous les regards de sa suite étaient fixés sur l'objet que recouvrait un voile. Beausset, avec une habileté de courtisan, fit sans tourner le dos deux pas en arrière et en même temps enleva le voile en disant :

« Un cadeau pour Votre Majesté de la part de l'impératrice. »

C'était, peint par Gérard en couleurs vives, le portrait du petit garçon, né de Napoléon et de la fille de l'empereur d'Autriche, que tout le monde appelait, on ne sait pourquoi, le roi de Rome.

Le très joli petit garçon à la tête bouclée, au regard rappelant celui de l'Enfant Jésus de la Madone Sixtine, était représenté jouant au bilboquet. La boule figurait le globe terrestre et le bâtonnet dans l'autre main représentait le sceptre.

Bien que ne fût pas tout à fait clair ce que voulait exprimer au juste l'artiste quand il avait représenté le roi de Rome perçant le globe terrestre de son petit bâtonnet, cette allégorie, de même qu'à tous ceux qui avaient vu le tableau à Paris, sembla paraître claire à Napoléon et lui plut beaucoup.

« *Le roi de Rome*, dit-il en montrant le portrait d'un geste gracieux de la main. *Admirable !* » Avec ce don particulier aux Italiens de changer à volonté l'expression de leur visage, il s'approcha du portrait et prit un air tendre et pensif. Il sentait que ce qu'il allait dire et faire appartiendrait à l'histoire. Et il lui semblait que le mieux qu'il pouvait faire en ce moment, par contraste avec sa grandeur, grâce à laquelle son fils pouvait jouer au bilboquet avec le globe terrestre, était de manifester la tendresse paternelle la plus simple. Ses yeux se voilèrent, il fit un pas, chercha du regard derrière lui une chaise (la chaise vola vers lui) et s'assit en face du portrait. Un geste de sa main, et tout le monde se retira sur la pointe des pieds, laissant le grand homme à lui-même et à ses sentiments.

Il resta un moment ainsi, puis passant machinalement la main sur la rugosité des rehauts, il se leva et rappela

Beausset et l'officier de service. Il fit placer le portrait devant la tente pour ne pas priver la vieille garde du bonheur de voir le roi de Rome, le fils et l'héritier de leur Empereur adoré.

Conformément à ses prévisions, pendant qu'il déjeunait avec M. de Beausset à qui il fit cet honneur, devant la tente retentirent les clameurs enthousiastes des officiers et des soldats de la vieille garde accourus pour voir le portrait.

« *Vive l'Empereur ! Vive le roi de Rome ! Vive l'Empereur !* »

Après le déjeuner, Napoléon, en présence de Beausset, dicta son ordre du jour à l'armée.

« *Courte et énergique !* » dit-il après avoir relu la proclamation écrite d'un trait, sans ratures. Elle portait :

« Soldats ! Voilà la bataille que vous avez tant désirée. Désormais la victoire dépend de vous ; elle nous est nécessaire ; elle nous donnera l'abondance, de bons quartiers d'hiver et un prompt retour dans la patrie ! Conduisez-vous comme à Austerlitz, à Friedland, à Vitebsk et à Smolensk, et que la postérité la plus reculée cite votre conduite dans cette journée. Qu'on dise de vous : il était à la grande bataille sous les murs de Moscou ! »

« *De la Moscowa !* » répéta Napoléon, et invitant M. de Beausset qui aimait les voyages à l'accompagner dans sa promenade, il sortit de la tente et se dirigea vers les chevaux sellés.

« *Votre Majesté a trop de bonté !* » dit Beausset en réponse à l'invitation : il avait sommeil, il ne savait pas monter à cheval et en avait peur.

Mais Napoléon fit un signe de tête au voyageur, et force fut à Beausset de le suivre. Quand Napoléon apparut, les acclamations des soldats de la garde devant le portrait de son fils redoublèrent. Napoléon fronça le sourcil.

« Enlevez-le, dit-il en montrant le portrait d'un geste plein de majesté et de grâce. Il est trop jeune encore pour voir un champ de bataille. »

Beausset, fermant les yeux et inclinant la tête, poussa un profond soupir, montrant par ce geste qu'il savait apprécier et comprendre les paroles de l'Empereur.

XXVII

Napoléon, disent les historiens, passa toute cette journée du 25 août à cheval, examinant le terrain, discutant les plans que lui soumettaient ses maréchaux et donnant personnellement des ordres à ses généraux.

La ligne primitive des Russes, le long de la Kolotcha, était rompue et une partie de cette ligne, c'est-à-dire le flanc gauche, avait été ramenée en arrière, à la suite de la prise de la redoute de Chevardino, le 24. Cette partie de la ligne n'était pas fortifiée, elle n'était plus protégée par la rivière, et c'est devant elle seulement qu'il y avait un terrain découvert et plat. Il était évident pour chacun, militaire ou non, que c'est cette partie de la ligne que devaient attaquer les Français. Point n'était besoin pour cela, semblait-il, de beaucoup de réflexion, point n'était besoin de tant de soins, de tant d'allées et venues de l'Empereur et de ses maréchaux, et encore moins de ce haut don spécial qu'on nomme le génie et qu'on aime tant prêter à Napoléon ; mais les historiens qui, dans la suite, ont raconté cet événement, et les gens qui l'entouraient alors, et Napoléon lui-même pensaient autrement.

Napoléon parcourait le terrain en scrutant les alentours d'un regard profondément méditatif, hochait la tête d'un air approbateur ou méfiant, et sans livrer aux généraux qui l'entouraient les profonds raisonnements qui commandaient ses décisions, ne leur communiquait que ses conclusions définitives sous forme d'ordres. Davout, qu'on appelait le prince d'Eckmühl, ayant proposé de tourner le flanc gauche des Russes, Napoléon lui dit qu'il ne fallait pas le faire, sans expliquer pourquoi. En revanche, le général Compans (qui devait attaquer les flèches) ayant proposé de faire passer sa division par la forêt, Napoléon donna son accord, quoique le prétendu duc d'Elchingen, c'est-à-dire Ney, se fût permis de faire remarquer que le mouvement à travers la forêt était dangereux et pourrait disperser la division.

Après avoir examiné le terrain en face de la redoute de Chevardino, Napoléon réfléchit un bon moment en silence et indiqua les points où devaient être établies pour le lendemain deux batteries destinées à agir contre les défenses russes et ceux, à côté, où devait prendre position l'artillerie de campagne.

Ayant donné ces ordres et d'autres encore, il regagna son quartier général et dicta le dispositif de la bataille.

Ce dispositif dont les historiens français parlent avec enthousiasme et les autres historiens avec un profond respect était ainsi conçu :

« À la pointe du jour, deux nouvelles batteries installées pendant la nuit sur le plateau du prince d'Eckmühl, commenceront leur feu contre les deux batteries ennemies opposées.

« Au même moment, le général Pernety, commandant l'artillerie du premier corps, avec les trente bouches à feu qui seront à la division Compans et tous les obusiers des divisions Dessaix et Friant, qui se porteront en avant, commencera le feu et écrasera d'obus la batterie ennemie, qui aura ainsi contre elle :

24 pièces de la garde,
30 de la division Compans, et
8 des divisions Dessaix et Friant
—
au total 62 bouches à feu.

« Le général Foucher, commandant l'artillerie du 3e corps, se postera avec tous les obusiers du 3e et du 8e corps, qui sont au nombre de seize, autour de la batterie qui bat la redoute de gauche, ce qui fera quarante bouches à feu contre cette batterie.

« Le général Sorbier sera prêt, au premier commandement, à se détacher avec tous les obusiers de la garde, pour se porter sur l'une ou l'autre redoute.

« Pendant cette canonnade, le prince Poniatowski se portera du village vers la forêt et tournera la position de l'ennemi. Le général Compans longera la forêt pour enlever la première redoute.

« Le combat ainsi engagé, les ordres seront donnés selon les dispositions de l'ennemi.

« La canonnade sur le flanc gauche commencera dès qu'on entendra la canonnade de l'aile droite. Une forte fusillade de tirailleurs sera engagée par la division Morand et par les divisions du vice-roi, aussitôt qu'ils verront l'attaque de droite commencée. Le vice-roi s'emparera du village[1], débouchera par ses trois ponts sur la hauteur, dans le temps que les généraux Morand et Gérard déboucheront sous les ordres du vice-roi pour s'emparer de la redoute de l'ennemi et former la ligne de l'armée.

« Le tout se fera avec ordre et méthode et en ayant soin de garder toujours une grande quantité de réserves.

« Au camp, deux lieues en arrière de Mojaïsk, 6 septembre 1812. »

Ce dispositif, rédigé d'une façon fort confuse et embrouillée – si l'on peut se permettre de considérer les ordres de Napoléon sans effroi sacré devant son génie – renfermait quatre points, quatre dispositions. Aucune de ces dispositions ne pouvait être et ne fut exécutée.

Il prescrivait, en premier lieu, QUE LES BATTERIES ÉTABLIES AUX POINTS CHOISIS PAR NAPOLÉON AINSI QUE LES PIÈCES DE PERNETY ET DE FOUCHER QUI DEVAIENT SE JOINDRE À ELLES, EN TOUT CENT DEUX PIÈCES, OUVRIRAIENT LE FEU ET ARROSERAIENT D'OBUS LES FLÈCHES ET LES REDOUTES RUSSES. Cela ne pouvait être fait, car des points désignés par Napoléon les obus ne pouvaient atteindre les ouvrages russes et ces cent

1. Borodino. (Note de l'auteur.)

deux pièces auraient tiré en pure perte jusqu'à ce que le chef le plus proche, à l'encontre des ordres de Napoléon, les eût fait avancer.

La deuxième disposition portait que PONIATOWSKI, EN SE DIRIGEANT VERS LE VILLAGE PAR LA FORÊT, TOURNERAIT L'AILE GAUCHE DES RUSSES. Cela ne pouvait être et ne fut pas exécuté car en se dirigeant vers le village par la forêt, Poniatowski y rencontra Toutchkov qui lui barrait la route et ne put tourner et ne tourna pas la position russe.

Troisième disposition : LE GÉNÉRAL COMPANS LONGERAIT LA FORÊT POUR ENLEVER LA PREMIÈRE DÉFENSE RUSSE. La division Compans n'enleva pas cette première défense mais fut rejetée, car en sortant de la forêt elle dut se reformer sous un feu de mitraille, ce que Napoléon n'avait pas prévu.

Quatrième point : LE VICE-ROI S'EMPARERAIT DU VILLAGE (Borodino) ET DÉBOUCHERAIT PAR SES TROIS PONTS À LA MÊME HAUTEUR QUE LES DIVISIONS MORAND ET FRIANT (dont il n'était pas dit où et quand elles se dirigeaient) QUI MARCHERAIENT SOUS SON COMMANDEMENT POUR S'EMPARER DE LA REDOUTE ET FORMERAIENT LA LIGNE DE L'ARMÉE.

Autant qu'on peut comprendre – sinon d'après cette rédaction confuse, du moins d'après les tentatives faites par le vice-roi pour exécuter les ordres reçus – il devait en traversant Borodino marcher sur la redoute par la gauche, tandis que les divisions Morand et Friant devaient y marcher en même temps de front.

Rien de tout cela, non plus que les autres points du dispositif, ne fut et ne pouvait être exécuté. Après avoir dépassé Borodino, le vice-roi fut rejeté sur la Kolotcha et ne put plus avancer; tandis que les divisions Morand et Friant ne prirent pas la redoute mais furent repoussées, et elle ne fut enlevée que tout à la fin de la bataille par la cavalerie (chose inouïe et que Napoléon n'avait certainement pas prévue). Ainsi donc, aucune des prescriptions du dispositif ne fut et ne pouvait être exécutée. Mais il est dit dans ce dispositif que, la bataille ainsi engagée, des ordres seraient donnés en fonction des mouvements de l'ennemi, aussi pouvait-il sembler que Napoléon prendrait au cours de l'action toutes les dispositions nécessaires : mais il n'en fut rien et cela n'était pas possible car, pendant toute la bataille, Napoléon s'en trouva si éloigné que (comme cela devait se confirmer par la suite) il ne pouvait avoir connaissance de la marche des opérations et aucun de ses ordres donnés pendant le combat ne pouvait être exécuté.

XXVIII

Beaucoup d'historiens disent que la bataille de Borodino ne fut pas gagnée par les Français parce que Napoléon avait un rhume de cerveau, que, s'il n'avait pas eu de rhume, ses dispositions avant et après la bataille eussent été encore plus géniales, la Russie aurait été perdue et *la face du monde eût été changée*. Pour les historiens qui croient que la Russie s'est formée par la volonté d'un seul homme, Pierre le Grand, que la France s'est transformée de république en empire et que les armées françaises sont allées en Russie par la volonté d'un seul homme, Napoléon, le raisonnement selon lequel la Russie est demeurée puissante parce que Napoléon avait un gros rhume, ce raisonnement est pour ces historiens d'une logique inattaquable.

S'il dépendait de la volonté de Napoléon de livrer ou de ne pas livrer la bataille de Borodino, s'il dépendait de sa volonté de prendre telle ou telle autre disposition, il est évident qu'un rhume qui influait sur la manifestation de sa volonté pouvait être la cause du salut de la Russie et que par conséquent le valet de chambre qui avait oublié, le 24, de donner à Napoléon des bottes imperméables fut le sauveur de la Russie. Dans cet ordre de raisonnement, cette conclusion est indiscutable, aussi indiscutable que celle de Voltaire qui disait en plaisantant (sans savoir lui-même ce qu'il raillait) que la Saint-Barthélemy avait eu pour cause une indigestion de Charles IX. Mais pour ceux qui n'admettent pas que la Russie se soit formée par la volonté d'un seul homme, Pierre Ier, que l'empire français ait été constitué et la guerre avec la Russie déclenchée par la volonté d'un seul homme, Napoléon, ce raisonnement apparaît non seulement inexact, illogique, mais encore contraire à toute la nature humaine. À la question de savoir ce qui constitue la cause des événements historiques, une autre réponse se présente, c'est-à-dire que la marche des événements de ce monde est prédéterminée d'En Haut, qu'elle dépend du concours de toutes les volontés des hommes qui y prennent part et que l'influence de Napoléon sur la marche de ces événements n'est qu'extérieure et apparente.

Si étrange qu'il paraisse au premier abord de prétendre que la Saint-Barthélemy qui a été ordonnée par Charles IX n'a pas été le fait de sa volonté, mais qu'il croyait seulement l'avoir ordonnée, et que le massacre à Borodino de quatre-vingt mille hommes n'a pas été le fait de la volonté de Napoléon (bien qu'il ait donné des ordres pour le déclenchement et la marche de la bataille), mais qu'il croyait seulement l'avoir ordonné, si étrange que paraisse cette hypothèse, la dignité humaine qui établit que chacun de nous s'il n'est pas plus un homme, ne l'est pas moins que le grand Napoléon, oblige à admettre cette solution du problème et les recherches historiques la confirment abondamment.

À la bataille de Borodino, Napoléon n'a tiré sur personne et n'a tué personne. Tout cela fut l'œuvre des soldats. En conséquence, ce n'est pas lui qui a tué.

Les soldats de l'armée française ont tué à Borodino des soldats russes, non pas en vertu des ordres de Napoléon mais de leur plein gré. L'armée tout entière, Français, Italiens, Allemands, Polonais, affamés, déguenillés et harassés par les marches, sentaient en face de l'armée qui leur barrait le chemin de Moscou, que *le vin est tiré et qu'il faut le boire*. Si Napoléon leur avait maintenant interdit de se battre contre les Russes, ils l'auraient tué et seraient allés se battre, car ils ne pouvaient faire autrement.

Quand on leur donna lecture de l'ordre de Napoléon qui, pour leurs blessures et la mort, leur offrait, à titre de consolation, les paroles sur la postérité disant d'eux qu'ils étaient à la bataille sous les murs de Moscou, ils crièrent : « *Vive l'Empereur !* » de même qu'ils avaient crié : « *Vive l'Empereur !* » à la vue de l'image du petit garçon perçant le globe terrestre avec un bâtonnet de bilboquet, de même qu'ils auraient crié : « *Vive l'Empereur !* » à n'importe quelle ineptie qu'on leur aurait dite. Il ne leur restait rien d'autre à faire qu'à crier : « *Vive l'Empereur !* » et à aller se battre pour trouver à Moscou la nourriture et le repos des vainqueurs. En conséquence, ce n'est pas en vertu des ordres de Napoléon qu'ils tuaient leurs semblables.

Et ce n'est pas Napoléon qui dirigeait la bataille, car aucun point de son dispositif n'a été exécuté et, pendant la bataille, il ne savait pas ce qui se passait devant lui. En conséquence, le fait que ces hommes se sont entre-tués n'a pas été déterminé par la volonté de Napoléon, mais s'est produit en dehors de lui, par la volonté des centaines de mille hommes qui prenaient part à l'affaire. Napoléon CROYAIT SEULEMENT que tout se faisait par sa volonté. Aussi la question de savoir s'il était ou s'il n'était pas enrhumé n'offre pas plus d'intérêt pour l'histoire que le rhume du dernier des soldats du train.

Le 26 août, le rhume de Napoléon avait d'autant moins d'importance que les historiens qui prétendent que, par suite de ce rhume, son dispositif et les ordres donnés au cours de la bataille furent inférieurs aux précédents se trompent du tout au tout.

Le dispositif que nous avons transcrit plus haut n'était en rien inférieur, il était même supérieur à tous les dispositifs antérieurs grâce auxquels des batailles avaient été gagnées. Les prétendus ordres donnés pendant la bataille n'étaient pas non plus inférieurs, ils étaient exactement ce qu'ils étaient toujours. Mais ce dispositif et ces ordres paraissent inférieurs aux précédents uniquement parce que la bataille de Borodino fut la première que Napoléon ne gagna pas. Les dispositifs et les ordres les plus parfaits et les plus profondément médités paraissent toujours très mauvais, et chaque expert militaire les critique d'un air entendu, quand ils n'ont pas donné la victoire ; et les dispositifs et les ordres les plus mauvais paraissent excellents, et des gens sérieux consacrent des volumes entiers à en prôner les mérites, quand ils ont permis de gagner la bataille.

Le dispositif rédigé par Weirother à Austerlitz était un modèle du genre, mais il n'en a pas moins été condamné, condamné pour sa perfection, pour la minutie des détails.

Napoléon à Borodino a rempli son rôle de représentant du pouvoir aussi bien et même mieux que dans les autres batailles. Il n'a rien fait de nuisible à la marche du combat ; il se rangeait aux avis les plus raisonnables ; il ne compliquait pas les choses, ne se contredisait pas, il n'a pas pris peur et n'a pas fui le champ de bataille, mais, par son grand tact et sa grande expérience de la guerre, a rempli calmement et dignement son rôle apparent de chef.

XXIX

Au retour d'une seconde et soucieuse inspection de la ligne, Napoléon dit :

« Les pièces sont placées sur l'échiquier, la partie commencera demain. »

Après s'être fait servir du punch et avoir fait venir Beausset, il s'entretint avec lui de Paris, de certains changements qu'il avait l'intention d'apporter à *la maison de l'impératrice*, et surprit le préfet par sa mémoire des moindres choses de la cour.

Il s'intéressa à des futilités, plaisanta Beausset sur son amour des voyages et bavarda du ton dégagé d'un chirurgien célèbre, sûr de lui et connaissant son métier, qui retrousse ses manches et enfile sa blouse pendant qu'on attache le malade sur la table d'opération. « L'affaire est toute dans mes mains et dans ma tête, bien claire et nette. Quand il faudra se mettre à la besogne, je m'en acquitterai comme personne, mais en attendant je peux plaisanter, et plus je plaisante, plus je suis calme, plus vous devez être confiants, calmes et saisis d'admiration devant mon génie. »

Quand il eut fini son deuxième verre de punch, Napoléon alla prendre du repos avant la grave affaire qui, croyait-il, l'attendait le lendemain.

Cette affaire l'intéressait tant qu'il ne put dormir et, malgré son rhume aggravé par l'humidité du soir, à trois heures du matin il revint en se mouchant bruyamment dans le grand compartiment de sa tente. Il demanda si les Russes n'étaient pas partis. On lui répondit que les feux de l'ennemi étaient toujours aux mêmes endroits. Il fit un signe approbateur de la tête.

L'aide de camp de service entra dans la tente.

« *Eh bien, Rapp, croyez-vous que nous ferons de bonnes affaires aujourd'hui ?* lui demanda-t-il.

– *Sans aucun doute, Sire* », répondit Rapp.

Napoléon le regarda.

« *Vous rappelez-vous, Sire, ce que vous m'avez fait l'honneur de me dire à Smolensk*, poursuivit Rapp, *le vin est tiré, il faut boire.* »

Napoléon fronça le sourcil et resta longtemps silencieux, la tête appuyée sur sa main.

« *Cette pauvre armée*, dit-il soudain, *elle a bien diminué depuis Smolensk. La fortune est une franche courtisane, Rapp ; je le disais toujours et je commence à l'éprouver. Mais la garde, Rapp, la garde est intacte ?* ajouta-t-il d'un ton interrogateur.

– *Oui, Sire* », répondit Rapp.

Napoléon prit une pastille, la mit dans sa bouche et consulta sa montre. Il n'avait pas sommeil, le matin était encore loin ; or, pour tuer le temps, il n'y avait plus de dispositions à prendre puisque tous les ordres étaient déjà donnés et en voie d'exécution.

« *A-t-on distribué les biscuits et le riz aux régiments de la garde ?* demanda-t-il sévèrement.

– *Oui, Sire.*

– *Mais le riz ?* »

Rapp répondit qu'il avait transmis les ordres de l'Empereur au sujet du riz, mais Napoléon hocha la tête d'un air mécontent comme s'il doutait que son ordre eût été exécuté. Un valet apporta du punch. Napoléon fit servir un autre verre à Rapp et en silence but le sien à petites gorgées.

« Je n'ai plus ni goût ni odorat, dit-il en humant son verre. Ce rhume m'excède. On parle de la médecine. Qu'est-ce que c'est que cette médecine quand on ne peut pas guérir un rhume ? Corvisart m'a donné ces pastilles, mais elles n'ont aucun effet. Que peuvent-ils guérir ? On ne peut pas guérir. *Notre corps est une machine à vivre. Il est organisé pour cela, c'est de nature ; laissez la vie à son aise, qu'elle s'y défende d'elle-même ; elle fera plus que si vous la paralysez en l'encombrant de remèdes. Notre corps est comme une montre parfaite qui doit aller un certain temps ; l'horloger n'a pas la faculté de l'ouvrir, il ne peut la manier qu'à tâtons et les yeux bandés. Notre corps est une machine à vivre, voilà tout.* » Et comme s'il était lancé sur la voie des *définitions* qu'il aimait, il en fit à l'improviste une nouvelle : « Savez-vous, Rapp, ce qu'est l'art de la guerre ? demanda-t-il. C'est d'être à un moment donné plus fort que l'ennemi. *Voilà tout.*

« *Demain nous allons avoir affaire à Koutouzov ?* dit Napoléon. Nous verrons bien ! Vous vous souvenez, à Braunau, il commandait l'armée et pas une seule fois en trois semaines il n'est monté à cheval pour inspecter les défenses. Nous verrons bien ! »

Il consulta sa montre. Il n'était encore que quatre heures. Il n'avait pas sommeil, le punch était bu et il n'y avait toujours rien à faire. Il se leva, fit quelques pas, mit sa redingote et son chapeau et sortit de la tente. La nuit était sombre et humide ; une brume à peine perceptible tombait. Les feux de camp de la garde brûlaient faiblement tout près et, au loin, à travers la fumée, d'autres brillaient le long de la ligne russe. Tout était calme et on entendait distinctement le bruit sourd de pas des troupes françaises déjà en marche pour occuper leurs positions.

Napoléon fit quelques pas, regarda les feux, prêta l'oreille au piétinement et en passant devant un grenadier de la garde en bonnet à poil, en faction devant sa tente et qui se raidit comme un pilier noir à l'apparition de l'Empereur, il s'arrêta devant lui.

« Combien d'années de service ? » demanda-t-il avec cette rudesse militaire et cordiale qu'il affectait toujours en s'adressant aux soldats. Le grenadier lui répondit. « *Ah ! un des vieux !* Avez-vous reçu le riz au régiment ?

– Oui, Sire. »

Napoléon lui fit un signe de tête et s'éloigna.

À cinq heures et demie, Napoléon se dirigea à cheval vers le village de Chevardino.

L'aube pointait, le ciel s'était éclairci, un seul nuage restait encore à l'orient. Les feux de camp abandonnés achevaient de se consumer à la faible lueur du matin.

Sur la droite retentit un coup de canon plein et solitaire qui se propagea et mourut dans le silence général. Quelques instants s'écoulèrent. Un deuxième, puis un troisième coup retentirent, ébranlant l'air ; un quatrième, un cinquième partirent, proches et solennels, quelque part sur la droite.

Les premières détonations n'avaient pas fini de résonner que d'autres leur succédèrent, encore et encore, se confondant et se mêlant.

Napoléon arriva avec sa suite à la redoute de Chevardino et mit pied à terre. La partie était engagée.

XXX

Quand il fut rentré à Gorki après avoir quitté le prince André, Pierre ordonna à son écuyer de préparer les chevaux et de le réveiller de bonne heure le lendemain matin, puis s'endormit aussitôt dans le petit coin que lui avait cédé Boris.

Lorsqu'il se réveilla le lendemain, il n'y avait plus personne dans l'isba. Les vitres des petites fenêtres tremblaient. Son écuyer le secouait.

« Votre Excellence, Votre Excellence, Votre Excellence… répétait-il obstinément en le tirant par l'épaule sans le regarder, désespérant visiblement de le réveiller.

– Quoi ? C'est commencé ? Il est l'heure ? dit Pierre en se réveillant.

– Votre Excellence entend la canonnade, dit l'écuyer, un ancien soldat, tous ces messieurs sont déjà partis, le Sérénissime lui-même est passé depuis longtemps. »

Pierre s'habilla en hâte et sortit sur le perron. La matinée était claire et gaie, humide de rosée. Le soleil, déchirant le nuage qui le cachait, inonda de ses rayons encore à moitié interceptés les toits de l'autre côté de la rue, la poussière de la route couverte de rosée, les murs des maisons, les ouvertures de la palissade et ses chevaux qui stationnaient près de l'isba. Le grondement du canon était plus distinct dehors. Un aide de camp suivi d'un cosaque passa au trot dans la rue.

« Il est temps, comte, il est temps ! » cria-t-il.

Pierre se fit suivre par son cheval et s'engagea dans la rue en direction du mamelon d'où, la veille, il avait contemplé le champ de bataille. Il y avait là une foule de militaires, on entendait les officiers d'état-major parler français et l'on apercevait la tête chenue de Koutouzov coiffée de sa casquette blanche à bande rouge et sa nuque engoncée dans les épaules. Il regardait à la lunette d'approche devant lui, en direction de la grande route.

Ayant gravi les marches qui donnaient accès au mamelon, Pierre regarda et fut saisi d'admiration devant la beauté du spectacle qui s'offrait à ses yeux. C'était le même panorama qu'il avait admiré de là la veille, mais maintenant tout ce paysage était couvert de troupes et de fumées des détonations, et les rayons obliques du soleil éclatant qui se levait derrière lui et un peu à gauchc répandaient dans l'air pur du matin une éclatante lumière dorée et rose, rayée de longues ombres noires. Les forêts lointaines qui limitaient le panorama, comme taillées dans quelque pierre précieuse d'un vert jaunâtre, profilaient à l'horizon la ligne sinueuse de leurs cimes, coupée, au-delà de Valouievo, par la grande route de Smolensk toute couverte de troupes. Plus près étincelaient des champs dorés et des taillis. Partout, en avant, à droite, à gauche, on voyait des troupes. Tout cela était plein d'animation, de majesté et d'imprévu ; mais ce qui frappa le plus Pierre, ce fut l'aspect du champ de bataille proprement dit, de Borodino au vallon au-dessus de la Kolotcha, des deux côtés.

Au-dessus de la Kolotcha, à Borodino et de part et d'autre, surtout sur la gauche, là où entre des rives marécageuses, la Voïna se jette dans la Kolotcha, s'étendait un de ces brouillards qui fondent, s'étalent et s'irisent à l'apparition d'un soleil éclatant, donnant des couleurs et des contours magiques à tout ce qu'ils laissent transparaître. À ce brouillard se mêlait la fumée des détonations et, dans ce brouillard et cette fumée, miroitait partout la lumière matinale, tantôt sur l'eau, tantôt sur la rosée, tantôt sur les baïonnettes des soldats qui se pressaient sur les rives et à Borodino. À travers ce voile, on apercevait l'église blanche, ici les toits de Borodino, là des masses compactes de soldats, ailleurs des caissons verts, des canons. Et tout cela bougeait ou semblait bouger, car le brouillard et la fumée enveloppaient tout cet espace. Tant dans les bas-fonds près de Borodino que plus haut et surtout vers la gauche, le long de toute la ligne, sur les forêts, les champs, dans les creux, sur les hauteurs, naissaient sans cesse, spontanément, des flots de fumée des canons, tantôt isolés, tantôt groupés, tantôt espacés, tantôt rapprochés, qui, se gonflant, grossissant, tourbillonnant, s'entremêlant, s'élevaient au-dessus de tout cet espace.

Ces fumées et, chose étrange à dire, les détonations qui les accompagnaient constituaient la principale beauté du spectacle.

« Pouf ! » soudain apparaissait une fumée ronde, compacte, chatoyante de mauve, de gris et d'un blanc laiteux, et « boum ! » c'était, une seconde après, le son qu'annonçait cette fumée.

« Pouff-pouff. » Deux fumées montaient, se bousculant et se confondant ; et « boum-boum », les bruits venaient confirmer ce que voyaient les yeux.

Pierre se retourna vers la première fumée qu'il avait laissée arrondie et compacte comme une balle, et déjà à sa place c'étaient des ronds qui s'étiraient de côté, et pouff... puis, après un intervalle pouff-pouff, et trois autres, quatre autres naissaient encore, et à chacune répondaient, avec les mêmes intervalles, de beaux sons pleins : boum... boum-boum-boum. On eût dit tantôt que ces fumées couraient, tantôt qu'elles restaient immobiles et que c'étaient les forêts, les champs et les baïonnettes brillantes qui défilaient devant elles. Sur la gauche, le long des champs et des buissons, naissaient sans cesse ces grosses fumées suivies de leurs échos solennels et, plus près encore, dans les bas-fonds et les forêts, jaillissaient les petites fumées des fusils qui n'avaient pas le temps de s'arrondir et qui de même produisaient leurs petits échos. Tra-ta-ta-ta, crépitait la fusillade, nourrie mais irrégulière et pauvre en comparaison des coups de canon.

Pierre eut envie d'être au milieu de ces fumées, de ces baïonnettes étincelantes, de ce mouvement, de ces bruits. Il jeta un regard vers Koutouzov et sa suite pour vérifier ses impressions par celles des autres. Tous, exactement comme lui, et, lui semblait-il, avec le même sentiment, contemplaient le champ de bataille devant eux. Sur tous les visages rayonnait maintenant cette *chaleur latente* du sentiment qu'il avait remarquée la veille et pleinement comprise après sa conversation avec le prince André.

« Va, mon cher, va, que Dieu te protège », dit Koutouzov, sans quitter des yeux le champ de bataille, à un général qui se tenait auprès de lui.

L'ordre reçu, le général passa devant Pierre pour descendre du mamelon.

« Au passage de la rivière ! » dit-il froidement et sévèrement en réponse à la question d'un officier d'état-major qui lui demandait où il allait.

« Moi aussi, moi aussi », se dit Pierre qui le suivit.

Le général enfourchait le cheval que lui avait amené un cosaque. Pierre s'approcha de son écuyer qui tenait ses chevaux. Il lui demanda lequel était le plus paisible, se mit en selle, empoigna la crinière, pressa des talons le ventre de sa monture et, sentant qu'il perdait ses lunettes et qu'il était incapable de lâcher la crinière et les rênes, galopa à la suite du général, provoquant des sourires parmi les officiers d'état-major qui le regardaient du haut du mamelon.

XXXI

Le général que suivait Pierre, après avoir descendu la pente, tourna brusquement à gauche et Pierre le perdant de vue fut entraîné au galop dans les rangs des fantassins en marche devant lui. Il tenta de se dégager soit en avant, soit à gauche, soit à droite ; mais partout il y avait des soldats aux visages uniformément soucieux, occupés à quelque besogne invisible mais certainement importante. Tous regardaient du même air mécontent et interrogateur ce gros homme à chapeau blanc qui, Dieu sait pourquoi, les piétinait avec son cheval.

« Qu'est-ce qu'il fait au milieu du bataillon ! » cria l'un d'eux. Un autre poussa de la crosse de son fusil le cheval de Pierre qui fit un écart et Pierre, cramponné à l'arçon et ayant peine à retenir sa monture, fut emporté en avant où le chemin était libre.

Devant lui, il y avait un pont et, près du pont, d'autres soldats qui tiraient. Pierre se dirigea vers eux. Sans le savoir, il était parvenu au pont de la Kolotcha situé entre Gorki et Borodino et que les Français attaquèrent dans la première phase de la bataille (après avoir occupé Borodino). Pierre voyait qu'il y avait un pont devant lui et que, des deux côtés du pont et dans la prairie, parmi ces rangées de foin coupé qu'il avait remarquées la veille, des soldats faisaient quelque chose dans la fumée ; mais, en dépit de la fusillade incessante en cet endroit, il ne se doutait nullement que là était justement le champ de bataille. Il n'entendait pas les balles qui sifflaient de tous côtés autour de lui, ni les obus qui passaient au-dessus de sa tête, il ne voyait pas l'ennemi sur l'autre rive et il fut longtemps sans voir les morts et les blessés qui pourtant tombaient nombreux autour de lui. Avec un sourire qui ne quittait pas ses lèvres, il promenait le regard à la ronde.

« Qu'est-ce qu'il fait devant les lignes, celui-là ? cria de nouveau quelqu'un.

– Prends à gauche, à droite », lui criait-on.

Pierre prit à gauche et tomba à l'improviste sur un aide de camp du général Raievski qu'il connaissait. L'aide de camp lui jeta un regard courroucé et fut sans doute sur le point de l'apostropher à son tour, quand il le reconnut et lui fit un signe de tête.

« Comment êtes-vous ici ? » dit-il, et il poursuivit son chemin au galop.

Pierre, se sentant importun et inutile, craignant de gêner de nouveau quelqu'un, le suivit.

« Qu'est-ce donc qui se passe ici ? Puis-je venir avec vous ? demanda-t-il.

– Tout de suite, tout de suite », répondit l'aide de camp qui dirigea son cheval à toute allure vers un gros colonel debout au milieu de la prairie, lui transmit un ordre et alors seulement revint à Pierre.

« Que venez-vous faire ici, comte ? lui demanda-t-il en souriant. Toujours curieux ?

– Oui, oui », répondit Pierre. Mais l'aide de camp tournait déjà bride et repartait.

« Ici ça va, Dieu merci, dit-il, mais au flanc gauche chez Bagration ça chauffe terriblement.

– Vraiment ? dit Pierre. Où est-ce donc ?

– Venez avec moi sur le mamelon, on voit bien de chez nous. Chez nous, à la batterie, c'est encore supportable, dit l'aide de camp. Alors, vous venez ?

– Oui, je vous suis », dit Pierre en cherchant des yeux son écuyer. C'est alors seulement qu'il remarqua pour la première fois les blessés qui se traînaient à pied ou qu'on portait sur des civières. Dans la prairie qu'il avait traversée la veille, en travers des rangées de foin odorant, un soldat dont le shako avait roulé à terre gisait, immobile, la tête étrangement tournée de côté. « Et celui-là pourquoi ne l'a-t-on pas relevé ? » commença Pierre mais, à la vue du visage sévère de l'aide de camp qui jetait un coup d'œil du même côté, il se tut.

Pierre ne trouva pas son écuyer et, en compagnie de l'aide de camp, se dirigea par le bas vers le mamelon de Raievski. Son cheval avait peine à suivre l'aide de camp et le secouait en cadence.

« Je crois que vous n'avez pas l'habitude de monter à cheval, comte ? demanda l'aide de camp.

– Non, ça va, mais je ne sais pourquoi, il sautille beaucoup, dit Pierre perplexe.

– Eh !… mais il est blessé, dit l'aide de camp, à l'antérieur droit, au-dessus du genou. Une balle sans doute. Félicitations, comte, c'est *le baptême du feu.* »

Après avoir dépassé dans la fumée le sixième corps, derrière l'artillerie placée en avant et dont le tir était assourdissant, ils arrivèrent à un petit bois. Sous bois il faisait frais, silencieux et cela sentait l'automne. Ils descendirent de cheval pour gravir la côte à pied.

« Le général est ici ? demanda l'aide de camp en approchant du mamelon.

– Il était là il y a un instant, il vient de partir par là », lui répondit-on en montrant la droite.

L'aide de camp jeta un regard vers Pierre comme s'il se demandait ce qu'il devait faire de lui.

« Ne vous inquiétez pas, dit Pierre. Je vais monter sur le mamelon, je peux ?

– Oui, allez-y, on y voit tout et c'est moins dangereux. Je reviendrai vous chercher. »

Pierre se dirigea vers la batterie et l'aide de camp poursuivit son chemin. Ils ne devaient plus se revoir et, bien plus tard seulement, Pierre apprit que cet aide de camp avait eu un bras emporté ce jour-là.

Le mamelon sur lequel était monté Pierre était ce point célèbre (connu dans la suite, chez les Russes, sous le nom de batterie du mamelon ou batterie de Raievski et, chez les Français, sous celui de *la grande redoute, la fatale redoute, la redoute du centre*) autour duquel tombèrent des dizaines de milliers d'hommes et que les Français considéraient comme la clef de la position.

Cette redoute consistait en un mamelon autour duquel, sur trois côtés, avaient été creusées des tranchées. Dans l'emplacement bordé par ces tranchées, dix canons tiraient par les embrasures du parapet.

En ligne, des deux côtés du mamelon, d'autres canons ne cessaient de tirer. Un peu en arrière étaient postées des troupes d'infanterie. En gravissant ce mamelon, Pierre ne se doutait nullement que cet emplacement bordé de petites tranchées d'où tiraient quelques canons était le point le plus important de la bataille.

Il lui semblait au contraire (précisément parce qu'il s'y trouvait) que c'était une des positions les plus insignifiantes.

Une fois en haut, Pierre s'assit au bout de la tranchée qui entourait la batterie et avec un sourire inconscient et heureux regarda ce qui se passait autour de lui. De temps à autre, il se levait sans perdre son sourire et, tout en s'efforçant de ne pas gêner les soldats qui passaient sans cesse en courant devant lui avec des sacs et des gargousses, se promenait dans la batterie. Les canons ne cessaient de tirer l'un après l'autre dans un fracas assourdissant, les alentours étaient enveloppés de fumée.

À l'encontre de l'angoisse qu'on sentait chez les fantassins des troupes de couverture, ici, à la batterie, où un petit nombre d'hommes occupés à leur besogne étaient séparés, isolés des autres par une tranchée, on sentait chez tous une animation identique et unanime, comme familiale.

L'apparition de Pierre, si peu militaire avec son chapeau blanc, avait tout d'abord causé à ces hommes une désagréable surprise. En passant devant lui, les soldats coulaient de son côté un regard étonné et même effrayé. Le commandant de la batterie, un grand homme grêlé aux longues jambes, s'approcha de lui comme pour vérifier le fonctionnement de la pièce du bout et le regarda curieusement.

Un tout jeune officier au visage rond, un vrai enfant encore, frais émoulu sans doute du Corps des cadets, tout en commandant avec beaucoup de zèle les deux canons qui lui étaient confiés, s'adressa sévèrement à Pierre :

« Monsieur, permettez-moi de vous demander de laisser le passage libre, lui dit-il, on ne peut rester ici. »

Les artilleurs hochaient la tête d'un air désapprobateur en regardant Pierre. Mais lorsque tous se furent convaincus que cet homme au chapeau blanc ne faisait rien de mal, mais restait tranquillement assis sur le talus ou se promenait avec un sourire timide dans la batterie en s'écartant poliment sur leur passage, aussi calme sous le feu que sur un boulevard, le sentiment de perplexité hostile à son égard céda peu à peu la place à une sympathie cordiale et amusée, semblable à celle que les soldats éprouvent pour les animaux : les chiens, les coqs, les chèvres et autres, qui les suivent. Ils l'accueillirent aussitôt tacitement dans leur famille, l'adoptèrent, lui donnèrent un sobriquet : « notre monsieur », et ils plaisantaient gentiment entre eux à son sujet.

Un boulet vint labourer le sol à deux pas de Pierre. Tout en nettoyant la terre projetée sur ses vêtements, il regarda autour de lui en souriant.

« Comment ça se fait que vous n'ayez pas peur, monsieur, vraiment ! lui dit un soldat trapu à la trogne rouge en découvrant dans un sourire de solides dents blanches.

– Et toi, est-ce que tu as peur ? demanda Pierre.

– Mais comment donc ? répondit l'autre. C'est que ça pardonne pas. Quand ça tombe, ça vous met tout de suite les boyaux à l'air. On peut pas ne pas avoir peur », conclut-il en riant.

Quelques soldats, le visage gai et cordial, s'arrêtèrent près de Pierre. On eût dit qu'ils ne s'attendaient pas à ce qu'il parlât comme tout le monde et cette découverte les réjouissait.

« Nous, on est des soldats. Mais un monsieur, c'est étonnant. En voilà un monsieur !

– À vos pièces ! » cria le jeune officier aux artilleurs attroupés autour de Pierre. Ce petit officier remplissait certainement ses fonctions pour la première fois, aussi parlait-il d'un ton particulièrement précis et officiel à ses subordonnés et à son chef.

Le feu roulant des canons et des fusils s'intensifiait sur toute l'étendue du champ de bataille, en particulier à gauche, là où étaient les flèches de Bagration, mais de l'endroit où se trouvait Pierre la fumée empêchait de presque rien voir. Au surplus, cette sorte de petit cercle de famille (isolé de tous les autres) que formaient les hommes de la batterie absorbait toute son attention. À l'exaltation première, inconsciemment joyeuse, qu'avaient provoquée en lui le spectacle et le bruit de la bataille succédait maintenant un autre sentiment, surtout depuis qu'il avait vu ce soldat gisant solitaire dans la prairie. Assis sur le talus, il observait les visages qui l'entouraient.

Vers dix heures, on avait déjà emporté de la batterie une vingtaine d'hommes ; deux pièces avaient été démolies, les projectiles tombaient de plus en plus souvent et les balles perdues bourdonnaient et sifflaient toujours plus nombreuses. Mais les hommes de la batterie semblaient ne pas le remarquer ; de tous côtés s'élevaient de joyeux propos et des plaisanteries.

« La v'là ! criait un soldat à une grenade qui approchait en sifflant. Pas par ici ! Chez les fantassins ! ajoutait dans un éclat de rire un autre en la voyant passer par-dessus et tomber dans les rangs des troupes de couverture.

– C'est-y une connaissance ? » disait en riant un troisième à un milicien qui se baissait au passage du projectile.

Quelques soldats s'étaient rassemblés autour du parapet pour voir ce qui se passait devant eux.

« On a ramené les lignes, tu vois, ils ont reculé, disaient-ils en montrant quelque chose par-dessus le parapet.

– Occupez-vous donc de vos oignons, leur cria un vieux sous-officier. S'ils ont reculé c'est qu'ils ont affaire en arrière. » Et prenant un des soldats par l'épaule, il lui allongea un coup de genou. Des rires s'élevèrent.

« Ramenez la cinquième pièce ! criait-on d'un côté.

– Ho, hisse, tous ensemble, comme les haleurs, criaient gaiement ceux qui remettaient le canon en place.

– Aïe, ça a failli emporter le chapeau de notre monsieur, dit le plaisantin à la trogne rouge en montrant ses dents. Hé, tordu ! ajouta-t-il avec réprobation à l'adresse du boulet qui emportait une roue et la jambe d'un homme. Eh, vous autres renards ! plaisanta un autre à l'intention des miliciens qui montaient à la batterie en se courbant pour enlever le blessé. C'est-y que le gruau est pas bon ? Ah ! les corbeaux, ils font la petite bouche, criait-on aux miliciens qui hésitaient devant le soldat à la jambe arrachée. Et comment, et pourquoi, les gars ! disait-on en les contrefaisant. Ils aiment pas ça ! »

Pierre remarquait qu'après la chute de chaque obus, après chaque perte, l'animation redoublait.

Comme les éclairs jaillissant d'une nuée d'orage, de plus en plus fréquents, de plus en plus vifs, une flamme secrète s'étendait (comme pour faire contrepoids à ce qui se passait) sur les visages de tous ces hommes.

Pierre ne regardait pas le champ de bataille devant lui et ne s'intéressait pas à ce qui s'y passait : il était entièrement absorbé par la contemplation de cette flamme qui s'étendait de plus en plus et qui (il le sentait) s'embrasait dans son âme aussi.

À six heures, les fantassins postés en avant de la batterie, dans les buissons et le long de la Kamenka, battirent en retraite. De la batterie, on les vit refluer en courant, emportant leurs blessés sur des fusils. Un général avec sa suite gravit le mamelon et, après avoir échangé quelques mots avec le colonel, jeta un regard courroucé à Pierre et redescendit en donnant l'ordre aux troupes de couverture massées derrière la batterie de se mettre à plat ventre pour être moins exposées au feu. Après quoi le tambour retentit dans les rangs des fantassins, sur la droite de la batterie, on entendit des commandements et on vit l'infanterie se porter en avant.

Pierre regardait par-dessus le parapet. Un visage attira particulièrement son attention. C'était un officier qui, tout jeune et pâle, marchait à reculons, son épée abaissée, et promenait autour de lui un regard effrayé.

La colonne des fantassins disparut dans la fumée, on entendit leur cri prolongé et une fusillade nourrie. Au bout de quelques instants, on vit revenir une foule de blessés et des civières. Des obus tombaient encore plus dru sur la batterie. Quelques hommes gisaient là sans qu'on les relevât. Autour des canons, les servants s'empressaient et redoublaient d'activité. Personne ne faisait plus attention à Pierre. Une ou deux fois, on lui cria même avec irritation qu'il était sur le chemin. Le commandant de la batterie, les sourcils froncés, allait à grands pas rapides d'une pièce à l'autre. Le jeune officier, le teint de plus en plus animé, commandait les soldats avec encore plus de zèle. Les soldats passaient les charges, se retournaient, chargeaient et s'acquittaient de leur besogne avec une crânerie tendue. En marchant ils sautillaient comme sur des ressorts.

La nuée d'orage était sur eux, et sur tous les visages brillait claire la flamme dont Pierre observait les progrès.

Il se tenait près du commandant. Le jeune officier, la main à son shako, accourut auprès de son supérieur.

« J'ai l'honneur de vous prévenir, colonel, que nous n'avons plus que huit charges, faut-il continuer le feu ? demanda-t-il.

– À mitraille ! » cria sans répondre le colonel qui regardait par-dessus le parapet.

Soudain quelque chose se passa ; le petit officier poussa une exclamation et, s'affaissant, s'assit par terre comme un oiseau atteint en plein vol. Tout devint étrange, confus et sombre aux yeux de Pierre.

L'un après l'autre, les obus sifflaient et criblaient le parapet, les artilleurs, les canons. Pierre qui jusqu'alors n'entendait pas ces bruits n'en entendait plus maintenant aucun autre. Sur la droite de la batterie, des soldats couraient aux cris de « hourra ! » non pas en avant, mais en arrière, lui sembla-t-il.

Un boulet frappa le rebord même du parapet près duquel il se tenait, une boule noire passa devant ses yeux et au même instant il y eut un bruit de chute. Les miliciens qui entraient dans la batterie s'enfuirent.

« Toutes les pièces à mitraille ! » cria le colonel.

Un sous-officier accourut vers lui et dans un chuchotement effrayé (comme un maître d'hôtel qui, pendant le repas, annonce à son maître qu'il ne reste plus de vin demandé) annonça qu'il n'y avait plus de munitions.

« Les bandits, que font-ils donc ! » cria l'officier en se tournant vers Pierre. Son visage était rouge et couvert de sueur, ses yeux brillaient sous les sourcils froncés. « Cours aux réserves, amène les caissons ! cria-t-il à un artilleur en enveloppant Pierre d'un regard courroucé.

– J'y vais », dit Pierre. Le colonel, sans lui répondre, s'éloigna à grands pas.

« Ne tirez pas… Attendez ! » cria-t-il.

L'artilleur qui avait reçu l'ordre d'aller chercher des munitions se heurta à Pierre.

« Eh, monsieur, ce n'est pas ta place ici », lui dit-il en dévalant la pente.

Pierre le suivit au pas de course en contournant l'endroit où était tombé le jeune officier.

Un boulet, un autre, un troisième passèrent au-dessus de sa tête, tombant en avant, des deux côtés, en arrière. Pierre dégringola la pente. « Où vais-je ? » se demanda-t-il soudain comme il arrivait aux caissons verts. Il s'arrêta indécis ne sachant s'il devait avancer ou revenir sur ses pas. Soudain, un terrible choc le rejeta en arrière, à terre. Une grande flamme l'éblouit et au même instant un fracas de tonnerre, un craquement et un sifflement l'assourdirent et firent bourdonner ses oreilles.

Pierre, revenu à lui, était assis sur son séant, s'appuyant des deux mains par terre ; le caisson auprès duquel il se trouvait n'était plus là ; quelques planches vertes calcinées et des chiffons jonchaient seulement çà et là l'herbe roussie, et un cheval traînant des débris de brancard passa devant lui au galop, tandis qu'un autre était étendu par terre comme Pierre lui-même et poussait une longue plainte perçante.

XXXII

Pierre, absolument terrifié, sauta sur ses pieds et courut vers la batterie comme vers l'unique refuge contre toutes les horreurs qui l'entouraient.

Comme il s'engageait dans la tranchée, il s'aperçut que la batterie ne tirait plus mais que des hommes y faisaient quelque chose. Il n'eut pas le temps de se rendre compte de ce qu'étaient ces gens. Il vit le colonel qui, lui tournant le dos, était étendu sur le parapet comme s'il examinait quelque chose en bas, il aperçut aussi un soldat qu'il avait remarqué auparavant et qui, se débattant parmi des gens qui le tenaient par les bras, criait : « À moi, les gars ! », il vit encore quelque chose d'étrange.

Mais il n'avait pas encore eu le temps de comprendre que le colonel était tué, que le soldat qui criait « À moi, les gars ! » était prisonnier, que déjà sous ses yeux un autre soldat était transpercé d'un coup de baïonnette dans le dos. À peine s'était-il élancé dans la tranchée qu'un homme maigre en uniforme bleu, au visage jaune et tout en sueur, l'épée à la main, fonçait sur lui en criant quelque chose. Pierre, pour éviter instinctivement le choc car sans se voir ils arrivaient l'un sur l'autre, étendit les bras et saisit cet homme (c'était un officier français) d'une main à l'épaule, de l'autre à la gorge. L'officier, lâchant son épée, l'empoigna en même temps au collet.

Quelques instants tous deux regardèrent avec des yeux effrayés leurs visages étrangers l'un à l'autre, et tous deux se demandaient ce qu'ils avaient fait et ce qu'ils devaient faire. « Est-ce moi qui suis prisonnier ou est-ce lui ? » se demandait chacun des deux. Mais apparemment l'officier français penchait plutôt vers la supposition que c'était lui le prisonnier, car la main vigoureuse de Pierre, mue par sa peur instinctive, lui serrait de plus en plus la gorge. Le Français voulut dire quelque chose quand tout à coup, juste au-dessus d'eux, un boulet passa dans un sifflement sinistre et Pierre eut l'impression que la tête de l'officier français était emportée, tant il l'avait courbée rapidement.

Pierre pencha lui aussi la tête et lâcha prise. Sans plus se demander lequel des deux était le prisonnier de l'autre, le Français s'enfuit vers la batterie, tandis que Pierre dévalait la pente, trébuchant sur les morts et les blessés qui, lui semblait-il, s'accrochaient à ses jambes. Mais il n'était pas encore arrivé en bas que, venant à sa rencontre, surgirent des masses compactes de soldats russes qui, tombant, trébuchant et criant, s'élançaient gaiement et impétueusement vers la batterie. (C'était cette attaque dont Ermolov devait s'attribuer le mérite, disant que seules sa bravoure et sa chance avaient rendu ce fait d'armes possible, attaque au cours de laquelle il prétendit avoir jeté à pleines mains sur le mamelon les croix de Saint-Georges qui remplissaient ses poches.)

Les Français qui avaient occupé la batterie prirent la fuite. Nos troupes les poursuivirent si loin en criant « hourra » qu'on eut de la peine à les arrêter.

On emmena des prisonniers de la batterie, et parmi eux un général français blessé que nos officiers entourèrent. Une foule de blessés, des Russes et des Français, connus ou inconnus de Pierre, défigurés par la souffrance, se traînaient ou étaient emportés sur des civières. Pierre remonta sur le mamelon où il avait passé plus d'une heure, et de ce petit cercle de famille qui l'avait accueilli dans son sein il ne retrouva personne. Il y avait là beaucoup de morts qu'il ne connaissait pas. Mais il en reconnut quelques-uns. Le jeune officier était toujours assis replié sur lui-même, au bord du parapet, dans une mare de sang. Le soldat à la trogne rouge remuait encore convulsivement, mais on ne l'emportait pas.

Pierre redescendit en courant.

« Maintenant ils vont cesser, maintenant ils vont être horrifiés de ce qu'ils ont fait ! » se disait-il en suivant sans but la foule des brancardiers qui revenaient du champ de bataille.

Mais le soleil voilé par la fumée était encore haut dans le ciel, et en avant et surtout à gauche, du côté de Semenovskoïe, quelque chose bouillonnait dans la fumée et le fracas des détonations, la fusillade et la canonnade, loin de faiblir, s'exaspéraient encore, comme un homme qui, à bout de souffle, crie de ses dernières forces.

XXXIII

L'action principale de la bataille de Borodino se déroula sur un espace de deux verstes, entre Borodino et les flèches de Bagration. (En dehors de cet espace, d'une part, la cavalerie d'Ouvarov fit une démonstration au milieu de la journée, d'autre part, derrière Outitza, un engagement eut lieu entre Poniatowski et Toutchkov; mais ce ne furent que deux opérations isolées et faibles en regard de ce qui se passait au centre.) Ce fut sur le terrain entre Borodino et les flèches, près de la forêt, dans un espace découvert et visible des deux côtés, qu'eut lieu l'action principale de la bataille, qui s'engagea de la manière la plus simple, la moins compliquée.

Le combat fut engagé de part et d'autre par une canonnade de quelques centaines de pièces.

Puis, quand la fumée eut enveloppé tout le terrain, dans cette fumée, à droite (du côté français), les deux divisions Dessaix et Compans se mirent en marche vers les flèches, et, à gauche, les régiments du vice-roi se portèrent vers Borodino.

De la redoute de Chevardino où se trouvait Napoléon, les flèches étaient distantes d'une verste et, de Borodino, de plus de deux verstes en ligne droite, aussi Napoléon ne pouvait-il voir ce qui s'y passait, d'autant plus que la fumée mêlée au brouillard couvrait tout le terrain. Les troupes de la division Dessaix en marche vers les flèches ne furent visibles que jusqu'au moment où elles s'engagèrent dans le ravin qui les en séparait. Dès qu'elles y furent descendues, la fumée de la canonnade et de la fusillade se fit si dense sur les flèches qu'elle enveloppa tout le versant opposé du ravin. À travers la fumée, on pouvait y apercevoir seulement quelque chose de noir, sans doute des hommes et par moments l'éclair des baïonnettes. Mais s'ils étaient en mouvement ou immobiles, si c'étaient des Français ou des Russes, on ne pouvait le distinguer de la redoute de Chevardino.

Le soleil s'était levé clair et ses rayons donnaient obliquement en plein visage de Napoléon qui regardait les flèches, les yeux abrités par sa main mise en écran. La fumée s'étendait en avant des flèches et l'on avait l'impression que c'était tantôt elle qui bougeait, tantôt les troupes. Par moments, à travers les coups de feu on percevait des cris, mais on ne pouvait se rendre compte de ce que faisaient là-bas ces hommes.

Napoléon, sur la hauteur, regardait dans une lunette d'approche et, dans ce petit cercle, voyait la fumée et des soldats, tantôt les siens, tantôt les Russes ; mais ensuite il ne pouvait situer à l'œil nu ce qu'il avait vu.

Il descendit du mamelon et se promena de long en large.

De temps à autre il s'arrêtait, tendait l'oreille aux détonations et scrutait du regard le champ de bataille.

Non seulement du point où il se trouvait en bas, non seulement du haut du mamelon où se trouvaient maintenant quelques-uns de ses généraux, mais même des flèches qu'occupaient, ensemble ou tour à tour, des Russes et des Français, morts, blessés et vivants, terrifiés ou affolés, on ne pouvait se rendre compte de ce qui se passait là. Pendant plusieurs heures, au milieu d'une fusillade et d'une canonnade incessantes, s'y succédèrent Russes et Français, tantôt fantassins, tantôt cavaliers ; ils apparaissaient, tombaient, tiraient, se heurtaient, sans savoir que faire les uns des autres, criaient et refluaient en arrière.

Du champ de bataille arrivaient sans cesse auprès de Napoléon les aides de camp qu'il avait envoyés en mission et les officiers d'ordonnance de ses maréchaux avec des rapports sur la marche de l'affaire ; mais tous ces rapports étaient faux : parce qu'au feu de l'action il est impossible de dire ce qui se passe à un moment donné, et parce que les aides de camp n'arrivaient pas jusqu'au champ de bataille proprement dit mais répétaient ce qu'ils savaient par ouï-dire ; et aussi parce que, pendant qu'un aide de camp parcourait les deux ou trois verstes qui le séparaient de Napoléon, la situation changeait et la nouvelle qu'il apportait devenait inexacte. C'est ainsi qu'un aide de camp du vice-roi apporta la nouvelle que Borodino était occupé et que le pont de la Kolotcha était aux mains des Français. Il demanda à Napoléon si les troupes devaient franchir la rivière. Napoléon donna l'ordre de les aligner sur l'autre rive et d'attendre ; or non seulement au moment où il donnait cet ordre, mais même à peine l'aide de camp s'était-il éloigné de Borodino, le pont était déjà repris et brûlé par les Russes, dans ce même engagement auquel s'était trouvé mêlé Pierre, tout au début de la bataille.

Arrivé au galop des flèches, un aide de camp, le visage pâle, effrayé, annonça à Napoléon que l'attaque était repoussée, que Compans était blessé, Davout tué ; or, les flèches avaient été occupées par d'autres troupes au moment où l'on disait à l'aide de camp que les Français avaient été repoussés, et Davout était vivant mais légèrement contusionné seulement. En partant de rapports nécessairement faux, Napoléon prenait des dispositions qui avaient déjà été prises ou qui ne pouvaient être appliquées et ne l'étaient pas.

Les maréchaux et les généraux, qui se trouvaient plus près du champ de bataille mais qui, comme Napoléon, ne prenaient pas part au combat même, ne pénétraient que de temps à autre dans la zone de feu et sans consulter Napoléon prenaient leurs dispositions et donnaient leurs ordres quant à la direction du tir, aux mouvements de la cavalerie et de l'infanterie. Mais, de même que ceux de Napoléon, leurs ordres n'étaient exécutés que pour une infime part. Le plus souvent c'est le contraire des ordres donnés qui arrivait. Les soldats à qui l'on avait ordonné de marcher de l'avant, pris sous la mitraille, s'enfuyaient, ceux qui avaient pour ordre de rester sur place, soudain, à la vue des Russes surgis inopinément devant eux, parfois s'enfuyaient, parfois fonçaient en avant, et la cavalerie se lançait sans en avoir reçu l'ordre à la poursuite de Russes débandés. C'est ainsi que deux régiments de cavalerie franchirent le ravin de Semenovskoïe et, à peine remontés de l'autre côté, tournèrent bride et à toute allure revinrent sur leurs pas. Les fantassins agissaient de même, s'aventurant parfois là où ils n'avaient point reçu l'ordre d'aller. Quand on devait décider de l'endroit et du moment où il fallait avancer les canons, faire tirer l'infanterie ou envoyer la cavalerie piétiner les fantassins russes, toutes ces dispositions étaient prises par les officiers du rang les plus proches, sans en référer ni à Ney ni à Davout ni à Murat, ni à plus forte raison à Napoléon. Ils ne craignaient pas d'avoir à répondre plus tard d'un ordre non exécuté ou d'une initiative prise, car dans une bataille il y va de ce que l'homme a de plus précieux, sa propre vie, et on a l'impression que le salut est tantôt dans la fuite, tantôt dans la marche en avant ; et ces gens qui se trouvaient en plein feu agissaient selon l'impulsion du moment. En réalité, tous ces mouvements en avant et en arrière n'amélioraient ni ne changeaient la situation des troupes. Toutes leurs attaques ne leur causaient guère de mal, tandis que le mal, la mort et les blessures venaient des boulets et des balles qui volaient partout dans l'espace où se démenaient les hommes. Dès que ces hommes se trouvaient hors de la portée des obus et des balles, aussitôt les chefs qui étaient derrière les reformaient, rétablissaient la discipline et, grâce à cette discipline, les renvoyaient dans la zone de feu, où de nouveau (sous l'influence de la peur de la mort) ils perdaient le sens de la discipline et agissaient au gré de l'humeur changeante des foules.

XXXIV

Les généraux de Napoléon, Davout, Ney et Murat, qui se trouvaient à proximité de cette zone de feu et par moments même y pénétraient, y introduisirent plusieurs fois d'énormes masses de troupes en bon ordre. Mais, à l'inverse de ce qui s'était invariablement produit dans toutes les précédentes batailles, la nouvelle attendue de la fuite de l'ennemi n'arrivait pas et ces masses bien disciplinées revenaient de LÀ-BAS en foules débandées, terrifiées. Ils les reformaient, mais le nombre des hommes diminuait toujours. Au milieu de la journée, Murat dépêcha un aide de camp à Napoléon pour demander des renforts.

Napoléon était assis au pied du mamelon et buvait du punch quand l'aide de camp de Murat arriva en assurant que les Russes seraient battus si Sa Majesté donnait encore une division.

« Des renforts ? » dit Napoléon d'un ton surpris et sévère comme s'il ne comprenait pas ce qu'on lui disait, le regard fixé sur ce jeune et beau garçon aux longs cheveux noirs bouclés à l'exemple de Murat. « Des renforts ! pensa Napoléon. Quels renforts demandent-ils quand ils disposent de la moitié de l'armée pour attaquer une aile faible et non fortifiée des Russes ! »

« *Dites au roi de Naples*, répondit-il sévèrement, *qu'il n'est pas midi et que je ne vois pas encore clair sur mon échiquier. Allez...* »

Le beau garçon aux cheveux longs, la main collée à son chapeau, poussa un profond soupir et repartit au galop là où l'on tuait des hommes.

Napoléon se leva et, appelant Caulaincourt et Berthier, s'entretint avec eux de choses sans rapport avec la bataille.

Au cours de la conversation qui commençait à intéresser Napoléon, les yeux de Berthier se portèrent sur un général qui galopait avec sa suite vers le mamelon. C'était Belliard. Il descendit de son cheval couvert d'écume, s'approcha à pas rapides de l'Empereur et hardiment, à voix haute, entreprit de lui démontrer la nécessité de donner des renforts. Il jurait sur son honneur que les Russes étaient battus si l'Empereur engageait encore une division.

Napoléon haussa les épaules et, sans rien répondre, reprit sa promenade. Belliard parla d'une voix forte et animée aux généraux de la suite qui l'avaient entouré.

« Vous êtes très fougueux, Belliard, dit Napoléon en revenant vers le général. Il est facile de se tromper dans le feu de l'action. Allez voir et alors revenez me trouver. » Belliard n'avait pas encore disparu de vue que, d'un autre point du champ de bataille, arrivait au galop un nouveau messager. « *Eh bien, qu'est-ce qu'il y a ?* dit Napoléon du ton d'un homme irrité par d'incessants obstacles.

– *Sire, le prince...* commença l'aide de camp.

– Demande des renforts ? » fit Napoléon avec un geste de colère. L'aide de camp inclina la tête en signe d'assentiment et fit son rapport ; mais l'Empereur se détourna de lui, fit deux pas, s'arrêta, revint en arrière et appela Berthier. « Il faut donner des réserves, dit-il en écartant légèrement les bras. Qui allons-nous envoyer là-bas, qu'en pensez-vous ? demanda-t-il à Berthier, à *cet oison que j'ai fait aigle*, comme il devait le dire plus tard.

– Sire, envoyons la division Claparède », dit Berthier qui connaissait par cœur toutes les divisions, tous les régiments, tous les bataillons.

Napoléon approuva de la tête.

L'aide de camp galopa vers la division Claparède. Et au bout de quelques instants, la jeune garde postée derrière le mamelon se mit en marche. Napoléon regardait en silence dans cette direction.

« Non, dit-il soudain à Berthier, je ne puis envoyer Claparède. Envoyez la division Friant. »

Bien qu'il n'y eût aucun avantage particulier à envoyer la division de Friant plutôt que celle de Claparède et qu'arrêter Claparède pour lui substituer Friant présentât même des inconvénients et entraînât une évidente perte de temps, l'ordre fut scrupuleusement exécuté. Napoléon ne voyait pas qu'à l'égard de ses troupes il jouait le rôle d'un médecin dont les remèdes aggravent le mal, rôle qu'il savait si bien discerner et condamner chez les autres.

La division Friant, à l'instar des autres, disparut dans la fumée de la bataille. De divers côtés, des aides de camp continuaient d'arriver au galop et, comme s'ils s'étaient donné le mot, ils disaient une seule et même chose. Tous demandaient des renforts, tous disaient que les Russes ne lâchaient pas pied et faisaient un *feu d'enfer* sous lequel fondait l'armée française.

Napoléon restait songeur sur son pliant.

M. de Beausset, l'amateur de voyages, qui n'avait rien pris depuis le matin, s'approcha de l'Empereur et se permit de proposer respectueusement à Sa Majesté de déjeuner.

« J'espère que je puis dès maintenant féliciter Votre Majesté de la victoire », dit-il.

Napoléon sans rien dire secoua négativement la tête. Supposant que la dénégation concernait la victoire et non le déjeuner, M. de Beausset se permit de faire remarquer d'un ton respectueusement enjoué que rien au monde ne pouvait empêcher de déjeuner quand cela était possible.

« *Allez vous...* » dit soudain Napoléon d'un air sombre, et il se détourna. Un sourire béat de regret, de repentir et d'enthousiasme s'épanouit sur le visage de M. de Beausset, et il alla d'un pas glissant rejoindre les autres généraux.

Napoléon éprouvait cette sensation pénible du joueur toujours heureux qui, se fiant à sa chance, jette follement son argent sur le tapis, qui jusque-là gagnait toujours et qui soudain, alors précisément qu'il a prévu tous les hasards du jeu, sent que mieux il a calculé son coup, plus sûrement il perd.

Les troupes étaient les mêmes, les généraux aussi, c'étaient les mêmes préparatifs, le même ordre de bataille, la même *proclamation courte et énergique*, il n'avait pas changé non plus, il le savait, il savait qu'il avait même beaucoup plus d'expérience et d'habileté, l'ennemi aussi était le même qu'à Austerlitz et à Friedland, mais le terrible élan de son bras menaçant retombait impuissant comme par enchantement.

C'était toujours la même tactique qui, autrefois, était invariablement couronnée de succès : et la concentration des batteries sur un seul point, et l'attaque des réserves pour rompre les lignes, et la charge de la cavalerie, *des hommes de fer*, tous ces moyens avaient déjà été employés, et non seulement il n'avait pas obtenu la victoire, mais de tous côtés affluaient les mêmes nouvelles : généraux tués ou blessés, nécessité de renforts, impossibilité de faire fléchir les Russes, dislocation des troupes.

Jadis, il suffisait de deux ou trois ordres, de deux ou trois phrases, pour voir accourir avec des félicitations maréchaux et aides de camp qui, le visage joyeux, annonçaient comme trophées des corps entiers de prisonniers, *des faisceaux de drapeaux et d'aigles ennemies*, et des canons, et des bagages, et Murat ne demandait que la permission de lancer la cavalerie pour capturer les convois. Il en avait été ainsi à Lodi, à Marengo, à Arcole, à Iéna, à Austerlitz, à Wagram, etc., etc. Mais maintenant quelque chose de terrible arrivait à ses troupes.

Malgré la nouvelle de la prise des flèches, Napoléon voyait que ce n'était pas, que ce n'était pas du tout ce qui se passait dans toutes ses précédentes batailles. Il voyait que le sentiment qu'il éprouvait était partagé par tous ceux qui l'entouraient, hommes ayant l'expérience des batailles. Tous les visages étaient tristes, tous les yeux évitaient de se rencontrer. Seul Beausset pouvait ne pas comprendre l'importance de ce qui se passait. Napoléon, lui, avec sa longue expérience de la guerre, savait bien ce que signifiait un combat où, après huit heures de lutte, après tous les efforts déployés, l'assaillant n'avait pas triomphé. Il savait que c'était une bataille perdue et que maintenant – dans cet équilibre éminemment instable – le moindre hasard pouvait le perdre, lui et son armée.

Quand il se rappelait toute cette étrange campagne de Russie, pendant laquelle ne fut gagnée aucune bataille, pendant laquelle, en deux mois, n'avait été pris ni un drapeau, ni des canons, ni un corps de troupes, quand il regardait les visages, empreints d'une tristesse secrète, de ceux qui l'entouraient et qu'il entendait rapporter que les Russes tenaient toujours, un sentiment angoissant s'emparait de lui, semblable à celui qu'on éprouve en rêve, et tous les hasards malheureux qui pouvaient le perdre se présentaient à son esprit. Les Russes pouvaient tomber sur son aile gauche, ils pouvaient enfoncer son centre, un obus perdu pouvait le tuer lui-même. Tout cela était possible. Dans ses précédentes batailles, il n'envisageait que les hasards heureux, tandis que maintenant une foule de hasards malheureux se présentait à lui et il les attendait tous. Oui, c'était comme en rêve : on voit un malfaiteur vous attaquer, on lève le bras pour lui porter le coup terrible qui, on le sait, doit l'anéantir, on sent son bras, sans force et mou, retomber comme un chiffon et la terreur d'une mort inéluctable vous étreint.

La nouvelle que les Russes attaquaient le flanc gauche de l'armée française étreignit Napoléon de cette terreur. Il restait assis en silence sur son pliant au pied du mamelon, la tête baissée et les coudes appuyés sur les genoux. Berthier s'approcha de lui et lui proposa de parcourir les lignes pour se rendre compte de la situation.

« Comment ? Que dites-vous ? dit Napoléon. Oui, faites-moi amener un cheval. »

Il se mit en selle et se dirigea vers Semenovskoïe.

Dans la fumée de la poudre qui se dissipait lentement sur tout l'espace que parcourait Napoléon, dans des mares de sang, un par un ou amoncelés, gisaient chevaux et hommes. Une pareille horreur, un si grand nombre de cadavres sur un si petit espace, jamais ni Napoléon ni ses généraux ne les avaient encore vus. Le grondement du canon qui ne cessait pas depuis près de dix heures et mettait l'oreille à l'épreuve, conférait une solennité particulière à ce spectacle (comme la musique accompagnant les tableaux vivants). Napoléon monta sur la hauteur de Semenovskoïe et, à travers la fumée, vit des rangs d'hommes en uniformes dont les couleurs ne lui étaient pas familières. C'étaient des Russes.

Les Russes se tenaient en rangs serrés derrière Semenovskoïe et le mamelon, leurs pièces grondaient sans répit, remplissant de fumée toute leur ligne. Il n'y avait plus de bataille. C'était un massacre qui continuait, un meurtre, qui ne pouvait mener à rien ni les Russes, ni les Français. Napoléon immobilisa son cheval et retomba dans la rêverie d'où l'avait tiré Berthier ; il ne pouvait arrêter ce qui se passait devant lui et autour de lui et qui était censé être dirigé par lui, dépendre de lui, et pour la première fois, par suite de l'échec, cette affaire lui parut inutile et horrible.

Un des généraux qui l'avaient rejoint se permit de lui proposer de faire donner la vieille garde. Ney et Berthier échangèrent un regard et eurent un sourire de dédain pour la proposition insensée de ce général.

Napoléon baissa la tête et resta longtemps silencieux.

« *À huit cents lieues de France je ne ferai pas démolir ma garde* », dit-il, et tournant bride, il repartit pour Chevardino.

XXXV

Koutouzov, sa tête blanche courbée, et affaissé de tout le poids de son corps, était assis sur le banc recouvert d'un tapis, au même endroit où Pierre l'avait vu dans la matinée. Il ne donnait aucun ordre et se contentait d'approuver ou de ne pas approuver ce qu'on lui proposait.

« Oui, oui, faites-le, répondait-il aux diverses propositions. Oui, oui, va, mon cher, va voir », disait-il tantôt à l'un, tantôt à l'autre de ses familiers, ou : « Non, inutile. Attendons plutôt. » Il écoutait les rapports qu'on lui faisait, donnait des ordres quand ses subordonnés lui en demandaient ; mais en les écoutant, il semblait s'intéresser non pas au sens des paroles qu'on lui disait, mais à quelque chose d'autre, dans l'expression des visages, le ton de ceux qui lui faisaient leurs rapports. Par une longue expérience de la guerre, il savait, et dans son intelligence de vieillard il comprenait, qu'un seul homme ne peut en diriger des centaines de mille autres qui luttent contre la mort, il savait que ce qui décide du sort des batailles, ce ne sont pas les ordres du commandant en chef, ni l'emplacement occupé par les troupes, ni le nombre des canons et des morts, mais cette force insaisissable qu'on appelle l'âme de l'armée, et il surveillait cette force et la dirigeait dans la mesure de son pouvoir.

Son visage dénotait une attention calme et concentrée qui avait peine à surmonter la fatigue d'un vieux corps faible.

À onze heures du matin, on vint lui annoncer que les flèches occupées par les Français avaient été reprises, mais que le prince Bagration était blessé. Koutouzov poussa une exclamation et hocha la tête.

« Va trouver le prince Pierre Ivanovitch et vois en détail ce qu'il en est, dit-il à un de ses aides de camp, puis il se tourna vers le prince de Wurtemberg qui se tenait derrière lui.

– Plairait-il à Votre Altesse de prendre le commandement de la deuxième armée ? »

Peu de temps après le départ du prince et avant même qu'il eût pu atteindre Semenovskoïe, son aide de camp revint dire au Sérénissime qu'il demandait des renforts.

Koutouzov fronça le sourcil et envoya à Dokhtourov l'ordre de prendre le commandement de la deuxième armée ; quant au prince, de qui, dit-il, il ne pouvait se passer en de si graves instants, il le fit prier de revenir auprès de lui. Lorsqu'on lui annonça que Murat avait été fait prisonnier et comme son état-major le félicitait, il sourit.

« Attendez, messieurs, dit-il. La bataille est gagnée et la capture de Murat n'a rien d'extraordinaire. Mais il vaut mieux attendre pour se réjouir. » Cependant il envoya un aide de camp porter cette nouvelle aux troupes.

Quand Stcherbinine arriva du flanc gauche pour annoncer que les Français avaient pris les flèches et Semenovskoïe, Koutouzov, devinant à son visage et aux bruits qui venaient du champ de bataille que les nouvelles n'étaient pas bonnes, se leva comme pour se dégourdir les jambes et, le prenant par le bras, l'emmena à l'écart.

« Va voir, mon cher, dit-il à Ermolov, s'il n'y a pas quelque chose à faire. »

Koutouzov était, à Gorki, au centre de la position russe. L'attaque lancée par Napoléon contre notre flanc gauche avait été repoussée à plusieurs reprises. Au centre, les Français n'avaient pas dépassé Borodino. Au flanc gauche, la cavalerie d'Ouvarov les avait mis en fuite.

Vers trois heures, les attaques françaises cessèrent. Sur les visages de tous ceux qui arrivaient du champ de bataille comme de ceux qui l'entouraient, Koutouzov lisait une expression de tension parvenue à son point extrême. Il était satisfait de la journée dont le succès avait dépassé son attente. Mais les forces physiques abandonnaient le vieillard. À plusieurs reprises, sa tête retomba sur sa poitrine et il s'assoupit. On lui servit à dîner.

Pendant qu'il mangeait, Wolzogen, l'aide de camp de l'empereur, celui-là même qui avait dit en passant devant le prince André qu'il fallait la guerre *im Raum verlegen* et que détestait tant Bagration, arriva vers Koutouzov. Il venait de la part de Barclay rendre compte de la situation au flanc gauche. Le prudent Barclay de Tolly, devant le flot des blessés et le désordre des arrières, après avoir pesé toutes les circonstances de l'affaire, avait décidé que la bataille était perdue et dépêché son favori porter cette nouvelle au commandant en chef.

Koutouzov, qui mâchait péniblement du poulet rôti, regarda Wolzogen avec des yeux plissés et qui maintenant étaient gais.

Wolzogen, se dégourdissant nonchalamment les jambes, un sourire à demi dédaigneux aux lèvres, s'approcha de Koutouzov en effleurant légèrement sa visière.

Il affectait à l'égard du Sérénissime une certaine négligence qui avait pour but de montrer qu'en tant que militaire de haute valeur, il laissait aux Russes faire leur idole de ce vieil homme inutile, mais qu'il savait quant à lui à qui il avait affaire. « *Der alte Herr* (c'est ainsi que les Allemands appelaient Koutouzov entre eux) *macht sich ganz bequem*[1] », pensa Wolzogen, et jetant un regard sévère sur les assiettes placées devant Koutouzov, il se mit en devoir de rendre compte au vieux monsieur de la situation au flanc gauche telle que la voyait Barclay et telle qu'il l'avait vue et comprise lui-même.

« Tous les points de notre position sont aux mains de l'ennemi et nous ne pouvons le repousser faute de troupes ; les soldats fuient et il est impossible de les arrêter », disait-il.

1. « Le vieux monsieur prend ses aises. »

Koutouzov, cessant de mâcher, fixa sur Wolzogen des yeux étonnés, comme s'il ne comprenait pas ce qu'on lui disait. Wolzogen, à la vue de l'émotion *des alten Herrn*, dit en souriant :

« Je ne me suis pas cru en droit de cacher à Votre Altesse ce que j'ai vu... Les troupes sont complètement débandées...

– Vous l'avez vu ? Vous l'avez vu ?... cria Koutouzov, les sourcils froncés, en se levant vivement et en marchant sur Wolzogen. Comment... comment osez-vous !... » Il faisait des gestes menaçants de ses mains tremblantes et étouffait. « Comment osez-vous, monsieur, me dire cela À MOI ? VOUS ne savez rien. Dites de ma part au général Barclay que ses renseignements sont faux et que moi, commandant en chef, je sais mieux que lui la vraie marche de la bataille. »

Wolzogen voulut répliquer, mais Koutouzov ne lui en laissa pas le temps.

« L'ennemi est repoussé au flanc gauche et battu au flanc droit. Si vous avez mal vu, monsieur, vous ne devez pas vous permettre de parler de ce que vous ignorez. Veuillez retourner auprès du général Barclay et lui faire part de mon intention formelle d'attaquer l'ennemi demain », dit sévèrement Koutouzov. Tout le monde se taisait et l'on n'entendait que le souffle haletant du vieux général. « Il est repoussé partout, et j'en remercie Dieu et notre vaillante armée. L'ennemi est vaincu et demain nous le chasserons du sol sacré de la Russie », poursuivit-il en se signant ; et soudain, les yeux pleins de larmes, il eut un sanglot. Wolzogen haussa les épaules en tordant les lèvres et s'éloigna en silence, surpris *über diese Eingenommenheit des alten Herrn*[1].

« Tenez, le voici, mon héros », dit Koutouzov en montrant un beau général corpulent aux cheveux noirs qui gravissait à ce moment le mamelon. C'était Raievski qui

1. « De cette suffisance du vieux monsieur. »

avait passé toute la journée au point principal du champ de bataille de Borodino.

Raievski annonça que les troupes tenaient fermement leurs positions et que les Français n'osaient plus attaquer.

L'ayant écouté, Koutouzov dit en français :

« *Vous ne pensez donc pas comme les autres que nous sommes obligés de nous retirer ?*

– *Au contraire, Votre Altesse, dans les affaires indécises, c'est toujours le plus opiniâtre qui reste victorieux*, répondit Raievski, *et mon opinion…*

– Kaïssarov ! cria Koutouzov à son aide de camp. Assieds-toi, écris l'ordre du jour pour demain. Et toi, dit-il à un autre, va parcourir les lignes et annonce que nous attaquons demain. »

Pendant que se déroulait la conversation avec Raievski et que se rédigeait cet ordre du jour, Wolzogen revint, envoyé par Barclay, et annonça que le général Barclay de Tolly désirait avoir une confirmation écrite de l'ordre du maréchal.

Koutouzov, sans le regarder, fit rédiger cet ordre qu'afin de mettre sa responsabilité à couvert demandait à bon droit l'ancien commandant en chef.

Et grâce à ce lien indéfinissable, mystérieux qui maintenait dans l'armée entière le même état d'esprit, cet état d'esprit qu'on appelle le moral d'une armée et qui constitue le principal nerf de la guerre, les paroles de Koutouzov, son ordre du jour annonçant la bataille pour le lendemain se répandirent immédiatement d'un bout à l'autre des troupes.

Ce qu'on transmettait au dernier maillon de cette chaîne était loin d'être ses paroles mêmes, les propres termes de son ordre du jour. Il n'y avait même dans ce qu'on se communiquait de proche en proche, d'un bout à l'autre de l'armée, rien qui ressemblât à ce qu'avait dit Koutouzov ; mais le sens de ses paroles se communiqua partout, car ce qu'il avait dit découlait non pas de considérations compliquées, mais du sentiment qui animait l'âme du commandant en chef comme celle de tout Russe.

En apprenant que le lendemain nous attaquerions l'ennemi, en recevant du haut commandement la confirmation de ce qu'ils voulaient croire, ces hommes épuisés, ébranlés, étaient réconfortés et reprenaient courage.

XXXVI

Le régiment du prince André faisait partie des réserves qui, jusqu'à deux heures, étaient restées dans l'inaction, derrière Semenovskoïe, sous un feu violent d'artillerie. Vers deux heures, le régiment qui avait déjà perdu plus de deux cents hommes fut porté en avant, à travers un champ d'avoine piétiné, jusqu'à l'espace qui séparait Semenovskoïe de la batterie du mamelon, où ce jour-là furent massacrés des milliers d'hommes et contre lequel fut dirigé vers deux heures un feu convergent de plusieurs centaines de pièces ennemies.

Sans quitter cette position et sans avoir tiré un coup de feu, le régiment perdit ici encore le tiers de ses effectifs. En avant et surtout sur la droite, au milieu de la fumée qui ne se dissipait pas, les canons tonnaient, et de cette mystérieuse zone de fumée arrivaient sans arrêt des boulets avec leur chuintement bref et des grenades dans un sifflement prolongé. Parfois, comme pour faire trêve, pendant un quart d'heure tous les projectiles dépassaient le but, mais parfois, en l'espace d'une minute, plusieurs hommes étaient fauchés au régiment et l'on ne cessait d'enlever et d'emporter tués et blessés.

À chaque nouvel éclatement, les chances de vie diminuaient pour ceux qui n'avaient pas encore été tués. Le régiment était déployé en colonnes de bataillon à trois cents pas d'intervalle, mais malgré cela le même état d'esprit régnait parmi tous les hommes. Tous étaient également silencieux et sombres. À de rares moments, des propos s'échangeaient dans les rangs, mais ils cessaient chaque fois qu'un projectile tombait et que s'élevait le cri : des civières ! Sur l'ordre des chefs, les soldats restaient la plupart du temps assis par terre. L'un, enlevant son shako, en défaisait et refaisait soigneusement la coulisse ; un autre, pétrissant de l'argile dans le creux de la main, nettoyait sa baïonnette ; un troisième assouplissait sa courroie et rebouclait son harnachement ; un quatrième arrangeait et déroulait soigneusement les bandes qui lui servaient de chaussettes, puis les enroulait de nouveau et se rechaussait. Quand des hommes étaient blessés ou tués, quand apparaissait la file des civières, quand les nôtres reculaient, quand on distinguait à travers la fumée les masses compactes de l'ennemi, personne n'y prêtait aucune attention. Mais quand notre artillerie, notre cavalerie allaient de l'avant, qu'on voyait notre infanterie se mettre en marche, des cris d'approbation s'élevaient de toutes parts. Mais ce qui retenait le plus l'attention, c'étaient des incidents sans rapport avec la bataille. Comme si l'attention de tous ces hommes moralement harassés se reposait dans ces événements banaux de l'existence quotidienne. Une batterie passa devant le front du régiment. Le bricolier d'un des caissons s'était pris le pied dans les traits. « Eh, gare au bricolier !... Arrange ça ! Il va tomber... Eh quoi, ils ne voient pas !... » cria-t-on d'une seule voix. Une autre fois, l'attention générale fut attirée par un petit chien marron, la queue en trompette, qui, venu Dieu sait d'où, trotta d'un air affairé devant les lignes et soudain, un obus tombant non loin, jappa et serrant la queue se jeta de côté. Tout le régiment retentit d'éclats de rire et d'exclamations. Mais les distractions de ce genre duraient un instant, tandis qu'il y avait déjà plus de huit heures que les hommes restaient là, affamés et inactifs, sous la terreur incessante de la mort, et les visages pâles et sombres pâlissaient et s'assombrissaient de plus en plus.

Le prince André, sombre et pâle comme ses hommes, allait et venait d'une dérayure à l'autre dans la prairie qui avoisinait le champ d'avoine, les mains au dos et la tête baissée. Il n'avait rien à faire, aucun ordre à donner. Tout se faisait de soi-même. On traînait les morts à l'arrière, on emportait les blessés, les rangs se reformaient. Si des soldats s'en allaient, ils revenaient aussitôt en toute hâte. Au début, le prince André, estimant de son devoir de stimuler le courage de ses hommes et de leur donner l'exemple, passait dans les rangs ; mais il s'était convaincu qu'il n'avait rien à leur apprendre. Toutes les forces de son âme, de même que celles de chacun des soldats, ne tendaient inconsciemment qu'à s'interdire de s'attarder sur l'horreur de leur situation. Il se promenait dans la prairie, traînant les pieds, foulant l'herbe et examinant la poussière qui recouvrait ses bottes ; tantôt il marchait à grandes enjambées en essayant de mettre les pieds dans les traces laissées par les faucheurs, tantôt il comptait ses pas, calculait combien de fois il devait aller d'une dérayure à l'autre pour parcourir une verste, tantôt il arrachait les armoises qui poussaient dans les dérayures, les écrasait entre ses paumes et en respirait l'odeur forte et amère. De tout le travail de sa pensée de la veille il ne restait rien. Il ne pensait à rien. Il prêtait une oreille lasse à ces bruits, toujours les mêmes, distinguant le sifflement des arrivées du grondement au départ, jetait un regard sur les visages si connus des hommes du premier bataillon et attendait. « En voilà un… encore pour nous ! » se disait-il en écoutant un sifflement qui venait de la zone de fumée. « Un, deux ! Encore ! Touché… » Il s'arrêta et jeta un regard sur les rangs. « Non, il est passé. Et celui-là est pour nous. » Et il se remettait à marcher, s'efforçant d'allonger les enjambées pour atteindre en seize pas la dérayure.

Un sifflement et un choc ! À cinq pas de lui, un boulet laboura la terre sèche et s'enfonça. Un frisson lui courut malgré lui dans le dos. Il regarda de nouveau les rangs. Beaucoup devaient avoir été touchés ; un grand attroupement s'était fait au deuxième bataillon.

« Monsieur l'officier, cria-t-il, faites-les disperser. » L'officier d'ordonnance, l'ordre exécuté, s'approchait du prince André. D'un autre côté arrivait à cheval le chef de bataillon.

« Gare ! » cria la voix effrayée d'un soldat, et comme un petit oiseau qui siffle en se posant à terre, à deux pas du prince André, près du cheval du chef de bataillon, une grenade tomba doucement. Le premier, le cheval, sans se demander s'il était bien ou mal de montrer sa peur, s'ébroua, se cabra, faillit désarçonner le commandant et galopa au hasard. La terreur du cheval se communiqua aux hommes.

« Couchez-vous ! » cria la voix de l'officier d'ordonnance qui s'était plaqué au sol. Le prince André restait debout, indécis. La grenade fumante tournait comme une toupie entre lui et l'officier d'ordonnance à terre, à la limite du champ et de la prairie, près d'une touffe d'armoise.

« Est-ce vraiment la mort ? pensait le prince André en contemplant d'un regard tout nouveau, chargé d'envie, l'herbe, l'armoise et le filet de fumée qui montait de la boule noire tournoyante. Je ne peux pas, je ne veux pas mourir, j'aime la vie, j'aime cette herbe, cette terre, cet air… » Il le pensait et en même temps il avait conscience qu'on le regardait.

« C'est une honte, monsieur l'officier ! dit-il à l'officier d'ordonnance, quel… » Il n'acheva pas. Au même instant, on entendit une explosion, la vibration des éclats comme d'une vitre brisée, on sentit une odeur étouffante de fumée, et le prince André fit un mouvement violent de côté et levant un bras en l'air s'abattit en avant.

Quelques officiers accoururent vers lui. Du côté droit de son ventre s'étalait dans l'herbe une grande tache de sang.

Les miliciens qu'on avait appelés s'arrêtèrent avec leur civière derrière les officiers. Le prince André était couché sur le ventre, le visage dans l'herbe, et respirait en râlant douloureusement.

« Allons, qu'attendez-vous, approchez ! »

Les paysans s'approchèrent et le prirent par les épaules et les jambes, mais il gémit douloureusement et en échangeant un regard ils le reposèrent à terre.

« Allez, ramassez-le, c'est tout un ! » cria une voix. On le prit de nouveau par les épaules et on le déposa sur la civière.

« Ah ! mon Dieu ! Mon Dieu ! Est-il possible ?... Le ventre ! C'est la fin ! Ah ! mon Dieu ! » disaient des voix parmi les officiers. « Elle m'a frisé l'oreille », disait l'officier d'ordonnance. Les paysans chargèrent la civière sur leurs épaules et se dirigèrent hâtivement vers le poste de secours, le long du sentier frayé par leurs allées et venues.

« Marchez au pas... Eh !... croquants ! cria un officier en arrêtant par l'épaule les paysans qui allaient d'un pas heurté et secouaient la civière.

– Marche à mon pas, eh, Fedor, hein, Fedor, dit celui qui était en tête.

– Ça va bien comme ça, répondit joyeusement celui de derrière en se mettant au pas.

– Votre Excellence ? Hé, prince ? » dit Timokhine d'une voix tremblante en accourant vers la civière et en y jetant un regard.

Le prince André ouvrit les yeux et, par-dessus le bord de la civière où sa tête était profondément enfoncée, regarda celui qui parlait, puis referma les paupières.

Les miliciens transportèrent le prince André dans le bois où se trouvaient les fourgons et où était installé le poste de secours. Le poste consistait en trois tentes entrouvertes dressées à la lisière d'un bois de bouleaux. Les fourgons et les chevaux étaient sous bois. Les chevaux mangeaient l'avoine dans leurs sacs et les moineaux descendaient vers eux pour ramasser les grains répandus. Les corbeaux flairant le sang passaient d'un bouleau à l'autre en croassant impatiemment. Autour des tentes, sur plus de deux hectares, étaient couchés, assis, debout, des hommes ensanglantés en uniformes disparates. Autour des blessés stationnait une foule de soldats brancardiers, l'air morne et attentif, que cherchaient en vain à refouler les officiers chargés de l'ordre. Sans les écouter, ces soldats restaient là, appuyés sur leurs civières, et comme s'ils s'efforçaient de saisir le sens difficilement compréhensible de ce spectacle, regardaient fixement ce qui se passait devant eux. Des tentes parvenaient tantôt des cris violents, coléreux, tantôt des gémissements plaintifs. De temps à autre, des infirmiers en sortaient en courant pour chercher de l'eau et indiquaient ceux qu'on devait transporter à l'intérieur. Les blessés qui attendaient leur tour à l'entrée des tentes râlaient, gémissaient, pleuraient, criaient, lançaient des injures, demandaient de la vodka. Certains déliraient. En sa qualité de commandant de régiment, on porta le prince André, enjambant les blessés non encore pansés, près d'une des tentes et l'on s'arrêta en attendant les ordres. Le prince André ouvrit les yeux et fut longtemps sans comprendre ce qui se passait autour de lui. La prairie, les armoises, le champ, la boule noire tournoyante et son élan passionné d'amour de la vie lui revinrent à la mémoire. À deux pas de lui, parlant d'une voix forte et attirant l'attention générale, se tenait appuyé à une branche et la tête bandée un grand et beau sous-officier aux cheveux noirs. Il avait été blessé à la tête et à la jambe par des balles. Autour de lui, écoutant avidement son discours, s'était formé un attroupement de blessés et de brancardiers.

« Quand on leur est tombé dessus, ils ont tout jeté, même qu'on a ramassé leur roi, criait-il en lançant des éclairs de ses yeux noirs enflammés qu'il promenait autour de lui. Si seulement les réserves étaient arrivées au bon moment, il n'en serait plus rien resté, les gars, c'est sûr ce que je dis… »

Le prince André, comme tous ceux qui entouraient le narrateur, le considérait d'un regard brillant et éprouvait un sentiment réconfortant. « Mais qu'importe maintenant ? se dit-il. Qu'y aura-t-il là-bas et qu'était-ce ici ? Pourquoi ai-je eu de la peine à quitter la vie ? Il y avait dans cette vie quelque chose que je ne comprenais pas et que je ne comprends toujours pas. »

XXXVII

Un des médecins, en blouse ensanglantée comme ses petites mains dans l'une desquelles, entre le petit doigt et le pouce (pour ne pas le salir), il tenait un cigare, sortit d'une tente. Il leva la tête et regarda autour de lui mais par-dessus les blessés. Il voulait apparemment se donner un instant de répit. Après s'être tourné pendant un moment à droite et à gauche, il poussa un soupir et abaissa le regard.

« Tout de suite », dit-il à un infirmier qui lui indiquait le prince André, et il donna l'ordre de le transporter dans la tente.

Un murmure s'éleva dans la foule des blessés qui attendaient.

« Faut croire que dans l'autre monde aussi y en a que pour les messieurs », dit l'un d'eux.

On transporta le prince André et le déposa sur une table qui venait d'être libérée et qu'un infirmier était en train de nettoyer. Le prince André ne put distinguer en détail ce qu'il y avait dans la tente. Les gémissements plaintifs qui montaient de divers côtés, la douleur violente qu'il ressentait au flanc, au ventre et au dos le distrayaient. Tout ce qu'il voyait se fondit pour lui en une impression unique de chair humaine nue et ensanglantée qui semblait emplir toute la tente basse, comme quelques semaines plus tôt, par cette chaude journée d'août, la même chair emplissait l'étang fangeux sur la route de Smolensk. Oui, c'était la même chair, cette *chair à canon* dont la vue, comme si elle eût annoncé ce qui se passait maintenant, lui avait inspiré de l'horreur.

Il y avait trois tables sous la tente. Deux d'entre elles étaient occupées, sur la troisième on déposa le prince André. Pendant quelque temps, on le laissa seul et il put voir ce qui se passait sur les deux autres tables. Sur la plus proche était assis un Tartare, sans doute un cosaque à en juger par l'uniforme jeté à côté. Quatre soldats le maintenaient. Un médecin à lunettes taillait dans son dos brun et musclé.

« Ouh, ouh, ouh !... » grognait le Tartare comme un porc, et soudain il dressa son visage basané aux pommettes saillantes et au nez camus en découvrant ses dents blanches, se débattit et poussa un long cri aigu et vibrant. Sur l'autre table, autour de laquelle se pressait beaucoup de monde, était couché sur le dos un homme grand et fort, la tête rejetée en arrière (ses cheveux bouclés, leur couleur et la forme de la tête parurent étrangement familiers au prince André). Plusieurs infirmiers pesaient de tout leur poids sur la poitrine de cet homme et le maintenaient. Une de ses jambes, grande, blanche, grasse, était sans cesse agitée de soubresauts rapides et spasmodiques. Cet homme sanglotait convulsivement et suffoquait. Sans dire un mot deux médecins – l'un d'eux était pâle et tremblant – firent longtemps quelque chose à l'autre jambe de cet homme, toute rouge celle-là. Après en avoir fini avec le Tartare qu'on recouvrit de sa capote, le médecin à lunettes s'approcha du prince André en s'essuyant les mains.

Il jeta un coup d'œil sur son visage et se détourna en hâte.

« Qu'on le déshabille ! Qu'attendez-vous ! » cria-t-il avec irritation aux infirmiers.

Sa toute première, sa lointaine enfance revint à la mémoire du prince André quand l'infirmier, les manches retroussées, déboutonna en hâte ses vêtements et les lui retira. Le médecin se pencha sur la plaie, la palpa et poussa un profond soupir. Puis il fit signe à quelqu'un. Et une douleur violente au ventre fit perdre connaissance au prince André. Quand il revint à lui, les fragments brisés du fémur avaient été retirés, les lambeaux de chair coupés et la plaie pansée. On lui aspergeait la figure. Dès qu'il ouvrit les yeux, le médecin se pencha sur lui, le baisa en silence sur les lèvres et s'éloigna précipitamment.

Après la souffrance endurée, le prince André éprouvait une sensation de bien-être qu'il n'avait plus éprouvée depuis longtemps. Tous les meilleurs instants de sa vie, surtout sa première enfance, quand on le déshabillait et le couchait dans son petit lit, que sa nounou lui chantait des berceuses, que, la tête enfouie dans les oreillers, il était heureux rien qu'à se sentir vivre, ces instants se présentaient dans son imagination, même pas comme le passé mais comme la réalité.

Les médecins s'empressaient autour du blessé dont les contours de la tête lui avaient paru familiers ; on le soulevait, le calmait.

« Montrez-moi... Oooo ! oh ! ooh ! » gémissait-il d'une voix coupée de sanglots, effrayée et vaincue par la souffrance. En écoutant ces plaintes le prince André avait envie de pleurer. Était-ce parce qu'il se mourait sans gloire, était-ce parce qu'il regrettait de quitter la vie, était-ce sous l'influence des souvenirs d'une enfance révolue, était-ce parce qu'il souffrait, que d'autres souffraient et que cet homme gémissait si pitoyablement devant lui, il avait envie de pleurer de douces larmes d'enfant, presque des larmes de joie.

On montra au blessé sa jambe amputée dans sa botte pleine de sang coagulé.

« Oh ! Ooooh ! » sanglota-t-il comme une femme. Le médecin qui se penchait sur le blessé et cachait son visage s'écarta.

« Mon Dieu ! Qu'est-ce donc ? Pourquoi est-il ici ? » se dit le prince André.

Dans le malheureux qui sanglotait, épuisé, qu'on venait d'amputer d'une jambe, il avait reconnu Anatole Kouraguine. On soutenait Anatole sous les bras et on lui présentait un verre d'eau dont il ne parvenait pas à saisir le bord de ses lèvres tremblantes et tuméfiées. Il sanglotait désespérément. « Oui, c'est lui ; oui, il y a quelque chose qui lie étroitement et douloureusement cet homme à moi, se disait le prince André qui ne comprenait pas encore nettement ce qu'il avait devant lui. En quoi consiste le lien qui rattache cet homme à mon enfance, à ma vie ? » se demandait-il sans trouver de réponse. Et soudain un nouveau souvenir, inattendu, du monde pur et aimant de l'enfance, se présenta à lui. Il se rappela Natacha telle qu'il l'avait vue pour la première fois au bal de 1810, avec son cou et ses bras minces, son visage effrayé et heureux, prêt pour l'enthousiasme, et son amour et sa tendresse pour elle se réveillèrent plus vivants et plus forts que jamais. Il se souvenait maintenant de ce lien qui existait entre lui et cet homme qui, à travers les larmes embuant ses yeux gonflés, fixait sur lui un regard trouble. Il se souvint de tout, et une pitié et un amour exaltés pour cet homme emplirent son cœur heureux.

Le prince André ne put plus se contenir et pleura des larmes de tendresse et d'amour sur les hommes, sur lui-même, sur ses égarements et les leurs.

« La pitié, l'amour pour nos frères, pour ceux qui nous aiment, l'amour pour ceux qui nous haïssent, l'amour pour nos ennemis, oui, cet amour que Dieu prêchait sur la terre, que m'enseignait la princesse Maria et que je ne comprenais pas ; voilà pourquoi je regrettais la vie, voilà ce qui me resterait encore si je devais vivre. Mais il est trop tard maintenant. Je le sais ! »

XXXVIII

L'effroyable aspect du champ de bataille jonché de cadavres et de blessés s'ajoutant à la lourdeur qu'il ressentait dans la tête, à la nouvelle que vingt généraux qu'il connaissait avaient été tués ou blessés, à la conscience de l'impuissance de son bras jadis puissant, tout cela eut un effet inattendu sur Napoléon qui, d'ordinaire, aimait à voir les tués et les blessés, éprouvant ainsi sa force d'âme (pensait-il). Ce jour-là, le terrible aspect du champ de bataille eut raison de cette force d'âme dans laquelle il voyait son mérite et sa grandeur. Il s'éloigna précipitamment et revint au mamelon de Chevardino. Jaune, bouffi, lourd, les yeux troubles, le nez rouge et la voix enrouée, il restait assis sur son pliant en prêtant malgré lui l'oreille au bruit des détonations et sans lever les yeux. Il attendait avec une angoisse douloureuse la fin de cette affaire à laquelle il croyait participer mais qu'il ne pouvait arrêter. Un sentiment personnel, humain l'emporta pour un court instant sur ce mirage fallacieux de la vie qu'il avait servi pendant si longtemps. Il éprouva par lui-même les souffrances et la mort qu'il avait vues sur le champ de bataille. La lourdeur de la tête et l'oppression de la poitrine lui rappelaient qu'il pouvait lui aussi souffrir et mourir. En cet instant il ne voulait pour lui ni Moscou, ni la victoire, ni la gloire. (De quelle gloire avait-il encore besoin ?) Tout ce qu'il désirait maintenant était le repos, le calme et la liberté. Mais quand il s'était arrêté sur la hauteur de Semenovskoïe, le commandant de l'artillerie lui avait proposé d'y placer quelques batteries afin de renforcer le feu dirigé contre les troupes russes concentrées devant Kniazkovo. Napoléon avait accepté et avait ordonné qu'on lui rendît compte du résultat obtenu.

Un aide de camp vint annoncer que, conformément aux ordres de l'Empereur, deux cents pièces étaient pointées contre les Russes mais que ceux-ci tenaient toujours.

« Notre feu en fauche des rangs entiers, et ils tiennent toujours, dit-il.

– *Ils en veulent encore !...* dit Napoléon de sa voix enrouée.

– *Sire ?* demanda l'aide de camp qui n'avait pas bien entendu.

– *Ils en veulent encore*, répéta Napoléon de la même voix rauque en fronçant les sourcils, *donnez-leur-en.* »

Même sans son ordre, ce qu'il avait voulu s'accomplissait, et il ne prenait des dispositions que parce qu'il croyait qu'on attendait qu'il en prît. Et de nouveau il se transporta dans son monde factice de mirages de grandeur, et de nouveau (comme le cheval qui fait fonctionner une noria s'imagine faire quelque chose pour lui-même) il remplissait docilement ce triste rôle cruel et pénible, ce rôle inhumain auquel il était prédestiné.

Et ce n'est pas pour cette heure et ce jour seulement que furent obscurcis l'esprit et la conscience de cet homme qui, plus qu'aucun autre, portait la responsabilité de ce qui se passait ; jamais jusqu'à la fin de ses jours, il ne parvint à comprendre ni le bien, ni le beau, ni le vrai, ni la portée de ses actes qui étaient trop opposés au bien et au vrai, trop éloignés de tout sentiment humain pour qu'il en fût capable. Il ne pouvait renier ses actes glorifiés par la moitié du monde, et par conséquent il devait renoncer au vrai et au bien et à tout sentiment humain.

Ce n'est pas en ce jour seulement que, parcourant le champ de bataille jonché d'hommes morts ou mutilés (par sa volonté, croyait-il), regardant ces hommes, il calculait combien il y avait de Russes pour un Français et que, se dupant lui-même, il trouvait des raisons de se réjouir en constatant qu'il y en avait cinq pour un Français. Ce n'est pas en ce jour seulement qu'il écrivait à Paris que *le champ de bataille a été superbe* parce que cinquante mille cadavres le couvraient, mais à Sainte-Hélène aussi, dans le calme de la solitude, où il disait qu'il avait l'intention de consacrer ses loisirs à relater les grandes choses qu'il avait faites, il écrivait :

« *La guerre de Russie eût dû être la plus populaire des temps modernes : c'était celle du bon sens et des vrais intérêts, celle du repos et de la sécurité de tous ; elle était purement pacifique et conservatrice.*

« *C'était pour la grande cause, la fin des hasards et le commencement de la sécurité. Un nouvel horizon, de nouveaux travaux allaient se dérouler, tout pleins du bien-être et de la prospérité de tous. Le système européen se trouvait fondé ; il n'était plus question que de l'organiser.*

« *Satisfait sur ces grands points et tranquille partout, j'aurais eu aussi mon Congrès et ma Sainte-Alliance. Ce sont des idées qu'on m'a volées. Dans cette réunion de grands souverains, nous eussions traité de nos intérêts de famille et compté de clerc à maître avec les peuples.*

« *L'Europe n'eût bientôt fait de la sorte véritablement qu'un même peuple, et chacun, en voyageant partout, se fût trouvé toujours dans la patrie commune. J'eusse demandé toutes les rivières navigables pour tous, la communauté des mers et que les grandes armées permanentes fussent réduites désormais à la seule garde des souverains.*

« De retour en France, au sein de la patrie, grande, forte, magnifique, tranquille, glorieuse, j'eusse proclamé ses limites immuables, toute guerre future, purement défensive ; tout agrandissement nouveau, antinational. J'eusse associé mon fils à l'Empire ; ma dictature eût fini, et son règne constitutionnel eût commencé…

« Paris eût été la capitale du monde, et les Français l'envie des nations !…

« Mes loisirs ensuite et mes vieux jours eussent été consacrés, en compagnie de l'impératrice et durant l'apprentissage royal de mon fils, à visiter lentement et en vrai couple campagnard, avec mes propres chevaux, tous les recoins de l'Empire, recevant les plaintes, redressant les torts, semant de toutes parts et partout les monuments et les bienfaits. »

Lui que la Providence avait prédestiné au triste rôle asservi de bourreau des nations, il voulait se persuader que le but de ses actes était le bien des nations, qu'il pouvait diriger les destinées de millions d'hommes et, d'autorité, faire leur bonheur !

« *Des 400 000 hommes qui passèrent la Vistule*, écrivait-il plus loin au aujet de la campagne de Russie, *la moitié étaient Autrichiens, Prussiens, Saxons, Polonais, Bavarois, Wurtembourgeois, Mecklembourgeois, Espagnols, Italiens, Napolitains. L'armée impériale proprement dite était pour un tiers composée de Hollandais, Belges, habitants des bords du Rhin, Piémontais, Suisses, Genevois, Toscans, Romains, habitants de la 32e division militaire, Brême, Hambourg, etc. ; elle comptait à peine 140 000 hommes parlant français. L'expédition de Russie coûta moins de 50 000 hommes à la France actuelle ; l'armée russe dans la retraite de Wilna à Moscou, dans les différentes batailles, a perdu quatre fois plus que l'armée française ; l'incendie de Moscou a coûté la vie à 100 000 Russes, morts de froid et de misère dans les bois ; enfin, dans sa marche de Moscou à l'Oder, l'armée russe fut aussi atteinte par l'intempérie de la saison ; elle ne comptait à son arrivée à Wilna que 50 000 hommes, et à Kalisch moins de 18 000.* »

Il s'imaginait que c'est par sa volonté que s'était faite la guerre avec la Russie et l'horreur de l'acte accompli n'accablait pas son âme. Il assumait hardiment l'entière responsabilité de l'événement et son esprit obnubilé voyait une justification dans le fait que, parmi les centaines de milliers d'hommes tombés, il y avait moins de Français que de Hessois et de Bavarois.

XXXIX

Quelques dizaines de milliers d'hommes gisaient morts, dans les attitudes et les uniformes les plus divers, sur les champs et les prairies appartenant aux propriétaires Davidov et aux paysans de la couronne, ces champs et ces prairies où, pendant des siècles, les habitants des villages de Borodino, de Gorki, de Chevardino et de Semenovskoïe avaient fait leur récolte et mené paître leur bétail. Aux postes de secours, sur l'espace d'un hectare, l'herbe et la terre étaient gorgées de sang. Des foules de soldats blessés ou valides de diverses unités cheminaient effrayés en arrière, les uns vers Mojaïsk, les autres vers Valouievo. D'autres foules, épuisées et affamées, conduites par leurs chefs, allaient de l'avant. D'autres enfin demeuraient sur place et continuaient de tirer.

Sur toute l'étendue du champ de bataille, si beau et si joyeux peu de temps auparavant avec l'éclat des baïonnettes et les fumées dans le soleil matinal, descendait maintenant un voile d'humidité et de fumée et planait une étrange odeur aigre de salpêtre et de sang. Des nuages s'étaient amassés et une pluie fine se mit à tomber sur les morts, sur les blessés, sur les hommes effrayés, et exténués, et qui doutaient. Elle semblait dire : « Assez, assez, hommes. Cessez… Ressaisissez-vous. Que faites-vous ! »

Les soldats harassés de l'une et l'autre armée, privés de nourriture et de repos, commençaient également à douter de devoir continuer à s'exterminer, et l'hésitation se lisait sur tous les visages, et dans chaque âme se levait également la question : « Pourquoi, pour qui dois-je tuer et être tué ? Tuez qui vous voulez, faites ce que vous voulez, mais moi je ne veux plus ! » Cette pensée, vers le soir, avait également mûri dans l'âme de chacun. À chaque instant, ces hommes pouvaient être saisis d'horreur pour ce qu'ils faisaient, laisser tout là et s'enfuir n'importe où.

Mais bien que, à la fin de la bataille, les hommes sentissent déjà toute l'horreur de ce qu'ils faisaient, bien qu'ils eussent été contents de s'arrêter, une force incompréhensible, mystérieuse continuait à les gouverner et, couverts de sueur, de poudre et de sang, réduits à un sur trois, les artilleurs, tout en trébuchant et haletant de fatigue, apportaient les gargousses, chargeaient, pointaient, appliquaient les mèches, et les boulets continuaient avec la même vitesse et la même cruauté à voler des deux côtés et à déchiqueter des corps humains, et ainsi continuait à s'accomplir cette chose terrible qui s'accomplit non par la volonté des hommes mais par la volonté de Celui qui gouverne les hommes et les mondes.

Quiconque eût observé les arrières désorganisés de l'armée russe aurait dit qu'il eût suffi aux Français de faire un faible effort encore, et l'armée russe aurait été détruite ; et quiconque eût observé les arrières de l'armée française aurait dit qu'il eût suffi que les Russes fissent un faible effort encore, et les Français auraient été anéantis. Mais ni les Français, ni les Russes ne faisaient cet effort et le feu de la bataille achevait lentement de s'éteindre.

Les Russes ne faisaient pas cet effort parce que ce n'étaient pas eux qui avaient attaqué les Français. Au début de la bataille, ils s'étaient bornés à tenir la route de Moscou en la barrant, et ils continuaient de la tenir à la fin de la bataille comme au début. Mais quand même leur but aurait été de repousser les Français, ils n'auraient pu fournir cet ultime effort, car toutes leurs troupes étaient désorganisées, il n'y avait pas une partie de l'armée qui n'eût été éprouvée dans la bataille, et les Russes, tout en restant sur leurs positions, avaient perdu la MOITIÉ de leur armée.

Pour les Français, soutenus par le souvenir de quinze ans de victoires, la confiance en l'invincibilité de Napoléon, la conscience de s'être rendus maîtres d'une partie du champ de bataille, de n'avoir perdu que le quart des leurs et d'avoir encore derrière eux les vingt mille hommes de la garde intacte, il aurait été facile de faire cet effort. Les Français, qui avaient attaqué l'armée russe dans le dessein de la déloger de ses positions, se devaient de faire cet effort parce que tant que, de même qu'avant la bataille, les Russes leur barraient le chemin de Moscou, leur but n'était pas atteint et tous leurs efforts, toutes leurs pertes demeuraient vains. Mais les Français ne firent pas cet effort. Certains historiens disent qu'il aurait suffi à Napoléon de faire donner sa vieille garde intacte pour que la bataille eût été gagnée. Parler de ce qui serait arrivé si Napoléon avait fait donner sa garde équivaut à épiloguer sur ce qui se passerait si le printemps venait à l'automne. Cela ne pouvait être. Si Napoléon n'a pas fait donner sa garde, ce n'est pas parce qu'il ne le voulait pas mais parce que c'était impossible. Les généraux, les officiers, les soldats de l'armée française savaient tous que cela n'était pas possible, car le moral défait de l'armée ne le permettait pas.

Napoléon n'était pas le seul à éprouver le sentiment – semblable à celui qu'on éprouve en rêve – que son bras terrible retombait sans force ; les généraux, les soldats de l'armée française, combattants ou non, après toute l'expérience des batailles précédentes (où, à la suite d'efforts dix fois moindres, l'ennemi fuyait), éprouvaient tous une égale terreur en présence de cet ennemi qui, ayant perdu la MOITIÉ de son armée, demeurait tout aussi menaçant à la fin de la bataille qu'au début. La force morale de l'armée française assaillante était épuisée. La victoire que les Russes remportèrent à Borodino fut non pas une de ces victoires qui se mesurent aux bouts de chiffons attachés à des bâtons qu'on appelle des drapeaux et au terrain conquis, mais une victoire morale, celle qui convainc l'adversaire de la supériorité de l'ennemi et de sa propre impuissance. L'envahisseur français, comme une bête exaspérée mortellement touchée dans sa course, pressentait sa perte ; mais il ne pouvait s'arrêter, non plus que ne pouvait pas ne pas céder l'armée russe deux fois plus faible. Par la vitesse acquise, l'armée française pouvait encore rouler jusqu'à Moscou ; mais là, sans de nouveaux efforts de la part de l'armée russe, elle devait succomber, se vidant de son sang par la blessure mortelle reçue à Borodino. La bataille de Borodino eut pour conséquence directe la fuite immotivée de Napoléon de Moscou, la retraite par la vieille route de Smolensk, la perte d'une armée de cinq cent mille hommes et la fin de la France napoléonienne sur laquelle, pour la première fois à Borodino, avait été portée la main d'un adversaire d'une force morale supérieure.

TROISIÈME PARTIE

I

La continuité absolue du mouvement est incompréhensible pour l'esprit humain. L'homme ne comprend les lois de n'importe quel mouvement que lorsqu'il examine des unités données de ce mouvement. Mais c'est précisément de ce fractionnement arbitraire du mouvement continu en unités discontinues que découlent la plupart des erreurs humaines.

On connaît le sophisme des anciens selon lequel Achille ne rattrapera jamais la tortue qui va devant lui, bien que son allure soit dix fois plus rapide : dès qu'Achille aura parcouru la distance qui le sépare de la tortue, celle-ci aura parcouru devant lui un dixième de cette distance; quand Achille aura parcouru ce dixième, la tortue aura fait encore un centième et ainsi de suite, à l'infini. Ce problème paraissait insoluble aux anciens. L'absurdité de la solution (Achille ne rattrapera jamais la tortue) ne découlait que du fractionnement arbitraire du mouvement en unités discontinues, alors que le mouvement d'Achille et celui de la tortue sont continus.

En prenant des unités de mouvement de plus en plus petites nous ne faisons qu'approcher de la solution du problème sans jamais l'atteindre. C'est seulement en admettant une valeur infinitésimale et sa progression ascendante jusqu'au dixième, et en faisant la somme de cette progression géométrique que nous arrivons à la solution du problème. La nouvelle branche des mathématiques, en découvrant l'art d'opérer avec les infiniment petits, donne aujourd'hui des réponses à des questions qui paraissaient insolubles, même dans des problèmes plus complexes du mouvement.

Cette branche nouvelle des mathématiques inconnue des anciens, en introduisant, dans l'étude des problèmes du mouvement, les valeurs infiniment petites, c'est-à-dire celles qui permettent de rétablir la condition fondamentale du mouvement (la continuité absolue), redresse par là même cette erreur inévitable que l'esprit humain ne peut pas ne pas commettre quand il examine des unités de mouvement isolées au lieu du mouvement continu.

Il en est de même pour la recherche des lois du mouvement de l'histoire.

Le mouvement de l'humanité, résultante d'un nombre incalculable de volontés individuelles, est continu.

La connaissance des lois de ce mouvement constitue l'objet de l'histoire. Mais afin de saisir les lois du mouvement continu de la somme de toutes les volontés individuelles, l'esprit humain admet des unités arbitraires, discontinues. La première méthode de l'histoire consiste, en prenant arbitrairement une série d'événements continus, à les considérer en dehors d'autres, alors qu'il n'y a pas et qu'il ne peut pas y avoir de commencement d'aucun événement et qu'un événement découle toujours et sans discontinuité d'un autre. La seconde méthode consiste à examiner les actes d'un seul homme, roi, chef d'armée, comme la somme des volontés des hommes, alors que cette somme ne s'exprime jamais par l'activité d'un seul personnage historique.

La science historique, dans son évolution, prend pour son étude des unités de plus en plus petites et, par ce moyen, s'efforce de se rapprocher de la vérité. Mais si petites que soient les unités qu'elle admet, nous sentons qu'admettre des unités séparées les unes des autres, admettre un COMMENCEMENT à un phénomène et admettre que les volontés de tous les hommes s'expriment par les actes d'un seul personnage historique, nous sentons que tout cela est faux en soi.

Toute déduction historique sans aucun effort de la critique tombe en poussière sans rien laisser après elle, simplement parce que la critique choisit pour objet de son examen une unité discontinue plus ou moins grande ; ce qui est toujours son droit car l'unité historique choisie est toujours arbitraire.

C'est seulement en prenant pour objet d'observation une unité infiniment petite – la différentielle de l'histoire, c'est-à-dire les aspirations communes des hommes – et en apprenant l'art de l'intégrer (faire la somme de ces infinitésimaux) que nous pouvons espérer saisir les lois de l'histoire.

Les quinze premières années du XIXe siècle en Europe offrent le spectacle d'un mouvement extraordinaire de millions d'hommes. Ces hommes abandonnent leurs occupations habituelles, se portent d'un bout de l'Europe à l'autre, pillent, s'entre-tuent, triomphent et désespèrent, et le cours tout entier de la vie se trouve changé pour plusieurs années et présente un mouvement intense qui va d'abord en croissant, puis s'affaiblit. Quelle était la cause de ce mouvement ou quelles sont les lois qui le régissent ? demande l'esprit humain.

Les historiens répondent à cette question en nous exposant les faits et gestes de quelques dizaines d'hommes dans un des édifices de la ville de Paris et baptisent ces faits et gestes du nom de Révolution ; puis ils donnent une biographie complète de Napoléon et de quelques personnages, ses partisans ou ses adversaires, racontent l'influence exercée par certains de ces personnages sur les autres et disent : voilà d'où est venu ce mouvement, et en voilà les lois.

Mais l'esprit humain non seulement se refuse à croire à cette explication mais déclare nettement que ce procédé d'explication est inexact car il prend le phénomène le plus faible pour la cause du plus fort. C'est la somme des volontés humaines qui a créé et la Révolution et Napoléon, et c'est cette somme seule qui les a subis et anéantis.

« Mais chaque fois qu'il y eut des conquêtes, il y eut des conquérants ; chaque fois que des bouleversements se produisirent dans un État, il y eut de grands hommes », dit l'histoire. En effet, chaque fois qu'apparurent des conquérants, il y eut des guerres, répond l'esprit humain, mais cela ne prouve pas que les conquérants fussent la cause des guerres, ni qu'il soit possible de trouver des lois de la guerre dans l'activité d'un seul individu. Chaque fois qu'en consultant ma montre je vois l'aiguille sur le chiffre 10, j'entends les cloches à l'église voisine commencer à sonner, mais du fait que chaque fois que l'aiguille marque dix heures les cloches commencent à sonner, je ne suis pas en droit de conclure que la position de l'aiguille est la cause du mouvement des cloches.

Chaque fois que je vois une locomotive en marche, j'entends son sifflet, je vois s'ouvrir la soupape et tourner les roues ; mais je ne suis pas en droit d'en conclure que le sifflet et le mouvement des roues sont les causes de la marche de la locomotive.

Les paysans disent qu'à la fin du printemps un vent froid souffle parce que les bourgeons du chêne s'épanouissent, et en effet chaque printemps un vent froid souffle quand les bourgeons du chêne s'épanouissent. Mais bien que la cause de ce vent froid qui souffle alors me soit inconnue, je ne puis en conclure avec les paysans que la cause de ce vent est l'épanouissement des bourgeons du chêne, pour la bonne raison que la force du vent n'est pas influencée par les bourgeons. Je vois seulement la coïncidence des conditions qu'on observe dans tout phénomène de la vie et je constate que, malgré tous les soins que je pourrais apporter à observer l'aiguille de la montre, la soupape et les roues de la locomotive et le bourgeon du chêne, je ne saurai pas la cause de la sonnerie des cloches, du mouvement de la locomotive ni du vent printanier. Pour le savoir, je dois complètement modifier mon point d'observation et étudier les lois du mouvement de la vapeur, de la cloche et du vent. L'histoire doit faire de même. Et des tentatives ont déjà été faites dans ce sens.

Pour étudier les lois de l'histoire, nous devons changer complètement l'objet de l'examen, laisser en paix les rois, les ministres et les généraux, et étudier les éléments homogènes, infinitésimaux qui gouvernent les masses. Nul ne peut dire dans quelle mesure il sera donné à l'homme d'atteindre par ce moyen à l'intelligence des lois de l'histoire ; mais il est patent que cette voie seule offre la possibilité de saisir ces lois historiques ; et que dans cette voie l'esprit humain n'a pas encore déployé la millionième part des efforts que les historiens ont consacrés à décrire les actes des divers rois, chefs de guerre, ministres, et à exposer leurs considérations sur ces actes.

II

Les forces de douze peuples d'Europe ont envahi la Russie. L'armée russe et la population se retirent, évitant le contact, jusqu'à Smolensk et de Smolensk jusqu'à Borodino. L'armée française fonce sur Moscou, but de son mouvement, dans un élan toujours plus violent. La force de cet élan s'accroît à l'approche du but, comme s'accélère la vitesse d'un corps qui tombe à mesure qu'il approche de la terre. Derrière, des milliers de verstes d'un pays affamé, hostile ; devant, quelques dizaines de verstes qui la séparent du but. Cela, chaque soldat de l'armée de Napoléon le sent, et l'invasion est portée en avant par la seule force de son élan.

Dans l'armée russe, à mesure qu'elle recule, la colère contre l'ennemi s'enflamme de plus en plus : pendant la retraite, elle se concentre et croît. À Borodino, le choc se produit. Ni l'une ni l'autre armée ne se désagrège, mais l'armée russe, immédiatement après le choc, recule tout aussi nécessairement que rebondit une balle après en avoir heurté une autre qui fonce sur elle sous une impulsion plus forte ; et tout aussi nécessairement (quoique ayant perdu toute sa force dans le choc), la balle de l'invasion une fois lancée roule encore sur une certaine distance.

Les Russes se retirent à cent vingt verstes au-delà de Moscou, les Français atteignent Moscou et s'y arrêtent. Pendant cinq semaines ensuite, il n'y a aucune bataille. Les Français ne bougent pas. Comme une bête mortellement blessée qui, se vidant de son sang, lèche ses plaies, ils restent cinq semaines à Moscou sans rien entreprendre et soudain, sans aucune raison nouvelle, ils s'enfuient : ils s'élancent sur la route de Kalouga et (après une victoire car, de nouveau, ils restent maîtres du champ de bataille à Malo Iaroslavetz), sans engager un seul combat sérieux, s'enfuient encore plus vite vers Smolensk, au-delà de Smolensk, au-delà de Vilna, au-delà de la Bérézina, et toujours plus loin.

Au soir du 26 août, Koutouzov et avec lui l'armée russe tout entière étaient persuadés que la bataille de Borodino était gagnée. C'est ce que Koutouzov écrivit à l'empereur. Il donna l'ordre de se préparer à une nouvelle bataille pour donner le coup de grâce à l'ennemi, non parce qu'il voulait tromper qui que ce fût, mais parce qu'il savait que l'ennemi était vaincu, comme le savait aussi chacun des combattants.

Mais le même soir et le lendemain, l'une après l'autre, affluèrent les nouvelles de pertes inouïes, la perte de la moitié de l'armée, et une nouvelle bataille devint matériellement impossible.

Il était impossible de livrer une bataille tant que tous les renseignements n'avaient pas été réunis, les blessés relevés, les munitions complétées, les morts dénombrés, de nouveaux chefs nommés à la place de ceux qui avaient été tués, tant que les hommes n'avaient pas mangé et dormi. En même temps, aussitôt après la bataille, le lendemain matin, l'armée française (avec cette force propulsive qui croît maintenant comme en raison inverse du carré des distances) marchait déjà d'elle-même contre l'armée russe. Koutouzov voulait attaquer le lendemain et toute l'armée le voulait aussi. Mais pour attaquer le désir ne suffit pas, il fallait avoir la possibilité de le faire et cette possibilité n'existait pas. Il était impossible de ne pas reculer d'une étape, puis tout aussi impossible de ne pas reculer encore d'une deuxième et d'une troisième, et enfin, le 1er septembre, quand l'armée eut atteint Moscou, malgré toute l'ardeur de l'enthousiasme qui régnait dans les rangs, la force des choses l'obligea à reculer au-delà. Et l'armée recula d'une étape encore, la dernière, et livra Moscou à l'ennemi.

Pour ceux qui ont l'habitude de croire que les plans des guerres et des batailles sont dressés par les chefs d'armée de la même façon que le ferait chacun de nous qui, penché sur une carte dans son cabinet de travail, examinerait les dispositions qu'il aurait prises dans telle ou telle bataille, pour ceux-là des questions se posent : pourquoi, lors de la retraite, Koutouzov n'a-t-il pas agi de telle ou telle façon, pourquoi n'a-t-il pas pris position avant Fili, pourquoi ne s'est-il pas retiré sur la route de Kalouga tout de suite, après avoir abandonné Moscou ? etc. Ceux qui sont habitués à penser ainsi oublient ou ignorent les conditions inévitables dans lesquelles s'exerce toujours l'activité de tout commandant en chef. Cette activité n'a rien de commun avec celle que nous imaginons quand, tranquillement installés dans un cabinet, nous étudions une campagne sur la carte, avec un nombre de troupes connu dans les deux camps, un terrain connu et en prenant pour point de départ de nos considérations un moment déterminé. Un général en chef ne se trouve jamais dans les conditions de COMMENCEMENT d'un événement dans lesquelles nous sommes toujours pour examiner cet événement. Il se trouve toujours au milieu d'une suite mouvante d'événements, et cela de telle sorte que jamais, à aucun moment, il n'est en mesure de peser toute la portée de l'événement qui s'accomplit. Insensiblement, minute par minute, l'événement prend forme et, à chaque instant de cette formation continue, ininterrompue de l'événement, le commandant en chef se trouve au centre d'un jeu complexe d'intrigues, de préoccupations, de servitudes, de puissance, de projets, de conseils, de menaces, de duperies, il est constamment obligé de répondre à un nombre infini de questions, souvent contradictoires, qu'on lui pose.

Les théoriciens militaires nous disent le plus sérieusement du monde que, bien avant Fili, Koutouzov aurait dû diriger les troupes sur la route de Kalouga, qu'un projet dans ce sens lui aurait même été soumis. Mais un commandant en chef a toujours devant lui, surtout en un moment difficile, non pas un projet mais des dizaines à la fois. Et chacun de ces projets fondés sur la stratégie et la tactique est en contradiction avec les autres. Le commandant en chef semble n'avoir qu'à choisir un de ces projets. Mais même cela il ne peut le faire. Les événements et le temps n'attendent pas. Supposons qu'on lui propose, le 28, de passer sur la route de Kalouga, mais à ce moment survient un aide de camp envoyé par Miloradovitch qui demande s'il faut engager le combat contre les Français ou battre en retraite. Il doit tout de suite, à l'instant même, donner un ordre. Or, un ordre de retraite nous détournerait de la route de Kalouga. Après cet aide de camp, c'est l'intendant qui demande où il faut diriger les vivres, puis le chef des ambulances qui veut savoir où doivent être emmenés les blessés; tandis qu'un courrier de Pétersbourg apporte une lettre de l'empereur qui n'admet pas la possibilité d'abandonner Moscou et que le rival du commandant en chef, celui qui cherche à lui nuire (ces gens-là existent toujours, non pas un mais plusieurs) propose un nouveau projet, diamétralement opposé au plan de retraite sur la route de Kalouga; tandis que les forces du commandant en chef exigent le sommeil et le repos; tandis qu'un brave général, victime d'un passe-droit, vient se plaindre; que les habitants implorent protection; qu'un officier envoyé pour examiner le terrain rentre et fait un rapport tout à fait opposé à ce que disait l'officier qui l'a précédé; qu'un éclaireur, un prisonnier et un général parti en reconnaissance décrivent chacun à sa façon la position de l'armée ennemie. Ceux qui ont tendance à ne pas comprendre ou à oublier ces conditions dans lesquelles s'exerce nécessairement l'activité de tout commandant en chef nous représentent, par exemple, la position de l'armée devant Fili en supposant que le commandant en chef pouvait, le 1er septembre, résoudre en toute liberté la question de l'abandon ou de la défense de Moscou, alors que l'armée russe étant à cinq verstes de Moscou, cette question ne pouvait se poser. Quand donc cette question fut-elle résolue ? Ce fut et à Drissa, et à Smolensk, et, de la façon la plus tangible, le 24 à Chevardino et le 26 à Borodino, et chaque jour et à chaque heure et à chaque minute de la retraite de Borodino à Fili.

III

Les troupes russes ayant reculé après Borodino stationnaient à Fili. Ermolov qui était allé examiner la position vint trouver le maréchal.

« Il est impossible de se battre sur cette position », dit-il. Koutouzov lui jeta un regard surpris et le fit répéter. Quand il eut dit, Koutouzov lui tendit la main.

« Donne-moi ta main », dit-il, et la tournant de façon à lui tâter le pouls, il ajouta : « Tu es souffrant, mon cher. Réfléchis à ce que tu dis. »

Sur le mont Poklonni, à six verstes de la barrière de Dorogomilov, Koutouzov descendit de voiture et s'assit sur un banc au bord de la route. Une énorme foule de généraux l'entoura. Le comte Rostoptchine qui arrivait de Moscou se joignit à eux. Toute cette brillante assemblée qui avait formé plusieurs groupes discutait des avantages et des inconvénients de la position, de l'état des troupes, des plans proposés, de la situation de Moscou, de questions d'ordre militaire en général. Tous sentaient que, sans y avoir été convoqués et sans que ce nom eût été donné à ce conseil, ce n'en était pas moins là un conseil de guerre. Si quelqu'un communiquait ou apprenait des nouvelles personnelles, c'était à voix basse et aussitôt on revenait aux questions d'ordre général : ni plaisanteries, ni rires, ni même un sourire parmi tous ces hommes. Tous s'efforçaient visiblement d'être à la hauteur de la situation. Et chaque groupe tout en parlant tâchait de rester à proximité du commandant en chef (dont le banc formait le centre de tous ces groupes) et parlait de façon qu'il pût entendre. Le commandant en chef écoutait et parfois faisait répéter ce qu'on disait autour de lui, mais ne prenait pas lui-même part aux conversations et n'émettait aucune opinion. La plupart du temps, après avoir prêté l'oreille à ce qui se disait dans un des groupes, il se détournait d'un air déçu, comme si on ne parlait pas du tout de ce qu'il désirait savoir. Les uns discutaient la position choisie en critiquant non pas tant la position même que les facultés mentales de ceux qui l'avaient choisie ; d'autres soutenaient que la faute datait de plus loin, qu'il aurait fallu accepter la bataille dès l'avant-veille ; d'autres encore parlaient de la bataille de Salamanque que racontait le Français Crossart, un nouveau venu en uniforme espagnol. (Ce Français, avec un des princes allemands qui servaient dans l'armée russe, analysait le siège de Saragosse en prévision de la même défense de Moscou.) Dans un quatrième groupe, le comte Rostoptchine se disait prêt à mourir avec la milice de Moscou sous les murs de la capitale, mais ne pouvait néanmoins pas s'empêcher de déplorer l'ignorance dans laquelle on l'avait laissé, et s'il avait su ce qu'il en était, les choses se seraient passées autrement… Un cinquième groupe, montrant la profondeur de ses conceptions stratégiques, parlait de la direction que devraient prendre les troupes. Un sixième tenait des propos parfaitement absurdes. Le visage de Koutouzov se faisait de plus en plus soucieux et triste. Dans tous ces propos il ne voyait qu'une chose : la défense de Moscou était MATÉRIELLEMENT IMPOSSIBLE, dans la pleine acception du terme, au point que si un commandant en chef assez fou donnait l'ordre de livrer bataille, une confusion se produirait et la bataille n'aurait tout de même pas lieu; elle n'aurait pas lieu parce que tous les grands chefs non seulement jugeaient cette position intenable, mais dans leurs conversations ne discutaient que de ce qui se passerait après l'abandon certain de cette position. Comment donc les chefs auraient-ils pu mener leurs troupes sur un champ de bataille qu'ils considéraient comme intenable? Les officiers subalternes, même les soldats (qui raisonnent aussi) le reconnaissaient également et par conséquent ne pouvaient aller se battre avec la certitude d'une défaite. Si Bennigsen insistait sur la défense de cette position et si d'autres la discutaient encore, cette question n'avait plus d'importance en soi et n'était plus qu'un prétexte à discussions et à intrigues. Koutouzov le comprenait.

Bennigsen, qui avait choisi la position, faisait montre avec feu de son patriotisme russe (ce que Koutouzov ne pouvait entendre sans grimacer) et insistait sur la défense de Moscou. Koutouzov voyait clair comme le jour dans le jeu de Bennigsen : en cas d'échec de la défense, en rejeter la faute sur Koutouzov qui avait conduit les troupes sans combattre jusqu'aux monts aux Moineaux, en cas de succès s'en attribuer le mérite; et en cas de refus, se laver du crime de l'abandon de Moscou. Mais ces intrigues ne préoccupaient plus le vieillard. Une seule et terrible question l'absorbait. Et à cette question il n'entendait personne fournir une réponse. Tout le problème maintenant se résumait pour lui à ceci : « Est-il possible que ce soit moi qui aie laissé Napoléon atteindre Moscou, et quand donc l'ai-je fait? Quand cela s'est-il décidé? Est-il possible que ce soit hier quand j'ai envoyé à Platov l'ordre de battre en retraite ou avant-hier soir quand je me suis assoupi et que j'ai dit à Bennigsen de faire le nécessaire? Ou bien encore plus tôt?... mais quand, quand donc cette chose terrible s'est-elle décidée? Moscou doit être abandonnée. L'armée doit battre en retraite et il faut en donner l'ordre. » Donner cet ordre terrible lui semblait équivaloir à se démettre. Or, non seulement il aimait le pouvoir, y était habitué (les honneurs rendus au prince Prozorovski, à qui il avait été attaché en Turquie, avaient excité son ambition), il était convaincu d'être destiné à sauver Moscou et que c'est pour cela seulement qu'à l'encontre de la volonté de l'empereur et par la volonté du peuple, il avait été choisi pour commandant en chef. Il était convaincu d'être le seul, dans ces circonstances difficiles, à pouvoir se maintenir à la tête de l'armée, d'être le seul au monde à pouvoir sans effroi avoir pour adversaire l'invincible Napoléon ; et il était saisi d'horreur à la pensée de l'ordre qu'il devait donner. Mais il fallait prendre une décision, il fallait mettre fin à ces conversations autour de lui qui commençaient à prendre une tournure trop libre.

Il appela les généraux les plus élevés en grade.

« *Ma tête, fût-elle bonne ou mauvaise, n'a qu'à s'aider d'elle-même* », dit-il en se levant du banc et il partit pour Fili où se trouvaient ses voitures.

IV

Le conseil se réunit à deux heures dans la spacieuse maison du paysan André Savostianov. Les hommes, les femmes et les enfants de cette nombreuse famille se pressaient dans la petite pièce, de l'autre côté du vestibule. Seule la petite-fille d'André, Malacha, âgée de six ans, à qui le Sérénissime, alors qu'il prenait le thé, avait donné un morceau de sucre en la traitant affectueusement, restait dans la grande pièce, sur le poêle. Malacha regardait timidement et joyeusement du haut du poêle les visages, les uniformes et les décorations des généraux qui entraient l'un après l'autre et s'installaient sur de larges bancs sous les icônes. Le grand-père, comme Malacha appelait en elle-même Koutouzov, était assis à part, dans le coin sombre derrière le poêle. Profondément enfoncé dans un fauteuil pliant, il ne cessait de soupirer en arrangeant le col de sa redingote qui, quoique déboutonné, semblait lui serrer le cou. Ceux qui arrivaient s'approchaient l'un après l'autre du maréchal, à certains il serrait la main, à d'autres faisait un signe de tête. Son aide de camp Kaïssarov voulut écarter les rideaux de la fenêtre qui se trouvait en face de Koutouzov, mais celui-ci fit un geste d'impatience et Kaïssarov comprit que le Sérénissime ne voulait pas qu'on vît son visage.

Autour de la table rustique en sapin chargée de cartes, de plans, de crayons, de papiers, il y avait tant de monde que les ordonnances apportèrent encore un banc. Sur ce banc prirent place les derniers arrivés, Ermolov, Kaïssarov et Toll. Juste sous les icônes, à la place d'honneur, était assis Barclay de Tolly, la croix de Saint-Georges au cou, le visage pâle et maladif et le front haut prolongé par son crâne nu. Depuis deux jours il souffrait de la fièvre et, en ce moment même, il avait des frissons, et se sentait courbatu. À côté de lui était assis Ouvarov qui, à voix basse (comme tout le monde), lui disait quelque chose en faisant des gestes vifs. Dokhtourov, petit et rondelet, les sourcils levés et les mains croisées sur le ventre, écoutait attentivement. De l'autre côté, sa large tête aux traîts hardis et aux yeux brillants appuyée sur sa main, le comte Ostermann-Tolstoï paraissait plongé dans ses pensées. Raievski, d'un geste machinal, ébouriffait avec impatience ses cheveux noirs sur ses tempes et jetait des regards tantôt sur Koutouzov, tantôt sur la porte d'entrée. Le beau visage ferme et bon de Konovnitzine s'éclairait d'un sourire tendre et malicieux. Il avait rencontré le regard de Malacha et des yeux lui adressait des signes qui faisaient sourire la petite fille.

Tout le monde attendait Bennigsen qui finissait un succulent repas, sous prétexte d'examiner encore une fois la position. On l'attendit de quatre heures à six heures et pendant tout ce temps on n'ouvrit pas la discussion mais parla d'autre chose à voix basse.

C'est seulement à l'entrée de Bennigsen que Koutouzov quitta son coin et se rapprocha de la table, mais de façon que son visage ne fût pas éclairé par les bougies qu'on y avait placées.

Bennigsen ouvrit la séance par cette question : « Faut-il abandonner sans combat l'antique et sainte capitale de la Russie ou faut-il la défendre ? » Un long silence général suivit. Tous les visages s'étaient assombris et dans le silence on entendait les soupirs irrités et le toussotement de Koutouzov. Tous les yeux étaient fixés sur lui. Malacha regardait elle aussi le grand-père. Elle était plus près de lui que les autres et elle vit son visage se contracter : on eût dit qu'il allait pleurer. Mais cela ne dura pas longtemps.

« L'ANTIQUE ET SAINTE CAPITALE DE LA RUSSIE ! dit-il soudain, répétant d'une voix pleine de colère les paroles de Bennigsen et soulignant ainsi le son faux qu'elles rendaient. Permettez-moi de vous dire, Excellence, que cette question n'a pas de sens pour un Russe. » (Il se pencha en avant de tout son corps lourd.) « On ne peut poser une pareille question et elle n'a pas de sens. La question pour laquelle j'ai demandé à ces messieurs de se réunir est une question militaire. C'est la suivante : "Le salut de la Russie est dans son armée. Est-il préférable de risquer la perte de l'armée et de Moscou en acceptant la bataille ou de livrer Moscou sans combat ?" Voilà la question sur laquelle je désire connaître votre opinion. » (Il se renversa contre le dossier de son fauteuil.)

Les débats s'engagèrent. Bennigsen ne croyait pas encore la partie perdue. Admettant l'opinion de Barclay et des autres sur l'impossibilité d'accepter une bataille défensive à Fili, il proposait, pénétré de patriotisme russe et d'amour pour Moscou, de faire passer les troupes pendant la nuit du flanc droit au flanc gauche et de tomber le lendemain sur l'aile droite des Français. Les avis se partagèrent, on discuta le pour et le contre de cette opinion. Ermolov, Dokhtourov et Raievski se rangèrent à l'avis de Bennigsen. Ou qu'ils fussent guidés par le sentiment qu'un sacrifice était nécessaire avant l'abandon de la capitale ou par des considérations personnelles, ces généraux semblaient ne pas comprendre que ce conseil de guerre qu'ils tenaient ne pouvait changer le cours inéluctable des choses et que Moscou était déjà abandonnée. Les autres généraux le comprenaient et, laissant de côté la question de Moscou, parlaient de la direction que, dans sa retraite, devait prendre l'armée. Malacha, qui ne quittait pas des yeux ce qui se passait devant elle, comprenait autrement le sens de ce conseil de guerre. Il lui semblait qu'il ne s'agissait que d'une lutte personnelle entre le « grand-père » et le « monsieur aux longues basques » comme elle appelait Bennigsen. Malacha voyait qu'ils s'irritaient en se parlant et, au fond de son cœur, elle prenait parti pour le grand-père. Au milieu de la conversation, elle remarqua le coup d'œil rapide et malicieux que le grand-père lança à Bennigsen, puis à sa grande joie constata que le grand-père avait dit au monsieur aux longues basques quelque chose qui l'avait décontenancé : Bennigsen rougit subitement et fit avec colère quelques pas dans la pièce. Les paroles qui avaient eu tant d'effet sur lui étaient celles par lesquelles Koutouzov avait exprimé d'une voix calme et contenue son opinion sur les avantages et les inconvénients de la proposition de celui-ci : le passage des troupes dans la nuit du flanc droit au flanc gauche pour attaquer l'aile droite des Français.

« Je ne peux pas, messieurs, avait dit Koutouzov, approuver le plan du comte. Des mouvements de troupes à une si proche distance de l'ennemi sont toujours dangereux et l'histoire militaire le confirme. C'est ainsi que… » (Il sembla réfléchir, cherchant un exemple et posant sur Bennigsen un regard clair et naïf.) « Tenez, prenons ne serait-ce que la bataille de Friedland dont, je suppose, le comte se souvient bien et qui n'a pas… tout à fait réussi uniquement parce que nos troupes se sont regroupées trop près de l'ennemi… » Un silence se fit qui dura une minute mais parut à tous très long.

Les débats reprirent, mais des silences se faisaient souvent et l'on sentait qu'il n'y avait plus rien à dire.

Pendant une de ces interruptions, Koutouzov poussa un profond soupir comme s'il allait parler. Tous les regards se portèrent sur lui.

« *Eh bien, messieurs ! Je vois que c'est moi qui paierai les pots cassés* », dit-il. Et se levant lentement, il s'approcha de la table. « Messieurs, j'ai entendu vos opinions. Certains d'entre vous ne seront pas d'accord avec moi. Mais (il marqua un temps d'arrêt) en vertu du pouvoir qui m'a été conféré par mon souverain et par la patrie, j'ordonne la retraite. »

Après cela les généraux se dispersèrent avec la même discrétion solennelle et silencieuse qu'à l'issue d'un enterrement.

Certains d'entre eux dirent quelque chose au commandant en chef à voix basse, sur un tout autre ton que pendant le conseil.

Malacha, qu'on attendait depuis longtemps pour souper, descendit avec précaution en s'accrochant de ses petits pieds nus aux saillies du poêle, et se faufilant entre les jambes des généraux se glissa par la porte.

Après avoir pris congé des généraux, Koutouzov demeura longtemps assis, accoudé à la table, à réfléchir toujours à la même question terrible : « Quand, quand donc s'est décidé l'abandon de Moscou ? Quand a été fait ce qui a tranché la question et qui en est responsable ? »

« Cela, cela je ne m'y attendais pas, dit-il à son aide de camp Schneider qui vint le trouver tard déjà dans la nuit, je ne m'attendais pas à cela ! Je n'y aurais jamais songé !

– Vous avez besoin de vous reposer, Votre Altesse, dit Schneider.

– Mais non ! Ils en boufferont, de la viande de cheval, comme les Turcs, cria sans répondre Koutouzov en frappant de son poing potelé sur la table, ils en boufferont, pourvu que… »

V

En même temps, dans un événement encore plus important que la retraite de l'armée sans combat – l'abandon de Moscou et son incendie – Rostoptchine, qui nous apparaît comme le dirigeant de cet événement, agissait à l'opposé de Koutouzov.

Cet événement, l'abandon de Moscou et son incendie, était tout aussi inévitable que la retraite des troupes sans combat au-delà de la capitale, après la bataille de Borodino.

Chaque Russe, non par des déductions logiques mais par ce sentiment qui vit en nous comme il vivait en nos pères, aurait pu prédire ce qui devait arriver.

À partir de Smolensk, dans toutes les villes et tous les villages de la terre russe, sans l'intervention du comte Rostoptchine et de ses affiches, se passa la même chose qu'à Moscou. Le peuple attendait l'ennemi avec insouciance, ne se révoltait pas, ne s'agitait pas, n'écharpait personne, mais attendait tranquillement son sort, se sentant la force de trouver au moment le plus difficile ce qu'il faudrait faire. Et dès que l'ennemi approchait, les éléments les plus riches de la population s'en allaient en abandonnant leurs biens ; les plus pauvres demeuraient et incendiaient et détruisaient ce qui restait.

La conviction qu'il devait en être ainsi et qu'il en sera toujours ainsi habitait et habite encore l'âme russe. Et cette conviction, et plus encore le pressentiment que Moscou serait prise, animait la société de Moscou de 1812. Ceux qui étaient partis dès juillet ou au début d'août avaient montré par là qu'ils s'y attendaient. Ceux qui partaient en emportant tout ce qu'ils pouvaient, en abandonnant leurs maisons et la moitié de leurs biens, agissaient ainsi par un patriotisme *latent* qui ne s'exprime pas par des phrases, par l'immolation de ses enfants pour le salut de la patrie et autres actes contre nature, mais qui se manifeste insensiblement, simplement, organiquement et, partant, produit toujours les résultats les plus efficaces.

« Il est honteux de fuir devant le danger ; seuls les lâches s'enfuient de Moscou », leur disait-on. Rostoptchine, dans ses affiches, cherchait à les convaincre qu'il était déshonorant de quitter Moscou. Ils avaient honte d'être traités de lâches, honte de partir, mais ils partaient quand même, sachant qu'il le fallait. Pourquoi partaient-ils ? On ne peut supposer que Rostoptchine leur avait fait peur en décrivant les horreurs que commettait Napoléon dans les pays conquis. Ils partaient, et les premiers à partir furent les riches, les gens cultivés, qui savaient fort bien que Vienne et Berlin étaient demeurés intacts et que, pendant leur occupation par Napoléon, les habitants y passaient gaiement le temps en compagnie de ces Français charmeurs dont étaient si entichés alors les Russes et surtout les dames russes.

Ils partaient parce que, pour les Russes, la question de savoir si l'on serait bien ou mal sous l'administration française à Moscou ne pouvait se poser. On ne pouvait vivre sous l'administration française : c'eût été le pire. Ils avaient commencé à partir dès avant la bataille de Borodino et ils partaient plus vite encore après, sourds aux appels à la défense, en dépit de l'intention proclamée par le gouverneur de lever l'icône d'Ibérie et d'aller se battre, en dépit des ballons qui devaient anéantir les Français et malgré toutes les inepties que disait Rostoptchine dans ses affiches. Ils savaient que c'est à l'armée de se battre, que si elle n'en est pas capable, on ne peut aller aux Trois Monts avec les demoiselles et les domestiques pour affronter Napoléon, et qu'il fallait partir, quelque peine qu'on eût à vouer ses biens à la ruine. Ils partaient et ils ne songeaient pas à la grandeur de l'abandon par ses habitants de cette immense et riche capitale livrée en proie aux flammes (abandonnée, une grande ville construite en bois devait forcément brûler) ; ils partaient chacun pour soi, et pourtant ce n'est que parce qu'ils étaient partis que s'est accompli cet événement plein de grandeur qui demeurera à jamais la plus pure gloire du peuple russe. Telle grande dame qui, dès le mois de juillet, quittait Moscou avec ses nègres et ses bouffons pour ses terres de la province de Saratov, sentant confusément qu'elle ne pouvait courber le front devant Bonaparte et craignant d'être empêchée de partir par ordre du comte Rostoptchine, participait simplement et spontanément à cette grande œuvre qui sauva la Russie. Quant au comte Rostoptchine, qui tantôt faisait honte à ceux qui s'en allaient, tantôt faisait évacuer les administrations, tantôt distribuait des armes inefficaces à des bandes d'ivrognes, tantôt levait des icônes, tantôt interdisait au métropolite Augustin de faire partir les reliques et les icônes, tantôt réquisitionnait tous les véhicules particuliers de Moscou, tantôt faisait transporter sur cent trente-six chariots le ballon que construisait Leppich, tantôt laissait entendre qu'il incendierait Moscou, tantôt racontait qu'il avait mis le feu à sa propre maison et, dans une proclamation aux Français, leur reprochait solennellement d'avoir saccagé son orphelinat ; tantôt s'attribuait la gloire de l'incendie de Moscou, tantôt la rejetait, tantôt ordonnait au peuple de faire la chasse à tous les espions et de les lui amener, tantôt lui reprochait de le faire, tantôt expulsait de Moscou tous les Français, tantôt y laissait Mme Aubert-Chalmé, centre de toute la colonie française, tandis que sans raison particulière il faisait arrêter et emmener en exil le vieux et respectable directeur des postes Klioutcharev ; tantôt rassemblait le peuple pour aller aux Trois Monts se battre contre les Français, tantôt, pour se débarrasser de ce peuple, lui livrait un homme à massacrer et filait lui-même par la porte de derrière ; tantôt disait qu'il ne survivrait pas au malheur de Moscou, tantôt écrivait dans des albums des vers français sur la part qu'il prenait à cette affaire[1] – cet homme ne comprenait pas la signification de l'événement qui s'accomplissait mais voulait

1. *Je suis né Tartare. Je voulus être Romain. Les Français m'appelèrent barbare. Les Russes George Dandin.* (Note de l'auteur.)

seulement faire quelque chose, étonner quelqu'un, accomplir un acte d'héroïsme patriotique; comme un gamin, il jouait avec l'événement grandiose et inéluctable qu'était l'abandon et l'incendie de Moscou, et de sa petite main s'efforçait tantôt d'activer, tantôt de freiner le cours de l'immense torrent populaire qui l'emportait avec lui.

VI

Hélène, revenue avec la cour de Vilna à Pétersbourg, se trouvait dans une situation embarrassante.

À Pétersbourg, elle jouissait de la protection particulière d'un grand seigneur qui occupait l'une des plus hautes charges de l'Empire. Or, à Vilna, elle s'était liée avec un jeune prince étranger. À son retour à Pétersbourg, le prince et le grand seigneur, qui étaient là tous les deux, firent valoir tous les deux leurs droits et un problème nouveau dans sa carrière se posa pour elle : conserver son intimité avec les deux sans offenser ni l'un ni l'autre.

Ce qui aurait semblé difficile et même impossible à une autre ne donna pas un instant à réfléchir à la comtesse Bezoukhov qui n'avait pas usurpé sa réputation de la plus intelligente des femmes. Si elle avait cherché à cacher sa conduite, à employer la ruse pour se tirer d'embarras, elle aurait ainsi tout gâté en se reconnaissant coupable; mais Hélène, au contraire, comme un vrai grand homme qui peut tout ce qu'il veut, se plaça d'emblée dans le bon droit (à quoi elle croyait sincèrement) et, de tous les autres, fit des coupables.

La première fois que le jeune personnage étranger se permit de lui faire des reproches, elle redressa fièrement sa belle tête et, se tournant à demi vers lui, dit fermement :

« *Voilà l'égoïsme et la cruauté des hommes! Je ne m'attendais pas à autre chose. La femme se sacrifie pour vous; elle souffre, et voilà sa récompense. Quel droit avez-vous, monseigneur, de me demander compte de mes amitiés, de mes affections ? C'est un homme qui a été plus qu'un père pour moi.* »

Le personnage voulut placer un mot. Hélène l'interrompit.

« *Eh bien, oui*, dit-elle, *peut-être qu'il a pour moi d'autres sentiments que ceux d'un père, mais ce n'est pas une raison pour que je lui ferme ma porte. Je ne suis pas un homme pour être ingrate. Sachez, monseigneur, pour tout ce qui a rapport à mes sentiments intimes, je ne rends compte qu'à Dieu et à ma conscience*, conclut-elle en posant la main sur sa belle gorge tout agitée et en levant les yeux au ciel.

– *Mais écoutez-moi, au nom de Dieu.*

– *Épousez-moi, et je serai votre esclave.*

– *Mais c'est impossible.*

– *Vous ne daignez pas descendre jusqu'à moi, vous...* » dit Hélène en fondant en larmes.

Le personnage se mit en devoir de la consoler. Mais Hélène disait à travers ses larmes (comme si elle ne savait plus ce qu'elle faisait) que rien ne pouvait l'empêcher de se marier, qu'il y en avait des exemples (les exemples étaient encore peu nombreux alors, mais elle cita Napoléon et d'autres hauts personnages), qu'elle n'avait jamais été la femme de son mari, qu'on l'avait sacrifiée.

« Mais les lois, la religion... dit le personnage, cédant déjà.

– Les lois, la religion... Pourquoi auraient-elles été faites si elles ne peuvent servir à cela ! » dit-elle.

L'important personnage fut surpris qu'un raisonnement si simple pût ne pas lui être venu à l'esprit, et prit conseil des bons pères de la compagnie de Jésus avec qui il était en relations étroites.

Quelques jours plus tard, à une de ces charmantes fêtes qu'Hélène donnait dans sa villa de Kamenni Ostrov, on lui présenta un homme d'un certain âge, aux cheveux blancs comme neige et aux yeux noirs brillants, le fascinant *M. de Joubert, un jésuite à robe courte*, qui, dans le parc, à la lueur des illuminations et aux sons de la musique, causa longuement avec elle de l'amour de Dieu, du Christ, du cœur de la Sainte Vierge et des consolations que procure, dans cette vie et dans la vie future, la seule vraie foi, la religion catholique. Hélène fut touchée et plus d'une fois ses yeux, comme ceux de M. de Joubert, se remplirent de larmes, et plus d'une fois leurs voix à tous deux tremblèrent. Un danseur venu pour inviter Hélène interrompit sa conversation avec son futur *directeur de conscience* mais, le lendemain, M. de Joubert vint seul, le soir, chez Hélène et, dès lors, vint souvent.

Un jour, il emmena la comtesse dans une église catholique où elle s'agenouilla devant l'autel vers lequel on l'avait conduite. Le séduisant Français d'un certain âge lui posa les mains sur la tête et, comme elle le racontait elle-même par la suite, elle sentit quelque chose comme un souffle frais pénétrer dans son âme. On lui expliqua que c'était la *grâce*.

Puis on lui amena un abbé *à robe longue*, il la confessa et lui donna l'absolution. Le lendemain, on lui apporta une boîte contenant les saintes espèces qu'on laissa chez elle pour son usage. Au bout de quelques jours, Hélène apprit avec plaisir qu'elle appartenait désormais à la vraie Église catholique et que très prochainement le pape lui-même en serait informé et lui enverrait un papier.

Tout ce qui se passait pendant ce temps autour d'elle et avec elle, toute cette attention dont elle était l'objet de la part de tant d'hommes intelligents, attention qui s'exprimait dans des formes si agréables, si raffinées, et la pureté de colombe dans laquelle elle se trouvait maintenant (elle porta pendant tout ce temps des robes blanches garnies de rubans blancs), tout cela lui faisait plaisir ; mais malgré ce plaisir elle ne perdait pas un instant de vue son but. Et comme il arrive toujours qu'en fait de ruse un sot berne plus intelligent que lui, elle comprit que toutes ces paroles et tous ces soins tendaient essentiellement, après l'avoir convertie au catholicisme, à lui prendre de l'argent au profit des institutions des jésuites (ce qu'on lui laissait entendre), elle insista avant de s'exécuter pour qu'on se livrât sur elle aux diverses opérations nécessaires pour la libérer de son mari. À son idée, le rôle de toute religion n'était que d'observer certaines convenances en satisfaisant les désirs humains. Aussi, dans un de ses entretiens avec son directeur de conscience, lui demanda-t-elle avec insistance de lui dire dans quelle mesure son mariage la liait.

Ils étaient installés dans le salon, près d'une fenêtre. C'était au crépuscule. Par la fenêtre entrait le parfum des fleurs. Hélène portait une robe blanche transparente sur la poitrine et les épaules. L'abbé, un homme bien nourri, au menton plein rasé de près, à la bouche ferme d'un dessin agréable et aux mains blanches modestement croisées sur ses genoux, était assis tout près d'Hélène et, un fin sourire aux lèvres, jetait de temps à autre sur son visage un regard paisiblement émerveillé par sa beauté, tout en lui exposant son point de vue sur la question qui les intéressait. Hélène, souriant avec inquiétude, regardait ses cheveux bouclés, ses joues pleines bien rasées à reflet bleu, et à chaque instant s'attendait à voir la conversation prendre une tournure nouvelle. Mais l'abbé, tout en s'enchantant visiblement par la beauté de son interlocutrice, se laissait entraîner par la maîtrise de son art.

Le raisonnement du directeur de conscience était le suivant. Dans l'ignorance de la vraie signification de ce que vous faisiez, vous avez juré fidélité conjugale à un jeune homme qui, de son côté, en contractant mariage sans croire à son caractère religieux, a commis un sacrilège. Ce mariage n'a pas eu la double signification qu'il devait avoir. Mais votre serment vous a néanmoins liée. Vous l'avez transgressé. Qu'avez-vous commis par là ? Un *péché véniel* ou un *péché mortel* ? Un *péché véniel* car vous avez agi sans mauvaise intention. Si maintenant, dans le dessein d'avoir des enfants, vous contractiez un nouveau mariage, votre péché pourrait vous être pardonné. Mais la question présente de nouveau un double aspect. Le premier…

« Mais je pense, dit subitement avec son sourire ensorcelant Hélène qui s'ennuyait, qu'en embrassant la vraie religion je ne puis être liée par les engagements que m'a imposés la fausse. »

Le *directeur de conscience* fut stupéfait de la simplicité d'œuf de Colomb avec laquelle la question était posée devant lui. Il fut émerveillé de la rapidité inattendue des progrès de son élève, mais il ne put renoncer à son édifice d'arguments construit au prix de tant d'efforts.

« *Entendons-nous, comtesse* », dit-il avec un sourire, et il s'attacha à réfuter le raisonnement de sa fille spirituelle.

VII

Hélène comprenait que l'affaire était fort simple et facile au point de vue de l'Église, et que ses guides ne faisaient des difficultés que parce qu'ils craignaient la façon dont le pouvoir temporel prendrait les choses.

En conséquence, elle décida qu'il fallait préparer l'opinion publique. Elle éveilla la jalousie du vieux seigneur et lui dit la même chose qu'à son premier prétendant, c'est-à-dire qu'elle présenta la question de telle sorte que l'unique moyen de s'assurer des droits sur elle était de l'épouser. Le vieil et important personnage fut au premier instant aussi stupéfait que le premier, le jeune, de cette proposition de mariage faite par une femme en puissance de mari; mais l'assurance inébranlable d'Hélène qui prétendait que c'était tout aussi simple et naturel que le mariage d'une jeune fille produisit son effet sur lui aussi. Si Hélène avait manifesté les moindres signes d'hésitation, de honte ou de dissimulation, la partie aurait certes été perdue; mais elle ne montrait aucun de ces signes de dissimulation ou de honte, au contraire elle racontait avec simplicité et une bonhomie naïve à ses amis intimes (et c'était tout Pétersbourg) que le prince et le grand seigneur avaient tous deux demandé sa main, qu'elle les aimait tous deux et ne voulait faire de peine ni à l'un ni à l'autre.

Instantanément le bruit se répandit dans Pétersbourg, non pas qu'Hélène voulait divorcer d'avec son mari (à un pareil bruit de très nombreuses personnes se seraient élevées contre une intention si illégale), mais tout bonnement que la malheureuse, l'intéressante Hélène se demandait, perplexe, lequel des deux elle devait épouser. La question n'était plus de savoir dans quelle mesure cela était possible, mais seulement lequel des deux partis était le plus intéressant et comment la cour prendrait la chose. Il y avait bien quelques personnes arriérées qui ne savaient pas s'élever à la hauteur de la question et qui voyaient dans ce projet une profanation du sacrement du mariage, mais elles étaient peu nombreuses et elles se taisaient, tandis que la majorité s'intéressait à la chance d'Hélène et au choix à faire. Quant à savoir s'il était bien ou mal de se remarier du vivant de son mari, on n'en parlait pas, car de toute évidence cette question était déjà tranchée dans l'esprit de gens plus intelligents que vous et moi (disait-on), et mettre en doute le bien-fondé de cette solution du problème était courir le risque de passer pour un imbécile ou de se voir accuser de manquer de savoir-vivre.

Seule Maria Dmitrievna Akhrossimov, venue cet été à Pétersbourg pour voir un de ses fils, se permit d'exprimer tout net son opinion, contraire à l'opinion générale. Rencontrant Hélène à un bal, elle l'arrêta au milieu du salon et, dans le silence général, lui dit de sa voix rude :

« Voilà qu'on se remarie maintenant du vivant de son mari. Tu crois peut-être avoir inventé quelque chose de nouveau ? On t'a devancée, ma chère. Il y a longtemps qu'on a inventé ça. Dans tous les… on en fait autant. » Et sur ces mots, Maria Dmitrievna, retroussant ses larges manches du geste menaçant qui lui était coutumier et jetant autour d'elle des regards sévères, traversa la pièce.

Bien qu'on la redoutât, on considérait Maria Dmitrievna comme une excentrique, aussi ne retint-on de ses paroles que le mot grossier qu'on répéta de bouche à oreille, supposant que c'était là tout le sel de l'histoire.

Le prince Vassili qui, depuis quelque temps, oubliait particulièrement souvent ce qu'il avait dit et répétait cent fois la même chose, disait à sa fille chaque fois qu'il avait l'occasion de la voir :

« *Hélène, j'ai un mot à vous dire*, et il l'emmenait à l'écart en la prenant par le bras. *J'ai eu vent de certains projets relatifs à... Vous savez. Eh bien, ma chère enfant, vous savez que mon cœur de père se réjouit de vous savoir... Vous avez tant souffert... Mais, chère enfant... ne consultez que votre cœur. C'est tout ce que je vous dis.* » Et dissimulant toujours la même émotion, il appuyait sa joue contre celle de sa fille et s'éloignait.

Bilibine, qui n'avait rien perdu de sa réputation du plus intelligent des hommes et qui était l'ami désintéressé d'Hélène, un ami comme en ont les femmes brillantes, un ami qui ne peut jamais passer au rôle d'amoureux, Bilibine, un jour, *en petit comité*, dit à son amie Hélène sa façon de voir dans cette affaire.

« *Écoutez, Bilibine* (Hélène appelait toujours par leur nom les amis du genre de Bilibine), et elle effleura la manche de son habit de sa main blanche chargée de bagues. *Dites-moi comme vous diriez à une sœur, que dois-je faire ? Lequel des deux ?* »

Bilibine plissa la peau de son front et, le sourire aux lèvres, se prit à réfléchir.

« *Vous ne me prenez pas au dépourvu, vous savez*, dit-il. *Comme véritable ami j'ai pensé et repensé à cette affaire. Voyez-vous. Si vous épousez le prince* (c'était le jeune homme) – il compta sur les doigts – *vous perdez pour toujours la chance d'épouser l'autre, et puis vous mécontentez la cour (comme vous savez, il y a une espèce de parenté). Mais si vous épousez le vieux comte, vous faites le bonheur de ses derniers jours, et puis comme veuve du grand... le prince ne fait plus de mésalliance en vous épousant* », et Bilibine déplissa son front.

« *Voilà un véritable ami !* dit Hélène radieuse en effleurant de nouveau de la main la manche de Bilibine. *Mais c'est que j'aime l'un et l'autre, je ne voudrais pas leur faire de chagrin. Je donnerais ma vie pour leur bonheur à tous deux.* »

Bilibine haussa les épaules, laissant entendre par là que même lui, il était incapable de consoler un pareil chagrin.

« *Une maîtresse femme ! Voilà ce qui s'appelle poser carrément la question. Elle voudrait épouser tous les trois à la fois* », pensa-t-il.

« Mais, dites-moi, comment votre mari prendra-t-il la chose ? » demanda-t-il, la solidité de sa réputation lui permettant de ne pas craindre une perte de prestige par suite de la naïveté de cette question. « Consentira-t-il ?

– *Ah ! Il m'aime tant*, dit Hélène qui, Dieu sait pourquoi, croyait que Pierre l'aimait aussi. *Il fera tout pour moi.* »

Bilibine plissa le front pour annoncer un *mot* qui se préparait.

« *Même le divorce* », dit-il. Hélène rit.

Dans le nombre de ceux qui se permettaient de mettre en doute la légalité du mariage projeté se trouvait la mère d'Hélène, la princesse Kouraguine. Elle n'avait jamais cessé d'envier à en mourir sa fille, et maintenant que l'objet de son envie tenait très au cœur à la princesse, elle ne pouvait se faire à cette idée. Elle alla consulter un prêtre russe pour savoir dans quelle mesure le divorce était possible et si l'on pouvait contracter un nouveau mariage du vivant de son mari ; le prêtre lui dit que cela était impossible et, à sa joie, lui indiqua un texte de l'Évangile qui (croyait-il) rejette formellement la possibilité d'un pareil mariage.

Armée de ces arguments qui lui paraissaient irréfutables, la princesse se rendit chez sa fille un matin de bonne heure, pour la trouver seule.

Ayant écouté les objections de sa mère, Hélène eut un sourire patient et ironique.

« Mais il est dit nettement : celui qui épousera une femme divorcée… dit la vieille princesse.

– *Ah ! maman, ne dites pas de bêtises ! Vous ne comprenez rien. Dans ma position j'ai des devoirs*, dit Hélène en passant du russe au français car il lui semblait toujours qu'en russe il y avait des obscurités dans son affaire.

– Mais, mon amie…

– *Ah ! maman comment est-ce que vous ne comprenez pas que le Saint-Père qui a le droit de donner des dispenses…* »

À ce moment, la dame de compagnie d'Hélène entra pour lui annoncer que Son Altesse était dans le grand salon et désirait la voir.

« *Non, dites-lui que je ne veux pas le voir, que je suis furieuse contre lui parce qu'il m'a manqué de parole.*

– *Comtesse, à tout péché miséricorde* », dit en entrant un jeune homme blond au long visage et au long nez.

La vieille princesse se leva respectueusement et fit la révérence. Le jeune homme ne lui prêta pas attention. La princesse fit un signe de tête à sa fille et se dirigea vers la porte.

« Non, elle a raison, se dit-elle, tous ses arguments s'étant envolés à l'apparition de Son Altesse. Elle a raison, mais comment se fait-il que nous n'ayons pas su cela dans notre jeunesse à jamais révolue ? Pourtant c'était si simple », pensait-elle en montant dans sa voiture.

Au début d'août, l'affaire d'Hélène se précisa entièrement et elle écrivit à son mari (qui l'aimait tant, croyait-elle) une lettre dans laquelle elle lui annonçait son intention d'épouser N. N. et sa conversion à la seule vraie religion, le priant de remplir toutes les formalités nécessaires au divorce que lui indiquerait le porteur de la lettre.

« *Sur ce je prie Dieu, mon ami, de vous avoir sous Sa sainte et puissante garde. Votre amie Hélène.* »

Cette lettre fut apportée chez Pierre alors qu'il se trouvait sur le champ de bataille de Borodino.

VIII

Pour la seconde fois, vers la fin de la bataille de Borodino, Pierre quitta la batterie de Raievski, suivit la foule des soldats par un ravin vers Kniazkovo, parvint à un poste de secours et voyant le sang, entendant les cris et les gémissements, reprit précipitamment son chemin en se mêlant de nouveau au flot des soldats.

La seule chose qu'il désirait maintenant de toute son âme était de quitter au plus vite ces terribles impressions sous lesquelles il avait vécu cette journée, de revenir aux conditions normales d'existence et de s'endormir tranquillement dans sa chambre, dans son lit. Il sentait que dans ces conditions habituelles seulement il serait en mesure de voir clair en lui-même et de comprendre tout ce qu'il avait vu et éprouvé. Mais ces conditions habituelles de l'existence n'étaient nulle part.

Les boulets et les balles avaient beau ne plus siffler ici, sur le chemin qu'il suivait, de toutes parts c'était la même chose que sur le champ de bataille. C'étaient les mêmes visages souffrants, épuisés et parfois étrangement indifférents, le même sang, les mêmes capotes de soldat, le même bruit des détonations qui, bien qu'éloigné, remplissait toujours d'effroi ; il s'y ajoutait en outre le manque d'air et la poussière.

Après avoir fait trois verstes environ sur la grande route de Mojaïsk, Pierre s'assit au bord du chemin.

Le crépuscule était descendu sur la terre et le grondement du canon s'était tu. Pierre s'étendit en s'appuyant sur sa main et demeura longtemps ainsi à regarder les ombres qui défilaient dans l'obscurité devant lui. Il lui semblait sans cesse qu'un boulet arrivait sur lui avec un sifflement effroyable ; il tressaillait et se dressait. Il ne savait pas combien de temps il était resté ici. Au milieu de la nuit, trois soldats rassemblant des branches s'installèrent près de lui et allumèrent un feu.

Tout en coulant un regard vers Pierre, ils posèrent sur le feu une marmite, y émiettèrent des biscuits et y mirent du lard. Une agréable odeur de nourriture grasse se mêla à l'odeur de la fumée. Pierre se souleva et poussa un soupir. Les soldats (ils étaient trois) mangeaient sans faire attention à lui et parlaient entre eux.

« Et toi, d'où es-tu ? lui demanda soudain l'un d'eux qui entendait sans doute par cette question cela même que pensait Pierre, c'est-à-dire : si tu veux manger, nous t'en donnerons, dis-nous seulement si tu es un honnête homme.

– Moi ?… moi ?… dit Pierre, sentant la nécessité de rabaisser le plus possible sa position sociale afin d'être plus près de ces soldats et mieux compris. Je suis en vérité un officier de la milice, seulement ma formation n'est plus là, j'étais venu pour la bataille et j'ai perdu les miens.

– Voyez-vous ça ! » dit l'un des soldats.

Un autre hocha la tête.

« Eh bien, mange de la tambouille si tu veux ! » dit le premier en tendant à Pierre une cuillère de bois après l'avoir léchée.

Pierre s'approcha du feu et se mit à manger la tambouille qu'il y avait dans la marmite et qui lui parut le plus succulent des mets qu'il eût jamais mangés. Pendant que, penché avidement sur la marmite, il y puisait de grandes cuillerées et les engloutissait l'une après l'autre, son visage éclairé par le feu, les soldats le regardaient en silence.

« Et alors, où dois-tu aller ? Dis-le ! demanda de nouveau l'un d'eux.

– À Mojaïsk.

– Alors, tu es donc un monsieur ?

– Oui.

– Et comment que tu t'appelles ?

– Pierre Kirilovitch.

– Eh bien, Pierre Kirilovitch, viens, on va te conduire. »

Dans une obscurité complète, les soldats et Pierre se dirigèrent vers Mojaïsk.

Les coqs chantaient déjà quand ils atteignirent la ville et gravirent la côte qui y mène. Pierre suivait les soldats, oubliant complètement que son auberge se trouvait au bas de la côte et qu'il l'avait déjà dépassée. Il ne s'en serait pas souvenu (tant il était désemparé) si, à mi-côte, il ne s'était heurté à son écuyer qui, parti à sa recherche dans la ville, revenait à l'auberge. L'écuyer le reconnut dans l'obscurité à son chapeau blanc.

« Votre Excellence, dit-il, nous désespérions déjà. Comment se fait-il que vous soyez à pied ? Où allez-vous donc, venez je vous en prie !

– Ah ! oui », dit Pierre.

Les soldats s'arrêtèrent.

« Eh bien, tu as retrouvé les tiens ? dit l'un d'eux.

– Allons, adieu ! Pierre Kirilovitch, je crois ? Adieu, Pierre Kirilovitch ! dirent les autres.

– Adieu », dit Pierre, et il se dirigea avec son écuyer vers l'auberge.

« Il faut leur donner quelque chose ! » se dit-il, en mettant la main à sa poche. « Non, il ne faut pas », lui souffla une voix intérieure.

À l'auberge il n'y avait pas de place : toutes les chambres étaient occupées. Pierre alla dans la cour et, s'emmitouflant jusqu'à la tête, s'étendit dans sa voiture.

IX

À peine Pierre avait-il posé la tête sur le coussin qu'il sentit qu'il s'endormait ; mais soudain, presque aussi nets que dans la réalité, il entendit le boum-boum-boum du canon, des gémissements, des cris, l'éclatement des obus, il sentit l'odeur du sang et de la poudre, et une sensation d'horreur, de peur de la mort l'étreignit. Il ouvrit les yeux avec effroi et dégagea la tête de dessous son manteau. Tout était calme dans la cour. Au portail seulement passait une ordonnance qui parlait au portier et pataugeait dans la boue. Au-dessus de sa tête, dans la pénombre de l'auvent en voliges, des pigeons battirent des ailes, effarouchés par le mouvement qu'il avait fait en se dressant. Toute la cour était imprégnée de la forte et paisible odeur des auberges, réconfortante pour lui en ce moment, odeur de foin, de fumier et de goudron. Dans l'intervalle entre les deux auvents noirs, on apercevait le ciel pur étoilé.

« Dieu soit loué, tout cela est fini, se dit Pierre en se recouvrant de nouveau la tête. Oh ! quelle chose horrible que la peur et comme je m'y suis laissé honteusement aller ! Et EUX… tout le temps, jusqu'au bout, ils ont été fermes, calmes… » EUX étaient pour lui les soldats, ceux de la batterie, et ceux qui lui avaient donné à manger, et ceux qui priaient devant l'icône. EUX, ces hommes étranges qui jusqu'alors lui étaient inconnus, se détachaient nettement dans sa pensée et tranchaient sur tous les autres hommes.

« Être un soldat, un simple soldat ! pensait Pierre en s'endormant. Entrer de tout son être dans cette vie commune, se pénétrer de ce qui les rend tels qu'ils sont. Mais comment se libérer de tout ce superflu, de tout ce fardeau diabolique de l'être extérieur ? Il fut un temps où j'aurais pu être cela. J'aurais pu fuir de chez mon père comme je le voulais. J'aurais pu aussi, après mon duel avec Dolokhov, être envoyé dans un régiment comme soldat. » Et dans son imagination défilèrent le dîner au club, au cours duquel il avait provoqué Dolokhov, et son bienfaiteur à Torjok. Et voici qu'il se représente une tenue solennelle de la loge. Cette séance a lieu au Club anglais. Et quelqu'un de familier, de proche, de cher est assis au bout de la table. Mais c'est lui ! C'est le bienfaiteur. « Mais il est mort ? se dit Pierre. Oui, il est mort, mais je ne savais pas qu'il était vivant. Et comme je regrette sa mort, comme je suis heureux qu'il soit de nouveau vivant ! » D'un côté de la table étaient assis Anatole, Dolokhov, Nesvitzki, Denissov et d'autres comme eux (la catégorie à laquelle appartenaient ces gens était, en rêve, aussi nettement définie dans l'âme de Pierre que la catégorie de ceux qu'il appelait « eux »), et ces gens, Anatole, Dolokhov, criaient fort, chantaient ; mais dominant leurs cris on entendit la voix du bienfaiteur qui parlait inlassablement, et le son de ses paroles était tout aussi chargé de sens et ininterrompu que le grondement du champ de bataille, tout en étant agréable et réconfortant. Pierre ne comprenait pas ce que disait le bienfaiteur, mais il savait (la catégorie de ses pensées était tout aussi nette en rêve) qu'il parlait du Bien, de la possibilité d'être ce qu'ils étaient, « eux ». Et « eux », de toutes parts, avec leurs visages simples, bons, fermes, entouraient le bienfaiteur. Mais malgré leur bonté, ils ne regardaient pas Pierre, ne le connaissaient pas. Pierre voulut attirer leur attention sur lui et dire quelque chose. Il se redressa mais, au même instant, il eut froid aux jambes qui s'étaient découvertes.

Il eut honte et ramena sur ses jambes le manteau qui avait en effet glissé. Pour un instant, comme il arrangeait le manteau, il ouvrit les yeux et revit les mêmes auvents, les mêmes poteaux, la même cour, mais tout cela était maintenant bleuâtre, clair et pailleté de rosée ou de gelée blanche.

« Le jour point, se dit-il. Mais il ne s'agit pas de cela. Je dois écouter jusqu'au bout et comprendre les paroles du bienfaiteur. » Il s'enveloppa de nouveau dans son manteau, mais il n'y avait plus ni loge ni bienfaiteur. Il n'y avait que des pensées clairement formulées par des mots, des pensées que quelqu'un exprimait ou qui lui venaient à lui-même.

Lorsque Pierre se remémorait ses pensées plus tard, bien qu'elles lui eussent été inspirées par les impressions de la journée, il était convaincu que quelqu'un en dehors de lui les lui avait dites. Jamais, lui semblait-il, il n'aurait été capable, à l'état de veille, de les avoir et de les exprimer ainsi.

« La guerre est la soumission la plus difficile de la liberté de l'homme aux lois de Dieu, disait la voix. La simplicité est la soumission à Dieu ; on ne peut Lui échapper. Et EUX sont simples. EUX ne pensent pas mais agissent. La parole est d'argent, le silence est d'or. L'homme ne peut rien posséder tant qu'il a peur de la mort. Et celui qui n'a pas peur d'elle, à celui-là tout appartient. Sans la souffrance l'homme ne saurait pas ses limites, il ne se connaîtrait pas lui-même. Le plus difficile (continuait en rêve de penser ou d'entendre Pierre) est de savoir réunir dans son âme le sens de toutes choses. Tout réunir ? se demanda Pierre. Non, pas réunir. On ne peut réunir les pensées mais accorder toutes ces pensées, voilà ce qu'il faut. Oui, IL FAUT ACCORDER, IL FAUT ACCORDER ! » se répéta Pierre avec une exaltation intérieure, sentant que par ces mots, et par ces mots seuls, s'exprimait ce qu'il voulait dire et se résolvait tout le problème qui le tourmentait.

Oui, il faut en accorder, il est temps d'accorder.

« Il faut atteler, il est temps d'atteler, Votre Excellence ! Votre Excellence, répéta une voix, il faut atteler, il est temps d'atteler… »

C'était la voix de son écuyer qui le réveillait. Le soleil donnait en plein sur le visage de Pierre. Il jeta un regard sur la cour sale de l'auberge, au milieu de laquelle, près du puits, des soldats faisaient boire des chevaux efflanqués cependant que des chariots sortaient par le portail. Il se détourna avec dégoût et refermant les yeux se laissa vivement retomber sur le siège de sa voiture. « Non, je ne veux pas de cela, je ne veux pas voir et comprendre cela, je veux comprendre ce qui se révélait à moi pendant mon sommeil. Une seconde encore, et j'aurais tout compris. Mais qu'est-ce donc que je dois faire ? Accorder, comment accorder tout ? » Et Pierre sentit avec effroi que le sens de ce qu'il avait vu et pensé en rêve était détruit.

L'écuyer, le cocher et le portier lui racontèrent qu'un officier avait apporté la nouvelle que les Français avançaient sur Mojaïsk et que les nôtres se retiraient.

Pierre se leva et, donnant l'ordre d'atteler et de le rattraper, traversa à pied la ville.

Les troupes s'en allaient et laissaient derrière elles près de dix mille blessés. On les voyait dans les cours, aux fenêtres des maisons et attroupés dans les rues. Dans les rues, autour des chariots qui devaient les emmener, on entendait des cris, des jurons et des coups. Pierre offrit sa voiture qui l'avait rejoint à un général blessé qu'il connaissait et partit avec lui pour Moscou. En route, il apprit la mort de son beau-frère et celle du prince André.

X

Le 30, Pierre fut de retour à Moscou. Presque à la barrière, il rencontra un aide de camp du comte Rostoptchine.

« Nous vous cherchons partout, dit l'aide de camp. Le comte a absolument besoin de vous voir. Il vous prie de venir immédiatement pour une affaire très importante. » Pierre, sans passer chez lui, prit un fiacre et se rendit chez le gouverneur.

Le comte Rostoptchine était rentré le matin même de sa villa de Sokolniki, aux environs. Son antichambre et son salon de réception étaient pleins de fonctionnaires convoqués ou venus demander des ordres. Vassiltchikov et Platov avaient déjà eu une entrevue avec le comte et lui avaient expliqué qu'il était impossible de défendre Moscou et qu'elle serait livrée. Bien qu'on cachât ces nouvelles aux habitants, les fonctionnaires et les chefs des diverses administrations savaient que Moscou tomberait aux mains de l'ennemi, comme le savait le comte Rostoptchine lui-même ; et tous, pour dégager leur responsabilité, étaient venus trouver le gouverneur pour lui demander ce qu'ils devaient faire des services qui leur étaient confiés.

Au moment où Pierre entrait dans le salon de réception, un courrier arrivé de l'armée sortait de chez le comte.

Il fit de la main un geste découragé en réponse aux questions qu'on lui posait et traversa le salon.

Pendant qu'il attendait, Pierre promena ses yeux fatigués sur les différents fonctionnaires, jeunes et vieux, militaires et civils, importants ou non, qui se trouvaient dans le salon. Tous paraissaient mécontents et anxieux.

Pierre s'approcha d'un groupe où il avait aperçu une personne de connaissance. Après l'avoir salué, on reprit la conversation.

« Expulser puis rappeler, ce ne serait pas un mal ; dans une pareille situation on ne peut répondre de rien.

– Mais voilà ce qu'il écrit, dit un autre en montrant un papier imprimé qu'il tenait à la main.

– C'est autre chose. Il le faut pour le peuple, dit le premier.

– Qu'est-ce que c'est ? demanda Pierre.

– Tenez, une nouvelle affiche. » Pierre la prit et se mit à lire.

« Le prince sérénissime, afin de rejoindre au plus vite les troupes qui marchaient à sa rencontre, a dépassé Mojaïsk et s'est installé sur une position solide où l'ennemi ne pourra pas l'attaquer à l'improviste. On lui a expédié d'ici quarante-huit canons avec des munitions et le Sérénissime dit qu'il défendra Moscou jusqu'à la dernière goutte de sang et qu'il est prêt au besoin à se battre dans les rues. Ne faites pas attention, mes amis, si les administrations sont fermées : il faut mettre les affaires à l'abri. Quant à nous, nous réglerons à notre façon son compte au scélérat ! Le moment venu, j'aurai besoin de gaillards, et de la ville et de la campagne. Je lancerai un appel un jour ou deux d'avance, mais pour l'instant c'est inutile et je me tais donc. Il sera bon d'emporter une hache, pas mal d'avoir un épieu, mais bien mieux encore une fourche : le Français ne pèse pas plus lourd qu'une gerbe de seigle. Demain, après le dîner, je fais lever l'icône d'Ibérie pour la porter en procession aux blessés à l'hôpital. Là nous bénirons l'eau : ils guériront plus vite ; quant à moi, je me porte bien maintenant : j'avais mal à un œil, mais maintenant je les ouvre tout grands l'un et l'autre. »

« Mais des militaires m'ont dit, objecta Pierre, qu'il est absolument impossible de se battre dans la ville et que la position…

– Mais oui, c'est de cela justement que nous parlons, dit le premier fonctionnaire.

– Et que veut dire : “J’avais mal à un œil et maintenant je les ouvre l’un et l’autre ?” demanda Pierre.

– Le comte a eu un orgelet, répondit en souriant l’aide de camp, et il a été très ennuyé quand je lui ai dit que le peuple venait prendre de ses nouvelles. Dites-moi, comte, ajouta-t-il tout à coup en s’adressant avec un sourire à Pierre, nous avons entendu dire que vous aviez des ennuis familiaux, que la comtesse votre épouse serait…

– Je ne suis au courant de rien, dit Pierre avec indifférence. Que vous a-t-on dit ?

– Oh ! vous savez, on invente souvent. Je ne répète que ce qu’on m’a dit.

– Et que vous a-t-on dit ?

– On raconte, répondit l’aide de camp avec le même sourire, que la comtesse votre épouse se dispose à partir pour l’étranger. Ce sont sans doute des racontars…

– C’est possible, dit Pierre en jetant un regard distrait autour de lui. Qui est-ce ? demanda-t-il en montrant un petit vieillard en blouse bleue bien propre, au teint coloré, à la grande barbe et aux sourcils blancs comme neige.

– Celui-là ? C’est un marchand, c’est-à-dire qu’il est cabaretier, Verestchaguine. Vous avez peut-être entendu parler de cette histoire de proclamation.

– Ah ! c’est donc Verestchaguine ! dit Pierre en examinant le visage ferme et calme du vieux marchand et en y cherchant une expression de traîtrise.

– Ce n’est pas celui-là. C’est le père de celui qui a écrit la proclamation, dit l’aide de camp. Le jeune est au cachot et je crois que cela ira mal pour lui. »

Un petit vieillard avec une décoration sur la poitrine et un autre fonctionnaire, un Allemand, avec une décoration au cou, s’approchèrent des interlocuteurs.

« Voyez-vous, racontait l’aide de camp, c’est une histoire embrouillée. Il y a deux mois environ que cette proclamation est apparue. On a prévenu le comte. Il a ordonné une enquête. Gavrilo Ivanitch a donc fait des recherches, cette proclamation a passé exactement dans soixante-trois mains. Il va chez l’un : “De qui la tenez-vous ? – D’un tel.”

Il va chez celui-là : “Et vous, de qui la tenez-vous ?” etc., on en est arrivé à Verestchaguine… un petit marchand à demi lettré, vous savez bien, ajouta l’aide de camp en souriant. On lui demande : “De qui la tiens-tu ?” Et notez bien que nous savions de qui il l’avait reçue. Ce ne pouvait être que du directeur des postes. Mais il faut croire qu’ils étaient de connivence. Il dit : “De personne, je l’ai rédigée moi-même.” On a beau le menacer, le supplier, il n’en démord pas : “C’est moi qui l’ai composée.” On en a informé le comte. Le comte l’a fait venir. “De qui tiens-tu cette proclamation ? – Je l’ai écrite moi-même.” Ma foi, vous connaissez le comte ! dit l’aide de camp avec un sourire fier et joyeux. Il s’est mis dans une colère folle, pensez donc : une insolence, un mensonge et une obstination pareils…

– Ah ! Le comte avait besoin qu’il dénonçât Klioutcharev, je comprends ! dit Pierre.

– Pas du tout, dit l’aide de camp effrayé. Klioutcharev avait de toute façon quelques petits péchés à se reprocher, ce pour quoi il a été déporté. Mais le fait est que le comte était très indigné. “Comment donc as-tu pu composer cela ?” dit-il. Il prit sur la table le journal de Hambourg. “La voici. Tu ne l’as pas composée, tu l’as traduite, et mal traduite parce que tu ne sais seulement pas le français, imbécile.” Et qu’en pensez-vous ? “Non, dit-il, je n’ai lu aucun journal, je l’ai rédigée moi-même. – Alors s’il en est ainsi tu es un traître, je te livre à la justice et on te pendra. Dis de qui tu la tiens ? – Je n’ai vu aucun journal, je l’ai rédigée moi-même.” On en est resté là. Le comte a même convoqué le père : il maintient ses dires. On l’a traduit en justice et on l’a condamné, je crois, aux travaux forcés. Maintenant le père vient implorer pour lui. Mais c’est un vaurien ! Vous savez, un de ces fils de marchand, un fat, un coureur, il a suivi des cours quelque part et il s’imagine déjà que le roi n’est pas son cousin. Voilà quel genre de gaillard c’est ! Son père tient un cabaret près du pont de Pierre et, vous savez, dans son cabaret il y a une grande icône de Dieu le Père qui est représenté tenant d’une main le sceptre et de l'autre le globe ; eh bien, il a emporté cette icône chez lui pour quelques jours et savez-vous ce qu'il en a fait ? Il a trouvé une fripouille de peintre… »

XI

Au milieu de ce nouveau récit, on appela Pierre chez le gouverneur.

Pierre entra dans le cabinet du comte Rostoptchine. Rostoptchine, les sourcils froncés, se frottait de la main le front et les yeux quand il entra. Un petit homme qui lui parlait se tut et sortit dès l'apparition de Pierre.

« Ah ! bonjour illustre guerrier, dit Rostoptchine aussitôt qu'il eut disparu. Nous avons entendu parler de vos *prouesses* ! Mais ce n'est pas de cela qu'il s'agit. *Mon cher, entre nous*, vous êtes maçon ? » poursuivit-il d'une voix sévère, comme s'il y avait un mal à l'être mais qu'il fût décidé à le pardonner. Pierre se taisait. « *Mon cher, je suis bien informé*, mais je sais qu'il y a maçon et maçon, et j'espère que vous n'êtes pas de ceux qui, sous couleur de sauver le genre humain, veulent perdre la Russie.

– Oui, je suis maçon, répondit Pierre.

– Eh bien, vous voyez, mon cher. Je pense que vous n'êtes pas sans savoir que MM. Speranski et Magnitzki ont été expédiés où il se doit ! on en a fait autant de M. Kloutcharev et d'autres qui, sous couleur de reconstruire le temple de Salomon, s'efforçaient de détruire le temple de leur patrie. Vous comprendrez qu'il y a eu des raisons à cela et que je n'aurais pas pu déporter le directeur des postes d'ici s'il n'avait pas été un homme dangereux. J'apprends que vous lui avez envoyé une voiture pour quitter la ville et même que vous avez accepté de prendre des papiers en garde. Je vous aime bien et je ne vous veux aucun mal, et puisque vous êtes deux fois plus jeune que moi, je vous conseille comme un père de rompre toutes relations avec cette sorte de gens et de partir vous-même d'ici au plus vite.

– Mais de quoi Klioutcharev est-il coupable ? demanda Pierre.

– C'est à moi de le savoir et non à vous de me le demander, s'écria Rostoptchine.

– Si on l'accuse d'avoir répandu des proclamations de Napoléon, cela n'est tout de même pas prouvé, dit Pierre (sans regarder Rostoptchine), et Verestchaguine…

– *Nous y voilà*, s'écria Rostoptchine d'une voix encore plus forte en fronçant les sourcils et en interrompant Pierre. Verestchaguine est un traître, un vendu qui subira le châtiment qu'il a mérité. » Il parlait avec cet emportement de la colère qu'on a au souvenir d'une offense personnelle. « Mais je ne vous ai pas fait venir pour discuter mes affaires, je l'ai fait pour vous donner un conseil, ou un ordre si vous préférez. Je vous prie de rompre toutes relations avec des gens comme Klioutcharev et de partir d'ici. Et quant aux sottises, je les ferai passer à tout le monde. » Et s'avisant sans doute qu'il semblait crier contre Bezoukhov qui n'était encore coupable de rien, il ajouta en le prenant amicalement par le bras : « *Nous sommes à la veille d'un désastre public et je n'ai pas le temps de dire des gentillesses à tous ceux qui ont affaire à moi.* Il y a des moments où je ne sais plus où j'en suis ! *Eh bien, mon cher, qu'est-ce que vous faites, vous personnellement ?*

– *Mais rien* », répondit Pierre, toujours sans lever les yeux et sans changer l'expression pensive de son visage.

Le comte fronça les sourcils.

« *Un conseil d'ami, mon cher. Décampez, et au plus vite, c'est tout ce que je vous dis. À bon entendeur salut !* Adieu mon cher. Ah ! oui, lui cria-t-il comme Pierre arrivait à la porte, est-il vrai que la comtesse est tombée entre les pattes *des saints pères de la société de Jésus* ? »

Pierre ne répondit rien et sortit de chez Rostoptchine sombre et irrité comme on ne l'avait jamais encore vu.

Quand il rentra chez lui, la nuit tombait déjà. Sept ou huit personnes vinrent le voir pendant la soirée. Le secrétaire du comité, le colonel de son bataillon, son intendant, le majordome et divers solliciteurs. Tous avaient à lui parler d'affaires qu'il devait régler. Pierre n'y comprenait rien, ne s'intéressait pas à ces affaires et à toutes les questions ne répondait que pour se débarrasser de ces gens. Enfin, resté seul, il décacheta la lettre de sa femme et la lut.

« EUX, les soldats de la batterie, le prince André est tué… le vieillard… la simplicité est la soumission à Dieu. Il faut souffrir… le sens de toutes choses… il faut accorder… ma femme se remarie… Il faut oublier et comprendre… » Et s'approchant de son lit, il s'y jeta sans se déshabiller et s'endormit aussitôt.

Quand il se réveilla le lendemain matin, le majordome vint l'informer qu'un policier spécialement envoyé par le comte Rostoptchine était venu demander si le comte Bezoukhov était parti ou s'il partait.

Une dizaine de personnes qui avaient affaire à lui l'attendaient dans le salon. Pierre s'habilla en hâte et, au lieu d'aller les trouver, prit l'escalier de service et sortit par la porte cochère.

Depuis lors et jusqu'à la fin de la dévastation de Moscou, personne dans l'entourage de Bezoukhov, malgré toutes les recherches, ne revit Pierre et ne sut ce qu'il était devenu.

XII

Les Rostov demeurèrent en ville jusqu'au 1er septembre, c'est-à-dire jusqu'à la veille de l'entrée de l'ennemi à Moscou.

Après l'incorporation de Petia dans le régiment des cosaques d'Obolenski et son départ pour Bela Tserkov où se formait son régiment, la peur saisit la comtesse. La pensée que ses deux fils étaient à la guerre, qu'ils avaient quitté l'abri de son aile, qu'aujourd'hui ou demain l'un d'eux et peut-être tous les deux pouvaient être tués comme les trois fils d'une de ses amies, cette pensée lui vint pour la première fois cet été avec une cruelle netteté. Elle essaya de faire revenir Nicolas, voulut aller elle-même rejoindre Petia, le faire nommer quelque part à Pétersbourg, mais cela se révéla impossible. Petia ne pouvait revenir autrement qu'avec son régiment ou au moyen d'une mutation dans un autre régiment combattant. Nicolas se trouvait quelque part à l'armée et, depuis sa dernière lettre dans laquelle il décrivait en détail sa rencontre avec la princesse Maria, n'avait plus donné signe de vie. La comtesse n'en dormait plus la nuit et, quand elle s'assoupissait, elle voyait en rêve ses fils tués. Après maints pourparlers et consultations, le comte trouva enfin un moyen de la tranquilliser. Il fit passer Petia du régiment d'Obolenski dans celui de Bezoukhov qui se formait près de Moscou. Bien que Petia restât ainsi dans le service, ce transfert fournirait à la comtesse la consolation d'avoir du moins l'un de ses fils sous son aile, et elle espérait caser son Petia de façon à ne plus le laisser partir et le faire toujours nommer à des postes où il ne courrait pas le risque de prendre part à une bataille. Tant que Nicolas seul fut en danger, il semblait à la comtesse (et elle s'en accusait même) qu'elle aimait son aîné plus que tous ses autres enfants ; mais quand son benjamin, ce polisson de Petia qui étudiait mal, qui cassait tout dans la maison et ennuyait tout le monde, ce Petia au nez retroussé, aux gais yeux noirs, au teint frais et rose et avec un soupçon de duvet sur les joues, se trouva là-bas, parmi ces hommes redoutables, cruels qui se battaient Dieu sait pourquoi et y trouvaient de la joie, alors il sembla à la mère que c'est lui précisément qu'elle aimait plus, beaucoup plus que tous les autres. Plus approchait le moment où ce Petia tant attendu devait revenir à Moscou, plus grandissait l'inquiétude de la comtesse. Elle pensait déjà que jamais elle ne connaîtrait ce bonheur. La présence non seulement de Sonia mais même de Natacha qu'elle adorait, même de son mari l'irritait. « Que m'importent-ils, je n'ai besoin de personne d'autre que Petia ! » se disait-elle.

Les derniers jours d'août, les Rostov reçurent une deuxième lettre de Nicolas. Il écrivait de la province de Voroneje où il avait été envoyé en mission de remonte. Cette lettre ne rassura pas la comtesse. En apprenant que l'un de ses fils était hors de danger, elle ne s'en tourmenta que davantage pour Petia.

Bien que, dès le 20 août, presque toutes les connaissances des Rostov eussent quitté Moscou, bien que tout le monde engageât la comtesse à partir au plus vite, elle ne voulait pas entendre parler de départ avant le retour de son trésor, de son Petia adoré. Petia arriva le 28 août. La tendresse exacerbée et passionnée avec laquelle l'accueillit sa mère déplut à cet officier de seize ans. Bien qu'elle lui cachât son intention de le garder sous son aile, il devina ses projets et craignant d'instinct de s'amollir, de s'efféminer auprès de sa mère (ainsi pensait-il à part lui), il la traita froidement, l'évita et pendant son séjour à Moscou s'en tint exclusivement à la compagnie de Natacha, pour qui il avait toujours eu une tendresse fraternelle toute particulière, presque amoureuse.

Par suite de l'insouciance habituelle du comte, le 28 août rien n'était encore prêt pour le départ, et les chariots qu'on attendait du domaine de Riazan et de celui des environs de Moscou pour tout emporter n'arrivèrent que le 30.

Du 28 au 31 août, tout Moscou vécut dans une agitation fébrile. Chaque jour, par la barrière de Dorogomilov on amenait et on répartissait dans Moscou des milliers de blessés de la bataille de Borodino, tandis que des milliers de chariots chargés de gens et de biens en sortaient par les autres barrières. En dépit des affiches de Rostoptchine ou indépendamment d'elles, ou peut-être à cause d'elles, les nouvelles les plus contradictoires et les plus étranges se colportaient en ville. Les uns disaient qu'il était interdit de partir, d'autres au contraire racontaient qu'on avait enlevé des églises toutes les icônes et qu'on chassait tout le monde de force; celui-ci prétendait qu'une nouvelle bataille avait été livrée après celle de Borodino et que les Français y avaient été battus; celui-là au contraire que toute l'armée russe était anéantie; un tel parlait de la milice de Moscou qui se rendrait aux Trois Monts, clergé en tête; tel autre chuchotait que défense avait été faite à Augustin de partir, qu'on avait arrêté des traîtres, que les paysans se soulevaient et pillaient les biens de ceux qui étaient partis, etc., etc. Mais on le disait seulement; en réalité ceux qui partaient comme ceux qui restaient (bien que le conseil de Fili qui décida l'abandon de Moscou n'eût pas encore eu lieu) sentaient, quoique sans l'exprimer, que Moscou serait inévitablement livrée et qu'il fallait décamper au plus vite et sauver ses biens. On sentait que tout devait s'effondrer brusquement et changer mais, jusqu'au 1er, rien n'avait encore changé. Comme un criminel qu'on mène au supplice, qui sait qu'il doit mourir d'un instant à l'autre, mais regarde encore autour de lui et ajuste son bonnet mal mis, Moscou poursuivit malgré elle son existence habituelle tout en sachant imminente l'heure du désastre où s'écrouleraient toutes les conventions de vie auxquelles on était habitué à se plier.

Au cours des trois jours qui précédèrent la chute de Moscou, la famille Rostov dut faire face à toutes sortes de soucis domestiques. Le chef de famille, le comte Ilia Andreitch, parcourait sans cesse la ville, glanant de tous côtés des nouvelles, et donnait à la maison des ordres vagues et hâtifs pour le départ.

La comtesse surveillait le déménagement, était mécontente de tout, cherchait Petia qui la fuyait sans cesse et était jalouse de Natacha avec qui il passait tout son temps. Sonia seule s'occupait du côté pratique: l'emballage. Mais tous ces temps derniers elle était particulièrement triste et silencieuse. La lettre de Nicolas dans laquelle il parlait de la princesse Maria avait donné lieu, en sa présence, à des réflexions joyeuses de la comtesse qui voyait dans la rencontre de la princesse Maria et de Nicolas l'intervention de la Providence divine.

« Je ne me suis jamais réjouie, avait-elle dit, quand Bolkonski était fiancé avec Natacha, mais j'ai toujours souhaité que Nicolas épouse la princesse et j'ai le pressentiment que cela se fera. Comme ce serait bien ! »

Sonia sentait que c'était vrai, que l'unique moyen pour les Rostov de rétablir leur situation de fortune était un riche mariage et que la princesse Maria était un excellent parti. Mais elle en concevait beaucoup d'amertume. Malgré son chagrin, ou peut-être précisément à cause de ce chagrin, elle s'était chargée de tous les tracas du déménagement et de l'emballage et était occupée des journées entières. Le comte et la comtesse s'adressaient à elle quand ils avaient un ordre à donner. Petia et Natacha au contraire, non seulement n'aidaient pas leurs parents, mais la plupart du temps importunaient et gênaient tout le monde. Et toute la journée la maison retentissait de leurs galopades, de leurs cris et de leurs éclats de rire. S'ils riaient et s'amusaient, ce n'était pas du tout parce qu'ils avaient une raison à cela ; mais ils avaient l'âme légère et joyeuse, aussi tout ce qui arrivait était pour eux une cause de joie et de rire. Petia était joyeux parce que, parti gamin de la maison, il y était revenu (au dire de tout le monde) un homme et un beau gaillard ; il était joyeux parce qu'il était chez lui, qu'après Bela Tserkov où il n'avait aucune chance de prendre bientôt part à une bataille, il se trouvait à Moscou où on allait se battre ces jours-ci et, surtout, parce que Natacha dont il adoptait toujours l'humeur était gaie. Natacha, elle, était gaie parce qu'elle avait été trop longtemps triste, que maintenant rien ne lui rappelait plus la cause de sa tristesse, et qu'elle se portait bien. Elle était gaie aussi parce qu'il y avait quelqu'un pour l'admirer (l'admiration des autres était pour elle le lubrifiant nécessaire au bon fonctionnement de sa machine), et Petia l'admirait. Mais surtout ils étaient gais parce que la guerre était aux portes de Moscou, qu'on allait se battre aux barrières, qu'on distribuait des armes, que tout le monde fuyait, s'en allait quelque part, bref que quelque chose d'insolite se passait, ce qui ravit toujours, surtout quand on est jeune.

XIII

Le samedi 31 août, tout semblait sens dessus dessous dans la maison des Rostov. Toutes les portes étaient ouvertes, tous les meubles enlevés ou déplacés, les miroirs, les tableaux décrochés. Des malles encombraient les pièces, du foin traînait partout, du papier d'emballage, des cordes. Paysans et domestiques qui emportaient les objets allaient et venaient d'un pas lourd sur les parquets. Dans la cour se pressaient des chariots de paysan, certains déjà chargés jusqu'en haut et arrimés, d'autres encore vides.

De tous côtés résonnait un bruit de pas et de voix de l'énorme domesticité et des paysans venus avec les chariots qui s'interpellaient dans la cour et dans la maison. Le comte était sorti dès le matin. La comtesse, à qui l'agitation et le bruit avaient donné mal à la tête, était étendue dans le nouveau boudoir avec des compresses au vinaigre sur le front. Petia n'était pas là (il était allé chez un camarade avec qui il avait l'intention de passer de la milice dans l'armée combattante). Sonia présidait, dans la salle de bal, à l'emballage des cristaux et de la porcelaine. Natacha était assise par terre dans sa chambre saccagée, au milieu d'un fouillis de robes, de rubans, d'écharpes et, les yeux fixés à terre, tenant dans ses mains une vieille robe de bal, celle-là même (maintenant démodée) qu'elle avait portée à son premier bal à Pétersbourg.

Natacha avait honte de ne rien faire dans la maison alors que tout le monde était si occupé et, depuis le matin, elle avait essayé à plusieurs reprises de se mettre à la besogne, mais elle n'avait pas le cœur à cela ; or elle ne pouvait et ne savait rien faire que de tout cœur, sans réserve. Elle était restée un moment auprès de Sonia pendant qu'on emballait la porcelaine, avait voulu aider, mais avait aussitôt abandonné et était allée chez elle ranger ses propres affaires. D'abord elle avait pris plaisir à distribuer ses robes et ses rubans aux femmes de chambre, mais ensuite, quand il avait tout de même fallu emballer le reste, cela lui avait paru ennuyeux.

« Douniacha, tu emballeras tout cela, ma chère ? Oui ? N'est-ce pas ? »

Et lorsque Douniacha eut volontiers promis de tout faire, Natacha s'assit par terre, prit sa vieille robe de bal et se mit à réfléchir à tout autre chose que ce qui aurait dû la préoccuper en ce moment. Elle fut tirée de sa rêverie par les voix des servantes qui parlaient dans leur chambre, voisine de la sienne. Elle se leva et jeta un regard par la fenêtre. Un interminable convoi de blessés était arrêté dans la rue.

Les servantes, les laquais, l'économe, la nounou, les cuisiniers, les cochers, les postillons, les marmitons étaient tous au portail, regardant les blessés.

Natacha jeta un mouchoir de poche blanc sur ses cheveux et, le retenant des deux mains par les pointes, sortit dans la rue.

L'ancienne économe, la vieille Mavra Kouzminichna, se détacha de la foule qui se pressait à la porte et, s'approchant d'un chariot couvert d'une bâche, engagea la conversation avec un jeune officier tout pâle qui y était étendu. Natacha fit quelques pas en avant et s'arrêta timidement tout en continuant à retenir son mouchoir et écoutant ce que disait l'économe.

« Alors vous n'avez donc personne à Moscou ? disait Mavra Kouzminichna. Vous seriez plus tranquille dans une maison. Tenez, chez nous par exemple. Les maîtres s'en vont.

– Je ne sais pas si on permettrait, dit l'officier d'une voix faible. Voici le chef… demandez-lui », et il montra un gros major qui revenait le long de la file des chariots.

Natacha jeta un regard effrayé sur le visage de l'officier blessé et aussitôt alla à la rencontre du major.

« Les blessés peuvent-ils venir chez nous ? » demanda-t-elle.

Le major porta en souriant la main à sa visière.

« Que désirez-vous, mam'zelle ? » dit-il en plissant les yeux et en souriant.

Natacha répéta tranquillement sa question, et son visage, toute son allure, bien qu'elle maintînt toujours son mouchoir par les bouts, étaient si sérieux que le major cessa de sourire et après avoir réfléchi comme s'il se demandait jusqu'à quel point la chose était possible, lui répondit affirmativement.

« Oh ! oui, pourquoi pas, ils peuvent », dit-il.

Natacha inclina légèrement la tête et revint à pas rapides auprès de Mavra Kouzminichna qui, penchée sur l'officier, lui parlait avec une sympathie apitoyée.

« On peut, il a dit qu'on peut ! » chuchota Natacha.

Le chariot de l'officier tourna pour s'engager dans la cour des Rostov et des dizaines d'autres chariots chargés de blessés entrèrent sur l'invitation des habitants, dans les cours des maisons de la rue Povarskaïa. Ce contact avec des gens nouveaux, en dehors des conditions de la vie quotidienne, semblait ravir Natacha. Avec Mavra Kouzminichna, elle s'efforça de faire entrer dans leur cour le plus de blessés possible.

« Il faut tout de même prévenir votre papa, dit Mavra Kouzminichna.

– Ça ne fait rien, ça ne fait rien, qu'importe ! Pour un jour nous pouvons nous installer dans le salon. On peut leur donner toute notre aile.

– Voyons, mademoiselle, vous en avez des idées ! Même pour les mettre dans les pavillons, dans les communs, chez la nounou, il faut demander la permission.

– Eh bien, je vais demander. »

Natacha courut à l'intérieur et, sur la pointe des pieds, franchit la porte entrebâillée du boudoir où flottait une odeur de vinaigre et de gouttes d'Hoffmann.

« Vous dormez, maman ?

– Ah ! comment pourrait-on dormir ! dit en se réveillant la comtesse qui venait de s'assoupir.

– Maman, ma chère petite maman, dit Natacha en s'agenouillant devant sa mère et en appuyant son visage contre le sien. C'est ma faute, pardonnez-moi, je ne le ferai plus, je vous ai réveillée. C'est Mavra Kouzminichna qui m'envoie, on a amené des blessés, des officiers, vous permettez ? Ils ne savent pas où aller ; je sais que vous permettrez... disait-elle rapidement sans reprendre haleine.

– Quels officiers ? Qui a-t-on amené ? Je ne comprends rien », dit la comtesse.

Natacha se mit à rire, la comtesse elle aussi souriait faiblement.

« Je savais que vous permettriez... c'est ce que je vais aller dire. » Et embrassant sa mère, Natacha se leva et se dirigea vers la porte.

Dans la salle de bal, elle rencontra son père qui rentrait avec de mauvaises nouvelles.

« Nous avons trop tardé ! dit-il avec un dépit involontaire : et le club qui est fermé, et la police qui s'en va.

– Papa, ça ne fait rien que j'aie fait entrer des blessés chez nous ? lui dit Natacha.

– Bien sûr que non, répondit distraitement le comte. Il ne s'agit pas de cela, je demande qu'on ne s'occupe plus de vétilles, mais qu'on s'y mette sérieusement et qu'on parte demain, qu'on parte dès demain... » Et le comte donna le même ordre au majordome et aux domestiques. À table, Petia qui était rentré pour le dîner donna les nouvelles qu'il rapportait de son côté.

Il raconta que le peuple s'armait aujourd'hui au Kremlin, que bien que Rostoptchine dît dans son affiche qu'il lancerait un appel un jour ou deux d'avance, l'ordre avait certainement déjà été donné de se porter demain en armes aux Trois Monts et qu'une grande bataille y aurait lieu.

La comtesse regardait avec une timide épouvante le visage gai, surexcité de son fils pendant qu'il parlait. Elle savait que si elle disait un mot pour lui demander de ne pas aller à cette bataille (elle comprenait qu'il se réjouissait à la perspective de se battre), il parlerait du devoir des hommes, de l'honneur, de la patrie, qu'il dirait de ces choses absurdes, masculines, têtues, à quoi il n'y a pas de réplique et que tout serait gâté ; aussi, dans l'espoir de pouvoir s'arranger de façon à partir avant cela et de l'emmener en qualité de défenseur et de protecteur, elle nc lui dit rien mais, après le dîner, fit venir le comte et le supplia avec des larmes de l'emmener au plus vite, la nuit même si possible. Avec la ruse instinctive et féminine de l'amour, elle qui jusqu'alors s'était montrée d'un sang-froid absolu, disait qu'elle mourrait de peur s'ils ne partaient pas dès cette nuit. Elle ne feignait pas, elle avait vraiment peur de tout maintenant.

XIV

Mme Schoss qui était allée voir sa fille accrut encore la peur de la comtesse en racontant ce qu'elle avait vu rue Miasnitzkaia, devant un dépôt de boissons. Elle n'avait pu y passer au retour à cause de la foule ivre déchaînée aux alentours. Elle avait pris un fiacre et avait dû faire un détour par une ruelle ; et le cocher lui avait raconté que le peuple défonçait les tonneaux du dépôt, que tel était l'ordre.

Après le dîner, tous les habitants de la maison des Rostov se mirent avec une hâte pleine d'enthousiasme à finir l'emballage et à préparer le départ. Le vieux comte, mettant subitement la main à la pâte, ne cessa d'aller et venir de la cour à la maison et retour, apostrophant à tort et à travers les domestiques qui se hâtaient et qu'il voulait faire aller encore plus vite. Petia donnait des ordres dans la cour. Sonia ne savait où donner de la tête devant les ordres contradictoires du comte. Les domestiques, criant, se disputant et faisant du bruit, couraient à travers les pièces et la cour. Natacha, avec la passion qu'elle mettait à tout, se mit brusquement, elle aussi, au travail. D'abord son intervention pour l'emballage fut accueillie avec méfiance. Tout le monde n'attendait d'elle que des gamineries et l'on ne voulait pas l'écouter; mais elle exigea avec ténacité et passion qu'on lui obéît, se fâcha, pleura presque parce qu'on ne l'écoutait pas et finit par obtenir qu'on lui fît confiance. Son premier exploit qui lui coûta d'immenses efforts et qui lui donna de l'autorité fut l'emballage des tapis. Le comte possédait des *gobelins* de prix et des tapis de Perse. Quand Natacha se mit à cette besogne, il y avait dans la salle de bal deux caisses ouvertes : l'une remplie, presque jusqu'au bord, de porcelaine, l'autre de tapis. Il restait encore beaucoup de porcelaine sur les tables et on en apportait toujours de la réserve. Il fallait commencer une nouvelle caisse, la troisième, et les domestiques étaient allés la chercher.

« Sonia, attends, nous allons tout y mettre comme ça, dit Natacha.

– Impossible, mademoiselle, nous avons déjà essayé, dit le sommelier.

– Mais si, attends un peu. » Et Natacha retira de la caisse des plats et des assiettes enveloppés de papier.

« Les plats par ici, dans les tapis, dit-elle.

– Ce serait déjà pas mal si on arrivait à mettre les tapis dans les trois caisses, dit le sommelier.

– Mais attends donc, je t'en prie. » Et vivement, adroitement, Natacha tria les objets. « Ça inutile, disait-elle en parlant des faïences de Kiev, ça oui, dans les tapis, ajoutait-elle au sujet des plats en porcelaine de Saxe.

– Laisse donc, Natacha; voyons, nous allons faire nous-mêmes, disait Sonia d'un ton de reproche.

– Eh, mademoiselle ! » dit le majordome. Mais Natacha ne céda pas, vida la caisse et recommença vivement l'emballage, décidant qu'il ne fallait pas emporter les tapis sans valeur et la vaisselle superflue. Lorsque toutes les caisses eurent été complètement vidées, on recommença l'emballage. Et en effet, en laissant de côté presque tout ce qui ne valait pas la peine d'être emporté, on put placer tous les objets de valeur dans deux caisses. Seul le couvercle de la caisse avec les tapis ne fermait pas. On pouvait enlever encore quelque chose mais Natacha s'entêtait. Elle emballait, déplaçait, bourrait, disait au sommelier et à Petia, qu'elle avait entraîné dans son travail, de peser sur le couvercle et faisait elle-même des efforts désespérés.

« Voyons, Natacha, lui disait Sonia. Je vois que tu as raison, mais enlève quand même celui qui est sur le dessus.

– Je ne veux pas, criait Natacha écartant d'une main ses cheveux défaits de son visage en sueur, de l'autre pressant sur les tapis. Mais appuie donc, Petia, appuie ! Vassilitch, appuie ! » Les tapis se tassèrent et le couvercle se ferma. Natacha battit des mains en poussant des cris de joie, et des larmes jaillirent de ses yeux. Mais cela ne dura qu'une seconde. Aussitôt elle s'attaqua à un autre travail ; maintenant on lui faisait entièrement confiance, le comte ne se fâchait plus quand on lui disait que Nathalie Ilinichna avait modifié ses ordres, et les domestiques venaient à elle pour demander s'il fallait ou non arrimer un chariot et s'il était assez chargé. Le travail avançait grâce aux ordres de Natacha : on laissait les choses inutiles et on emballait de la façon la plus serrée celles qui avaient le plus de valeur.

Mais, malgré le zèle de chacun, tard dans la nuit tout n'avait encore pu être emballé. La comtesse s'endormit et le comte, remettant le départ au lendemain matin, alla se coucher.

Sonia et Natacha dormirent tout habillées dans le boudoir.

Cette nuit, un nouveau blessé fut encore amené dans la rue Povarskaia et Mavra Kouzminichna qui était devant le portail le fit entrer chez les Rostov. Ce blessé devait être, de l'avis de Mavra Kouzminichna, un personnage très important. On le transportait dans une calèche au tablier relevé et à la capote fermée. Un vieux valet de chambre respectable était assis sur le siège à côté du cocher. Un médecin et deux soldats suivaient dans un chariot.

« Entrez chez nous, je vous en prie, entrez donc. Les maîtres s'en vont, toute la maison est vide, dit la vieille en s'adressant au vieux domestique.

– Eh quoi, répondit le valet de chambre en soupirant, nous n'espérons même pas le ramener vivant ! Nous avons nous-mêmes une maison à Moscou, mais loin, et il n'y a personne.

– Soyez les bienvenus chez nous, nos maîtres ont tout ce qu'il faut, veuillez entrer, disait Mavra Kouzminichna. Et alors, il est très mal ? » ajouta-t-elle.

Le valet de chambre fit de la main un geste découragé.

« Nous désespérons de le ramener vivant ! Il faut demander au docteur. » Et il descendit du siège et s'approcha du chariot.

« Bien », dit le médecin.

Le valet de chambre revint auprès de la calèche, y jeta un regard, hocha la tête, dit au cocher de tourner dans la cour et s'arrêta près de Mavra Kouzminichna.

« Seigneur Jésus-Christ ! » fit-elle.

Elle proposa de transporter le blessé dans la maison.

« Les maîtres ne diront rien... » assurait-elle. Mais comme il fallait éviter de monter l'escalier, on transporta le blessé dans le pavillon et on le déposa dans l'ancienne chambre de Mme Schoss. Ce blessé était le prince André Bolkonski.

XV

Le dernier jour de Moscou se leva. Il faisait un temps clair, joyeux d'automne. C'était un dimanche. Comme tous les dimanches, les cloches de toutes les églises sonnèrent pour la messe. Personne, semblait-il, ne pouvait encore comprendre ce qui attendait Moscou.

Seuls deux indices de l'état d'esprit de la population montraient dans quelle situation se trouvait Moscou : l'attitude du peuple, c'est-à-dire des pauvres, et les prix des marchandises. Ouvriers, domestiques et paysans étaient partis dès le matin de bonne heure pour les Trois Monts, en une foule énorme à laquelle s'étaient mêlés des fonctionnaires, des séminaristes, des nobles. Elle y resta quelque temps, mais ne voyant pas venir Rostoptchine, elle se rendit compte que Moscou serait livrée et se répandit à travers la ville, dans les débits de boisson et les cabarets. Les prix ce jour-là étaient également un indice de la situation. Le prix des armes, de l'or, des chariots et des chevaux allait sans cesse en augmentant, tandis que la valeur des billets de banque et des produits manufacturés baissait toujours, si bien qu'au milieu de l'après-midi il y eut des cas où des marchandises chères, tel que le drap, s'enlevèrent à moitié prix, alors qu'un cheval de paysan se payait cinq cents roubles ; quant aux meubles, aux glaces, aux bronzes, on les donnait pour rien.

Dans la vieille et respectable maison des Rostov, la désagrégation des anciennes conditions de vie se fit très peu sentir. En ce qui concerne les gens, il n'y eut que trois hommes de l'énorme domesticité qui disparurent pendant la nuit, mais rien ne fut volé, et quant à la valeur des choses, les trente chariots venus de la campagne se trouvèrent représenter une telle richesse que beaucoup les enviaient et en offraient aux Rostov des sommes fabuleuses. Non seulement on leur faisait ces offres pour les chariots mais, dans la soirée et de bonne heure le matin du 1er septembre, on vit affluer dans la cour des ordonnances et des domestiques envoyés par des officiers blessés et se traîner les blessés eux-mêmes logés chez eux et dans les maisons voisines, pour supplier les domestiques des Rostov d'intervenir pour leur procurer des chariots afin qu'ils pussent quitter Moscou. Le majordome à qui l'on adressait ces demandes, tout en plaignant les blessés, refusait catégoriquement, disant qu'il n'oserait même pas en parler au comte. Si dignes de pitié que fussent les blessés qui devaient rester, il était évident que si l'on donnait un seul chariot, il n'y aurait pas de raison de ne pas en donner un deuxième, si on les donnait tous, il faudrait donner encore les voitures des maîtres. Trente chariots ne pouvaient sauver tous les blessés, et dans le malheur général, on ne pouvait pas ne pas penser à soi et à sa famille. Ainsi pensait le majordome pour son maître.

En se réveillant, le matin du 1er, le comte Ilia Andreitch sortit doucement de la chambre à coucher pour ne pas réveiller la comtesse qui venait seulement de s'endormir et, dans sa robe de chambre de soie violette, passa sur le perron. Les chariots arrimés attendaient dans la cour. Les équipages stationnaient devant le perron. Le majordome, au portail, parlait à une vieille ordonnance et à un jeune officier pâle, le bras en écharpe. À la vue du comte, le majordome leur fit signe d'un air important et sévère de s'éloigner.

« Eh bien, tout est prêt, Vassilitch ? » demanda le comte en frottant son crâne chauve et en regardant avec bonhomie l'officier et l'ordonnance à qui il fit un signe de tête. (Le comte aimait les visages nouveaux.)

« On peut atteler à l'instant, Votre Excellence.

– Eh bien, tant mieux, la comtesse va se réveiller et en route ! Que désirez-vous, messieurs ? demanda-t-il à l'officier. Vous êtes chez moi ? » L'officier s'approcha. Son visage devint soudain écarlate.

« Comte, je vous en prie, permettez-moi… au nom du Ciel… de me caser quelque part sur vos chariots. Je n'ai rien avec moi… Cela m'est égal de voyager sur un chariot… » Il n'avait pas encore achevé que l'ordonnance adressait au comte la même prière pour son maître.

« Ah ! oui, oui, oui, dit précipitamment le comte. J'en serai très, très heureux, Vassilitch, fais le nécessaire, qu'on vide un chariot ou deux… enfin… ce qu'il faut… » ajouta-t-il vaguement. Mais au même instant l'expression de chaude reconnaissance de l'officier sanctionna ce qu'il ordonnait. Le comte jeta un regard autour de lui : dans la cour, à la porte cochère, aux fenêtres du pavillon, on voyait des blessés et des ordonnances. Tous le regardaient et s'approchaient du perron.

« Veuillez, Votre Excellence, venir dans la galerie : que faut-il faire des tableaux ? » dit le majordome. Et le comte le suivit dans la maison en répétant l'ordre de ne pas refuser de prendre les blessés qui demanderaient à être emmenés.

« Pourquoi pas, on peut bien décharger quelque chose », ajouta-t-il d'une voix basse, mystérieuse, comme s'il craignait d'être entendu de quelqu'un.

À neuf heures, la comtesse se réveilla et Matrena Timofeievna, son ancienne femme de chambre qui faisait fonction auprès d'elle de chef des gendarmes, vint annoncer à son ancienne maîtresse que Maria Karlovna était très vexée et qu'on ne pouvait abandonner les robes d'été des jeunes filles. La comtesse l'ayant pressée de questions pour savoir la cause de la mauvaise humeur de Mme Schoss, apprit qu'on avait enlevé sa malle d'un chariot et qu'on défaisait tous les autres, les déchargeait et cédait la place à des blessés que le comte dans sa bonté avait donné l'ordre d'emmener. La comtesse fit appeler son mari.

« Qu'est-ce que j'apprends, mon ami, on enlève de nouveau les bagages ?

– Tu sais, *ma chère*, je voulais te dire… *ma chère* petite comtesse… un officier est venu me voir, ils demandent quelques chariots pour les blessés. Tout ça ce sont des choses qui se remplacent mais eux, ce que c'est pour eux de rester, pense donc !… Vraiment, ils sont chez nous, c'est nous qui les avons fait entrer nous-mêmes, il y a là des officiers… Tu sais, je crois vraiment, *ma chère*, enfin, *ma chère*… il faut qu'on les emmène… qu'est-ce qui nous presse ? » Le comte dit cela timidement, comme il parlait toujours quand il était question d'argent. La comtesse était habituée à ce ton qui annonçait toujours une affaire ruineuse pour ses enfants, telle que l'installation d'une galerie, d'une serre, d'un théâtre ou d'un orchestre, et elle croyait de son devoir de s'opposer à ce qui se disait sur ce ton timide.

Elle prit son air de résignation éplorée et dit à son mari :

« Écoute, comte, tu as poussé les choses si loin qu'on ne donne plus rien pour la maison, et maintenant tu veux perdre tout notre bien, celui des ENFANTS. Tu dis toi-même qu'il y a dans la maison pour cent mille roubles de tout. Je ne suis pas d'accord, mon ami, pas du tout. Voyons ! Pour les blessés il y a le gouvernement. Il sait ce qu'il a à faire. Regarde : en face, chez les Lopoukhine, on a tout enlevé dès avant-hier. Voilà comment font les gens. Il n'y a que nous qui sommes des imbéciles. Si tu n'as pas pitié de moi, aie du moins pitié des enfants. »

Le comte agita les mains et sans rien dire sortit.

« Papa ! qu'y a-t-il ? lui demanda Natacha qui l'avait suivi dans la chambre de sa mère.

– Rien ! Ça ne te regarde pas ! répondit le comte avec humeur.

– Si, j'ai entendu, dit Natacha. Pourquoi donc maman ne veut-elle pas ?

– Est-ce que ça te regarde ? » cria le comte. Natacha s'éloigna vers la fenêtre et se prit à réfléchir.

« Papa, voici Berg qui arrive », dit-elle en jetant un regard au-dehors.

XVI

Berg, le beau-fils des Rostov, était déjà colonel décoré des ordres de Saint-Vladimir et de Sainte-Anne et remplissait toujours les mêmes fonctions tranquilles et agréables d'adjoint au chef du premier bureau de l'état-major du deuxième corps.

Le 1er septembre, il arriva de l'armée à Moscou.

Il n'avait rien à faire à Moscou ; mais il s'était aperçu qu'à l'armée tout le monde demandait à y aller et y avait à faire. Il s'était donc cru obligé de demander à son tour une permission pour affaires de famille.

Berg arriva chez son beau-père dans son élégante voiture attelée de deux rouans bien nourris, en tout point semblable à celle d'un prince qu'il connaissait. Il regarda attentivement les chariots dans la cour et en montant le perron tira un mouchoir immaculé et y fit un nœud.

Du vestibule, Berg s'élança d'un pas glissant et impatient dans le salon, embrassa le comte, baisa la main à Natacha et à Sonia et s'enquit en hâte de la santé de sa belle-mère.

« Il s'agit bien de santé ! Allons, raconte, dit le comte, que fait l'armée ? Va-t-on reculer ou livrer encore une bataille ?

– Seul le Dieu éternel, papa, dit Berg, peut décider du sort de la patrie. L'armée brûle d'un esprit héroïque et en ce moment les chefs se sont pour ainsi dire réunis pour tenir conseil. On ignore ce qui va se passer. Mais je vous dirai en général, papa, que cet esprit héroïque de l'armée russe, cette bravoure véritablement digne de l'Antiquité qu'ils – qu'elle, se reprit-il, a montré ou manifesté dans cette bataille du 26, il n'y a pas de mots dignes de les décrire. Je vous dirai, papa (il se frappa la poitrine comme il avait vu faire à un général le racontant devant lui quoique avec un peu de retard car il fallait faire ce geste au mot "l'armée russe"), je vous dirai franchement que nous, les chefs, non seulement nous n'avons pas besoin d'animer les soldats ou quelque chose dans ce genre, mais que c'est à grand-peine que nous avons pu retenir ces, ces… oui ce sont des faits d'armes dignes de l'Antiquité, ajouta-t-il avec volubilité. Le général Barclay de Tolly a exposé sa vie partout à la tête des hommes, je vous dirai. Quant à notre corps, il était placé sur le flanc d'une colline. Vous voyez ça d'ici ! » Et Berg raconta tout ce qu'il avait retenu des récits entendus ces derniers temps. Natacha ne le quittait pas des yeux comme si elle cherchait sur son visage une réponse à une question, ce qui troublait Berg.

« On ne peut imaginer un héroïsme comme celui dont ont fait preuve les soldats russes, ni en faire assez l'éloge ! » dit Berg en jetant un coup d'œil vers Natacha, et comme pour la disposer en sa faveur, il répondit par un sourire à son regard obstiné… « "La Russie n'est pas à Moscou, elle est dans le cœur de ses fils !" N'est-il pas vrai, papa ? »

À ce moment, la comtesse, l'air fatigué et mécontent, sortit du boudoir. Berg sauta précipitamment sur ses pieds, lui baisa la main, s'informa de sa santé et montrant par un hochement de tête l'intérêt qu'il y prenait, s'arrêta auprès d'elle.

« Oui, maman, en vérité, les temps sont tristes et pénibles pour tout Russe. Mais pourquoi tant s'inquiéter ? Vous avez encore le temps de partir…

– Je ne comprends pas ce que font nos gens, dit la comtesse en s'adressant à son mari, on vient de me dire que rien n'est encore prêt. Il faut bien tout de même que quelqu'un s'en occupe. C'est là qu'on est bien forcé de regretter Mitenka. On n'en verra jamais la fin ! »

Le comte voulut dire quelque chose, mais préféra visiblement s'abstenir. Il se leva de sa chaise et se dirigea vers la porte.

Berg cependant tira son mouchoir comme pour se moucher et, les yeux fixés sur le nœud, devint pensif en hochant la tête d'un air triste et significatif.

« J'ai une grande prière à vous adresser, papa, dit-il.

– Hum ?… dit le comte en s'arrêtant.

– Je passais tout à l'heure devant la maison des Youssoupov, dit Berg en riant. Je connais l'intendant, il a couru à ma rencontre et m'a demandé si je ne voulais pas acheter quelque chose. Je suis entré, vous savez, par curiosité, et il y avait là un petit chiffonnier avec toilette. Vous savez combien ma petite Vera en désirait un et comme nous nous querellions à ce propos. » (En abordant ce sujet, Berg reprit malgré lui son ton joyeux à la pensée de la bonne organisation de son existence.) « C'était une vraie merveille ! Il y a des tiroirs et une serrure anglaise à secret, vous savez ? Ma petite Vera en a depuis longtemps envie. Alors je voudrais lui faire une surprise. J'ai vu que vous aviez beaucoup de ces paysans dans la cour. Donnez-m'en un, je vous en prie, je le paierai bien et… »

Le comte fit une grimace et toussota.

« Demandez à la comtesse, ce n'est pas moi qui commande.

– Si c'est difficile, je vous en prie, ce n'est pas la peine, dit Berg. Je le voulais seulement beaucoup pour ma petite Vera.

– Ah ! allez tous au diable, au diable, au diable et au diable !… cria le vieux comte. Il y a de quoi perdre la tête. » Et il sortit de la pièce.

La comtesse fondit en larmes.

« Oui, oui, maman, les temps sont bien durs ! » dit Berg.

Natacha sortit en même temps que son père et, semblant réfléchir profondément, le suivit d'abord, puis descendit en courant.

Sur le perron, Petia distribuait des armes aux hommes qui quittaient Moscou. Les chariots chargés stationnaient toujours dans la cour. Deux d'entre eux avaient été défaits et sur l'un grimpait un officier que soutenait son ordonnance.

« Sais-tu à quel propos ? » demanda Petia à Natacha. (Natacha comprit qu'il voulait parler de la cause de la discussion entre leurs parents.) Elle ne répondit pas.

« C'est parce que papa voulait donner tous les chariots pour les blessés, dit Petia. C'est Vassilitch qui me l'a dit. Pour moi…

– Pour moi, cria tout à coup Natacha en tournant vers Petia son visage en colère, pour moi, c'est une telle abomination, une telle abjection, une telle… Je ne sais pas. Sommes-nous donc des Allemands quelconques ?… » Sa gorge se contracta de sanglots convulsifs et craignant d'affaiblir et de gaspiller toute sa charge de colère, elle tourna les talons et s'élança impétueusement dans l'escalier.

Berg était assis auprès de la comtesse et lui prodiguait des consolations pleines de respect filial. Le comte, sa pipe à la main, se promenait de long en large, lorsque Natacha, le visage décomposé par la colère, fit irruption dans la pièce comme un ouragan et s'approcha d'un pas rapide de sa mère.

« C'est dégoûtant ! C'est abominable ! cria-t-elle. Il n'est pas possible que vous ayez ordonné cela. »

Berg et la comtesse la regardèrent d'un air perplexe et effrayé. Le comte s'arrêta près d'une fenêtre en tendant l'oreille.

« Maman, ce n'est pas possible, regardez ce qui se passe dans la cour ! cria-t-elle, ils restent !...

– Qu'as-tu ? Qui cela, eux ? Que veux-tu ?

– Les blessés, voilà qui ! Ce n'est pas possible, maman, ça n'a pas de nom... Non, maman chérie, ce n'est pas ça, pardonnez-moi je vous en prie, maman chérie... Maman, qu'avons-nous besoin de ce que nous emporterions, regardez seulement ce qui se passe dans la cour... Maman !... Ce n'est pas possible !... »

Le comte se tenait à la fenêtre et sans tourner la tête écoutait Natacha. Soudain il renifla et rapprocha son visage de la vitre.

La comtesse regarda sa fille, vit son visage honteux pour sa mère, vit son émotion, comprit pourquoi son mari se détournait et d'un air désemparé jeta un regard autour d'elle.

« Ah ! faites donc comme vous l'entendez ! Est-ce que je gêne quelqu'un ?... dit-elle sans encore se rendre tout à fait.

– Maman, ma petite maman, pardonnez-moi. »

Mais la comtesse repoussa sa fille et s'approcha du comte.

« *Mon cher*, fais le nécessaire... Je n'y connais rien, dit-elle en baissant les yeux d'un air coupable.

– Les œufs... les œufs qui font la leçon à la poule... » fit le comte à travers des larmes de bonheur, et il serra dans ses bras sa femme qui fut contente de cacher son visage confus contre sa poitrine.

« Papa, maman ! Puis-je donner des ordres ? Je peux ?… demanda Natacha. Nous emporterons tout de même l'indispensable… »

Le comte lui fit un signe d'assentiment et Natacha, du même pas rapide que lorsqu'elle jouait à la course, se précipita de la salle de bal dans le vestibule et descendit l'escalier qui donnait dans la cour.

Les domestiques l'entourèrent et ne purent croire l'ordre étrange qu'elle leur transmettait, jusqu'à ce que le comte lui-même, au nom de sa femme, eût confirmé qu'il fallait mettre tous les chariots à la disposition des blessés et transporter les malles dans les chambres de débarras. Ayant compris, les gens se mirent avec un joyeux empressement à cette nouvelle besogne. Les domestiques non seulement n'y trouvaient plus rien d'étrange, mais il leur semblait au contraire qu'il ne pouvait en être autrement, de même que, un quart d'heure plus tôt, non seulement on ne trouvait pas étrange de laisser les blessés pour emporter des bagages, mais qu'on croyait même qu'il ne pouvait en être autrement.

Tous les habitants de la maison, comme pour rattraper le temps perdu, se mirent avec empressement à ce nouveau travail d'installation des blessés. Ces derniers se traînèrent de leurs chambres et, avec des visages joyeux et pâles, entourèrent les chariots. Le bruit qu'il y avait des voitures se répandit également dans les maisons voisines, et des blessés venus d'ailleurs affluèrent dans la cour des Rostov. Beaucoup d'entre eux demandaient qu'on ne déchargeât pas les bagages et les laissât seulement monter dessus. Mais le déchargement une fois commencé ne pouvait plus s'arrêter. Il importait peu de laisser tout ou la moitié. La cour était jonchée de caisses pleines de vaisselle, de bronzes, de tableaux, de glaces, si soigneusement emballés la nuit précédente, et tous cherchaient et trouvaient le moyen d'enlever telle ou telle chose pour donner encore et encore des chariots.

« On peut en prendre encore quatre, disait le régisseur, je donnerai ma voiture, comment faire autrement ?

– Donnez-leur donc la voiture avec mes bagages, dit la comtesse. Douniacha montera avec moi. »

On donna aussi cette voiture et on l'envoya chercher des blessés deux maisons plus loin. Maîtres et domestiques étaient gais et animés. Natacha était surexcitée et heureuse comme elle ne l'avait plus été depuis longtemps.

« Où faut-il donc l'installer ? disaient les gens en casant une malle sur l'étroit marchepied d'une voiture, il faut garder au moins un chariot.

– Qu'y a-t-il dedans ? demanda Natacha.

– Des livres du comte.

– Laissez. Vassilitch s'en chargera. On n'en a pas besoin. »

La britchka était bondée ; on se demandait où pourrait se mettre Pierre Ilitch.

« Il montera sur le siège. N'est-ce pas, Petia ? » cria Natacha.

Sonia s'activait aussi sans relâche ; mais l'objet de ses soins était à l'opposé de celui de Natacha. Elle rangeait ce qui devait rester, en dressait l'inventaire à la demande de la comtesse et s'efforçait d'emporter le plus de choses possible.

XVII

Vers deux heures, les quatre équipages des Rostov attelés et chargés stationnaient devant le perron. Les chariots avec les blessés sortaient l'un après l'autre de la cour.

La voiture du prince André attira, en passant devant le perron, l'attention de Sonia qui, avec l'aide des servantes, arrangeait un siège pour la comtesse dans son énorme et haute berline arrêtée devant la maison.

« À qui est cette voiture ? demanda Sonia en passant la tête par la portière.

– Vous ne le saviez donc pas, mademoiselle ? répondit une femme de chambre. C'est un prince blessé : il a passé la nuit chez nous et il part aussi avec nous.

– Mais qui est-ce ? Quel est son nom ?

– C'est notre ancien fiancé lui-même. Le prince Bolkonski ! répondit la femme de chambre en soupirant. Il paraît qu'il est mourant. »

Sonia sauta à bas de la voiture et courut auprès de la comtesse. La comtesse, déjà habillée pour le voyage, en châle et en chapeau, allait et venait, fatiguée, dans le salon en attendant les siens pour s'asseoir un instant, les portes fermées, et faire une prière avant le départ. Natacha n'était pas là.

« *Maman*, dit Sonia, le prince André est ici, il est blessé et mourant. Il vient avec nous. »

La comtesse ouvrit des yeux effrayés et, la saisissant par le bras, jeta un regard derrière elle.

« Natacha ? » fit-elle.

Pour Sonia comme pour la comtesse, cette nouvelle n'avait au premier abord qu'une signification. Elles connaissaient leur Natacha, et l'effroi qu'elles éprouvaient à la pensée de ses réactions étouffait en elles toute compassion pour cet homme qu'elles aimaient bien toutes les deux.

« Natacha ne le sait pas encore ; mais il part avec nous, dit Sonia.

– Tu dis qu'il est mourant ? »

Sonia fit oui de la tête.

La comtesse l'étreignit et se mit à pleurer.

« Les voies du Seigneur sont impénétrables ! » songea-t-elle, sentant que dans tout ce qui se passait maintenant commençait à se manifester la main toute-puissante de Dieu, jusque-là cachée au regard des hommes.

« Eh bien, maman, tout est prêt. Qu'avez-vous ?... demanda Natacha en accourant, le visage animé.

– Rien, dit la comtesse. Puisque tout est prêt, partons. » Et elle se pencha sur son réticule pour cacher son visage défait. Sonia serra Natacha dans ses bras et l'embrassa.

Natacha lui jeta un regard interrogateur.

« Qu'as-tu ? Qu'est-il arrivé ?
– Rien… non…
– Quelque chose de très mauvais pour moi ?… Qu'est-ce que c'est ?… » interrogeait l'intuitive Natacha.

Sonia poussa un soupir et ne répondit rien. Le comte, Petia, Mme Schoss, Mavra Kouzminichna, Vassilitch entrèrent dans le salon et, les portes fermées, tous s'assirent en silence, sans se regarder, pendant quelques instants.

Le comte se leva le premier et avec un gros soupir se signa devant l'icône. Puis il étreignit Mavra Kouzminichna et Vassilitch qui restaient à Moscou, et pendant qu'ils lui prenaient la main et le baisaient à l'épaule, il leur tapota doucement le dos en disant des mots confus et gentiment réconfortants. La comtesse se retira dans l'oratoire et Sonia l'y trouva agenouillée devant les quelques icônes qui restaient çà et là sur les murs. (On emportait les icônes les plus précieuses par les traditions de famille qui s'y rattachaient.)

Sur le perron et dans la cour, les domestiques qui partaient, armés des poignards et des sabres que leur avait distribués Petia, le pantalon rentré dans les bottes, les courroies et les ceintures bien serrées, faisaient leurs adieux à ceux qui restaient.

Comme toujours au moment des départs, beaucoup de choses avaient été oubliées ou mal emballées, et les deux valets de pied attendirent un bon moment des deux côtés des portières ouvertes et des marchepieds de la voiture, prêts à aider la comtesse à monter, pendant que les servantes couraient avec des coussins et des paquets de la maison à la berline, à la calèche, à la britchka et retour.

« On oublie toujours tout ! disait la comtesse. Tu sais bien que je ne peux pas être assise ainsi. » Et Douniacha, serrant les dents et sans répondre, une expression de reproche peinte sur son visage, se précipita vers la berline pour arranger les coussins.

« Ah ! ces gens ! » disait le comte en hochant la tête.

Le vieux cocher Efim, le seul en qui la comtesse eût confiance, assis sur son haut siège, ne tournait même pas la tête pour voir ce qui se passait derrière lui. Il savait par une expérience de trente ans que ce n'est pas de sitôt qu'on lui dirait : « En route ! » et que lorsqu'on l'aurait dit, on l'arrêterait encore deux fois pour envoyer chercher des choses oubliées, qu'après cela on l'arrêterait encore une fois, qu'alors la comtesse passerait elle-même la tête par la portière pour le supplier d'aller doucement dans les descentes. Il le savait, aussi, plus patient que ses chevaux (surtout celui de gauche, l'alezan Sokol, qui frappait le sol du sabot et rongeait son mors), attendait-il les événements. Enfin, tout le monde fut installé, on releva les marchepieds, la portière claqua, on envoya chercher une cassette, la comtesse passa la tête par la portière et dit ce qu'il fallait. Alors Efim se découvrit lentement et se signa. Le postillon et tous les domestiques l'imitèrent.

« En route ! dit Efim en remettant son chapeau, hue ! » Le postillon mit les chevaux en marche. Le limonier de droite tira sur son collier, les hauts ressorts grincèrent et la caisse de la voiture s'ébranla. Le laquais sauta en marche sur le siège. La berline rebondit en passant de la cour sur le pavé inégal, les autres voitures rebondirent de même, et le convoi s'engagea dans la rue. Dans la berline, la calèche et la britchka, chacun se signa en passant devant l'église qui se trouvait en face. Les domestiques qui restaient à Moscou marchaient de chaque côté des voitures, leur faisant un bout de conduite.

Natacha avait rarement été aussi joyeuse qu'en ce moment, assise dans la berline auprès de la comtesse et regardant défiler lentement devant elle les murs de Moscou angoissée qu'on abandonnait. Elle passait de temps à autre la tête par la portière et regardait, en avant et en arrière, le long convoi des blessés qui les précédait. Presque en tête, elle apercevait la capote de la voiture du prince André. Elle ne savait pas qui l'occupait mais, chaque fois qu'elle regardait le convoi, elle cherchait des yeux cette voiture. Elle la savait en tête de toutes les autres.

À Koudrino, venant du boulevard Nikitski, de Presnia, du boulevard Podnovinski, débouchèrent plusieurs autres convois semblables à celui des Rostov, et dans la rue Sadovaia les équipages et les chariots avançaient maintenant sur deux rangs.

En contournant la tour Soukharev, Natacha qui jetait un regard rapide et curieux sur les passants à pied et en voiture, s'exclama soudain avec une surprise joyeuse :

« Mon Dieu ! Maman, Sonia, regardez, c'est lui !

– Qui ? Qui donc ?

– Regardez, je vous le jure, c'est Bezoukhov ! » dit Natacha en se penchant par la portière et en regardant un grand et gros homme en tenue de cocher dont la démarche et l'allure trahissaient un gentilhomme déguisé et qui, aux côtés d'un petit vieux imberbe et jaune en manteau de frise, passait sous l'arc de la tour Soukharev.

« Je vous jure, c'est Bezoukhov, en caftan, avec un petit vieux à figure de gamin. Je vous le jure, disait Natacha, regardez, regardez !

– Mais non, ce n'est pas lui. Peut-on dire de pareilles bêtises !

– Maman, criait Natacha, je vous donne ma tête à couper que c'est lui. Je vous assure. Arrête, arrête », cria-t-elle au cocher ; mais le cocher ne pouvait pas s'arrêter car chariots et équipages débouchaient de la rue Mestchanskaia et l'on criait aux Rostov d'avancer pour ne pas immobiliser les autres.

En effet, quoiqu'il fût maintenant beaucoup plus loin, tous les Rostov aperçurent Pierre, ou un homme étrangement ressemblant, qui, en tenue de cocher, passait dans la rue, la tête penchée et le visage sérieux, aux côtés d'un petit vieux imberbe qui avait l'allure d'un laquais. Ce petit vieux remarqua la tête apparue à la portière et touchant respectueusement le coude de Pierre, lui dit quelque chose en montrant la berline. Pierre fut longtemps sans comprendre ce qu'il lui disait, tant il semblait plongé dans ses pensées. Quand il eut enfin compris, il regarda dans la direction indiquée et reconnaissant Natacha, au même instant, sous l'impulsion de son premier mouvement, se dirigea vivement vers la voiture. Mais ayant fait une dizaine de pas, il dut apparemment se souvenir de quelque chose et s'arrêta.

Le visage de Natacha penchée à la portière rayonnait d'une affection moqueuse.

« Pierre Kirilitch, venez donc ! Nous vous avons reconnu ! C'est étonnant ! criait-elle en lui tendant la main. Que faites-vous donc là ? Pourquoi êtes-vous ainsi ? »

Pierre prit la main tendue et tout en marchant (la voiture continuait d'avancer), la baisa gauchement.

« Que vous arrive-t-il, comte ? demanda la comtesse d'une voix surprise et compatissante.

– Comment ? Pourquoi ? Ne me le demandez pas, dit Pierre en se retournant vers Natacha dont le regard rayonnant et joyeux (il le sentait sans la regarder) l'enveloppait de son charme.

– Que faites-vous, ou bien restez-vous à Moscou ? » Pierre garda le silence.

« À Moscou ? dit-il enfin d'un ton interrogateur. Oui, à Moscou. Adieu.

– Ah ! comme je voudrais être un homme, je resterais avec vous. Ah ! comme c'est bien ! dit Natacha. Maman, permettez-moi de rester. » Pierre lui jeta un regard distrait et voulut dire quelque chose, mais la comtesse ne lui en laissa pas le temps.

« Vous étiez à la bataille ? nous a-t-on dit.

– Oui, j'y étais, répondit Pierre. Demain il y aura une autre bataille… » commença-t-il, mais Natacha l'interrompit :

« Mais que vous arrive-t-il donc, comte ? Vous êtes bizarre…

– Ah ! ne me posez pas de questions, ne me posez pas de questions, je ne sais rien moi-même. Demain… Mais non ! Adieu, adieu, dit-il, quels moments terribles ! » Et laissant passer la voiture, il remonta sur le trottoir.

Natacha, longtemps encore, passa la tête par la portière en lui souriant d'un sourire joyeux, affectueux et un peu moqueur.

XVIII

Pierre, depuis deux jours qu'il avait disparu de chez lui, habitait dans l'appartement vide de feu Bazdeiev. Voici comment cela s'était passé.

En se réveillant le lendemain de son retour à Moscou et de son entrevue avec le comte Rostoptchine, Pierre avait été longtemps sans comprendre où il se trouvait et ce qu'on lui voulait. Quand, parmi ceux qui l'attendaient dans le salon, on lui annonça le Français qui avait apporté la lettre de la comtesse Hélène Vissilievna, il fut soudain envahi de cette sensation de désarroi et de découragement devant les complications de la vie à laquelle il était enclin. Il se dit que tout était désormais fini, que tout se confondait, tout s'écroulait, qu'il n'y avait ni juste ni coupable, que dans l'avenir il n'y avait plus rien et que cette situation était sans issue. Avec un sourire contraint et en marmottant quelque chose, tantôt il s'asseyait sur le divan dans une attitude d'impuissance, tantôt il se levait, s'approchait de la porte et regardait par le trou de la serrure dans le salon, tantôt, avec un geste découragé, il revenait sur ses pas et prenait un livre. Le majordome vint encore une fois lui dire que le Français qui avait apporté la lettre de la comtesse désirait beaucoup le voir, ne fût-ce qu'un instant, et qu'on était venu le prier, de la part de la veuve d'I. A. Bazdeiev, de prendre en charge des livres, car elle était partie elle-même pour la campagne.

« Ah ! oui, tout de suite, attends… Ou non, non, va dire que je viens à l'instant », lui répondit Pierre.

Mais dès que le majordome fut sorti, il prit son chapeau posé sur la table et quitta son cabinet par la porte du fond.

Le couloir était désert. Pierre le suivit jusqu'à l'escalier et grimaçant et se frottant le front des deux mains, descendit jusqu'au premier palier. Le suisse se tenait à la grande porte. Du palier où se trouvait Pierre, un autre escalier menait à la porte de service. Pierre le prit et descendit dans la cour. Personne ne l'avait vu. Mais, dans la rue, dès qu'il eut franchi la porte cochère, le portier et les cochers qui attendaient près de leurs voitures aperçurent leur maître et se découvrirent. Sentant leurs regards fixés sur lui, Pierre fit comme l'autruche qui se cache la tête dans un buisson pour ne pas être vue ; il baissa la tête et pressant le pas s'engagea dans la rue.

De toutes les affaires qui se présentaient ce matin, celle de trier les livres et les papiers de Joseph Alexeievitch lui parut la plus utile.

Il prit le premier fiacre venu et se fit conduire aux Étangs du Patriarche où se trouvait la maison de la veuve Bazdeiev.

Se retournant sans cesse de tous côtés vers la file des voitures qui quittaient Moscou et s'efforçant de caler son corps massif pour ne pas glisser du vieux fiacre brimbalant, il éprouvait la sensation joyeuse d'un gamin qui fait l'école buissonnière et bavardait avec le cocher.

Le cocher lui raconta qu'on était en train de distribuer des armes au Kremlin et que demain le peuple se porterait en masse à la barrière des Trois Monts où il y aurait une grande bataille.

En arrivant aux Étangs du Patriarche, Pierre trouva la maison de Bazdeiev où il n'était pas venu depuis longtemps. Il s'approcha de la petite porte. Guerassim, ce petit vieillard imberbe et jaune qu'il avait vu, cinq ans plus tôt, à Torjok, avec Joseph Alexeievitch, parut quand il eut frappé.

« Y a-t-il quelqu'un ? demanda Pierre.

– Vu les circonstances actuelles, Sophie Danilovna est partie avec les enfants pour son domaine de Torjok, Votre Excellence.

– Je vais entrer quand même, je dois trier les livres, dit Pierre.

– Entrez, je vous en prie, le frère du défunt – Dieu ait son âme – Makar Alexeievitch est resté, mais comme vous le savez, il est un peu fatigué », dit le vieux serviteur.

Makar Alexeievitch était, Pierre le savait, le frère à demi fou et qui s'adonnait à la boisson de Joseph Alexeievitch.

« Oui, oui, je sais. Entrons, entrons… » dit-il, et il entra dans la maison. Un grand vieillard chauve au nez rouge, vêtu d'une robe de chambre, ses pieds nus dans des caoutchoucs, était dans l'antichambre : à la vue de Pierre, il grommela quelque chose avec humeur et s'en alla dans le couloir.

« C'était une grande intelligence mais maintenant, comme vous voyez, elle est affaiblie, dit Guerassim. Voulez-vous passer dans le cabinet ? » Pierre fit un signe de tête affirmatif. « Le cabinet est resté tel quel, depuis qu'on y a mis les scellés. Sophie Danilovna a donné l'ordre si on venait de votre part de remettre les livres. »

Pierre entra dans ce même cabinet de travail lugubre dans lequel, du vivant de son bienfaiteur, il n'entrait qu'en tremblant. Personne n'y ayant touché depuis la mort de Joseph Alexeievitch, il était tout poussiéreux et encore plus lugubre.

Guerassim ouvrit un volet et sortit sur la pointe des pieds. Pierre fit le tour du cabinet, s'approcha de l'armoire où se trouvaient les manuscrits et en prit un qui était autrefois une des reliques les plus précieuses de l'ordre. C'étaient des chartes écossaises authentiques annotées et commentées par le bienfaiteur. Il s'assit devant le bureau poussiéreux et posa les manuscrits devant lui, les ouvrit, les referma et enfin les repoussant, se plongea dans ses pensées, la tête dans ses mains.

Guerassim vint plusieurs fois jeter un coup d'œil discret dans le cabinet et le vit chaque fois assis dans la même position. Plus de deux heures s'écoulèrent. Guerassim se permit de faire du bruit à la porte pour attirer l'attention de Pierre. Pierre ne l'entendit pas.

« Faut-il renvoyer le fiacre ?

– Ah ! oui, dit Pierre en revenant à lui et en se levant précipitamment. Écoute, ajouta-t-il en prenant Guerassim par le bouton de sa redingote et en regardant le petit vieux de haut en bas avec des yeux brillants, humides, exaltés. Écoute, tu sais qu'il va y avoir une bataille demain ?...

– On le dit, répondit Guerassim.

– Je te demande de ne dire à personne qui je suis. Et fais ce que je vais te demander...

– À vos ordres, dit Guerassim. Faut-il vous servir à manger ?

– Non, mais il me faut autre chose. J'ai besoin de vêtements de paysan et d'un pistolet, dit Pierre qui rougit brusquement.

– À vos ordres », répéta Guerassim après un instant de réflexion.

Pierre passa tout le reste de la journée seul dans le cabinet du bienfaiteur, se promenant nerveusement de long en large, Guerassim l'entendit, et se parlant à lui-même ; et la nuit il y coucha sur le lit qu'on lui avait préparé.

Guerassim, en domestique qui a vu dans sa vie bien des choses étranges, accepta sans étonnement l'installation de Pierre dans la maison, et il semblait content d'avoir quelqu'un à servir. Le soir, sans même se demander à quoi cela pouvait être destiné, il procura à Pierre un vêtement et un bonnet et promit pour le lendemain le pistolet demandé. Dans le courant de la soirée, Makar Alexeievitch vint deux fois à la porte en traînant ses caoutchoucs et s'arrêta en regardant Pierre d'un air engageant. Mais, dès que Pierre se tournait de son côté, il s'enveloppait d'un air pudique et irrité dans sa robe de chambre et s'éloignait en hâte. C'est en allant, vêtu du caftan de cocher acheté et nettoyé pour lui par Guerassim, acheter un pistolet à la tour Soukharev que Pierre rencontra les Rostov.

XIX

Dans la nuit du 1er septembre, Koutouzov donna aux troupes russes l'ordre de se replier à travers Moscou sur la route de Riazan.

Les premières troupes se mirent en marche dans la nuit. Elles marchèrent sans se hâter et avancèrent lentement et posément ; mais à l'aube, en approchant du pont de Dorogomilov, elles virent devant elles d'autres flots de troupes sans fin qui se bousculaient sur le pont, se pressaient sur l'autre rive, bloquaient les rues et les ruelles et, derrière elles, d'autres encore qui les serraient. Et une agitation, une inquiétude irraisonnées s'emparèrent des hommes. Tout se précipita en avant vers le pont, sur le pont, à gué et dans les barques. Koutouzov se fit conduire par les faubourgs de l'autre côté de la Moscova.

À dix heures du matin, le 2 septembre, il ne restait plus dans le faubourg de Dorogomilov, bien au large, que l'arrière-garde. L'armée avait déjà franchi la Moscova et dépassé Moscou.

Au même moment, à dix heures du matin, le 2 septembre, Napoléon se trouvait avec ses troupes sur le mont Poklonni et contemplait le spectacle qui se découvrait devant lui. Depuis le 26 août jusqu'au 1er septembre, depuis la bataille de Borodino jusqu'à l'entrée de l'ennemi à Moscou, pendant tous les jours de cette semaine d'inquiétude, de cette semaine mémorable, il avait fait un de ces temps exceptionnels d'automne qui surprennent toujours, lorsque le soleil bas est plus ardent qu'au printemps, que tout brille dans l'air rare et pur au point qu'on en a mal aux yeux, que la poitrine se dilate et aspire à pleins poumons les parfums de l'automne, que les nuits mêmes sont chaudes et que, pendant ces nuits sombres et chaudes, des étoiles d'or tombent du ciel, inspirant la frayeur et la joie.

Le 2 septembre à dix heures du matin, il faisait un de ces temps-là. L'éclat du matin était féerique. Moscou, du mont Poklonni, s'étendait au loin sur un vaste espace, avec sa rivière, ses jardins, ses églises, et semblait vivre d'une vie bien à elle, ses coupoles miroitant comme des étoiles sous les rayons du soleil.

À la vue de cette ville étrange, d'une architecture inconnue et insolite, Napoléon éprouvait cette curiosité un peu envieuse et inquiète qu'éprouvent les hommes à la vue des formes d'une vie étrangère qui les ignore. À n'en pas douter, cette ville vivait de toutes les forces de sa vie propre. À ces signes indéfinissables auxquels, à une grande distance, on distingue sans se tromper un corps vivant d'un cadavre, Napoléon voyait du mont Poklonni palpiter la vie de la ville et sentait comme le souffle de ce grand et beau corps.

« *Cette ville asiatique aux innombrables églises, Moscou la sainte. La voilà donc enfin, cette fameuse ville ! Il était temps* », dit Napoléon, et, mettant pied à terre, il fit déployer devant lui un plan de cette Moscou et appela l'interprète Lelorme d'Ideville. « *Une ville occupée par l'ennemi ressemble à une fille qui a perdu son honneur* », pensait-il (comme il l'avait dit à Toutchkov à Smolensk). Et c'est sous cet angle qu'il contemplait la beauté orientale étendue devant lui et qu'il voyait pour la première fois. Même à lui, la réalisation d'un rêve depuis longtemps caressé et qu'il avait cru irréalisable semblait étrange. Dans la clarté limpide du matin, il regardait tantôt la ville, tantôt le plan, vérifiant les détails, et la certitude de la possession le remplissait d'émotion et d'effroi.

« Mais pouvait-il en être autrement ? se dit-il. La voici, cette capitale ; elle est à mes pieds, attendant son sort. Où est maintenant Alexandre et que pense-t-il ? Quelle ville étrange, belle, majestueuse ! Et quel instant étrange et majestueux ! Sous quel jour me voient-ils ? se demandait-il en pensant à ses soldats. La voici, la récompense pour tous ces gens de peu de foi, et il jetait un regard sur son entourage et sur les troupes qui approchaient et s'alignaient. Un seul mot de moi, un seul geste de ma main, et elle est perdue, cette antique capitale *des Czars*.

Mais ma clémence est toujours prompte à descendre sur les vaincus. Je dois faire preuve de magnanimité et de vraie grandeur… Mais non, il n'est pas vrai que je sois à Moscou, songeait-il soudain. Pourtant, la voici à mes pieds avec ses coupoles dorées et ses croix qui jouent et vibrent dans le soleil. Mais je l'épargnerai. Sur ces antiques monuments de la barbarie et du despotisme j'inscrirai les grands mots de justice et de clémence… C'est à cela qu'Alexandre sera le plus douloureusement sensible, je le connais. » (Il semblait à Napoléon que l'essentiel de ce qui se passait consistait en une lutte personnelle entre lui et Alexandre.) « Du haut du Kremlin – oui, c'est bien là le Kremlin, oui – je leur donnerai de justes lois, je leur montrerai ce qu'est la vraie civilisation, je forcerai des générations de boyards à rappeler avec amour le nom de leur vainqueur. Je dirai à la députation que je ne voulais pas et que je ne veux pas la guerre; que je n'ai fait la guerre qu'à la politique perfide de leur cour, que j'aime et respecte Alexandre et que j'accepterai à Moscou des offres de paix dignes de moi et de mes peuples. Je ne veux pas profiter de la fortune de la guerre pour humilier un souverain respecté. "Boyards, leur dirai-je, je ne veux pas la guerre, je veux la paix et le bien-être de tous mes sujets." D'ailleurs, je sais que leur présence m'inspirera et que je leur parlerai comme je parle toujours : clairement, solennellement et avec grandeur. Mais est-il possible que je sois vraiment à Moscou ? Oui, la voici ! »

« *Qu'on m'amène les boyards* », dit-il en se tournant vers sa suite. Un général suivi d'une brillante escorte galopa aussitôt chercher les boyards.

Deux heures s'écoulèrent. Napoléon déjeuna et reprit la même place sur le mont Poklonni, dans l'attente de la députation. Le discours qu'il adresserait aux boyards avait déjà pris une forme précise dans son imagination. Ce discours était plein de dignité et de grandeur telle que la comprenait Napoléon.

Il se laissait prendre lui-même à ce ton de magnanimité qu'il avait l'intention d'adopter à Moscou. Dans son imagination, il fixait les jours *de réunion dans le palais des Czars* où les grands seigneurs russes devaient se rencontrer avec les hauts dignitaires de l'empereur de France. Il nommait mentalement un gouverneur, celui qui saurait se concilier la population. Ayant appris que Moscou comptait un grand nombre d'institutions charitables, il décidait que ces institutions seraient comblées de ses bienfaits. Il croyait que, de même qu'en Afrique il fallait aller en burnou à la mosquée, il fallait à Moscou être charitable comme les tsars. Et pour toucher définitivement le cœur des Russes, incapable, comme tout Français, de se laisser aller aux sentiments sans se souvenir de *ma chère, ma tendre, ma pauvre mère*, il décidait que sur tous ces établissements il ferait inscrire en grosses lettres : *Établissement dédié à ma chère Mère*. Non, tout simplement : *Maison de ma Mère*, se dit-il. « Mais est-il possible que je sois à Moscou ? Oui, la voici devant moi, mais pourquoi donc la députation de la ville tarde-t-elle tant ? »

Cependant, aux derniers rangs de la suite de l'Empereur, les généraux et les maréchaux émus tenaient un conciliabule à voix basse. Ceux qui avaient été envoyés chercher la députation étaient revenus avec la nouvelle que Moscou était vide, que tous ses habitants étaient partis, à pied ou en voiture. Les visages étaient pâles et émus. On était effrayé non pas parce que Moscou était abandonnée par ses habitants (si grave que parût cet événement) mais d'avoir à l'annoncer à l'Empereur, on ne savait comment, sans mettre Sa Majesté dans cette terrible situation que les Français appellent *ridicule*, lui apprendre qu'elle avait en vain attendu si longtemps les boyards, qu'il n'y avait plus à Moscou que des bandes d'ivrognes et personne d'autre. Les uns disaient qu'il fallait, coûte que coûte, réunir une députation quelconque, les autres s'élevaient contre cette idée et soutenaient qu'il fallait préparer l'Empereur avec prudence et habileté et lui dire la vérité.

« *Il faudra le lui dire tout de même*... » disaient ces messieurs de la suite. « *Mais, messieurs*... » La situation était d'autant plus pénible que l'Empereur, tout à ses projets magnanimes, allait et venait patiemment devant le plan étalé en mettant de temps à autre la main en écran devant ses yeux pour regarder la route de Moscou en souriant joyeusement et avec fierté.

« *Mais c'est impossible...* » disaient en haussant les épaules ces messieurs de la suite sans oser prononcer ce mot terrible qu'ils sous-entendaient : *le ridicule...*

Cependant l'Empereur, las de cette vaine attente et sentant avec son flair de comédien qu'en se prolongeant trop l'instant sublime commençait à perdre sa majesté, fit un signe de la main. Un coup de canon isolé retentit pour donner le signal, et les troupes qui investissaient Moscou se mirent en marche vers les barrières de Tver, de Kalouga, et de Dorogomilov. Toujours plus vite, se dépassant les unes les autres, au pas de course ou au trot, elles avancèrent, enveloppées de nuages de poussière et emplissant l'air d'un tumulte de clameurs.

Entraîné par le mouvement de ses soldats, Napoléon fit route avec eux jusqu'à la barrière de Dorogomilov, mais là il s'arrêta et mettant pied à terre se promena longtemps devant le rempart du Collège de la Chambre dans l'attente de la députation.

XX

Moscou cependant était vide. Il y restait encore des habitants, le cinquantième de son ancienne population, mais elle était vide. Elle était vide comme l'est une ruche qui se meurt privée de sa reine.

Dans une ruche sans reine il n'y a plus de vie mais, pour un regard superficiel, elle paraît aussi vivante que les autres.

Dans les rayons ardents du soleil de midi, les abeilles tournent autour d'elle aussi gaiement qu'autour des ruches vivantes ; de loin, elle sent tout autant le miel, les abeilles en sortent et y rentrent de même. Mais il suffit de l'observer plus attentivement pour comprendre que la vie en est absente. Les abeilles ne volent pas comme autour des ruches vivantes, ce n'est pas la même odeur, ce n'est pas le même bourdonnement qui frappe l'apiculteur. Quand l'apiculteur tape sur la paroi d'une ruche malade, au lieu de la réponse instantanée, unanime, du bourdonnement des dizaines de milliers d'abeilles qui dressent menaçantes le train de derrière et en battant rapidement des ailes produisent ce bruissement aérien de la vie, ne lui répondent que des bourdonnements isolés qui résonnent dans différents coins de la ruche vide. À l'entrée, on ne sent plus l'odeur spiritueuse, parfumée du miel et du venin, la tiédeur d'une ruche pleine n'en émane plus, mais à l'odeur du miel se mêle l'odeur du vide et de la pourriture. L'entrée n'est pas défendue par des gardiennes qui, le train de derrière dressé, sont prêtes à se sacrifier pour défendre leur ruche. On n'entend plus ce bruit régulier et doux, cette palpitation du travail semblable à un bouillonnement, mais le bruit discordant, irrégulier du désordre. Des abeilles pillardes noires au corps allongé, enduites de miel, entrent et sortent ; elles ne piquent pas mais fuient le danger. Autrefois, on ne voyait que des ouvrières qui entraient avec leur butin et repartaient à vide, maintenant elles s'envolent avec leur charge. L'apiculteur ouvre le bas et examine la partie inférieure de la ruche. Au lieu des grappes, descendant autrefois jusqu'au plateau, d'abeilles bien en chair, apaisées par le travail, suspendues les unes aux autres par les pattes et qui, dans un bourdonnement ininterrompu, sécrétaient la cire, des abeilles ensommeillées, desséchées errent distraitement de côté et d'autre sur le fond et les parois de la ruche. Au lieu d'un sol bien enduit de propolis et balayé à coups d'ailes, le fond est jonché de miettes de cire, d'excréments, d'abeilles demi-mortes qui agitent à peine leurs pattes, et de cadavres d'autres non enlevés.

L'apiculteur ouvre la calotte et examine le corps de la ruche. Au lieu de rangs serrés d'abeilles qui bouchent tous les alvéoles des rayons et réchauffent le couvain, il voit l'habile et complexe structure des rayons, mais elle n'a plus cet aspect virginal qu'elle avait auparavant. Tout est à l'abandon et souillé. Les pillardes, abeilles noires, rôdent rapidement et furtivement parmi les ouvrières ; les ouvrières, desséchées, chétives, mornes, comme séniles, errent lentement sans gêner personne, sans rien désirer et ayant perdu la conscience de vivre. Des frelons, des taons, des bourdons, des papillons se cognent dans leur vol désordonné contre les parois de la ruche. Çà et là, parmi les rayons avec le couvain mort et le miel, on entend de temps à autre, de divers côtés, un bourdonnement irrité ; à un endroit, deux abeilles, par une vieille habitude, dans l'intention de nettoyer le nid, traînent soigneusement et péniblement dehors le cadavre d'une ouvrière ou d'un bourdon sans savoir pourquoi elles le font. Dans un autre coin, deux vieilles abeilles se battent mollement ou font leur toilette ou se nourrissent l'une l'autre sans savoir si ce qu'elles font est hostile ou amical. Dans un autre coin encore, une foule d'abeilles s'écrasant les unes les autres s'attaquent à une victime et la frappent et l'étouffent. Et l'abeille affaiblie ou tuée tombe lentement, légèrement comme un duvet sur le tas de cadavres. L'apiculteur retourne les deux rayons du milieu pour voir le nid. Au lieu de milliers d'abeilles plaquées dos contre dos en un cercle serré et noir et veillant au grand mystère de l'éclosion, il voit quelques centaines d'abeilles mornes, à demi mortes et engourdies. Elles sont presque toutes mortes sans s'en apercevoir, installées sur le trésor qu'elles gardaient et qui n'existe plus. Elles exhalent une odeur de pourriture et de mort. Seules quelques-unes remuent, s'élèvent, volent avec indolence et se posent sur la main de l'ennemi, sans force pour mourir en le piquant ; les autres, mortes, tombent doucement sur le fond comme des écailles de poisson. L'apiculteur remet la calotte, marque la ruche à la craie et, choisissant son moment, la brise et la brûle.

C'est ainsi qu'était vide Moscou alors que Napoléon fatigué, inquiet et sombre, se promenait de long en large devant le rempart du Collège de la Chambre, attendant que fussent respectées les convenances, du moins les convenances extérieures mais, selon lui, indispensables : l'envoi de la députation.

Dans divers coins de Moscou, il n'y avait plus que des gens qui bougeaient encore vainement, obéissant à de vieilles habitudes et sans comprendre ce qu'ils faisaient.

Quand, avec les précautions voulues, on apprit à Napoléon que Moscou était vide, il jeta un regard courroucé au messager de cette nouvelle, puis se détourna et reprit sa promenade en silence.

« Qu'on fasse avancer ma voiture », dit-il. Il y monta à côté de l'aide de camp de service et pénétra dans le faubourg.

« *Moscou déserte. Quel événement invraisemblable !* » se disait-il.

Il n'entra pas dans la ville mais s'arrêta dans une auberge du faubourg de Dorogomilov.

Le coup de théâtre avait raté.

XXI

Les troupes russes avaient traversé Moscou de deux heures du matin à deux heures de l'après-midi, entraînant à leur suite les derniers habitants qui partaient et les blessés.

La plus forte bousculade, pendant la marche de l'armée, se produisit sur les ponts de Pierre, de la Moscova et de la Iaouza.

Alors que, se dédoublant autour du Kremlin, les troupes s'entassaient sur les ponts de la Moscova et de Pierre, un nombre considérable de soldats, profitant de l'arrêt et de la cohue, revenaient sur leurs pas, se glissaient furtivement et silencieusement le long de la cathédrale de Vassili-le-Bienheureux et par la porte Borovitski, et remontaient vers la place Rouge où, par une sorte de flair, ils sentaient qu'on pouvait sans difficulté s'approprier le bien d'autrui. Une foule semblable à celle des jours de ventes à prix réduits envahissait le Gostini Dvor[1] par tous ses passages. Mais on n'y entendait plus les voix insinuantes des marchands pleines d'une amabilité doucereuse, il n'y avait plus de colporteurs ni de foule bigarrée des clientes : ce n'étaient partout qu'uniformes et capotes de soldats sans fusils qui, silencieux, pénétraient dans les galeries les mains vides et en ressortaient chargés. Les marchands et les commis (ils étaient peu nombreux) circulaient comme perdus parmi les soldats, ouvraient et fermaient leurs boutiques et avec leurs aides emportaient eux-mêmes leurs marchandises quelque part. Sur la place, près du Gostini Dvor, des tambours battirent le rappel. Mais le son du tambour ne faisait plus accourir les soldats, il les poussait au contraire à fuir plus loin. Parmi les soldats, dans les boutiques et les passages, on rencontrait des individus en veste grise et la tête rasée. Deux officiers, l'un avec une écharpe sur son uniforme, monté sur un maigre cheval gris foncé, l'autre en capote et allant à pied, parlaient entre eux au coin de l'Ilinka. Un troisième accourut vers eux.

« Le général a donné l'ordre, coûte que coûte, de chasser immédiatement tout le monde. Voyons, ça n'a pas de nom ! La moitié des hommes se sont enfuis.

– Où vas-tu ?... Où allez-vous ?... cria-t-il à trois fantassins qui, sans fusil, les bords de leurs capotes retroussés, se faufilaient devant lui dans les galeries. Arrêtez, canailles !

– Allez donc les rassembler, répondit l'autre officier. Il n'y a pas moyen ; il faut se dépêcher de s'en aller avant que les derniers ne se soient débandés, voilà tout !

– Mais comment avancer ? On s'est arrêté là-bas, entassé sur le pont, et on ne bouge plus. Il faudrait peut-être établir un cordon pour empêcher les derniers de s'enfuir ?

1. Galerie marchande.

– Mais allez donc là-bas ! Chassez-les », cria l'officier supérieur.

L'officier à l'écharpe mit pied à terre, appela un tambour et s'engagea avec lui sous les arcades. Quelques soldats s'enfuirent. Un marchand avec des boutons rouges sur les joues près du nez, une expression imperturbable de calcul sur son visage bien nourri, s'approcha de l'officier en agitant hâtivement les bras d'un air faraud.

« Votre Honneur, dit-il, je vous en prie, protégez-nous. Nous n'y regardons pas de si près, nous nous ferons un plaisir !... Venez, je vais vous apporter du drap, pour un honnête homme je donnerais même bien deux pièces, avec plaisir ! Parce que nous sommes reconnaissants, mais ça, qu'est-ce que c'est, c'est du pur brigandage ! Veuillez m'accompagner. On devrait mettre une garde, qu'on nous laisse au moins fermer... »

Quelques marchands entourèrent l'officier.

« Eh ! à quoi ça sert de palabrer, dit l'un d'eux, un homme maigre au visage sévère. Quand on vous coupe la tête, on ne pleure pas les cheveux. Que chacun prenne ce qui lui fait plaisir ! » Et il fit de la main un geste énergique en se tournant à demi vers l'officier.

« Tu en parles à ton aise, Ivan Sidoritch, dit avec humeur le premier marchand. Venez donc, je vous prie, Votre Honneur.

– À quoi ça sert de parler ! cria le maigre, j'ai ici dans trois boutiques pour cent mille roubles de marchandises. Comment voulez-vous les garder quand l'armée est partie ? Eh, ces gens, rien à faire contre la volonté de Dieu.

– Venez, je vous prie, Votre Honneur », répondit le premier marchand en s'inclinant. L'officier hésitait et l'indécision se lisait sur son visage.

« Après tout, est-ce que ça me regarde ! » cria-t-il soudain, et il s'éloigna à pas rapides sous les arcades. D'une boutique ouverte parvenaient un bruit de coups et des jurons, et au moment où l'officier s'en approchait, un homme en veste grise et la tête rasée en surgit, jeté dehors.

Cet homme se plia en deux et se faufila entre les marchands et l'officier. L'officier se précipita sur les soldats qui étaient dans la boutique. Mais à ce moment de terribles clameurs poussées par une foule énorme s'élevèrent sur le pont de la Moscova, et l'officier courut vers la place.

« Que se passe-t-il ? Que se passe-t-il ? » demandait-il, mais son camarade galopait déjà dans la direction des cris, le long de Vassili-le-Bienheureux. L'officier se remit en selle et le suivit. Quand il atteignit le pont, il vit deux canons enlevés de leurs avant-trains, des fantassins en marche, des chariots renversés, des visages affolés et des soldats qui riaient. Près des canons était arrêté un chariot attelé de deux chevaux. Derrière, contre les roues, se serraient quatre lévriers qui y étaient attachés. Le chariot était surchargé de bagages et, tout en haut, à côté d'une petite chaise d'enfant les pieds en l'air, était assise une femme qui poussait des cris aigus et déchirants. Des camarades racontèrent à l'officier que les cris de la foule et les glapissements de la femme avaient pour cause un ordre du général Ermolov qui, voyant les soldats s'égailler dans les boutiques et les civils encombrer le pont, avait fait enlever les pièces des avant-trains et menacé d'ouvrir le feu sur le pont pour faire un exemple. La foule renversant les véhicules, se bousculant, s'écrasant, poussant des clameurs déchirantes, avait dégagé le pont et les troupes avaient repris leur marche.

XXII

La ville même était cependant déserte. Dans les rues il n'y avait presque personne. Les portes cochères et les boutiques étaient toutes fermées ; çà et là, autour des cabarets, on entendait des cris isolés ou des chants d'ivrognes. Aucune voiture ne passait dans les rues et le pas d'un piéton résonnait rarement. La rue Povarskaia était absolument silencieuse et vide. L'énorme cour des Rostov était jonchée de restes de foin, de crottin et l'on n'y voyait pas une âme. Dans la maison abandonnée avec tous les biens, il y avait deux personnes dans le grand salon. C'étaient le portier Ignace et le groom Michka, petit-fils de Vassilitch, resté à Moscou avec son grand-père. Michka avait ouvert le clavecin et jouait avec un doigt. Le portier, les mains sur les hanches et un sourire joyeux aux lèvres, se tenait devant une grande glace.

« Hein, si c'est amusant ! Oncle Ignace ! dit le gamin en se mettant soudain à taper des deux mains sur les touches.

– Voyez-vous ça ! répondit Ignace, admirant dans la glace son sourire qui s'épanouissait de plus en plus.

– Vous n'avez pas honte ! Vraiment ! dit derrière eux la voix de Mavra Kouzminichna qui était entrée sans bruit. Voyez-moi cette grosse gueule qui rit de toutes ses dents. À ça vous êtes bons ! Tout est en désordre là-bas, Vassilitch n'en peut plus. Attendez un peu ! »

Ignace, arrangeant sa ceinture, cessant de sourire et baissant docilement les yeux, sortit de la pièce.

« Petite tante, je vais y aller doucement, dit le gamin.

– Je vais t'en faire voir du doucement ! Polisson ! cria Mavra Kouzminichna en levant sur lui une main menaçante. Va allumer le samovar pour ton grand-père. »

Mavra Kouzminichna essuya la poussière, referma le clavecin et avec un profond soupir quitta le salon en fermant la porte à clef.

Elle sortit dans la cour et se demanda où elle irait maintenant : prendre le thé avec Vassilitch dans le pavillon ou ranger dans la réserve ce qui n'était pas encore remis en ordre.

Des pas rapides résonnèrent dans la rue silencieuse. Ils s'arrêtèrent à la petite porte ; le loquet cliqueta sous la pression d'une main qui s'efforçait de l'ouvrir.

Mavra Kouzminichna s'approcha de la petite porte.

« Qui demandez-vous ?

– Le comte, le comte Ilia Andreitch Rostov.

– Mais qui êtes-vous ?

– Je suis un officier. J'aurais besoin de le voir », dit la voix agréable d'un gentilhomme russe.

Mavra Kouzminichna ouvrit la porte. Et un jeune officier d'environ dix-huit ans, au visage rond dont le type rappelait celui des Rostov, entra dans la cour.

« Ils sont partis, monsieur. Ils sont partis hier soir », dit aimablement Mavra Kouzminichna.

Le jeune officier, debout à la porte, semblant hésiter s'il devait ou non entrer, fit claquer sa langue.

« Ah ! quel ennui ! dit-il. J'aurais dû venir hier… Ah ! quel dommage !… »

Mavra Kouzminichna examinait cependant attentivement et avec sympathie dans le visage du jeune homme les traits qu'elle connaissait si bien de la race des Rostov, et son manteau déchiré, et les bottes éculées qu'il portait.

« À quel sujet vouliez-vous le voir, le comte ? demanda-t-elle.

– Ma foi… rien à faire ! » fit l'officier avec dépit en mettant la main sur le bouton de la porte comme pour s'en aller. Il s'arrêta encore, indécis.

« Voyez-vous, dit-il soudain, je suis un parent du comte et il a toujours été très bon pour moi. Alors, vous voyez (il regarda avec un bon sourire amusé son manteau et ses bottes), je suis en loques et je n'ai pas le sou, alors je voulais demander au comte… »

Mavra Kouzminichna ne le laissa pas achever.

« Si vous voulez bien attendre un petit instant, monsieur. Un petit instant », dit-elle. Et dès que l'officier eut lâché le bouton de la porte, elle tourna les talons et d'un pas rapide de vieille femme se dirigea vers l'arrière-cour où se trouvait le pavillon qu'elle habitait.

Pendant que Mavra Kouzminichna courait chez elle, l'officier, la tête baissée et les yeux fixés sur ses bottes éculées, se promenait dans la cour en souriant légèrement. « Quel dommage que je n'aie pas trouvé mon oncle. Mais quelle brave vieille ! où est-elle allée ? Et comment pourrais-je savoir quelles rues je dois prendre pour rattraper au plus vite le régiment qui doit s'approcher maintenant de la barrière Rogojski ? » pensait-il pendant ce temps. Mavra Kouzminichna, le visage effrayé en même temps que décidé, apparut au coin de la cour, tenant à la main un mouchoir à carreaux plié. À quelques pas de l'officier, elle défit le mouchoir, en tira un billet blanc de vingt-cinq roubles et le lui remit en hâte.

« Si Son Excellence était là, bien sûr, il ferait comme il convient pour un parent, mais peut-être, voici… en ce moment… » Mavra Kouzminichna se troubla. Mais l'officier, sans se faire prier et sans hâte, prit le billet et remercia Mavra Kouzminichna. « Si le comte était là, disait-elle toujours pour s'excuser. Dieu vous protège, mon bon monsieur. Que Dieu vous garde », fit-elle en s'inclinant et en le reconduisant. L'officier, souriant comme s'il se moquait de lui-même et hochant la tête, s'élança presque au pas de course dans les rues désertes pour rattraper son régiment près du pont de la Iaouza.

Mavra Kouzminichna resta encore longtemps devant la porte fermée, les yeux humides, à hocher pensivement la tête, sentant un afflux subit de pitié et de tendresse maternelle pour ce petit officier inconnu.

XXIII

Dans une maison inachevée de la Varvarka dont le rez-de-chaussée était occupé par un cabaret, s'élevaient des cris et des chants d'ivrognes. Une dizaine d'ouvriers étaient installés sur des bancs devant les tables dans une petite pièce sale. Tous, ivres, en sueur, les yeux troubles, chantaient de toutes leurs forces en ouvrant de larges bouches. Ils chantaient à tort et à travers, avec peine, avec effort, non pas parce qu'ils avaient envie de chanter, mais uniquement pour montrer qu'ils étaient ivres et qu'ils faisaient la fête. L'un d'eux, un grand gars blond vêtu d'une blouse bleue bien propre, se tenait debout à côté d'eux. Son visage au nez droit et fin eût été beau sans ses lèvres minces, pincées, toujours en mouvement, ses yeux troubles, immobiles et maussades. Il se tenait au-dessus des chanteurs et, s'imaginant visiblement jouer un rôle, agitait au-dessus de leurs têtes, d'un geste solennel et anguleux, son bras blanc à la manche retroussée jusqu'au coude, en s'efforçant d'écarter le plus possible ses doigts sales. La manche de sa blouse glissait sans cesse et le gars la retroussait soigneusement de la main gauche, comme s'il était particulièrement important que ce bras blanc et musclé fût nu. Au milieu de la chanson, le bruit d'une rixe et de coups retentit dans le vestibule et sur le perron. Le grand gars fit un geste de la main.

« Ça y est ! cria-t-il d'un ton impérieux. Une bagarre, les gars ! » et sans cesser de retrousser sa manche, il sortit sur le perron.

Les ouvriers le suivirent. Ces ouvriers attablés dans le cabaret avaient ce matin-là, sous la conduite du grand gars, apporté au cabaretier du cuir de la fabrique et en échange on leur avait donné du vin. Des forgerons des forges voisines avaient cru, au vacarme qu'ils faisaient, que le cabaret était pillé et voulaient y pénétrer de force. Une rixe s'ensuivit sur le perron.

Le cabaretier, à sa porte, était aux prises avec un forgeron et, au moment où les ouvriers apparurent, celui-ci échappa au cabaretier et tomba face contre le pavé.

Un autre forgeron s'efforçait de franchir la porte, repoussant de la poitrine le cabaretier.

Le gars à la manche retroussée, avant même de s'arrêter, frappa au visage un forgeron qui voulait atteindre la porte et hurla à tue-tête :

« Les gars ! on cogne sur les nôtres ! »

À ce moment, le premier forgeron se releva et, étalant le sang sur son visage meurtri, cria d'une voix plaintive :

« Au secours ! À l'assassin !... On a tué un homme ! Camarades !...

– Oh ! mes amis, on assassine, on a assassiné un homme ! » glapit une femme qui sortait de la porte cochère voisine. Une foule se rassembla autour du forgeron ensanglanté.

« Tu n'as pas assez de voler les gens, de leur enlever leur dernière chemise, dit une voix en s'adressant au cabaretier, il te faut tuer maintenant ? Bandit ! »

Le grand gars, debout sur le perron, promenait ses yeux troubles tantôt sur le cabaretier, tantôt sur les forgerons, comme s'il se demandait avec qui il devait se battre.

« Assassin ! cria-t-il tout à coup au cabaretier. Ligotez-le, les gars !

– Et allez donc, me ligoter, moi ! » cria le cabaretier en secouant ceux qui s'étaient jetés sur lui, et, arrachant son bonnet, il le lança à terre. Comme si ce geste avait un sens mystérieux et menaçant, les ouvriers qui l'entouraient s'arrêtèrent indécis.

« La loi, mes amis, je la connais sur le bout du doigt. J'irai jusqu'au commissaire du quartier. Tu crois que je n'irai pas ? Personne n'a aujourd'hui le droit de faire le brigand ! cria le cabaretier en ramassant son bonnet.

– Et allons-y, voyez-vous ça ! Et allons-y… voyez-vous ça », répétèrent l'un après l'autre le cabaretier et le grand gars, et les deux ensemble partirent le long de la rue. Le forgeron ensanglanté leur emboîta le pas. Les ouvriers et les curieux les suivirent en parlant et en criant.

Au coin de la Marosseïka, en face d'une grande maison aux volets clos qui s'ornait d'une enseigne de cordonnier, stationnaient une vingtaine d'ouvriers cordonniers, tous maigres, exténués, vêtus de houppelandes et de caftans en loques.

« Qu'il nous donne notre compte en règle ! disait un ouvrier maigre à la barbe clairsemée et aux sourcils froncés. Il nous a sucé le sang et il se croit quitte. Il nous a menés, menés par le bout du nez toute une semaine. Et maintenant, au dernier moment, il a filé. »

À la vue du groupe et de l'homme ensanglanté, il se tut et avec une curiosité empressée les cordonniers se joignirent tous à la foule en marche.

« Où qu'ils vont les gens ?

– On sait bien où, chez les autorités.

– Alors, c'est-y vrai que les nôtres n'ont pas eu le dessus ?

– Et toi qu'est-ce que tu croyais ? Écoute un peu ce que disent les gens. »

Questions et réponses se succédaient. Le cabaretier, profitant de l'excitation de la foule, resta en arrière et regagna son cabaret.

Le grand gars, sans s'apercevoir de la disparition de son ennemi, gesticulait de son bras nu et ne cessait de pérorer, attirant ainsi l'attention générale. C'est autour de lui principalement qu'on se pressait dans l'espoir d'obtenir une réponse aux questions qui préoccupaient tout le monde.

« Il n'a qu'à donner l'exemple, faire voir ce que c'est que la loi, c'est pour ça qu'elles sont là, les autorités ! Est-ce que je dis vrai, bonnes gens ? disait le grand gars avec un imperceptible sourire.

– Il s'imagine qu'il n'y a pas d'autorité ? Est-ce qu'on peut se passer des autorités ? Déjà les amateurs de pillage ne manquent pas.

– À quoi ça sert de parler pour ne rien dire ! disait-on dans la foule. Comment donc, on lâchera Moscou comme ça ! Moscou ! On te l'a dit pour rire, et toi tu l'as cru. C'est pas la troupe qui manque. Et on le laisserait entrer comme ça ! Y a des autorités pour ça. Écoute donc plutôt ce que disent les gens », disait-on en montrant le grand gars.

Devant le mur de Kitaï Gorod, un autre groupe, peu nombreux, entourait un homme en manteau de frise qui tenait un papier à la main.

« Une ordonnance, on lit une ordonnance ! » dit-on dans la foule qui se dirigea aussitôt vers le crieur public.

L'homme au manteau de frise lisait l'affiche du 31 août. Lorsque la foule l'entoura, il parut se troubler mais, à la demande du grand gars qui s'était poussé jusqu'à lui, il reprit sa lecture depuis le début avec un léger tremblement dans la voix.

« Je pars demain de bonne heure pour voir le prince sérénissime, lisait-il (Sérénissime ! répéta le grand gars avec un sourire solennel des lèvres et en fronçant les sourcils), pour m'entendre avec lui, agir et aider nos troupes à exterminer les scélérats ; nous aussi nous allons nous employer à leur faire passer le goût du pain… poursuivait le crieur qui s'arrêta (vous voyez ça ? cria triomphalement le gars. Il va t'arranger tout ça…), à exterminer ces visiteurs et à les envoyer au diable ; je reviendrai à l'heure du dîner et nous nous mettrons à la besogne, nous la ferons, nous l'achèverons et nous arrangerons les scélérats. »

Le crieur lut les derniers mots au milieu d'un silence total. Le grand gars baissait tristement la tête. Il était évident que personne n'avait compris la fin. Les mots surtout : « Je reviendrai demain à l'heure du dîner » avaient même visiblement fait de la peine au crieur et à ses auditeurs. La compréhension populaire attendait un beau langage, alors que cela était trop simple et trop accessible ; c'était cela même que chacun d'eux aurait pu dire et ce que par conséquent ne pouvait dire une proclamation des hautes autorités.

Tous gardaient un morne silence. Le grand gars remuait les lèvres et vacillait.

« Il faudrait aller lui demander !… C'est bien lui ?… Penses-tu, demander !… Et pourquoi pas ?… Il nous indiquera… » dit-on soudain dans les derniers rangs de la foule, et l'attention générale se porta sur la voiture du chef de la police qui arrivait sur la place escorté par deux dragons montés.

Le chef de la police était allé ce matin, sur l'ordre du comte, mettre le feu aux barques et, à cette occasion, avait gagné une forte somme qui se trouvait en ce moment dans sa poche ; en voyant la foule qui avançait vers lui il ordonna au cocher de s'arrêter.

« Qui êtes-vous ? cria-t-il aux gens qui, un à un et timidement, s'approchaient de la voiture. Qui êtes-vous ? Je vous le demande ? répéta-t-il n'obtenant pas de réponse.

– Votre Honneur, dit le fonctionnaire au manteau de frise, ils voulaient Votre Honneur, conformément à la proclamation de Son Excellence le comte, ils voulaient servir sans épargner leur vie et pas du tout se révolter comme a dit Son Excellence le comte…

– Le comte n'est pas parti, il est ici et vous recevrez des instructions, déclara le chef de la police. En route ! » dit-il au cocher. La foule s'arrêta, se massant autour de ceux qui avaient entendu les paroles du représentant du pouvoir et regardant la voiture s'éloigner.

Le chef de la police se retourna à ce moment d'un air effrayé, dit quelque chose à son cocher et les chevaux accélérèrent l'allure.

« C'est de la tromperie, les gars ! Qu'on nous mène chez le grand chef en personne ! cria la voix du grand gars. Ne le laissez pas partir, camarades ! Qu'il nous rende des comptes ! Arrête ! » crièrent des voix, et la foule s'élança à la poursuite de la voiture.

La foule en suivant le chef de la police se dirigea dans un brouhaha de voix vers la Loubianka.

« Alors quoi, les bourgeois et les marchands ont décampé, et nous autres c'est pour ça qu'on est fichu ! Est-ce qu'on est des chiens ! » disaient dans la foule des voix de plus en plus nombreuses.

XXIV

Au soir du 1er septembre, après son entrevue avec Koutouzov, le comte Rostoptchine, mortifié et blessé qu'on ne l'eût pas invité à assister au conseil de guerre, que Koutouzov n'eût prêté aucune attention à son offre de prendre part à la défense de la capitale et surpris du point de vue nouveau qu'il avait découvert au camp, selon lequel la question de la tranquillité de la capitale et de son esprit patriotique était non seulement secondaire, mais même absolument inutile et négligeable, le comte Rostoptchine, mortifié, blessé et surpris de tout cela, revint à Moscou. Après avoir soupé, il s'étendit tout habillé sur un canapé et, vers une heure du matin, fut réveillé par un courrier qui lui apportait une lettre de Koutouzov. Celui-ci demandait au comte, comme les troupes se repliaient sur la route de Riazan au-delà de Moscou, de bien vouloir envoyer des policiers pour les escorter à travers la ville. Ce n'était pas là une nouvelle pour Rostoptchine. Il savait que Moscou serait abandonnée, non seulement depuis son entrevue avec Koutouzov, la veille, sur le mont Poklonni, mais dès la bataille de Borodino, quand tous les généraux arrivés à Moscou disaient à l'unanimité qu'il était impossible de livrer une nouvelle bataille, quand avec son autorisation on évacuait déjà chaque nuit les biens de l'État, que la moitié des habitants étaient partis; pourtant cette nouvelle, venue sous la forme d'un simple billet contenant l'ordre de Koutouzov et reçue la nuit, pendant son premier sommeil, le surprit et l'irrita.

Plus tard, expliquant son activité pendant cette période, le comte Rostoptchine répéta plusieurs fois dans ses mémoires qu'il poursuivait alors deux buts importants : *De maintenir la tranquillité à Moscou et d'en faire partir les habitants*. Si l'on admet ce double but, chacun des actes de Rostoptchine devient irréprochable. Mais pourquoi n'a-t-on pas évacué de Moscou les trésors des églises, les armes, les cartouches, la poudre, les réserves de blé, pourquoi a-t-on trompé et ruiné des milliers d'habitants en leur assurant que Moscou ne serait pas abandonnée ? Pour maintenir le calme dans la capitale, explique le comte Rostoptchine. Pourquoi a-t-on évacué des piles de papiers inutiles des administrations, et le ballon de Leppich, et d'autres choses ? Pour laisser la ville vide, explique le comte Rostoptchine. Il suffit d'admettre qu'une menace pèse sur la tranquillité publique, et tout acte se justifie.

Toutes les atrocités de la Terreur n'étaient dictées que par le souci de la tranquillité publique.

Sur quoi donc se fondaient les craintes du comte Rostoptchine au sujet de la tranquillité publique à Moscou, en 1812 ? Quelle raison avait-on de croire la population encline à se soulever ? Les habitants s'en allaient, les troupes en retraite remplissaient Moscou. Pourquoi, à la suite de cela, le peuple devait-il se soulever ?

Non seulement à Moscou mais nulle part en Russie, à l'entrée de l'ennemi, il n'y eut rien qui ressemblât à un soulèvement. Le 1er et le 2 septembre, plus de dix mille personnes restaient à Moscou, et en dehors du rassemblement qui se fit dans la cour du gouverneur – et qu'il avait provoqué lui-même – rien ne se passa. Il est évident qu'il aurait fallu encore moins s'attendre à des troubles populaires si, après la bataille de Borodino, quand l'abandon de Moscou devint certain ou du moins probable, au lieu d'alarmer le peuple par les affiches et en lui distribuant des armes, Rostoptchine avait pris des mesures pour l'évacuation des trésors des églises, de la poudre, des munitions et de l'argent, et qu'il eût annoncé franchement à la population qu'on abandonnait la ville.

Rostoptchine, homme ardent, sanguin, qui avait toujours évolué dans les hautes sphères de l'administration, n'avait, bien qu'animé de sentiments patriotiques, pas la moindre idée de ce peuple qu'il croyait gouverner. Dès l'entrée de l'ennemi à Smolensk, il s'était attribué dans son imagination le rôle de guide du sentiment national, du cœur de la Russie. Il lui semblait (comme à tout administrateur) qu'il dirigeait non seulement les manifestations des habitants de Moscou, mais encore leurs sentiments par ses proclamations et ses affiches qu'il rédigeait dans ce langage vulgaire que le peuple méprise dans son milieu et qu'il ne comprend pas quand il vient d'en haut. Ce beau rôle de guide du sentiment populaire avait si bien plu à Rostoptchine, il s'y était si bien habitué, que la nécessité d'y renoncer, la nécessité d'abandonner Moscou sans aucune action d'éclat le prit au dépourvu, il sentit le sol se dérober sous ses pieds, et il ne savait plus que faire. Il avait beau savoir à quoi s'en tenir, il se refusa de toute son âme, jusqu'au dernier moment, à croire à l'abandon de Moscou et ne fit rien dans ce sens. Les habitants partaient contre sa volonté. Si l'on évacuait les administrations, ce n'était qu'à la demande des fonctionnaires à l'avis de qui il se rangeait à contrecœur. Quant à lui, il ne s'occupait que du rôle qu'il s'était assigné. Comme il en est souvent pour les gens doués d'une imagination ardente, il savait depuis longtemps que Moscou serait abandonnée, mais il ne le savait que par raisonnement, de toute son âme il se refusait à y croire et ne se transportait pas par l'imagination dans cette situation nouvelle.

Toute son activité zélée et énergique (dans quelle mesure elle fut utile et put influencer le peuple, c'est une autre question), toute son activité n'était tendue qu'à éveiller dans la population le sentiment qu'il éprouvait lui-même : la haine patriotique des Français et la confiance en soi.

Mais lorsque l'événement prit ses vraies proportions historiques, lorsqu'il apparut insuffisant de manifester en paroles sa haine des Français, lorsqu'il devint même impossible de manifester cette haine par une bataille, lorsque la confiance en soi devint inopérante quant à la question de Moscou prise isolément, lorsque, comme un seul homme, la population tout entière, abandonnant ses biens, s'écoula hors de Moscou, montrant par cet acte négatif toute la force de son sentiment national, alors le rôle choisi par Rostoptchine se révéla soudain absurde. Il se sentit seul, faible et ridicule, privé de tout point d'appui.

Quand tiré de son sommeil, il reçut le billet froid et impératif de Koutouzov, Rostoptchine fut d'autant plus irrité qu'il se sentait plus coupable. Tout ce qui lui avait été expressément confié, tous ces biens de l'État qu'il aurait dû faire évacuer restaient à Moscou. Il était impossible de tout évacuer.

« À qui donc la faute si on en est là ? Bien entendu, pas à moi. J'avais tout préparé, je tenais Moscou bien en main ! Et voilà où l'on en est ! Misérables, traîtres ! » pensait-il sans bien préciser dans sa pensée qui étaient ces misérables et ces traîtres, mais éprouvant le besoin de haïr ces traîtres inconnus qui l'avaient mis dans la situation fausse et ridicule où il se trouvait.

Toute la nuit, le comte Rostoptchine donna des ordres qu'on vint lui demander de tous les côtés de Moscou. Son entourage ne l'avait jamais vu si sombre et irrité.

« Votre Excellence, on vient demander des ordres de l'administration des Domaines, de la part du directeur. De la part du Consistoire, du Sénat, de l'Université, de l'Orphelinat, le vicaire a envoyé quelqu'un… on demande… Quels sont vos ordres au sujet du corps des pompiers ? Le directeur de la prison… le directeur de l'asile d'aliénés… » demanda-t-on toute la nuit sans arrêt au comte.

À toutes ces questions, il faisait des réponses brèves et rageuses qui devaient montrer que ses ordres étaient désormais inutiles, que son œuvre si soigneusement préparée avait été ruinée par quelqu'un et que ce quelqu'un porterait l'entière responsabilité de tout ce qui allait se passer.

« Eh bien, dis à cet imbécile, répondit-il à la question du département des Domaines, qu'il reste pour monter la garde devant ses paperasses. Voyons, pourquoi demander des sottises au sujet des pompiers ? Ils ont des chevaux, qu'ils aillent à Vladimir. Nous n'allons tout de même pas les laisser aux Français.

– Votre Excellence, le directeur de l'asile d'aliénés est là, que faut-il lui dire ?

– Lui dire ? Qu'ils partent tous, voilà tout… Et qu'on lâche les fous dans la ville. Quand chez nous les fous commandent les armées, Dieu lui-même ordonne de relâcher ceux-là. »

En réponse à une question au sujet des prisonniers dans les fers, le comte cria, furieux, au directeur de la prison :

« Faut-il donc te donner pour les convoyer deux bataillons que nous n'avons pas ? Relâche-les, et voilà tout !

– Votre Excellence, il y en a des politiques : Mechkov, Verestchaguine…

– Verestchaguine ! On ne l'a pas encore pendu ? cria Rostoptchine. Qu'on me l'amène. »

XXV

Vers neuf heures du matin, alors que les troupes traversaient déjà Moscou, personne ne vint plus demander d'ordres au comte. Tous ceux qui pouvaient partir partaient par leurs propres moyens ; ceux qui restaient décidaient eux-mêmes ce qu'ils devaient faire.

Le comte se fit atteler une voiture pour aller à Sokolniki et, sombre, jaune et taciturne, attendait dans son cabinet, les mains jointes sur les genoux.

Tout administrateur croit toujours, en temps de calme, que c'est par ses seuls efforts que subsiste toute la population qui lui est confiée et, dans cette certitude d'être indispensable, il trouve la principale récompense de ses peines et de ses efforts. Tant que l'océan de l'histoire reste calme, l'administrateur-pilote qui, de son esquif fragile, s'appuie de la gaffe au vaisseau de l'État, doit croire, on le conçoit, que ce sont ses efforts qui font avancer le vaisseau sur lequel il s'appuie. Mais il suffit qu'une tempête se lève, que la mer se déchaîne et que le vaisseau soit entraîné, pour que l'illusion ne soit plus possible. Le vaisseau poursuit sa marche imposante, indépendante, la gaffe ne l'atteint plus et le pilote retombe soudain de la situation de chef, source de la force, à celle d'un homme chétif, inutile et faible.

Rostoptchine éprouvait cela et c'est ce qui l'irritait.

Le chef de la police, celui qu'avait arrêté la foule, et l'aide de camp qui vint annoncer que la voiture était avancée, entrèrent ensemble chez le comte. Tous deux étaient pâles et le chef de la police, après avoir rendu compte que sa mission était remplie, annonça qu'une foule énorme s'était rassemblée dans la cour et désirait voir le comte.

Rostoptchine, sans dire un mot, se leva et d'un pas rapide alla dans son salon somptueux et clair, s'approcha de la porte du balcon, saisit la poignée, la lâcha et passa à une autre fenêtre d'où l'on avait vue sur toute la foule. Le grand gars se tenait aux premiers rangs et, le visage sévère, discourait en gesticulant. Le forgeron ensanglanté était à ses côtés, l'air sombre. À travers les fenêtres fermées, on entendait le grondement des voix.

« La voiture est-elle prête ? demanda Rostoptchine en quittant la fenêtre.

– Oui, Excellence », répondit l'aide de camp.

Rostoptchine revint à la porte du balcon.

« Mais que veulent-ils donc ? demanda-t-il au chef de la police.

– Excellence, ils disent qu'ils se sont rassemblés pour marcher contre les Français selon vos ordres, ils criaient qu'on les a trahis. Mais c'est une foule déchaînée, Votre Excellence. J'ai eu de la peine à m'échapper. Excellence, je me permets de proposer…

– Veuillez vous retirer, je sais sans vous ce que j'ai à faire », cria Rostoptchine avec colère. Il se tenait à la porte du balcon, les yeux fixés sur la foule. « Voilà ce qu'on a fait de la Russie ! Voilà ce qu'on a fait de moi ! » pensait-il, sentant monter en lui une colère irrépressible contre ce quelqu'un à qui l'on pouvait imputer la responsabilité de tout ce qui était arrivé. Comme il en est souvent pour les gens emportés, la colère le possédait déjà, mais il en cherchait encore l'objet. « *La voilà la populace, la lie du peuple*, pensait-il en regardant la foule, *la plèbe qu'ils ont soulevée par leur sottise. Il leur faut une victime* », se dit-il en regardant le grand gars qui gesticulait. Et si cela lui vint à l'esprit, c'est précisément parce qu'il avait lui-même besoin de cette victime, de cet objet pour sa colère.

« La voiture est-elle prête ? répéta-t-il.

– Oui, Excellence. Quels sont vos ordres au sujet de Verestchaguine ? Il attend au perron, répondit l'aide de camp.

– Ah ! » s'écria Rostoptchine, comme frappé d'un souvenir soudain.

Et ouvrant vivement la porte, il sortit d'un pas résolu sur le balcon. Les voix se turent d'un coup, on retira bonnets et casquettes et tous les yeux se levèrent vers le comte.

« Bonjour, mes enfants ! dit-il rapidement et d'une voix forte. Merci d'être venus. Je vais tout de suite descendre parmi vous, mais nous devons tout d'abord régler le compte du scélérat. Nous devons châtier le scélérat qui est responsable de la perte de Moscou. Attendez-moi ! » Et le comte rentra à l'intérieur aussi rapidement qu'il était sorti en claquant violemment la porte.

Un murmure de satisfaction parcourut la foule. « C'est donc qu'il va régler leur compte à tous les scélérats ! Et toi qui disais que c'est un Français… il t'arrangera tout ça ! » disaient les gens comme s'ils se reprochaient mutuellement leur manque de foi.

Au bout de quelques instants, un officier sortit en hâte par la grande porte, donna un ordre et les dragons se mirent au garde-à-vous. La foule avança avidement du balcon vers le perron. Sortant d'un pas rapide et coléreux, Rostoptchine jeta un bref regard autour de lui comme s'il cherchait quelqu'un.

« Où est-il ? » demanda le comte, et au même instant il vit apparaître à l'angle de la maison, entre deux dragons, un jeune homme au long cou mince, la tête à moitié rasée et dont les cheveux commençaient à repousser. Il était vêtu d'une pelisse râpée recouverte de drap bleu et fourrée de renard, qui avait dû être élégante, et d'une culotte crasseuse de détenu en toile de chanvre, rentrée dans de fines bottes éculées et sales. Les lourdes chaînes qui entravaient ses jambes grêles et faibles rendaient sa démarche hésitante.

« Ah ! » dit Rostoptchine détournant précipitamment le regard du jeune homme à la touloupe de renard et montrant la dernière marche du perron. « Amenez-le là ! » Le jeune homme monta, dans un cliquetis de ses chaînes, sur la marche indiquée, passant un doigt dans le col de sa touloupe qui le serrait, tourna deux fois son cou long et, avec un soupir, croisa d'un geste résigné sur son ventre ses mains fines qui n'étaient pas habituées au travail.

Le silence dura quelques secondes pendant que le jeune homme se plaçait sur la marche. Aux derniers rangs de la foule qui se bousculait, il y eut seulement des gémissements, quelques remous et du piétinement.

Rostoptchine, attendant qu'il se fût installé à la place désignée, se passait la main sur le visage en fronçant les sourcils.

« Mes enfants ! dit-il d'une voix métallique et sonore, cet homme est Verestchaguine, le gredin qui est cause de la perte de Moscou. »

Le jeune homme à la pelisse de renard gardait une attitude résignée, les mains croisées devant lui et un peu voûté. Son jeune visage amaigri à l'expression découragée, défiguré par le crâne rasé, était baissé. Aux premières paroles du comte, il leva lentement la tête et le regarda de bas en haut comme pour lui dire quelque chose, ou du moins rencontrer son regard. Mais Rostoptchine ne le regardait pas. Sur le long cou mince du jeune homme, derrière l'oreille, une veine bleuit et saillit comme une corde, et son visage devint tout à coup rouge.

Tous les yeux étaient fixés sur lui. Il regarda la foule et, comme encouragé par l'expression qu'il lut sur les visages de ces gens, il eut un sourire triste et timide, et baissant de nouveau la tête, se remit d'aplomb sur la marche.

« Il a trahi son tsar et sa patrie, il est passé à Bonaparte, le seul de tous les Russes il a déshonoré le nom russe et c'est par sa faute que Moscou est perdue », dit Rostoptchine d'une voix unie, dure, mais soudain il abaissa les yeux vers Verestchaguine qui se tenait toujours dans la même attitude résignée. Comme si cette attitude l'eût mis hors de lui, il cria presque en levant la main et en s'adressant à la foule :

« Châtiez-le vous-mêmes, je vous le livre ! »

La foule se taisait et se contentait de se resserrer de plus en plus étroitement. Se tenir serrés les uns contre les autres, respirer cet air étouffant et vicié, être incapable de bouger et attendre quelque chose d'inconnu, d'incompréhensible et de terrible, cela devenait intolérable. Ceux qui étaient aux premiers rangs, qui voyaient et entendaient tout ce qui se passait, les yeux effrayés grands ouverts et la bouche béante, maintenaient de toutes leurs forces la poussée de ceux qui étaient derrière.

« Frappez-le !... Mort au traître et qu'il ne déshonore plus le nom russe ! cria Rostoptchine. Sabrez ! Je l'ordonne ! » Entendant non pas les paroles mais l'accent de colère de Rostoptchine, la foule gémit et avança, mais de nouveau s'arrêta.

« Comte !... prononça, dans le silence qui se fit un instant, la voix à la fois timide et théâtrale de Verestchaguine. Comte, Dieu seul est notre juge... » Il leva la tête, et de nouveau la grosse veine sur son cou mince se gonfla de sang, son visage rougit, puis pâlit. Il n'acheva pas ce qu'il voulait dire.

« Sabrez-le ! Je l'ordonne ! cria Rostoptchine, devenu soudain aussi pâle que Verestchaguine.

– Sabres au clair ! » commanda l'officier aux dragons en dégainant lui-même.

Une nouvelle vague encore plus forte souleva la foule et déferlant jusqu'aux premiers rangs, cette vague porta les premiers, chancelants, jusqu'aux marches du perron. Le grand gars, le visage pétrifié et le bras levé, se trouva à côté de Verestchaguine.

« Sabrez ! » chuchota presque l'officier aux dragons, et l'un d'eux, le visage soudain décomposé de colère, frappa Verestchaguine du plat de son briquet sur la tête.

« Ah ! » s'écria Verestchaguine brièvement et d'une voix étonnée tout en jetant un regard effrayé autour de lui et semblant ne pas comprendre pourquoi on lui avait fait cela. Le même gémissement de stupeur et d'épouvante parcourut la foule.

« Oh ! Seigneur ! » s'exclama tristement quelqu'un.

Mais, après son exclamation de surprise, Verestchaguine poussa une plainte de douleur, et ce cri le perdit. Le sentiment d'humanité tendu à l'extrême qui retenait encore la foule se rompit d'un seul coup comme une digue. Le crime était commencé, il fallait aller jusqu'au bout. La pitoyable plainte de reproche fut noyée dans le grondement menaçant et plein de colère de la foule. Comme la septième et dernière vague qui engloutit un navire, cette dernière vague irrésistible monta des derniers rangs, roula jusqu'aux premiers, les submergea et engloutit tout. Le dragon qui avait porté le premier coup voulut frapper encore. Verestchaguine, les mains devant son visage et poussant un cri de terreur, se jeta vers la foule. Le grand gars contre qui il vint se heurter s'agrippa de ses mains à son cou mince et avec un cri sauvage roula avec lui sous les pieds de la foule qui les serrait en hurlant.

Les uns frappaient et écharpaient Verestchaguine, les autres le grand gars. Et les cris de ceux qu'on écrasait et de ceux qui essayaient de sauver le grand gars ne faisaient qu'exaspérer la fureur générale. Les dragons eurent grand-peine à dégager l'ouvrier ensanglanté et à demi assommé. Et longtemps, malgré la hâte fébrile que la foule mettait à achever la besogne commencée, ceux qui frappaient, étranglaient et écharpaient Verestchaguine ne purent réussir à le tuer ; les gens les pressaient de toutes parts et chancelants, ballottés comme une masse compacte de côté et d'autre, ils ne pouvaient ni l'achever, ni le lâcher.

« Un coup de hache, quoi !... on écrase... Traître, Judas !... il est vivant... il a la vie dure... Il l'a bien mérité, la fripouille... Est-ce qu'il vit encore ? »

Ce ne fut que lorsque la victime cessa de se débattre et que ses cris firent place à un long râle régulier que la foule s'écarta en hâte autour du cadavre ensanglanté qui gisait à terre. Chacun s'approchait, jetait un coup d'œil sur ce qu'on avait fait, et, saisi d'horreur, de réprobation et de surprise, se retirait.

« Oh ! Seigneur, les gens sont comme des bêtes sauvages, comment aurait-il pu rester vivant ! » disait-on dans la foule. « Et c'était un gars si jeune… sans doute d'une famille de marchands, voilà bien les gens !… on dit que ce n'était pas celui-là… comment pas celui-là ?… Oh ! Seigneur !… Et l'autre qu'on a battu, il paraît qu'il est à demi assommé… Eh, les gens… Celui qui n'a pas peur du péché… » disaient maintenant les mêmes, en contemplant avec une expression douloureusement apitoyée le cadavre au visage bleui, barbouillé de sang et de poussière, et le long cou mince sectionné.

Un policier zélé, jugeant inadmissible la présence d'un cadavre dans la cour de Son Excellence, donna l'ordre aux dragons de le traîner dans la rue. Deux dragons saisirent les jambes brisées et traînèrent le corps dehors. La tête morte rasée, maculée de sang et de poussière, au bout du long cou, rebondissait et battait le sol. La foule s'écartait du cadavre.

Au moment où Verestchaguine était tombé, alors que la foule se pressait avec un rugissement sauvage et s'agitait au-dessus de lui, Rostoptchine avait soudain pâli et au lieu d'aller au perron de derrière où attendait sa voiture, il suivit à pas rapides, tête basse et sans savoir où il allait ni pourquoi, le couloir qui conduisait dans les pièces du rez-de-chaussée. Le visage du comte était pâle et il ne parvenait pas à réprimer le tremblement de sa mâchoire inférieure.

« Votre Excellence, par ici… où allez-vous ?… par ici s'il vous plaît », dit derrière lui une voix tremblante et effrayée. Le comte Rostoptchine était incapable de répondre, et revenant docilement sur ses pas, il prit la direction qu'on lui indiquait. Sa voiture stationnait devant le perron de service. Le grondement lointain de la foule s'entendait ici aussi. Le comte Rostoptchine monta en hâte dans sa voiture et donna l'ordre de le conduire à sa maison de campagne de Sokolniki. Une fois dans la rue Miasnitzkaia et n'entendant plus les cris de la foule, le comte fut pris de regrets. Il se souvint avec déplaisir de l'émotion et de la peur qu'il avait laissé paraître devant ses subordonnés. « *La populace est terrible, elle est hideuse*, se dit-il en français. *Ils sont comme des loups qu'on ne peut apaiser qu'avec de la chair.* » « Comte ! Dieu seul est notre juge ! » Ces paroles de Verestchaguine lui revinrent brusquement à l'esprit et une désagréable sensation de froid lui courut dans le dos. Mais cette sensation fut fugitive et il eut pour lui-même un sourire méprisant. « *J'avais d'autres devoirs*, pensa-t-il. *Il fallait apaiser le peuple. Bien d'autres victimes ont péri et périssent pour le bien public* » et il pensa aux devoirs qu'il avait envers sa famille, envers sa capitale (à lui confiée) et à lui-même, non pas en tant que Fédor Vassilievitch Rostoptchine (il croyait que Fédor Vassilievitch se sacrifiait pour le *bien public*), mais en tant que gouverneur général, représentant du pouvoir et mandataire du tsar. « Si je n'étais que Fédor Vassilievitch, *ma ligne de conduite aurait été tout autrement tracée*, mais je devais sauvegarder et la vie et la dignité du gouverneur. »

Mollement balancé sur les souples ressorts de la voiture et n'entendant plus les clameurs terrifiantes de la foule, Rostoptchine se calma physiquement et, comme il en est toujours, en même temps qu'il retrouvait l'apaisement physique son esprit lui fournit des raisons d'apaisement moral. La pensée qui le rassura n'était pas nouvelle. Depuis que le monde est monde et que les hommes s'entretuent, jamais personne n'a commis de crime contre son semblable sans avoir trouvé un apaisement dans cette pensée. Cette pensée est celle du *bien public*, du bonheur des autres.

Pour l'homme que n'égare pas la passion, ce bien reste toujours inconnu ; mais l'homme qui commet un crime sait toujours parfaitement en quoi consiste ce bien. Et Rostoptchine le savait maintenant.

Non seulement en y réfléchissant il ne se reprochait pas ce qu'il avait fait, mais il trouvait même des raisons d'être satisfait de lui-même pour avoir su tirer parti de la situation avec cet à-propos : châtier un coupable tout en apaisant la foule.

« Verestchaguine a été jugé et condamné à mort, pensait-il (bien que le Sénat ne l'eût condamné qu'aux travaux forcés). C'était un traître ; je ne pouvais pas le laisser impuni, et puis ainsi *je faisais d'une pierre deux coups*, j'ai livré une victime à la foule pour l'apaiser et j'ai châtié un criminel. »

Arrivé à sa maison de campagne et absorbé par les dispositions à prendre, le comte recouvra définitivement son calme.

Une demi-heure plus tard, il traversait la plaine de Sokolniki au trot de chevaux rapides sans plus penser à ce qui s'était passé et ne songeant qu'à l'avenir. Il se rendait maintenant au pont de la Iaouza où, lui avait-on dit, se trouvait Koutouzov. Le comte Rostoptchine préparait en imagination les reproches venimeux et pleins de colère qu'il adresserait à Koutouzov pour l'avoir trompé. Il ferait sentir à ce vieux renard de courtisan que la responsabilité de tous les malheurs qui devaient découler de l'abandon de la capitale, de la perte de la Russie (croyait-il) retomberait sur sa vieille tête gâteuse. Tout en réfléchissant à ce qu'il lui dirait, Rostoptchine se tournait et se retournait avec colère dans sa voiture et jetait autour de lui des regards furieux.

La plaine de Sokolniki était déserte. À l'autre bout seulement, près de l'hospice et de l'asile d'aliénés, on apercevait des groupes en vêtements blancs et quelques individus pareils qui, isolément, marchaient à travers champs en criant et en gesticulant.

L'un d'eux courait en barrant la route à la voiture du comte Rostoptchine. Et le comte Rostoptchine lui-même et son cocher et les dragons de l'escorte, tous regardèrent avec une sensation confuse d'effroi et de curiosité ces fous qu'on avait libérés et surtout celui qui accourait vers eux. Chancelant sur ses longues jambes maigres, sa robe de chambre flottante, ce fou courait à toute allure sans détacher les yeux de Rostoptchine et lui criait quelque chose d'une voix rauque en lui faisant signe de s'arrêter. Son visage sombre et solennel avec, çà et là, des touffes de barbe était maigre et jaune. Ses prunelles d'un noir de jais roulaient bas, inquiètes, dans le blanc couleur de safran.

« Halte ! Arrête ! Je te le dis ! » criait-il d'une voix perçante puis, de nouveau haletant, il vociférait avec des intonations et des gestes impérieux.

Il arriva à la hauteur de la voiture et se mit à courir à côté.

« Trois fois on m'a tué, trois fois j'ai ressuscité d'entre les morts. On m'a lapidé, on m'a crucifié... Je ressusciterai... je ressusciterai... ressusciterai. On a lacéré mon corps. Le Royaume de Dieu s'écroulera... Trois fois je le détruirai et trois fois je le relèverai », criait-il en haussant de plus en plus la voix. Le comte Rostoptchine pâlit soudain comme il avait pâli quand la foule s'était ruée sur Verestchaguine. Il se détourna. « Plus... plus vite ! » cria-t-il au cocher d'une voix tremblante.

La voiture fila à fond de train, mais longtemps encore le comte Rostoptchine entendit derrière lui les vociférations qui s'éloignaient et vit devant ses yeux le visage ensanglanté, surpris et effrayé du traître à la touloupe de renard.

Si frais que fût ce souvenir, Rostoptchine sentait maintenant qu'il s'était gravé profondément dans son cœur, jusqu'au sang. Il sentait bien que la trace sanglante de ce souvenir ne s'effacerait jamais, qu'au contraire, plus il irait, plus ce souvenir terrible serait cruellement vivant en lui jusqu'à la fin de ses jours. Il entendait, lui semblait-il, le son de ses propres paroles : « Sabrez-le, vous m'en répondrez sur votre tête ! » – « Pourquoi ai-je dit ces mots ! Je les ai dits malgré moi... Je pouvais ne pas les dire (pensait-il) : alors RIEN ne serait arrivé. » Il voyait le visage effrayé, puis soudain chargé de colère du dragon qui avait porté le premier coup, et le regard de reproche silencieux, timide que lui avait lancé ce jeune garçon en pelisse de renard. « Mais ce n'est pas pour moi que j'ai fait cela. Je devais agir ainsi. *La plèbe, le traître... le bien public* », pensait-il.

Au pont de la Iaouza, les troupes se pressaient toujours. Il faisait chaud, Koutouzov, sombre, morne, était assis sur un banc près du pont et jouait du bout de sa cravache sur le sable quand une voiture arriva dans un fracas. Un homme en uniforme de général, coiffé d'un chapeau à plumet, le regard fuyant soit irrité, soit effrayé, s'approcha de lui et lui parla en français. C'était le comte Rostoptchine. Il dit à Koutouzov qu'il venait ici parce que Moscou et la capitale n'existaient plus et qu'il ne restait que l'armée.

« Il en aurait été autrement si Votre Altesse ne m'avait pas dit que Moscou ne serait pas abandonnée sans combat : rien de tout cela ne serait arrivé ! » dit-il.

Koutouzov regardait Rostoptchine comme s'il ne comprenait pas le sens de ses paroles, cherchait soigneusement à lire quelque chose de particulier qui eût été inscrit en cet instant sur le visage de l'homme qui lui parlait. Rostoptchine se troubla et se tut. Koutouzov hocha légèrement la tête et sans le quitter de son regard scrutateur, dit doucement :

« Non, je ne livrerai pas Moscou sans combat. »

Koutouzov pensait-il à tout autre chose en disant cela, ou le disait-il exprès tout en sachant que ces paroles n'avaient pas de sens ? Le comte Rostoptchine ne répondit rien et s'éloigna précipitamment. Et, chose étrange : le gouverneur général de Moscou, l'orgueilleux comte Rostoptchine, prenant en main un fouet, s'approcha du pont et se mit à disperser à grands cris les chariots qui s'y entassaient.

XXVI

À quatre heures de l'après-midi, les troupes de Murat firent leur entrée à Moscou. En tête marchait un détachement de hussards wurtembergeois, derrière, accompagné d'une nombreuse suite, venait à cheval le roi de Naples en personne.

Vers le milieu de l'Arbate, près de Saint-Nicolas-le-Révélé, Murat s'arrêta pour attendre le rapport de l'avant-garde sur l'état de la forteresse de la ville, « *le Kremlin* ».

Un petit groupe d'habitants restés à Moscou se rassembla autour de Murat. Tous contemplaient avec une perplexité intimidée ce chef étrange aux longs cheveux et paré de plumes et d'or.

« Dis donc, c'est leur tsar à eux ? Pas mal », disait-on à voix basse.

Un interprète s'approcha du groupe.

« Ton bonnet… enlève le bonnet », se dit-on de l'un à l'autre dans la foule. L'interprète s'adressa à un vieux portier et lui demanda si le Kremlin était loin. Le portier, prêtant l'oreille, perplexe à l'accent polonais de l'interprète et ne reconnaissant pas ce langage pour du russe, écouta sans comprendre ce qu'on lui disait et se cacha derrière les autres.

Murat s'approcha de l'interprète et fit demander où étaient les troupes russes. Un des Russes comprit ce qu'on lui demandait et brusquement plusieurs voix répondirent à l'interprète. Un officier français de l'avant-garde vint à Murat et lui annonça que les portes de la forteresse étaient condamnées et qu'il y avait sans doute une embuscade.

« Bien », dit Murat, et s'adressant à un des officiers de sa suite, il donna l'ordre d'avancer quatre pièces légères et de tirer sur les portes.

L'artillerie se détacha au trot de la colonne qui suivait Murat et s'éloigna le long de l'Arbate. Arrivée au bas de la Vozdvijenka, elle s'arrêta et s'aligna. Quelques officiers français mirent les canons en position et examinèrent le Kremlin avec une lunette d'approche.

Au Kremlin, les cloches sonnaient pour les vêpres, et ce son des cloches troublait les Français. Ils croyaient que c'était un appel aux armes. Quelques fantassins coururent vers la porte Koutafiev. Des poutres et des panneaux de bois barricadaient la porte. Deux coups de fusil en partirent dès que l'officier fut accouru avec ses hommes. Le général qui se tenait près des canons cria un ordre à l'officier qui revint en courant en arrière avec les soldats.

Trois autres coups de feu partirent de la porte.

L'un d'eux atteignit un soldat français à la jambe et quelques cris étranges s'élevèrent derrière la barricade. Sur les visages du général, des officiers et des soldats français, en même temps, comme au commandement, l'expression de gaieté et de calme fit place à l'air opiniâtre, concentré de ceux qui se préparent à la lutte et à la souffrance. Pour eux tous, du maréchal au dernier des soldats, cet endroit n'était pas la Vozdvijenka, ni la Mokhovaïa, ni les portes de Koutafiev et de la Trinité, c'était un nouveau champ de bataille, d'une bataille sans doute sanglante. Et tous s'y préparèrent. Les cris derrière la porte se turent. Les pièces furent avancées. Les artilleurs soufflèrent sur les boutefeux allumés. L'officier commanda : « *feu !* » et deux coups sifflants de boîte à mitraille partirent l'un après l'autre. La mitraille crépita sur les pierres de la porte, les poutres et les panneaux, et deux nuages de fumée s'élevèrent au-dessus de la place.

Quelques instants après que se fut tu le roulement de la décharge le long de l'enceinte du Kremlin, un bruit étrange se fit entendre au-dessus de la tête des Français. Un énorme vol de choucas s'éleva des murs et avec des croassements, dans un battement de milliers d'ailes, tourbillonna dans l'air. En même temps que ce bruit, un cri humain isolé retentit à la porte et, à travers la fumée, apparut la silhouette d'un homme, tête nue et vêtu d'un caftan. Un fusil à la main, il mettait les Français en joue.

« *Feu !* » répéta l'officier d'artillerie, et un coup de fusil et deux coups de canon partirent en même temps. La fumée masqua de nouveau la porte.

Derrière la barricade, rien ne bougeait plus et les fantassins français s'en approchèrent avec leurs officiers. À la porte, il y avait trois blessés et quatre morts. Deux hommes en caftan s'enfuyaient par le bas, le long des murs, vers la Znamenka.

« *Enlevez-moi ça* », dit l'officier en montrant les poutres et les cadavres, et les Français, achevant les blessés, jetèrent les corps par-dessus le rempart. Qui étaient ces gens, nul ne le savait. « *Enlevez-moi ça* », c'est tout ce qui fut dit à leur sujet et on les jeta, puis on les ramassa pour éviter la puanteur. Seul Thiers a consacré à leur mémoire quelques lignes éloquentes : « *Ces misérables avaient envahi la citadelle, s'étaient emparés des fusils de l'arsenal et tiraient (ces misérables) sur les Français. On en sabra quelques-uns et on purgea le Kremlin de leur présence.* »

On annonça à Murat que le chemin était libre. Les Français franchirent la porte et établirent leur camp sur la place du Sénat. Les soldats jetèrent des chaises par les fenêtres du Sénat et allumèrent des feux.

D'autres détachements traversaient le Kremlin et se disposaient dans la Marosseïka, la Loubianka, la Pokrovka. D'autres encore campaient dans la Vozdvijenka, la Znamenka, la Nikolskaia, la Tverskaia. Partout, ne trouvant pas les propriétaires des maisons, les Français s'installaient non pas comme on prend ses quartiers dans une ville, mais comme dans un camp situé en pleine ville.

Quoique déguenillés, affamés, recrus de fatigue et réduits à un tiers de leurs effectifs, c'est encore en bon ordre que les soldats français firent leur entrée à Moscou. C'était une armée à bout de forces mais encore combative et redoutable. Pourtant ce ne fut une armée que jusqu'au moment où les soldats se dispersèrent dans les maisons. Dès que les hommes commencèrent à se répandre dans ces riches maisons vides, cette armée disparut pour toujours et ce ne furent plus ni des civils ni des soldats, mais ce quelque chose d'intermédiaire qu'on appelle les maraudeurs. Quand, cinq semaines plus tard, ces mêmes hommes quittèrent Moscou, ils ne formaient plus une armée. C'était une foule de maraudeurs dont chacun emportait, à pied ou en voiture, une quantité de choses qu'il croyait précieuses et utiles. Le but de chacun de ces hommes en sortant de Moscou n'était plus comme auparavant la conquête, mais seulement la conservation du butin. Tel le singe qui, la main plongée dans l'étroit goulot d'une cruche pour saisir une poignée de noix, ne desserre plus le poing pour ne pas lâcher ce dont il s'est emparé et court ainsi à sa perte, les Français en quittant Moscou allaient de toute évidence à leur perte parce qu'ils traînaient avec eux le produit de leurs rapines, mais ils ne pouvaient pas plus abandonner leur butin que le singe ses noix. Dix minutes après l'entrée de chacun des régiments français dans un quartier de Moscou, il n'y avait plus ni soldats ni officiers. Aux fenêtres des maisons, on voyait des hommes en capotes et en guêtres qui se promenaient en riant dans les pièces ; dans les caves et les sous-sols, d'autres comme eux s'emparaient des provisions ; dans les cours, d'autres encore ouvraient et défonçaient les portes des hangars et des écuries ; dans les cuisines, ils allumaient le feu et, les manches retroussées, pétrissaient, cuisaient, rôtissaient, tout en effrayant, faisant rire et cajolant femmes et enfants. Et ces gens étaient nombreux partout, et dans les boutiques, et dans les maisons ; mais il n'y avait plus d'armée.

Le même jour, ordre sur ordre furent donnés par le commandement afin d'interdire formellement aux troupes de se répandre dans la ville, de marauder, d'exercer des violences contre les habitants, et prescrivant un appel général pour le soir même ; mais en dépit de toutes les mesures prises, les hommes qui, hier, composaient l'armée, se répandaient dans cette ville riche, déserte et bien pourvue de confort et de ressources. Comme un troupeau affamé qui reste groupé dans un champ nu mais s'égaille irrésistiblement dès qu'il tombe sur un pâturage gras, l'armée s'égaillait dans la ville opulente. Les habitants étaient absents de Moscou et les soldats, comme l'eau sur le sable, s'y infiltraient et rayonnaient irrésistiblement en étoile de tous les côtés autour du Kremlin où ils étaient entrés d'abord. Les cavaliers, pénétrant dans une maison bourgeoise abandonnée avec tous ses biens et y trouvant des écuries pour plus de chevaux qu'ils n'en avaient, n'en allaient pas moins occuper une maison voisine qui leur semblait plus belle. Beaucoup occupaient plusieurs maisons, les marquant à la craie de leur nom, et ils discutaient et même en venaient aux mains avec d'autres unités. À peine installés, les soldats couraient dehors pour visiter la ville et apprenant que tout était abandonné se précipitaient là où l'on pouvait rafler des objets de valeur. Les chefs s'efforçaient d'arrêter les hommes et se laissaient entraîner malgré eux. À la galerie des Carrossiers, les boutiques étaient pleines de voitures et les généraux s'y pressaient, choisissant berlines et calèches. Les habitants qui restaient invitaient les officiers chez eux, espérant se mettre ainsi à l'abri du pillage. Les richesses étaient abondantes et l'on n'en voyait pas la fin ; partout, autour des quartiers occupés par les Français, il y avait encore d'autres lieux inexplorés, inoccupés, où, croyaient-ils, les richesses étaient encore plus abondantes. Et Moscou les aspirait de plus en plus profondément. Exactement comme l'eau qui, versée sur la terre sèche, disparaît et fait disparaître la terre sèche, cette armée affamée, une fois entrée dans cette ville opulente et vide, disparut en même temps que l'opulence de la ville, et il n'y eut plus que boue, incendies et maraudage.

Les Français attribuaient l'incendie de Moscou *au patriotisme féroce de Rostoptchine*, les Russes au vandalisme des Français. Mais en réalité rien ne permet et ne pouvait permettre d'en imputer la responsabilité à une ou plusieurs personnes. Moscou brûla parce qu'elle avait été placée dans les conditions où toute ville construite en bois doit brûler, indépendamment de la présence ou de l'absence de cent trente mauvaises pompes d'incendie. Moscou, parce que ses habitants l'avaient quittée, devait brûler tout aussi inévitablement que doit prendre feu un tas de copeaux sur lequel pendant plusieurs jours tombent des étincelles. Une ville en bois dans laquelle, malgré la présence des propriétaires et de la police, il y a presque chaque jour des incendies en été, ne peut pas ne pas brûler quand elle est vide de ses habitants et occupée par des troupes qui fument la pipe, alimentent des feux sur la place du Sénat avec les chaises du Sénat et font cuire la soupe deux fois par jour. Il suffit, en temps de paix, que les troupes prennent leurs quartiers dans les villages de telle région pour que le nombre des incendies y augmente aussitôt. Combien doivent alors augmenter les chances d'incendie dans une ville en bois déserte où campe une armée étrangère ? *Le patriotisme féroce de Rostoptchine* et le vandalisme des Français n'y sont absolument pour rien. Moscou s'embrasa à cause des pipes, des cuisines, des feux de bivouac, de la négligence des soldats ennemis, habitant des maisons sans en être les propriétaires. Même s'il y eut des incendiaires (ce qui est fort douteux car personne n'avait aucune raison d'incendier et en tout cas c'était difficile et dangereux), on ne peut les mettre en cause car, sans eux, il en aurait été de même.

Si flatteur qu'il fût pour les Français d'accuser la férocité de Rostoptchine et pour les Russes ce scélérat de Bonaparte ou, plus tard, de placer une torche héroïque entre les mains de leur peuple, il est impossible de ne pas voir que de telles causes directes de l'incendie ne pouvaient exister, car Moscou devait brûler comme doit brûler tout village, toute usine, toute maison abandonnés par leurs propriétaires et où on laisse des étrangers loger et faire leur cuisine. Moscou fut incendiée par ses habitants, c'est vrai ; mais par ceux qui étaient partis, non par les habitants qui étaient restés. Moscou occupée par l'ennemi ne demeura pas intacte comme Berlin, Vienne et d'autres villes, uniquement parce que ses habitants, au lieu d'en présenter les clefs aux Français avec le pain et le sel, s'en allèrent.

XXVII

L'infiltration des Français qui rayonnèrent en étoile à travers Moscou pendant la journée du 2 septembre n'atteignit que dans la soirée le quartier qu'habitait maintenant Pierre.

Pierre, après deux jours de solitude dans des conditions exceptionnelles, se trouvait dans un état proche de la folie. Une pensée obsédante possédait tout son être. Il ne savait ni quand ni comment elle lui était venue, mais elle avait pris possession de lui au point qu'il ne se rappelait rien du passé, ne comprenait rien du présent; et tout ce qu'il voyait et entendait se déroulait devant lui comme dans un rêve.

Il était parti de chez lui uniquement pour échapper aux complications et aux exigences de la vie dans lesquelles il s'était trouvé pris et que, dans son état d'alors, il était incapable de débrouiller. Il s'était rendu chez Joseph Alexeievitch, sous prétexte de trier les livres et les papiers du défunt, en réalité parce qu'il cherchait un répit dans l'agitation de l'existence et que le souvenir de Joseph Alexeievitch était lié dans son âme à un monde de pensées éternelles, paisibles et solennelles, absolument opposées à cette inquiétante confusion dans laquelle il se sentait entraîné. Il cherchait un refuge tranquille et il l'avait en effet trouvé dans le cabinet de Joseph Alexeievitch. Lorsque, dans le silence de mort du cabinet, il s'était assis en s'accoudant dans le bureau poussiéreux du défunt, les souvenirs des derniers jours avaient défilé l'un après l'autre dans son imagination, calmement et chargés de sens, surtout ceux de la bataille de Borodino et de cette conscience irrésistible de son néant, de son mensonge, au regard de la vérité, de la simplicité et de la force de ces hommes qui s'étaient gravés dans son esprit sous le nom EUX. Lorsque Guerassim vint le tirer de ses pensées, il eut l'idée de prendre part à la défense populaire de Moscou qu'on projetait (croyait-il). Et c'est dans ce dessein qu'il avait aussitôt demandé à Guerassim de lui procurer des vêtements et un pistolet et qu'il lui avait fait part de son intention de cacher son nom et de rester dans la maison de Joseph Alexeievitch. Puis, au cours de sa première journée de solitude et d'inaction (il avait tenté plusieurs fois mais en vain de concentrer son attention sur les manuscrits maçonniques), il songea de nouveau confusément à la signification cabalistique de son nom en liaison avec celui de Bonaparte; mais cette idée que lui, *l'Russe Besuhof*, était destiné à mettre un terme au pouvoir de la BÊTE ne lui venait encore que sous forme d'une de ces rêveries qui traversent l'imagination sans raison et sans y laisser de trace.

Lorsque, après avoir acheté un vêtement (dans la seule intention de prendre part à la défense populaire de Moscou), Pierre rencontra les Rostov et que Natacha lui dit : « Vous restez? Ah! comme c'est bien! » l'idée lui vint en un éclair qu'il serait en effet bien, même si Moscou était prise, d'y rester et d'accomplir ce à quoi il avait été prédestiné.

Le lendemain, avec la seule pensée de ne pas se soucier de sa sécurité et de ne pas démériter envers EUX, il alla à la barrière des Trois Monts. Mais lorsqu'il revint à la maison, convaincu que Moscou ne serait pas défendue, il sentit soudain que ce qui jusque-là ne lui avait apparu que comme une possibilité était devenu maintenant une nécessité inéluctable. Il devait en cachant son nom rester à Moscou, rencontrer Napoléon et le tuer, pour soit périr lui-même, soit mettre fin au malheur de l'Europe tout entière, malheur qui, à son avis, n'était dû qu'au seul Napoléon.

Pierre connaissait tous les détails de l'attentat commis par un étudiant allemand contre la vie de Bonaparte en 1809 à Vienne, et il savait que cet étudiant avait été fusillé. Et ce danger auquel il s'exposait pour remplir sa mission l'exaltait encore davantage.

Deux sentiments de force égale attiraient irrésistiblement Pierre vers son projet. Le premier était le besoin de sacrifice et de souffrance que lui inspirait le malheur commun, ce sentiment qui l'avait conduit le 25 à Mojaïsk et jeté en pleine bataille, puis maintenant fait fuir sa maison pour, renonçant au luxe et au confort auxquels il était habitué, dormir tout habillé sur un divan dur et partager la nourriture de Guerassim; l'autre était ce vague sentiment spécifiquement russe de mépris pour tout ce qui est conventionnel, artificiel, quotidien, pour tout ce que la majorité des hommes considèrent comme le bien suprême de ce monde. Pour la première fois, Pierre avait connu ce sentiment étrange et exaltant au palais Slobodski, quand soudain il avait senti que la fortune, le pouvoir, la vie, tout ce que les hommes mettent tant de soins à organiser et à conserver, que tout cela n'a de valeur que par la jouissance avec laquelle on peut y renoncer.

C'était le même sentiment qu'éprouve l'engagé volontaire qui boit jusqu'à son dernier sou, l'homme ivre qui brise glaces et vitres sans aucune raison apparente et tout en sachant que cela lui coûtera son dernier argent ; c'est ce sentiment qui pousse l'homme à commettre des actes insensés (aux yeux du vulgaire), comme pour éprouver son pouvoir et sa force en affirmant l'existence d'un tribunal suprême, indépendant des conventions humaines, qui juge la vie.

Depuis le jour où pour la première fois Pierre avait éprouvé ce sentiment au palais Slobodski, il n'avait cessé d'en subir l'influence, mais c'est maintenant seulement qu'il trouvait à le satisfaire pleinement. De surcroît, en ce moment il était soutenu dans son intention et mis dans l'impossibilité de reculer par ce qu'il avait déjà fait dans cette voie. Et sa fuite de chez lui, et son vêtement, et le pistolet, et sa déclaration aux Rostov qu'il restait à Moscou, tout cela non seulement aurait perdu tout sens mais aurait même été méprisable et ridicule (ce à quoi Pierre était sensible) s'il avait quitté Moscou comme tous les autres.

L'état physique de Pierre, comme il arrive toujours, correspondait à son état moral. La nourriture grossière dont il n'avait pas l'habitude, la vodka qu'il buvait ces jours-là, la privation de vin et de cigares, l'impossibilité de changer de linge, deux nuits presque sans sommeil passées sur un divan trop court et sans literie, tout cela l'entretenait dans un état de nervosité proche de la folie.

Il était deux heures de l'après-midi. Les Français avaient déjà fait leur entrée à Moscou. Pierre le savait, mais au lieu d'agir il ne pensait qu'à son entreprise dont il repassait en esprit les moindres détails. Dans ses rêveries, il ne se faisait pas une idée nette de la façon dont il porterait le coup ni de la mort de Napoléon, mais se représentait avec une extraordinaire acuité et une triste délectation sa propre mort et son courage héroïque.

« Oui, seul pour tous, je dois accomplir cela ou périr ! pensait-il. Oui, j'irai... » et puis soudain... « Pistolet ou poignard ? D'ailleurs, peu importe. Ce n'est pas moi, c'est la main de la Providence qui te châtie... lui dirai-je » (Pierre pensait aux paroles qu'il prononcerait en tuant Napoléon). « Eh bien, prenez-moi, tuez-moi », poursuivit-il en baissant la tête avec une expression triste mais ferme.

Alors que Pierre, debout au milieu de la pièce, raisonnait ainsi en lui-même, la porte du cabinet s'ouvrit et sur le seuil apparut Makar Alexeitch qui, toujours timide jusque-là, était maintenant complètement changé. Sa robe de chambre flottait. Son visage était rouge et décomposé. Il était visiblement ivre. À la vue de Pierre, il se troubla un instant, mais remarquant que celui-ci était également troublé, il s'enhardit aussitôt et chancelant sur ses maigres jambes s'avança au milieu de la pièce.

« Ils ont eu peur, dit-il d'une voix rauque mais confiante. Je le dis : je ne me rendrai pas, je dis... n'est-ce pas, monsieur ? » Il devint pensif mais soudain, apercevant le pistolet sur le bureau, il le saisit d'un geste de vivacité inattendue et s'enfuit dans le couloir.

Guerassim et le portier qui le suivaient l'arrêtèrent dans l'antichambre et tentèrent de lui reprendre le pistolet. Pierre qui les rejoignit dans le couloir regarda avec une pitié mêlée de dégoût ce vieillard à demi fou. Makar Alexeitch, grimaçant sous l'effort, tenait le pistolet et criait d'une voix rauque, s'imaginant visiblement vivre un instant pathétique :

« Aux armes ! À l'abordage ! Tu te trompes, tu ne l'auras pas !

– Allons, je vous en prie, assez. Soyez bien aimable, je vous en prie, laissez cela. Voyons, je vous en prie, monsieur… disait Guerassim en essayant de le pousser doucement vers la porte.

– Qui es-tu ? Bonaparte !… criait Makar Alexeitch.

– Ce n'est pas bien, monsieur. Veuillez entrer à l'intérieur, reposez-vous. Veuillez me donner ce pistolet.

– Arrière, méprisable esclave ! Ne me touche pas ! Tu as vu ? criait Makar Alexeitch en brandissant le pistolet. À l'abordage !

– Empoigne-le », chuchota Guerassim au portier.

On saisit Makar Alexeitch par les bras et on l'entraîna vers la porte.

L'antichambre s'emplit d'un bruit de lutte et des cris rauques et haletants de l'ivrogne.

Soudain un nouveau cri, un cri perçant de femme, s'éleva sur le perron et la cuisinière s'élança dans l'antichambre.

« Les voilà ! Mon Dieu !… Je vous jure que c'est eux. Ils sont quatre, à cheval !… » criait-elle.

Guerassim et le portier lâchèrent Makar Alexeitch et, dans le couloir maintenant silencieux, on entendit distinctement des coups frappés par plusieurs mains à la porte d'entrée.

XXVIII

Pierre, qui avait décidé en lui-même de ne révéler, jusqu'à l'exécution de son projet, ni son rang, ni sa connaissance de la langue française, se tenait à la porte entrebâillée du couloir, prêt à disparaître dès l'entrée des Français. Mais les Français entrèrent et Pierre ne bougeait toujours pas de la porte : une curiosité insurmontable le retenait.

Ils étaient deux. L'un était un officier, un grand et beau gaillard, l'autre un soldat ou une ordonnance, un petit homme maigre, hâlé, aux joues creuses et à l'expression stupide. L'officier, qui boitait et s'appuyait sur une canne, entra le premier. Après quelques pas, semblant trouver la maison à son goût, il s'arrêta, se retourna vers les soldats restés à la porte et d'une voix forte habituée au commandement leur cria d'amener les chevaux. Cela fait, l'officier lissa sa moustache d'un geste crâne en levant haut son coude et porta la main à son shako.

« *Bonjour, la compagnie !* » dit-il gaiement en souriant et en promenant les yeux autour de lui.

Personne ne répondit.

« *Vous êtes le bourgeois ?* » demanda l'officier à Guerassim.

Guerassim le regardait d'un air effrayé et interrogateur.

« *Quartire, quartire, logement*, dit l'officier en regardant le petit homme de haut en bas avec un sourire indulgent plein de bonhomie. *Les Français sont de bons enfants. Que diable ! Voyons ! Ne nous fâchons pas, mon vieux*, ajouta-t-il en tapotant l'épaule de Guerassim, effrayé et silencieux.

– *Ah çà ! Dites donc, on ne parle donc pas français dans cette boutique ?* » reprit-il en jetant un regard autour de lui et rencontrant les yeux de Pierre. Pierre s'écarta de la porte.

« Maître pas là… comprends pas… moi à vous… » dit Guerassim qui s'efforçait de rendre ses paroles plus compréhensibles en les déformant.

L'officier écarta en souriant les bras sous le nez de Guerassim pour lui laisser entendre qu'il ne le comprenait pas non plus et se dirigea en boitant vers la porte à laquelle se tenait Pierre. Pierre voulut s'écarter pour lui échapper mais, juste à ce moment, il vit surgir à la porte ouverte de la cuisine Makar Alexeitch, le pistolet à la main. Avec une ruse de fou, celui-ci regarda le Français et levant le pistolet le mit en joue.

« À l'abordage !!! » cria l'ivrogne en pressant sur la gâchette. L'officier français se retourna à ce cri et au même instant Pierre se jeta sur l'ivrogne. Pendant qu'il saisissait et relevait le pistolet, Makar Alexeitch trouva enfin du doigt la gâchette et un coup de feu partit, assourdissant tout le monde et emplissant la pièce de fumée. Le Français pâlit et se précipita vers la porte.

Oubliant son intention de ne pas révéler sa connaissance de la langue française, Pierre arracha le pistolet des mains de Makar Alexeitch, le jeta et courut vers l'officier en lui demandant en français :

« *Vous n'êtes pas blessé ?*

– *Je crois que non*, répondit l'officier en se tâtant ; *mais je l'ai manqué belle cette fois-ci* », ajouta-t-il en montrant le plâtre éraflé du mur. « *Quel est cet homme ?* demanda-t-il en regardant sévèrement Pierre.

– *Ah ! je suis vraiment au désespoir de ce qui vient d'arriver*, dit Pierre avec volubilité, oubliant complètement son rôle. *C'est un fou, un malheureux qui ne savait pas ce qu'il faisait.* »

L'officier s'approcha de Makar Alexeitch et le prit au collet.

Makar Alexeitch, la mâchoire tombante comme s'il s'endormait, se balançait, adossé au mur.

« *Brigand, tu me le paieras*, dit le Français en le lâchant.

« *Nous autres, nous sommes cléments après la victoire ; mais nous ne pardonnons pas aux traîtres* », ajouta-t-il avec une expression sombre et solennelle en faisant un beau geste énergique.

Pierre continua de l'adjurer en français de ne pas tenir rigueur à cet homme ivre et fou. Le Français l'écouta en silence sans se départir de son air sombre, et soudain il sourit et le regarda quelques instants sans rien dire. Son beau visage prit une expression tendre et tragique et il lui tendit la main.

« *Vous m'avez sauvé la vie ! Vous êtes Français ?* » dit-il. Pour un Français, cette conclusion ne faisait pas l'ombre d'un doute. Seul un Français pouvait accomplir une noble action, et sauver sa vie à lui *M. Ramball, capitaine au 13e léger*, était sans contredit la plus noble de toutes.

Mais si indiscutable que fût cette conclusion et la certitude qu'en tirait l'officier, Pierre se crut obligé de le décevoir.

« *Je suis Russe*, dit-il vivement.

– Ta, ta, ta, *à d'autres*, dit le Français en souriant et en agitant le doigt devant son nez. *Tout à l'heure vous allez me conter tout ça. Charmé de rencontrer un compatriote. Eh bien, qu'allons-nous faire de cet homme ?* » ajouta-t-il, s'adressant déjà à Pierre comme à son frère. Même si Pierre n'était pas Français, s'étant vu décerner une fois ce titre, le plus haut qui fût au monde, il ne pouvait tout de même pas le refuser, disaient l'expression du visage et le ton de l'officier. En réponse à la dernière question, Pierre expliqua encore une fois qui était Makar Alexeitch, comment, juste avant leur arrivée, cet ivrogne et ce fou avait volé un pistolet chargé qu'on n'avait pas eu le temps de lui reprendre, et pria l'officier de ne pas le punir.

Le Français bomba la poitrine et fit de la main un geste royal.

« *Vous m'avez sauvé la vie. Vous êtes Français. Vous me demandez sa grâce ! Je vous l'accorde. Qu'on emmène cet homme* », proféra-t-il rapidement et d'un ton énergique, puis prenant le bras de Pierre, promu Français par ses soins pour lui avoir sauvé la vie, il pénétra avec lui à l'intérieur de la maison.

Les soldats qui se trouvaient dans la cour entrèrent dans l'antichambre en entendant la détonation et demandèrent ce qui s'était passé en se déclarant prêts à châtier les coupables ; mais l'officier les arrêta sévèrement :

« *On vous demandera quand on aura besoin de vous* », dit-il. Les soldats sortirent. L'ordonnance qui avait déjà eu le temps de faire un tour à la cuisine s'approcha de son officier.

« *Capitaine, ils ont de la soupe et du gigot de mouton dans la cuisine*, dit-il. *Faut-il vous l'apporter ?*

– *Oui, et le vin* », dit le capitaine.

XXIX

Lorsque l'officier français fut entré avec Pierre à l'intérieur de la maison, Pierre crut de son devoir d'assurer le capitaine qu'il n'était pas Français, et il allait se retirer, mais l'autre ne voulut rien entendre. Il était si poli, si aimable, si bon enfant et si sincèrement reconnaissant à son sauveur, que Pierre n'eut pas le courage de refuser et s'assit avec lui dans le grand salon, la première pièce dans laquelle ils entrèrent. À l'affirmation de Pierre qu'il n'était pas Français, le capitaine qui, visiblement, ne pouvait pas comprendre qu'on pût refuser un titre si flatteur, haussa les épaules et dit que s'il tenait absolument à passer pour Russe, soit, mais que malgré cela il lui resterait éternellement reconnaissant de lui avoir sauvé la vie.

Si cet homme avait eu tant soit peu le don de comprendre les sentiments des autres, s'il avait deviné ce qu'éprouvait Pierre, il l'eût probablement quitté ; mais l'imperméabilité de cet homme à tout ce qui n'était pas lui-même, son entrain eurent raison de Pierre.

« *Français ou prince russe incognito*, dit l'officier après un coup d'œil sur le linge sale mais fin de Pierre et la bague qu'il avait au doigt, *je vous dois la vie et je vous offre mon amitié. Un Français n'oublie jamais ni une insulte ni un service. Je vous offre mon amitié. Je ne vous dis que ça.* »

Dans le ton de la voix, l'expression du visage, dans les gestes de cet officier, il y avait tant de bonhomie et de noblesse (dans le sens français du terme) que Pierre, répondant malgré lui par un sourire à son sourire, serra la main tendue. L'officier se présenta :

« *Capitaine Ramball du 13ᵉ léger, décoré pour l'affaire du Sept*, dit-il avec un sourire irrésistible de satisfaction de soi qui plissa ses lèvres sous sa moustache. *Voudrez-vous bien me dire à présent à qui j'ai l'honneur de parler aussi agréablement au lieu de rester à l'ambulance avec la balle de ce fou dans le corps.* »

Pierre répondit qu'il ne pouvait pas dire son nom et tout en cherchant un nom d'emprunt, parla en rougissant des raisons qui l'en empêchaient, mais le Français se hâta de l'interrompre.

« *De grâce*, dit-il. *Je comprends vos raisons, vous êtes officier... officier supérieur peut-être. Vous avez porté les armes contre nous. Ce n'est pas mon affaire. Je vous dois la vie. Cela me suffit. Je suis tout à vous. Vous êtes gentilhomme ?* » ajouta-t-il avec une nuance d'interrogation. Pierre inclina la tête. « *Votre nom de baptême s'il vous plaît ? Je ne demande pas davantage. M. Pierre, dites-vous... Parfait. C'est tout ce que je désire savoir.* »

Lorsqu'on eut apporté le gigot, une omelette, le samovar, la vodka et du vin d'une cave russe que les Français avaient apporté avec eux, Ramball invita Pierre à partager son repas et aussitôt se mit lui-même à manger avidement et rapidement, en homme bien portant et affamé, mâchant avec ses fortes dents, claquant sans cesse des lèvres et répétant : *excellent, exquis !* Son visage s'empourpra et se couvrit de sueur. Pierre qui avait faim partagea son repas avec plaisir. Morel, l'ordonnance, apporta une casserole avec de l'eau chaude et y plaça la bouteille de vin rouge. En outre, il apporta une bouteille de kvass qu'il avait prise à la cuisine pour le goûter. Les Français connaissaient déjà cette boisson et l'avaient baptisée. Ils l'appelaient *limonade de cochon* et Morel vantait cette *limonade de cochon* qu'il avait trouvée à la cuisine. Mais comme le capitaine avait du vin qu'il s'était procuré en traversant Moscou, il abandonna le kvass à Morel et s'attaqua à la bouteille de bordeaux. Il l'enveloppa jusqu'au goulot dans une serviette et remplit son verre ainsi que celui de Pierre. Sa faim apaisée et le vin aidant, le capitaine s'anima encore et parla sans arrêt pendant le repas.

« *Oui, mon cher monsieur Pierre, je vous dois une fière chandelle de m'avoir sauvé... de cet enragé... j'en ai assez, voyez-vous, de balles dans le corps. En voilà une* (il montra son flanc) *à Wagram et deux à Smolensk* (il montra une cicatrice sur sa joue). *Et cette jambe, comme vous voyez, qui ne veut pas marcher. C'est à la grande bataille du 7 à la Moskowa que j'ai reçu ça. Sacré Dieu, c'était beau ! Il fallait voir ça, c'était un déluge de feu. Vous nous avez taillé une rude besogne ; vous pouvez vous en vanter, nom d'un petit bonhomme. Et, ma parole, malgré la toux que j'y ai gagnée, je serais prêt à recommencer. Je plains ceux qui n'ont pas vu ça.*

– *J'y ai été*, dit Pierre.

– *Bah, vraiment ! Eh bien, tant mieux*, poursuivit le Français. *Vous êtes de fiers ennemis tout de même. La grande redoute a été tenace, nom d'une pipe. Et vous nous l'avez fait crânement payer. J'y suis allé trois fois, tel que vous me voyez. Trois fois nous étions sur les canons et trois fois on nous a culbutés et comme des capucins de cartes. Oh ! c'était beau, monsieur Pierre. Vos grenadiers ont été superbes, tonnerre de Dieu. Je les ai vus six fois de suite serrer les rangs et marcher comme à une revue. Les beaux hommes ! Notre roi de Naples qui s'y connaît a crié : bravo ! Ah ! ah ! soldats comme nous autres !* dit-il après un instant de silence. *Tant mieux, tant mieux, monsieur Pierre. Terribles en bataille... galants...* il cligna de l'œil en souriant, *avec les belles, voilà les Français, monsieur Pierre, n'est-ce pas ?* »

Le capitaine était d'une gaieté si naïve et bon enfant, il était si entier, si content de lui, que Pierre faillit lui-même cligner de l'œil en le regardant gaiement. Le mot « *galant* » fit sans doute penser le capitaine à la situation de Moscou.

« *À propos, dites donc, est-ce vrai que toutes les femmes ont quitté Moscou ? Une drôle d'idée ! Qu'avaient-elles à craindre ?*

– *Est-ce que les dames françaises ne quitteraient pas Paris, si les Russes y entraient ?* dit Pierre.

– *Ah ! ah ! ah !...* » Le Français partit d'un joyeux éclat de rire en tapotant Pierre sur l'épaule. « *Ah ! elle est forte celle-là*, fit-il. *Paris... Mais Paris... Paris...*

– *Paris la capitale du monde...* » acheva Pierre.

Le capitaine le regarda. Il avait l'habitude, au beau milieu de la conversation, de s'interrompre et de regarder fixement son interlocuteur avec des yeux rieurs et aimables.

« *Eh bien, si vous ne m'aviez pas dit que vous êtes Russe, j'aurais parié que vous êtes Parisien. Vous avez ce je ne sais quoi, ce...* et ce compliment fait, il le regarda de nouveau en silence.

– *J'ai été à Paris, j'y ai passé des années*, dit Pierre.

– *Oh ! ça se voit bien. Paris !... Un homme qui ne connaît pas Paris est un sauvage. Un Parisien, ça se sent à deux lieues. Paris c'est Talma, la Duchesnois, Potier, la Sorbonne, les boulevards*, et s'apercevant que sa conclusion était plus faible que ce qui avait précédé, il se hâta d'ajouter : *Il n'y a qu'un Paris au monde. Vous avez été à Paris et vous êtes resté Russe. Eh bien, je ne vous en estime pas moins.* »

Sous l'influence du vin et après ces jours passés en tête-à-tête avec ses sombres pensées, Pierre prenait malgré lui plaisir à causer avec cet homme gai et bon enfant.

« *Pour en revenir à vos dames, on les dit bien belles. Quelle fichue idée d'aller s'enterrer dans les steppes quand l'armée française est à Moscou. Quelle chance elles ont manquée, celles-là. Vos moujiks c'est autre chose, mais vous autres gens civilisés vous devriez nous connaître mieux que ça. Nous avons pris Vienne, Berlin, Madrid, Naples, Rome, Varsovie, toutes les capitales du monde... On nous craint mais on nous aime. Nous sommes bons à connaître. Et puis l'Empereur*, commença-t-il mais Pierre l'interrompit.

– *L'Empereur*, répéta-t-il, et son visage prit soudain une expression triste et gênée. *Est-ce que l'Empereur ?...*

– *L'Empereur? C'est la générosité, la clémence, la justice, l'ordre, le génie, voilà l'Empereur! C'est moi Ramball qui vous le dis. Tel que vous me voyez, j'étais son ennemi il y a encore huit ans. Mon père a été comte émigré... Mais il m'a vaincu, cet homme. Il m'a empoigné. Je n'ai pas pu résister au spectacle de grandeur et de gloire dont il couvrait la France. Quand j'ai compris ce qu'il voulait, quand j'ai vu qu'il nous faisait une litière de lauriers, voyez-vous, je me suis dit : "Voilà un souverain", et je me suis donné à lui. Et voilà! Oh! oui, mon cher, c'est le plus grand homme des siècles passés et à venir.*

– *Est-il à Moscou?* » demanda Pierre en hésitant et d'un air coupable.

Le Français regarda le visage coupable de Pierre et sourit.

« *Non, il fera son entrée demain* », dit-il, et il poursuivit son récit.

La conversation fut interrompue par des cris à la porte et l'entrée de Morel qui vint annoncer au capitaine que des hussards wurtembergeois étaient arrivés et voulaient mettre leurs chevaux dans la cour où se trouvaient déjà les siens. La difficulté provenait principalement du fait que les hussards ne comprenaient pas ce qu'on leur disait.

Le capitaine se fit amener le maréchal des logis et d'un ton sévère lui demanda à quel régiment il appartenait, qui était son chef et de quel droit il se permettait d'occuper un logement déjà occupé. En réponse aux deux premières questions, l'Allemand qui comprenait mal le français donna le nom de son régiment et celui de son chef; mais à la dernière question qu'il ne comprit pas, il répondit, en mêlant à l'allemand des mots français déformés, qu'il était le fourrier de son régiment et que son chef lui avait prescrit d'occuper toutes les maisons les unes après les autres. Pierre qui savait l'allemand traduisit au capitaine ce que disait le hussard et transmit à celui-ci la réponse du capitaine. Ayant compris, l'Allemand céda et emmena ses hommes. Le capitaine sortit sur le perron et donna des ordres d'une voix forte.

Lorsqu'il revint, Pierre était assis à la même place, la tête dans ses mains. Son visage exprimait la souffrance. Il souffrait vraiment en ce moment. Quand le capitaine était sorti et qu'il était resté seul, il avait soudain repris ses esprits et s'était rendu compte de la situation dans laquelle il se trouvait. Ce qui le tourmentait en cet instant, ce n'était pas que Moscou fût prise, que ces heureux vainqueurs y fussent maîtres et qu'il fût sous leur protection, si péniblement qu'il le ressentît. C'était la conscience de sa faiblesse qui le tourmentait. Quelques verres de vin, sa conversation avec cet officier bon enfant avaient détruit l'état d'âme sombre et concentré dans lequel il avait vécu ces derniers jours et qui était indispensable à l'exécution de son projet. Le pistolet, le poignard, les vêtements étaient prêts, Napoléon faisait son entrée le lendemain. Pierre trouvait toujours utile et noble de tuer le scélérat; mais il sentait qu'il ne le ferait plus maintenant. Pourquoi ? il l'ignorait, mais il avait comme le pressentiment qu'il n'accomplirait pas son dessein. Il luttait contre la conscience de sa faiblesse, mais il sentait confusément qu'il ne pourrait la surmonter, que ses sombres pensées de vengeance, d'assassinat et de sacrifice de soi s'étaient envolées au contact du premier venu.

Le capitaine rentra dans la pièce en boitillant légèrement et en sifflant.

Le bavardage du Français qui jusque-là avait amusé Pierre lui parut soudain odieux. Et l'air qu'il sifflait, et sa démarche, et ses gestes, et sa façon qu'il avait de friser sa moustache, tout cela lui paraissait maintenant offensant.

« Je vais m'en aller, je ne lui dirai plus un mot », pensait Pierre. Il le pensait, et pourtant il ne bougeait pas. Une étrange sensation de faiblesse le clouait à sa place : il voulait se lever et partir, et ne le pouvait pas.

Le capitaine, au contraire, paraissait très gai. Il fit deux fois le tour de la pièce. Ses yeux brillaient et sa moustache frémissait légèrement comme si quelque chose d'amusant le faisait sourire à part lui.

« *Charmant*, dit-il tout à coup, *le colonel de ces Wurtembergeois ! C'est un Allemand ; mais un brave garçon s'il en fut. Mais Allemand.* »

Il s'assit en face de Pierre.

« *À propos, vous savez donc l'allemand, vous ?* »

Pierre le regardait en silence.

« *Comment dites-vous asile en allemand ?*

– *Asile ?* répéta Pierre. *Asile en allemand : Unterkunft.*

– *Comment dites-vous ?* demanda le capitaine vivement et d'un air incrédule.

– *Unterkunft*, répéta Pierre.

– *Onterkoff*, dit le capitaine qui, pendant quelques secondes, contempla Pierre avec des yeux rieurs. *Les Allemands sont de fières bêtes. N'est-ce pas, monsieur Pierre ?* conclut-il.

– *Eh bien, encore une bouteille de ce bordeaux moscovite, n'est-ce pas ? Morel, va nous chauffer encore une petite bouteille, Morel !* » cria gaiement le capitaine.

Morel apporta des bougies et la bouteille de vin. Le capitaine regarda Pierre à la lumière et fut visiblement frappé du visage défait de son interlocuteur. Il s'approcha avec une sympathie sincèrement affligée et se pencha sur lui.

« *Eh bien, nous sommes triste*, dit-il en lui touchant le bras. *Vous aurais-je fait de la peine ? Non, vrai, avez-vous quelque chose contre moi ?* demandait-il. *Peut-être rapport à la situation ?* »

Pierre ne répondit rien mais regarda gentiment le Français dans les yeux. Il était sensible à cette marque de sympathie.

« *Parole d'honneur, sans parler de ce que je vous dois, j'ai de l'amitié pour vous. Puis-je faire quelque chose pour vous ? Disposez de moi. C'est à la vie et à la mort. C'est la main sur le cœur que je vous le dis*, s'écria-t-il en se frappant la poitrine.

– *Merci* », dit Pierre. Le capitaine le regarda fixement de la même façon qu'en apprenant comment se disait « asile » en allemand, et soudain son visage s'illumina.

« *Ah ! dans ce cas je bois à notre amitié* », cria-t-il gaiement en remplissant deux verres. Pierre prit son verre et le vida. Ramball vida le sien, serra encore une fois la main de Pierre, et dans une pose pensive et mélancolique s'accouda sur la table.

« *Oui, mon cher ami, voilà les caprices de la fortune*, commença-t-il. *Qui m'aurait dit que je serais soldat et capitaine de dragons au service de Bonaparte, comme nous l'appelions jadis ? Et cependant me voilà à Moscou avec lui. Il faut vous dire, mon cher*, poursuivit-il de la voix triste et mesurée de qui se dispose à raconter une longue histoire, *que notre nom est un des plus anciens de la France.* »

Et avec la facile et naïve franchise des Français, le capitaine raconta à Pierre l'histoire de ses aïeux, son enfance, son adolescence et sa jeunesse, toutes ses affaires de parenté, de fortune et de famille. « *Ma pauvre mère* » jouait naturellement un rôle important dans ce récit.

« *Mais tout ça ce n'est que la mise en scène de la vie, le fond c'est l'amour. L'amour ! N'est-ce pas, monsieur Pierre ?* dit-il en s'animant. *Encore un verre ?* »

Pierre but et se versa un troisième verre.

« *Oh ! les femmes, les femmes !* » et le capitaine, regardant Pierre avec des yeux égrillards, se mit à parler de l'amour et de ses aventures amoureuses. Elles étaient fort nombreuses et l'on pouvait facilement le croire en voyant son beau visage suffisant et l'exaltation avec laquelle il parlait des femmes. Bien que toutes les aventures amoureuses de Ramball eussent ce côté graveleux qui, pour les Français, constitue tout le charme et toute la poésie de l'amour, le capitaine racontait ses histoires avec la conviction si sincère d'être le seul à avoir éprouvé et connu toutes les délices de l'amour, et il décrivait les femmes d'une façon si séduisante que Pierre l'écoutait avec curiosité.

Il était évident que *l'amour* qu'aimait tant le Français n'était pas cet amour inférieur et du genre élémentaire que Pierre avait éprouvé autrefois pour sa femme, ni cet amour romantique qu'il avait pour Natacha et qu'il attisait lui-même (Ramball méprisait également ces deux genres d'amour : l'un était *l'amour des charretiers*, l'autre *l'amour des nigauds*) ; *l'amour* pour lequel le Français avait un culte consistait principalement dans l'artificiel des relations avec les femmes et des combinaisons bizarres qui donnaient au sentiment son principal attrait.

Ainsi, le capitaine raconta la touchante histoire de son amour pour une séduisante marquise de trente-cinq ans, en même temps que pour une exquise et innocente enfant de dix-sept ans, la fille de la séduisante marquise. La lutte de générosité entre la mère et la fille, qui s'était terminée par le sacrifice de la mère offrant sa fille en mariage à son amant, émouvait encore le capitaine, bien que ce fût un souvenir lointain. Puis il raconta un épisode dans lequel le mari jouait le rôle d'amant et lui (l'amant) celui du mari, et quelques épisodes comiques de ses *souvenirs d'Allemagne*, où *asile* se dit *Unterkunft*, où *les maris mangent de la choucroute* et où *les jeunes filles sont trop blondes*.

Enfin, la dernière aventure arrivée en Pologne, encore fraîche dans la mémoire du capitaine et qu'il raconta avec des gestes vifs et le teint animé, consistait en ceci qu'il avait sauvé la vie d'un Polonais (dans les récits du capitaine, l'épisode où il sauvait la vie de quelqu'un se rencontrait sans cesse), et ce Polonais lui avait confié sa séduisante femme (*Parisienne de cœur*) pendant qu'il s'engageait lui-même dans l'armée française. Le capitaine était heureux, la séduisante Polonaise voulait fuir avec lui ; mais, dans un élan de générosité, le capitaine rendit la femme à son mari en lui disant : « *Je vous ai sauvé la vie et je sauve votre honneur !* » Le capitaine répéta ces mots, se frotta les yeux et se secoua comme pour chasser l'attendrissement qui s'emparait de lui à ce souvenir touchant.

Comme il arrive souvent à une heure avancée de la nuit et sous l'influence du vin, Pierre en écoutant les histoires du capitaine suivait tout ce qu'il disait, comprenait tout, et en même temps suivait un cortège de souvenirs personnels qui se présentaient soudain et sans qu'il sût pourquoi à son imagination. Pendant qu'il écoutait ces histoires d'amour, son propre amour pour Natacha lui revint inopinément à la mémoire et en repassant dans son esprit les images, il les comparait mentalement aux récits de Ramball. Pendant le récit de la lutte entre le devoir et l'amour, il voyait devant lui dans les moindres détails sa dernière rencontre avec l'objet de son amour à la tour Soukharev. Sur le moment, cette rencontre ne lui avait guère fait impression ; il n'y avait même pas repensé une seule fois. Mais maintenant elle lui semblait avoir quelque chose de très significatif et de poétique.

« Pierre Kirilitch, venez ici, je vous ai reconnu. » Il entendait ces mots qu'elle lui avait dits, il voyait devant lui ses yeux, son sourire, son bonnet de voyage, la mèche folle de ses cheveux… et dans tout cela il y avait pour lui quelque chose de touchant, d'attendrissant.

Après avoir terminé l'histoire de la séduisante Polonaise, le capitaine demanda à Pierre s'il avait éprouvé ce sentiment de sacrifice de soi à l'amour et de jalousie pour le mari légitime.

Encouragé par cette question, Pierre leva la tête et éprouva le besoin d'exprimer les pensées qui l'occupaient ; il expliqua qu'il comprenait un peu autrement l'amour pour la femme. Il dit que, de toute sa vie, il n'avait aimé et n'aimait toujours qu'une seule femme, et que cette femme ne pourrait jamais lui appartenir.

« *Tiens !* » dit le capitaine.

Puis Pierre expliqua qu'il aimait cette femme depuis son plus jeune âge, mais qu'il n'avait pas eu le droit de penser à elle parce qu'elle était alors trop jeune et qu'il était, lui, un enfant naturel sans nom. Plus tard, quand il avait reçu un nom et une fortune, il n'osait pas davantage penser à elle parce qu'il l'aimait trop, la plaçait trop au-dessus de tout le monde et, par conséquent, de lui-même. Arrivé à cet endroit de son récit, Pierre demanda au capitaine s'il comprenait cela.

Le capitaine fit un geste qui signifiait que même s'il ne le comprenait pas, il ne lui en demandait pas moins de continuer.

« *L'amour platonique, les nuages…* » marmotta-t-il. Était-ce le vin qu'il avait bu ou le besoin de s'épancher, ou encore la pensée que cet homme ne connaissait et ne connaîtrait jamais aucun des personnages de son histoire, ou bien était-ce tout cela à la fois qui délia la langue de Pierre ? Zézayant et les yeux langoureusement fixés quelque part au loin, il raconta toute son histoire : et son mariage, et l'amour de Natacha pour son meilleur ami, et sa trahison, et les rapports si peu compliqués qu'il avait avec elle. Poussé par les questions de Ramball, il dit aussi ce qu'il avait d'abord caché, sa position dans le monde, et même lui révéla son nom.

Ce qui frappa le plus le capitaine dans le récit de Pierre, ce fut que Pierre était très riche, qu'il possédait deux palais à Moscou, qu'il avait tout abandonné et n'était pas parti mais était resté dans la ville en cachant son nom et son rang.

Tard dans la nuit, ils sortirent ensemble dans la rue. La nuit était douce et claire. À gauche de la maison rougeoyait la lueur du premier incendie allumé à Moscou, à la Petrovka. À droite, le croissant de la nouvelle lune était haut dans le ciel et, en face de lui, se détachait cette lumineuse comète qui s'associait dans l'âme de Pierre à son amour. À la porte cochère se tenaient Guerassim, la cuisinière et deux Français. On les entendait rire et parler chacun dans sa langue, incompréhensible aux autres. Ils contemplaient la lueur de l'incendie qui s'élevait au-dessus de la ville.

Il n'y avait rien de redoutable dans ce petit incendie lointain dans l'immense ville.

En regardant le haut ciel étoilé, la lune, la comète et la lueur de l'incendie, Pierre éprouvait un joyeux attendrissement. « Comme c'est bien, que faut-il de plus ? » pensa-t-il. Et soudain, se souvenant de son projet, il fut pris de vertige, se sentit mal et dut s'appuyer contre le mur de la cour pour ne pas tomber.

Sans prendre congé de son nouvel ami, Pierre s'éloigna de la porte cochère d'un pas mal assuré, rentra dans sa chambre, s'étendit sur le divan et s'endormit aussitôt.

XXX

De routes différentes et avec des sentiments divers, les habitants qui s'enfuyaient et l'armée en retraite contemplaient la lueur du premier incendie éclaté le 2 septembre.

Le convoi des Rostov s'arrêta cette nuit-là à Mitistchi, à vingt verstes de Moscou. Le 1er septembre, ils étaient partis si tard, la route était si encombrée de véhicules et de troupes, on avait dû envoyer chercher à Moscou tant de choses oubliées, qu'on avait décidé de passer la nuit à cinq verstes de Moscou. Le lendemain matin, on s'était réveillé tard et de nouveau il y avait eu tant d'arrêts en chemin qu'on n'avait pu dépasser les Grandes Mitistchi. À dix heures, les Rostov et les blessés qui faisaient route avec eux se répartirent dans les cours et les isbas du gros bourg. Les domestiques des Rostov, leurs cochers et les ordonnances des blessés, après avoir servi leurs maîtres, soupèrent, donnèrent à manger aux chevaux et sortirent sur le perron.

Dans la maison voisine se trouvait l'aide de camp blessé de Raievski qui avait le poignet brisé, et l'atroce douleur qu'il ressentait lui arrachait des gémissements ininterrompus qui faisaient une impression sinistre dans l'obscurité de la nuit d'automne. Cet aide de camp avait passé la première nuit dans la même cour que les Rostov. La comtesse avait dit n'avoir pu fermer l'œil à cause de ces gémissements et, à Mitistchi, elle s'était installée dans une maison plus modeste pour être plus loin de ce blessé.

L'un des domestiques aperçut dans les ténèbres de la nuit, de derrière la haute caisse d'une voiture qui stationnait devant le perron, une nouvelle lueur d'incendie peu étendue. On en avait aperçu une depuis longtemps déjà et tout le monde savait que c'étaient les Petites Mitistchi qui brûlaient, incendiées par les cosaques de Mamonov.

« Dites donc, les gars, c'en est un autre », dit une ordonnance. Tous les regards se tournèrent vers cette lueur.

« Mais on dit que les cosaques de Mamonov ont mis le feu aux Petites Mitistchi. – Mais oui ! Non, ce n'est pas Mitistchi, c'est plus loin. – Regarde, ça a l'air d'être à Moscou. » Deux domestiques descendirent du perron, passèrent derrière la voiture et s'assirent sur le marchepied.

« C'est plus à gauche ! Penses-tu, les Mitistchi c'est là, tiens, et ça c'est d'un tout autre côté. » Plusieurs autres se joignirent aux premiers. « Ça flambe, dit l'un d'eux, messieurs, c'est à Moscou, cet incendie, soit dans la rue Soustchevskaia, soit dans la rue Rogojskaia. » Personne ne répondit à cette remarque. Et pendant un bon moment, tous ces gens regardèrent en silence s'étendre les flammes de ce nouvel incendie lointain.

Le vieux valet de chambre du comte, Danilo Terentitch, s'approcha du groupe et appela Michka.

« Qu'est-ce qu'il y a à regarder, galopin ! Si le comte appelle, il n'y aura personne pour répondre ; va ranger les vêtements.

– Mais j'étais seulement allé chercher de l'eau, dit Michka.

– Et vous, qu'en pensez-vous, Danilo Terentitch, ça a bien l'air d'être Moscou, cette lueur ? » dit l'un des laquais.

Danilo Terentitch ne répondit rien et de nouveau il y eut un long silence. La lueur palpitait et s'étendait de plus en plus.

« Dieu ait pitié de nous !... avec ce vent et cette sécheresse... dit de nouveau une voix.

– Regarde donc comme ça avance. Oh ! Seigneur ! même qu'on voit les choucas. Seigneur, aie pitié de nous autres pécheurs !

– On l'éteindra, c'est sûr.

– Et qui donc l'éteindra ? » fit Danilo Terentitch qui s'était tu jusque-là. Sa voix était calme et lente. « C'est bien Moscou, mes enfants, dit-il, c'est elle, notre mère aux murs bl… » Sa voix se brisa et il eut soudain un sanglot de vieillard. Et ce fut comme si tous n'avaient attendu que cela pour comprendre ce que signifiait pour eux cette lueur qu'on voyait. Des soupirs, des prières se mêlèrent aux sanglots du vieux valet de chambre du comte.

XXXI

Le valet de chambre revint dans la maison et annonça au comte que Moscou brûlait. Le comte enfila sa robe de chambre et sortit pour voir. Sonia qui n'était pas encore déshabillée et Mme Schoss le suivirent. Natacha et la comtesse restèrent seules dans la pièce. (Petia n'était plus avec sa famille : il avait rejoint son régiment qui allait à Troïtsa.)

La comtesse se mit à pleurer en apprenant l'incendie de Moscou. Natacha qui, pâle, les yeux fixes, était assise sur le banc sous les icônes (à la place même où elle s'était installée en arrivant), ne prêta aucune attention à ce que disait son père. Elle écoutait la plainte incessante de l'aide de camp qu'on entendait à trois maisons de distance.

« Ah ! c'est affreux ! dit Sonia en revenant de la cour transie et effrayée. Je crois que tout Moscou va brûler, la lueur est terrible ! Natacha, regarde par la fenêtre, on voit maintenant d'ici », ajouta-t-elle en s'adressant à sa cousine, visiblement pour la distraire. Mais Natacha la regarda comme si elle ne comprenait pas ce qu'on lui demandait et fixa de nouveau les yeux sur le coin du poêle. Elle était dans cet état de prostration depuis le matin, depuis le moment où Sonia, à la surprise et au grand dépit de la comtesse, avait cru nécessaire, sans qu'on comprît pourquoi, de la mettre au courant de la blessure du prince André et de sa présence dans le convoi. La comtesse s'était emportée contre Sonia comme cela lui était rarement arrivé. Sonia avait demandé pardon en pleurant et maintenant, comme pour racheter sa faute, elle ne cessait d'entourer sa cousine de soins. « Regarde, Natacha, comme ça flambe, c'est terrible, dit-elle.

– Qu'est-ce qui flambe ? demanda Natacha. Ah ! oui, Moscou. » Et comme pour ne pas blesser Sonia par un refus, elle tourna la tête vers la fenêtre et regarda de telle façon qu'il était évident qu'elle ne pouvait rien voir, puis reprit la même attitude.

« Mais tu n'as rien vu ?

– Si, vraiment, j'ai vu », dit-elle d'une voix qui suppliait qu'on la laissât en paix.

La comtesse et Sonia comprenaient que Moscou, l'incendie de Moscou, tout ce qui pouvait arriver n'avait certes aucune importance pour Natacha.

Le comte retourna derrière la cloison et se coucha. La comtesse s'approcha de Natacha, lui toucha la tête du revers de la main comme elle le faisait quand sa fille était malade, puis lui effleura le front des lèvres comme pour savoir si elle avait de la fièvre, et l'embrassa.

« Tu as froid ? Tu grelottes. Tu devrais te coucher, dit-elle.

– Me coucher ? Oui, bien, je vais me coucher. Je me couche tout de suite », dit Natacha.

Lorsque, le matin, on avait appris à Natacha que le prince André était grièvement blessé et qu'il voyageait avec eux, tout d'abord elle avait posé question sur question pour savoir la nature de sa blessure, sa gravité et si l'on pouvait le voir. Mais quand on lui avait répondu qu'il n'était pas visible, que malgré la gravité de sa blessure sa vie n'était pas en danger, elle n'avait visiblement pas cru ce qu'on lui disait, mais s'étant convaincue que quoi qu'elle demandât on lui ferait toujours les mêmes réponses, elle avait cessé d'interroger et de parler. Pendant tout le trajet, avec ces yeux grands ouverts que la comtesse connaissait si bien et dont elle craignait tant l'expression, elle était restée immobile dans un coin de la voiture et maintenant était assise sur le banc dans la même attitude. Elle méditait quelque chose, elle prenait ou avait déjà pris une décision dans son esprit. La comtesse le savait, mais ce que cela pouvait être, elle l'ignorait, et c'est ce qui lui faisait peur et la tourmentait.

« Natacha, déshabille-toi, ma chérie, viens te coucher dans mon lit. » Seule la comtesse avait un lit : Mme Schoss et les deux jeunes filles devaient coucher par terre sur du foin.

« Non, maman, je vais me mettre ici, par terre », dit Natacha avec humeur, et s'approchant de la fenêtre elle l'ouvrit. Les plaintes de l'aide de camp parvinrent plus distinctes par la fenêtre ouverte. Elle avança la tête dans l'air humide de la nuit et la comtesse vit son cou mince secoué de sanglots battre contre le châssis. Natacha savait que ce n'était pas le prince André qui gémissait. Elle savait que le prince André se trouvait dans la même maison qu'eux, dans une autre pièce, de l'autre côté du vestibule ; mais ces plaintes atroces, incessantes la faisaient sangloter. La comtesse échangea un regard avec Sonia.

« Couche-toi, ma chérie, couche-toi, mon petit, dit-elle en lui touchant doucement l'épaule. Allons, couche-toi donc.

– Ah ! oui… Je me couche tout de suite, tout de suite », dit Natacha en se déshabillant précipitamment et en arrachant les cordons de ses jupons. Après avoir enlevé sa robe et passé une camisole, elle s'assit, les jambes repliées, sur le lit préparé pour elle par terre, ramena en avant ses cheveux fins et pas très longs, et se mit à les tresser. Ses longs doigts minces défirent la natte prestement, adroitement, d'un geste automatique, puis la refirent. Sa tête se tournait d'un mouvement accoutumé tantôt d'un côté, tantôt de l'autre, mais ses yeux, comme dilatés par la fièvre, regardaient fixement droit devant elle. Sa toilette de nuit achevée, Natacha s'allongea doucement sur le drap étendu sur du foin, à côté de la porte.

« Natacha, mets-toi au milieu, dit Sonia.

– Non, j'aime mieux rester ici, fit Natacha. Mais couchez-vous donc », ajouta-t-elle avec humeur. Et elle enfouit la tête dans l'oreiller.

La comtesse, Mme Schoss et Sonia se déshabillèrent en hâte et se couchèrent. Seule la veilleuse restait allumée dans la pièce. Mais dehors l'incendie des Petites Mitistchi éclairait à deux verstes de distance, des cris nocturnes parvenaient du cabaret, de l'autre côté de la rue, pillé par les cosaques de Mamonov, et l'on entendait toujours le gémissement ininterrompu de l'aide de camp.

Longtemps Natacha prêta, sans bouger, l'oreille aux bruits de l'intérieur et de l'extérieur qui parvenaient jusqu'à elle. Elle entendit d'abord sa mère faire sa prière et soupirer, puis le craquement du lit sous son poids, le ronflement sifflant de Mme Schoss qu'elle connaissait si bien, le souffle léger de Sonia. Puis la comtesse appela Natacha. Natacha ne répondit pas.

« Je crois qu'elle dort, maman », murmura Sonia. La comtesse, après un instant de silence, l'appela encore, mais cette fois personne ne lui répondit.

Bientôt après, Natacha entendit la respiration égale de sa mère. Natacha ne bougeait pas, quoique son petit pied nu sorti de la couverture se gelât sur le plancher froid.

Comme pour fêter sa victoire sur tout le monde, un grillon crissa dans une fente. Un coq chanta au loin, un autre répondit tout près. Dans le cabaret, les cris s'étaient tus, on n'entendait plus que les gémissements de l'aide de camp. Natacha se dressa.

« Sonia ? tu dors ? Maman ? » chuchota-t-elle. Personne ne répondit. Natacha se leva lentement et prudemment, se signa et posa avec précaution son pied étroit et souple sur le plancher froid et sale. Les lattes craquèrent. Vivement, elle fit quelques pas comme un jeune chat et saisit le loquet froid de la porte.

Il lui semblait que quelque chose de lourd frappait à coups réguliers contre les murs de la pièce : c'était son cœur qui défaillait et battait à se rompre, de peur, d'effroi et d'amour.

Elle ouvrit la porte, franchit le seuil et posa le pied sur le sol glacé et humide. Le froid qui la saisit la ranima. Elle heurta de son pied nu un homme qui dormait, l'enjamba et ouvrit la porte de la pièce où se trouvait le prince André. Il y faisait sombre. Dans un coin, au fond, près du lit sur lequel reposait une forme, une chandelle de suif qui brûlait sur le banc avait coulé en formant une sorte de gros champignon.

Depuis le matin, depuis qu'on lui avait appris la blessure et la présence du prince André, Natacha avait décidé qu'elle devait le voir. Elle ne savait pas pourquoi elle le devait, elle savait seulement que cette entrevue serait douloureuse et n'en était que d'autant plus convaincue que c'était indispensable.

Toute la journée, elle n'avait vécu que dans l'espoir de le voir la nuit. Mais maintenant, cet instant venu, elle était saisie d'épouvante à la pensée de ce qu'elle allait voir. À quel point était-il mutilé ? Que restait-il de lui ? Était-il comme cet aide de camp qui ne cessait de gémir ? Oui, il était ainsi. Il était, dans son imagination, l'incarnation de cette plainte atroce. Quand elle aperçut dans le coin une masse indistincte et qu'elle prit ses genoux qui soulevaient la couverture pour ses épaules, elle se représenta un corps horrible et s'arrêta épouvantée. Mais une force irrésistible l'entraînait en avant. Elle fit avec précaution encore un pas, puis un autre, et se trouva au milieu d'une petite pièce encombrée. Sous les icônes, un autre homme était couché sur le banc (c'était Timokhine) et deux autres encore étaient étendus par terre (c'étaient le médecin et le valet de chambre).

Le valet de chambre se souleva et chuchota quelque chose. Timokhine qui, souffrant de sa blessure à la jambe, ne dormait pas, regardait de tous ses yeux cette étrange apparition d'une jeune fille en chemise blanche, camisole et bonnet de nuit. Les mots effrayés que prononça le valet de chambre à moitié endormi : « Que voulez-vous, que venez-vous faire ici ? » ne firent que pousser Natacha à s'approcher plus vite de ce qui reposait dans le coin. Si peu que ce corps ressemblât à celui d'un homme, elle devait le voir. Elle passa devant le valet de chambre, le champignon de suif tomba et elle vit nettement le prince André étendu, les mains sur la couverture, tel qu'elle l'avait toujours connu.

Il était le même que toujours ; mais son teint fiévreux, ses yeux brillants fixés sur elle avec exaltation, et surtout son cou tendre et enfantin qui sortait du col rabattu de la chemise, lui donnaient un air particulier, innocent, tout jeune, qu'elle ne lui avait jamais vu. Elle s'approcha et d'un mouvement rapide, souple, jeune, se mit à genoux.

Il sourit et lui tendit la main.

XXXII

Pour le prince André, sept jours s'étaient écoulés depuis qu'il était revenu à lui au poste de secours du champ de bataille de Borodino. Pendant tout ce temps, il n'avait presque pas repris connaissance. Son état fébrile et l'inflammation des intestins qui avaient été atteints devaient l'emporter, de l'avis du médecin qui accompagnait le blessé. Mais le septième jour, il mangea avec plaisir un morceau de pain et but du thé, et le médecin constata une diminution de la fièvre. Au matin, le prince André reprit connaissance. La première nuit après le départ de Moscou, il avait fait assez doux et on l'avait laissé dans sa voiture, mais à Mitistchi le blessé avait demandé lui-même qu'on le transportât dans la maison et qu'on lui donnât du thé. La douleur que lui causa le transport lui arracha des gémissements et lui fit de nouveau perdre connaissance. Quand on l'eut couché sur un lit de camp, il resta longtemps étendu sans mouvement, les yeux fermés. Puis il ouvrit les yeux et murmura : « Et le thé ? » Cette mémoire des menus détails frappa le médecin. Il lui tâta le pouls et, à sa surprise et pour son déplaisir, le trouva meilleur. Pour son déplaisir car il était convaincu par expérience que le prince André ne pouvait vivre et que, s'il ne mourait pas maintenant, il mourrait quelque temps après dans des souffrances d'autant plus grandes. En même temps que le prince André, on transportait un commandant de son régiment, Timokhine, cet officier au petit nez rouge, blessé à la jambe dans la même bataille de Borodino. Un médecin, le valet de chambre du prince, son cocher et deux ordonnances les accompagnaient.

On donna du thé au prince André. Il le but avidement, ses yeux fiévreux fixés devant lui sur la porte, comme s'il s'efforçait de comprendre et de se rappeler quelque chose.

« Je n'en veux plus. Timokhine est-il là ? » demanda-t-il. Timokhine se traîna vers lui sur le banc.

« Je suis là, Excellence.

– Comment va votre blessure ?

– La mienne ? Ça va. Mais vous ? » Le prince André redevint pensif comme s'il fouillait dans sa mémoire.

« Ne pourrait-on pas avoir le livre ? dit-il.

– Quel livre ?

– L'Évangile ! Je n'en ai pas. » Le médecin promit de lui en trouver un et interrogea le prince sur ce qu'il ressentait. Le prince André répondit à contrecœur mais avec lucidité à toutes les questions du médecin, puis dit qu'il faudrait mettre sous lui un traversin, autrement il était mal à l'aise et souffrait beaucoup. Le médecin et le valet de chambre soulevèrent le manteau qui le couvrait et, grimaçant à la forte odeur de chair pourrie, examinèrent la terrible plaie. Le médecin se montra fort mécontent de quelque chose, rectifia le pansement, retourna le blessé de telle façon que de nouveau il gémit et de douleur perdit connaissance et délira. Il répétait sans cesse qu'on lui procurât au plus vite ce livre et qu'on le mît là.

« Que vous en coûte-t-il ! Je n'en ai pas, trouvez-le-moi, je vous en prie, posez-le là un petit instant », disait-il d'une voix pitoyable.

Le médecin sortit dans le vestibule pour se laver les mains.

« Ah ! vous n'avez vraiment pas de conscience, dit-il au valet de chambre qui lui versait de l'eau sur les mains. Il suffit que j'aie un instant le dos tourné. C'est une telle souffrance que je m'étonne qu'il puisse la supporter.

– Je crois que nous avons bien fait ce qu'il fallait, Seigneur Jésus-Christ », dit le valet de chambre.

Pour la première fois, le prince André comprit où il était, ce qui lui était arrivé ; il se rappela qu'il était blessé et qu'au moment où la voiture s'était arrêtée à Mitistchi il avait demandé à être transporté dans l'isba. Ses idées s'étant de nouveau brouillées sous l'effet de la douleur, il était revenu à lui une deuxième fois dans l'isba quand il avait pris le thé, et de nouveau en repassant dans sa mémoire tout ce qui lui était arrivé, il revécut avec plus d'acuité que jamais cette minute où, au poste de secours, à la vue des souffrances de l'homme qu'il détestait, il avait été envahi par des pensées nouvelles qui lui promettaient le bonheur. Et ces pensées, quoique confuses et imprécises, s'emparèrent de nouveau de son âme. Il se souvint qu'il possédait maintenant un nouveau bonheur et que ce bonheur se rattachait à l'Évangile. C'est pour cela qu'il avait demandé un Évangile. Mais la mauvaise position qu'on avait donnée à sa blessure en le retournant avait de nouveau brouillé ses idées et il revint pour la troisième fois à la vie dans le silence absolu de la nuit. Tout le monde dormait autour de lui. Un grillon crissait de l'autre côté du vestibule, dans la rue quelqu'un criait et chantait, des cafards bruissaient sur la table, sur les icônes et le long des murs, une grosse mouche se cognait à son chevet et bourdonnait autour de la chandelle de suif posée à côté de lui et qui avait coulé en formant un gros champignon.

Son âme n'était pas dans un état normal. D'habitude, l'homme bien portant pense, sent et se rappelle en même temps un nombre infini de choses, mais a le pouvoir et la force, ayant choisi une série de pensées ou de représentations, d'y concentrer toute son attention. L'homme bien portant peut s'arracher à la plus profonde méditation pour dire un mot poli à quelqu'un qui entre et revenir ensuite à ses pensées. Mais l'âme du prince André n'était pas dans un état normal, à cet égard. Toutes les facultés de son esprit étaient plus actives, plus lucides que jamais, mais elles agissaient en dehors de sa volonté. Les pensées et les images les plus diverses s'emparaient de lui en même temps. Parfois sa pensée se mettait soudain à travailler, cela avec une force, une netteté et une profondeur dont elle n'avait jamais été capable quand il était en bonne santé; mais brusquement, au milieu de ce travail, elle se brisait, une représentation inattendue se substituait à elle, et il lui était impossible de revenir à la première.

« Oui, un bonheur nouveau s'est révélé à moi, un bonheur inaliénable à l'homme, pensait-il, couché dans la pièce silencieuse et à demi obscure, les yeux fixés et dilatés par la fièvre dirigés droit devant lui. Un bonheur indépendant des forces matérielles, des influences extérieures, le bonheur de l'âme seule, le bonheur de l'amour! Tout homme peut le comprendre, mais Dieu seul a pu le révéler et le prescrire. Mais comment Dieu a-t-il prescrit cette loi? Pourquoi le fils?... » Et soudain le fil de ses pensées se rompit et le prince André entendit (sans savoir si c'était dans son délire ou dans la réalité) une voix douce et chuchotante qui répétait inlassablement en mesure : « I-piti-piti-piti », puis « i-ti-ti » et encore « i-piti-piti-piti » et encore « i-ti-ti ». En même temps, au son de cette musique chuchotante, le prince André sentait qu'au-dessus de son visage, juste au milieu, s'élevait quelque étrange construction aérienne faite de fines aiguilles ou d'éclats de bois. Il sentait (bien que ce lui fût pénible) qu'il devait garder soigneusement son équilibre pour que la construction ne s'écroulât pas; mais elle s'écroulait quand même et de nouveau, lentement, se relevait aux sons rythmés de la musique chuchotante. « Cela s'étire! Cela s'étire! cela s'allonge et cela s'étire toujours », se disait le prince André. En même temps qu'il tendait l'oreille à ce chuchotement et qu'il sentait s'étirer et s'élever cet édifice d'aiguilles, il voyait furtivement le halo rouge autour de la bougie, il entendait le bruissement des cafards et de la mouche qui se débattait contre son oreiller et son visage. Et chaque fois que la mouche lui effleurait le visage, elle produisait une sensation de brûlure; en même temps il était étonné qu'en donnant contre l'endroit même où s'élevait l'édifice au-dessus de son visage, la mouche ne le fît pas crouler. Mais, de surcroît, il y avait encore une chose importante. C'était quelque chose de blanc près de la porte, c'était une statue de sphinx qui, elle aussi, l'oppressait.

« Mais c'est peut-être ma chemise posée sur la table, pensait le prince André, et ici ce sont mes jambes, et la porte, mais pourquoi donc tout s'étire-t-il, s'étend-il, et pourquoi ce piti-piti-piti i-ti-ti i-piti-piti-piti... Assez, cesse, je t'en prie », demandait-il douloureusement à quelqu'un. Et soudain la pensée et la sensation revenaient avec une clarté et une force extraordinaires.

« Oui, l'amour (pensait-il de nouveau avec une lucidité entière), mais non pas cet amour qui a sa raison, sa justification et son but, mais celui que j'ai éprouvé pour la première fois lorsque, mourant, j'ai vu mon ennemi et que je l'ai aimé quand même. J'ai éprouvé ce sentiment d'amour qui est l'essence même de l'âme et qui n'a pas besoin d'objet. Maintenant aussi, j'éprouve ce sentiment bienheureux. Aimer son prochain, aimer ses ennemis. Tout aimer c'est aimer Dieu dans toutes ses manifestations. On peut aimer un être cher de l'amour humain; mais seul l'ennemi on peut l'aimer de l'amour divin. Et c'est pourquoi j'ai éprouvé une telle joie quand j'ai senti que j'aimais cet homme. Qu'est-il devenu? Est-il vivant... Quand on aime de l'amour humain, on peut passer de l'amour à la haine; mais l'amour divin ne peut changer. Rien, pas même la mort, ne peut le détruire. Il est l'essence de l'âme. Pourtant, combien nombreux ont été ceux que j'ai haïs dans ma vie. Et, de tous, je n'ai jamais aimé ni haï personne autant qu'elle. » Et il se représenta vivement Natacha, non pas telle qu'il se la représentait autrefois, avec son seul charme qui le ravissait; pour la première fois, il se représenta son âme. Et il comprit ses sentiments, sa souffrance, sa honte, son repentir. Pour la première fois, il comprenait maintenant toute la cruauté de son refus, il voyait la cruauté de sa rupture avec elle. « Si je pouvais la revoir une fois seulement. Une seule fois, en la regardant dans les yeux lui dire… »

Piti-piti-piti ti-ti, piti-piti-boum ! la mouche s'était cognée… Et son attention fut soudain transportée dans un autre monde de réalité et de délire où se passait quelque chose de singulier. Dans ce monde aussi, la construction s'élevait toujours sans s'écrouler, quelque chose s'étirait toujours, la bougie brûlait toujours avec son cercle rouge, la même chemise-sphinx était à la porte ; mais, outre tout cela, il y eut un craquement, une bouffée d'air frais et un nouveau sphinx blanc, debout, apparut devant la porte. Et ce sphinx avait le visage pâle et les yeux brillants de cette Natacha à qui il venait de penser.

« Oh ! comme cet incessant délire est pénible ! » pensa le prince André en s'efforçant de chasser ce visage de son imagination. Mais ce visage restait devant lui avec la force de la réalité, et ce visage se rapprochait. Le prince André voulut revenir dans ce monde de la pensée pure, mais il ne le put, et le délire l'entraînait dans son domaine. La douce voix chuchotante continuait son murmure rythmé, quelque chose l'étouffait, s'étirait, et l'étrange visage était devant lui. Le prince André rassembla toutes ses forces pour se ressaisir ; il fit un mouvement, et soudain ses oreilles bourdonnèrent, sa vue se brouilla, et, comme on coule à pic, il perdit connaissance. Lorsqu'il revint à lui, Natacha, cette même Natacha vivante que, de tous les êtres au monde, il voulait le plus aimer de cet amour nouveau, pur, divin, qui lui avait été révélé, se tenait à genoux devant lui. Il comprit qu'elle était vivante, que c'était la vraie Natacha, et il n'en fut pas surpris mais en éprouva une douce joie. Natacha, à genoux, le regardait d'un air effrayé mais rivée à lui (elle ne pouvait faire un mouvement), en retenant ses sanglots. Son visage était pâle et immobile. Dans sa partie inférieure seulement, il y avait un frémissement.

Le prince André poussa un soupir de soulagement, sourit et lui tendit la main.

« Vous ?... dit-il. Quel bonheur ! »

Natacha, d'un mouvement vif mais plein de précaution, se rapprocha de lui sur les genoux et, prenant doucement sa main, pencha sur elle son visage et la baisa en l'effleurant à peine de ses lèvres.

« Pardon ! chuchota-t-elle en relevant la tête et en le regardant. Pardonnez-moi !

– Je vous aime, dit le prince André.

– Pardonnez...

– Pardonner quoi ? demanda le prince André.

– Pardonnez-moi ce que j'ai... fait, dit Natacha dans un murmure entrecoupé et presque imperceptible, et l'effleurant à peine de ses lèvres, elle lui couvrit la main de baisers.

– Je t'aime plus, mieux qu'autrefois », dit le prince André, et de sa main il lui releva le visage pour voir ses yeux.

Ces yeux, inondés de larmes de bonheur, le regardaient timidement, avec compassion, avec joie et amour. Le visage maigre et pâle de Natacha aux lèvres gonflées était loin d'être beau, il était effrayant. Mais le prince André ne voyait pas ce visage, il voyait ces yeux rayonnants qui étaient beaux. Il y eut un bruit de voix derrière eux.

Pierre, le valet de chambre, maintenant tout à fait réveillé, avait réveillé à son tour le médecin. Timokhine, que la douleur dans sa jambe empêchait de dormir, voyait depuis longtemps tout ce qui se passait, et, ramenant soigneusement le drap sur son corps dévêtu, se faisait petit sur son banc.

« Qu'est-ce que c'est ? dit le médecin en se dressant sur sa couche. Veuillez vous retirer, mademoiselle. »

Au même instant, une servante envoyée par la comtesse à la recherche de sa fille frappa à la porte.

Comme une somnambule tirée de son sommeil, Natacha sortit de la pièce et, rentrée dans l'autre chambre, tomba en sanglotant sur sa couche.

Depuis ce jour, durant tout le reste du voyage des Rostov, à toutes les haltes et toutes les étapes, Natacha ne quitta plus le blessé, et le médecin dut reconnaître qu'il ne se serait jamais attendu à trouver chez une jeune fille tant de fermeté et une telle adresse à soigner le blessé.

Si terrible que parût à la comtesse l'idée que le prince André pouvait mourir pendant le voyage dans les bras de sa fille (chose fort probable, au dire du médecin), elle ne put en empêcher Natacha. Bien que le rapprochement du prince André blessé et de Natacha donnât à penser qu'au cas où il guérirait leurs anciennes relations de fiancés reprendraient, personne n'en parlait, et Natacha et le prince André moins que tout autre, la question de vie ou de mort, suspendue non seulement au-dessus de Bolkonski mais sur toute la Russie, dominant toutes les autres préoccupations.

XXXIII

Pierre se réveilla tard le 3 septembre. Il avait mal à la tête, les vêtements qu'il n'avait pas enlevés pour dormir le gênaient et la vague conscience d'avoir fait quelque chose de honteux la veille lui pesait ; c'était sa conversation avec le capitaine Ramball.

La pendule marquait onze heures, mais dehors il semblait faire un temps particulièrement sombre. Pierre se leva, se frotta les yeux et apercevant le pistolet à la crosse gravée que Guerassim avait remis sur le bureau, il se souvint de l'endroit où il se trouvait et de ce qu'il avait à faire précisément aujourd'hui.

« Ne serai-je pas en retard ? pensa-t-il. Non, IL ne fera sans doute pas son entrée à Moscou avant midi. » Pierre ne se permettait plus de réfléchir à ce qu'il avait à faire mais avait hâte d'agir au plus vite.

Après avoir mis de l'ordre dans ses vêtements, il prit le pistolet et se disposa à partir. Mais alors il se demanda pour la première fois comment, tout de même pas à la main, il porterait son arme dans la rue. Même sous son vaste caftan, il était difficile de dissimuler un si grand pistolet. Il ne pouvait le mettre à sa ceinture ni sous son bras sans qu'on s'en aperçût. En outre, le pistolet était déchargé et Pierre n'avait pas eu le temps de le recharger. « Peu importe. J'ai le poignard », se dit-il, bien que plus d'une fois en réfléchissant à l'exécution de son projet il se fût dit que la principale erreur de l'étudiant de 1809 avait été d'avoir voulu tuer Napoléon avec un poignard. Mais comme si son but principal eût consisté non pas à accomplir son dessein mais à se montrer à lui-même qu'il n'y renonçait pas et faisait tout pour cela, Pierre prit en hâte, dans une gaine verte, le poignard ébréché et émoussé qu'il avait acheté à la tour Soukharev en même temps que le pistolet, et le cacha sous son gilet.

Après avoir serré la ceinture de son caftan et enfoncé son bonnet sur les yeux, Pierre, s'efforçant de ne pas faire de bruit et d'éviter le capitaine, suivit le couloir et sortit dans la rue.

L'incendie qu'il avait regardé avec tant d'indifférence la veille au soir s'était considérablement étendu au cours de la nuit. Moscou brûlait maintenant de différents côtés. Le feu avait gagné à la fois la galerie des Carrossiers, le quartier au-delà de la Moscova, le Gostini Dvor, la rue Povarskaia, les barques sur la Moscova et le marché au bois près du pont de Dorogomilov.

Le chemin de Pierre passait par des ruelles, la rue Povarskaia et de là, par l'Arbate, devait le mener vers l'église Saint-Nicolas où, depuis longtemps, il avait fixé dans son imagination la place où il accomplirait son acte. Les portes cochères et les volets de la plupart des maisons étaient fermés. Les rues et les ruelles étaient désertes. L'air sentait le brûlé et la fumée. De temps à autre, on rencontrait des Russes aux visages inquiets et timides et des Français aux allures de soldatesque qui marchaient au milieu de la rue. Les uns et les autres regardaient Pierre avec surprise. Outre sa taille et sa corpulence, outre l'étrange expression sombre, concentrée et tourmentée de son visage et de toute sa personne, il attirait l'attention des Russes parce qu'ils ne parvenaient pas à définir à quelle classe sociale pouvait appartenir cet homme. Quant aux Français, ils le suivaient des yeux avec surprise parce qu'à l'encontre de tous les autres Russes qui les regardaient avec une curiosité craintive, il ne leur prêtait aucune attention. À la porte cochère d'une maison, trois Français qui parlaient à des Russes sans parvenir à se faire comprendre arrêtèrent Pierre pour lui demander s'il ne savait pas le français.

Pierre fit non de la tête et poursuivit son chemin. Dans une autre ruelle, un factionnaire qui montait la garde devant un caisson vert lui cria quelque chose et ce ne fut qu'à une seconde sommation menaçante et au bruit du fusil qu'il épaulait que Pierre comprit qu'il devait passer de l'autre côté de la rue. Il n'entendait ni ne voyait rien autour de lui. Avec hâte et avec horreur, il portait en lui son projet comme une chose terrible et étrangère, craignant – instruit par l'expérience de la nuit précédente – de le perdre. Mais il ne fut pas donné à Pierre de conserver son état d'âme intact jusqu'à l'endroit vers lequel il se dirigeait. Au surplus, même si rien ne l'avait retenu en route, son projet n'aurait pu être exécuté, pour la bonne raison qu'il y avait plus de quatre heures que Napoléon était passé du faubourg de Dorogomilov, par l'Arbate, au Kremlin et que maintenant, dans les dispositions d'esprit les plus sombres, il était installé dans le cabinet des tsars et donnait des ordres détaillés, circonstanciés, sur les mesures immédiates à prendre pour éteindre l'incendie, prévenir le maraudage et tranquilliser la population. Mais Pierre ne le savait pas ; entièrement absorbé par ce qui devait s'accomplir, il se tourmentait comme se tourmentent ceux qui s'obstinent à entreprendre l'impossible, non pas à cause des difficultés mais à cause de l'incompatibilité de son projet avec sa nature ; il tremblait de peur de faiblir au moment décisif et par conséquent de perdre toute estime de lui-même.

Bien qu'il ne vît ni n'entendît rien autour de lui, il se dirigeait d'instinct, sans se tromper dans le choix des ruelles qui devaient le conduire à la rue Povarskaia.

À mesure que Pierre approchait de la rue Povarskaia, la fumée devenait même de plus en plus forte, la chaleur de l'incendie se faisait même sentir. Par instants, des langues de feu jaillissaient des toits des maisons. On rencontrait plus de monde dans les rues et les gens étaient plus inquiets. Mais bien que Pierre sentît que quelque chose d'insolite se passait autour de lui, il ne se rendait pas compte qu'il approchait de l'incendie. Tandis qu'il suivait un sentier qui traversait un grand terrain vague attenant d'un côté à la rue Povarskaia, de l'autre aux jardins de l'hôtel du prince Grouzinski, il entendit subitement, tout à côté de lui, les sanglots déchirants d'une femme. Il s'arrêta comme s'il sortait d'un rêve et leva la tête.

À côté du sentier, sur l'herbe desséchée et poussiéreuse, s'entassaient des objets de ménage : édredons, samovar, icônes et malles. Par terre, près des malles, était assise une femme maigre d'un certain âge, avec de longues dents en avant, vêtue d'une rotonde noire et coiffée d'un bonnet. Cette femme se balançait en se lamentant et pleurait à chaudes larmes en répétant quelque chose. Deux petites filles de dix à douze ans, vêtues de robes sales et courtes et de petits manteaux, regardaient leur mère avec une expression de perplexité sur leurs visages pâles et effrayés. Un petit garçon plus jeune, de sept ans environ, vêtu d'une blouse et coiffé d'une énorme casquette trop grande pour lui, pleurait dans les bras d'une vieille bonne. Une servante sale et nu-pieds était assise sur une malle et ayant défait sa natte blond filasse, en arrachait des cheveux roussis qu'elle portait à son nez. Le mari, un homme voûté de petite taille, en uniforme de fonctionnaire, avec des favoris en collier et les tempes lisses que découvrait sa casquette mise bien droit, remuait, le visage figé, les malles posées les unes sur les autres et tirait de dessous des vêtements.

La femme se jeta presque aux pieds de Pierre en l'apercevant.

« Bonnes gens, chrétiens orthodoxes, sauvez-nous, aidez-nous, aidez-nous, mon brave monsieur !... que quelqu'un nous vienne en aide, dit-elle à travers ses sanglots. Ma petite fille !... Ma fille !... On a laissé ma petite cadette !... Elle est brûlée ! Oh ! oh ! oh ! est-ce pour cela que je t'ai dorlotée... Oh ! oh ! oh !

– Allons, Maria Nicolaievna, lui dit posément son mari, uniquement sans doute pour se justifier devant un tiers. Ta sœur a dû l'emporter, autrement où pourrait-elle être ! ajouta-t-il.

– Monstre, scélérat ! cria haineusement la femme en cessant brusquement de pleurer. Tu n'as pas de cœur, tu n'as pas pitié de ton enfant. Un autre l'aurait tirée du feu. Et celui-là est un monstre, ce n'est pas un homme, pas un père. Vous êtes un noble cœur, dit-elle à Pierre avec volubilité et en sanglotant. Il y avait le feu à côté et ça a pris chez nous... La servante a crié : “au feu !” On s'est précipité pour ramasser les affaires. Nous nous sommes jetés dehors avec ce que nous avions sur le dos... Voilà ce que nous avons pu emporter... L'icône et le lit du trousseau, tout le reste est perdu. Je regarde : Katia n'est pas là. Oh ! oh ! oh ! Oh ! Seigneur !... » et elle se remit à sangloter. « Ma petite enfant chérie, elle est brûlée, brûlée !

– Mais où donc est-elle restée, où ? » demanda Pierre. À l'animation de son visage, la femme comprit que cet homme pouvait l'aider.

« Mon bon monsieur ! cria-t-elle en lui entourant les genoux de ses bras. Mon bienfaiteur, rassure au moins mon cœur... Aniska, va, vilaine, montre-lui le chemin, cria-t-elle à la servante en ouvrant une bouche irritée et en découvrant encore davantage ses longues dents.

– Conduis-moi, conduis-moi, je... je... je le ferai », dit précipitamment Pierre d'une voix haletante.

La servante crasseuse sortit de derrière le coffre, arrangea sa natte et avec un soupir, marchant sur ses larges pieds nus, prit les devants sur le sentier. Pierre semblait soudain revenir à la vie après un profond évanouissement. Il redressa la tête, l'éclat de la vie s'alluma dans ses yeux et, d'un pas rapide, il suivit la servante, la dépassa et déboucha dans la rue Povarskaia. Toute la rue était enveloppée d'un nuage de fumée noire. Des langues de feu s'en échappaient par endroits. Une foule nombreuse se pressait devant l'incendie. Au milieu de la rue, un général français disait quelque chose à ceux qui l'entouraient. Pierre, accompagné de la servante, allait s'approcher de l'endroit où se tenait le général, mais des soldats français l'arrêtèrent.

« *On ne passe pas*, lui cria une voix.

– Par ici, cria la servante, nous prendrons par la ruelle et la cour des Nicouline. »

Pierre rebroussa chemin et la suivit en faisant de temps à autre de grandes enjambées pour ne pas rester en arrière. La servante traversa en courant la rue, prit à gauche par une ruelle et, trois maisons plus loin, tourna à droite sous une porte cochère.

« C'est tout de suite là », dit-elle et traversant la cour au pas de course elle ouvrit la petite porte d'une palissade et s'arrêtant montra à Pierre un petit pavillon en bois qui brûlait d'une flamme claire en répandant une forte chaleur. Un côté était écroulé, l'autre flambait et des flammes s'échappaient vives par les ouvertures des fenêtres et du toit.

Lorsque Pierre franchit la petite porte, la chaleur le saisit et il s'arrêta malgré lui.

« Laquelle est votre maison, laquelle ? demanda-t-il.

– O-o-oh ! hurla la servante en montrant le pavillon. La voilà,.c'était là notre logement. Tu es brûlée, notre trésor, Katia, ma chère demoiselle, o-oh ! » hurla Aniska à la vue de l'incendie, éprouvant le besoin de manifester elle aussi ses sentiments.

Pierre voulut s'approcher du pavillon, mais la chaleur était si intense qu'il dut le contourner et se trouva près d'une grande maison dont seul un côté du toit brûlait et autour de laquelle grouillait une foule de Français. Pierre ne comprit pas tout d'abord ce que faisaient ces Français qui traînaient quelque chose ; mais lorsqu'il vit l'un d'eux frapper un paysan du plat de son briquet en cherchant à lui arracher une pelisse de renard, il comprit confusément qu'on était en train de piller, mais il n'avait pas le loisir de s'attarder sur cette pensée.

Le craquement et le fracas des murs et des plafonds qui croulaient, le sifflement et le ronflement du feu, les cris excités de la foule, la vue des nuages de fumée, qui tantôt s'accumulaient noirs et épais, tantôt s'élançaient plus clairs, pailletés d'étincelles, la vue des flammes qui léchaient les murs, ici rouges et compactes comme des gerbes, là semblables à des écailles dorées, la sensation de chaleur, la fumée et l'agitation produisirent sur Pierre l'effet habituel et excitant des incendies. Cet effet était d'autant plus fort qu'à la vue de l'incendie il s'était brusquement senti délivré des pensées qui lui pesaient. Il se sentit jeune, gai, adroit et résolu. Il fit en courant le tour du pavillon du côté de la maison et il voulait déjà s'élancer dans la partie qui tenait encore quand, juste au-dessus de sa tête, il entendit crier plusieurs voix et, aussitôt après, un craquement et le bruit métallique de quelque chose de lourd qui tombait à côté de lui.

Pierre se retourna et vit aux fenêtres de la maison des Français qui venaient de jeter dehors un tiroir de commode rempli d'objets en métal. D'autres soldats français restés en bas s'approchèrent du tiroir.

« *Eh bien, qu'est-ce qu'il veut celui-là*, cria l'un d'eux en apercevant Pierre.

– *Un enfant dans cette maison. N'avez-vous pas vu un enfant ?* dit Pierre.

– *Tiens, qu'est-ce qu'il chante celui-là ? Va te promener* », dirent des voix et l'un des soldats, craignant visiblement que Pierre ne s'avisât de leur disputer l'argenterie et les bronzes du tiroir, avança sur lui, menaçant.

« *Un enfant ?* cria d'en haut un des Français, *j'ai entendu piailler quelque chose au jardin. Peut-être c'est son moutard, au bonhomme. Faut être humain, voyez-vous... – Où est-il? Où est-il?* demanda Pierre. *Par ici! Par ici!* lui cria le Français à la fenêtre en montrant le jardin derrière la maison. *Attendez, je vais descendre.* » Et, en effet, au bout d'un instant, le Français, un garçon aux yeux noirs avec une tache sur la joue, en manches de chemise, sauta d'une fenêtre du rez-de-chaussée et tapant Pierre sur l'épaule courut avec lui dans le jardin. « *Dépêchez-vous, vous autres*, cria-t-il à ses camarades, *commence à faire chaud.* »

Débouchant derrière la maison sur un sentier sablé, le Français tira Pierre par le bras et lui montra quelque chose de rond. Sous un banc était étendue une petite fille de trois ans en robe rose.

« *Voilà votre moutard. Ah! une petite, tant mieux*, dit-il. *Au revoir, mon gros. Faut être humain. Nous sommes tous mortels, voyez-vous* », et le Français à la tache sur la joue courut rejoindre ses camarades.

Pierre, suffoquant de joie, courut vers la petite et voulut la prendre dans ses bras. Mais, à la vue d'un inconnu, la fillette maladive et scrofuleuse, d'aspect déplaisant, qui ressemblait à sa mère, se mit à crier et s'enfuit. Pierre la saisit cependant et la souleva dans ses bras; elle hurla d'une voix pleine de colère sauvage et chercha de ses menottes à lui faire lâcher prise et à lui mordre les mains de sa bouche morveuse. Une sensation d'horreur et de dégoût saisit Pierre, semblable à celle qu'il éprouvait au contact d'un petit animal. Pourtant il fit un effort sur lui-même pour ne pas lâcher l'enfant et courut avec elle vers la grande maison. Mais on ne pouvait plus revenir par le même chemin. Aniska n'était plus là, et avec un sentiment de pitié et de répulsion, serrant contre lui le plus tendrement qu'il pouvait la petite fille trempée qui sanglotait violemment, Pierre s'élança à travers le jardin à la recherche d'une autre issue.

XXXIV

Quand Pierre, passant par des cours et des ruelles, revint avec son fardeau vers le jardin de Grouzinski, au coin de la rue Povarskaia, il ne reconnut pas au premier abord l'endroit d'où il était parti à la recherche de l'enfant, tant il était encombré de gens et d'objets traînés hors des maisons. Outre les familles russes avec leurs biens qui s'étaient mises ici à l'abri de l'incendie, il y avait quelques soldats français en tenues diverses. Pierre ne fit pas attention à eux. Il avait hâte de retrouver la famille du fonctionnaire afin de rendre la fillette à sa mère et de retourner sauver quelqu'un d'autre. Il lui semblait qu'il avait encore beaucoup à faire d'urgence. Échauffé par les flammes et sa course, il éprouvait encore plus fortement en cet instant cette sensation de jeunesse, d'exaltation et de décision qui s'était emparée de lui quand il s'était précipité au secours de l'enfant. La petite fille s'était calmée et, s'accrochant de ses menottes au caftan de Pierre, était installée sur son bras en regardant autour d'elle comme un petit animal sauvage. Pierre lui jetait un coup d'œil de temps à autre en souriant légèrement. Il lui semblait voir quelque chose de touchant et d'innocent dans ce petit visage effrayé et maladif.

Ni le fonctionnaire ni sa femme n'étaient plus au même endroit. Pierre marchait d'un pas rapide au milieu de la foule en dévisageant ceux qu'il rencontrait. Il remarqua malgré lui une famille géorgienne ou arménienne composée d'un très vieil homme au beau visage de type oriental, vêtu d'une pelisse neuve recouverte de drap et chaussé de bottes neuves, d'une vieille du même type et d'une jeune femme. Cette très jeune femme parut à Pierre la perfection de la beauté orientale, avec ses sourcils noirs bien arqués et son beau visage allongé d'un rose extraordinairement tendre, sans aucune expression. Au milieu des objets éparpillés, dans cette foule sur la place, elle rappelait, avec sa riche rotonde de satin et le foulard violet vif qui lui couvrait la tête, une délicate plante de serre jetée sur la neige. Elle était assise sur des ballots, un peu en arrière de la vieille, et, de ses grands yeux en amande noirs et fixes, ombrés de longs cils, regardait à terre. Visiblement, elle se savait belle et craignait pour sa beauté. Ce visage frappa Pierre qui, malgré sa hâte, se retourna plusieurs fois en longeant une clôture. Arrivé au bout de la clôture sans avoir trouvé ceux qu'il cherchait, il s'arrêta en promenant les yeux autour de lui.

La silhouette de Pierre avec un enfant dans les bras se faisait encore plus remarquer qu'auparavant, et plusieurs Russes, hommes et femmes, se rassemblèrent autour de lui.

« As-tu perdu quelqu'un, brave homme ? – Vous êtes un noble, n'est-ce pas ? À qui est cet enfant ? » lui demandait-on.

Pierre répondit que l'enfant était à une femme en rotonde noire qui était assise à cette place avec ses enfants et demanda si personne ne savait où elle était allée.

« Ce doit être les Anferov, dit un vieux diacre en s'adressant à une femme grêlée. Seigneur, aie pitié de nous, Seigneur, aie pitié de nous… ajouta-t-il d'une voix de basse rituelle.

– Comment ça, les Anferov ? dit la femme. Les Anferov sont partis ce matin. Ça doit être Maria Nicolaievna ou bien les Ivanov.

– Il dit une femme, et Maria Nicolaievna est une dame, intervint un domestique.

– Mais vous devez la connaître, une maigre, avec de longues dents, dit Pierre.

– C'est bien Maria Nicolaievna. Ils sont allés dans le jardin quand ces loups ont fondu sur nous, dit la femme en montrant les soldats français.

– Oh ! Seigneur, aie pitié de nous, ajouta de nouveau le diacre.

– Allez donc là-bas, ils y sont. C'est bien elle. Elle n'arrêtait pas de se lamenter, de pleurer, reprit la femme. C'est bien elle. Tenez, par ici. »

Mais Pierre n'écoutait pas la femme. Depuis plusieurs secondes déjà, il ne quittait pas des yeux ce qui se passait à quelques pas de lui. Il regardait la famille arménienne et deux soldats français qui s'étaient approchés d'elle. L'un de ces soldats, un petit homme sémillant, portait une capote bleue ceinturée d'une corde. Sur la tête, il avait un bonnet et ses pieds étaient nus. L'autre, qui attira particulièrement l'attention de Pierre, était un long individu blond, maigre et voûté, aux gestes lents et à l'expression stupide. Il portait une capote de frise, une culotte bleue et de grandes bottes à l'écuyère déchirées. Le petit Français, celui qui était sans bottes et en capote bleue, s'approcha des Arméniens et disant quelque chose saisit aussitôt les jambes du vieillard qui incontinent se hâta d'enlever ses bottes. Celui qui était en capote s'était arrêté devant la belle Arménienne et sans mot dire, immobile, les mains dans les poches, la regardait.

« Prends, prends l'enfant, dit Pierre en hâte à la femme lui tendant la petite et parlant d'un ton impératif. Rends-la-leur, rends-la ! » cria-t-il presque en posant par terre la petite fille qui hurlait, et il se retourna vers les Français et la famille arménienne. Le vieillard était déjà pieds nus. Le petit Français lui avait enlevé sa deuxième botte qu'il frappait contre l'autre. Le vieillard disait quelque chose en pleurant, mais Pierre ne vit cela que fugitivement ; toute son attention était absorbée par l'autre Français en capote qui, à ce moment, se rapprochait en se balançant lentement de la jeune femme et, retirant les mains de ses poches, la saisit au cou.

La belle Arménienne restait toujours immobile dans la même position, ses longs cils baissés, et ne semblait ni voir ni sentir ce que lui faisait le soldat.

Pendant que Pierre franchissait les quelques pas qui le séparaient des Français, le long maraudeur en capote avait déjà arraché du cou de l'Arménienne le collier qu'elle portait, et la jeune femme, les mains à son cou, criait d'une voix stridente.

« *Laissez cette femme !* » rugit Pierre d'une voix pleine de rage en empoignant le long soldat voûté par les épaules et en le repoussant. Le soldat tomba, se releva et s'enfuit. Mais son camarade, jetant les bottes, tira son briquet et avança sur Pierre d'un air menaçant.

« *Voyons, pas de bêtises !* » cria-t-il.

Pierre était dans cette exaltation de la fureur où il ne se connaissait plus et qui décuplait ses forces. Il se jeta sur le Français nu-pieds et, avant que l'autre eût eu le temps de tirer son briquet, il l'avait déjà envoyé rouler par terre et le martelait de coups de poing. Des cris approbateurs s'élevèrent dans la foule et, au même instant, une patrouille de lanciers français à cheval déboucha au coin de la rue. Les lanciers s'approchèrent au trot de Pierre et du Français et les entourèrent. Pierre ne sut plus rien de ce qui se passa ensuite. Il se souvenait seulement qu'il avait frappé quelqu'un, qu'on l'avait frappé et qu'à la fin il avait senti que ses mains étaient liées, qu'une foule de soldats français l'entouraient et le fouillaient.

« *Il a un poignard, lieutenant*, furent les premières paroles que comprit Pierre.

– *Ah! une arme!* dit l'officier, et il se tourna vers le soldat nu-pieds pris en même temps que Pierre.

– *C'est bon, vous direz tout cela au conseil de guerre* », dit-il. Puis il se retourna vers Pierre : « *Parlez-vous français, vous ?* »

Pierre promenait autour de lui ses yeux injectés de sang et ne répondait pas. Son visage dut paraître effrayant, car l'officier dit quelque chose à voix basse et quatre autres lanciers se détachèrent du peloton et vinrent l'encadrer.

« *Parlez-vous français ?* répéta l'officier, se tenant à distance de Pierre. *Faites venir l'interprète.* » Un petit homme en vêtements civils russes sortit des rangs. À son costume et à son langage, Pierre le reconnut aussitôt pour un Français d'un magasin de Moscou.

« *Il n'a pas l'air d'un homme du peuple*, dit l'interprète après avoir examiné Pierre.

– *Oh ! oh ? ça m'a bien l'air d'un des incendiaires*, dit l'officier. *Demandez-lui ce qu'il est*, ajouta-t-il.

– Qui es-tu ? demanda l'interprète. Tu dois répondre aux autorités.

– *Je ne vous dirai pas qui je suis. Je suis votre prisonnier. Emmenez-moi*, dit soudain Pierre en français.

– *Ah ! Ah !* fit l'officier en fronçant les sourcils. *Marchons !* »

Une foule s'était rassemblée autour des lanciers. La femme grêlée avec la petite fille était tout près de Pierre ; quand la patrouille s'ébranla, elle s'avança.

« Où t'emmène-t-on, mon pauvre ? dit-elle. Et la petite, qu'est-ce que je ferai de la petite si elle n'est pas à eux !

– *Qu'est-ce qu'elle veut, cette femme ?* » demanda l'officier.

Pierre était comme ivre. Son exaltation grandit encore à la vue de la petite fille qu'il avait sauvée.

« *Ce qu'elle dit ?* prononça-t-il. *Elle m'apporte ma fille que je viens de sauver des flammes. Adieu !* » et sans savoir lui-même comment avait pu lui échapper ce mensonge inutile, il avança d'un pas décidé et solennel entre les Français.

Cette patrouille française était l'une de celles qui, par ordre de Durosnel, avaient été envoyées dans les rues de Moscou pour mettre fin au maraudage et surtout pour faire la chasse aux incendiaires qui, selon l'opinion générale émise ce jour-là parmi les Français, étaient cause des sinistres. Ayant parcouru encore plusieurs rues, la patrouille emmena cinq autres Russes suspects, un boutiquier, deux séminaristes, un paysan et un domestique, ainsi que quelques maraudeurs. Mais de tous les suspects celui qui paraissait l'être le plus était Pierre. Lorsqu'on les amena tous pour la nuit dans une grande maison du rempart de Zoubovo où avait été installé un poste de police, Pierre fut placé à part sous une garde sévère.

LIVRE QUATRIÈME

PREMIÈRE PARTIE

I

À Pétersbourg, dans les hautes sphères, la lutte complexe entre les partisans de Roumiantzev, des Français, de Marie Fédorovna, du tsarevitch et d'autres se poursuivait avec plus d'acharnement que jamais, assourdie comme toujours par le bourdonnement des frelons de la cour. Mais l'existence calme et luxueuse de Pétersbourg, préoccupée seulement de mirages, de reflets de la vie, suivait son cours normal ; et cela obligeait à faire de grands efforts pour prendre conscience du danger et de la situation difficile dans laquelle se trouvait le peuple russe. C'étaient toujours les mêmes réceptions à la cour, les mêmes bals, le même théâtre français, les mêmes intérêts de cour, les mêmes intérêts de service et les mêmes intrigues. Dans les sphères les plus élevées seulement, on faisait l'effort nécessaire pour faire comprendre la difficulté de la situation présente. On parlait à voix basse de l'attitude absolument opposée qu'avaient adoptée, dans ces circonstances difficiles, les deux impératrices. L'impératrice Marie Fédorovna, soucieuse du bien-être des établissements d'éducation et hospitaliers placés sous son patronage, avait donné des instructions pour leur évacuation à Kazan et les biens de ces établissements étaient déjà emballés. Quant à l'impératrice Élisabeth Alexeievna, lorsqu'on lui avait demandé ses ordres, elle avait bien voulu répondre, avec le patriotisme russe qui était le sien, qu'il ne lui appartenait pas d'en donner en ce qui concerne les services de l'État car cela regardait l'empereur ; mais pour ce qui dépendait d'elle personnellement, elle avait déclaré qu'elle serait la dernière à quitter Pétersbourg.

Le 26 août, le jour même de la bataille de Borodino, Anna Pavlovna donnait une soirée dont le clou devait être la lecture de la lettre que Son Éminence avait adressée à l'empereur pour accompagner l'envoi d'une icône de saint Serge. Cette lettre passait pour un modèle d'éloquence patriotique et religieuse. Le prince Vassili, réputé pour son talent de lecteur, devait la lire en personne. (Il lui arrivait de lire chez l'impératrice elle-même.) Ce talent consistait à égrener les mots d'une voix forte, chantante, allant du hurlement à un tendre roucoulement, sans aucun souci du sens, si bien que tout à fait au hasard le hurlement tombait sur un mot, le roucoulement sur un autre. Cette lecture, comme toutes les soirées d'Anna Pavlovna, avait une nuance politique. Plusieurs importants personnages devaient y assister, à qui il fallait insuffler des sentiments patriotiques et faire honte parce qu'ils fréquentaient le théâtre français. Il y avait déjà pas mal de monde, mais Anna Pavlovna ne voyait pas encore dans son salon tous ceux qu'elle attendait, aussi retardant la lecture avait-elle engagé une conversation générale.

La nouvelle du jour était à Pétersbourg la maladie de la comtesse Bezoukhov. La comtesse était subitement tombée malade quelques jours plus tôt, avait manqué plusieurs réunions dont elle était l'ornement, et l'on disait qu'elle ne recevait personne et qu'au lieu des célèbres médecins de Pétersbourg qui la soignaient d'habitude, elle s'était confiée à un médecin italien qui la traitait selon une méthode nouvelle et extraordinaire.

Tout le monde savait fort bien que la maladie de la charmante comtesse provenait de la difficulté qu'il y avait à épouser deux hommes à la fois et que le traitement de l'Italien consistait à écarter cette difficulté ; pourtant, en présence d'Anna Pavlovna, non seulement personne n'osait y songer mais on semblait même l'ignorer.

« *On dit que la pauvre comtesse est très mal. Le médecin dit que c'est l'angine pectorale.*

– *L'angine ? Oh ! c'est une maladie terrible !*

– *On dit que les rivaux se sont réconciliés grâce à l'angine...* » On répétait le mot *angine* avec beaucoup de plaisir.

« *Le vieux comte est touchant, à ce qu'on dit. Il a pleuré comme un enfant quand le médecin lui a dit que le cas était dangereux.*

– *Oh ! ce serait une perte terrible. C'est une femme ravissante.*

– *Vous parlez de la pauvre comtesse*, dit Anna Pavlovna en s'approchant. *J'ai envoyé savoir de ses nouvelles. On m'a dit qu'elle allait un peu mieux. Oh ! sans doute, c'est la plus charmante femme du monde*, ajouta-t-elle en souriant de son propre enthousiasme. *Nous appartenons à des camps différents, mais cela ne m'empêche pas de l'estimer comme elle le mérite. Elle est bien malheureuse.* »

Supposant que, par ces mots, Anna Pavlovna soulevait légèrement le voile de mystère qui recouvrait la maladie de la comtesse, un jeune homme imprudent se permit d'exprimer sa surprise de ce qu'au lieu de mander des médecins connus, la comtesse fût soignée par un charlatan qui pouvait lui administrer des remèdes dangereux.

« *Vos informations peuvent être meilleures que les miennes*, dit Anna Pavlovna d'un ton venimeux en prenant soudain à partie le jeune homme sans expérience. *Mais je sais de bonne source que ce médecin est un homme très savant et très habile. C'est le médecin intime de la reine d'Espagne.* » Et ayant anéanti ainsi le jeune homme, Anna Pavlovna se tourna vers Bilibine qui, dans un autre groupe, plissant le front et se disposant visiblement à le dérider pour faire *un mot*, parlait des Autrichiens.

« *Je trouve que c'est charmant !* » disait-il à propos d'une note diplomatique adressée à Vienne pour accompagner des drapeaux autrichiens pris par Wittgenstein, le *héros de Pétropol* (comme on l'appelait à Pétersbourg).

« Comment, comment dites-vous ? » lui demanda Anna Pavlovna, désireuse d'établir le silence pour faire entendre le *mot* qu'elle connaissait déjà.

Et Bilibine répéta les termes mêmes de la dépêche diplomatique qu'il avait rédigée :

« *L'Empereur renvoie les drapeaux autrichiens, drapeaux amis et égarés qu'il a trouvés hors de la route*, dit-il en déplissant son front.

– *Charmant, charmant*, dit le prince Vassili.

– *C'est la route de Varsovie peut-être* », dit brusquement et d'une voix forte le prince Hippolyte. Tout le monde se retourna vers lui sans comprendre ce qu'il voulait dire. Le prince Hippolyte de son côté regardait autour de lui avec une joyeuse surprise. Pas plus que les autres, il ne comprenait ce que signifiaient ses paroles. Au cours de sa carrière diplomatique, il avait plus d'une fois remarqué qu'un mot dit ainsi à brûle-pourpoint était jugé très spirituel, et à tout hasard il avait dit les premiers mots qui lui étaient venus aux lèvres et à l'esprit. « Ce sera peut-être très réussi, avait-il pensé, et dans le cas contraire, ils sauront bien arranger cela. » En effet, au moment où s'établissait un silence gêné, le personnage insuffisamment patriote qu'attendait Anna Pavlovna fit son entrée et celle-ci, souriante et menaçant Hippolyte du doigt, invita le prince Vassili à s'installer près de la table, lui apporta deux bougies et le manuscrit, et le pria de commencer. Tout se tut.

« Très gracieux souverain et empereur ! » proclama sévèrement le prince Vassili en jetant un regard sur son auditoire comme pour demander si personne n'avait d'objection à faire à cela. Mais personne ne dit rien. « Moscou, notre première capitale, la Nouvelle Jérusalem, reçoit SON Christ », et le prince Vassili accentua soudain le mot « son », « comme une mère accueille dans ses bras ses fils zélés, et à travers les ténèbres, qui s'épaississent, prévoyant la gloire éclatante de ton règne chante avec transport : Hosanna, béni soit celui qui vient ! » Le prince Vassili prononça ces derniers mots d'une voix pleine de larmes.

Bilibine examinait attentivement ses ongles et beaucoup d'assistants étaient visiblement intimidés, comme s'ils se demandaient en quoi ils étaient coupables. Anna Pavlovna répétait d'avance dans un murmure, comme une vieille sa prière avant la communion : « Que le téméraire et impudent Goliath… »

Le prince Vassili poursuivit :

« Que le téméraire et impudent Goliath venu des confins de la France répande sur la terre russe ses horreurs meurtrières ; l'humble foi, cette fronde du David russe, abattra soudain la tête de son arrogance sanguinaire. Cette icône de saint Serge, antique zélateur du bonheur de notre patrie, sera présentée à Votre Majesté Impériale. Je déplore que mes forces déclinantes me privent du bonheur de contempler votre auguste face. J'adresse d'ardentes prières au Ciel pour que le Tout-Puissant élève très haut la race des justes et exauce pour le bien les vœux de Votre Majesté. »

« *Quelle force ! Quel style !* » dit-on en hommage au lecteur et à l'auteur. Enthousiasmés par ce texte, les invités d'Anna Pavlovna parlèrent longtemps encore de la situation de la patrie et avancèrent des pronostics sur l'issue de la bataille qui devait être livrée incessamment.

« *Vous verrez*, dit Anna Pavlovna, nous aurons des nouvelles demain, le jour de l'anniversaire de l'empereur. J'ai un bon pressentiment. »

II

Le pressentiment d'Anna Pavlovna se réalisa en effet. Le lendemain, pendant le *Te Deum* chanté au palais à l'occasion de l'anniversaire de l'empereur, le prince Volkonski fut mandé hors de l'église et reçut un pli de la part du prince Koutouzov. C'était le rapport établi le jour de la bataille de Tatarinovo. Koutouzov écrivait que les Russes n'avaient pas reculé d'un pas, que les pertes françaises étaient bien plus lourdes que les nôtres, qu'il rédigeait son rapport à la hâte, sur le champ de bataille, sans avoir encore pu réunir les derniers renseignements. Par conséquent, c'était bien une victoire. Et aussitôt, sans quitter l'église, on adressa au Créateur des actions de grâces pour Son aide et pour la victoire.

Le pressentiment d'Anna Pavlovna s'était vérifié et, pendant toute la matinée, la ville fut en liesse. Tout le monde croyait la victoire complète et certains parlaient déjà de la capture de Napoléon, de sa déposition et du choix d'un nouveau chef pour la France.

Loin de l'action et dans l'atmosphère de la cour, les événements ne peuvent que bien malaisément apparaître dans toute leur ampleur et leur force. Qu'on le veuille ou non, les événements d'ordre général se groupent d'eux-mêmes autour d'un fait particulier. Ainsi, en ce moment, la joie des courtisans avait pour cause principale aussi bien notre victoire que le fait que la nouvelle de cette victoire était arrivée le jour même de l'anniversaire de l'empereur. C'était comme une surprise réussie. Le rapport de Koutouzov faisait également état des pertes russes et, dans le nombre, citait les noms de Toutchkov, Bagration, Koutaïssov. Et le côté triste de l'événement se groupa de lui-même, dans le monde de Pétersbourg, autour d'un seul fait : la mort de Koutaïssov. Chacun le connaissait, l'empereur l'aimait, il était jeune et séduisant. Ce jour-là en se rencontrant tous se disaient :

« Quelle étonnante coïncidence ! Juste pendant le *Te Deum*. Mais quelle perte, Koutaïssov ! Ah ! quel dommage !

– Que vous disais-je de Koutouzov ? disait maintenant le prince Vassili avec la fierté d'un prophète. J'ai toujours dit qu'il était seul capable de vaincre Napoléon. »

Mais, le lendemain, il n'y eut aucune nouvelle de l'armée et l'opinion générale tourna à l'inquiétude. Les courtisans souffraient en voyant l'empereur souffrir de l'incertitude.

« Quelle situation que celle de l'empereur ! » disaient-ils, et ils ne portaient plus Koutouzov aux nues comme l'avant-veille, mais le blâmaient d'être la cause de l'inquiétude de l'empereur. Le prince Vassili ne vanta plus ce jour-là son *protégé* Koutouzov, mais garda le silence quand il était question du commandant en chef. De surcroît, le même soir, ce fut comme si tout conspirait pour plonger les Pétersbourgeois dans le trouble et l'inquiétude ; une autre nouvelle affreuse vint s'y ajouter. La comtesse Hélène Vassilievna Bezoukhov venait de mourir subitement de cette terrible maladie dont on se plaisait tant à prononcer le nom. Officiellement, chacun disait dans le monde que la comtesse Bezoukhov avait succombé à un violent accès d'*angine pectorale*, cependant qu'en petit comité on racontait en détail que le *médecin intime de la reine d'Espagne* avait prescrit de petites doses d'un médicament destiné à produire un certain effet ; mais qu'Hélène, tourmentée de se voir soupçonnée par le vieux comte et de ne pas recevoir de réponse de son mari (ce malheureux Pierre débauché) à qui elle avait écrit, avait soudain pris une énorme dose du médicament prescrit et était morte dans de grandes souffrances avant qu'on eût pu lui porter secours. On racontait que le prince Vassili et le vieux comte avaient voulu s'en prendre à l'Italien, mais que l'Italien avait produit de tels billets de la malheureuse défunte qu'on l'avait aussitôt laissé tranquille.

La conversation se concentra sur les trois événements navrants : l'incertitude de l'empereur, la mort de Koutaïssov et celle d'Hélène.

Le surlendemain du rapport de Koutouzov, un propriétaire terrien arriva à Pétersbourg de Moscou, et dans toute la ville se répandit la nouvelle de l'abandon de Moscou aux Français. C'était affreux ! Quelle situation pour l'empereur ! Koutouzov était un traître et le prince Vassili, pendant les *visites de condoléances* qu'on lui faisait à l'occasion de la mort de sa fille, disait de ce Koutouzov qu'il couvrait naguère de louanges (il était excusable dans sa douleur d'oublier ce qu'il avait dit auparavant) qu'on ne pouvait rien attendre d'autre d'un vieillard aveugle et débauché.

« Ce qui m'étonne seulement, c'est qu'on ait pu confier à un tel homme le sort de la Russie. »

Tant que la nouvelle n'était pas officielle, on pouvait encore en douter mais, le lendemain, le rapport suivant fut reçu du comte Rostoptchine :

« Un aide de camp du prince Koutouzov m'a apporté une lettre par laquelle il me demande des officiers de police pour conduire l'armée sur la route de Riazan. Il dit abandonner Moscou avec regret. Sire ! l'acte de Koutouzov décide du sort de la capitale et de votre Empire. La Russie frémira d'horreur en apprenant l'abandon de la ville qui incarne la grandeur de la Russie, où reposent les cendres de vos ancêtres. Je suivrai l'armée. J'ai fait tout évacuer, il ne me reste qu'à pleurer sur le sort de ma patrie. »

Ce rapport reçu, l'empereur fit porter à Koutouzov par le prince Volkonski le rescrit suivant :

« Prince Michel Ilarionovitch. Depuis le 29 août, je n'ai reçu aucun rapport de vous. Cependant, à la date du 1er septembre, m'est parvenu, par Iaroslavl, un rapport du gouverneur général de Moscou m'apprenant la triste nouvelle que vous aviez décidé d'abandonner Moscou avec l'armée. Vous pouvez vous imaginer l'impression que m'a faite cette nouvelle, et votre silence accroît encore ma stupeur. Je vous envoie la présente par le général aide de camp prince Volkonski afin d'apprendre de vous la situation de l'armée et les raisons qui vous ont conduit à une si navrante décision. »

III

Neuf jours après l'abandon de Moscou, un envoyé de Koutouzov en apporta à Pétersbourg la nouvelle officielle. Cet envoyé était le Français Michaux qui ne savait pas le russe mais était, *quoique étranger, Russe de cœur et d'âme*, comme il disait.

L'empereur le reçut immédiatement dans son cabinet, au palais de Kamenni Ostrov ; Michaux, qui n'avait jamais vu Moscou avant la campagne et qui ne savait pas le russe, se sentait néanmoins ému en se présentant devant *notre très gracieux souverain* (comme il l'a écrit) avec la nouvelle de l'incendie de Moscou *dont les flammes éclairaient sa route.*

Bien que la source du *chagrin* de M. Michaux dût être différente de celle des Russes, Michaux avait un air si affligé quand il fut introduit dans le cabinet de l'empereur que celui-ci lui demanda aussitôt :

« *M'apportez-vous de tristes nouvelles, colonel ?*

– *Bien tristes, Sire*, répondit Michaux avec un soupir en baissant les yeux, *l'abandon de Moscou.*

– *Aurait-on livré mon ancienne capitale sans se battre ?* » prononça l'empereur avec vivacité.

Michaux transmit respectueusement le message de Koutouzov, c'est-à-dire qu'il était impossible de se battre sous les murs de Moscou, et comme il ne restait d'autre choix qu'entre la perte de l'armée et de Moscou ou celle de Moscou seule, le maréchal avait dû choisir cette dernière solution.

L'empereur écouta en silence sans regarder Michaux.

« *L'ennemi est-il en ville ?* demanda-t-il.

– *Oui, Sire, et elle est en cendres à l'heure qu'il est. Je l'ai laissée tout en flammes* », dit résolument Michaux, mais, après un regard sur l'empereur, il fut épouvanté de ce qu'il avait fait. L'empereur avait le souffle court et rapide, sa lèvre inférieure tremblait et ses magnifiques yeux bleus étaient remplis de larmes.

Mais cela ne dura qu'un instant. Il fronça soudain les sourcils comme s'il se reprochait sa faiblesse. En relevant la tête, il dit à Michaux d'une voix ferme :

« *Je vois, colonel, par tout ce qui nous arrive, que la Providence exige de grands sacrifices de nous... Je suis prêt à me soumettre à toutes Ses volontés ; mais dites-moi, Michaux, comment avez-vous laissé l'armée en voyant ainsi, sans coup férir, abandonner mon ancienne capitale ? N'avez-vous pas aperçu du découragement ?* »

En voyant son *très gracieux souverain* calmé, Michaux se calma à son tour, mais à la question directe et précise de l'empereur il n'avait pas encore eu le temps de préparer la réponse directe qu'elle exigeait.

« *Sire, me permettez-vous de parler franchement en loyal militaire ?* demanda-t-il pour gagner du temps.

– *Colonel, je l'exige toujours*, répondit l'empereur. *Ne me cachez rien, je veux savoir absolument ce qu'il en est.*

– *Sire !* » dit Michaux, un fin sourire à peine perceptible aux lèvres ; il avait réussi à préparer sa réponse sous forme d'un *jeu de mots* léger et respectueux. « *Sire ! j'ai laissé toute l'armée, depuis les chefs jusqu'au dernier soldat, sans exception, dans une crainte épouvantable, effrayante...*

– *Comment ça ?* l'interrompit l'empereur en fronçant sévèrement les sourcils. *Mes Russes se laisseront-ils abattre par le malheur... Jamais !...* » Michaux n'attendait que cela pour placer son jeu de mots.

« *Sire*, dit-il avec une expression respectueusement enjouée, *ils craignent seulement que Votre Majesté, par bonté de cœur, ne se laisse persuader de faire la paix. Ils brûlent de combattre*, continua le représentant du peuple russe, *et de prouver à Votre Majesté par le sacrifice de leur vie combien ils lui sont dévoués...*

– *Ah !* dit l'empereur rassuré, avec un éclat affable dans les yeux, en donnant à Michaux une tape sur l'épaule. *Vous me tranquillisez, colonel.* »

L'empereur, la tête baissée, resta un moment silencieux.

« *Eh bien, retournez à l'armée*, dit-il en se redressant de toute sa taille et en parlant à Michaux avec un geste affable et majestueux, *et dites à nos braves, dites à tous mes bons sujets partout où vous passerez que, quand je n'aurai plus aucun soldat, je me mettrai moi-même à la tête de ma chère noblesse, de mes bons paysans, et j'userai ainsi jusqu'à la dernière ressource de mon empire. Il m'en offre encore plus que mes ennemis ne pensent.* » Il s'animait de plus en plus. « *Mais si jamais il fut écrit dans les décrets de la Divine Providence*, dit-il en levant vers le ciel ses beaux yeux doux brillants d'émotion, *que ma dynastie dût cesser de régner sur le trône de mes ancêtres, alors, après avoir épuisé tous les moyens qui sont en mon pouvoir, je me laisserai pousser la barbe jusqu'ici* (l'empereur montra de la main le milieu de sa poitrine), *et j'irai manger des pommes de terre avec le dernier de mes paysans plutôt que de signer la honte de ma patrie et de ma chère nation dont je sais apprécier les sacrifices!...* » Ayant dit ces mots d'une voix émue, l'empereur se détourna et s'éloigna jusqu'au fond de son cabinet. Il y resta quelques instants, puis revint à grands pas auprès de Michaux et d'un geste énergique lui serra le bras au-dessous du coude. Son beau et doux visage s'était empourpré et ses yeux brillaient de l'éclat de la décision et de la colère.

« *Colonel Michaux, n'oubliez pas ce que je vous dis ici; peut-être qu'un jour nous nous le rappellerons avec plaisir... Napoléon ou moi*, dit-il en portant la main à sa poitrine. *Nous ne pouvons plus régner ensemble. J'ai appris à le connaître. Il ne me trompera plus...* » Et l'empereur se tut, le sourcil froncé. Entendant ces mots, lisant dans les yeux de l'empereur une expression de ferme résolution, Michaux – *quoique étranger mais Russe de cœur et d'âme* – se sentit en cet instant solennel *enthousiasmé par tout ce qu'il venait d'entendre* (comme il le dit par la suite), et c'est en ces termes qu'il exprima aussi bien ses propres sentiments que ceux du peuple russe dont il se considérait comme l'interprète :

« *Sire!* dit-il, *Votre Majesté signe en ce moment la gloire de sa nation et le salut de l'Europe!* »

L'empereur congédia Michaux d'un signe de tête.

IV

Alors que la Russie était à moitié conquise, que les habitants de Moscou s'enfuyaient dans de lointaines provinces et que les armées se levaient les unes après les autres pour la défense de la patrie, nous qui n'avons pas vécu à cette époque, nous nous figurons malgré nous que tous les Russes, du plus petit au plus grand, ne pensaient qu'à se sacrifier, à sauver la patrie ou à pleurer sur son désastre. Les récits, les descriptions de cette époque ne parlent, tous sans exception, que de sacrifice de soi, d'amour de la patrie, de désespoir, de chagrin et d'héroïsme des Russes. Or, en réalité, il n'en était pas ainsi. Nous avons seulement cette impression parce que nous ne voyons dans le passé que l'intérêt historique général de l'époque et que nous perdons de vue tous les intérêts personnels des individus. Et cependant ces intérêts personnels du moment sont en réalité tellement plus importants qu'ils masquent toujours l'intérêt général (qu'on ne remarque même pas). La plupart des gens de cette époque ne prêtaient nulle attention à la marche générale des événements et n'obéissaient qu'à des intérêts personnels de l'heure. Et ce sont ces gens-là précisément qui furent les acteurs les plus utiles de cette époque.

Quant à ceux qui cherchaient à comprendre le déroulement des événements et qui avec abnégation et héroïsme voulaient y prendre part, ils étaient les membres les plus inutiles de la société; ils voyaient tout à rebours et tout ce qu'ils faisaient pour le bien général se trouvait être absurde et vain, comme les régiments de Pierre et de Mamonov qui pillaient les villages russes, comme la charpie que préparaient les dames et qui ne parvenait jamais aux blessés, etc. Même ceux qui, aimant raisonner et faire montre de leurs sentiments, commentaient la véritable situation de la Russie, trahissaient malgré eux dans leurs propos une nuance soit d'affectation et de mensonge, soit de vaine critique et de rancune contre des gens qu'ils accusaient de ce dont personne n'était coupable. La défense de goûter au fruit de l'arbre de la connaissance se manifeste avec le plus d'évidence dans les événements historiques. Seule une activité inconsciente porte des fruits et l'homme qui joue un rôle dans un événement historique n'en comprend jamais la signification. S'il essaie de la comprendre, il est frappé de stérilité.

La signification des événements qui se déroulaient alors en Russie était d'autant moins perceptible que l'homme y participait de plus près. À Pétersbourg et dans les provinces éloignées de Moscou, des dames et des messieurs en uniforme de la milice pleuraient la Russie et la capitale, parlaient de sacrifice de soi, etc. ; mais dans l'armée qui reculait au-delà de Moscou, on ne parlait presque pas de Moscou et l'on n'y pensait guère ; en regardant l'incendie, personne ne jurait de se venger des Français, on songeait à la solde du trimestre suivant, à la prochaine étape, à Matriochka la vivandière, et ainsi de suite.

Nicolas Rostov, sans aucune idée de sacrifice mais par hasard, puisque la guerre l'avait surpris en activité, prenait une part étroite et durable à la défense de la patrie, aussi considérait-il les événements sans désespoir et sans sombres spéculations. Si on lui avait demandé ce qu'il pensait de la situation présente de la Russie, il aurait répondu qu'il n'avait pas à y penser, que Koutouzov et d'autres étaient là pour cela, mais qu'il avait entendu dire qu'on complétait les régiments, qu'on se battrait sans doute encore longtemps et que, dans les circonstances actuelles, il n'y aurait rien d'étonnant à ce qu'il obtînt dans deux ans un régiment.

Grâce à cette façon de prendre les choses, il accueillit la nouvelle de son envoi à Voroneje en mission de remonte pour la division non seulement sans regretter de ne pas prendre part à la dernière bataille, mais même avec le plus grand plaisir qu'il ne cacha pas et que ses camarades comprirent fort bien.

Quelques jours avant la bataille de Borodino, Nicolas reçut l'argent et les papiers nécessaires et, envoyant en avant ses hussards, partit pour Voroneje en voiture de poste.

Celui-là seul qui a connu cela, c'est-à-dire qui a passé plusieurs mois sans interruption dans l'atmosphère de la guerre et des camps, peut comprendre le plaisir qu'éprouva Nicolas en quittant la zone de l'armée avec ses fourrageurs, ses convois de vivres, ses ambulances ; quand il vit, sans soldats, sans fourgons, sans les traces disgracieuses qui signalent la présence des camps, des villages avec des paysans et des paysannes, des maisons seigneuriales, des pâturages où paissait le bétail, des relais de poste avec leurs surveillants ensommeillés, il éprouva autant de joie que s'il voyait tout cela pour la première fois. Ce qui le ravit et le surprit le plus longtemps, ce furent les femmes, jeunes, saines, sans autour de chacune d'elles une dizaine d'officiers empressés, et qui étaient contentes et flattées des plaisanteries d'un officier de passage.

De l'humeur la plus joyeuse, Nicolas arriva la nuit dans un hôtel de Voroneje, commanda tout ce dont il avait été privé à l'armée, et le lendemain, soigneusement rasé et ayant endossé sa grande tenue qu'il n'avait pas mise depuis longtemps, alla se présenter aux autorités.

Le commandant de la milice était un vieux général civil qui semblait entiché de son état et de son grade militaires. Il accueillit Nicolas d'un air revêche (qu'il croyait inséparable du métier des armes) et le questionna avec importance, comme s'il en avait le droit et comme s'il discutait la marche générale des événements, en l'approuvant et la désapprouvant. Nicolas était si gai que cela ne fit que l'amuser.

De chez le commandant de la milice, il se rendit chez le gouverneur. Le gouverneur était un petit homme vif, fort aimable et simple. Il indiqua à Nicolas les haras où il pouvait se procurer des chevaux, lui recommanda un maquignon de la ville et un propriétaire habitant à vingt verstes de là qui avaient les meilleurs chevaux, et lui promit tout son concours.

« Vous êtes le fils du comte Ilia Andreitch ? Ma femme était très liée avec votre mère. Je reçois le jeudi ; nous sommes aujourd'hui jeudi, je vous prie de venir sans cérémonie », dit le gouverneur en prenant congé de lui.

En sortant de chez le gouverneur, Nicolas prit une voiture de poste et emmenant son maréchal des logis se rendit, à vingt verstes de là, au haras du propriétaire. Tout, dans ce premier moment de son séjour à Voroneje, lui semblait amusant et facile et, comme il arrive quand on est bien disposé soi-même, tout s'arrangea et marcha comme sur des roulettes. Le propriétaire chez qui il arriva était un ancien officier de cavalerie, vieux célibataire, connaisseur de chevaux, chasseur, possesseur d'une liqueur centenaire, d'un vieux tokay et de chevaux splendides.

Nicolas acheta sans discuter, pour six mille roubles, dix-sept étalons de choix (disait-il) pour sa remonte. Après avoir dîné et bu un peu trop de vin de Tokay, embrassant le propriétaire qu'il tutoyait déjà, Rostov, de l'humeur la plus joyeuse, repartit au galop par un chemin exécrable, pressant sans cesse le postillon afin d'arriver à temps pour la soirée du gouverneur. Après avoir changé de vêtements, s'être parfumé et s'être aspergé la tête d'eau froide, Nicolas se présenta chez le gouverneur, un peu en retard mais avec une phrase toute prête : *Vaut mieux tard que jamais.*

Ce n'était pas un bal et il n'avait pas été dit qu'on danserait ; mais chacun savait que Catherine Petrovna jouerait au clavecin des valses et des écossaises et, comptant là-dessus, tous étaient en toilettes de bal.

La vie de province, en 1812, était la même que toujours, à cette seule différence près que la ville était devenue plus animée avec l'arrivée de nombreuses familles riches de Moscou et que, comme dans tout ce qui se passait alors en Russie, on remarquait là aussi une certaine insouciance – après moi le déluge, tout est sans importance – et qu'au lieu de ces conversations banales et toujours nécessaires sur la pluie et le beau temps et les connaissances communes, on parlait maintenant de Moscou, de l'armée et de Napoléon.

La société réunie chez le gouverneur était la meilleure de Voroneje.

Les dames étaient fort nombreuses, dont quelques-unes que Nicolas connaissait de Moscou ; mais parmi les hommes il n'y avait personne qui pût rivaliser tant soit peu avec le chevalier de Saint-Georges, le hussard en mission de remonte et en même temps l'aimable et distingué comte Rostov. Parmi les hommes, il y avait un prisonnier italien, officier de l'armée française, et Nicolas sentait que la présence de ce prisonnier rehaussait encore sa propre importance de héros russe. C'était comme une sorte de trophée. Nicolas le sentait, il lui semblait que tout le monde considérait l'Italien ainsi, et il se montra à l'égard de cet officier d'une amabilité pleine de dignité et de réserve.

Dès que Nicolas, dans son uniforme de hussard, fut entré en répandant autour de lui des effluves de parfum et de bon vin, et qu'il eut dit et se fut entendu dire à plusieurs reprises les mots : *vaut mieux tard que jamais*, on l'entoura ; tous les regards se portèrent sur lui et il se sentit aussitôt installé dans la situation de favori général, qui lui revenait toujours de droit en province et lui était toujours agréable mais qui, maintenant, après une longue privation, l'enivrait. Aux relais, dans les auberges et chez le propriétaire, il y avait eu des servantes flattées de ses attentions ; mais ici, à la soirée du gouverneur, il y avait (lui semblait-il) un nombre inépuisable de jeunes dames et de jolies demoiselles qui attendaient avec impatience qu'il fît attention à elles. Dames et demoiselles faisaient les coquettes avec lui et les vieux se mirent en tête, dès le premier jour, de marier et d'assagir ce jeune hussard, beau gaillard et écervelé. Au nombre de ces derniers, était la femme du gouverneur elle-même qui avait accueilli Rostov comme un proche parent et l'avait tutoyé en l'appelant Nicolas.

Catherine Petrovna joua en effet des valses et des écossaises, les danses s'organisèrent et Nicolas charma encore davantage toute la société provinciale par son adresse. Il surprit même tout le monde par sa manière de danser particulièrement désinvolte. Nicolas était lui-même un peu surpris de la manière dont il dansait ce soir. Il n'avait jamais dansé ainsi à Moscou et eût même jugé inconvenante, *mauvais genre*, cette allure trop désinvolte ; mais ici il éprouvait le besoin de les étonner tous par quelque chose de singulier, quelque chose qu'ils seraient obligés de prendre pour normal dans les capitales mais encore inconnu en province.

Pendant toute la soirée, Nicolas fut le plus assidu auprès d'une jolie blonde potelée aux yeux bleus, femme d'un des fonctionnaires de la province. Avec la conviction naïve des jeunes gens enjoués – que les femmes des autres ont été faites pour eux –, il ne la quitta pas d'une semelle et traita son mari amicalement, un peu en complice, comme si tacitement ils savaient à quel point ils s'entendraient bien, lui, Nicolas, et ce mari. Le mari ne semblait cependant pas partager cette conviction et s'efforçait de se montrer sombre à l'égard de Rostov. Mais la bonhomie naïve de Nicolas était si illimitée que par moments le mari se prêtait malgré lui à son humeur joyeuse. Vers la fin de la soirée pourtant, plus le visage de la femme se faisait rose et animé, plus celui du mari était triste et sérieux, comme si la dose d'animation leur était commune à tous deux et qu'à mesure qu'elle augmentait chez la femme, elle diminuât chez le mari.

V

Nicolas, le sourire aux lèvres, assis un peu de biais dans son fauteuil, se penchait de près vers la jeune femme blonde et lui faisait des compliments mythologiques.

Croisant et décroisant adroitement ses jambes gainées dans une culotte de cheval, répandant des effluves de parfum et admirant sa dame, lui-même, la belle forme de ses jambes moulées, Nicolas disait à la blonde qu'il voulait ici, à Voroneje, enlever une dame.

« Laquelle donc ?

– Une dame ravissante, divine. Elle a des yeux (Nicolas regarda son interlocutrice) bleus, une bouche de corail, une blancheur… (il jeta un regard sur ses épaules), une taille de Diane… »

Le mari s'approcha d'un air sombre et demanda à sa femme de quoi elle parlait.

« Ah ! Nikita Ivanitch », dit Nicolas en se levant poliment. Et comme s'il désirait que Nikita Ivanitch prît part à ses plaisanteries, il lui dit à lui aussi son intention d'enlever une blonde.

Le mari souriait d'un air morose, la femme souriait gaiement. La brave femme du gouverneur s'approcha d'un air désapprobateur.

« Anna Ignatievna voudrait te voir, Nicolas, dit-elle en prononçant ce nom d'une voix qui fit aussitôt comprendre à Nicolas qu'Anna Ignatievna était une dame fort importante. Viens, Nicolas. Tu me permets, n'est-ce pas, de t'appeler ainsi ?

– Oh ! oui, *ma tante.* Qui est-ce ?

– Anna Ignatievna Malvintzev. Elle a entendu parler de toi par sa nièce qui lui a raconté comment tu l'as sauvée… Tu devines ?

– Il y en a plus d'une que j'ai sauvée ! dit Nicolas.

– Sa nièce, la princesse Bolkonski. Elle est ici, à Voroneje, avec sa tante. Ah ! comme tu as rougi ! Serait-ce que ?…

– Pas du tout, voyons, *ma tante*.

– C'est bon, c'est bon. Oh ! comme tu es ! »

La femme du gouverneur le conduisit vers une vieille dame de haute taille et très forte, coiffée d'une toque bleu clair, qui venait d'achever sa partie de cartes avec les personnages les plus importants de la ville. C'était Mme Malvintzev, la tante de la princesse Maria par sa mère, une riche veuve sans enfant qui habitait toujours Voroneje. Elle était debout en train de payer ses dettes de jeu quand Rostov s'approcha. Elle plissa les yeux sévèrement et, d'un air important, lui jeta un regard et continua de gronder le général qui l'avait battue au jeu.

« Enchantée, mon cher, dit-elle en lui tendant la main. Faites-moi le plaisir de venir me voir. »

Après avoir parlé de la princesse Maria, de feu son père que Mme Malvintzev semblait ne pas aimer, et avoir questionné Nicolas sur ce qu'il savait du prince André qui, visiblement, n'était pas non plus dans ses bonnes grâces, l'importante vieille dame le congédia en renouvelant son invitation.

Nicolas promit de venir et rougit de nouveau en prenant congé de Mme Malvintzev. Lorsqu'on parlait de la princesse Maria, il éprouvait un sentiment qu'il ne comprenait pas lui-même, fait de timidité, même de peur.

En quittant Mme Malvintzev, Rostov voulut revenir à la danse, mais la petite épouse du gouverneur posa sa main potelée sur la manche de Nicolas et, disant qu'elle avait à lui parler, le conduisit dans le fumoir que tous ceux qui s'y trouvaient quittèrent aussitôt pour ne pas la déranger.

« Tu sais, *mon cher*, dit-elle avec une expression sérieuse sur son petit visage empreint de bonté, voilà exactement le parti qu'il te faut ; veux-tu que je m'en occupe ?

– Qui donc, *ma tante* ? demanda Nicolas.

– La princesse. Catherine Petrovna propose Lily, mais je ne suis pas d'accord, pour moi c'est la princesse. Veux-tu que je m'en occupe ? Je suis sûre que ta *maman* m'en remerciera. Vraiment, c'est une charmante jeune fille ! Et elle n'est pas du tout si laide que cela.

– Pas du tout, dit Rostov comme vexé. En bon soldat, *ma tante*, je ne m'impose pas et je ne refuse rien non plus, ajouta-t-il sans prendre le temps de réfléchir à ce qu'il disait.

– Alors, souviens-toi : ce n'est pas une plaisanterie.

– Il s'agit bien de plaisanterie !

– Oui, oui, dit la femme du gouverneur comme se parlant à elle-même. Et puis, *mon cher, entre autres, vous êtes trop assidu auprès de l'autre, la blonde.* Le mari fait déjà peine à voir, je t'assure…

– Ah ! mais non, nous sommes amis », dit Nicolas dans la simplicité de son âme ; il ne lui venait même pas à l'idée qu'une façon de passer le temps si amusante pour lui pût ne pas amuser quelqu'un.

« Quelle bêtise pourtant j'ai dite à la femme du gouverneur ! pensa soudain Nicolas pendant le souper. Elle est capable de s'occuper vraiment de ce mariage, et Sonia ?… » Et en prenant congé de la femme du gouverneur, quand elle lui répéta encore une fois en souriant : « N'oublie donc pas », il la prit à part :

« Écoutez, *ma tante*, à vous dire la vérité…

– Qu'y a-t-il, qu'y a-t-il, mon ami ? Allons nous asseoir par ici. »

Nicolas éprouva soudain le désir et le besoin de confier à cette femme qui lui était presque étrangère toutes ses pensées intimes (qu'il n'aurait confiées ni à sa mère, ni à sa sœur ni à un ami). Plus tard, quand il se souvint de cet accès de franchise inexplicable que rien n'avait provoqué et qui cependant eut pour lui des suites très importantes, il lui sembla (comme il semble toujours) avoir cédé à une impulsion irréfléchie, et pourtant cet accès de franchise, conjugué avec d'autres menus faits, eut d'immenses conséquences pour lui et pour sa famille.

« Écoutez, *ma tante*. Il y a longtemps que *maman* voudrait me faire faire un riche mariage, mais la seule idée de me marier pour de l'argent me répugne.

– Oh ! oui, je comprends cela, dit la femme du gouverneur.

– Mais la princesse Bolkonski c'est autre chose ; d'abord, je vous dirai la vérité, elle me plaît beaucoup, elle me convient, et puis, après l'avoir rencontrée dans ces circonstances, d'une façon si étrange, j'ai souvent pensé que c'était le destin. Songez surtout à ceci : *maman* y pensait depuis longtemps mais, autrefois, il y avait toujours quelque chose qui m'empêchait de la rencontrer, cela ne s'arrangeait jamais : nous ne nous rencontrions pas. Et pendant que ma sœur Natacha était fiancée avec son frère, je n'aurais pas pu songer à l'épouser. Il a vraiment fallu que je la rencontre précisément alors que le mariage de Natacha avait été rompu, et tout ça… Mais voilà. Je ne l'ai jamais dit et je ne le dirai jamais à personne. Je ne vous le confie qu'à vous seule. »

La femme du gouverneur lui pressa le coude avec reconnaissance.

« Vous connaissez Sophie, ma cousine ? Je l'aime, j'ai promis de l'épouser et je l'épouserai… Vous voyez donc qu'il ne peut en être question, disait Nicolas confusément et en rougissant.

– *Mon cher, mon cher*, comment raisonnes-tu donc ? Sophie n'a rien et tu dis toi-même que les affaires de ton papa sont très mauvaises. Et ta *maman* ? Cela la tuerait. Et puis Sophie, si c'est une jeune fille qui a du cœur, quelle vie serait-ce pour elle ? Ta mère au désespoir, la fortune si compromise… Non, *mon cher*, vous devez comprendre cela, Sophie et toi… »

Nicolas se taisait. Il lui était agréable d'entendre ces arguments.

« Tout de même, *ma tante*, ce n'est pas possible, dit-il en soupirant après un instant de silence. D'ailleurs la princesse voudrait-elle seulement de moi ? Et elle est maintenant en deuil. Comment peut-on y penser !

– Mais crois-tu donc que je vais te marier tout de suite ? *Il y a manière et manière*, dit la femme du gouverneur.

– Quelle marieuse vous faites, *ma tante*… » dit Nicolas en baisant sa main potelée.

VI

En arrivant à Moscou après sa rencontre avec Rostov, la princesse Maria y trouva son neveu avec son précepteur et une lettre du prince André qui lui indiquait son itinéraire pour se rendre à Voroneje chez sa tante Malvintzev. Les soucis du voyage, l'inquiétude au sujet de son frère, l'installation à un nouvel endroit, des gens nouveaux, l'éducation de son neveu, tout cela étouffa dans l'âme de la princesse Maria cette sorte de tentation qui la tourmentait pendant la maladie et après la mort de son père, et surtout depuis sa rencontre avec Rostov. Elle était triste. La douleur de la perte de son père qui se confondait dans son âme avec le malheur de la Russie se faisait de plus en plus fortement sentir maintenant, après un mois de vie paisible. Elle était inquiète : la pensée du danger que courait son frère – le seul être proche qui lui restât – la tourmentait sans répit. L'éducation de son neveu la préoccupait ; elle s'en sentait constamment incapable ; mais au fond de son âme elle était d'accord avec elle-même, car elle avait conscience d'avoir étouffé les rêves et les espoirs personnels qu'avaient éveillés en elle l'apparition de Rostov.

Lorsque, le lendemain de sa soirée, la femme du gouverneur vint chez Mme Malvintzev et qu'après lui avoir fait part des projets (avec cette réserve que bien qu'à l'heure actuelle la question d'une demande officielle fût exclue, on pouvait néanmoins réunir les jeunes gens, leur donner l'occasion de se connaître), forte de l'approbation de sa tante, elle parla de Rostov devant la princesse Maria, faisant son éloge et racontant qu'il avait rougi en entendant prononcer son nom, celle-ci, au lieu d'éprouver de la joie, ressentit un profond malaise : son accord intérieur était détruit, et les désirs, les doutes, les reproches et les espoirs se levaient de nouveau.

Durant les deux jours qui s'écoulèrent entre cette nouvelle et la visite de Rostov, la princesse Maria ne cessa de penser à l'attitude qu'elle devait prendre à son égard.

Tantôt elle décidait qu'elle ne se montrerait pas au salon quand il viendrait voir sa tante, qu'étant en grand deuil il n'était pas convenable qu'elle reçût des visites ; tantôt elle pensait que ce serait peu délicat de sa part après ce qu'il avait fait pour elle ; tantôt il lui venait à l'esprit que sa tante et la femme du gouverneur avaient des vues sur elle et sur Rostov (leurs regards et leurs paroles semblaient parfois confirmer cette supposition) ; tantôt elle se disait qu'elle seule dans son impureté pouvait penser cela à leur sujet : elles ne pouvaient pas ne pas comprendre que dans sa situation, alors qu'elle n'avait pas encore enlevé ses pleureuses, de tels projets matrimoniaux seraient offensants et pour elle et pour la mémoire de son père. Admettant qu'elle se montrerait, la princesse Maria imaginait les mots qu'il lui dirait et ceux qu'elle répondrait ; et ces mots lui semblaient tantôt d'une froideur imméritée, tantôt trop chargés de sens. Mais ce qu'elle craignait le plus dans cette entrevue, c'était le trouble qui, elle le sentait, devait s'emparer d'elle et la trahir dès qu'elle le verrait.

Mais lorsque, le dimanche après la messe, le laquais vint au salon annoncer le comte Rostov, la princesse ne montra aucun trouble ; une légère rougeur colora seulement ses joues, et ses yeux brillèrent d'un éclat nouveau et lumineux.

« Vous l'avez vu, ma tante ? » dit la princesse Maria d'une voix calme, surprise elle-même de pouvoir être extérieurement si calme et si naturelle.

Lorsque Rostov entra dans la pièce, la princesse baissa un instant la tête comme pour laisser au visiteur le temps de saluer sa tante, puis, au moment même où Nicolas se tournait vers elle, elle leva la tête et avec des yeux brillants rencontra son regard. D'un mouvement plein de dignité et de grâce, elle se souleva avec un sourire joyeux, lui tendit sa main fine et délicate et parla d'une voix où vibrèrent pour la première fois des notes féminines, profondes. Mlle Bourienne qui se trouvait dans le salon regardait la princesse Maria avec une grande surprise. Coquette consommée, elle n'aurait pas su mieux manœuvrer elle-même en rencontrant un homme à qui elle aurait voulu plaire.

« Ou le noir lui va bien, ou vraiment elle a tellement embelli sans que je l'aie remarqué. Et surtout, ce tact, cette grâce ! » pensait-elle.

Si en cet instant la princesse Maria eût été capable de réfléchir, elle aurait été encore plus surprise que Mlle Bourienne du changement qui s'était opéré en elle. Dès qu'elle avait vu ce visage qu'elle aimait, une sorte de puissance vitale nouvelle s'était emparée d'elle et l'avait fait agir et parler indépendamment de sa volonté. Son visage, à l'entrée de Rostov, s'était soudain transfiguré. Comme la lumière qui s'allume à l'intérieur d'une lanterne peinte et ouvragée fait soudain ressortir la beauté inattendue et saisissante de l'habile travail artistique qui, auparavant, paraissait grossier, obscur et dénué de sens, ainsi s'était transfiguré le visage de la princesse Maria. Pour la première fois, tout ce pur travail intérieur dont elle avait vécu jusque-là devint apparent. Tout ce travail intérieur qui la laissait mécontente d'elle-même, ses souffrances, ses aspirations vers le bien, son esprit de soumission, d'amour, d'abnégation, tout cela rayonnait maintenant dans ses yeux lumineux, dans son fin sourire, dans chaque trait de son tendre visage.

Rostov vit tout cela aussi clairement que s'il eût connu toute sa vie. Il sentait que l'être qu'il avait devant lui était tout autre, meilleur que tous ceux qu'il avait rencontrés jusque-là et, surtout, meilleur que lui-même.

La conversation fut des plus simples et des plus banales. Ils parlèrent de la guerre en exagérant involontairement, comme tout le monde, le chagrin que leur causait cet événement, ils parlèrent de leur dernière rencontre, et Nicolas chercha à détourner la conversation, ils parlèrent de la bonne épouse du gouverneur, des parents de Nicolas et de ceux de la princesse Maria.

La princesse Maria ne parla pas de son frère, détournant la conversation dès que sa tante faisait une allusion à André. On voyait qu'elle pouvait parler superficiellement des malheurs de la Russie, mais que son frère était un sujet qui lui tenait trop au cœur pour qu'elle pût ou voulût parler de lui. Nicolas le remarqua, comme il remarquait avec une pénétration dont il n'était pas coutumier toutes les nuances du caractère de la princesse Maria, nuances qui toutes ne faisaient que le confirmer dans sa conviction qu'elle était un être d'exception. Nicolas, tout comme la princesse Maria, rougissait et se troublait quand on lui parlait d'elle et même quand il pensait à elle mais, en sa présence, il se sentait tout à fait à l'aise et disait non pas ce qu'il avait préparé mais ce qui lui venait à l'esprit sur le moment et toujours avec à-propos.

Pendant sa courte visite, comme il arrive toujours là où il y a des enfants, dans un moment de silence Nicolas eut recours au jeune fils du prince André qu'il cajola en lui demandant s'il aimerait être hussard. Il prit le petit garçon dans ses bras, le fit sauter gaiement et jeta un coup d'œil à la princesse Maria. D'un regard attendri, heureux et timide, elle suivait l'enfant qu'elle adorait dans les bras de l'homme qu'elle aimait. Nicolas remarqua ce regard, et comme s'il en avait compris le sens, rougit de plaisir et embrassa le petit gaiement et avec bonhomie.

La princesse Maria ne sortait pas, en raison de son deuil, et Nicolas ne jugea pas convenable de renouveler sa visite ; mais la femme du gouverneur continuait néanmoins ses tentatives matrimoniales et, répétant à Nicolas les choses flatteuses qu'avait dites sur lui la princesse Maria et inversement, elle insistait pour que Rostov s'expliquât avec celle-ci. À cet effet, elle arrangea une entrevue entre les jeunes gens chez l'évêque, après la messe.

Bien que Rostov eût dit à la femme du gouverneur qu'il ne s'expliquerait pas avec la princesse Maria, il promit de venir.

De même qu'à Tilsitt, où Rostov ne s'était pas permis de douter du bien-fondé de ce que tout le monde trouvait bien, de même maintenant, après une lutte brève mais sincère entre sa tentative d'organiser sa vie à son gré et une soumission pleine d'humilité aux circonstances, il opta pour ce dernier parti et s'abandonna au destin qui (il le sentait) l'entraînait irrésistiblement. Il savait qu'après la promesse faite à Sonia, déclarer ses sentiments à la princesse Maria serait ce qu'il appelait une lâcheté. Et il savait qu'il ne commettrait jamais une lâcheté. Mais il savait aussi (il le sentait au fond de son âme plutôt qu'il ne le savait) qu'en s'en remettant maintenant aux circonstances et aux gens qui le guidaient il ne faisait rien de mal, qu'au contraire il faisait même quelque chose de très, très important, plus important que tout ce qu'il avait jamais fait dans sa vie.

Après son entrevue avec la princesse Maria, bien que sa façon de vivre restât en apparence inchangée, tous les anciens plaisirs avaient perdu pour lui leur charme et il pensait souvent à elle mais jamais comme à toutes les jeunes filles sans exception qu'il avait rencontrées dans le monde, ni avec l'exaltation avec laquelle il avait longtemps pensé autrefois à Sonia. Comme presque tous les jeunes gens honnêtes, quand il pensait à une autre jeune fille, c'était comme à sa future épouse, adaptant en imagination à elle les conditions de la vie conjugale : une robe de chambre blanche, sa femme devant le samovar, sa voiture, les enfants, *maman* et *papa*, leurs rapports avec elle, etc., etc.; et ces tableaux d'avenir lui faisaient plaisir; mais lorsqu'il pensait à la princesse Maria qu'on voulait lui faire épouser, il ne pouvait jamais rien se représenter de leur future vie conjugale. Quand il essayait, tout était toujours confus et faux. Il en éprouvait seulement une sorte d'angoisse.

VII

La terrible nouvelle de la bataille de Borodino, de nos pertes en tués et en blessés, et la nouvelle plus terrible encore de la perte de Moscou parvinrent à Voroneje à la mi-septembre. La princesse Maria, apprenant par les seuls journaux la blessure de son frère et ne sachant rien d'autre de lui, se disposa à partir à sa recherche, ainsi qu'on le dit à Nicolas (il ne l'avait pas revue lui-même).

En apprenant la bataille de Borodino et l'abandon de Moscou, Rostov n'éprouva ni désespoir ni colère ni désir de vengeance ou autres sentiments de ce genre, mais s'ennuya soudain à Voroneje, se sentit comme honteux et mal à l'aise. Toutes les conversations qu'il entendait lui semblaient sonner faux ; il ne savait que penser de tout cela et sentait qu'au régiment seulement tout redeviendrait clair pour lui. Il se hâtait d'en finir avec l'achat des chevaux et souvent s'emportait injustement contre son domestique et son maréchal des logis.

Quelques jours avant son départ, un service d'action de grâces devait être célébré à la cathédrale à l'occasion de la victoire de l'armée russe, et Nicolas se rendit à la messe. Il prit place un peu en arrière du gouverneur et entendit la messe avec une gravité de commande en songeant aux choses les plus diverses. Le *Te Deum* terminé, la femme du gouverneur l'appela.

« Tu as vu la princesse ? » demanda-t-elle en lui montrant d'un signe de tête une dame en noir qui se tenait derrière le chœur.

Nicolas reconnut aussitôt la princesse Maria, non pas tant à son profil qui se voyait sous son chapeau qu'à ce sentiment de discrétion, de crainte et de pitié qui s'empara aussitôt de lui. La princesse Maria, apparemment plongée dans ses pensées, faisait les derniers signes de croix avant de quitter l'église.

Nicolas regardait son visage avec surprise. C'était le même visage qu'il connaissait, il y avait sur lui le même reflet d'un subtil travail intérieur ; mais maintenant il était tout autrement éclairé. Une émouvante expression de tristesse, de prière et d'espoir s'y reflétait. Comme cela lui était déjà arrivé en sa présence, sans attendre que la femme du gouverneur lui conseillât de l'aborder, sans se demander s'il serait bien, s'il serait ou non convenable de lui parler ici, à l'église, il alla à elle et lui dit qu'il avait appris son chagrin et le partageait de tout son cœur. À peine eut-elle entendu sa voix qu'une vive lumière illumina son visage, éclairant à la fois son chagrin et sa joie.

« Il y a une chose que je voulais vous dire, princesse, dit Rostov, si le prince André Nicolaievitch n'était plus en vie, les journaux l'auraient aussitôt annoncé puisqu'il est commandant de régiment. »

La princesse le regardait sans comprendre ses paroles mais heureuse de l'expression de douloureuse sympathie qu'elle lisait sur son visage.

« Et je sais tant d'exemples où une blessure causée par un éclat (les journaux disent une grenade), quand elle n'est pas mortelle tout de suite, est au contraire tout à fait légère, dit Nicolas. Il faut espérer que tout ira bien, et je suis sûr que… »

La princesse Maria l'interrompit.

« Oh ! ce serait si terr… » commença-t-elle et, trop émue pour achever, elle inclina la tête d'un mouvement plein de grâce (comme tout ce qu'elle faisait en sa présence) et lui jetant un regard reconnaissant, suivit sa tante.

Ce soir-là, Nicolas n'alla voir personne et resta à la maison pour terminer certains comptes avec les marchands de chevaux. Les affaires finies, il était trop tard pour sortir mais trop tôt pour se coucher, et Nicolas arpenta longtemps sa chambre en méditant sur sa vie, ce qui lui arrivait rarement.

La princesse Maria lui avait fait une agréable impression quand ils s'étaient vus près de Smolensk. Les circonstances si particulières dans lesquelles il l'avait rencontrée et le fait qu'à un moment donné c'était elle précisément que sa mère lui avait indiquée comme un riche parti l'avaient incité à la considérer avec une attention particulière. À Voroneje, pendant sa visite, son impression avait été non seulement agréable mais forte. Nicolas avait été frappé par la beauté morale particulière qu'il avait alors découverte en elle. Cependant il se disposait à partir et l'idée ne lui venait pas de regretter que son départ de

Voroneje le privât de l'occasion de voir la princesse. Mais leur rencontre d'aujourd'hui à l'église (Nicolas le sentait) s'était gravée dans son cœur plus profondément qu'il ne l'avait prévu, plus profondément qu'il ne l'eût voulu pour sa tranquillité. Ce fin visage pâle et triste, ce regard lumineux, ces mouvements discrets, pleins de grâce, et surtout ce chagrin profond et tendre qui se reflétait dans tous ses traits le troublaient et sollicitaient sa sympathie. Chez les hommes, il ne pouvait souffrir l'expression d'une vie spirituelle élevée (c'est pour cette raison qu'il n'aimait pas le prince André), il traitait cela avec mépris de philosophie, de rêvasserie ; mais chez la princesse Maria, précisément dans ce chagrin qui révélait toute la profondeur de ce monde spirituel qui lui était étranger, il sentait un attrait irrésistible.

« Ce doit être une jeune fille admirable ! Un véritable ange ! se disait-il. Pourquoi ne suis-je pas libre, pourquoi me suis-je tant dépêché avec Sonia ! » Et malgré lui, la comparaison entre elles deux s'imposait à son esprit : la pauvreté chez l'une et la richesse chez l'autre de ces dons spirituels dont Nicolas était dépourvu et qu'il appréciait d'autant plus. Il tenta de se représenter ce qui serait arrivé s'il était libre. Comment aurait-il demandé sa main et comment serait-elle devenue sa femme ? Non, il ne pouvait se représenter cela. Il était saisi d'angoisse et aucune image précise ne se présentait à lui. Avec Sonia, il s'était depuis longtemps fait une image de leur existence future, et tout y était simple et clair, précisément parce que tout cela était artificiel et qu'il savait tout ce qu'il y avait en Sonia ; mais avec la princesse Maria il lui était impossible de se représenter l'avenir parce qu'il ne la comprenait plus mais l'aimait seulement.

Ses rêves au sujet de Sonia avaient quelque chose de gai, c'était comme une sorte de jeu. Mais penser à la princesse Maria était toujours difficile et un peu effrayant.

« Comme elle priait ! se disait-il en se souvenant. On voyait que toute son âme était dans la prière. Oui, c'était cette prière qui déplace les montagnes et je suis sûr qu'elle sera exaucée. Pourquoi ne prierais-je pas pour demander ce dont j'ai besoin ? De quoi ai-je besoin ? De liberté, de rompre avec Sonia. Elle disait vrai, se dit-il en se souvenant des paroles de la femme du gouverneur, en dehors du malheur il ne sortirait rien de mon mariage avec elle. Des complications, le chagrin de *maman*... les affaires... des complications, de terribles complications ! Et puis je ne l'aime pas. Non, je ne l'aime pas comme il faudrait. Mon Dieu ! fais-moi sortir de cette horrible situation sans issue ! » dit-il en commençant soudain de prier. « Oui, la prière déplace les montagnes, mais il faut avoir la foi et ne pas prier comme nous le faisions avec Natacha quand, enfants, nous demandions que la neige se changeât en sucre et que nous courions dehors pour voir si la neige était changée en sucre. Non, mais maintenant je ne prie pas pour demander des bêtises », se dit-il en mettant sa pipe dans un coin et, joignant les mains, il alla se placer devant l'icône. Et, attendri par le souvenir de la princesse Maria, il pria comme il n'avait pas prié depuis longtemps. Il avait les larmes aux yeux et dans la gorge quand Lavrouchka entra avec des papiers.

« Imbécile ! pourquoi entres-tu quand on ne t'appelle pas ! dit Nicolas en changeant vivement de position.

– De la part du gouverneur, dit Lavrouchka d'une voix endormie, un courrier est arrivé, il y a une lettre pour vous.

– C'est bon, merci, va ! »

Nicolas avait reçu deux lettres. L'une était de sa mère, l'autre de Sonia. Il reconnut les écritures et décacheta d'abord la lettre de Sonia. Il avait à peine lu quelques lignes que son visage pâlit et que ses yeux se dilatèrent de frayeur et de joie.

« Non, ce n'est pas possible ! » dit-il à voix haute. Incapable de rester en place, il marcha de long en large, la lettre à la main et tout en la lisant. Il la parcourut, puis la lut une fois, la relut et relevant les épaules et écartant les bras, perplexe, s'arrêta au milieu de la pièce, la bouche ouverte et les yeux fixes. Ce qu'il venait de demander à

Dieu avec la certitude que sa prière serait entendue était exaucé ; mais Nicolas en était étonné comme s'il y avait là quelque chose d'extraordinaire, comme s'il ne s'y attendait pas du tout et comme si la rapidité avec laquelle cela s'était accompli prouvait que cela ne venait pas de Dieu ainsi qu'il l'avait demandé, mais était un simple effet du hasard.

Ce nœud apparemment impossible à dénouer qui liait sa liberté était dénoué par cette lettre de Sonia, inattendue (semblait-il à Nicolas) et que rien n'avait provoquée. Elle écrivait que les récents malheurs, la perte de presque tous les biens des Rostov à Moscou, le désir plus d'une fois manifesté par la comtesse de voir Nicolas épouser la princesse Bolkonski, son silence et sa froideur de ces derniers temps, tout cela à la fois l'avait décidée à le relever de sa promesse et à lui rendre son entière liberté.

« Il m'était trop pénible de penser que je pusse être une cause de chagrin ou de désaccord dans la famille à laquelle je dois tant, écrivait-elle, et mon amour a pour seul but le bonheur de ceux que j'aime ; c'est pourquoi je vous supplie, Nicolas, de vous considérer comme libre et de croire qu'en dépit de tout personne ne peut vous aimer plus fort que votre Sonia. »

Les deux lettres venaient de Troïtsa. L'autre était de la comtesse. Elle décrivait les derniers jours passés à Moscou, le départ, l'incendie et la perte de tous leurs biens. La comtesse, entre autres choses, disait dans sa lettre que le prince André, au nombre d'autres blessés, voyageait avec eux. Son état était très grave, mais maintenant le médecin disait qu'il y avait bien plus d'espoir. Sonia et Natacha lui servaient de gardes-malades.

Le lendemain, Nicolas se rendit avec cette lettre chez la princesse Maria. Ni lui ni elle ne firent aucune allusion à ce que pouvaient signifier ces mots : « Natacha le soigne » ; mais grâce à cette lettre Nicolas se rapprocha de la princesse Maria comme s'ils étaient parents.

Le lendemain, Rostov prit congé de la princesse Maria qui partit pour Iaroslavl et, quelques jours plus tard, il rejoignit son régiment.

VIII

La lettre de Sonia qui exauçait la prière de Nicolas avait été envoyée de Troïtsa. Voici ce qui l'avait provoquée. La pensée de marier Nicolas avec une riche héritière occupait de plus en plus la vieille comtesse. Elle savait que Sonia en était le principal obstacle. Et la vie de Sonia ces derniers temps, surtout depuis la lettre où Nicolas décrivait sa rencontre avec la princesse Maria à Bogoutcharovo, devenait de plus en plus pénible. La comtesse ne manquait pas une occasion de lui faire des allusions blessantes ou cruelles.

Mais quelques jours avant le départ de Moscou, la comtesse, troublée et émue par tout ce qui se passait, avait fait venir Sonia et, au lieu d'exiger et de l'accabler de reproches, l'avait suppliée avec des larmes de se sacrifier, de payer tout ce qu'on avait fait pour elle en rompant avec Nicolas.

« Je ne serai pas tranquille tant que tu ne m'auras pas fait cette promesse. »

Sonia eut une crise de larmes, répondit à travers ses sanglots qu'elle ferait tout, qu'elle était prête à tout, mais ne fit pas de promesse formelle, et dans son for intérieur elle ne pouvait se décider à ce qu'on exigeait d'elle. Elle devait se sacrifier pour le bonheur de la famille qui l'avait nourrie et élevée. Se sacrifier pour le bonheur des autres était une habitude pour elle. Sa situation dans la maison était telle que seule la voie du sacrifice lui permettait de manifester ses qualités, et elle y était habituée et aimait à se sacrifier. Mais naguère, chaque fois qu'elle se sacrifiait, elle se rendait compte avec joie qu'ainsi elle se grandissait à ses yeux et aux yeux des autres et se rendait plus digne de Nicolas qu'elle aimait plus que tout au monde ; or maintenant son sacrifice devait consister à renoncer à ce qui était pour elle toute la récompense de ses sacrifices, tout le sens de la vie. Et pour la première fois de sa vie, elle ressentit de l'amertume à l'égard de ceux qui lui avaient fait tant de bien pour pouvoir mieux la tourmenter ; elle ressentit de la jalousie envers Natacha qui n'avait jamais rien éprouvé de semblable, qui n'avait jamais eu besoin de se sacrifier, qui obligeait les autres à se sacrifier pour elle et que néanmoins tout le monde aimait. Et, pour la première fois, Sonia avait senti son calme et pur amour pour Nicolas se transformer soudain en un sentiment passionné qui primait et les principes et la vertu et la religion ; et sous l'influence de ce sentiment, Sonia, à qui sa vie dépendante avait appris la dissimulation, avait répondu à la comtesse en termes vagues, avait évité les explications et s'était décidée à attendre d'avoir revu Nicolas, non pas pour lui rendre sa liberté mais au contraire pour s'unir à lui pour toujours.

Les soucis et les affres des derniers jours que les Rostov passèrent à Moscou avaient refoulé en Sonia ses sombres pensées. Elle avait été contente de trouver un dérivatif dans l'activité pratique. Mais quand elle apprit la présence du prince André dans la maison, malgré sa sincère pitié pour lui et pour Natacha, le sentiment joyeux et superstitieux que Dieu ne voulait pas qu'elle fût séparée de Nicolas s'empara d'elle. Elle savait que Natacha n'aimait que le prince André et n'avait jamais cessé de l'aimer. Elle savait que maintenant, réunis dans des circonstances si tragiques, ils s'aimeraient de nouveau et que les liens de parenté qui les uniraient alors interdiraient à Nicolas d'épouser la princesse Maria. Malgré toute l'horreur de ce qui se passait alors et pendant les premiers jours du voyage, ce sentiment, cette conscience de l'intervention de la Providence dans ses affaires personnelles remplissait Sonia de joie.

Au monastère de la Trinité, les Rostov firent la première étape d'une journée de leur voyage.

À l'hôtellerie du monastère, on leur avait réservé trois grandes chambres dont l'une fut occupée par le prince André. Le blessé allait beaucoup mieux ce jour-là. Natacha était auprès de lui. Dans la pièce voisine, le comte et la comtesse s'entretenaient respectueusement avec le supérieur, venu rendre visite à ses vieux amis et donateurs. Sonia était également là et, rongée de curiosité, se demandait ce que pouvaient se dire le prince André et Natacha. Elle écoutait leurs voix à travers la porte. La porte de la chambre du prince André s'ouvrit. Natacha en sortit, le visage ému, et sans remarquer le moine qui se levait à son entrée et saisissait sa large manche droite pour la bénir, s'approcha de Sonia et la prit par le bras.

« Natacha, qu'as-tu ? Viens ici », dit la comtesse.

Natacha reçut la bénédiction et le supérieur l'engagea à demander le secours de Dieu et de son saint.

Aussitôt après le départ du supérieur, Natacha prit son amie par la main et l'emmena dans la pièce inoccupée.

« Sonia, n'est-ce pas, il vivra ? dit-elle. Sonia, comme je suis heureuse et comme je suis malheureuse ! Sonia, ma chérie, tout est comme autrefois. Pourvu seulement qu'il vive. Il ne peut pas… parce que, parce… que… » et Natacha éclata en sanglots.

« Ah ! Je le savais ! Dieu soit loué, fit Sonia. Il vivra ! »

Sonia était non moins émue que son amie par ses craintes et son chagrin, et par ses propres pensées qu'elle n'avait jamais confiées à personne. Elle embrassa Natacha en sanglotant et la consola. « Pourvu qu'il vive ! » pensait-elle. Après avoir pleuré, parlé et essuyé leurs larmes, les deux amies s'approchèrent de la porte du prince André. Natacha l'ouvrit doucement et jeta un regard dans la pièce. Sonia se tenait à côté d'elle près de la porte entrebâillée.

Le prince André reposait, appuyé haut sur trois oreillers. Son visage pâle était calme, il avait les yeux fermés et on voyait sa respiration égale.

« Ah ! Natacha ! s'écria presque Sonia en saisissant soudain sa cousine par le bras et en s'écartant de la porte.

– Qu'y a-t-il ? Qu'y a-t-il ? demanda Natacha.

– C'est ça, c'est bien ça... » dit Sonia, le visage pâle et les lèvres tremblantes.

Natacha ferma doucement la porte et emmena Sonia vers la fenêtre sans comprendre encore ce qu'elle voulait dire.

« Te souviens-tu, dit Sonia, le visage effrayé et solennel, te souviens-tu, quand je regardais pour toi dans le miroir... À Otradnoïe, à Noël... Te souviens-tu de ce que j'ai vu ?...

– Oui, oui ! dit Natacha ouvrant de grands yeux et se souvenant vaguement que Sonia avait dit quelque chose au sujet du prince André qu'elle avait vu couché.

– Tu te souviens ? poursuivit Sonia. Je l'ai vu alors et je l'ai dit à tout le monde, et à toi, et à Douniacha. Je l'ai vu couché dans un lit... disait-elle en faisant à chaque détail un geste de la main avec l'index levé, il avait fermé les yeux et il y avait sur lui justement une couverture rose, et ses mains étaient croisées », disait Sonia, de plus en plus convaincue, à mesure qu'elle décrivait les détails qu'elle venait de voir, que c'étaient précisément ces détails-là qu'elle avait vus alors. Elle n'avait rien vu et avait raconté ce qui lui était passé par la tête, mais ce qu'elle avait inventé alors lui semblait aussi réel que tout autre souvenir. Elle avait dit qu'il s'était tourné vers elle et avait souri, qu'il était couvert de quelque chose de rouge, non seulement elle s'en souvenait maintenant, mais elle était fermement convaincue d'avoir dit et vu qu'il était couvert de rose, justement d'une couverture rose, et que ses yeux étaient fermés.

« Oui, oui, de rose justement, dit Natacha qui croyait aussi se souvenir maintenant que Sonia avait parlé de rose et qui précisément en cela voyait la principale étrangeté et le principal mystère du présage.

– Mais qu'est-ce que cela peut signifier ? dit-elle pensivement.

– Ah ! je n'en sais rien, comme tout cela est extraordinaire ! » dit Sonia en se prenant la tête dans les mains.

Quelques instants plus tard, le prince André sonna et Natacha entra chez lui ; tandis que Sonia, en proie à une émotion et à un attendrissement qu'elle avait rarement éprouvés, resta près de la fenêtre à réfléchir à toute l'étrangeté de ce qui venait d'arriver.

Ce jour-là l'occasion se présenta d'envoyer des lettres à l'armée et la comtesse écrivait à son fils.

« Sonia », dit-elle en levant la tête de sa lettre quand sa nièce passa près d'elle. « Sonia, n'écriras-tu pas à Nicolas ? » demanda-t-elle d'une voix basse qui trembla, et dans ces yeux fatigués qui la regardaient à travers ses lunettes, Sonia lut tout ce que la comtesse entendait par ces mots. Ce regard exprimait et la supplication, et la peur d'un refus, et la honte de devoir demander, et une haine implacable toute prête en cas de refus.

Sonia s'approcha de la comtesse et s'agenouillant lui baisa la main.

« Je vais écrire, *maman* », dit-elle.

Sonia était adoucie, émue et attendrie par tout ce qui s'était passé ce jour-là et surtout par cette mystérieuse réalisation du présage qu'elle venait de constater. Maintenant qu'elle savait que la réconciliation entre Natacha et le prince André empêchait Nicolas d'épouser la princesse Maria, elle sentit avec joie le retour de son esprit de sacrifice dans lequel elle aimait et était habituée à vivre. Et avec la satisfaction d'accomplir un acte généreux, elle écrivit, interrompue plusieurs fois par les larmes qui embuaient ses yeux noirs veloutés, cette lettre touchante dont Nicolas devait être tant frappé.

IX

Au poste de police où l'on avait amené Pierre, les officiers et les soldats qui l'avaient arrêté le traitèrent avec hostilité mais en même temps avec respect. On sentait qu'ils se demandaient qui il était (peut-être un très important personnage), tout en lui en voulant de la lutte toute fraîche encore qu'ils avaient soutenue contre lui.

Mais lorsque le lendemain matin ils furent relevés, Pierre sentit que pour la nouvelle garde – officiers et soldats – il ne représentait plus ce qu'il avait représenté pour ceux qui l'avaient arrêté. Et en effet ce grand et gros garçon en vêtements de paysan n'était plus à leurs yeux cet homme vivant qui s'était battu si violemment avec le maraudeur et les soldats de la patrouille, et qui avait dit une phrase solennelle sur un enfant sauvé, il n'était que le dix-septième parmi les Russes arrêtés qu'on gardait, Dieu sait pourquoi, sur l'ordre du haut commandement. S'il y avait en lui quelque chose de particulier, c'était seulement son air pensif et concentré, dépourvu de crainte, et sa connaissance de la langue française qu'il parlait avec une perfection qui surprenait les Français. Malgré cela, le jour même, il fut réuni avec les autres suspects car la pièce qu'il occupait avait été réclamée par un officier.

Tous les Russes détenus avec Pierre étaient de la plus basse condition. Et tous, reconnaissant en lui un gentilhomme, se tenaient d'autant plus à l'écart qu'il parlait français. Pierre entendait avec tristesse des railleries à son sujet.

Le lendemain soir, il apprit que tous ces détenus (et lui aussi sans doute dans le nombre) devaient être jugés comme incendiaires. Le surlendemain, on l'emmena avec les autres dans une maison où siégeaient un général français aux moustaches blanches, deux colonels et d'autres Français avec des brassards. On posa à Pierre comme aux autres, avec cette précision et cette netteté qui sont censées se placer au-dessus des faiblesses humaines et avec lesquelles on interroge d'habitude des prévenus, des questions telles que : qui était-il ? où se trouvait-il ? dans quelle intention ? etc.

Ces questions qui laissaient de côté le fond de l'affaire et excluaient la possibilité de la tirer au clair, comme toutes les questions qu'on pose en justice, avaient pour seul but de tendre cette gouttière le long de laquelle les juges voulaient voir se déverser les réponses du prévenu et l'amener à ce qu'ils cherchaient, c'est-à-dire à étayer l'accusation. Dès qu'il commençait à parler de quelque chose qui ne correspondait pas au but de l'accusation, on retirait la gouttière et l'eau pouvait se déverser où elle voulait. En outre, Pierre éprouvait ce qu'éprouve un prévenu devant tous les tribunaux : il se demandait perplexe à quoi tendaient toutes ces questions. Il avait le sentiment que c'était seulement par indulgence ou par politesse qu'on avait recours à ce procédé de gouttière offerte. Il savait qu'il était au pouvoir de ces hommes, que seule la force l'avait amené ici, que seule la force leur donnait le droit d'exiger de lui des réponses à leurs questions, que l'unique objet de cette séance était de le condamner. C'est pourquoi, puisque force il y avait et volonté d'accuser, le recours à l'interrogatoire et au jugement était inutile. Il était évident que toutes les réponses devaient aboutir à prouver sa culpabilité. Lorsqu'on lui demanda ce qu'il faisait au moment de son arrestation, Pierre répondit sur un ton assez dramatique qu'il rapportait à ses parents *l'enfant qu'il avait sauvé des flammes*. – Pourquoi s'était-il battu avec un maraudeur ? Il répondit qu'il défendait une femme, que défendre une femme qu'on offense est le devoir de tout homme, que… On l'arrêta : cela n'avait rien à voir avec l'affaire. Pourquoi était-il dans la cour d'une maison en flammes où l'avaient vu des témoins ? Il répondit qu'il était allé voir ce qui se passait à Moscou. On l'arrêta de nouveau : on ne lui demandait pas où il allait mais pourquoi il se trouvait près de l'incendie. Qui était-il ? lui demanda-t-on, reprenant la première question à laquelle il avait refusé de répondre. De nouveau il répondit qu'il ne pouvait pas le dire.

« Consignez cela, c'est grave. C'est très grave », dit sévèrement le général à la moustache blanche et au visage coloré.

Le quatrième jour, les incendies commencèrent au rempart de Zoubovo.

On emmena Pierre avec treize autres à Krimski Brod dans la remise d'une maison de marchand. En passant dans les rues, Pierre fut suffoqué par la fumée qui semblait s'étendre sur toute la ville. De tous côtés on voyait des incendies. Pierre ne comprenait pas encore la signification de l'incendie de Moscou et regardait les brasiers avec épouvante.

Dans la remise de la maison de Krimski Brod, Pierre passa encore quatre jours pendant lesquels il apprit par les conversations des soldats français que pour tous ceux qui étaient détenus ici l'on attendait d'un jour à l'autre la décision du maréchal. De quel maréchal, Pierre ne put le savoir. Pour les soldats, le maréchal représentait sans doute l'échelon supérieur et quelque peu mystérieux du pouvoir.

Ces premiers jours qui précédèrent le 8 septembre, jour où les prisonniers subirent un deuxième interrogatoire, furent les plus pénibles pour Pierre.

X

Le 8 septembre, les prisonniers reçurent la visite d'un très important officier, à en juger par la déférence que lui témoignèrent les soldats de la garde. Cet officier, qui appartenait sans doute à l'état-major, fit, une liste à la main, l'appel de tous les Russes en qualifiant Pierre : *celui qui n'avoue pas son nom*. Et après avoir jeté aux prisonniers un regard indifférent et indolent, il ordonna à l'officier de garde de les faire habiller et arranger décemment avant de les conduire devant le maréchal. Une heure plus tard, arriva un détachement de soldats et Pierre fut emmené avec les treize autres au Champ des Vierges. Il faisait une journée claire et ensoleillée après la pluie, et l'air était extraordinairement pur. La fumée ne rampait plus comme le jour où l'on avait conduit Pierre du poste de police au rempart de Zoubovo ; elle montait en colonnes dans l'air pur. On ne voyait nulle part de flammes, mais les colonnes de fumée s'élevaient de tous côtés et Moscou tout entière, tout ce que Pierre put en voir, n'était que décombres. Partout on voyait des terrains vagues avec des poêles et des cheminées et, par endroits, les murs calcinés de maisons de pierre. Pierre regardait les ruines et ne reconnaissait pas les quartiers familiers de la ville. Çà et là des églises avaient échappé aux flammes. Le Kremlin, intact, se détachait au loin en blanc, avec ses tours et le clocher d'Ivan le Grand. Plus près, la coupole du monastère de Novodevitchi étincelait gaiement et le son des cloches en parvenait particulièrement sonore. Ce son des cloches rappela à Pierre que c'était dimanche et la fête de la Nativité de la Vierge. Mais il semblait qu'il n'y eût personne pour célébrer cette fête ; partout ce n'étaient que décombres des incendies et, en fait de Russes, on ne rencontrait de temps à autre que des gens effrayés, en guenilles, qui se cachaient à la vue des Français.

À n'en pas douter, le nid russe était dévasté et détruit ; mais, à travers cette destruction de l'ordre russe, Pierre sentait confusément que, sur ce nid dévasté, s'était établi un autre ordre, tout différent mais ferme, celui des Français. Il le sentait à la vue des soldats de l'escorte qui, gais et alertes, marchaient en bon ordre ; il le sentait à la vue d'un important fonctionnaire français qui venait à leur rencontre dans une voiture attelée de deux chevaux et conduite par un soldat. Il le sentait aux sons joyeux d'une musique militaire qui parvenaient du côté gauche du Champ et, surtout, il le sentait et le comprenait depuis que l'officier français, ce matin, avait lu la liste en faisant l'appel. Pierre avait été pris par des soldats, emmené à un endroit, puis à un autre avec des dizaines de prisonniers ; on aurait pu l'oublier, le confondre avec eux. Mais non : les réponses qu'il avait faites à l'interrogatoire lui étaient revenues sous forme de l'étiquette : *celui qui n'avoue pas son nom.* Et sous cette étiquette qui lui faisait peur, on l'emmenait de nouveau quelque part, avec l'assurance inébranlable qu'il lisait sur les visages des convoyeurs que tous les autres prisonniers et lui étaient ceux-là mêmes qu'il fallait et qu'on les conduisait où il fallait. Pierre se sentait un pauvre fétu de paille happé par la roue d'une machine inconnue mais au fonctionnement efficace.

On conduisit Pierre avec les autres détenus, à droite du Champ des Vierges, non loin du monastère, vers une grande maison blanche entourée d'un immense parc. C'était la maison du prince Stcherbatov, où Pierre était souvent venu autrefois et où logeait maintenant, comme il l'apprit par les conversations des soldats, le maréchal prince d'Eckmühl.

On les conduisit vers le perron et on les introduisit un à un dans la maison. Pierre entra le sixième. À travers la galerie vitrée, le vestibule, l'antichambre qui lui étaient familiers, on l'emmena dans un cabinet de travail long et bas de plafond, à la porte duquel était assis un aide de camp.

Davout était installé à l'autre bout de la pièce, derrière une table, le nez chaussé de lunettes. Pierre s'approcha tout près. Davout, sans lever les yeux, consultait un papier posé devant lui. Toujours sans lever les yeux, il demanda à voix basse : « *Qui êtes-vous ?* »

Pierre se taisait, incapable d'articuler un son. Pour lui, Davout n'était pas simplement un général français ; c'était un homme réputé pour sa cruauté. En regardant le visage froid de Davout qui, comme un maître sévère, consentait pour le moment à prendre patience et à attendre la réponse, Pierre sentait que chaque instant d'hésitation pouvait lui coûter la vie ; mais il ne savait que dire. Répéter ce qu'il avait dit au premier interrogatoire, il ne l'osait pas ; révéler son nom et son rang était dangereux et honteux. Il gardait le silence. Mais avant qu'il eût pu prendre un parti, Davout leva la tête, remonta ses lunettes sur son front, cligna des yeux et le regarda fixement.

« *Je connais cet homme* », dit-il d'une voix mesurée et froide, manifestement calculée pour faire peur à Pierre. Le froid qui avait couru dans le dos de Pierre lui enserra la tête comme dans un étau.

« *Mon général, vous ne pouvez me connaître, je ne vous ai jamais vu…*

– *C'est un espion russe* », l'interrompit Davout en s'adressant à un autre général qui se trouvait là et que Pierre n'avait pas remarqué. Et Davout se détourna. Avec des éclats de voix inattendus, Pierre commença soudain vivement :

« *Non, monseigneur*, dit-il en se rappelant brusquement que Davout était prince. *Non, monseigneur, vous n'avez pas pu me connaître. Je suis un officier militionnaire et je n'ai pas quitté Moscou.*

– *Votre nom ?* répéta Davout.

– *Besouhof.*

– *Qu'est-ce qui me prouve que vous ne mentez pas ?*

– *Monseigneur !* » s'écria Pierre d'une voix plus suppliante qu'offensée.

Davout leva les yeux et le regarda fixement. Pendant quelques secondes ils se regardèrent ainsi et ce regard sauva Pierre. Dans ce regard, en dehors de toutes les questions de guerre et de justice, des relations humaines s'établirent entre ces deux hommes. Tous deux en cet instant sentirent confusément une infinité de choses et comprirent qu'ils étaient tous deux des fils de l'humanité, qu'ils étaient des frères.

Dans le premier regard, lorsque Davout avait à peine levé la tête de sa liste où les affaires et la vie des hommes étaient désignées par des matricules, Pierre n'était pour lui qu'un cas, et sans se charger la conscience d'une mauvaise action, il l'aurait fait fusiller ; mais maintenant il voyait en lui un homme. Il réfléchit un instant.

« *Comment me prouverez-vous la vérité de ce que vous me dites ?* » dit-il froidement.

Pierre se souvint de Ramball et indiqua son régiment, son nom et la rue où il logeait.

« *Vous n'êtes pas ce que vous dites* », répéta Davout.

D'une voix tremblante, entrecoupée, Pierre donna des preuves à l'appui de ses dires.

Mais à ce moment un aide de camp entra et dit quelque chose à Davout.

Le visage de Davout s'éclaira soudain à la nouvelle que lui annonçait l'aide de camp et il reboutonna son uniforme. Il semblait avoir complètement oublié Pierre.

Quand l'aide de camp lui rappela la présence du prisonnier, il fronça les sourcils, fit un signe de tête du côté de Pierre et dit qu'on l'emmenât. Mais où devait-on l'emmener, Pierre ne le savait pas : était-ce à son baraquement ou à l'endroit préparé pour l'exécution et que ses camarades lui avaient montré en traversant le Champ des Vierges ?

Il tourna la tête et vit l'aide de camp poser une question.

« *Oui, sans doute !* » répondit Davout, mais Pierre ne savait pas ce que signifiait ce « oui ».

Pierre ignorait comment, combien de temps il avait marché et où il était allé. Dans un état d'inconscience et d'abrutissement complets, sans rien voir autour de lui, il mettait un pied devant l'autre comme tout le monde, jusqu'à ce que tous se fussent arrêtés et qu'il s'arrêtât aussi.

Il n'y avait pendant tout ce temps qu'une seule pensée dans sa tête : qui, qui donc l'avait condamné ? Ce n'étaient pas les gens qui l'avaient interrogé au tribunal : aucun d'eux ne voulait ni certainement ne pouvait le faire. Ce n'était pas Davout qui l'avait regardé si humainement. Un instant encore, et Davout aurait compris qu'ils commettaient une mauvaise action, mais l'aide de camp l'en avait empêché en entrant. Et cet aide de camp non plus ne lui voulait apparemment aucun mal, mais il aurait pu ne pas entrer. Qui donc alors le suppliciait, le tuait, lui ôtait la vie, à lui, Pierre, avec tous ses souvenirs, ses aspirations, ses espoirs, ses pensées ? Qui faisait cela ? Et Pierre sentait que ce n'était personne.

C'était l'ordre établi, le concours des circonstances.

Cet ordre inconnu le tuait, lui, Pierre, il lui ôtait la vie, lui ôtait tout, l'anéantissait.

XI

De la maison du prince Stcherbatov, on conduisit les prisonniers directement dans le bas du Champ des Vierges, à gauche du monastère Devitchi, vers un potager où se dressait un poteau. Derrière le poteau, une grande fosse était creusée, autour de laquelle s'amoncelait la terre fraîchement remuée, et une foule considérable se pressait en demi-cercle autour de la fosse et du poteau. La foule se composait d'un petit nombre de Russes et d'une majorité de soldats de Napoléon : Allemands, Italiens et Français en uniformes divers. À droite et à gauche du poteau étaient alignées des troupes françaises en armes, vêtues d'uniformes bleus à épaulettes rouges, avec des guêtres et des shakos.

On disposa les criminels suivant l'ordre de la liste (Pierre était le sixième) et on les conduisit auprès du poteau. Des roulements de tambour partirent soudain de deux côtés et à ce bruit Pierre sentit quelque chose se déchirer dans son âme. Il perdit la faculté de penser et de comprendre. Il pouvait seulement voir et entendre. Et un seul désir était en lui, que finît au plus vite ce quelque chose qui devait s'accomplir. Pierre se retournait vers ses camarades et les examinait.

Les deux hommes à l'extrémité du rang étaient des forçats à la tête rasée. L'un grand et maigre ; l'autre noiraud, velu et musclé, au nez camus. Le troisième était un domestique de quarante-cinq ans environ, aux cheveux grisonnants, corpulent et bien nourri. Le quatrième était un très beau paysan à la barbe blonde en éventail et aux yeux noirs. Le cinquième, un ouvrier, un garçon maigre et jaune de dix-huit ans, vêtu d'une blouse.

Pierre entendit les Français se consulter sur la façon dont il fallait fusiller les condamnés, un par un ou deux par deux ? « Deux par deux », répondit le commandant d'un ton froid et calme. Un mouvement se fit dans les rangs des soldats, visiblement tous se hâtaient, et leur hâte n'était pas celle de gens qui vont faire une besogne compréhensible pour tous, mais celle de gens qui veulent en finir avec une besogne indispensable mais déplaisante et incompréhensible.

Un officier français à brassard s'approcha du côté droit de la file des prisonniers et lut la sentence en russe et en français.

Puis, deux par deux, quatre Français s'approchèrent des condamnés et, sur l'indication de l'officier, prirent les deux forçats qui étaient en tête. Les forçats arrivés au poteau s'arrêtèrent et pendant qu'on apportait des sacs, regardèrent autour d'eux en silence comme une bête blessée regarde le chasseur qui s'avance. L'un ne cessait de se signer, l'autre se grattait le dos et faisait des lèvres un mouvement qui ressemblait à un sourire. Avec des gestes hâtifs, les soldats leur bandèrent les yeux, leur mirent les sacs et les attachèrent au poteau.

Douze tirailleurs armés de fusils se détachèrent des rangs d'un pas mesuré et ferme et s'arrêtèrent à huit pas du poteau. Pierre se détourna pour ne pas voir ce qui allait se passer. Soudain, un fracas retentit qui parut à Pierre plus violent que le plus terrible coup de tonnerre, et il regarda. Il y avait de la fumée, et des Français, le visage pâle et les mains tremblantes, faisaient quelque chose près de la fosse. On amena les deux suivants. De même, avec les mêmes yeux, ces deux-là regardèrent tout le monde en silence, implorant du secours, visiblement sans comprendre ce qui allait se passer et sans y croire. Ils ne pouvaient y croire car seuls ils savaient ce que représentait pour eux la vie, aussi ne comprenaient-ils pas, ne croyaient-ils pas qu'on pût la leur prendre.

Pierre ne voulait pas regarder et de nouveau il se détourna ; mais de nouveau une terrible détonation frappa son oreille, et en même temps que ce bruit, il vit de la fumée, du sang et les visages pâles et effrayés des Français qui, de nouveau, faisaient quelque chose près du poteau, se bousculant avec des mains tremblantes. Pierre, haletant, promenait les yeux autour de lui comme pour demander : que signifie tout cela ? La même question se lisait sur tous les regards qui rencontraient le sien.

Sur tous les visages des Russes, sur les visages des soldats français, des officiers, sur tous sans exception, il lisait le même effroi, la même horreur et la même lutte que dans son cœur. « Mais enfin qui donc fait cela ? Ils souffrent tous autant que moi. Qui donc ? Qui ? » Cette pensée traversa en un éclair l'esprit de Pierre.

« *Tirailleurs du 86e, en avant !* » cria quelqu'un. On emmena le cinquième qui était à côté de Pierre – tout seul. Pierre ne comprit pas qu'il était sauvé, que lui et tous les autres n'avaient été amenés là que pour assister à l'exécution. Avec une horreur sans cesse croissante, sans éprouver ni joie ni apaisement, il regardait ce qui se passait. Le cinquième était l'ouvrier en blouse. À peine l'eut-on touché qu'épouvanté il bondit et s'accrocha à Pierre. Pierre tressaillit et s'arracha à lui. L'ouvrier ne pouvait marcher. On le traîna sous les bras, il criait. Une fois au poteau, il se tut brusquement. On eût dit qu'il venait de comprendre quelque chose. Avait-il compris qu'il venait de crier en vain ou pensait-il qu'il était impossible que ces gens pussent le tuer ? Toujours est-il qu'il s'immobilisa devant le poteau, attendant d'être lié avec un autre et, telle une bête blessée, promena autour de lui des yeux brillants.

Pierre ne pouvait plus prendre sur lui de se détourner et de fermer les yeux. Sa curiosité et son émotion, comme celles de toute la foule, avaient atteint leur apogée à ce cinquième meurtre. De même que les précédents, ce cinquième condamné paraissait calme : il s'enveloppait dans sa blouse, et frottait ses pieds nus l'un contre l'autre.

Lorsqu'on lui banda les yeux, il arrangea lui-même sur sa nuque le nœud qui le gênait ; puis, quand on l'adossa au poteau ensanglanté, il se renversa en arrière, et comme cette position lui était incommode, il se redressa et alignant bien les pieds s'adossa tranquillement. Pierre qui ne le quittait pas des yeux suivait son moindre mouvement.

Sans doute un commandement retentit, sans doute après ce commandement huit fusils partirent. Mais Pierre, quelque effort qu'il fît par la suite pour se le rappeler, n'entendit pas la moindre détonation. Il vit seulement l'ouvrier s'affaisser soudain dans ses liens, le sang apparut à deux endroits, les cordes se détendirent sous le poids du corps et l'ouvrier, la tête étrangement baissée et une jambe repliée, s'assit par terre. Pierre courut au poteau. Personne ne le retint. Autour de l'ouvrier, des gens effrayés, pâles, faisaient quelque chose. La mâchoire inférieure d'un vieux Français moustachu tremblait pendant qu'il détachait les cordes. Le corps s'écroula. Les soldats le traînèrent gauchement et en hâte derrière le poteau et le firent basculer dans la fosse.

Tous, à n'en pas douter, se savaient des criminels qui devaient faire disparaître au plus vite les traces de leur crime.

Pierre jeta un coup d'œil dans la fosse et vit l'ouvrier gisant les genoux au niveau de la tête, une épaule plus haute que l'autre. Et cette épaule s'abaissait et se relevait convulsivement, en mesure. Mais déjà les pelletées de terre tombaient sur tout le corps. Un soldat cria à Pierre d'une voix irritée, courroucée et douloureuse de revenir à sa place. Mais Pierre ne comprit pas, resta près du poteau et personne ne le chassa.

Lorsque la fosse fut entièrement comblée, un commandement retentit. On ramena Pierre à sa place et les troupes françaises placées des deux côtés du poteau firent demi-tour et défilèrent au pas cadencé. Les vingt-quatre tirailleurs aux fusils déchargés qui se tenaient au milieu du cercle regagnaient en courant leur place dans le rang lorsque leur compagnie passait devant eux.

Pierre regardait maintenant, les yeux vides, ces tirailleurs qui, au pas de course, sortaient deux par deux du cercle. Tous, à l'exception d'un seul, avaient rejoint leurs compagnies. Ce jeune soldat au visage d'une pâleur mortelle, le shako tombé en arrière, le fusil abaissé, restait toujours devant la fosse, à l'endroit même d'où il avait tiré. Il chancelait comme un homme ivre, faisant quelques pas en avant, quelques pas en arrière, pour garder l'équilibre.

Un vieux sous-officier sortit en courant des rangs et le prenant par l'épaule le ramena dans sa compagnie. La foule des Russes et des Français commença à se disperser. Tous marchaient en silence, la tête baissée.

« *Ça leur apprendra à incendier* », dit quelqu'un parmi les Français. Pierre se retourna vers celui qui avait parlé et vit que c'était un soldat qui cherchait sans y parvenir à se consoler de ce qui venait d'être fait. Sans achever, il fit un geste désabusé de la main et s'éloigna.

XII

Après l'exécution, on sépara Pierre des autres détenus et on le laissa seul dans une petite église saccagée et souillée.

Vers le soir, un sous-officier de garde entra dans l'église avec deux soldats et annonça à Pierre qu'il était gracié et passait maintenant dans les baraquements des prisonniers de guerre. Sans comprendre ce qu'on lui disait, Pierre se leva et suivit les soldats. On le conduisit à des baraquements construits au haut de la place avec des planches et des poutres calcinées, et on le fit entrer dans l'un d'eux. Dans l'obscurité, une vingtaine d'hommes l'entourèrent. Pierre les regardait sans comprendre qui ils étaient, pourquoi ils étaient là et ce qu'ils lui voulaient. Il entendait les mots qu'on lui disait mais n'en tirait aucune conclusion et n'en faisait aucune application : il n'en comprenait pas le sens. Il répondait aux questions qu'on lui posait, mais ne se demandait pas qui l'écoutait et comment seraient interprétées ses réponses. Il regardait des visages et des silhouettes, et ils lui paraissaient tous également dénués de sens.

Depuis le moment où Pierre avait vu ce terrible assassinat commis par des hommes qui ne voulaient pas le commettre, c'était comme si l'on avait enlevé de son âme le ressort auquel tout tenait et qui rendait tout vivant, et tout s'était effondré en un tas informe de débris. Bien qu'il ne s'en rendît pas compte, sa foi et en l'harmonie universelle et en l'âme des hommes et en son âme propre et en Dieu avait été détruite en lui. Pierre avait déjà éprouvé cet état mais jamais avec cette force. Autrefois, lorsque des doutes de ce genre l'envahissaient, ils avaient pour cause sa propre faute. Et, tout au fond de son âme, il sentait alors que le salut de ce désespoir et de ces doutes était en lui-même. Mais maintenant il sentait que ce n'était pas par sa faute que le monde s'était écroulé sous ses yeux, ne laissant que des décombres dénués de sens. Il sentait qu'il n'était pas en son pouvoir de recouvrer sa foi en la vie.

Des gens l'entouraient dans l'obscurité : quelque chose en lui les intéressait sans doute beaucoup. On lui racontait quelque chose, on lui posait des questions, puis on le conduisit quelque part, et il se trouva enfin dans un coin du baraquement, parmi des hommes qui s'interpellaient de tous côtés, qui riaient.

« Et alors, mes amis… ce même prince QUI… » disait une voix à l'autre bout du baraquement en appuyant particulièrement sur ce mot.

Assis en silence et sans mouvement sur la paille contre le mur, Pierre tantôt ouvrait les yeux, tantôt les fermait. Mais dès qu'il les fermait, il voyait toujours devant lui le terrible visage de l'ouvrier, terrible surtout dans sa simplicité, et les visages, plus terribles encore dans leur inquiétude, des assassins involontaires. Et il rouvrait les yeux et dans l'obscurité jetait autour de lui des regards égarés.

À côté de lui était assis, courbé, un petit homme dont Pierre avait d'abord remarqué la présence à cause de la forte odeur qu'il dégageait à chacun de ses mouvements. Cet homme faisait quelque chose dans l'obscurité avec ses pieds et bien qu'il ne vît pas son visage, Pierre sentait qu'il ne cessait de le regarder. Quand ses yeux se furent un peu habitués à l'obscurité, Pierre comprit que cet homme se déchaussait. Et la façon dont il s'y prenait l'intéressa.

Après avoir déroulé les ficelles qui entouraient une de ses jambes, il les enroula soigneusement et s'occupa aussitôt de son autre pied en jetant des regards à Pierre. Pendant qu'une de ses mains suspendait la ficelle, l'autre défaisait déjà celle de l'autre pied. S'étant ainsi déchaussé soigneusement, avec des gestes arrondis, précis, qui se succédaient sans hésitation, l'homme suspendit ses chaussures à des baguettes de bois plantées au-dessus de sa tête, prit son couteau, coupa quelque chose, le referma, le mit sous son chevet et s'asseyant bien d'aplomb, entoura des bras ses genoux relevés et fixa le regard droit sur Pierre. Pierre sentait quelque chose d'agréable, de rassurant et de rond dans les mouvements adroits de cet homme, dans ce ménage bien ordonné dans son coin, même dans son odeur, et il ne le quittait pas des yeux.

« Vous en avez vu des misères, monsieur ? Hein ? » dit soudain le petit homme. Et il y avait un tel accent de bienveillance et de simplicité dans la voix chantante de cet homme que Pierre voulut répondre, mais sa mâchoire trembla et il sentit des larmes lui monter aux yeux. Au même instant, sans lui laisser le temps de montrer son trouble, le petit homme reprit de la même voix agréable :

« Eh, mon cher, ne t'afflige pas, dit-il à la façon tendre et chantante des vieilles paysannes russes. Ne t'afflige pas, ami : les épreuves durent une heure et on a toute sa vie à vivre ! C'est comme ça, mon cher. Dieu merci, nous ne vivons pas trop mal ici. Il y a des méchants et il y a aussi des bons », et tout en parlant il se mit d'un mouvement souple sur ses genoux, se leva et en toussant s'en alla quelque part. Pierre entendit à l'autre bout du baraquement la même voix affable :

« Eh, le coquin, le voilà ! Il est revenu, le coquin, il se souvient ! Allons, allons, suffit. » Et le soldat, repoussant un petit roquet qui bondissait autour de lui, regagna sa place et s'assit. Il tenait dans ses mains quelque chose enveloppé dans un chiffon.

« Tenez, mangez, monsieur, dit-il en reprenant son ton respectueux, et tirant du chiffon quelques pommes de terre cuites sous la cendre, il les tendit à Pierre. Pour dîner on a eu de la soupe. Mais les pommes de terre, c'est fameux ! »

Pierre n'avait rien mangé de la journée et l'odeur des pommes de terre lui parut extraordinairement agréable. Il remercia le soldat et se mit à manger.

« C'est comme ça que vous vous y prenez ? dit le soldat en souriant et il prit une des pommes de terre. Voilà comment il faut faire. » Il reprit son couteau de poche, partagea sur sa paume la pomme de terre en deux parties égales, mit du sel qu'il prit dans le chiffon et la tendit à Pierre.

« C'est fameux, ces pommes de terre, répéta-t-il. Mange-moi ça. »

Il sembla à Pierre n'avoir jamais rien mangé de meilleur.

« Tout m'est égal, dit Pierre, mais pourquoi ont-ils fusillé ces malheureux !... Le dernier avait tout au plus vingt ans.

– Tss, tss... fit le petit homme. Quel péché, quel péché... » ajouta-t-il vivement, et comme si les mots étaient toujours prêts dans sa bouche et s'en échappaient d'eux-mêmes, il poursuivit : « Alors, monsieur, vous êtes resté comme ça à Moscou ?

– Je ne croyais pas qu'ils viendraient si vite. Je suis resté par hasard, dit Pierre.

– Mais comment t'ont-ils pris, mon petit faucon, dans ta maison ?...

– Non, j'étais allé voir l'incendie, c'est là qu'ils m'ont pris et ils m'ont jugé comme incendiaire.

– Où il y a jugement, il y a injustice, glissa le petit homme.

– Et toi, y a-t-il longtemps que tu es ici ? demanda Pierre en avalant la dernière pomme de terre.

– Moi ? L'autre dimanche on m'a pris dans un hôpital de Moscou.

– Qui es-tu, un soldat ?

– Soldat du régiment d'Apcheron. Je mourais de fièvre. On ne nous a rien dit. On était une vingtaine des nôtres. On n'y pensait pas, on ne s'y attendait pas.

– Et tu t'ennuies ici ? demanda Pierre.

– Comment ne pas s'ennuyer, mon petit faucon. Je m'appelle Platon ; Karataiev est mon nom de famille, ajouta-t-il, sans doute pour faciliter la conversation à Pierre. Au régiment on m'a surnommé le petit faucon. Comment ne pas s'ennuyer ! Moscou, c'est la mère des villes. Comment ne pas s'ennuyer en voyant ça. Mais le ver ronge le chou et il crève le premier : c'est comme ça qu'ils disaient, les vieux, ajouta-t-il vivement.

– Comment, comment as-tu dit cela ? demanda Pierre.

– Moi ? demanda Karataiev. Je dis : c'est pas à nous de juger mais à Dieu », dit-il, croyant répéter ce qu'il venait de dire. Et aussitôt il poursuivit : « Alors, monsieur, vous avez des terres ? Et une maison ? Donc tout en abondance ! Et une ménagère ? Et vos vieux parents ils sont encore vivants ? » demanda-t-il, et bien que Pierre ne le vît pas dans l'obscurité, il sentait que les lèvres du soldat se plissaient en un sourire retenu de gentillesse pendant qu'il posait ces questions. Il fut visiblement peiné en apprenant que Pierre n'avait plus ses parents, surtout sa mère.

« La femme c'est pour le conseil, la belle-mère pour le bon accueil, mais il n'y a rien de tel que la maman ! dit-il. Et des enfants vous en avez ? » poursuivit-il. La réponse négative de Pierre lui fit de nouveau de la peine et il se hâta d'ajouter : « Ça ne fait rien, vous êtes jeune, si Dieu le veut vous pouvez encore en avoir. Le principal, c'est de bien s'entendre...

– Mais maintenant tout est égal, dit Pierre malgré lui.

– Eh ! cher homme, répliqua Platon, il ne faut jamais refuser ni la besace ni la prison. » Il s'installa plus confortablement, toussa, se préparant visiblement à faire un long récit. « C'est comme ça, mon bon ami, je vivais encore à la maison, commença-t-il. Le domaine est riche, on a beaucoup de terre, les paysans vivent bien et nous aussi, Dieu soit loué. Le père allait faucher à sept. On vivait bien. De vrais paysans qu'on était. Et voilà ce qui arrive... » Et Platon Karataiev raconta une longue histoire, disant qu'il était allé chercher du bois dans la forêt d'un autre où il avait été surpris par le garde, qu'on lui avait donné les verges, qu'on l'avait jugé et fait soldat. « Eh bien, mon petit faucon, dit-il d'une voix que le sourire changeait, on pensait que c'était un malheur et il s'est trouvé que c'est une joie ! Mon frère aurait dû partir si je n'avais pas fait cette faute. Et mon frère cadet a quatre gosses, alors que moi, vois-tu, je n'ai laissé que ma femme. Nous avons bien eu une petite fille, mais Dieu l'a rappelée avant que je sois soldat. J'y suis allé une fois en permission, je te dirai. Je regarde : ils vivent mieux qu'avant. La cour est pleine de bêtes, les femmes sont à la maison, deux frères travaillent au-dehors. Il n'y a que Mikhaïlo, le plus jeune, qui est là. Le père dit alors : "Pour moi, tous mes enfants sont pareils ; quelque doigt qu'on morde, ça fait mal. Si on n'avait pas pris Platon, c'est Mikhaïlo qui aurait dû partir." Il nous a tous appelés – le croirais-tu – et nous a mis devant les icônes. "Mikhaïlo, qu'il dit, viens ici, prosterne-toi devant lui, et toi, femme, prosterne-toi aussi, et vous, les petits-enfants, aussi. Vous avez compris ?" qu'il dit. – Voilà, mon bon ami. Le destin choisit sa tête. Et nous, on n'arrête pas de juger : ça c'est pas bien, ça, ça va mal. Notre bonheur, ami, c'est comme l'eau dans la nasse : on tire, ça se gonfle, mais quand on la retire, il n'y a rien. C'est comme ça. » Et Platon changea de position sur sa paille.

Après quelques instants de silence, il se leva.

« Allons, je crois que tu as envie de dormir ? » dit-il, et il se mit à se signer rapidement en murmurant :

« Seigneur Jésus-Christ, saint Nicolas, Flore et Laurent, Seigneur Jésus-Christ, saint Nicolas ! Flore et Laurent, Seigneur Jésus-Christ, aie pitié de nous et sauve-nous ! » conclut-il en s'inclinant jusqu'à terre, puis il se releva, poussa un soupir et s'assit sur sa paille. « C'est comme ça. Fais-moi dormir, mon Dieu, comme une pierre, fais-moi dormir, mon Dieu, comme une pierre, fais-moi lever comme du bon pain, fit-il, et il s'étendit en ramenant sur lui sa capote.

– Quelle prière viens-tu de réciter ? demanda Pierre.

– Quoi ? » dit Platon (il s'était déjà endormi). « Ce que je récitais ? Je priais Dieu. Et toi, est-ce que tu ne pries pas ?

– Si, je prie aussi, dit Pierre. Mais que disais-tu de Flore et Laurent ?

– Mais comment donc, répondit vivement Platon, c'est les patrons des chevaux. Les bêtes aussi il faut en avoir pitié. Voyez-moi ce coquin, il s'est roulé en boule. Il s'est bien réchauffé, fils de chienne », dit-il en tâtant le chien blotti à ses pieds, et se tournant de l'autre côté, il s'endormit aussitôt.

Dehors on entendait quelque part au loin des pleurs et des cris et, à travers les fentes du baraquement, on voyait un feu ; mais à l'intérieur il faisait silencieux et sombre. Pierre resta longtemps couché sans dormir, les yeux ouverts dans l'obscurité, écoutant le ronflement régulier de Platon étendu près de lui, et il sentait que le monde qui s'était écroulé se réédifiait dans son âme avec une beauté nouvelle, sur des fondements nouveaux et inébranlables.

XIII

Dans le baraquement où l'on avait amené Pierre et où il passa quatre semaines, il y avait vingt-trois soldats prisonniers, trois officiers et deux fonctionnaires.

Il les revoyait tous, plus tard, comme à travers un brouillard, mais Platon Karataiev demeura à jamais gravé dans son âme comme le souvenir le plus fort et le plus cher, comme l'incarnation de tout ce qui est russe, de tout ce qui est bon et rond. Lorsque le lendemain, à l'aube, Pierre vit son voisin, sa première impression de rondeur se confirma pleinement : toute la présence de Platon, dans sa capote française ceinturée d'une corde, avec sa casquette et ses chaussures de tille, était ronde, sa tête était tout à fait ronde, son dos, sa poitrine, ses épaules, même ses bras qu'il tenait toujours comme s'il allait étreindre quelque chose, étaient ronds ; son agréable sourire et ses grands yeux bruns et tendres étaient ronds.

Platon Karataiev devait avoir la cinquantaine passée, à en juger par ce qu'il racontait des campagnes auxquelles il avait pris part en vieux soldat. Il ignorait lui-même son âge et ne parvenait pas à le déterminer ; mais ses dents, solides et d'une blancheur éclatante, dont il montrait la double rangée quand il riait (ce qu'il faisait souvent) étaient toutes bonnes et intactes ; il n'y avait pas un fil blanc dans sa barbe ni dans ses cheveux, et tout son corps dénotait la souplesse et surtout la vigueur et l'endurance.

Son visage, malgré quelques petites rides rondes, reflétait l'innocence et la jeunesse ; sa voix était agréable et chantante. Mais son trait principal était la spontanéité et l'aisance avec lesquelles il parlait. Il semblait ne jamais réfléchir à ce qu'il disait et à ce qu'il allait dire ; et c'est pourquoi dans la rapidité et la justesse de ses intonations il y avait une force de persuasion particulière et irrésistible.

Sa résistance physique et son agilité étaient telles que, les premiers temps de captivité, il sembla ne pas connaître la fatigue et la maladie. Chaque matin et chaque soir en se couchant, il disait : « Fais-moi dormir, Seigneur, comme une pierre, fais-moi lever comme du bon pain » ; et le matin en se levant il disait avec toujours le même mouvement des épaules : « On se couche en se roulant en boule, on se lève en se secouant. » Et en effet, à peine couché, il s'endormait aussitôt comme une pierre et, à peine s'était-il secoué, qu'il s'attaquait aussitôt à quelque besogne, sans perdre une seconde, comme les enfants qui en se levant retournent aussitôt à leurs jouets. Il savait tout faire, pas très bien mais pas mal non plus. Il faisait cuire le pain, cuisinait, cousait, rabotait, confectionnait des chaussures. Il était toujours occupé et, la nuit venue seulement, se permettait de bavarder, chose qu'il aimait beaucoup, et de chanter. Il chantait non pas comme les chanteurs qui se savent écoutés, mais comme chantent les oiseaux, parce qu'émettre des sons lui était visiblement aussi indispensable qu'il est parfois indispensable de s'étirer ou de se dégourdir les jambes : et ces sons étaient toujours doux, tendres, presque féminins, mélancoliques, et son visage était alors toujours très sérieux.

Fait prisonnier et sa barbe une fois repoussée, il s'était visiblement dépouillé de tout le côté étranger et militaire acquis et, malgré lui, était redevenu le paysan, l'homme du peuple d'autrefois.

« Le soldat en permission porte la chemise hors de la culotte », disait-il. Il n'aimait pas parler de son temps de service, bien qu'il ne se plaignît pas et répétât souvent que, pendant tout ce temps, on ne l'avait jamais battu. Quand il racontait, il parlait surtout de vieux souvenirs, qui lui étaient visiblement chers, de sa vie de paysan, de chrétien, prononçait-il[1]. Les dictons qui émaillaient ses propos n'avaient rien de commun avec ces dictons, pour la plupart indécents et salés, qu'emploient les soldats, c'étaient de ces adages populaires qui, pris séparément, paraissent si insignifiants et qui acquièrent soudain une profonde sagesse quand ils sont employés à propos.

Souvent il se contredisait, mais ce qu'il disait était toujours juste. Il aimait à parler et parlait bien, ornant ses discours de diminutifs et de proverbes qu'il inventait lui-même, semblait-il à Pierre ; mais le charme principal de ses récits était que, dans sa bouche, les incidents les plus simples, parfois ceux-là mêmes que Pierre voyait sans les remarquer, prenaient un caractère de bienséance solennelle. Il aimait écouter les contes que (toujours les mêmes) un soldat racontait le soir, mais il préférait à tout les récits de la vie réelle. Il souriait joyeusement en écoutant ces récits, plaçait un mot et posait des questions qui tendaient à établir la tenue morale de ce qu'on lui racontait. Il n'avait ni attachement, ni amitié, ni amour, tels que les comprenait Pierre ; mais il aimait chacun et vivait en bonne amitié avec tout ce que la vie mettait en sa présence, et surtout

1. Déformation populaire du mot *krestianine* (paysan), chrétien se disant *kristianine*.

avec les hommes, non pas avec tel ou tel homme, mais avec ceux qu'il avait sous les yeux. Il aimait son roquet, ses camarades, les Français, il aimait Pierre qui était son voisin ; mais Pierre sentait que Karataiev, malgré la tendre affection qu'il lui témoignait (et par laquelle il rendait un involontaire hommage à la vie spirituelle de Pierre), n'aurait pas été attristé un instant de se séparer de lui. Et Pierre commençait à éprouver pour Karataiev le même sentiment.

Platon Karataiev était pour tous les autres prisonniers un soldat des plus ordinaires ; on l'appelait « petit faucon » ou Platocha, on le plaisantait avec bonhomie, on l'envoyait faire des commissions. Mais pour Pierre, tel qu'il lui avait apparu la première nuit, insaisissable, rond et l'éternelle incarnation de l'esprit de simplicité et de vérité, tel il demeura pour toujours.

Platon Karataiev ne savait rien par cœur, excepté sa prière. Quand il faisait un récit, il semblait en commençant ne pas savoir comment il finirait.

Lorsque Pierre, frappé parfois par le sens de ses paroles, lui demandait de les répéter, Platon ne pouvait se rappeler ce qu'il venait de dire, non plus qu'il ne pouvait dire à Pierre les paroles de sa chanson préférée. Il y était question de « mon cher petit bouleau », et « je me languis », mais en paroles cela n'avait aucun sens. Il ne comprenait et ne pouvait comprendre la valeur d'un mot pris isolément. Chacune de ses paroles et chacun de ses actes était la manifestation d'une activité inconsciente qui était sa vie. Mais sa vie, telle qu'il la voyait lui-même, n'avait pas de sens en tant que vie individuelle. Elle n'avait un sens qu'en tant que partie d'un tout qu'il sentait toujours. Ses paroles et ses actes émanaient de lui aussi régulièrement, nécessairement et spontanément que le parfum d'une fleur. Il ne pouvait comprendre la valeur ni le sens d'un mot ou d'un acte pris séparément.

XIV

Ayant appris par Nicolas que son frère se trouvait avec les Rostov à Iaroslavl, la princesse Maria, malgré les représentations de sa tante, se prépara aussitôt à partir, et non pas seule mais en emmenant son neveu. Que ce fût facile ou difficile, possible ou impossible, elle ne le demandait pas et ne voulait pas le savoir : son devoir était non seulement d'être auprès de son frère, peut-être mourant, mais encore de mettre tout en œuvre pour lui amener son fils, et elle se disposa à partir. Si le prince André ne lui donnait pas de ses nouvelles lui-même, la princesse Maria se l'expliquait en se disant qu'il était trop faible pour écrire ou qu'il considérait ce long voyage comme trop difficile et trop dangereux pour elle et pour son fils.

En quelques jours, la princesse Maria fut prête pour le voyage. Son équipage consistait en l'énorme berline du prince dans laquelle elle était venue à Voroneje, en une britchka et un chariot. Elle emmenait Mlle Bourienne, le petit Nicolas avec son précepteur, la vieille nounou, trois femmes de chambre, Tikhon, un jeune laquais et un valet de pied que lui prêtait sa tante.

Il ne fallait pas songer à prendre la route ordinaire par Moscou, aussi le chemin détourné que devait emprunter la princesse Maria, par Lipetzk, Riazan, Vladimir, Chouia, était-il très long, très difficile par manque de chevaux de poste à certains endroits, et même dangereux près de Riazan où (disait-on) se montraient les Français.

Pendant toute la durée de ce difficile voyage, Mlle Bourienne, Dessales et les domestiques de la princesse Maria furent étonnés de sa fermeté et de son activité. Elle se couchait la dernière, se levait la première et aucune difficulté ne pouvait l'arrêter. Grâce à son activité et à son énergie qui stimulaient ses compagnons de voyage, à la fin de la deuxième semaine ils atteignirent Iaroslavl.

Les derniers temps de son séjour à Voroneje, la princesse Maria avait connu le plus grand bonheur de sa vie.

Son amour pour Rostov ne la tourmentait plus, ne l'inquiétait plus. Cet amour remplissait toute son âme, il était devenu une part inséparable d'elle-même et elle ne luttait plus contre lui. Ces derniers temps, la princesse Maria s'était convaincue – sans se l'être jamais dit clairement – qu'elle était aimée et qu'elle aimait. Elle en avait acquis la certitude lors de sa dernière entrevue avec Nicolas, quand il était venu lui apprendre que son frère était avec les Rostov. Nicolas n'avait fait aucune allusion à la reprise possible (en cas de guérison du prince André) des anciennes relations entre le prince André et Natacha, mais elle avait vu à son visage qu'il le savait et y pensait. Pourtant son attitude, délicate, tendre et affectueuse, n'avait pas changé, il semblait même être content que la parenté entre eux lui permît maintenant d'exprimer plus librement à la princesse Maria une amitié amoureuse, comme elle le pensait parfois. Elle savait qu'elle aimait pour la première et la dernière fois de sa vie, elle se sentait aimée, et elle était heureuse et calme à cet égard.

Mais ce bonheur du cœur non seulement ne l'empêchait pas de ressentir dans toute sa force son chagrin pour son frère, mais au contraire cette paix de l'âme dont elle jouissait d'un côté lui permettait de s'abandonner plus entièrement à son affection pour son frère. Ce sentiment fut si puissant au premier moment de son départ de Voroneje que ceux qui l'avaient vue partir furent persuadés en voyant son visage décomposé, désespéré, qu'elle tomberait malade en route ; mais les difficultés et les soucis du voyage dont elle s'occupa si activement la sauvèrent pour un temps de son chagrin et lui donnèrent des forces.

Ainsi qu'il arrive toujours, la princesse Maria ne pensait qu'au voyage même, oubliant ce qui en était le but. Mais en approchant de Iaroslavl, quand elle se souvint de ce qui pouvait l'attendre, non plus dans bien des jours mais le soir même, son émotion ne connut plus de bornes.

Lorsque le valet de pied, envoyé en avant pour s'informer du domicile des Rostov à Iaroslavl et de l'état du prince André, rencontra à la barrière la grande berline qui entrait dans la ville, il fut effrayé en voyant la pâleur de la princesse qui se penchait à la portière pour lui parler.

« J'ai tous les renseignements, Votre Excellence : les Rostov habitent sur la place, dans la maison du marchand Bronnikov. Ce n'est pas loin, juste au-dessus de la Volga », dit-il.

La princesse Maria le regardait d'un air interrogateur et effrayé sans comprendre pourquoi il ne répondait pas à la principale question : l'état de son frère. Mlle Bourienne posa cette question à la place de la princesse.

« Comment va le prince ? demanda-t-elle.

– Son Excellence est avec eux, dans la même maison. »

« Donc il est vivant », pensa la princesse, et elle demanda à voix basse : « Comment va-t-il ?

– Les domestiques disent qu'il est toujours dans le même état. »

Que voulait dire « toujours dans le même état », la princesse ne le demanda pas, et jetant seulement à la dérobée un regard au petit Nicolas, assis en face d'elle et qui, avec ses sept ans, se réjouissait au spectacle de la ville, elle baissa la tête et ne la releva que lorsque la lourde berline, secouée, grinçante et cahotante, s'arrêta quelque part. Les marchepieds abaissés claquèrent.

Les portières s'ouvrirent. À gauche, il y avait une étendue d'eau, le grand fleuve, à droite un perron ; sur le perron, des gens, des domestiques et une fraîche jeune fille avec une grande natte noire qui avait un sourire désagréablement affecté, sembla-t-il à la princesse Maria (c'était Sonia). La princesse gravit en courant l'escalier, la jeune fille qui souriait avec affectation dit : par ici, par ici ! et la princesse Maria se trouva dans une antichambre, en présence d'une femme âgée de type oriental qui venait rapidement à sa rencontre avec une expression émue. C'était la vieille comtesse. Elle prit la princesse Maria dans ses bras et se mit à l'embrasser.

« *Mon enfant!* dit-elle, *je vous aime et je vous connais depuis longtemps.* »

Malgré toute son émotion, la princesse Maria comprit que c'était la comtesse et qu'il fallait lui dire quelque chose. Sans savoir comment, elle prononça des mots de politesse en français sur le même ton que ceux qu'on venait de lui dire et demanda : comment va-t-il ?

« Le médecin dit qu'il n'y a plus de danger », répondit la comtesse, mais en le disant elle leva les yeux au ciel avec un soupir et dans ce geste il y avait une expression qui démentait ses paroles.

« Où est-il ? Peut-on le voir, peut-on ? demanda la princesse.

– Tout de suite, princesse, tout de suite, mon amie. C'est son fils ? dit la comtesse en se tournant vers le petit Nicolas qui entrait avec Dessales. Il y a assez de place pour tout le monde, la maison est grande. Oh ! quel charmant enfant ! »

La comtesse conduisit la princesse au salon. Sonia causait avec Mlle Bourienne. La comtesse caressa le petit garçon. Le vieux comte entra pour saluer la princesse. Il avait beaucoup changé depuis la dernière fois qu'elle l'avait vu. C'était alors un petit vieillard alerte, gai, sûr de lui, maintenant il donnait l'impression d'un homme pitoyable et désemparé. En parlant à la princesse, il ne cessait de jeter des regards autour de lui, comme pour demander à tout le monde s'il faisait bien ce qu'il fallait. Depuis le désastre de Moscou et sa propre ruine, jeté hors de son ornière habituelle, il avait visiblement perdu la conscience de son importance et se sentait de trop dans la vie.

Bien que son seul désir fût de voir au plus vite son frère, et malgré le dépit que lui causaient les politesses et les compliments de circonstance au sujet de son neveu alors qu'elle ne voulait que cela – le voir – la princesse remarquait tout ce qui se passait autour d'elle et sentait la nécessité de se plier pour un temps à ces conditions nouvelles dans lesquelles elle entrait. Elle savait que tout cela était indispensable et bien que cela lui fût difficile, elle ne leur en voulait pas.

« C'est ma nièce, dit le comte en lui présentant Sonia, vous ne la connaissez pas encore, princesse ? »

La princesse se tourna vers Sonia et s'efforçant d'étouffer le sentiment hostile qui montait en elle pour cette jeune fille, elle l'embrassa. Mais elle commençait à trouver pénible que les dispositions d'esprit de ceux qui l'entouraient fussent si loin de ce qui se passait dans son âme.

« Où est-il ? demanda-t-elle encore une fois en s'adressant à tout le monde.

– Il est en bas, Natacha est avec lui, répondit Sonia en rougissant. On est allé prévenir. Vous devez être fatiguée, je pense, princesse ? »

Des larmes de dépit vinrent aux yeux de la princesse. Elle se détourna et elle allait demander à la comtesse le chemin pour aller chez lui, quand des pas légers, impétueux, qui semblaient gais, se firent entendre à la porte. La princesse se retourna et vit Natacha qui entrait presque en courant, cette Natacha qui, lors de leur lointaine entrevue à Moscou, lui avait tant déplu.

Mais à peine eut-elle vu le visage de cette Natacha qu'elle comprit que c'était sa sincère compagne de douleur et partant son amie. Elle se jeta à sa rencontre et l'enlaçant pleura contre son épaule.

Dès que Natacha, assise au chevet du prince André, avait appris l'arrivée de la princesse Maria, elle était sortie doucement de sa chambre et de ce pas rapide qui avait paru joyeux à la princesse Maria avait couru à elle.

Sur son visage ému quand elle entra en courant dans le salon, il n'y avait qu'une seule expression – une expression d'amour, d'amour infini pour lui, pour elle, pour tout ce qui était proche de l'homme qu'elle aimait, une expression de pitié, de compassion et de désir passionné de se donner tout entière pour leur venir en aide. On voyait qu'en cet instant toute pensée d'elle-même, de ses relations avec lui, était absente de l'âme de Natacha.

L'intuitive princesse Maria avait compris tout cela au premier regard sur le visage de Natacha et elle pleurait avec une joie amère contre son épaule.

« Allons, allons chez lui, Maria », dit Natacha en l'emmenant dans une autre pièce.

La princesse Maria releva le visage, essuya ses larmes et regarda Natacha. Elle sentait que, par elle, elle saurait tout et comprendrait tout.

« Comment… » commença-t-elle, mais elle s'arrêta soudain. Elle sentit qu'on ne pouvait demander ni répondre avec des mots. Le visage et les yeux de Natacha devaient tout dire plus clairement et plus profondément.

Natacha la regardait, mais semblait être en proie à l'anxiété et au doute : devait-elle ou non dire tout ce qu'elle savait ? elle sentit confusément que, devant ces yeux lumineux qui pénétraient jusqu'au plus profond de son cœur, il n'était pas possible de ne pas dire toute la vérité, toute, telle qu'elle la voyait. Soudain sa lèvre trembla, un rictus lui déforma la bouche et éclatant en sanglots elle se couvrit le visage de ses mains.

La princesse Maria comprit tout.

Mais elle espérait quand même et elle demanda par des mots auxquels elle ne croyait pas :

« Comment va sa blessure ? En général, quel est son état ?

– Vous, vous… verrez », put seulement dire Natacha.

Elles restèrent quelque temps en bas, près de sa chambre, pour sécher leurs larmes et entrer chez lui le visage calme.

« Comment s'est déroulée toute la maladie ? Y a-t-il longtemps qu'il va plus mal ? Quand cela s'est-il produit ? »

Natacha raconta que, dans les premiers temps, la fièvre et la souffrance l'avaient mis en danger, mais qu'à Troïtsa cela était passé et que le médecin ne craignait plus alors qu'une chose, la gangrène. Mais ce danger aussi avait été écarté. À leur arrivée à Iaroslavl, la plaie avait commencé à suppurer (Natacha savait tout ce qui concernait les suppurations, etc.) et le médecin avait dit que la suppuration pouvait suivre son évolution normale. La fièvre s'était déclarée. Le médecin disait que cette fièvre ne présentait pas de grand danger.

« Mais il y a deux jours, commença Natacha, CELA s'est produit tout à coup… » Elle ravala un sanglot. « Je ne sais pas pourquoi, mais vous verrez ce qu'il est devenu.

– Il est affaibli ? il a maigri ? demanda la princesse.

– Non, ce n'est pas cela, c'est pis. Vous verrez. Ah, Marie, il est trop bon, il ne peut pas, il ne peut pas vivre parce que… »

XV

Lorsque Natacha ouvrit la porte d'un geste habituel, laissant passer la princesse, la princesse Maria sentait déjà dans sa gorge des sanglots tout prêts. Malgré tous ses efforts pour se préparer, pour se calmer, elle savait qu'elle n'aurait pas le courage de le voir sans pleurer.

La princesse Maria comprenait ce que Natacha entendait par les mots : « Cela s'est produit il y a deux jours. » Elle comprenait que cela signifiait qu'il s'était soudain adouci et que cet adoucissement, cet attendrissement étaient des signes de la mort proche. En arrivant à la porte, elle voyait déjà en imagination le visage du petit André de son enfance, tendre, doux, ce visage qu'il avait eu si rarement par la suite et qui pour cela la remuait si fortement. Elle savait qu'il lui dirait ces mots doux et tendres que lui avait dits son père avant sa mort, et qu'elle ne pourrait pas le supporter et éclaterait en sanglots. Mais tôt ou tard il le fallait et elle entra dans la pièce. Les sanglots lui montaient à la gorge à mesure que de ses yeux de myope elle distinguait plus nettement sa silhouette et cherchait ses traits, et voici qu'elle vit son visage et rencontra son regard.

Il était couché sur un divan, entouré d'oreillers, en robe de chambre fourrée de petit-gris. Il était maigre et pâle. Une de ses mains, décharnée, pâle jusqu'à la transparence, tenait un mouchoir, de l'autre, d'un léger mouvement des doigts, il tâtait sa fine moustache. Ses yeux regardaient celles qui entraient.

Lorsqu'elle vit son visage et rencontra son regard, la princesse Maria ralentit le pas et sentit soudain ses larmes se sécher et ses sanglots s'arrêter. Ayant distingué l'expression de son visage et de son regard, elle en fut brusquement intimidée et se sentit coupable.

« Mais de quoi donc suis-je coupable ? » se demanda-t-elle. « De vivre et de penser à la vie, alors que moi !... » répondit son regard froid et sévère.

Dans ce regard profond, tourné non pas au-dehors mais au-dedans de soi, il y avait presque de l'hostilité quand il en enveloppa lentement sa sœur et Natacha.

Il embrassa sa sœur, la main dans la main, selon leur habitude.

« Bonjour, Marie, comment as-tu fait pour venir jusqu'ici ? » dit-il d'une voix aussi unie et étrangère que son regard. S'il avait poussé un cri déchirant, ce cri aurait moins épouvanté la princesse Maria que le son de cette voix.

« Et tu as amené le petit Nicolas ? dit-il de la même voix unie et lente, avec un visible effort pour se souvenir.

– Comment te sens-tu maintenant ? demanda la princesse Maria, surprise elle-même de ce qu'elle disait.

– Cela, mon amie, il faut le demander au médecin », dit-il, et faisant visiblement un nouvel effort pour être aimable, il dit des lèvres seulement (on voyait qu'il ne pensait pas du tout ce qu'il disait) :

« *Merci, chère amie, d'être venue.* »

La princesse Maria lui serra la main. Il fit une imperceptible grimace à cette pression. Il se taisait et elle ne savait que dire. Elle comprit alors ce qui lui était arrivé depuis deux jours. Dans ses paroles, dans son ton, surtout dans ce regard – un regard froid, presque hostile – on sentait un détachement de toutes choses terrestres, terrible aux yeux d'un vivant. Il semblait difficilement comprendre ce qui était vivant ; mais en même temps on sentait que ce n'était pas parce qu'il était privé de la faculté de comprendre, mais parce qu'il comprenait quelque chose d'autre, quelque chose que ne comprenaient et ne pouvaient comprendre les vivants, et qui l'absorbait tout entier.

« Oui, comme le sort nous a étrangement réunis ! dit-il en rompant le silence et en montrant Natacha. Elle me soigne constamment. »

La princesse Maria écoutait et ne comprenait pas ce qu'il disait. Lui, le sensible, le tendre prince André, comment pouvait-il parler ainsi devant celle qu'il aimait et qui l'aimait ! S'il croyait vivre, il ne dirait pas cela sur un ton si froid et si blessant. S'il ne savait pas qu'il allait mourir, comment n'avait-il pas pitié d'elle, comment pouvait-il dire cela en sa présence ! Une seule explication était possible, que cela lui était égal, et cela lui était égal parce que quelque chose d'autre, de plus important lui était révélé.

La conversation était froide, décousue et tombait à tout instant.

« Marie est passée par Riazan », dit Natacha. Le prince André ne remarqua pas qu'elle appelait sa sœur Marie. Natacha en l'appelant ainsi devant lui s'en aperçut elle-même pour la première fois.

« Eh bien ? dit-il.

– On lui a raconté que Moscou est entièrement en cendres, entièrement, que, paraît-il… »

Natacha s'arrêta : on ne pouvait pas parler. Il faisait des efforts visibles pour écouter mais n'y parvenait néanmoins pas.

« Oui, elle a brûlé, dit-on. C'est bien dommage », et il fixa le regard devant lui tandis que de ses doigts il lissait distraitement sa moustache.

« Alors, Marie, tu as rencontré le comte Nicolas ? dit soudain le prince André, visiblement désireux de leur faire plaisir. Il a écrit que tu lui plais beaucoup, poursuivit-il simplement, tranquillement, visiblement incapable de comprendre toute la signification complexe de ces mots pour des vivants. S'il te plaisait aussi, ce serait très bien... que vous vous mariiez », ajouta-t-il un peu plus vite, comme heureux d'avoir enfin trouvé les mots qu'il avait longtemps cherchés. La princesse entendit ses paroles, mais elles n'avaient pour elle aucun autre sens que celui de prouver qu'il était maintenant terriblement loin du monde des vivants.

« À quoi bon parler de moi ! » dit-elle calmement, et elle regarda Natacha. Natacha, sentant sur elle son regard, ne leva pas les yeux. De nouveau tout le monde se tut.

« André, veux-tu... dit tout à coup la princesse Maria d'une voix qui trembla, veux-tu voir le petit Nicolas ? Il parle toujours de toi. »

Le prince André eut pour la première fois un imperceptible sourire, et la princesse Maria qui connaissait si bien son visage comprit avec effroi que ce n'était pas un sourire de joie, de tendresse à la pensée de son fils, mais un sourire de discrète, de douce moquerie à son intention parce qu'elle employait le dernier moyen qui, à son avis, pût le ramener à la vie.

« Oui, je suis très content que le petit Nicolas soit là. Il se porte bien ? »

Lorsqu'on amena au prince André le petit Nicolas qui regarda son père avec frayeur mais ne pleura pas parce que personne ne pleurait, le prince André l'embrassa et ne sut visiblement que lui dire.

Quand on reconduisit l'enfant, la princesse Maria s'approcha encore une fois de son frère, l'embrassa et, incapable de se retenir plus longtemps, se mit à pleurer.

« C'est à cause du petit Nicolas ? » demanda-t-il.

Tout en pleurant, la princesse Maria fit un signe de tête affirmatif.

« Marie, tu sais, l'Évan... » mais il se tut brusquement.

« Que veux-tu dire ?

– Rien. Il ne faut pas pleurer ici », dit-il en posant sur elle le même regard froid.

Lorsque la princesse Maria s'était mise à pleurer, il avait compris qu'elle pleurait parce que le petit Nicolas allait perdre son père. Il fit un grand effort sur lui-même et tenta de revenir en arrière dans la vie et de se placer à leur point de vue.

« Oui, cela doit leur faire de la peine ! pensa-t-il. Pourtant, comme c'est simple ! »

« Les oiseaux du ciel ne sèment ni ne moissonnent, mais votre Père les nourrit », se dit-il, et il voulut le dire à la princesse ; « mais non, ils comprendront cela à leur façon, ils ne comprendront pas ! Ils ne peuvent pas le comprendre, comprendre que tous ces sentiments auxquels ils tiennent, toutes ces pensées qui nous paraissent si importantes sont INUTILES. Nous ne pouvons pas nous comprendre ! » et il se tut.

Le jeune fils du prince André avait sept ans. Il savait à peine lire, il n'avait rien appris. Il apprit beaucoup de choses depuis ce jour, acquérant des connaissances, le don d'observation, de l'expérience ; mais s'il avait possédé alors toutes ces qualités acquises par la suite, il n'aurait pu mieux comprendre, plus profondément, toute la signification de la scène dont il avait été témoin entre son père, la princesse Maria et Natacha. Il comprit tout et sans pleurer sortit de la pièce, s'approcha en silence de Natacha qui l'avait suivi, la regarda timidement de ses beaux yeux pensifs ; sa lèvre inférieure rouge et légèrement relevée trembla, il appuya sa tête contre elle et pleura.

À partir de ce jour, il évita Dessales, évita la comtesse qui le cajolait, et soit restait seul, soit s'approchait timidement de la princesse Maria et de Natacha qu'il semblait aimer plus encore que sa tante, et se blottissait doucement et timidement contre elles.

La princesse Maria en sortant de chez le prince André avait pleinement compris tout ce que lui avait dit le visage de Natacha. Elle ne parla plus à Natacha d'un espoir de guérison. Elle se relayait avec elle auprès du divan du prince André et ne pleurait plus, mais ne cessait d'adresser de toute son âme des prières à l'Éternel, à l'Inaccessible dont la présence était si sensible maintenant sur le mourant.

XVI

Le prince André, non seulement savait qu'il allait mourir, mais se sentait mourir, se sentait déjà mort à moitié. Il éprouvait du détachement de toutes choses terrestres et avait le sentiment étrange et joyeux du poids léger de l'existence. Sans hâte et sans inquiétude, il attendait ce qui devait s'accomplir. Cette présence redoutable, éternelle, inconnue et lointaine qu'il n'avait cessé de percevoir au cours de toute sa vie, lui était maintenant proche et – par cette étrange légèreté de l'existence qu'il éprouvait – presque compréhensible et tangible. . . . .
. . . .

Autrefois, il redoutait la fin. Il avait éprouvé par deux fois ce sentiment terrible et torturant de peur de la mort, de la fin, et maintenant il ne le comprenait plus.

La première fois, il avait éprouvé ce sentiment alors que la grenade tournoyait devant lui comme une toupie et qu'il regardait les champs moissonnés, les buissons, le ciel et savait que la mort était devant lui. Depuis qu'il était revenu à lui après sa blessure et que dans son âme, instantanément, s'était épanouie, comme délivrée du poids de la vie qui la retenait, cette fleur de l'amour, éternel, libre, indépendant de cette vie, il n'avait plus eu peur de la mort et n'avait plus pensé à elle.

Dans ces heures de douloureuse solitude et de demi-délire qu'il avait passées après sa blessure, plus il méditait sur ce nouveau principe d'amour éternel qui lui avait été révélé, plus il se détachait sans s'en douter de la vie terrestre. Aimer tout et tous, se sacrifier toujours à l'amour signifiait n'aimer personne, signifiait ne pas vivre de cette vie terrestre. Et plus il se pénétrait de ce principe d'amour, plus il se détachait de la vie et plus complètement il abolissait cette terrible barrière qui, sans l'amour, se dresse entre la vie et la mort. Lorsque, ces premiers temps, il se souvenait qu'il devait mourir, il se disait : eh bien, tant mieux.

Mais après cette nuit à Mitistchi où, dans son demi-délire, avait apparu devant lui celle qu'il appelait de ses vœux et où, pressant sa main sur ses lèvres, il avait pleuré de douces larmes de joie, l'amour pour une femme s'était imperceptiblement glissé dans son cœur et l'avait de nouveau attaché à la vie. Et des pensées joyeuses et tumultueuses lui étaient venues. En évoquant l'instant où, au poste de secours, il avait vu Kouraguine, il ne pouvait plus retrouver le sentiment qu'il avait éprouvé alors : il se tourmentait maintenant de savoir s'il était vivant. Et il n'osait le demander.

Sa maladie suivait son cours normal, mais ce que Natacha appelait CELA s'était produit deux jours avant l'arrivée de la princesse Maria. C'était cette ultime lutte morale entre la vie et la mort, où la mort avait remporté la victoire. C'était la conscience inattendue qu'il tenait encore à la vie qui représentait pour lui son amour pour Natacha, et l'ultime sursaut surmonté d'effroi en face de l'inconnu.

C'était le soir. Comme d'habitude après le dîner, il se trouvait dans un état légèrement fiévreux et ses pensées étaient extrêmement claires. Sonia était assise près de la table. Il s'assoupit. Soudain une sensation de bonheur l'envahit.

« Ah ! c'est elle qui est entrée ! » pensa-t-il.

En effet, Natacha qui venait d'entrer sans bruit était assise à la place de Sonia.

Depuis qu'elle le soignait, il éprouvait toujours cette sensation physique de sa présence. Elle était assise dans un fauteuil, tournée de profil vers lui, interceptant la lumière de la bougie, et tricotait un bas. (Elle avait appris à tricoter des bas depuis que le prince André lui avait dit un jour que personne ne savait soigner les malades comme les vieilles nounous qui tricotent des bas et que dans ce travail il y avait quelque chose d'apaisant.) Ses doigts minces maniaient vivement les aiguilles qui se heurtaient par moments et il voyait nettement le profil pensif de son visage penché. Elle fit un mouvement, la pelote roula de ses genoux. Elle tressaillit, jeta un coup d'œil vers lui, la main en écran devant la bougie, et d'un mouvement prudent, souple, précis, se pencha, ramassa la pelote et reprit la même position.

Il la regarda sans bouger et voyait qu'après le mouvement qu'elle venait de faire elle avait besoin de reprendre franchement son souffle, mais qu'elle n'osait le faire et respirait avec précaution.

Au monastère de la Trinité, ils avaient parlé du passé et il lui avait dit que s'il vivait, il remercierait éternellement Dieu de sa blessure qui les avait de nouveau réunis ; mais depuis lors ils n'avaient plus jamais parlé de l'avenir.

« Cela aurait-il ou non été possible ? pensait-il maintenant en la regardant et en écoutant le léger cliquetis des aiguilles. Est-il possible que le destin ne m'ait si étrangement ramené à elle que pour que je meure ?... Est-il possible que la vérité de la vie ne m'ait été révélée que pour que je vive dans le mensonge ? Je l'aime plus que tout au monde. Mais qu'y puis-je si je l'aime ? » se dit-il et soudain il gémit malgré lui, par une habitude que lui avaient donnée ses souffrances.

En l'entendant, Natacha posa son bras, se tourna vers lui et soudain, remarquant ses yeux brillants, elle s'approcha d'un pas léger et se pencha.

« Vous ne dormez pas ?

– Non, il y a longtemps que je vous regarde ; je vous ai sentie entrer. Personne comme vous ne me donne ce calme moelleux... cette clarté. J'ai envie de pleurer de joie. »

Natacha se rapprocha encore. Son visage rayonnait d'une joie exaltée.

« Natacha, je vous aime trop. Plus que tout au monde.

– Et moi ? » Elle se détourna un instant. « Mais pourquoi trop ? dit-elle.

– Pourquoi trop ?... Qu'en pensez-vous, que sentez-vous au fond du cœur, de tout votre cœur, est-ce que je vivrai ? Que vous en semble-t-il ?

– J'en suis sûre, j'en suis sûre ! » cria presque Natacha en lui prenant les deux mains d'un geste passionné.

Il garda un instant le silence.

« Comme ce serait bien ! » Et prenant sa main, il la baisa.

Natacha était heureuse et émue ; et aussitôt elle se souvint que c'était interdit, qu'il avait besoin de calme.

« Mais vous n'avez pas dormi, dit-elle en refoulant sa joie. Tâchez de dormir… je vous en prie. »

Il laissa aller sa main après l'avoir pressée, et elle revint auprès de la bougie et reprit sa première position. Deux fois elle se retourna pour le voir et rencontra ses yeux qui brillaient. Elle se fixa une tâche dans son tricot et se dit qu'elle ne se retournerait plus avant de l'avoir finie.

En effet, bientôt après cela il ferma les yeux et s'endormit. Il ne dormit pas longtemps et soudain se réveilla inquiet, baigné de sueur froide.

En s'endormant il pensait toujours à la même chose à quoi il pensait tout ce temps-là : à la vie et à la mort. Et davantage à la mort. Il s'en sentait plus près.

« L'amour ? Qu'est-ce que l'amour ? » pensait-il.

« L'amour s'oppose à la mort. L'amour est la vie. Tout, tout ce que je comprends, je ne le comprends que parce que j'aime. Tout est, tout existe seulement parce que j'aime. L'amour seul relie tout. L'amour est Dieu et mourir c'est pour moi, parcelle de l'amour, retourner à la source commune et éternelle. » Ces pensées lui avaient paru consolantes. Mais ce n'étaient que des pensées. Quelque chose leur manquait, elles avaient quelque chose d'unilatéral, d'individuel, de cérébral – il y manquait l'évidence. Et c'était de nouveau la même inquiétude et la même imprécision. Il s'était endormi.

Il rêva qu'il était couché dans la même pièce où il se trouvait dans la réalité, mais au lieu d'être blessé, il était bien portant. Beaucoup de gens divers, insignifiants, indifférents, défilent devant le prince André. Il leur parle, discute avec eux sur un sujet sans importance. Ils se disposent à partir quelque part. Le prince André sent confusément que tout cela est futile, qu'il a d'autres soucis plus importants, mais il continue à tenir en les étonnant des propos creux et spirituels. Peu à peu, imperceptiblement, tous ces personnages commencent à disparaître et tout fait place à une question, celle de la porte à fermer. Il se lève et va à la porte pour la fermer et pousser le verrou. Aura-t-il ou non le temps de la fermer, tout dépend de cela. Il va, il se hâte, mais ses jambes n'avancent pas et il sait qu'il n'aura pas le temps de fermer la porte, mais il tend pourtant douloureusement toutes ses forces. Et une peur torturante l'étreint. Et cette peur est la peur de la mort : derrière la porte se tient CELA. Mais tandis qu'il rampe vers la porte, gauchement et sans force, ce quelque chose d'horrible, pesant déjà de l'autre côté, va l'enfoncer. Ce quelque chose d'inhumain – la mort – enfonce la porte, et il faut l'en empêcher. Il saisit la porte, tend ses dernières forces – on ne peut plus la fermer – au moins pour la retenir ; mais ses efforts sont faibles, maladroits, et sous la pression de la chose horrible la porte s'ouvre et se referme.

Une fois encore, cela pèse de l'autre côté. Ses ultimes efforts surhumains sont vains, et les deux battants s'ouvrent sans bruit, CELA est entré et c'est la MORT. Et le prince André meurt.

Mais à l'instant même où il mourut, le prince André se souvint qu'il dormait, et à l'instant même où il mourut, il fit un effort sur lui-même et se réveilla.

« Oui, c'était la mort. Je suis mort – je me suis réveillé. Oui, la mort est un réveil. » Soudain son âme s'éclaira et le voile qui jusqu'alors avait masqué l'inconnu se leva devant son regard spirituel. Il sentit comme la libération de la force jusque-là enchaînée en lui et cette étrange légèreté qui dès lors ne le quitta plus.

Lorsqu'il revint à lui, baigné de sueur froide, il remua sur le divan. Natacha s'approcha et lui demanda ce qu'il avait. Il ne lui répondit pas et sans la comprendre posa sur elle un regard étrange.

C'était là ce qui lui était arrivé deux jours avant l'arrivée de la princesse Maria. C'est aussi à partir de ce jour-là, comme le disait le médecin, que sa fièvre épuisante prit une mauvaise tournure, mais ce que disait le médecin n'intéressait pas Natacha : elle voyait ces terribles symptômes moraux, plus certains pour elle.

À partir de ce jour commença pour le prince André, en même temps que l'évasion de son rêve, l'évasion de la vie. Et par rapport à la durée de la vie, cela ne lui semblait pas plus lent que l'évasion du sommeil par rapport à la durée du rêve.

Il n'y avait rien de redoutable ni de brutal dans cette évasion relativement lente.

Ses derniers jours et ses dernières heures se passèrent normalement et simplement.

La princesse Maria et Natacha qui ne le quittaient pas le sentaient toutes deux. Elles ne pleuraient pas, ne tremblaient pas, et les derniers temps, le sentant elles-mêmes, ce n'est plus lui qu'elles soignaient (il n'était plus, il les avait quittées) mais son souvenir le plus proche – son corps. Leurs sentiments à toutes deux étaient si forts que le côté extérieur, le côté terrible de la mort était sans effet sur elles et qu'elles n'éprouvaient pas le besoin de raviver leur douleur. Elles ne pleuraient ni en sa présence ni loin de lui, mais jamais non plus ne parlaient de lui entre elles. Elles sentaient qu'elles ne pouvaient exprimer par des mots ce qu'elles comprenaient.

Elles le voyaient toutes deux s'abîmer de plus en plus profondément, lentement et tranquillement loin d'elles dans l'inconnu, et elles savaient qu'il devait en être ainsi et que c'était bien.

On le confessa, on le fit communier; tous vinrent lui dire adieu. Lorsqu'on lui amena son fils, il appuya ses lèvres sur sa joue et se détourna, non parce qu'il ressentait de la peine ou du regret (la princesse Maria et Natacha le comprenaient), mais seulement parce qu'il supposait que c'était tout ce qu'on attendait de lui; mais quand on lui dit de le bénir, il fit ce qu'on lui demandait et jeta un regard autour de lui comme pour savoir s'il devait faire autre chose encore.

Quand les dernières convulsions parcoururent le corps que l'esprit quittait, la princesse Maria et Natacha étaient là.

« C'est fini ! » dit la princesse Maria alors que, depuis quelques minutes déjà, le corps était immobile et refroidissait devant elles. Natacha s'approcha, regarda les yeux morts et se hâta de les fermer. Elle les ferma et ne les baisa pas, mais posa ses lèvres sur ce qui était le plus proche souvenir de lui.

« Où est-il parti ? Où est-il maintenant… ? »

Lorsque le corps habillé et lavé reposa dans le cercueil sur la table, tous vinrent lui dire adieu et tous pleuraient.

Le petit Nicolas pleurait dans la douloureuse stupeur qui lui déchirait le cœur. La comtesse et Sonia pleuraient de pitié pour Natacha et parce qu'il n'était plus. Le vieux comte pleurait parce que bientôt, il le sentait, lui aussi aurait à franchir ce terrible pas.

Natacha et la princesse Maria pleuraient maintenant elles aussi, mais elles ne pleuraient pas à cause de leur chagrin personnel ; elles pleuraient dans la pieuse ferveur qui avait saisi leur âme devant la conscience du simple et solennel mystère de la mort qui s'était accompli sous leurs yeux.

DEUXIÈME PARTIE

I

L'ensemble des causes d'un phénomène est inaccessible à l'esprit humain. Mais le besoin de rechercher ces causes est le propre de l'âme humaine. Et l'esprit humain, incapable de pénétrer l'infinité et la complexité des conditions des phénomènes dont chacune prise isolément peut apparaître comme la cause, s'empare du premier rapport de causalité venu et le plus accessible, et dit : voici la cause. Dans les événements historiques (où l'objet d'observation consiste dans les actions des hommes), le rapport de causalité le plus primitif apparaît être la volonté des dieux, puis la volonté des hommes occupant la place la plus en vue de l'histoire, des héros historiques. Mais il suffit de pénétrer le fond de chaque événement historique, c'est-à-dire l'activité de la masse tout entière des hommes qui y ont pris part, pour se convaincre que la volonté du héros historique non seulement ne dirige pas cette activité mais est constamment dirigée elle-même. Il semblerait indifférent de comprendre le sens d'un événement historique de telle ou telle autre façon. Mais entre l'homme qui dit que les peuples d'Occident se sont dirigés vers l'Orient parce que Napoléon le voulait, et celui qui dit que cela est arrivé parce que cela devait arriver, la différence est la même qu'entre les hommes qui affirmaient que la terre est immobile et que les planètes tournent autour d'elle, et ceux qui disaient ne pas savoir à quoi tient la terre, mais assuraient qu'il existe des lois régissant son mouvement et celui des autres planètes. Il n'existe et il ne peut exister d'autres causes d'un événement historique que la cause des causes. Mais il est des lois qui régissent les événements, des lois en partie inconnues, en partie entrevues par nous. La découverte de ces lois n'est possible que lorsque nous avons complètement renoncé à rechercher les causes dans la volonté d'un seul homme, de même que la découverte des lois du mouvement des planètes n'est devenue possible que lorsque les hommes ont renoncé à la notion de l'immobilité de la terre.

Après la bataille de Borodino, l'occupation de Moscou par l'ennemi et son incendie, l'épisode le plus important de la guerre de 1812 est, selon les historiens, la marche de l'armée russe de la route de Riazan vers celle de Kalouga et le camp de Taroutino – ce qu'on appelle la marche de flanc en arrière de Krasnaia Pakhra. Les historiens attribuent la gloire de cet exploit génial à divers personnages et discutent pour savoir à qui elle revient au juste. Même les historiens étrangers, même les historiens français reconnaissent le génie des généraux russes en parlant de cette marche de flanc. Mais pourquoi les écrivains militaires et tout le monde à leur suite voient dans cette marche de flanc l'invention sagace d'un personnage unique qui sauva la Russie et perdit Napoléon, il est très difficile de le comprendre. En premier lieu, il est difficile de comprendre ce que ce mouvement a de profond et de génial ; car pour deviner que la meilleure position d'une armée (quand elle n'est pas attaquée) se trouve là où les vivres sont les plus abondants, il n'est besoin d'aucun effort intellectuel. Et chacun, même un gamin borné de treize ans, pouvait deviner sans peine qu'en 1812 la meilleure position de l'armée, après l'abandon de Moscou, était sur la route de Kalouga. Ainsi donc, on ne comprend pas, premièrement, par quelles déductions les historiens en arrivent à voir dans cette manœuvre quelque chose de profond. Deuxièmement, il est encore plus difficile de comprendre en quoi au juste les historiens voient dans cette manœuvre le salut des Russes et la perte des Français ; car, en d'autres circonstances que celles qui l'ont précédée, accompagnée et suivie, cette marche de flanc aurait pu être fatale à l'armée russe et sauver l'armée française. Si depuis le moment où ce mouvement fut exécuté, la situation de l'armée russe commença à s'améliorer, il ne s'ensuit nullement que ce mouvement en fut la cause.

Cette marche de flanc, non seulement ne pouvait apporter aucun avantage, mais elle aurait pu perdre l'armée russe sans l'intervention d'autres circonstances. Que serait-il arrivé si Moscou n'avait pas brûlé ? Si Murat n'avait pas perdu les Russes de vue ? Si Napoléon ne s'était pas cantonné dans l'inaction ? Si l'armée russe, selon le conseil de Bennigsen et de Barclay, avait livré bataille à Krasnaia Pakhra ? Que serait-il arrivé si les Français avaient attaqué les Russes pendant leur marche au-delà de la Pakhra ? Que serait-il arrivé si, plus tard, Napoléon en approchant de Taroutino avait attaqué les Russes avec fût-ce le dixième de l'énergie qu'il avait déployée à Smolensk ? Que serait-il arrivé si les Français avaient marché sur Pétersbourg ?... Dans toutes ces hypothèses, les avantages de la marche de flanc pouvaient tourner au désastre.

Troisièmement, ce qui est le plus incompréhensible, c'est que des hommes qui étudient l'histoire refusent délibérément de voir qu'on ne peut attribuer cette marche de flanc à un seul homme, que personne ne l'avait jamais prévue, que cette manœuvre, de même que la retraite à Fili, n'a jamais été envisagée, n'est jamais apparue alors à personne dans son ensemble, mais que, pas à pas, d'événement en événement, minute par minute, elle a découlé d'une infinité de circonstances diverses et n'est apparue dans tout son ensemble qu'une fois qu'elle fut achevée et était devenue du passé.

Au conseil de Fili, l'idée dominante du commandement russe était la retraite qui s'imposait d'elle-même en ligne droite, c'est-à-dire par la route de Nijni Novgorod. Les preuves en sont la majorité des voix qui, au conseil, se prononça dans ce sens et, surtout, la conversation que le commandant en chef eut, à l'issue de ce conseil, avec Lanskoï, l'intendant général. Lanskoï représenta au commandant en chef que les approvisionnements de l'armée avaient été rassemblés principalement le long de l'Oka, dans les provinces de Toula et de Kalouga, et qu'en cas de retraite sur Nijni, les approvisionnements se trouveraient coupés de l'armée par la large Oka, dont le passage était parfois impossible au début de l'hiver. Ce fut là le premier indice à l'appui de la nécessité de renoncer à la retraite en ligne droite sur Nijni, qui avait d'abord paru la plus naturelle. L'armée obliqua plus au sud, sur la route de Riazan, en se rapprochant des approvisionnements. Par la suite, l'inaction des Français qui avaient même perdu l'armée russe de vue, le souci de la défense de la manufacture d'armes de Toula et, surtout, l'avantage de se rapprocher des approvisionnements, obligèrent l'armée à obliquer encore plus au sud, sur la route de Toula. Après avoir gagné la route de Toula par un mouvement risqué derrière la Pakhra, le commandement de l'armée russe pensait s'arrêter près de Podolsk et personne ne songeait à la position de Taroutino ; mais une infinité de circonstances, et la réapparition des troupes françaises qui avaient d'abord perdu les Russes de vue, et les projets de bataille, et surtout l'abondance des vivres à Kalouga, obligèrent notre armée à dévier encore plus au sud et à gagner le centre des voies de son ravitaillement en passant de la route de Toula sur celle de Kalouga, vers Taroutino. De même qu'il est impossible de répondre à la question de savoir quand Moscou a été abandonnée, il est également impossible de dire quand au juste et qui décida de changer de direction vers Taroutino. C'est seulement lorsque l'armée eut déjà atteint Taroutino sous l'action d'innombrables forces différentielles qu'on commença à croire qu'on l'avait voulu et prévu depuis longtemps.

II

La fameuse marche de flanc consista en ceci seulement que l'armée russe, en reculant toujours tout droit en sens inverse de l'offensive des Français, dévia de sa direction primitive quand l'offensive cessa et, ne se voyant pas poursuivie, se dirigea tout naturellement du côté où l'attirait l'abondance des approvisionnements.

En admettant qu'au lieu d'avoir à sa tête des généraux de génie, l'armée russe eût été une armée sans chefs, elle n'aurait rien pu faire d'autre qu'un mouvement de retour vers Moscou, en décrivant un arc de cercle du côté où le ravitaillement était le plus abondant et la contrée la plus riche.

Ce passage de la route de Nijni Novgorod sur celle de Riazan, Toula et Kalouga fut si naturel que c'est cette même direction que prenaient les maraudeurs de l'armée russe et que, de Pétersbourg, on l'imposait à Koutouzov. À Taroutino, Koutouzov reçut un blâme de l'empereur pour avoir emmené l'armée sur la route de Riazan et on lui indiqua cette même position en face de Kalouga qu'il occupait déjà au moment où lui parvint la lettre de l'empereur.

L'armée russe qui roulait comme une balle dans le sens de la poussée imprimée pendant toute la campagne et la bataille de Borodino prit, quand la force de la poussée fut annulée et n'en recevant pas d'autre, la position qui lui était naturelle.

Le mérite de Koutouzov consista non pas dans ce qu'on appelle une géniale manœuvre stratégique, mais en ce qu'il était seul à comprendre le sens des événements en cours. Il était le seul à comprendre alors la signification de l'inaction de l'armée française, il était le seul à continuer d'affirmer que la bataille de Borodino était une victoire ; il était le seul – lui qui, par sa position de commandant en chef, aurait dû, semble-t-il, être partisan de l'offensive – à employer toute son énergie pour épargner à l'armée russe des batailles inutiles.

La bête blessée à Borodino gisait quelque part où le chasseur l'avait laissée en s'enfuyant ; mais le chasseur ignorait si elle était encore en vie, si elle était forte ou s'était seulement tapie. Soudain, cette bête fit entendre un gémissement.

Le gémissement de cette bête blessée, l'armée française, révélateur de sa perte, fut l'envoi de Lauriston au camp de Koutouzov avec des offres de paix.

Napoléon, dans sa conviction que le bien n'était pas ce qui était bien mais ce qui lui passait par la tête, écrivit à Koutouzov les premiers mots qui lui étaient venus à l'esprit et qui n'avaient aucun sens.

« *Monsieur le prince Koutouzov,* écrivait-il, *j'envoie près de vous un de mes aides de camp généraux pour vous entretenir de plusieurs objets intéressants. Je désire que Votre Altesse ajoute foi à ce qu'il dira, SURTOUT LORSQU'IL EXPRIMERA LES SENTIMENTS D'ESTIME ET DE PARTICULIÈRE CONSIDÉRATION QUE J'AI DEPUIS LONGTEMPS POUR SA PERSONNE... Cette lettre n'étant à autre fin, je prie Dieu, Monsieur le prince Koutouzov, qu'Il vous ait en Sa sainte et digne garde.*

« *Moscou, le 3 octobre 1812.*

« *Signé : Napoléon.* »

« *Je serais maudit par la postérité si l'on me regardait comme le premier moteur d'un accommodement quelconque. TEL EST L'ESPRIT ACTUEL DE MA NATION* », répondit Koutouzov, et il continua à mettre tout en œuvre pour empêcher l'armée de passer à l'offensive.

Durant le mois de pillage de Moscou par l'armée française et de halte paisible de l'armée russe à Taroutino, un changement était survenu dans le rapport des forces des deux armées (dans leur esprit et dans leur nombre) qui fit pencher la balance du côté des Russes. Bien que la situation de l'armée française et l'importance de ses effectifs fussent inconnues des Russes, dès que ce rapport des forces se fut modifié, la nécessité de l'offensive se manifesta aussitôt par un nombre infini de signes. Ces signes étaient : l'envoi de Lauriston, l'abondance des vivres à Taroutino, les renseignements venus de tous côtés sur l'inaction et le désordre des Français, nos régiments complétés par l'arrivée de recrues, le beau temps, le long repos des soldats russes, l'impatience d'achever la tâche pour laquelle ils sont rassemblés qui se fait d'habitude jour parmi les troupes au repos, la curiosité de ce qui se passait dans l'armée française perdue de vue depuis si longtemps, l'audace avec laquelle les avant-postes russes se glissaient maintenant près des Français établis aux environs de Taroutino, les nouvelles de victoires faciles remportées sur eux par des paysans et des partisans, et l'émulation qu'elles provoquaient, le désir de vengeance qui habita l'âme de chacun tant que les Français furent à Moscou et – surtout – l'obscure conscience née dans l'âme de chaque soldat que le rapport des forces était changé et que la supériorité se trouvait maintenant de notre côté. Le rapport des forces avait changé et l'offensive devenait indispensable. Et aussitôt, aussi sûrement que l'heure sonne quand l'aiguille a fait le tour du cadran, dans les hautes sphères ce changement du rapport des forces produisit un mouvement accéléré et déclencha le jeu du carillon.

III

L'armée russe était dirigée par Koutouzov avec son état-major et, de Pétersbourg, par l'empereur. À Pétersbourg, avant même la réception de la nouvelle de l'abandon de Moscou, un plan détaillé de toute la guerre avait été établi et envoyé à Koutouzov pour sa gouverne. Bien que ce plan eût été dressé dans l'idée que Moscou était encore entre nos mains, il avait été approuvé par l'état-major et accepté pour application. Koutouzov avait seulement écrit que les diversions lointaines sont toujours d'une exécution difficile. Et, pour résoudre les difficultés qui se présentaient, on lui envoyait de nouvelles instructions et de nouvelles personnes chargées de surveiller sa façon d'agir et d'en faire rapport.

En outre, l'état-major de l'armée russe subissait un remaniement profond. On devait remplacer Bagration qui avait été tué et Barclay qui, mortifié, s'était éloigné. On examinait sérieusement ce qui serait préférable : mettre A à la place de B, B à la place de D, ou au contraire D à la place d'A, etc., comme si quelque chose d'autre pouvait en dépendre que la satisfaction d'A et de B.

À l'état-major de l'armée, par suite de l'hostilité existant entre Koutouzov et son chef d'état-major Bennigsen, de la présence de personnes de confiance envoyées par l'empereur et de ces mutations, les partis jouaient un peu plus serré que d'ordinaire. A intriguait contre B, B contre C, etc., dans toutes les mutations et les combinaisons possibles. L'objet de toutes ces intrigues était avant tout de s'emparer de la direction des opérations que tous ces gens croyaient pouvoir diriger; mais ces opérations se déroulaient indépendamment d'eux, exactement comme elles devaient se dérouler, c'est-à-dire sans jamais coïncider avec ce qu'imaginaient les hommes, mais découlant de la réalité même du rapport des masses. Toutes ces combinaisons qui s'entrecroisaient et s'enchevêtraient ne présentaient dans les hautes sphères que le reflet fidèle de ce qui devait s'accomplir.

« Prince Michel Ilarionovitch, écrivait l'empereur, le 2 octobre, dans une lettre reçue après la bataille de Taroutino, depuis le 2 septembre, Moscou est aux mains de l'ennemi. Vos derniers rapports sont du 20; et pendant tout ce temps, non seulement rien n'a été entrepris pour agir contre l'ennemi et pour délivrer notre première capitale, mais même, d'après vos derniers rapports, vous avez encore reculé. Serpoukhov est déjà occupé par un détachement ennemi et Toula, avec sa célèbre manufacture si nécessaire à l'armée, est en danger. D'après les rapports du général Wintzingerode, je vois qu'un corps ennemi de dix mille hommes avance sur la route de Pétersbourg. Un autre, de plusieurs milliers d'hommes, se dirige vers Dmitrov. Un troisième marche sur la route de Vladimir. Un quatrième, assez important, se trouve entre Rouza et Mojaïsk. Suivant tous ces renseignements, puisque l'ennemi a morcelé ses forces en de puissants détachements, puisque Napoléon lui-même est encore à Moscou avec sa garde, est-il possible que vous ayez devant vous des forces ennemies assez importantes pour vous empêcher de passer à l'offensive ? On peut au contraire supposer avec vraisemblance qu'il vous poursuit avec des détachements, ou peut-être un corps, beaucoup plus faibles que l'armée qui vous est confiée. Il semble qu'à la faveur de ces circonstances vous auriez pu attaquer utilement l'ennemi plus faible que vous et l'exterminer ou, l'obligeant tout au moins à battre en retraite, conserver entre nos mains une grande partie des provinces qu'il occupe actuellement et ainsi écarter le danger de Toula et d'autres villes de l'intérieur. Si l'ennemi est en mesure de diriger un corps de troupes important sur Pétersbourg pour menacer la capitale où il ne reste que peu d'effectifs, vous en porterez la responsabilité, car avec l'armée qui vous est confiée, en agissant avec décision et énergie, vous avez tous les moyens de conjurer ce nouveau malheur. Souvenez-vous que vous devez déjà rendre compte de la perte de Moscou à la patrie offensée. Vous savez par expérience que je suis toujours prêt à vous récompenser. Cette bonne volonté ne faiblira pas, mais la Russie et moi nous sommes en droit d'attendre de votre part tout le zèle, la fermeté et les succès que nous promettent votre intelligence, vos talents militaires et la vaillance des armées que vous commandez. »

Mais pendant qu'était en route cette lettre, qui prouvait que le rapport des forces se faisait aussi sentir à Pétersbourg, Koutouzov ne pouvait plus empêcher l'armée qu'il commandait de prendre l'offensive, et la bataille avait déjà été livrée.

Le 2 octobre, le cosaque Chapovalov étant en patrouille tua d'un coup de fusil un lièvre et en blessa un autre. En poursuivant le lièvre touché, il s'enfonça profondément dans la forêt et tomba sur le flanc gauche de l'armée Murat, stationné là sans aucune précaution. Le cosaque raconta en riant à ses camarades qu'il avait failli se faire prendre par les Français. Le cornette qui entendit ce récit en informa son chef.

On fit venir le cosaque, on l'interrogea ; ses chefs voulurent profiter de l'occasion pour rafler des chevaux, mais l'un d'eux, qui connaissait des membres du haut commandement, fit part de ce fait à un général de l'état-major. Depuis quelque temps, la situation à l'état-major était extrêmement tendue. Ermolov, quelques jours auparavant, était venu supplier Bennigsen d'user de son influence auprès du commandant en chef pour le décider à passer à l'offensive.

« Si je ne vous connaissais pas, je croirais que vous ne voulez pas ce que vous demandez. Il me suffit de conseiller une chose pour que le Sérénissime fasse exactement le contraire », avait répondu Bennigsen.

La nouvelle apportée par le cosaque et confirmée par des reconnaissances démontra que l'événement était parfaitement mûr. Le ressort tendu céda, l'horloge grinça et l'heure sonna. Malgré tout son pouvoir apparent, son intelligence, son expérience, sa connaissance des hommes, Koutouzov, prenant en considération la note de Bennigsen qui envoyait directement des rapports à l'empereur, le désir unanime de tous les généraux, le désir supposé de l'empereur et les renseignements fournis par les cosaques, ne put plus retenir le mouvement inévitable et ordonnant ce qu'il considérait comme inutile et néfaste, sanctionna le fait accompli.

IV

Le rapport de Bennigsen sur la nécessité de l'offensive et les renseignements des cosaques établissant que le flanc gauche des Français était découvert ne furent que les derniers indices de la nécessité d'ordonner cette offensive, et elle fut fixée au 5 octobre.

Le 4 octobre au matin, Koutouzov signa le dispositif. Toll le lut à Ermolov, le chargeant des mesures à prendre.

« Bien, bien, je n'ai pas le temps maintenant », dit Ermolov, et il sortit de l'isba. Le dispositif établi par Toll était excellent. De même que dans le dispositif d'Austerlitz, il y était dit, bien que ce ne fût pas en allemand :

« *Die erste Colonne marschiert* dans telle et telle direction, *die zweite Colonne marschiert* dans telle et telle direction », etc. Et toutes ces colonnes arrivaient sur le papier à l'heure prescrite à leur place et anéantissaient l'ennemi. Tout était parfaitement prévu comme dans tous les dispositifs et, comme pour tous les dispositifs, aucune colonne n'arriva à temps à l'endroit fixé.

Lorsque le dispositif fut prêt en nombre voulu d'exemplaires, on fit venir un officier et on l'envoya à Ermolov afin de lui remettre les papiers pour exécution. Le jeune chevalier-garde, officier d'ordonnance de Koutouzov, ravi de l'importance de sa mission, se rendit au logement d'Ermolov.

« Il est sorti », répondit l'ordonnance. Le chevalier-garde se rendit chez un général chez qui Ermolov allait souvent en visite.

« Non, il n'est pas là, le général non plus. »

Le chevalier-garde se remit en selle et alla chez un autre.

« Non, il est parti. »

« Pourvu qu'on ne me rende pas responsable du retard ! Quel ennui ! » pensa l'officier. Il parcourut tout le camp. Les uns disaient avoir vu Ermolov passer avec des généraux, les autres qu'il était certainement rentré chez lui. L'officier, sans dîner, le chercha jusqu'à six heures du soir. Ermolov n'était nulle part et personne ne savait où il pouvait se trouver. L'officier fit une rapide collation chez un camarade et revint à l'avant-garde auprès de Miloradovitch. Miloradovitch n'était pas là non plus, mais on lui dit qu'il était au bal chez le général Kikine, que sans doute Ermolov y était aussi.

« Mais où est-ce donc ?

– Là-bas, à Etchkino, dit un officier de cosaques en montrant au loin une maison seigneuriale.

– Comment là-bas, au-delà de nos lignes ?

– On a envoyé deux de nos régiments sur la ligne. Il y a aujourd'hui une de ces fêtes là-bas ! Ils ont deux musiques, trois chœurs de chanteurs. »

L'officier se rendit au-delà de la ligne, à Etchkino. De loin, en approchant de la maison, il entendit les accents joyeux d'une chanson de danse de soldats.

– « Dans les prés... dans les prés !... » Le chant arrivait accompagné de sifflements et de cymbales et couvert par moments par des cris. L'officier se sentit gai en entendant ces bruits, mais en même temps, il eut peur d'être rendu responsable d'avoir mis si longtemps à transmettre l'ordre important qui lui avait été confié. Il était déjà près de neuf heures. Il mit pied à terre et monta le perron d'une grande maison seigneuriale restée intacte et qui se trouvait entre les lignes russes et françaises. Dans l'office et dans l'antichambre, des laquais s'affairaient, servant des vins et des mets. Des chanteurs se tenaient sous les fenêtres. On introduisit l'officier et il vit tout à coup réunis tous les grands généraux de l'armée et, parmi eux, la haute et imposante silhouette d'Ermolov. Tous, la redingote déboutonnée, le visage rouge, animé, formaient un demi-cercle et riaient aux éclats. Au milieu du salon, un beau général de petite taille, le visage empourpré, exécutait, alerte et adroit, un trepak.

« Ha, ha, ha ! Ce Nicolas Ivanovitch ! ha, ha, ha !… »

L'officier sentait qu'en entrant en ce moment avec un ordre important, il devenait doublement coupable et il voulut attendre, mais un des généraux l'aperçut et, en apprenant pourquoi il était là, le dit à Ermolov. Ermolov, l'air sombre, rejoignit l'officier et, après l'avoir écouté, prit le papier sans rien lui dire.

« Tu crois que c'est par hasard qu'il est parti ? dit le même soir au chevalier-garde un camarade d'état-major en parlant d'Ermolov. Ce sont des manigances, tout cela est fait exprès. Pour jouer un tour à Konovnitzine. Tu verras quelle salade ce sera demain ! »

V

Le lendemain, le vieux Koutouzov se leva de bonne heure, fit ses prières, s'habilla et avec la désagréable conscience d'avoir à diriger une bataille qu'il désapprouvait, monta en voiture et partit de Letachovka, à cinq verstes en arrière de Taroutino, pour l'endroit où devaient être rassemblées les colonnes d'attaque. Chemin faisant, Koutouzov s'assoupissait, puis se réveillait et tendait l'oreille pour savoir si l'on ne tirait pas sur la droite, si l'affaire n'avait pas commencé. Mais tout était encore silencieux. L'aube d'un jour humide et maussade d'automne commençait à peine de poindre. En approchant de Taroutino, Koutouzov aperçut des cavaliers qui menaient leurs chevaux à l'abreuvoir en traversant la route que suivait sa voiture. Il les regarda, fit arrêter et leur demanda à quel régiment ils appartenaient. Les cavaliers faisaient partie d'une colonne qui aurait déjà dû être loin à l'avant, en embuscade. « C'est peut-être une erreur », pensa le vieux commandant en chef. Mais plus loin il vit des régiments d'infanterie, les fusils en faisceaux, des soldats en train de préparer la soupe et de couper du bois, en simples caleçons. Il fit venir un officier. L'officier déclara n'avoir reçu aucun ordre de marche.

« Comment pas reç… » commença Koutouzov, mais il se tut aussitôt et envoya chercher le commandant. Il descendit de voiture et, la tête baissée, le souffle haletant, attendit en silence en se promenant de long en large. Quand arriva l'officier d'état-major Eichen qu'il avait demandé, Koutouzov devint cramoisi, non pas parce que cet officier était responsable de l'erreur, mais parce que c'était quelqu'un sur qui passer sa colère. En tremblant, suffoquant, le vieillard, se mettant dans une de ces fureurs dont il était parfois capable et qui le faisaient se rouler par terre, se précipita sur Eichen en le menaçant des poings et en le couvrant de grossières injures. Un autre officier survenu par hasard, le capitaine Brosine, qui n'était coupable de rien, subit le même sort.

« Qu'est-ce que c'est encore que cette canaille ? Qu'on le fusille ! Salauds ! » criait-il d'une voix rauque en agitant les mains et en chancelant. Il éprouvait une souffrance physique. Lui, le commandant en chef, le Sérénissime à qui tout le monde assurait que personne n'avait jamais eu en Russie un pareil pouvoir, on l'avait mis dans cette situation propre à faire de lui la risée de toute l'armée. « C'était bien la peine de tant prier pour cette journée, c'était bien la peine de ne pas dormir la nuit pour tout mettre au point ! pensait-il. Quand j'étais un gamin d'officier, personne n'aurait osé se moquer ainsi de moi… Et maintenant ! » Il ressentait une souffrance physique comme sous l'effet d'une punition corporelle et ne pouvait pas ne pas l'extérioriser par des cris de colère et de douleur, mais bientôt ses forces l'abandonnèrent et jetant des regards autour de lui, sentant avoir dit beaucoup de paroles regrettables, il remonta en voiture et revint en silence sur ses pas.

La colère épanchée ne revint plus et Koutouzov écouta en clignant faiblement des yeux les justifications, la défense de Bennigsen, de Konovnitzine et de Toll (Ermolov lui-même ne se présenta devant lui que le lendemain) et leurs instances pour que le mouvement avorté fût exécuté le lendemain. Et Koutouzov dut de nouveau donner son consentement.

VI

Le lendemain, les troupes se rassemblèrent dès le soir aux emplacements prévus et se mirent en marche dans la nuit. Il faisait une nuit d'automne avec des nuages d'un noir violacé mais sans bruit. La terre était humide, mais il n'y avait pas de boue, et les troupes marchaient sans bruit, on n'entendait par moments que le cliquetis sourd de l'artillerie. Défense avait été faite de parler à haute voix, de fumer la pipe, de battre le briquet ; on empêchait les chevaux de hennir. Le mystère de l'entreprise en augmentait l'attrait. Les hommes marchaient gaiement. Certaines colonnes s'arrêtèrent, mirent les fusils en faisceaux et s'étendirent sur le sol froid, croyant être arrivées à destination ; d'autres colonnes (la plupart) marchèrent toute la nuit et apparemment arrivèrent là où elles ne devaient pas aller.

Le comte Orlov-Denissov avec ses cosaques (le moins important de tous les détachements) arriva seul à l'endroit prévu et en temps voulu. Ce détachement fit halte à l'extrême lisière de la forêt, sur le sentier qui conduisait du village de Stromilovo au village de Dmitrovskoïe.

On réveilla avant l'aube le comte Orlov qui s'était assoupi. On amenait un transfuge du camp français. C'était un sous-officier polonais du corps de Poniatowski. Ce sous-officier expliqua en polonais qu'il était passé aux Russes parce qu'il était victime d'un passe-droit, qu'il aurait depuis longtemps dû être promu officier, qu'il était le plus brave de tous; aussi avait-il quitté les Français et voulait-il se venger. Il disait que Murat passait la nuit à une verste de là et que si on lui donnait cent hommes d'escorte, il le prendrait vivant. Le comte Orlov-Denissov tint conseil avec ses camarades, la proposition était trop flatteuse pour qu'on pût refuser. Tous s'offraient pour partir, tous conseillaient d'essayer. Après maintes discussions et consultations, le général-major Grekov décida d'accompagner le sous-officier avec deux régiments de cosaques.

« Mais souviens-toi bien, dit le comte Orlov-Denissov au sous-officier en le laissant partir, si tu as menti, je te ferai pendre comme un chien; et si tu as dit la vérité, tu auras cent ducats. »

L'air résolu, le sous-officier ne répondit pas, se mit en selle et partit avec Grekov qui s'était vivement préparé. Ils disparurent dans la forêt. Le comte Orlov, frissonnant sous la fraîcheur du matin qui commençait à poindre, ému de la responsabilité qu'il venait de prendre, sortit de la forêt après le départ de Grekov et observa le camp ennemi qui se voyait maintenant à la clarté trompeuse du matin naissant et des feux de bivouac qui s'éteignaient. Nos colonnes devaient apparaître à la droite du comte Orlov-Denissov, sur le versant d'une côte découverte. Le comte Orlov-Denissov regardait dans cette direction; mais bien qu'on eût dû les voir de loin, on n'apercevait pas ces colonnes. Dans le camp français, sembla-t-il au comte Orlov-Denissov et surtout à son aide de camp qui avait la vue perçante, on commençait à bouger.

« Ah! vraiment, il est trop tard », dit le comte Orlov après avoir regardé le camp. Comme il arrive souvent quand celui à qui nous avons fait confiance n'est plus sous nos yeux, il lui devint soudain absolument évident et clair que ce sous-officier était un fourbe, qu'il avait menti et qu'il ferait seulement avorter toute l'attaque par l'absence des deux régiments qu'il emmenait Dieu sait où. Pouvait-on, dans une telle masse de troupes, s'emparer d'un commandant en chef ?

« Vraiment, il a menti ce coquin, dit le comte.

– On peut les faire revenir, dit quelqu'un de la suite qui, comme le comte Orlov-Denissov, avait eu des doutes sur le succès de l'entreprise en regardant le camp.

– Vraiment ?... qu'en pensez-vous ? Faut-il les laisser faire ? Ou non ?

– Désirez-vous qu'on les fasse revenir ?

– Qu'ils reviennent, qu'ils reviennent ! dit soudain le comte Orlov résolument en consultant sa montre, il sera trop tard, il fait tout à fait jour. »

Et l'aide de camp galopa à travers la forêt à la poursuite de Grekov. Quand Grekov fut revenu, le comte Orlov-Denissov, ému par cette tentative contremandée, par la vaine attente des colonnes d'infanterie qui ne se montraient toujours pas et par la proximité de l'ennemi (tous ses hommes ressentaient la même chose), décida d'attaquer.

Il commanda à voix basse : « En selle ! » On s'installa, on se signa...

« En route ! »

Un hourraaa ! retentit dans la forêt et, un escadron après l'autre, comme des grains se répandant d'un sac, les cosaques, lance en ligne, foncèrent gaiement sur le champ en enjambant un ruisseau.

Un cri d'effroi du premier Français qui aperçut les cosaques, et tout ce qui se trouvait au camp, dévêtu, réveillé en sursaut, abandonna canons, fusils, chevaux et s'enfuit au hasard.

Si les cosaques avaient poursuivi les Français sans s'occuper de ce qui se passait derrière eux et autour d'eux, ils auraient pris et Murat et tout ce qui se trouvait là. C'était ce que voulaient les chefs. Mais il fut impossible de faire bouger les cosaques une fois qu'ils furent tombés sur le butin et les prisonniers. Personne n'écoutait les ordres. On prit là quinze cents prisonniers, trente-huit pièces de canon, des drapeaux et, ce qui importait le plus aux cosaques, des selles, des couvertures et divers objets. Il fallait disposer de tout cela, prendre en main les prisonniers, les canons, partager le butin, se disputer, même se battre entre soi : les cosaques s'occupèrent de tout cela.

Les Français qui n'étaient pas poursuivis se ressaisirent peu à peu, reformèrent les rangs et ouvrirent le feu. Orlov-Denissov attendait toujours les colonnes et n'avançait plus.

Cependant, conformément au dispositif : « *die erste Colonne marschiert* », etc., les régiments d'infanterie des colonnes en retard que commandait Bennigsen et que dirigeait Toll, s'étaient mis en marche comme prévu et comme il arrive toujours, étaient parvenus quelque part, mais non pas là où ils avaient reçu l'ordre d'aller. Comme il arrive toujours, les hommes partis gaiement s'arrêtèrent peu à peu ; le mécontentement se manifesta, la conscience de la confusion, on se dirigea quelque part en arrière. Les aides de camp et les généraux qui passaient au galop criaient, se fâchaient, se disputaient, disaient qu'on n'était pas du tout là où il fallait et qu'on était en retard, invectivaient quelqu'un, etc., et enfin tous abandonnèrent la partie et on marcha uniquement pour marcher. « Nous arriverons bien quelque part ! » Et en effet on arriva mais pas où il fallait, tandis que d'autres arrivèrent bien où il fallait, mais avec un tel retard que ce fut tout à fait inutile et qu'ils ne purent que servir de cible. Toll qui, dans cette bataille, jouait le rôle de Weirother à Austerlitz, galopait avec zèle d'un endroit à l'autre et trouvait partout que tout s'était fait à rebours. C'est ainsi qu'il tomba sur le corps de Bagovout dans la forêt alors qu'il faisait tout à fait jour et que ce corps aurait dû être depuis longtemps avec Orlov-Denissov. Ému, affligé de l'insuccès et supposant que quelqu'un devait en être responsable, Toll galopa vers le commandant du corps et lui fit de sévères reproches, disant qu'il méritait d'être fusillé. Bagovout, un vieux général plein de sang-froid et combattant éprouvé, harassé lui aussi par tous ces arrêts, cette confusion, ces ordres contradictoires, se mit en rage à la surprise générale et contrairement à son caractère, et répondit vertement à Toll.

« Je ne veux recevoir de leçons de personne et je sais aussi bien qu'un autre mourir avec mes soldats », dit-il, et il marcha de l'avant avec sa seule division.

Débouchant dans le champ sous le feu des Français, Bagovout, ému et brave, sans se demander si son intervention dans l'affaire à ce moment et avec une seule division était utile ou inutile, marcha droit devant lui et conduisit ses troupes sous le feu. Le danger, les boulets, les balles, c'était cela même qu'il lui fallait dans sa colère. Une des premières balles le tua, les suivantes tuèrent de nombreux soldats. Et sa division resta quelque temps inutilement sous le feu.

VII

Cependant, de front, une autre colonne devait attaquer les Français, mais auprès de cette colonne se trouvait Koutouzov. Il savait bien que de cette bataille engagée contre sa volonté ne résulterait que de la confusion et, dans la mesure de son pouvoir, il retenait les troupes. Il ne bougeait pas.

Koutouzov montait en silence son petit cheval gris, répondant avec indolence aux propositions d'attaquer.

« Vous n'avez que le mot attaque à la bouche et vous ne voyez pas que nous ne savons pas faire des manœuvres compliquées, dit-il à Miloradovitch qui demandait à se porter en avant.

« On n'a pas su ce matin prendre Murat vivant et arriver à temps à destination : maintenant il n'y a plus rien à faire ! » répondit-il à un autre.

Lorsqu'on annonça à Koutouzov que sur les arrières des Français qui, selon les rapports des cosaques, avaient jusque-là été dégarnis, il y avait maintenant deux bataillons de Polonais, il coula un regard vers Ermolov (il ne lui parlait pas depuis la veille).

« On demande à attaquer, on présente différents projets, mais dès qu'on en vient à agir, rien n'est prêt et l'ennemi alerté prend ses précautions. »

Ermolov plissa les yeux et eut un léger sourire en entendant ces paroles. Il comprit que pour lui l'orage était passé et que Koutouzov se bornerait à cette allusion.

« C'est à mes dépens qu'il s'amuse », dit Ermolov à voix basse en poussant du genou Raievski qui se trouvait près de lui.

Bientôt après, Ermolov s'avança vers Koutouzov et dit respectueusement :

« L'occasion n'est pas manquée, Votre Altesse, l'ennemi n'est pas parti. Si vous ordonniez d'attaquer ? Sinon la garde ne verrait même pas la fumée de la poudre. »

Koutouzov ne dit rien, mais quand on lui annonça que les troupes de Murat battaient en retraite, il donna l'ordre de marcher de l'avant ; mais tous les cent pas il faisait faire une halte de trois quarts d'heure.

Toute la bataille se réduisit à l'action des cosaques d'Orlov-Denissov ; les autres troupes perdirent seulement sans utilité quelques centaines d'hommes.

À la suite de cette bataille, Koutouzov reçut une étoile en diamants, Bennigsen également des diamants et cent mille roubles, les autres selon leurs grades reçurent aussi beaucoup de distinctions agréables et un nouveau remaniement eut lieu à l'état-major.

« Voilà comment cela se passe TOUJOURS CHEZ NOUS, on fait tout à l'envers ! » disaient après la bataille de Taroutino les officiers et les généraux russes, comme on le dit aujourd'hui encore, laissant entendre qu'un imbécile a tout fait à l'envers, mais que nous aurions agi autrement. Mais ceux qui parlent ainsi ne connaissent rien à l'affaire dont ils parlent ou s'abusent délibérément. Toute bataille – Taroutino, Borodino, Austerlitz – se déroule tout autrement que ne l'ont prévu ses ordonnateurs. C'est là un fait essentiel.

Un nombre incalculable de forces libres (car nulle part l'homme n'est plus libre que dans une bataille où il s'agit de vie ou de mort) influent sur le cours d'une bataille et ce cours ne peut jamais être connu à l'avance et ne coïncide jamais avec la direction d'une force unique.

Si de nombreuses forces agissent simultanément et dans des directions différentes sur un corps quelconque, la direction du mouvement de ce corps ne peut être celle d'aucune de ces forces isolées ; mais elle sera toujours la direction moyenne la plus courte, ce qui en mécanique s'exprime par la diagonale du parallélogramme des forces.

Si, dans les relations des historiens, surtout des historiens français, nous lisons que les guerres et les batailles se font conformément à un plan préétabli, la seule conclusion que nous pouvons en tirer est que ces relations sont fausses.

De toute évidence, la bataille de Taroutino n'avait pas atteint le but qu'avait en vue Toll, c'est-à-dire d'engager les troupes dans l'ordre, conformément au dispositif, ni celui que pouvait avoir le comte Orlov, de capturer Murat, ni le but d'exterminer d'un seul coup le corps entier que pouvaient avoir Bennigsen et d'autres, ni le but de l'officier qui désirait prendre part à une affaire et se distinguer, ni celui du cosaque qui voulait s'emparer de plus de butin qu'il n'en avait pris, et ainsi de suite. Mais si le but était celui qui fut réellement atteint et que souhaitaient alors tous les Russes (chasser les Français de Russie et anéantir leur armée), il est tout à fait évident que la bataille de Taroutino, à cause même de ses incohérences, était précisément ce qu'il fallait dans cette période de la campagne. Il est difficile et impossible d'imaginer à cette bataille une issue plus conforme au but que celle qu'elle eut. Avec le minimum d'effort, dans la plus complète confusion et avec des pertes insignifiantes, furent obtenus les plus grands résultats de la campagne, on était passé de la retraite à l'offensive, la faiblesse des Français avait été démasquée et la poussée qu'attendait seulement l'armée de Napoléon pour prendre la fuite avait été donnée.

VIII

Napoléon entre à Moscou après la brillante victoire *de la Moskowa*; la victoire ne peut faire de doute puisque, après la bataille, les Français restent maîtres du terrain. Les Russes reculent et livrent la capitale. Moscou, regorgeant de vivres, d'armes, de munitions et d'incalculables richesses, est aux mains de Napoléon. L'armée russe, deux fois plus faible que l'armée française, ne fait un mois durant aucune tentative d'attaque. La situation de Napoléon est des plus brillantes. Pour tomber avec des forces deux fois supérieures sur les débris de l'armée russe et l'anéantir, pour conclure une paix avantageuse ou, en cas de refus, esquisser un mouvement menaçant sur Pétersbourg, même, en cas d'insuccès, revenir à Smolensk ou à Vilna, ou rester à Moscou; en un mot, pour conserver cette brillante situation dans laquelle se trouvait alors l'armée française, il semblerait que point n'était besoin de génie particulier. Pour cela il suffisait de faire la chose la plus simple et la plus facile : ne pas laisser les troupes se livrer au pillage, préparer des vêtements d'hiver que Moscou pouvait fournir pour l'armée entière, et rassembler d'une façon rationnelle les vivres qui s'y trouvaient et qui (selon les historiens français) étaient suffisants pour plus de six mois. Napoléon, ce génie entre les génies, qui avait tout pouvoir sur l'armée comme l'affirment les historiens, ne fit rien de tout cela.

Non seulement il ne fit rien de tout cela, mais il usa de son pouvoir pour choisir, de toutes les voies qui s'offraient à lui, celle qui était la plus stupide et la plus néfaste. De tout ce que pouvait faire Napoléon : passer l'hiver à Moscou, revenir en arrière, plus au nord ou plus au sud, par la route que Koutouzov prit par la suite, que pouvait-on imaginer de plus stupide et de plus néfaste que ce qu'il fit, c'est-à-dire rester à Moscou jusqu'en octobre en permettant à ses troupes de piller la ville, puis, hésitant à y laisser une garnison, quitter Moscou, se rapprocher de Koutouzov, ne pas livrer bataille, prendre à droite, atteindre Malo Iaroslavetz, de nouveau sans tenter la chance de se frayer un passage, ne pas prendre le chemin que suivait Koutouzov mais revenir en arrière sur Mojaïsk par la route dévastée de Smolensk – on n'aurait rien pu imaginer de plus stupide, de plus néfaste pour l'armée, comme les conséquences devaient se charger de le démontrer. Que les plus habiles stratèges imaginent, en supposant que le but de Napoléon eût été de mener son armée à sa perte, une autre série d'actes qui, d'une façon aussi infaillible, aussi sûre et aussi indépendante de tout ce que pouvaient entreprendre les troupes russes, eût perdu plus totalement l'armée française que ce que fit Napoléon.

Le génial Napoléon l'a fait. Mais dire que Napoléon perdit son armée parce qu'il le voulait ou parce qu'il était un sot serait tout aussi faux que de prétendre que Napoléon conduisit ses troupes à Moscou parce qu'il le voulait et parce qu'il était très intelligent et génial.

Dans l'un et l'autre cas, son action personnelle n'avait pas plus d'efficacité que l'action personnelle de chacun de ses soldats, elle coïncida seulement avec les lois qui régissaient ce phénomène.

Il est absolument faux de prétendre comme le font les historiens (uniquement parce que les conséquences n'ont pas justifié l'action de Napoléon) que ses forces s'étaient affaiblies à Moscou. Alors comme avant et comme après, en 1813, il employait toute sa science et toutes ses forces pour agir au mieux de son intérêt et de celui de son armée. L'activité de Napoléon pendant cette période n'est pas moins surprenante qu'en Égypte, en Italie, en Autriche et en Prusse. Nous ne savons pas au juste à quel point son génie fut réel en Égypte, où quarante siècles contemplaient sa grandeur, car tous ses illustres exploits ne nous ont été décrits que par des Français. Nous ne pouvons juger avec certitude de son génie en Autriche et en Prusse, car nous devons puiser les témoignages sur son action là-bas à des sources françaises et allemandes ; or la reddition incompréhensible de corps d'armée sans combat et de forteresses sans siège doit incliner les Allemands à lui reconnaître du génie comme seule explication de la guerre conduite en Allemagne. Mais quant à nous, nous n'avons, Dieu merci, aucune raison de lui reconnaître du génie pour cacher notre honte. Nous avons payé le droit de considérer cette affaire simplement et sans détour, et nous ne renoncerons pas à ce droit.

Son activité à Moscou est tout aussi surprenante et géniale que partout. Ordres sur ordres et plans sur plans émanent de lui, depuis son entrée à Moscou jusqu'à son départ. L'absence des habitants et d'une députation et même l'incendie de Moscou ne le troublent pas. Il ne perd de vue ni le bien de son armée, ni les mouvements de l'ennemi, ni le bien des peuples de Russie, ni la direction des affaires de Paris, ni les considérations diplomatiques sur les conditions de paix à obtenir.

IX

Au point de vue militaire, dès son entrée à Moscou, Napoléon donne des ordres formels au général Sebastiani pour surveiller les mouvements de l'armée russe, envoie des corps de troupes dans différentes directions et prescrit à Murat de retrouver Koutouzov. Puis il s'attache à fortifier le Kremlin ; puis il trace le plan génial de la future campagne sur toute la carte de la Russie. Au point de vue diplomatique, Napoléon fait venir le capitaine Iakovlev, dépouillé de ses biens et en guenilles, et qui ne sait comment quitter Moscou, lui expose en détail sa politique et sa grandeur d'âme, écrit une lettre à l'empereur

Alexandre où il croit de son devoir d'apprendre à son ami et frère que Rostoptchine s'est très mal acquitté de sa tâche à Moscou, et envoie Iakovlev à Pétersbourg. Il développe d'une façon aussi détaillée ses vues et sa grandeur d'âme devant Toutolmine et envoie également ce vieillard à Pétersbourg pour entamer des pourparlers.

Au point de vue juridique, aussitôt après les incendies, il donne l'ordre de rechercher les coupables et de les châtier. Et ce scélérat de Rostoptchine est puni par l'incendie de ses maisons.

Au point de vue administratif, Moscou est dotée d'une constitution, une municipalité est établie et ce qui suit est rendu public :

« Habitants de Moscou !

« Vos misères sont cruelles, mais Sa Majesté l'empereur et roi veut y mettre un terme. De terribles exemples vous ont appris comment il punit la désobéissance et le crime. Des mesures sévères sont prises pour mettre fin aux désordres et rétablir la sécurité générale. Une administration paternelle choisie parmi vous formera votre municipalité ou administration de la ville. Elle aura soin de vous, de vos besoins, de vos intérêts. Ses membres se distinguent par une écharpe rouge qu'ils porteront en sautoir et le maire portera en outre une ceinture blanche. Mais, en dehors de leur service, ils n'auront qu'un brassard rouge au bras gauche.

« La police municipale est instituée conformément à l'ancien règlement, et grâce à son activité règne déjà un ordre meilleur. Le gouvernement a nommé deux commissaires généraux ou maîtres de police, et vingt commissaires ou tchastni pristav, répartis dans tous les quartiers de la ville. Vous les reconnaîtrez au brassard blanc qu'ils porteront au bras gauche. Certaines églises affectées à différents cultes sont ouvertes et le service divin y est célébré sans obstacle. Vos concitoyens regagnent tous les jours leurs foyers et les ordres sont donnés pour qu'ils trouvent l'aide et la protection dues au malheur. Tels sont les moyens que le gouvernement a mis en œuvre pour rétablir et alléger votre situation ; mais afin d'atteindre ce but, il faut que vous joigniez vos efforts aux siens, que vous oubliiez si c'est possible les malheurs que vous avez subis, que vous vous laissiez aller à l'espoir d'un sort moins cruel, que vous soyez persuadés qu'une mort inévitable et ignominieuse attend ceux qui attenteront à vos personnes et aux biens qui restent, et enfin, que vous ne doutiez pas que ceux-ci vous seront conservés, car telle est la volonté du plus grand et du plus juste de tous les monarques. Soldats et habitants, de quelque nation que vous soyez ! rétablissez la confiance publique, source du bonheur de l'État, vivez en frères, donnez-vous mutuellement aide et protection, unissez-vous pour combattre les desseins criminels, obéissez aux autorités militaires et civiles, et bientôt vos larmes cesseront de couler. »

Au point de vue du ravitaillement de l'armée, Napoléon prescrivit à toutes ses troupes de venir à tour de rôle à Moscou *à la maraude* pour se procurer des vivres et assurer ainsi pour quelque temps la subsistance de l'armée.

Au point de vue religieux, Napoléon donna l'ordre de *ramener les popes* et de reprendre le service dans les églises.

Au point de vue du commerce et du ravitaillement de l'armée, il fit afficher partout ce qui suit :

PROCLAMATION

« Vous, paisibles habitants de Moscou, hommes de métier et ouvriers que les malheurs ont éloignés de la ville et vous, laboureurs dispersés qu'une peur sans fondement retient encore dans les champs, écoutez ! Le calme revient dans la capitale et l'ordre s'y rétablit. Vos compatriotes sortent sans crainte de leurs abris, voyant qu'on les respecte. Toute violence exercée contre eux et contre leurs biens est punie sur-le-champ. Sa Majesté l'empereur et roi les protège et ne considère comme ennemis parmi vous que ceux qui désobéissent à ses ordres. Il veut mettre un terme à vos malheurs et vous rendre à vos maisons et à vos familles. Répondez donc à ses bienveillantes intentions et venez à nous sans crainte. Habitants ! regagnez avec confiance vos foyers : vous trouverez bientôt les moyens de subvenir à vos besoins ! Hommes de métier et laborieux ouvriers ! Reprenez vos travaux : les maisons, les boutiques, les patrouilles de protection vous attendent et pour votre travail vous recevrez le salaire qui vous est dû ! Et vous enfin, paysans, sortez des forêts où vous vous êtes abrités de peur, réintégrez sans crainte vos isbas avec l'entière certitude de trouver protection. Des entrepôts ont été établis dans la ville où les paysans peuvent apporter les produits de la terre en excédent. Le gouvernement a pris les mesures suivantes pour en assurer le libre écoulement : 1° À compter de ce jour, les paysans, les agriculteurs et autres habitants des environs de Moscou peuvent sans aucun danger apporter en ville leurs produits de quelque genre qu'ils soient, dans les deux entrepôts désignés à cet effet dans la rue Mokhovaia et l'Okhotni riad. 2° Ces produits leur seront achetés à des prix qui seront fixés d'un commun accord entre l'acheteur et le vendeur ; mais si le vendeur n'obtient pas le juste prix demandé, il sera libre de remporter sa marchandise, ce que personne ne pourra empêcher sous aucun prétexte. 3° Les dimanches et les mercredis sont désignés comme jours de grand marché, à quel effet des détachements de troupes seront disposés en nombre suffisant les mardis et les samedis sur toutes les grandes routes, à une certaine distance de la ville, pour protéger les convois. 4° Les mêmes mesures seront prises pour assurer aux paysans le retour de leurs chariots et de leurs chevaux sans aucun obstacle. 5° Des mesures immédiates seront prises pour le rétablissement des marchés ordinaires. Citadins et villageois, et vous, hommes de métier et ouvriers, à quelque nation que vous apparteniez ! Nous vous engageons à vous conformer aux avis paternels de

Sa Majesté l'empereur et roi, et à collaborer avec lui pour établir le bien-être commun. Portez à ses pieds le respect et la confiance et n'hésitez pas à vous unir à nous ! »

Afin de relever le moral de l'armée et du peuple, on passait de continuelles revues, on distribuait des récompenses. L'Empereur parcourait à cheval les rues et réconfortait les habitants ; et malgré toutes ses préoccupations au sujet des affaires de l'État, il visita personnellement les théâtres fondés sur son ordre.

Au point de vue de la bienfaisance, la plus belle gloire des princes, Napoléon faisait également tout ce qui dépendait de lui. Il fit inscrire sur les établissements charitables : « *Maison de ma mère* », unissant par cet acte sa tendresse filiale à la grandeur de sa vertu de monarque. Il visita l'orphelinat et donnant ses mains blanches à baiser aux orphelins qu'il avait sauvés, s'entretint gracieusement avec Toutolmine. Puis, selon le récit éloquent de Thiers, il fit payer la solde à ses troupes avec les faux billets russes qu'il avait fait fabriquer. « *Relevant l'emploi de ces moyens par un acte digne de lui et de l'armée française, il fit distribuer des secours aux incendiés. Mais les vivres étant trop précieux pour être donnés à des étrangers la plupart ennemis, Napoléon aima mieux leur fournir de l'argent afin qu'ils se fournissent au-dehors, et il leur fit distribuer des roubles papier.* »

Au point de vue de la discipline de l'armée, des ordres ne cessaient d'être donnés pour punir rigoureusement les infractions dans le service et pour mettre fin au pillage.

X

Pourtant, chose étrange, toutes ces dispositions, ces soins et ces plans qui ne le cédaient en rien à d'autres dans des cas analogues, n'atteignaient pas le fond des choses mais, comme les aiguilles d'un cadran séparé du mécanisme, tournaient au hasard et sans but, sans entraîner les rouages.

Au point de vue militaire, le génial plan de campagne dont Thiers dit *que son génie n'avait jamais rien imaginé de plus profond, de plus habile et de plus admirable*, et à propos duquel, dans sa polémique avec M. Fain, il démontre que la rédaction de ce plan génial doit être reportée non pas au 4 mais au 15 octobre, ce plan ne fut jamais exécuté et ne pouvait l'être, car il n'avait rien de commun avec la réalité. Les travaux de fortification du Kremlin qui nécessitaient la démolition de *la Mosquée* (c'était le nom que Napoléon avait donné à l'église de Vassili-le-Bienheureux) se révélèrent parfaitement inutiles. La pose des mines sous le Kremlin ne servit qu'à satisfaire le désir de l'Empereur qui voulait le faire sauter à son départ de Moscou, c'est-à-dire battre le plancher sur lequel l'enfant s'est fait mal en tombant. La poursuite de l'armée russe qui préoccupait tant Napoléon présenta un phénomène sans précédent. Les chefs français perdirent l'armée russe de soixante mille hommes et, au dire de Thiers, seuls l'habileté et aussi, semble-t-il, le génie de Murat permirent de retrouver les soixante mille hommes de cette armée comme une épingle.

Au point de vue diplomatique, toutes les assurances de magnanimité et d'équité que Napoléon développa devant Toutolmine et devant Iakovlev, préoccupé surtout de se procurer un manteau et un véhicule, furent vaines : Alexandre ne reçut pas ces ambassadeurs et ne répondit pas aux messages dont ils étaient porteurs.

Au point de vue juridique, après l'exécution des prétendus incendiaires, la moitié de Moscou restée intacte brûla à son tour.

Au point de vue administratif, l'institution d'une municipalité ne mit pas fin au pillage et ne fut utile qu'à certaines personnes qui firent partie de cette municipalité et qui, sous prétexte de maintenir l'ordre, pillaient Moscou ou protégeaient leurs propres biens du pillage.

Au point de vue religieux, ce qui s'était si facilement arrangé en Égypte par la visite de la mosquée ne donna aucun résultat ici. Les deux ou trois prêtres qu'on trouva tentèrent de se conformer à la volonté de Napoléon, mais l'un d'eux fut giflé par un soldat français pendant l'office et sur un autre un fonctionnaire français fit le rapport suivant : « *Le prêtre que j'avais découvert et invité à recommencer à dire la messe a nettoyé et fermé l'église. Cette nuit on est venu de nouveau enfoncer les portes, casser les cadenas, déchirer les livres et commettre d'autres désordres.* »

Au point de vue commercial, la proclamation aux laborieux artisans et à tous les paysans resta sans écho. Il n'y eut pas de laborieux artisans et quant aux paysans, ils s'emparaient des commissaires qui s'aventuraient trop loin avec cette proclamation et les tuaient.

Au point de vue des distractions et des spectacles offerts à la population et aux troupes, l'affaire échoua également. Les théâtres fondés au Kremlin et dans la maison de Pozniakov furent aussitôt fermés car les acteurs et les actrices y avaient été dévalisés.

La bienfaisance elle-même ne donna pas les résultats escomptés. Les assignats faux ou vrais inondaient Moscou et étaient sans valeur. Les Français qui amassaient du butin ne voulaient que de l'or. Non seulement les faux assignats que Napoléon faisait distribuer si généreusement aux malheureux n'avaient pas de valeur, mais l'argent lui-même s'échangeait contre de l'or au-dessous de son taux réel.

Mais l'exemple le plus frappant de l'inefficacité des ordres supérieurs à cette époque furent les efforts de Napoléon pour faire cesser les pillages et rétablir la discipline.

Voici des rapports des autorités militaires :

« Les pillages continuent dans la ville malgré l'ordre d'y mettre fin. L'ordre n'est pas encore rétabli et pas un marchand ne commerce légalement. Seuls les cantiniers se risquent à vendre mais uniquement des objets volés. »

« *La partie de mon arrondissement continue à être en proie au pillage des soldats du 3e corps qui, non contents d'arracher aux malheureux réfugiés dans les souterrains le peu qui leur reste, ont même la férocité de les blesser à coups de sabre, comme j'en ai vu plusieurs exemples.* »

« *Rien de nouveau outre que les soldats se permettent de voler et de piller. Le 9 octobre.* »

« *Le vol et le pillage continuent. Il y a une bande de voleurs dans notre district qu'il faudra faire arrêter par de fortes gardes. Le 11 octobre.* »

« L'Empereur est extrêmement mécontent de voir constamment, malgré les ordres formels donnés pour mettre fin au pillage, des détachements de maraudeurs de la garde revenir au Kremlin. Dans la vieille garde, le désordre et le pillage se sont renouvelés avec plus de violence que jamais hier, la nuit dernière et aujourd'hui. L'Empereur voit avec consternation des soldats d'élite désignés pour défendre sa personne, qui doivent donner l'exemple de l'obéissance, pousser la désobéissance jusqu'à mettre à sac les caves et les magasins préparés pour l'armée. D'autres se sont abaissés au point de ne plus écouter les sentinelles et les officiers de garde, de les injurier et de les molester. »

« *Le grand maréchal du palais se plaint vivement* écrivait le gouverneur, *que malgré les défenses réitérées, les soldats continuent à faire leurs besoins dans toutes les cours et même jusque sous les fenêtres de l'Empereur.* »

Cette armée, comme un troupeau lâché foulant sous ses pieds la nourriture qui aurait pu la sauver de la famine, se désagrégeait et s'effondrait avec chaque jour de plus d'un séjour inutile à Moscou.

Mais elle ne bougeait pas.

Elle ne prit la fuite que lorsqu'elle fut saisie d'une peur panique à la nouvelle de la capture de convois sur la route de Smolensk et de la bataille de Taroutino. Cette même nouvelle de la bataille de Taroutino, reçue à l'improviste par Napoléon pendant une revue, lui inspira le désir de châtier les Russes, comme dit Thiers, et il donna l'ordre de départ que réclamait l'armée entière.

En s'enfuyant de Moscou, les hommes de cette armée emportèrent avec eux tout ce qu'ils avaient volé. Napoléon emportait aussi son propre *trésor*. À la vue des convois qui encombraient l'armée, Napoléon fut épouvanté (comme le dit Thiers). Mais avec son expérience de la guerre, il ne fit pas mettre le feu aux chariots superflus, comme il l'avait fait pour ceux d'un des maréchaux en approchant de Moscou ; il regarda ces calèches et ces berlines et dit que c'était très bien ainsi, que ces véhicules serviraient pour les vivres, les malades et les blessés.

La situation de toute l'armée était semblable à celle d'une bête blessée qui sent venir sa fin et ne sait plus ce qu'elle fait. Étudier les savantes manœuvres et les objectifs de Napoléon et de son armée, depuis son entrée à Moscou jusqu'à la destruction de cette armée, cela équivaut à étudier la signification des bonds et des convulsions d'une bête blessée à mort. Bien souvent une bête blessée se jette au moindre bruit sous le feu du chasseur, s'élance en avant, revient en arrière et hâte sa propre fin. C'est ce que faisait Napoléon sous la pression de son armée entière. Le bruit de la bataille de Taroutino effaroucha la bête, elle se jeta au-devant du coup de feu, courut jusqu'au chasseur, revint sur ses pas et enfin, comme toutes les bêtes, se précipita en arrière par le chemin le plus incommode, le plus dangereux, mais sur des traces anciennes et familières.

Napoléon qui nous apparaît comme le dirigeant de tout ce mouvement (de même que les sauvages prennent la figure sculptée à la proue d'un navire pour la force qui le fait avancer), Napoléon, pendant toute cette période de son activité, fut semblable à l'enfant qui, se tenant aux courroies fixées à l'intérieur d'une voiture, s'imagine la conduire.

XI

Le 6 octobre, le matin de bonne heure, Pierre sortit du baraquement et, revenant sur ses pas, s'arrêta à la porte à jouer avec le long roquet au poil violacé, aux pattes courtes et torses qui gambadait autour de lui. Ce roquet vivait dans le baraquement, passant la nuit avec Karataiev ; parfois il s'en allait en ville mais revenait toujours. Il n'avait sans doute jamais appartenu à personne, maintenant aussi il était sans maître et n'avait pas de nom. Les Français l'appelaient Azor, le soldat qui racontait des contes, Femgalka, Karataiev et les autres soldats Seri (le gris), parfois Visli (oreilles pendantes). L'absence de maître, de nom, de race, même de couleur définie ne paraissait nullement gêner le roquet violacé. Sa queue touffue se dressait en panache ferme et arrondi, ses pattes torses le servaient si bien que souvent, comme dédaignant de recourir à toutes les quatre, il relevait avec grâce une patte de derrière et trottait très adroitement et prestement sur les trois autres. Tout pour lui était sujet de plaisir. Tantôt en jappant de joie il se roulait sur le dos, tantôt il se chauffait au soleil avec un air pensif et important, tantôt il s'ébattait en jouant avec un bout de bois ou un brin de paille.

Le costume de Pierre se composait maintenant d'une chemise sale et déchirée, seul vestige de ses anciens vêtements, d'un pantalon de soldat ficelé aux chevilles pour tenir plus chaud, selon le conseil de Karataiev, d'un manteau et d'un bonnet de paysan. Il avait beaucoup changé physiquement ces derniers temps. Il ne paraissait plus si gros, bien qu'il eût toujours cette apparence massive et puissante propre à sa famille. La barbe et la moustache couvraient le bas de son visage ; ses cheveux qui avaient poussé, tout emmêlés et pleins de poux, bouclaient sur sa tête comme un gros bonnet. L'expression de ses yeux était ferme, calme, animée, comme prête à accueillir toute impression, une expression qu'il n'avait jamais eue. Son ancien laisser-aller qui se reflétait jusque dans son regard avait fait place à une discipline intérieure, énergique, prête à l'action et à la riposte. Il était pieds nus.

Pierre regardait tantôt le champ en bas, où ce matin passaient beaucoup de voitures et de cavaliers, tantôt au loin, de l'autre côté de la rivière, tantôt le roquet qui faisait semblant de vouloir le mordre pour de bon, tantôt ses pieds auxquels il se plaisait à faire prendre des positions diverses en remuant ses gros orteils sales. Et chaque fois qu'il jetait un regard sur ses pieds, un sourire animé de satisfaction passait sur son visage. La vue de ces pieds nus lui rappelait tout ce qu'il avait vécu et compris depuis quelque temps, et ce souvenir lui était agréable.

Il faisait depuis quelques jours un temps calme, clair, avec de légères gelées blanches le matin, ce temps qu'on appelle l'été de la Saint-Martin.

L'air était doux au soleil et cette tiédeur, mêlée à la fraîcheur revigorante de la gelée matinale encore sensible, était particulièrement agréable.

Sur tous les objets, lointains et proches, était répandu cet éclat féerique et cristallin qu'on ne voit qu'à cette époque de l'automne. Au loin se profilaient les monts aux Moineaux, avec le village, l'église et la grande maison blanche. Et les arbres dénudés et le sable, et les pierres, et les toits, et la flèche verte de l'église, et les angles de la lointaine maison blanche, tout cela se détachait dans l'air transparent en lignes d'une finesse extrême et avec une netteté extraordinaire. Non loin se voyaient les ruines familières d'une maison seigneuriale calcinée qu'occupaient les Français, avec des lilas encore vert sombre le long de la clôture. Et même cette maison en ruine et souillée dont la laideur était repoussante par temps maussade semblait maintenant, dans cet état vif et immobile, d'une beauté rassurante.

Un caporal français en tenue négligée, coiffé d'un bonnet de police et un brûle-gueule aux dents, apparut à l'angle du baraquement et avec un clin d'œil amical s'approcha de Pierre.

« *Quel soleil, hein, monsieur Kiril?* » (C'est ainsi que tous les Français appelaient Pierre.) « *On dirait le printemps.* » Et le caporal s'adossa à la porte et offrit à Pierre une pipe, bien qu'il l'offrît toujours et que Pierre refusât chaque fois.

« *Si l'on marchait par un temps comme celui-là...* » commença-t-il.

Pierre lui demanda ce qu'on entendait dire du départ et le caporal raconta que presque toutes les troupes s'en allaient et que des ordres devaient être donnés aujourd'hui au sujet des prisonniers. Dans le baraquement de Pierre, un des soldats, Sokolov, était mourant et Pierre dit au caporal qu'il fallait prendre une décision à son sujet. Le caporal répondit que Pierre pouvait être tranquille, qu'il y avait pour cela des ambulances et des hôpitaux, que des instructions seraient données au sujet des malades et qu'en général tout ce qui pouvait arriver avait été prévu par le commandement.

« *Et puis, monsieur Kiril, vous n'avez qu'à dire un mot au capitaine, vous savez. Oh! c'est un... qui n'oublie jamais rien. Dites au capitaine quand il fera sa tournée, il fera tout pour vous...* »

Le capitaine dont parlait le caporal causait souvent et longuement avec Pierre et lui accordait toutes sortes de faveurs.

« *Vois-tu, Saint-Thomas, qu'il me disait l'autre jour, Kiril c'est un homme qui a de l'instruction, qui parle français; c'est un seigneur russe qui a eu des malheurs, mais c'est un homme. Et il s'y entend le... S'il demande quelque chose, qu'il me le dise, il n'y a pas de refus. Quand on a fait ses études, voyez-vous, on aime l'instruction et les gens comme il faut. C'est pour vous que je dis cela, monsieur Kiril. Dans l'affaire de l'autre jour, si ce n'était grâce à vous, ça aurait fini mal.* »

Et après avoir bavardé encore un moment, le caporal s'éloigna. (L'affaire de l'autre jour à laquelle il avait fait allusion était une rixe entre prisonniers et Français où Pierre avait réussi à calmer ses camarades.) Quelques prisonniers qui avaient assisté à la conversation de Pierre avec le caporal lui demandèrent aussitôt de quoi il avait parlé. Tandis que Pierre leur racontait ce que le caporal avait dit du départ, un soldat français maigre, jaune et déguenillé s'approcha de la porte du baraquement. Portant ses doigts à son front d'un geste rapide et timide en guise de salut, il s'adressa à Pierre et lui demanda si c'était bien dans ce baraquement que se trouvait le soldat *Platoche* à qui il avait commandé une chemise.

Huit jours plus tôt, les Français avaient reçu du cuir et de la toile et avaient fait faire aux soldats prisonniers des bottes et des chemises.

« C'est prêt, c'est prêt, mon petit faucon ! » dit Karataiev en sortant avec la chemise soigneusement pliée.

À cause du temps doux et afin d'être plus à l'aise pour travailler, il n'avait sur lui qu'une culotte et une chemise déchirée, noire comme de la terre. Ses cheveux, à la manière des ouvriers, étaient retenus par une ficelle et son visage rond paraissait encore plus rond et avenant.

« Ce qui est convenu est dû. J'ai dit vendredi et je l'ai fait », dit-il avec un sourire en dépliant la chemise qu'il avait confectionnée.

Le Français jeta autour de lui un regard inquiet et comme surmontant son hésitation, enleva vivement son uniforme et enfila la chemise. Sous son uniforme, il n'avait pas de chemise mais portait à même son torse jaune et maigre un long gilet de soie à fleurettes tout crasseux. Le Français craignait visiblement de faire rire de lui les prisonniers qui le regardaient et il passa précipitamment la tête dans la chemise. Personne parmi les prisonniers ne dit mot.

« Tu vois, ça va comme un gant », disait Platon en tirant sur la chemise. Le Français, la tête et les bras passés dans la chemise, la regardait sans lever les yeux et examinait les coutures.

« Eh quoi, petit faucon, c'est pas un atelier ici et on n'a pas les instruments qu'il faut; et il est dit : sans outils on ne peut pas même tuer un pou, disait Platon en souriant avec rondeur et visiblement enchanté de son travail.

– *C'est bien, c'est bien, merci, mais vous devez avoir de la toile de reste?* dit le Français.

– Ça ira encore mieux quand tu la mettras à même le corps, dit Karataiev qui admirait toujours son œuvre. C'est ça qui sera bien et agréable…

– *Merci, merci, mon vieux, le reste?...* » répéta le Français en souriant, et prenant un assignat, il le tendit à Karataiev, « *mais le reste...* »

Pierre voyait que Platon ne voulait pas comprendre ce que disait le Français et les regardait sans intervenir. Karataiev remercia pour l'argent et continua d'admirer son travail. Le Français insistait pour avoir les restes et pria Pierre de traduire ses paroles.

« Qu'est-ce qu'il a besoin des morceaux ? dit Karataiev. Ça nous ferait de bien fameuses bandes pour les pieds. Mais, ma foi, tant pis. » Et le visage soudain assombri, il tira de sa chemise un petit rouleau de toile et sans le regarder le tendit au Français. « Tant pis ! » fit-il et il rentra à l'intérieur. Le Français regarda la toile, réfléchit, jeta un coup d'œil interrogateur à Pierre et comme si le regard de celui-ci eût dit quelque chose :

« *Platoche, dites donc, Platoche!* cria-t-il tout à coup d'une voix aiguë en rougissant. *Gardez pour vous* », et lui rendant les morceaux, il tourna les talons et s'éloigna.

« Voyez-moi ça, dit Karataiev en hochant la tête. On les dit impies, et pourtant ça a aussi une âme. C'est pas pour rien que les vieux disaient : une main moite est généreuse, une main sèche n'est pas donneuse. Il est tout nu et pourtant il donne. » Il garda un moment le silence en souriant pensivement, le regard fixé sur les restes de toile. « Pour sûr, ami, ça va faire de fameuses bandes », dit-il, et il rentra dans le baraquement.

XII

Quatre semaines s'étaient écoulées depuis que Pierre était prisonnier. Les Français lui avaient offert de le transférer du baraquement des soldats dans celui des officiers, mais il était resté là où on l'avait amené le premier jour.

Dans Moscou dévastée et incendiée, Pierre connut presque l'extrême limite des privations que peut endurer un homme ; mais grâce à sa robuste constitution et à sa santé dont il ne se rendait pas compte jusqu'alors, et surtout parce que ces privations s'étaient produites d'une façon si insensible qu'on ne pouvait pas dire quand elles avaient commencé, il supportait sa situation non seulement sans peine mais même avec joie. Et c'est précisément à ce moment qu'il avait trouvé cette paix et ce contentement intérieur auxquels il avait aspiré en vain autrefois. Dans sa vie, il avait longtemps cherché de différents côtés cet apaisement, cet accord avec soi-même qui l'avaient tant frappé chez les soldats, à la bataille de Borodino – il l'avait cherché dans la philanthropie, dans la franc-maçonnerie, dans les distractions de la vie mondaine, dans le vin, dans l'héroïsme du sacrifice, dans son amour romantique pour Natacha ; il l'avait cherché dans la voie de la pensée, et toutes ces recherches, toutes ces tentatives l'avaient déçu. Or, sans même y penser, il n'avait acquis cet apaisement et cet accord avec lui-même qu'à travers l'horreur de la mort, les privations et à travers ce qu'il avait compris en Karataiev. C'était comme si les terribles instants qu'il avait vécus pendant l'exécution avaient effacé à jamais de son imagination et de sa mémoire les pensées et les sentiments angoissants qui lui semblaient importants autrefois. Il ne pensait ni à la Russie, ni à la guerre, ni à la politique, ni à Napoléon. Il lui était évident que tout cela ne le concernait pas, qu'il n'était pas appelé à en juger et ne pouvait donc le faire. « La Russie et l'été ne sont pas alliés », répétait-il après Karataiev, et ces mots lui procuraient un étrange apaisement. Il trouvait maintenant incompréhensibles et même ridicules son intention de tuer Napoléon et ses calculs à propos des chiffres cabalistiques et de la bête de l'Apocalypse. Sa colère contre sa femme et sa crainte de la voir déshonorer son nom lui paraissaient maintenant non seulement futiles mais même amusantes. Que lui importait que cette femme menât quelque part la vie qui lui plaisait ? À quoi cela importait-il, en quoi cela lui importait-il à lui qu'on sût ou non que le nom du prisonnier était comte Bezoukhov ?

Maintenant il se rappelait souvent sa conversation avec le prince André et il était entièrement d'accord avec lui, bien qu'il comprît un peu autrement sa pensée. Le prince André pensait et disait que le bonheur n'est jamais que négatif, mais il le disait avec une nuance d'amertume et d'ironie. C'était comme si en parlant ainsi il voulait exprimer une autre idée, celle que toutes les aspirations vers le bonheur positif ne nous ont été données que pour nous faire souffrir en nous laissant insatisfaits. Mais Pierre en reconnaissait sans aucune arrière-pensée la vérité. L'absence de souffrance, la satisfaction des besoins et, par suite, la liberté dans le choix de ses occupations, c'est-à-dire de son genre de vie, lui apparaissaient maintenant comme le bonheur suprême et incontestable de l'homme. Ici seulement, pour la première fois, il avait apprécié toute la jouissance de manger quand on a faim, de boire quand on a soif, de dormir quand on a sommeil, de se chauffer quand on a froid, de parler quand on a envie de parler et d'entendre une voix humaine. La satisfaction des besoins – une bonne nourriture, la propreté, la liberté – lui semblait, maintenant qu'il était privé de tout cela, le bonheur parfait, et le choix de ses occupations, c'est-à-dire de sa vie, maintenant que ce choix était si restreint, chose si facile qu'il en oubliait que l'excès des facilités de l'existence détruit tout le bonheur qu'on a à satisfaire ces besoins, tandis qu'une liberté plus grande dans le choix de ses occupations, cette liberté que lui donnaient dans sa vie sa culture, sa fortune, sa situation dans le monde, que c'est cette liberté-là qui rend le choix des occupations d'une difficulté insurmontable et qui détruit le besoin et la possibilité même d'une occupation.

Tous les rêves de Pierre ne tendaient maintenant que vers le moment où il serait libre. Et cependant, plus tard et durant toute sa vie, il se souvint et parla avec enthousiasme de ce mois de captivité, de ces sensations puissantes et joyeuses qui ne reviendraient plus, et surtout de cette paix absolue de l'âme, de cette totale liberté intérieure qu'il n'avait connues que pendant cette époque.

Lorsque, le premier jour, levé de grand matin, il était sorti à l'aube du baraquement et avait vu d'abord les coupoles sombres et les croix du monastère de Novodevitchi, puis la gelée blanche sur l'herbe poussiéreuse, les pentes des monts aux Moineaux et la berge boisée sinueuse au-dessus de la rivière qui disparaissait dans un lointain mauve, lorsqu'il avait senti l'air frais et entendu le bruit des choucas s'envolant de Moscou à travers la campagne et lorsque, ensuite, la lumière avait jailli au levant, qu'un bord du soleil avait émergé solennellement de derrière un nuage et que les coupoles et les croix et la rosée et le lointain et la rivière, tout rutila dans la lumière joyeuse, Pierre avait éprouvé le sentiment nouveau, jamais encore éprouvé, de la joie et de la puissance de la vie.

Et ce sentiment non seulement ne le quitta plus pendant toute sa captivité, mais au contraire grandit en lui à mesure qu'augmentaient les difficultés de sa situation.

Ce sentiment d'être prêt à tout, ce sentiment de discipline morale avait encore été entretenu en Pierre par la haute opinion qui, bientôt après son arrivée dans le baraquement, s'était établie à son sujet parmi ses camarades. Avec sa connaissance des langues, avec l'estime que lui témoignaient les Français, avec sa façon pleine de simplicité de donner tout ce qu'on lui demandait (il touchait trois roubles par semaine en tant qu'officier), avec sa force dont il avait donné la preuve aux soldats en enfonçant des clous dans les parois du baraquement, avec la douceur qu'il manifestait dans ses rapports avec ses camarades, avec sa faculté incompréhensible pour eux de rester assis immobile à réfléchir sans rien faire, Pierre apparaissait aux soldats comme un être supérieur et quelque peu mystérieux. Ces mêmes qualités qui, dans le monde où il vivait autrefois, avaient été pour lui sinon nuisibles, du moins gênantes, sa force, son mépris des facilités de l'existence, sa distraction, sa simplicité, le plaçaient ici, parmi ces gens, presque au rang de héros. Et Pierre sentait que cela lui créait des devoirs.

XIII

Le mouvement des Français qui s'en allaient commença dans la nuit du 6 au 7 octobre : on démolissait les cuisines, les baraquements, on chargeait les voitures, et troupes et convois s'ébranlaient.

À sept heures du matin, l'escorte française en tenue de campagne, avec shakos, fusils, havresacs et d'énormes ballots, s'aligna devant le baraquement, des conversations animées, entremêlées de jurons, s'engagèrent le long du rang.

Dans le baraquement, tout le monde était prêt, habillé, chaussé, sanglé, et n'attendait que l'ordre de sortir. Seul Sokolov, le soldat malade, pâle, maigre, des cernes bleus autour des yeux, ni chaussé ni habillé, restait assis à sa place et, les yeux saillants de maigreur, regardait interrogativement ses camarades qui ne faisaient pas attention à lui et poussait des gémissements réguliers. On voyait que ce n'était pas tant la douleur – il avait la dysenterie – que la peur et le chagrin de demeurer seul qui le faisaient gémir.

Pierre, ceinturé d'une corde, chaussé de souliers que lui avait confectionnés Karataiev dans le cuir d'une caisse à thé apportée par un Français pour se faire un ressemelage, s'approcha du malade et s'accroupit devant lui.

« Allons, Sokolov, ils ne s'en vont pas tout à fait. Ils ont un hôpital ici. Tu seras peut-être mieux que nous, dit-il.

– Oh ! Seigneur ! Oh ! c'est ma mort ! Oh ! Seigneur ! gémit plus fort le soldat.

– Je vais leur demander encore », dit Pierre qui se leva et se dirigea vers la porte du baraquement. Comme il l'atteignait, le caporal qui lui avait offert une pipe la veille en approchait de l'extérieur avec deux soldats. Le caporal et les soldats étaient en tenue de campagne, sac au dos et jugulaire au menton, ce qui changeait leurs visages qu'il connaissait bien.

Le caporal se dirigeait vers la porte pour la fermer sur l'ordre de ses chefs. Avant le départ, il fallait faire l'appel des prisonniers.

« *Caporal, que fera-t-on du malade ?...* » commença Pierre ; mais en le disant il fut pris de doutes, se demandant si c'était bien là le caporal qu'il connaissait ou un inconnu, tant il était changé en cet instant. Par surcroît, au même moment, un roulement de tambours se fit tout à coup entendre de deux côtés. Le caporal fronça les sourcils aux paroles de Pierre et avec un juron absurde claqua la porte. Une demi-obscurité se fit dans le baraquement ; de deux côtés, les roulements de tambours résonnaient brutalement, couvrant les gémissements du malade.

« Voilà !... Ça recommence », se dit Pierre et un frisson involontaire lui parcourut le dos. Dans le visage changé du caporal, dans le son de sa voix, dans le roulement stimulant et assourdissant des tambours, il reconnaissait cette force mystérieuse, impassible, qui poussait contre leur volonté les hommes à tuer leurs semblables, cette force dont il avait vu l'effet pendant l'exécution. Avoir peur, tenter de fuir cette force, adresser des prières ou des objurgations aux hommes qui lui servaient d'instruments, était inutile. Pierre ne revint pas auprès du malade et ne le regarda plus. Silencieux, les sourcils froncés, il resta à la porte du baraquement.

Lorsque la porte s'ouvrit et que, comme un troupeau de moutons, les prisonniers se pressèrent en s'écartant vers la sortie, Pierre se fraya un passage et s'approcha du capitaine qui, au dire du caporal, était prêt à tout faire pour lui. Le capitaine était lui aussi en tenue de campagne et sur son visage froid se lisait également « cela » que Pierre avait reconnu dans les paroles du caporal et dans le roulement des tambours.

« *Filez, filez* », répétait le capitaine fronçant les sourcils et regardant les prisonniers passer devant lui. Pierre savait sa tentative vaine, mais il s'approcha.

« *Eh bien, qu'est-ce qu'il y a ?* » dit l'officier en le regardant froidement comme s'il ne le reconnaissait pas. Pierre lui parla du malade.

« *Il pourra marcher, que diable ?* dit le capitaine. *Filez, filez*, reprit-il sans le regarder.

– *Mais non, il est à l'agonie*… commença Pierre.

– *Voulez-vous bien ?...* » s'écria le capitaine en fronçant rageusement le sourcil.

Ran… rran… rran-plan-plan… roulaient les tambours. Et Pierre comprit que la force mystérieuse avait déjà pris entièrement possession de ces hommes et qu'il était désormais inutile d'ajouter quoi que ce fût.

On sépara les officiers prisonniers des soldats et on leur ordonna de prendre la tête. Les officiers, au nombre desquels se trouvait Pierre, étaient une trentaine, les soldats trois cents environ.

Les officiers venus d'autres baraquements étaient tous des inconnus pour Pierre, ils étaient beaucoup mieux habillés que lui et le regardaient, chaussé comme il était, avec méfiance et hostilité. Non loin de Pierre marchait un gros commandant au visage jaune, bouffi et revêche, vêtu d'une houppelande de Kazan ceinturée d'une serviette, qui jouissait visiblement de l'estime générale de ses camarades. Une de ses mains qui tenait sa blague à tabac était passée dans son vêtement, de l'autre il s'appuyait sur sa chibouque. Soufflant et s'ébrouant, le commandant grognait et s'emportait contre tout le monde parce qu'il lui semblait qu'on le bousculait et qu'on se dépêchait alors qu'il n'y avait pas à se dépêcher, qu'on s'étonnait alors qu'il n'y avait aucune raison de s'étonner. Un autre officier, petit et maigre, adressait la parole à chacun, avançant des hypothèses sur leur destination et sur la distance qu'ils pourraient parcourir dans la journée. Un fonctionnaire, chaussé de bottes feutrées et portant un uniforme de l'intendance, courait de tous côtés et cherchait à apercevoir les décombres de Moscou, communiquant à haute voix ses observations sur ce qui avait brûlé et sur les quartiers qu'on traversait. Un troisième officier, d'origine polonaise à en juger par son accent, discutait avec le fonctionnaire, lui démontrant qu'il se trompait de quartier.

« De quoi discutez-vous ? dit le commandant avec irritation. Que ce soit Saint-Nicolas ou Saint-Blaise, c'est pareil, vous voyez, tout est en cendres, et c'est tout... Qu'avez-vous à pousser, n'avez-vous donc pas assez de place ? ajouta-t-il avec humeur à l'adresse de celui qui marchait derrière lui et qui ne l'avait nullement poussé.

– Aïe, aïe, aïe, ce qu'ils ont fait ! disaient tantôt d'un côté, tantôt de l'autre les voix des prisonniers qui regardaient les décombres. Et Zamoscvoretchié, et Zoubovo, et au Kremlin... Regardez, il lui manque la moitié. Je vous disais bien que tout Zamoscvoretchié avait brûlé, et voilà.

– Ma foi, vous savez, ce qui est brûlé est brûlé, à quoi bon en parler ! » dit le commandant.

En traversant Khamovniki (un des rares quartiers intacts de Moscou), devant l'église, toute la foule des prisonniers se massa soudain d'un côté et des exclamations d'horreur et de dégoût s'élevèrent.

« Quels misérables ! En voilà des impies ! Mais il est mort, mais oui, bien mort... On l'a barbouillé de quelque chose. »

Pierre s'avança lui aussi vers l'église, près de laquelle se trouvait ce qui provoquait les exclamations, et vit confusément quelque chose adossé à la clôture. Par ses camarades qui voyaient mieux que lui, il apprit que c'était le cadavre d'un homme placé debout contre la clôture et dont le visage était barbouillé de suie.

« *Marchez, sacré nom... Filez... trente mille diables...* » jurèrent les convoyeurs, et avec une colère nouvelle les soldats français dispersèrent à coups de plat de briquet la foule des prisonniers qui contemplaient le mort.

XIV

Dans les ruelles de Khamovniki, les prisonniers marchèrent seuls avec leur escorte, ses chariots et ses fourgons qui les suivaient ; mais en arrivant aux magasins de l'intendance, ils se trouvèrent pris au milieu d'un énorme convoi d'artillerie qui avançait en une masse compacte, mêlé à des voitures particulières.

Au pont, tous s'arrêtèrent pour laisser passer ceux qui étaient en tête. Du pont, des files interminables d'autres convois en marche, en avant et en arrière, se découvrirent aux yeux des prisonniers. Sur la droite, là où la route de Kalouga tourne devant Neskoutchnoïe et se perd au loin, s'allongeaient sans fin des troupes et des convois. C'étaient les troupes du corps de Beauharnais parties les premières, en arrière, le long du quai et sur le pont de Pierre, venaient les troupes et les bagages de Ney.

Les troupes de Davout auxquelles appartenaient les prisonniers traversaient Krimski Brod et s'étaient déjà en partie engagées dans la rue de Kalouga. Mais les convois étaient si longs que les derniers chariots de Beauharnais n'étaient pas encore sortis de Moscou dans la rue de Kalouga, quand la tête des troupes de Ney débouchait déjà de la Grande Ordinka.

Après avoir dépassé Krimski Brod, les prisonniers avançaient de quelques pas, s'arrêtaient, se remettaient en marche, pendant que, de tous côtés, la cohue des voitures et des hommes ne faisait qu'augmenter. Ayant mis plus d'une heure à faire les quelques centaines de pas qui séparent le pont de la rue de Kalouga, et ayant atteint la place où les rues de Zamoscvoretchié se rejoignent avec celle de Kalouga, les prisonniers s'immobilisèrent et attendirent plusieurs heures à ce carrefour. De tous côtés arrivait, pareil au bruit de la mer, un fracas incessant de roues, de piétinements, des cris furieux et des jurons. Pierre, serré contre le mur d'une maison calcinée, écouta ce bruit qui s'associait dans son imagination avec les roulements du tambour.

Quelques officiers prisonniers, pour mieux voir, avaient grimpé sur le mur de la maison incendiée contre lequel se tenait Pierre.

« Que de monde ! Que de monde !... On a entassé des affaires jusque sur les canons ! Regarde : des fourrures... disaient-ils. En ont-ils pillé, les salauds... Tenez, celui-là, derrière, dans le chariot... Ça a été enlevé d'une icône, je vous jure. Cela doit être des Allemands. Et voilà un de nos paysans, ma parole !... Ah ! les salauds. Ce qu'il est chargé, celui-là, il avance à peine ! Tiens, même des voitures particulières qu'ils emmènent !... En voilà un qui s'est installé sur des malles. Grands dieux !... Une bagarre !...

– C'est bien fait, sur la gueule, tiens, sur la gueule ! À ce train-là on sera encore ici ce soir. Regardez, regardez... c'est sûrement à Napoléon en personne. Tu vois quels chevaux ! avec un chiffre et une couronne. C'est une maison démontable. Il a laissé tomber son sac, il ne voit pas. Encore une bagarre... Une femme avec son petit enfant, et pas mal du tout ! Oui, tu peux toujours courir, on te laissera passer comme ça... Regarde, on n'en voit pas la fin. Des filles russes, je vous jure, des filles ! Comme elles se prélassent dans les calèches ! »

De nouveau, une vague de curiosité générale, comme près de l'église de Khamovniki, porta tous les prisonniers vers la route, et Pierre, grâce à sa taille, vit par-dessus les têtes ce qui excitait tant leur curiosité. Dans trois calèches égarées parmi les caissons venaient, étroitement serrées les unes contre les autres, des femmes fardées, parées de couleurs voyantes et qui poussaient des cris aigus.

Depuis l'instant où Pierre avait senti l'apparition de cette force mystérieuse, rien ne lui semblait plus étrange ou effrayant : ni le cadavre barbouillé de suie par plaisanterie, ni ces femmes qui se hâtaient quelque part, ni les décombres de Moscou. Rien de ce qu'il voyait maintenant ne lui faisait plus guère impression, comme si son âme en se préparant à une lutte difficile se refusait à accueillir des impressions propres à l'affaiblir.

Le convoi des femmes passa. À la suite ce furent de nouveau des chariots, des soldats, des fourgons, des voitures, des soldats, des caissons, des soldats, de temps à autre des femmes.

Pierre ne voyait pas les gens séparément, il ne voyait que leur mouvement.

Tous ces gens et ces chevaux semblaient chassés par une force invisible. Tous, pendant cette heure où Pierre les observa, ils émergeaient de différentes rues, animés par un seul et même désir, celui de passer au plus vite; tous également, en se heurtant à d'autres, s'emportaient, se battaient; les dents blanches se découvraient, les sourcils se fronçaient, les mêmes jurons s'échangeaient et tous les visages portaient la même expression crâne, décidée et froidement cruelle qui avait frappé Pierre le matin, aux sons du tambour, sur le visage du caporal.

Vers le soir seulement, le chef du convoi rassembla sa troupe et, à force de cris et de discussions, s'inséra dans les convois, et les prisonniers, encadrés de tous côtés, débouchèrent sur la route de Kalouga.

On marcha très vite, sans se reposer, et l'on ne fit halte qu'au coucher du soleil. Les convois se groupèrent et les hommes se préparèrent pour la nuit. Tous paraissaient de mauvaise humeur et mécontents. Longtemps on entendit de différents côtés des jurons, des cris furieux et des coups. Une voiture qui suivait le convoi vint donner contre un des chariots et le défonça avec son timon. Quelques soldats accoururent; les uns frappèrent sur la tête les chevaux attelés à la voiture pour les faire reculer, d'autres se battirent entre eux, et Pierre vit blesser grièvement à la tête un Allemand d'un coup de briquet.

On eût dit que ces hommes éprouvaient, maintenant qu'ils étaient arrêtés en plein champ dans le crépuscule froid de l'automne, la même impression d'un réveil désagréable après la hâte et la précipitation qui s'étaient emparées d'eux au départ. En s'arrêtant, chacun semblait avoir compris qu'on ne savait pas encore où on allait et que, pendant cette marche, on connaîtrait bien des choses pénibles et difficiles.

À cette étape, les convoyeurs traitèrent les prisonniers encore plus durement qu'en partant. Pour la première fois, la viande qu'on distribua aux prisonniers fut de la viande de cheval.

Des officiers au dernier soldat, on sentait chez tous comme une rancune personnelle contre chacun des prisonniers, rancune qui avait si brusquement remplacé les rapports jusque-là amicaux.

Cette rancune s'accrut encore quand on constata à l'appel que, dans l'agitation du départ de Moscou, un soldat russe simulant un mal de ventre s'était sauvé. Pierre vit un Français frapper un soldat russe qui s'était trop écarté de la route et entendit son ami le capitaine reprocher à un sous-officier la fuite de ce soldat russe et le menacer du conseil de guerre. Comme le sous-officier se justifiait en disant que le soldat était malade et ne pouvait marcher, l'officier répondit que l'ordre avait été donné d'abattre les traînards. Pierre sentait que cette force fatale qui l'avait happé pendant l'exécution et qui ne s'était plus fait sentir pendant sa captivité, s'était maintenant de nouveau emparée de son existence. Il avait peur ; mais il sentait qu'à mesure que la force fatale cherchait davantage à l'écraser, une force vitale indépendante d'elle croissait et s'affermissait dans son âme.

Pierre dîna d'une soupe à la farine de seigle et à la viande de cheval, et causa avec ses camarades.

Ni Pierre ni aucun de ses camarades ne parla de ce qu'ils avaient vu à Moscou, ni de la grossièreté des Français, ni de l'ordre d'abattre les traînards qui leur avait été signifié : tous, comme pour faire face à l'aggravation de la situation, étaient particulièrement animés et gais. On parlait des souvenirs personnels, de scènes comiques dont on avait été témoins pendant la campagne et l'on évitait les conversations sur la situation présente.

Le soleil était depuis longtemps couché. Des étoiles brillantes s'étaient allumées çà et là dans le ciel ; la lueur, rouge comme un incendie, de la pleine lune qui se levait se répandait d'un côté du ciel et l'énorme disque rouge vibrait étrangement dans la brume grisâtre. Il commençait à faire clair. Le soir était fini, mais la nuit n'était pas encore venue. Pierre quitta ses nouveaux camarades et s'en alla, entre les feux de bivouac, de l'autre côté de la route où, lui avait-on dit, étaient les soldats prisonniers. Il avait envie de leur parler. Sur la route, une sentinelle française l'arrêta et le fit revenir sur ses pas.

Pierre rebroussa chemin, mais non pas vers ses camarades, auprès du feu, il alla vers un chariot dételé près duquel il n'y avait personne. Les jambes ramenées sous lui et la tête baissée, il s'assit contre les roues sur la terre froide et resta longtemps immobile à réfléchir. Plus d'une heure s'écoula. Personne ne le dérangeait. Tout à coup il éclata de son bon gros rire, si bruyamment que de tous côtés des gens se retournèrent, surpris, vers ce rire étrange et manifestement solitaire.

« Ha, ha, ha ! » riait Pierre. Et il prononça tout haut, se parlant à lui-même : « Le soldat ne m'a pas laissé passer. On m'a pris, on m'a enfermé. On me garde prisonnier. Qui, moi ? Moi ? Moi – mon âme immortelle ! Ha, ha, ha !... Ha, ha, ha !... » et à force de rire, des larmes lui vinrent aux yeux.

Quelqu'un se leva et s'approcha pour voir de quoi riait tout seul ce grand garçon bizarre. Pierre cessa de rire, se leva, s'éloigna du curieux et jeta un regard autour de lui.

L'immense bivouac qui s'étendait à perte de vue et qui, tout à l'heure, résonnait du crépitement des feux et des voix des hommes, s'apaisait ; les feux rouges s'éteignaient et pâlissaient. La pleine lune était haut dans le ciel clair. Les forêts et les champs, invisibles jusqu'alors en dehors du camp, se découvraient maintenant au loin. Et plus loin encore que ces forêts et ces champs, se voyait un lointain infini, clair, mouvant, qui attirait. Pierre regarda le ciel, la profondeur où scintillaient les étoiles. « Et tout cela est à moi, et tout cela est en moi, et tout cela est moi ! pensa-t-il. Et c'est tout cela qu'ils ont pris et enfermé dans un baraquement entouré de planches ! » Il sourit et alla s'étendre auprès de ses camarades.

XV

Dans les premiers jours d'octobre, un nouveau parlementaire vint apporter à Koutouzov une lettre de Napoléon avec des offres de paix, faussement datée de Moscou alors que Napoléon était déjà à ce moment non loin en avant de Koutouzov, sur la vieille route de Kalouga. Koutouzov fit à cette lettre la même réponse qu'à la première apportée par Lauriston : il dit qu'il ne pouvait être question de paix.

Peu de temps après, le détachement de partisans de Dorokhov qui opérait à gauche de Taroutino fit savoir que des troupes ennemies avaient été aperçues à Fominskoïe, qu'elles se composaient de la division de Broussier et que cette division, séparée du reste de l'armée, pouvait être facilement anéantie. Soldats et officiers demandaient de nouveau à agir. Les généraux de l'état-major, stimulés par le souvenir de la victoire facile de Taroutino, insistaient auprès de Koutouzov pour lui faire accepter la proposition de Dorokhov. Koutouzov ne jugeait pas l'offensive nécessaire. Une autre solution intermédiaire prévalut, ce qui devait arriver : un petit détachement fut envoyé à Fominskoïe pour attaquer Broussier.

Par un étrange hasard, cette mission, la plus difficile et la plus importante de toutes, comme on devait le voir par la suite, échut à Dokhtourov, ce même petit Dokhtourov modeste que personne ne nous a jamais dépeint dressant des plans de batailles, s'élançant à la tête de régiments, jetant à pleines mains des croix sur des batteries, etc., ce Dokhtourov qui passait pour indécis et peu perspicace, mais aussi ce même Dokhtourov que, dans toutes les guerres des Russes contre les Français depuis Austerlitz jusqu'à 1813, nous trouvons au poste de commandement partout où la situation est difficile. À Austerlitz, il reste le dernier près de la digue d'Augest, rassemblant les régiments, sauvant ce qui peut être sauvé, quand tout le monde fuit ou périt et qu'il n'y a pas un seul général à l'arrière-garde. Malade, en proie à un accès de fièvre, il va à Smolensk avec vingt mille hommes défendre la ville contre l'armée tout entière de Napoléon. À Smolensk, il s'est à peine assoupi à la porte de Malakhov, au paroxysme de la fièvre, que la canonnade le réveille, et Smolensk tient toute une journée. À la bataille de Borodino, lorsque Bagration est tué, que les troupes de notre flanc gauche sont massacrées dans la proportion de neuf à un, et que toute la puissance de l'artillerie y est dirigée, on n'envoie nul autre que précisément ce Dokhtourov indécis et peu perspicace, et Koutouzov se hâte de réparer l'erreur qu'il avait faite en y envoyant d'abord un autre. Et le petit, le modeste Dokhtourov y va, et Borodino est la plus belle gloire de l'armée russe. Or, on nous a décrit beaucoup de héros en vers et en prose, mais on ne nous dit presque pas un mot de Dokhtourov.

De nouveau, on envoie Dokhtourov à Fominskoïe et, de là, à Malo Iaroslavetz, à l'endroit où se livra la dernière bataille contre les Français, à l'endroit où commence avec évidence leur perte, et de nouveau on nous dépeint beaucoup de génies et de héros pendant cette période de la campagne, mais on ne nous dit pas un mot de Dokhtourov, ou on n'en parle que fort peu ou de façon ambiguë. C'est ce silence fait sur Dokhtourov qui prouve avec le plus d'évidence ses mérites.

Il est naturel que celui qui ne comprend pas le fonctionnement d'une machine se figure en la voyant marcher que la pièce principale en est le copeau qui y est tombé par hasard et qui en entrave le mouvement. Celui qui ne connaît pas le mécanisme de la machine ne peut comprendre qu'un des organes essentiels n'en est pas ce copeau qui gêne et entrave son mouvement, mais ce pignon de transmission qui tourne silencieusement.

Le 10 octobre, le jour même où Dokhtourov avait fait la moitié du chemin de Fominskoïe et s'était arrêté au village d'Aristovo, se préparant à exécuter exactement les ordres reçus, toute l'armée française, après avoir atteint dans son mouvement convulsif la position de Murat, pour, semblait-il, y livrer bataille, bifurqua soudain, sans aucune raison, à gauche, sur la nouvelle route de Kalouga, et entra à Fominskoïe où, jusque-là, Broussier se trouvait seul. Dokhtourov avait à ce moment sous ses ordres outre Dorokhov les deux petits détachements de Figner et de Seslavine.

Le soir du 11 octobre, Seslavine arriva à Aristovo en amenant au poste de commandement un soldat français de la garde fait prisonnier. Le prisonnier disait que les troupes entrées aujourd'hui à Fominskoïe composaient l'avant-garde du gros de l'armée, que Napoléon était avec elle, que cette armée avait quitté Moscou depuis cinq jours. Le même soir, un serf venu de Borovsk raconta avoir vu une immense armée entrer dans la ville. Les cosaques du détachement de Dorokhov signalèrent la présence de la garde française en marche vers Borovsk. D'après tous ces renseignements, il devint évident que là où on pensait trouver une division seulement, se trouvait maintenant toute l'armée française qui s'éloignait de Moscou dans une direction imprévue, la vieille route de Kalouga. Dokhtourov ne voulait rien entreprendre car son devoir ne lui apparaissait plus clairement. Il avait reçu l'ordre d'attaquer Fominskoïe. Mais à Fominskoïe il n'y avait précédemment que Broussier, maintenant il y avait toute l'armée française. Ermolov voulait agir à sa guise, mais Dokhtourov insistait sur la nécessité de demander des ordres au Sérénissime. Il fut décidé d'envoyer un rapport au quartier général.

On choisit pour cela un officier capable, Bolokhvitinov, qui, pour compléter le rapport écrit, devait expliquer l'affaire de vive voix. Vers minuit, Bolokhvitinov, muni du pli et d'instructions verbales, galopa au quartier général, accompagné d'un cosaque qui conduisait des chevaux de rechange.

XVI

La nuit d'automne était sombre, douce. Il pleuvait depuis trois jours. Après avoir changé deux fois de chevaux et parcouru, en une heure et demie, trente verstes sur une route boueuse et gluante, Bolokhvitinov arriva vers deux heures du matin à Letachovka. Il mit pied à terre devant une isba dont la clôture portait l'écriteau « État-major général », et entra dans le vestibule obscur.

« Le général de service, vite ! Très urgent ! dit-il à quelqu'un qui se levait en soufflant dans l'obscurité du vestibule.

– Il est souffrant depuis hier soir, ça fait la troisième nuit qu'il ne dort pas, murmura la voix de l'ordonnance, intercédant pour son maître. Vous feriez mieux de réveiller d'abord le capitaine.

– C'est très important, de la part du général Dokhtourov », dit Bolokhvitinov en franchissant une porte ouverte qu'il trouva à tâtons. L'ordonnance passa devant et se mit en devoir de réveiller quelqu'un. « Votre Honneur, Votre Honneur, un courrier.

– Comment, comment ? De la part de qui ? fit une voix endormie.

– De la part de Dokhtourov et d'Alexis Petrovitch. Napoléon est à Fominskoïe » dit Bolokhvitinov qui ne voyait pas dans l'obscurité celui qui parlait, mais au son de sa voix croyait que ce n'était pas Konovnitzine.

L'homme réveillé bâillait et s'étirait.

« Je n'ai pas envie de le réveiller, dit-il en tâtant autour de lui. Il est tout à fait malade ! Ce ne sont peut-être que des rumeurs.

– Voici le rapport, dit Bolokhvitinov : j'ai ordre de le remettre immédiatement au général de service.

– Attendez, je vais allumer. Où la fourres-tu toujours, maudit ? » dit l'homme qui s'étirait en s'adressant à l'ordonnance. C'était Stcherbinine, l'aide de camp de Konovnitzine. « J'ai trouvé, j'ai trouvé », ajouta-t-il.

L'ordonnance battit le briquet, Stcherbinine cherchait à tâtons le bougeoir.

« Ah ! les gredins », dit-il avec dégoût.

À la lueur des étincelles, Bolokhvitinov vit le jeune visage de Stcherbinine qui tenait la bougie et, dans un coin, un homme qui dormait. C'était Konovnitzine.

Lorsque les allumettes au contact de l'amadou s'embrasèrent d'une flamme d'abord bleue, puis rouge, Stcherbinine alluma la chandelle, ce qui fit fuir les cafards qui la rongeaient, et examina le courrier. Bolokhvitinov était tout couvert de boue et en s'essuyant avec sa manche l'étalait sur son visage.

« Mais qui le signale ? dit Stcherbinine en prenant l'enveloppe.

– La nouvelle est sûre, dit Bolokhvitinov. Les prisonniers, les cosaques, les éclaireurs, tous sont d'accord pour signaler la même chose.

– Rien à faire, il faut le réveiller, dit Stcherbinine en se levant et en s'approchant de l'homme coiffé d'un bonnet de nuit et couvert d'un manteau. Pierre Petrovitch ! » dit-il. Konovnitzine ne bougea pas. « Au quartier général ! » prononça-t-il en souriant, sûr que ces mots le réveilleraient. Et en effet la tête en bonnet de nuit se leva aussitôt. Le beau visage ferme de Konovnitzine aux pommettes brûlantes de fièvre garda un instant le reflet de rêves bien éloignés de la situation présente, mais il tressaillit tout à coup : son visage reprit son expression habituelle, calme et ferme.

« De quoi s'agit-il ? De la part de qui ? » demanda-t-il aussitôt mais sans hâte en clignant des yeux à la lumière. Tout en écoutant le rapport de l'officier, il décacheta l'enveloppe et lut. À peine eut-il terminé qu'il posa sur le sol de terre battue ses pieds chaussés de bas de laine et enfila ses bottes. Puis il enleva son bonnet et, après avoir lissé ses cheveux sur ses tempes, mit sa casquette.

« Tu n'as pas mis longtemps ? Allons chez le Sérénissime. »

Konovnitzine avait immédiatement compris que la nouvelle apportée avait une grande importance et qu'il n'y avait pas de temps à perdre. Était-ce un bien, était-ce un mal, il n'y pensait pas et ne se le demandait pas. Cela ne l'intéressait pas. Il considérait tous les événements de la guerre non pas avec son intelligence, non par raisonnement, mais avec quelque chose d'autre. Au fond de son âme vivait la profonde conviction inexprimée que tout irait bien ; qu'il fallait non pas y croire et encore moins en parler, mais seulement s'acquitter de sa tâche. Et il s'en acquittait en y consacrant toutes ses forces.

Pierre Petrovitch Konovnitzine qui, de même que Dokhtourov, ne semble porté que par souci de convenance sur la liste de ceux qu'on appelle les héros de 1812, les Barclay, les Raievski, les Ermolov, les Platov, les Miloradovitch, avait comme Dokhtourov la réputation d'un homme de capacités et de savoir fort restreints, et, non plus que Dokhtourov, il ne dressait jamais de projets de bataille mais se trouvait toujours aux points les plus critiques ; il dormait toujours la porte ouverte depuis qu'il avait été désigné comme général de service et se faisait réveiller à l'arrivée de chaque courrier, il était toujours sous le feu pendant les batailles, si bien que Koutouzov le lui reprochait et hésitait à l'envoyer en mission et, de même que Dokhtourov, il était l'un de ces pignons qui passent inaperçus et qui, sans grincement ni bruit, constituent l'organe essentiel de la machine.

En sortant de l'isba dans la nuit humide et sombre, Konovnitzine fronça les sourcils, en partie parce que son mal de tête s'aggravait, en partie à la pensée désagréable qu'à ces nouvelles tout ce nid de l'état-major, de ces personnages influents allait être mis en émoi, en particulier Bennigsen qui, depuis Taroutino, était à couteaux tirés avec Koutouzov ; qu'on allait proposer, discuter, donner des ordres, des contrordres. Et cette perspective lui était désagréable, bien qu'il sût cela inévitable.

En effet, Toll, chez qui il passa pour lui apprendre la nouvelle, entreprit aussitôt d'exposer ses vues au général qui logeait avec lui, et Konovnitzine qui l'écoutait, silencieux et fatigué, dut lui rappeler qu'il fallait aller chez le Sérénissime.

XVII

Koutouzov, comme toutes les vieilles gens, dormait peu la nuit. Dans la journée il lui arrivait souvent de s'assoupir brusquement ; mais la nuit, étendu tout habillé sur son lit, il restait la plupart du temps à réfléchir au lieu de dormir.

C'est ainsi qu'il était étendu en ce moment sur son lit, sa grande et lourde tête mutilée appuyée sur sa main grasse et qu'il réfléchissait, son œil unique grand ouvert dans l'obscurité.

Depuis que Bennigsen, qui correspondait avec l'empereur et était le plus influent de tous à l'état-major, l'évitait, Koutouzov était plus tranquille en ce sens qu'on ne l'obligeait plus avec ses troupes à prendre de nouveau part à des offensives inutiles. La leçon de la bataille de Taroutino et des incidents de la veille dont le souvenir lui était douloureux avait également dû servir, pensait-il.

« Ils doivent comprendre que nous ne pouvons que perdre en passant à l'offensive. La patience et le temps, voilà mes deux vaillants guerriers ! » pensait Koutouzov. Il savait qu'on ne doit pas cueillir une pomme tant qu'elle est verte. Elle tombera d'elle-même une fois mûre et si on la cueille verte on gâte et le fruit et l'arbre et on en a les dents agacées. Comme un chasseur expérimenté, il savait que la bête était blessée comme seule pouvait blesser la force russe, mais si la plaie était ou non mortelle, cette question n'était pas encore résolue. Maintenant, sur la foi de l'envoi de Lauriston et de Berthier et d'après les rapports des partisans, Koutouzov était presque sûr qu'elle était touchée à mort. Mais il fallait encore des preuves, il fallait attendre.

« Ils ont envie de courir voir comment ils l'ont tuée. Attendez, vous le verrez bien ! Toujours des manœuvres, toujours des offensives ! se disait-il. À quoi bon ? C'est uniquement pour se distinguer. Comme s'il y avait quelque chose d'amusant à se battre. Ils sont comme des enfants de qui on n'arrive pas à savoir comment les choses se sont passées, parce qu'ils veulent tous prouver qu'ils savent se battre. Mais ce n'est pas de cela qu'il s'agit maintenant.

« Et quelles habiles manœuvres me proposent tous ces gens-là ! Ils croient que lorsqu'ils ont prévu deux ou trois éventualités (il se souvint du plan général des opérations envoyé de Pétersbourg), ils ont tout prévu. Or, elles sont sans nombre ! »

La question de savoir si la blessure infligée à Borodino était ou non mortelle était suspendue depuis un mois au-dessus de la tête de Koutouzov. D'une part, les Français avaient occupé Moscou. D'autre part, Koutouzov sentait de tout son être avec certitude que le coup terrible qu'il avait porté en tendant toutes ses forces avec tous les Russes devait être mortel. Mais en tout cas il fallait des preuves et il les attendait depuis un mois, et plus le temps passait, plus son impatience croissait. Étendu sur son lit pendant ses nuits d'insomnie, il faisait la même chose que ces jeunes généraux, la même chose qu'il leur reprochait de faire. Il imaginait comme ces jeunes toutes les éventualités possibles, mais à cette différence près qu'il ne fondait rien sur ces hypothèses et qu'il en voyait non pas deux ou trois mais des milliers. Plus il y pensait, plus nombreuses elles se présentaient à lui. Il imaginait toutes sortes de mouvements de l'armée de Napoléon, soit dans sa totalité, soit de certaines de ses parties – vers Pétersbourg, contre lui-même, pour le tourner, il imaginait aussi l'éventualité (chose qu'il redoutait le plus) où Napoléon retournerait contre lui ses propres armes en restant à Moscou à l'attendre. Il imaginait même le mouvement de l'armée de Napoléon en arrière, vers Medine et Ioukhnov ; mais la seule chose qu'il ne pouvait prévoir était ce qui arriva, ces bonds désordonnés, insensés, convulsifs de l'armée de Napoléon au cours des onze premiers jours qui suivirent son départ de Moscou, ces bonds qui rendirent possible ce à quoi Koutouzov n'osait quand même pas encore songer alors : l'anéantissement total des Français. Les rapports de Dorokhov sur la division Broussier, les nouvelles des partisans sur la détresse de l'armée de Napoléon, les bruits sur les préparatifs de départ de Moscou, tout confirmait l'hypothèse que l'armée française était en déroute et sur le point de s'enfuir ; mais ce n'étaient que des hypothèses qui paraissaient importantes aux jeunes, non à Koutouzov. Avec son expérience de soixante ans, il savait quel crédit il faut accorder aux bruits, il savait combien ceux qui désirent quelque chose sont capables de grouper toutes les nouvelles de façon qu'elles semblent confirmer leurs désirs, et il savait que dans ce cas on omet volontiers tout ce qui y est contraire. Et plus Koutouzov le désirait, moins il se permettait d'y croire. Ce problème accaparait toutes les forces de son âme. Tout le reste n'était pour lui que la routine de l'existence. Telles étaient ces discussions avec son état-major, les lettres qu'il écrivait de Taroutino à Mme de Staël, la lecture de romans, la distribution de récompenses, la correspondance avec Pétersbourg, etc. Mais la débâcle des Français qu'il avait été le seul à prévoir était son unique désir profond.

Dans la nuit du 11 octobre, il était couché, la tête appuyée sur sa main, et il pensait à cela.

Un mouvement se fit dans la pièce voisine et les pas de Toll, de Konovnitzine et de Bolokhvitinov se firent entendre.

« Hé ! qui est là ? Entrez, entrez ! Quoi de nouveau ? » leur cria le maréchal.

Pendant qu'un laquais allumait la bougie, Toll donna la substance des nouvelles.

« Qui les a apportées ? demanda Koutouzov dont le visage, quand la bougie fut allumée, frappa Toll par sa froide sévérité.

– Il ne peut y avoir de doute, Votre Altesse.

– Amène-le, amène-le ici ! »

Koutouzov était assis sur son lit, une jambe pendante et son gros ventre reposant sur l'autre repliée. Il clignait de son œil intact pour mieux voir le courrier, comme s'il voulait lire dans ses traits ce qui l'intéressait.

« Parle, parle, mon ami, dit-il à Bolokhvitinov de sa voix posée de vieillard en rabattant sa chemise sur sa poitrine. Approche, approche encore. Quelles nouvelles m'apportes-tu ? Napoléon a quitté Moscou ? C'est vrai ? »

Bolokhvitinov transmit d'abord en détail le message dont il avait été chargé.

« Parle, viens vite au fait, ne me fais pas languir », l'interrompit Koutouzov.

Bolokhvitinov raconta tout et se tut, attendant les ordres. Toll intervint mais Koutouzov l'interrompit. Il voulut dire quelque chose, mais soudain son visage se plissa, se contracta, et avec un geste vers Toll, il se tourna du côté opposé, vers l'angle de la pièce garni d'icônes.

« Seigneur, mon Créateur ! Tu as entendu notre prière, dit-il d'une voix tremblante en joignant les mains. La Russie est sauvée. Je Te remercie, Seigneur ! » Et il pleura.

XVIII

Depuis la nouvelle de l'abandon de Moscou par les Français jusqu'à la fin de la campagne, toute l'activité de Koutouzov se réduit à retenir ses troupes par l'autorité, la ruse, les prières et à les empêcher d'entreprendre des offensives, des manœuvres et de rechercher des rencontres inutiles avec l'ennemi qui succombe déjà. Dokhtourov s'avance vers Malo Iaroslavetz, mais Koutouzov tarde avec le gros de l'armée et ordonne l'évacuation de Kalouga, car une retraite au-delà de cette ville lui paraît parfaitement impossible.

Koutouzov recule partout, mais l'ennemi, sans attendre sa retraite, s'enfuit en sens inverse.

Les historiens de Napoléon nous décrivent son habile manœuvre vers Taroutino et Malo Iaroslavetz et échafaudent des hypothèses quant à ce qui serait arrivé si Napoléon avait réussi à pénétrer dans les riches provinces méridionales.

Mais outre que rien n'empêchait Napoléon de se diriger vers ces provinces méridionales (car l'armée russe lui laissait le chemin libre), les historiens oublient que rien ne pouvait sauver l'armée de Napoléon, car elle portait déjà en elle d'inévitables germes de mort. Comment cette armée qui avait trouvé à Moscou un ravitaillement abondant et n'avait pas su le conserver mais l'avait foulé aux pieds, cette armée qui en arrivant à Smolensk n'avait pas organisé une répartition des vivres mais les avait mis au pillage, comment cette armée aurait-elle pu refaire ses forces dans la province de Kalouga, peuplée par les mêmes Russes que Moscou, et où le feu avait la même propriété de dévorer tout ce qui peut brûler ?

L'armée ne pouvait refaire ses forces nulle part. Depuis la bataille de Borodino et le pillage de Moscou, elle portait déjà en elle comme les conditions chimiques de la décomposition.

Les hommes de cette ancienne armée s'enfuyaient avec leurs chefs sans savoir où, ne désirant (de Napoléon au dernier des soldats) qu'une chose : se tirer personnellement au plus vite de cette situation sans issue dont, quoique confusément, ils avaient tous conscience.

C'est pour cette raison qu'au conseil de Malo Iaroslavetz, quand les généraux feignent de se consulter en émettant différents avis, c'est le dernier avis, celui du naïf soldat Mouton disant ce que tout le monde pensait, c'est-à-dire qu'il fallait se retirer au plus vite, qui imposa le silence à tous, et personne, pas même Napoléon, ne put rien objecter à cette vérité reconnue de tous.

Mais tout le monde avait beau savoir qu'il fallait se retirer, on avait encore honte de reconnaître qu'on était réduit à la fuite. Et il fallait une secousse extérieure pour vaincre cette honte. Et cette secousse vint au moment voulu. Ce fut ce que les Français appellent *le Hourra de l'Empereur*.

Le lendemain du conseil, le matin de bonne heure, Napoléon, sous prétexte de vouloir inspecter les troupes ainsi que le champ de la dernière bataille et de celle à venir, passait avec sa suite de maréchaux et une escorte au milieu des positions de ses troupes. Des cosaques en maraude tombèrent par hasard sur l'Empereur en personne et faillirent le capturer. Si les cosaques ne capturèrent pas cette fois Napoléon, ce qui le sauva fut ce qui perdait les Français : le butin sur lequel, à Taroutino comme ici, les cosaques se jetèrent en négligeant les hommes. Sans faire attention à Napoléon, ils se précipitèrent sur le butin et Napoléon réussit à s'échapper.

Puisque *les enfants du Don* avaient été sur le point de capturer l'Empereur au beau milieu de son armée, il était évident qu'il ne restait plus rien d'autre à faire qu'à fuir au plus vite par la route la plus proche et la mieux connue. Napoléon, qui, avec sa petite bedaine de quadragénaire, ne se sentait plus l'agilité et l'audace d'autrefois, comprit cet avertissement. Et sous l'influence de la peur que lui avaient faite les cosaques, il se rangea aussitôt à l'avis de

Mouton et, comme disent les historiens, donna l'ordre de battre en retraite par la route de Smolensk.

Que Napoléon eût été d'accord avec Mouton et que les troupes eussent battu en retraite, cela prouve non pas qu'il l'avait ordonné, mais que les forces qui agissaient sur l'ensemble de l'armée en la poussant sur la route de Mojaïsk agissaient aussi sur lui.

XIX

Lorsqu'un homme se trouve en mouvement, il donne toujours un but à ce mouvement. Afin de parcourir mille verstes, il doit pouvoir penser qu'il trouvera quelque chose de bon au bout de ces mille verstes. L'espoir d'une terre promise est nécessaire pour lui donner la force d'avancer.

La terre promise des Français lors de leur offensive était Moscou, lors de la retraite, la patrie. Mais la patrie était trop loin et celui qui a mille verstes à faire doit pouvoir se dire, oubliant le but final : « Aujourd'hui en faisant quarante verstes j'arriverai à un endroit où je pourrai me reposer et dormir » ; et pendant la première étape, ce lieu de repos masque le but final et concentre sur lui tous les désirs et tous les espoirs. Ces dispositions qui se manifestent dans l'individu s'amplifient toujours dans une foule.

Pour les Français qui battaient en retraite par la vieille route de Smolensk, le but final, la patrie, était trop éloigné et le but le plus proche, celui vers lequel, s'intensifiant démesurément dans la foule, tendaient tous les désirs et tous les espoirs, était Smolensk. Non pas parce que ces hommes croyaient que Smolensk regorgeait de vivres et de troupes fraîches, non pas parce qu'on le leur avait dit (au contraire, les cadres supérieurs de l'armée et Napoléon lui-même savaient qu'il y avait peu de vivres), mais parcc que cela seul pouvait leur donner la force d'avancer et de supporter les privations de l'heure. Tous, ceux qui savaient comme ceux qui ne savaient pas, se leurrant également, aspiraient à atteindre Smolensk comme la terre promise.

Une fois sur la grande route, les Français coururent à leur but imaginaire avec une énergie extraordinaire, une vélocité inouïe. Outre cette cause de l'élan général qui liait en un tout les foules de Français et leur donnait une certaine énergie, il y avait une autre raison encore qui les unissait. Cette raison résidait dans leur nombre. Leur masse imposante, comme en physique selon la loi de l'attraction, attirait à elle les atomes humains. Ils avançaient en un bloc de cent mille hommes comme un État entier.

Chacun d'eux ne désirait qu'une chose : se rendre, échapper à toutes les horreurs et à toutes les misères. Mais, d'une part, la force de l'élan collectif vers le but, Smolensk, entraînait chacun dans la même direction ; d'autre part, un corps d'armée ne pouvait se rendre à une compagnie, et les Français avaient beau profiter de la moindre occasion pour se débarrasser les uns des autres et sous le moindre prétexte décent se laisser faire prisonniers, ces prétextes ne se présentaient pas toujours. Leur nombre même et leur marche rapide en rangs serrés les privaient de cette possibilité et, pour les Russes, rendaient non seulement difficile mais même impossible d'arrêter ce mouvement où se déployait toute l'énergie de cette masse de Français. La rupture mécanique de ce corps ne pouvait accélérer au-delà d'une certaine limite le processus de décomposition en cours.

On ne peut faire fondre d'un coup un monceau de neige. Il est une certaine limite de temps avant laquelle aucune intensification de la chaleur ne peut faire fondre la neige. Au contraire, plus la chaleur est intense, plus la neige qui reste durcit.

Parmi les chefs de l'armée russe, personne, à l'exception de Koutouzov, ne comprenait cela. Lorsque se fut précisée la direction de la fuite de l'armée française par la route de Smolensk, ce que Konovnitzine avait prévu dans la nuit du 11 octobre commença à se réaliser. Tous les cadres supérieurs de l'armée voulaient se distinguer, couper la retraite aux Français, les surprendre, les faire prisonniers, les culbuter, et tous réclamaient une offensive.

Koutouzov seul employait toutes ses forces (et ces forces sont très réduites chez un commandant en chef) à s'opposer à l'offensive.

Il ne pouvait leur dire ce que nous disons aujourd'hui : pourquoi se battre, barrer la route, perdre des hommes, achever inhumainement des malheureux ? À quoi bon tout cela quand, de Moscou à Viazma, sans combat, un tiers de cette armée a fondu ? Il leur parlait, sachant dans sa sagesse de vieillard ce qu'ils étaient capables de comprendre, il leur parlait du pont d'or et ils se moquaient de lui, le calomniaient et enrageaient et faisaient les braves sur la bête abattue.

À Viazma, Ermolov, Miloradovitch, Platov et d'autres, se trouvant à proximité des Français, ne purent résister au désir de couper et de culbuter deux corps ennemis. À Koutouzov, pour l'informer de leur intention, ils envoyèrent une enveloppe qui, en guise de rapport, contenait une feuille blanche.

Et malgré tous les efforts de Koutouzov pour retenir les troupes, nos troupes attaquèrent, cherchant à barrer la route à l'ennemi. Des régiments d'infanterie, raconte-t-on, allaient à l'attaque musique en tête et tambours battants, et ils tuèrent et perdirent des milliers d'hommes.

Mais quant à couper, ils ne coupèrent rien et ne culbutèrent personne. Et l'armée française, resserrant plus étroitement ses rangs devant le danger, poursuivait en fondant régulièrement sa route fatale vers Smolensk.

TROISIÈME PARTIE

I

La bataille de Borodino, avec l'occupation de Moscou qui la suivit et la fuite des Français sans nouveaux combats, est un des phénomènes les plus instructifs de l'histoire.

Tous les historiens sont d'accord pour affirmer que l'action extérieure des États et des peuples dans les conflits qui les divisent se traduit par des guerres, qu'en conséquence directe de leurs plus ou moins grands succès militaires, la puissance politique des États et des peuples augmente ou diminue.

Si étranges que soient les relations historiques concernant tel roi ou tel empereur qui, s'étant querellé avec un autre roi ou empereur, a réuni son armée, s'est battu contre l'armée de son ennemi, a remporté la victoire, a fait tuer trois, cinq, dix mille hommes et a conquis ainsi un État ou un peuple tout entier de plusieurs millions d'hommes ; si incompréhensible qu'il soit pourquoi la défaite d'une armée, centième part des forces totales d'une nation, entraîne la soumission de cette nation, tous les faits historiques (dans la mesure où ils nous sont connus) confirment que les plus ou moins grands succès des armes d'un peuple sur les armes d'un autre peuple sont la cause ou du moins le signe essentiel de l'augmentation ou de l'affaiblissement de la puissance de ce peuple. Une armée a gagné une bataille, et aussitôt les droits du peuple vainqueur augmentent au détriment du vaincu. Une armée a subi une défaite, et aussitôt, en proportion de la défaite, son peuple est privé de ses droits, et si la défaite est complète, sa soumission est complète.

Il en a été ainsi (d'après l'histoire) depuis les temps les plus reculés jusqu'à nos jours. Toutes les guerres de Napoléon sont une confirmation de cette règle. À mesure de la défaite des armées autrichiennes, l'Autriche est privée de ses droits, tandis que les droits et la puissance de la France augmentent. Les victoires françaises d'Iéna et d'Auerstaedt mettent fin à l'existence indépendante de la Prusse.

Mais soudain, en 1812, les Français remportent la victoire près de Moscou, Moscou est prise et, à la suite de cela, sans nouvelles batailles, ce n'est pas la Russie qui cesse d'exister, mais cette armée de six cent mille hommes, puis la France napoléonienne. Forcer les faits pour les plier aux lois de l'histoire, dire que les Russes sont restés maîtres du terrain à Borodino, qu'après Moscou il y a eu d'autres batailles qui ont anéanti l'armée de Napoléon est chose impossible.

Après la victoire des Français à Borodino, il n'y eut aucune bataille, non seulement générale mais même de quelque importance, et l'armée française cessa d'exister. Que signifie cela ? S'il s'agissait d'un exemple emprunté à l'histoire de la Chine, nous pourrions dire que ce n'était pas là un phénomène historique (échappatoire des historiens quand quelque chose ne cadre pas avec leurs idées) ; s'il s'agissait d'un conflit de courte durée auquel aurait pris part une armée réduite, nous pourrions prendre ce phénomène pour une exception ; mais ce fait s'est produit sous les yeux de nos pères, pour qui la vie ou la mort de la patrie était en jeu, et cette guerre a été la plus grande de toutes celles que nous connaissons.

La période de la campagne de 1812 qui va de la bataille de Borodino à l'expulsion des Français a prouvé qu'une bataille gagnée n'est non seulement pas la cause d'une conquête mais même pas le signe constant de la conquête ; elle a prouvé que la force qui décide du sort des peuples réside non pas dans les conquérants, ni même dans les armées et les batailles, mais dans quelque chose d'autre.

Les historiens français, décrivant la situation de l'armée française avant son départ de Moscou, affirment que tout était en ordre dans la Grande Armée, à l'exception de la cavalerie, de l'artillerie et du train, et aussi qu'on manquait de fourrage pour les chevaux et le bétail à cornes. À cette disette il n'y avait pas de remède car les paysans des environs brûlaient leur foin plutôt que de le donner aux Français.

La bataille gagnée n'a pas donné les résultats habituels, car les paysans Karp et Vlass qui, après le départ des Français, allèrent à Moscou avec leurs chariots pour piller et, en général, ne firent personnellement preuve d'aucun sentiment héroïque, et tous les innombrables paysans leurs semblables n'apportaient pas leur foin à Moscou pour le bon prix qu'on leur offrait, mais y mettaient le feu.

Représentons-nous deux hommes qui vont se battre en duel à l'épée, selon toutes les règles de l'escrime : le combat se prolonge assez longtemps ; soudain l'un des adversaires se sentant blessé comprend que ce n'est pas une plaisanterie mais qu'il y va de sa vie, jette son épée et, s'emparant du premier gourdin qui lui tombe sous la main, commence à faire des moulinets. Mais supposons que l'homme qui se sert si raisonnablement du meilleur et du plus simple moyen pour atteindre son but, inspiré en même temps par les traditions de la chevalerie, veuille cacher ce qui s'est passé en réalité et soutienne avoir vaincu son adversaire à l'épée selon toutes les règles de l'art. On peut imaginer quelle confusion et quelle obscurité entraînerait une telle description du duel.

L'escrimeur qui exigeait que le combat eût lieu selon toutes les règles de l'art était les Français ; son adversaire qui avait jeté son épée et s'était armé d'un gourdin était les Russes, ceux qui s'efforcent de tout expliquer selon les règles de l'escrime sont les historiens qui ont écrit sur cet événement.

Avec l'incendie de Smolensk a commencé une guerre sans précédent dans la tradition militaire. L'incendie des villes et des villages, la retraite après les batailles, le coup porté à Borodino suivi d'une nouvelle retraite, l'incendie de Moscou, la chasse aux maraudeurs, la capture des convois, la guerre de partisans, tout cela était des dérogations aux règles.

Napoléon le sentait, et depuis que, arrêté à Moscou dans la pose correcte de l'escrimeur, il vit, au lieu de l'épée de son adversaire, un gourdin brandi au-dessus de lui, il ne cessa de se plaindre à Koutouzov et à l'empereur Alexandre que la guerre fût conduite contrairement à toutes les règles (comme s'il existait des règles pour tuer les hommes). Malgré les plaintes des Français au sujet de la non-observation des règles, malgré la répugnance des hauts personnages russes qui trouvaient honteux de se battre au gourdin et voulaient, selon toutes les règles, se mettre *en quarte* ou *en tierce*, faire une habile feinte *en prime*, etc., le gourdin de la guerre populaire se leva avec toute sa force redoutable et majestueuse, et sans souci des règles et du goût de personne, sans s'occuper de rien, avec une simplicité sotte mais efficace, il se leva, s'abaissa et martela les Français jusqu'à l'anéantissement de l'invasion.

Et grâces soient rendues non pas au peuple qui, comme les Français en 1813, après avoir salué leur généreux vainqueur selon toutes les règles de l'art et avoir retourné l'épée, la lui remet par la garde, mais grâces soient rendues au peuple qui, au moment de l'épreuve, sans se demander comment les autres ont agi selon les règles dans des cas semblables, lève simplement et sans effort le premier gourdin venu et cogne jusqu'à ce que le sentiment de l'outrage et le désir de vengeance cèdent la place dans son âme au mépris et à la pitié.

II

L'une des dérogations les plus frappantes et les plus fructueuses à ce qu'on appelle les règles de la guerre est l'action d'hommes isolés contre des hommes qui se massent en troupeau. Des opérations de ce genre se produisent toujours dans une guerre qui prend un caractère national. Elles consistent en ceci qu'au lieu d'opposer la masse à la masse, les hommes se dispersent, attaquent isolément et s'enfuient dès qu'ils ont affaire à des forces importantes, puis recommencent à la première occasion. C'est ce que firent les guérilleros en Espagne ; c'est ce que firent les montagnards au Caucase ; c'est ce que firent les Russes en 1812.

On a donné à cette forme de guerre le nom de guerre de partisans et l'on a cru en l'appelant ainsi en avoir expliqué la signification. Cependant ce genre de guerre non seulement échappe à toutes les règles mais est en opposition directe avec un principe tactique connu et réputé infaillible. Ce principe veut que celui qui attaque concentre ses troupes afin d'être, au moment de la bataille, plus fort que son adversaire.

La guerre de partisans (toujours couronnée de succès, comme le montre l'histoire) est en opposition formelle avec cette règle.

Cette contradiction provient de ce que la science militaire identifie la force des armées avec leurs effectifs. La science militaire dit que plus une armée est nombreuse, plus elle est forte. *Les gros bataillons ont toujours raison.*

En disant cela, la science militaire ressemble à une mécanique qui, ne se fondant, dans l'étude de corps en mouvement, que sur le rapport de leurs masses, conclurait que leurs forces sont égales ou non selon que leurs masses sont ou non égales.

La force (quantité de mouvement) est le produit de la masse par la vitesse.

Dans une guerre, la force d'une armée est également le produit de la masse par quelque chose d'autre, par une inconnue X.

La science militaire, qui voit dans l'histoire d'innombrables exemples où la masse d'une armée ne correspond pas à sa force, où de petits détachements triomphent des grands, admet confusément l'existence de ce multiplicateur inconnu et s'efforce de le découvrir tantôt dans la disposition géométrique, tantôt dans l'armement, tantôt le plus souvent, dans le génie des chefs. Mais l'introduction de toutes ces valeurs du multiplicateur ne donne pas de résultats conformes aux faits historiques.

Et cependant il suffit de renoncer à la fausse idée, qui s'est accréditée pour complaire aux héros, de l'efficacité des ordres du haut commandement en temps de guerre, pour découvrir cet X inconnu.

Cet X c'est le moral de l'armée, c'est-à-dire le plus ou moins grand désir de se battre et de s'exposer aux dangers que peut avoir l'ensemble des hommes composant une armée, indépendamment du fait qu'ils se battent sous le commandement de génies ou de non-génies, sur trois ou sur deux lignes, avec des gourdins ou des fusils à trente coups à la minute. Les hommes qui ont le plus grand désir de se battre se placeront toujours dans les conditions les plus favorables pour le combat.

Le moral de l'armée est le multiplicateur de la masse dont le produit est la force. Déterminer et exprimer la valeur du moral d'une armée, ce multiplicateur inconnu, tel est le problème de la science.

Ce problème ne peut être résolu que si nous cessons d'introduire arbitrairement, au lieu de la valeur totale de l'inconnue X, les conditions dans lesquelles se manifeste la force, comme les directives du chef, l'armement, etc., en les prenant pour la valeur du multiplicateur, et que nous admettions cette inconnue dans son intégralité, c'est-à-dire comme le plus ou moins grand désir de se battre et de s'exposer aux dangers. Alors seulement, exprimant par des équations les faits historiques connus, on peut espérer, par la comparaison de la valeur relative de cette inconnue, déterminer l'inconnue elle-même.

Dix hommes, bataillons ou divisions combattant contre quinze hommes, bataillons ou divisions ont triomphé des quinze, c'est-à-dire les ont tués ou faits prisonniers tous sans exception et ont perdu eux-mêmes quatre des leurs ; donc d'un côté il y a quatre hommes perdus, de l'autre quinze. Par conséquent, quatre ont été égaux à quinze, $4x = 15y$. Donc, $x : y = 15 : 4$. Cette équation ne donne pas la valeur de l'inconnue mais le rapport entre deux inconnues. Et en mettant en de semblables équations des unités historiques prises séparément (batailles, campagnes, périodes de guerre), on obtient une série de chiffres qui doivent renfermer des lois et où elles peuvent être découvertes.

La règle tactique qui prescrit d'opérer en rangs serrés lors de l'offensive et en ordre dispersé durant la retraite confirme seulement involontairement cette vérité que la force d'une armée dépend de son moral. Afin de conduire des hommes sous les boulets, il faut une discipline plus grande que pour soutenir une attaque, discipline qui ne s'obtient que par un mouvement de masse. Mais cette règle qui néglige l'esprit de l'armée se trouve constamment en défaut et est en opposition particulièrement frappante avec la réalité là où il manifeste une forte exaltation ou un grand fléchissement du moral de l'armée – dans toutes les guerres nationales.

Les Français, pendant leur retraite de 1812, bien que, selon la tactique, ils dussent se défendre en ordre dispersé, se serrent en troupeau car le moral de leur armée est tombé si bas que seule la masse en maintient l'unité. Les Russes, au contraire, devraient, selon la tactique, attaquer en rangs serrés mais, en fait, ils se dispersent car leur moral est monté si haut que les isolés frappent les Français sans en avoir reçu l'ordre et n'ont pas besoin de contrainte pour s'exposer aux peines et aux dangers.

III

La guerre dite de partisans commença avec l'entrée de l'ennemi à Smolensk.

Avant même que cette guerre de partisans fût officiellement reconnue de notre gouvernement, des milliers de soldats de l'armée ennemie – traînards en maraude, fourrageurs – avaient été exterminés par les cosaques et les paysans qui massacraient ces hommes aussi inconsciemment que les chiens égorgent un chien enragé qui s'est égaré. Denis Davidov fut le premier à comprendre, avec son instinct russe, la valeur de cette arme terrible qui, sans souci des règles de l'art militaire, anéantissait les Français, et la gloire d'avoir fait le premier pas pour légitimer cette forme de guerre lui appartient.

Le 24 août fut organisé le premier détachement de partisans de Davidov et, à la suite de ce détachement, d'autres s'organisèrent. Plus la campagne avançait, plus le nombre de ces détachements augmentait.

Les partisans détruisaient la Grande Armée par fractions. Ils balayaient les feuilles mortes qui se détachaient d'elles-mêmes de l'arbre desséché – l'armée française – et parfois ils secouaient cet arbre. En octobre, au moment où les Français fuyaient vers Smolensk, ces détachements, d'importance et de caractère divers, se comptaient par centaines. Il y en avait qui adoptaient toutes les apparences d'une armée, avec infanterie, artillerie, états-majors, facilités de l'existence ; il y en avait qui ne comprenaient que des cosaques, de la cavalerie ; il y en avait de petits, mélangés, fantassins et cavaliers. Il y en avait qui étaient composés de paysans et de hobereaux et que personne ne connaissait. Un des chefs de détachement était un sacristain qui, en un mois, fit quelques centaines de prisonniers. Il y avait la femme d'un staroste, Vassilissa, qui tua des centaines de Français.

Dans les derniers jours d'octobre, la guerre de partisans était à son apogée. Ce n'était plus cette première phase de la guerre où les partisans, surpris eux-mêmes de leur audace, redoutaient à tout instant d'être pris et cernés par les Français, et où, sans desseller leurs chevaux et presque sans mettre pied à terre, ils se cachaient dans les bois en s'attendant à tout moment à être poursuivis. Maintenant cette guerre avait pris forme, chacun savait nettement ce qu'on pouvait et ce qu'on ne pouvait pas entreprendre contre les Français. Désormais, seuls les chefs de détachement qui, avec des états-majors, selon les règles, marchaient loin des Français, tenaient encore beaucoup de choses pour impossibles. Les chefs des petits détachements qui avaient depuis longtemps commencé leur action et qui surveillaient les Français de près tenaient, eux, pour possible ce à quoi les chefs des gros détachements n'auraient même pas osé songer. Quant aux cosaques et aux paysans qui se faufilaient parmi les Français, ils estimaient que tout désormais était possible.

Le 25 octobre, Denissov, qui était parmi les partisans, se trouvait avec son détachement en pleine fièvre de passion guerrière. Depuis le matin, il était en marche avec ses hommes. Toute la journée, il avait épié, dans les bois qui bordaient la grande route, un important convoi français d'équipement de cavalerie et de prisonniers russes qui, séparé du gros de l'armée et sous une forte escorte, se dirigeait vers Smolensk, comme on l'avait appris par les éclaireurs et les prisonniers. Le passage de ce convoi était connu non seulement de Denissov et de Dolokhov (lui aussi chef d'un petit détachement de partisans) qui opérait dans le voisinage, mais également de chefs de gros détachements pourvus d'états-majors ; tous étaient au courant et, comme disait Denissov, se tenaient à l'affût. Les chefs de deux de ces gros détachements – l'un un Polonais, l'autre un Allemand – envoyèrent presque en même temps demander à Denissov de se joindre à eux pour attaquer le convoi.

« Non, mes amis, je suis assez grand moi-même », dit Denissov après avoir lu ces messages, et il écrivit à l'Allemand que, malgré son sincère désir de servir sous les ordres d'un si valeureux et si illustre général, il devait se priver de ce bonheur car il s'était déjà placé sous ceux du général polonais. Quant au général polonais, il lui écrivit la même chose, l'informant qu'il était déjà sous les ordres de l'Allemand.

Ces dispositions prises, Denissov avait l'intention, sans en référer à ses chefs, d'attaquer conjointement avec Dolokhov et de capturer ce convoi avec leurs propres forces réduites. Le convoi se dirigeait, le 22 octobre, du village de Mikoulino vers le village de Chamchevo. À droite de la route de Mikoulino à Chamchevo s'étendaient de grands bois qui, par endroits, atteignaient la route, à d'autres s'en éloignaient d'une verste et plus. C'est dans ces bois que, tantôt s'y enfonçant profondément, tantôt s'avançant sur la lisière, Denissov avait marché toute la journée avec son détachement sans perdre de vue les Français en mouvement. Le matin, non loin de Mikoulino, là où la forêt touchait à la route, les cosaques de Denissov avaient capturé deux fourgons embourbés chargés de selles de cavalerie et les avaient emmenés dans la forêt. Depuis lors et jusqu'au soir, le détachement, sans attaquer, surveillait les mouvements des Français. Il fallait sans les effrayer les laisser atteindre tranquillement Chamchevo et alors, faisant la jonction avec Dolokhov, qui devait, dans la soirée, venir pour conférer à une cabane dans la forêt (à une verste de Chamchevo), tomber à l'improviste sur le convoi à l'aube de deux côtés et tout tuer et capturer d'un coup.

En arrière, à deux verstes de Mikoulino, à un endroit où la forêt atteignait la route, on avait laissé six cosaques qui devaient signaler aussitôt l'apparition de nouvelles colonnes de Français.

En avant de Chamchevo, Dolokhov devait exactement de même reconnaître la route pour savoir à quelle distance se trouvaient d'autres troupes ennemies. On estimait que le convoi comprenait quinze cents hommes. Denissov en avait deux cents, Dolokhov pouvait en avoir autant. Mais la supériorité du nombre n'arrêtait pas Denissov. La seule chose qu'il voulait encore savoir, c'était quelles troupes au juste il y avait là ; et dans ce dessein il devait s'emparer d'une « langue » (c'est-à-dire d'un homme de la colonne ennemie). Le coup de main de la matinée contre les fourgons avait été si rapide que tous les Français qui s'y trouvaient avaient été tués et qu'on n'avait capturé vivant qu'un tout jeune tambour, un isolé qui n'avait rien pu dire de précis sur la composition de la colonne.

Denissov trouvait dangereux d'attaquer encore une fois car il craignait d'alerter toute la colonne ; c'est pourquoi il avait envoyé en avant, à Chamchevo, un paysan qui faisait partie de son détachement, Tikhon Stcherbati, avec ordre de capturer si possible au moins un des fourriers français de l'avant-garde qui s'y trouvaient.

IV

C'était une journée d'automne douce et pluvieuse. Le ciel et l'horizon avaient la même couleur d'eau trouble. Tantôt une sorte de bruine tombait, tantôt c'était une forte pluie d'orage.

Denissov, en bourka et en grand bonnet de fourrure ruisselants d'eau, montait un cheval de race, maigre, aux flancs creusés. De même que son cheval qui penchait la tête de côté et couchait les oreilles, il grimaçait sous la pluie oblique et regardait soucieusement en avant. Son visage amaigri et couvert d'une courte et épaisse barbe noire semblait mécontent.

À côté de Denissov, comme lui en bourka et en bonnet de fourrure, venait, sur un grand cheval du Don bien nourri, un capitaine de cosaques, son second.

Le troisième était le capitaine de cosaques Lovaïski, lui aussi en bourka et en bonnet de fourrure. C'était un homme long et plat comme une planche, au teint blanc et aux cheveux blonds, aux yeux étroits et clairs, et dont l'expression et toute l'allure dénotaient une calme confiance en soi. Bien qu'on ne pût pas dire ce qu'avaient de particulier le cheval et le cavalier, au premier coup d'œil jeté sur le capitaine et sur Denissov on voyait que Denissov, trempé et mal à l'aise, était un homme monté sur un cheval ; tandis que le capitaine, aussi à son aise que toujours, n'était pas un homme monté sur un cheval, mais un homme qui avec sa monture ne faisait qu'un seul être à la force doublée.

Un peu en avant d'eux venait le guide, un paysan trempé jusqu'aux os dans son caftan gris et son bonnet blanc.

Un peu en arrière, sur un cheval kirghize maigre et mince, avec une queue et une crinière énormes, la bouche ensanglantée par le mors, marchait un jeune officier en capote française bleue.

À ses côtés, un hussard portait en croupe un jeune garçon vêtu d'un uniforme français déchiré et coiffé d'un bonnet bleu. Le garçon s'agrippait au hussard de ses mains rouges de froid, agitait ses pieds nus pour les réchauffer, et, les sourcils levés, jetait autour de lui des regards étonnés. C'était le tambour français pris le matin.

Derrière, par trois, par quatre de front, venaient, sur le chemin forestier étroit, boueux et défoncé, les hussards, puis les cosaques, qui en bourka, qui en capote française, qui une housse de cheval jetée sur la tête. Les chevaux, alezans et bais, paraissaient tous noirs à cause de la pluie. Leurs crinières trempées faisaient paraître leurs cous étrangement minces. Les vêtements, les selles, les rênes, tout était détrempé, gluant, de même que la terre et les feuilles mortes qui jonchaient le chemin. Les hommes se tenaient recroquevillés, s'efforçant de ne pas bouger, pour réchauffer l'eau qui s'était infiltrée jusqu'à leur corps et pour ne pas laisser pénétrer l'eau froide qui coulait de leur selle, leurs genoux et le long du cou. Au milieu de la file des cosaques, les deux fourgons attelés de chevaux français et de chevaux de cosaques sellés tressautaient sur les souches d'arbres et les branches mortes et clapotaient dans les ornières du chemin pleines d'eau.

Le cheval de Denissov en contournant une flaque fit un écart et le cavalier donna du genou contre un arbre.

« Eh, diable ! » s'écria Denissov avec colère et, découvrant ses dents, il cingla le cheval de quelques coups de cravache, s'éclaboussant de boue lui-même et éclaboussant ses camarades. Denissov était de mauvaise humeur : à cause de la pluie, à cause de la faim (depuis le matin personne n'avait rien mangé) et surtout parce que Dolokhov n'avait toujours pas donné de nouvelles et que l'homme envoyé chercher une « langue » ne revenait pas.

« Il y a peu de chance qu'on retrouve une autre occasion comme aujourd'hui d'attaquer un convoi. Attaquer seul est trop risqué et remettre la chose à un autre jour, c'est se faire souffler le morceau à notre barbe par un gros détachement de partisans », pensait-il en jetant sans cesse des regards en avant, dans l'espoir de voir apparaître un messager de Dolokhov.

Arrivé à une clairière d'où l'on voyait loin à droite, Denissov s'arrêta.

« Quelqu'un vient », dit-il.

Le capitaine regarda dans la direction qu'il indiquait.

« Ils sont deux, un officier et un cosaque. Seulement il n'est pas "à présumer" que ce soit le lieutenant-colonel », dit le capitaine qui aimait employer des mots inconnus des cosaques.

Les cavaliers en question descendirent une pente et disparurent de vue pour reparaître quelques instants plus tard. En tête venait, au galop fatigué de son cheval qu'il cravachait, un officier ébouriffé, trempé jusqu'aux os et le pantalon relevé jusqu'aux genoux. Derrière lui, debout sur les étriers, venait au trot un cosaque. Cet officier, un très jeune garçon au large visage rose et aux yeux vifs et gais, s'approcha de Denissov et lui tendit un pli mouillé.

« De la part du général, dit-il, excusez-moi si ce n'est pas tout à fait sec… »

Denissov, les sourcils froncés, prit le pli et le décacheta.

« Tout le monde ne faisait que répéter que c'était dangereux, dit l'officier en s'adressant au capitaine pendant que Denissov lisait le papier. D'ailleurs Komarov et moi – il indiqua son cosaque – nous avons pris nos précautions.

Nous avons chacun deux pisto… Et cela qu'est-ce que c'est ? demanda-t-il en apercevant le tambour français, un prisonnier ? Vous vous êtes déjà battus ? Puis-je lui parler ?

– Rostov ! Petia ! cria à ce moment Denissov qui avait parcouru le papier. Pourquoi ne disais-tu pas qui tu es ? » et se retournant avec un sourire, Denissov tendit la main à l'officier.

Cet officier était Petia Rostov.

Tout le long du trajet, Petia s'était préparé à prendre devant Denissov l'attitude qui convenait à un grand et à un officier, sans faire allusion à leurs relations antérieures. Mais dès que Denissov eut souri, son visage s'illumina, il rougit de joie et oubliant le ton officiel qu'il avait préparé, se mit à raconter comment il était passé devant les Français, et combien il était content d'avoir été chargé d'une telle mission, et qu'il avait déjà été au feu à Viazma, et qu'un hussard s'y était distingué.

« Eh bien, je suis enchanté de te voir, l'interrompit Denissov, et son visage reprit une expression soucieuse.

– Michel Feoklititch, dit-il au capitaine, c'est encore l'Allemand. Il est attaché à sa personne. » Et Denissov raconta que le papier qu'on venait de lui apporter contenait un nouvel ordre du général allemand de se joindre à lui pour l'attaque du convoi. « Si nous ne le capturons pas demain, il nous l'enlèvera à notre barbe », conclut-il.

Pendant que Denissov parlait au capitaine, Petia, troublé par son ton froid et supposant que ce ton avait pour cause l'état de son pantalon, l'arrangea discrètement sous son manteau en s'efforçant de prendre l'air le plus martial possible.

« Y aura-t-il des ordres de Votre Honneur ? demanda-t-il à Denissov, la main à sa visière et recommençant à jouer à l'aide de camp et au général, rôle qu'il avait préparé à l'avance, ou dois-je rester auprès de Votre Honneur ?

– Des ordres ?… dit pensivement Denissov. Peux-tu rester jusqu'à demain ?

– Ah ! je vous en prie... Puis-je rester avec vous ? s'écria Petia.

– Mais que t'a-t-il dit au juste, le général, de revenir tout de suite ? » demanda Denissov. Petia rougit.

« Mais il n'a rien dit. Je pense que je peux ? dit-il d'un ton interrogateur.

– Bon, ça va », dit Denissov. Et se tournant vers ses subordonnés, il envoya la troupe au repos vers la cabane, à l'endroit fixé dans la forêt, et dit à l'officier au cheval kirghize (cet officier remplissait les fonctions d'aide de camp) de partir à la recherche de Dolokhov pour savoir où il se trouvait et s'il viendrait dans la soirée. Denissov lui-même avait l'intention d'aller avec le capitaine et Petia jusqu'à la lisière de la forêt, du côté de Chamchevo, pour jeter un coup d'œil sur la position française contre laquelle devait être lancée l'attaque du lendemain.

« Allons, le barbu, dit-il au paysan qui servait de guide, conduis-nous à Chamchevo. »

Denissov, Petia et le capitaine, suivis de quelques cosaques et du hussard qui portait en croupe le prisonnier, prirent à gauche, à travers le ravin, se dirigeant vers la lisière de la forêt.

V

La pluie avait cessé, le brouillard tombait seulement et les branches des arbres s'égouttaient. Denissov, le capitaine et Petia suivaient en silence le paysan au bonnet qui, marchant légèrement et sans bruit sur les racines et les feuilles mouillées, ses pieds panards dans des chaussures de tille, les conduisait vers la lisière de la forêt.

Arrivé à un tournant, le paysan s'arrêta, jeta un regard circulaire et se dirigea vers un rideau d'arbres qui s'éclaircissaient. Près d'un grand chêne qui n'avait pas encore perdu ses feuilles, il s'immobilisa et appela les autres d'un signe mystérieux de la main.

Denissov et Petia s'approchèrent. De l'endroit où s'était arrêté le paysan, on voyait les Français. Immédiatement après la forêt, s'étendait un champ de blé en pente. À droite, au-delà d'un ravin escarpé, on apercevait un petit village et une maison seigneuriale aux toitures écroulées. Dans ce village et cette maison, sur toute la pente, dans le jardin, près des puits et de l'étang, et tout le long de la route qui montait du pont vers le village, à pas plus de cinq cents mètres de distance, on apercevait dans le brouillard mouvant une foule de gens. On entendait distinctement les cris qu'ils poussaient dans une langue étrangère pour faire gravir la pente aux chevaux attelés à des chariots, et les appels qu'ils échangeaient.

« Amenez le prisonnier », dit Denissov à voix basse sans détacher le regard des Français.

Le cosaque mit pied à terre, fit descendre le jeune garçon et le conduisit à Denissov. Denissov, montrant les Français, lui demanda quelles étaient les différentes troupes. Le garçon, ses mains transies enfouies dans ses poches et les sourcils levés, le regardait d'un air effrayé, et, malgré son évident désir de dire tout ce qu'il savait, s'embrouillait dans ses réponses et se bornait à dire oui à tout ce que Denissov lui demandait. Denissov, rembruni, se détourna de lui et s'adressant au capitaine lui fit part de ses conclusions.

Petia, tournant la tête d'un mouvement vif, regardait tantôt le tambour, tantôt Denissov, tantôt le capitaine, tantôt les Français dans le village et sur la route, s'efforçant de ne rien perdre d'important.

« Que Dolokhov vienne ou ne vienne pas, il faut les avoir !... Hein ? dit Denissov avec un éclat joyeux dans les yeux.

– L'endroit est propice, dit le capitaine.

– Nous enverrons les fantassins par le bas, par les marais, poursuivit Denissov, ils se glisseront jusqu'au jardin ; vous arriverez avec les cosaques par là – il montra la forêt derrière le village – et moi par ici avec mes hussards. Et au premier coup de feu…

– On ne pourra pas passer par le ravin, c'est marécageux, dit le capitaine. Les chevaux s'enliseront, il faut prendre plus à gauche. »

Pendant qu'ils parlaient ainsi à mi-voix, en bas, dans le ravin, de l'autre côté de l'étang, un coup de feu claqua, puis un autre, une petite fumée blanche apparut et un cri unanime, comme joyeux, poussé par des centaines de voix, s'éleva parmi les Français qui se trouvaient sur la pente. Au premier instant, Denissov et le capitaine firent tous deux un pas en arrière. Ils étaient si près qu'ils eurent l'impression d'être la cause de ces coups de feu et de ces cris. Mais ils ne s'adressaient pas à eux. En bas, dans le marais, courait un homme vêtu de quelque chose de rouge. C'est à lui que s'adressaient évidemment les coups de feu et les cris des Français.

« Mais c'est notre Tikhon, dit le capitaine.

– C'est lui ! C'est bien lui !

– Quel coquin, dit Denissov.

– Il s'en tirera ! » dit le capitaine en plissant les yeux.

L'homme qu'ils appelaient Tikhon courut à la rivière, s'y jeta d'un coup en faisant jaillir l'eau de tous côtés et, disparaissant un instant, en sortit à quatre pattes tout noir d'eau et continua son chemin en courant. Les Français qui le poursuivaient s'arrêtèrent.

« Il est agile, dit le capitaine.

– Quel animal ! fit Denissov avec la même expression de dépit. Qu'est-ce qu'il a pu fabriquer jusqu'à présent ?

– Qui est-ce ? demanda Petia.

– C'est un de nos cosaques. Je l'avais envoyé prendre une "langue".

– Ah ! oui », dit Petia en hochant la tête dès le premier mot de Denissov, comme s'il avait tout compris, bien qu'il n'eût pas compris un traître mot de ce qu'on lui disait.

Tikhon Stcherbati était un des hommes les plus utiles du détachement. C'était un paysan de Pokrovskoïe, près de Gjat. Lorsque, au début de ses opérations, Denissov arriva à Pokrovskoïe et faisant comme toujours venir le staroste, lui demanda ce qu'on savait des Français, le staroste répondit comme répondent tous les starostes qui semblent vouloir se justifier, qu'il ne savait rien de rien. Mais quand Denissov expliqua que son but était de frapper les Français et demanda s'il n'y en avait pas qui s'étaient aventurés chez eux, le staroste dit qu'on avait bien vu des « miraudeurs » mais que, dans leur village, seul Tichka Stcherbati s'occupait de ces choses-là. Denissov fit appeler Stcherbati et, l'ayant félicité de son activité, lui dit en présence du staroste quelques mots sur la fidélité au tsar et à la patrie et sur la haine des Français que devaient entretenir les fils de la patrie.

« On fait pas de mal aux Français, dit Tikhon, visiblement intimidé par ces paroles de Denissov. On s'est seulement amusé comme ça, les gars et moi. On a bien abattu deux dizaines de "miraudeurs", mais à part ça on n'a rien fait de mal… » Le lendemain, lorsque Denissov, qui avait complètement oublié le paysan, quittait Pokrovskoïe, on lui dit que Tikhon s'était joint à sa troupe et qu'il demandait à rester. Denissov le permit.

Tikhon qui, au début, fut employé aux gros travaux, allumer le feu, aller chercher de l'eau, écorcher les chevaux, etc., montra bientôt beaucoup de goût et de grandes dispositions pour la guerre de partisans. Il s'en allait, la nuit, à la chasse et chaque fois rapportait des vêtements et des armes français et, quand on lui en donnait l'ordre, ramenait aussi des prisonniers. Denissov le dispensa des corvées, prit l'habitude de l'emmener avec lui en patrouille et l'incorpora aux cosaques.

Tikhon n'aimait pas monter à cheval et allait toujours à pied sans jamais se laisser distancer par la cavalerie. Son armement se composait d'un mousqueton qu'il portait plutôt pour s'amuser, d'une pique et d'une hache dont il se servait avec la même facilité que le loup se sert de ses dents à épucer sa fourrure ou à broyer de gros os. Tikhon avait la même sûreté de main pour fendre d'un coup une poutre que pour tailler, en tenant la hache par la tête, de fines baguettes et sculpter des cuillères. Dans la troupe de Denissov, il occupait une place exceptionnelle, bien à part. Quand il s'agissait de faire quelque chose de particulièrement difficile et rebutant – désembourber d'un coup d'épaule un chariot, retirer un cheval par la queue hors d'un marais, l'écorcher, se faufiler en plein milieu des Français, faire dans une journée cinquante verstes – tout le monde désignait en riant Tikhon.

« Qu'est-ce que ça lui fait à ce diable, il est fort comme un bœuf », disait-on de lui.

Une fois, un Français que Tikhon venait de faire prisonnier lui avait tiré un coup de pistolet et l'avait atteint dans le gras des reins. Cette blessure que Tikhon ne soigna qu'à l'aide de vodka, à l'intérieur et à l'extérieur, fit dans tout le détachement l'objet des plus joyeuses plaisanteries auxquelles Tikhon se prêtait volontiers.

« Alors, mon gars, on t'y reprendra plus ? T'en as attrapé des courbatures ? » lui disaient en riant les cosaques, et Tikhon, se pliant exprès en deux et grimaçant, faisait semblant de se fâcher et couvrait les Français des injures les plus cocasses. Cet incident eut sur lui un seul effet : depuis sa blessure il ramenait rarement des prisonniers.

Tikhon était l'homme le plus utile et le plus brave du détachement. Personne n'avait découvert plus d'occasions d'attaquer, personne n'avait capturé et tué plus de Français ; et pour cette raison il était le bouffon de tous les cosaques et hussards et acceptait volontiers lui-même cette dignité. Cette fois, Tikhon avait été, la nuit précédente, envoyé par Denissov à Chamchevo pour faire un prisonnier. Mais, soit qu'il ne se fût pas contenté d'un seul Français, soit qu'il eût passé la nuit à dormir, il s'était glissé en plein jour dans les buissons au beau milieu des Français et, comme Denissov l'avait vu de la hauteur, avait été découvert par eux.

VI

Après avoir parlé encore quelque temps avec le capitaine de l'attaque du lendemain que, voyant la proximité des Français, Denissov semblait avoir définitivement décidée, il tourna bride et revint sur ses pas.

« Eh bien, mon vieux, maintenant allons nous sécher », dit-il à Petia.

Arrivé à la cabane, Denissov s'arrêta et scruta des yeux la forêt. Un homme aux longues jambes qui balançait ses longs bras avançait à grands pas légers parmi les arbres, portant une veste, des chaussures de tille et un bonnet de Kazan, avec un fusil en bandoulière et une hache à la ceinture. À la vue de Denissov, cet homme jeta précipitamment quelque chose dans un buisson et, enlevant son chapeau mouillé aux bords affaissés, s'approcha de son chef. C'était Tikhon. Son visage aux petits yeux étroits, grêlé et buriné de rides, rayonnait de gaieté et de satisfaction. Il leva la tête et, comme s'il se retenait pour ne pas rire, fixa le regard sur Denissov.

« Eh bien, d'où sors-tu ? dit Denissov.

– D'où je sors ? J'ai été à la chasse aux Français, répondit Tikhon hardiment et en hâte, d'une voix de basse rauque mais chantante.

– Pourquoi t'y es-tu fourré en plein jour ? Animal ! Et alors, tu n'en as pas pris ?...

– Pour en avoir pris, j'en ai bien pris, dit Tikhon.

– Où est-il alors ?

– J'en ai pris un tout d'abord dès l'aube, poursuivit Tikhon en écartant davantage ses grands pieds en chaussures de tille, plats et tournés en dehors, et je l'ai emmené dans la forêt. Seulement je vois qu'il n'est pas bon. Je me dis, allons-y encore une fois, j'en prendrai un autre plus convenable.

– Ah ! le coquin, c'est bien ça, dit Denissov au capitaine. Pourquoi donc ne l'as-tu pas amené ?

– Pour quoi faire l'amener, interrompit aussitôt et avec irritation Tikhon, il valait rien. Est-ce que je ne sais pas comment il vous les faut ?

– Quel animal !... Eh bien ?

– J'ai été en chercher un autre, continua Tikhon, j'ai rampé comme ça dans la forêt, et je me suis couché. » Tout à coup Tikhon se jeta d'un mouvement souple par terre sur le ventre pour montrer comment il avait fait. « Voilà qu'il s'en amène un, poursuivit-il. Je l'ai ramassé comme ça. » Tikhon sauta sur ses pieds, rapide et léger. « "Allons, que je lui dis, en avant, chez le colonel." Et le v'là qui se met à gueuler. Et avec ça il y en avait là quatre autres. Ils se sont jetés sur moi avec leurs petites épées. Alors moi je lève comme ça ma hache : "Qu'est-ce qui vous prend, que je dis, le Christ soit avec vous", s'écria Tikhon agitant les bras, fronçant les sourcils d'un air menaçant et bombant la poitrine.

– C'est pour ça que nous avons vu de la colline comme tu détalais à toutes jambes par-dessus les flaques », dit le capitaine en plissant ses yeux brillants.

Petia avait grande envie de rire, mais il voyait que tout le monde se retenait. Il promenait vivement les yeux du visage de Tikhon à ceux du capitaine et de Denissov sans comprendre ce que tout cela voulait dire.

« Ne fais pas l'imbécile, dit Denissov en toussotant avec colère. Pourquoi n'as-tu pas amené le premier ? »

Tikhon se gratta d'une main le dos, de l'autre la tête et soudain sa trogne s'épanouit en un sourire radieux et stupide qui découvrit l'absence d'une dent (ce qui lui avait valu son surnom de Stcherbati[1]). Denissov sourit et Petia partit d'un rire joyeux auquel se joignit Tikhon lui-même.

« Mais quoi, il était pas régulier, dit Tikhon. Fagoté comme il était, comment l'amener ? Et puis c'est un grossier personnage, Votre Honneur. Comment, qu'il dit, moi, fils de général, je ne marche pas.

– Quel animal ! dit Denissov. J'avais besoin de l'interroger...

1. Brèche-dents.

– Mais je l'ai interrogé, dit Tikhon. Il dit : "Je les connais mal. Y en a beaucoup des nôtres mais ils valent pas grand-chose, ça n'a de soldats que le nom. Mettez-y un bon coup, qu'il dit, vous les aurez tous" », conclut Tikhon en posant sur Denissov un regard gai et décidé.

« Attends que je te fasse donner une raclée de cent coups, ça t'apprendra à faire l'imbécile, dit sévèrement Denissov.

– Mais pourquoi donc se fâcher, dit Tikhon, est-ce que je les connais pas, vos Français ? Attends un peu que la nuit tombe, je t'amènerai qui tu voudras, même trois s'il faut.

– Allons, en route », dit Denissov. Et jusqu'à la cabane il garda le silence, les sourcils froncés avec irritation.

Tikhon passa derrière eux, et Petia entendit les cosaques se moquer et rire avec lui au sujet des bottes qu'il avait jetées dans le buisson.

Quand le rire qui l'avait pris en écoutant Tikhon et en le voyant sourire eut cessé et qu'il comprit soudain que ce Tikhon avait tué un homme, Petia se sentit mal à l'aise. Il jeta un regard sur le tambour prisonnier et son cœur se serra. Mais ce malaise ne dura qu'un instant. Il jugea nécessaire de redresser la tête, de prendre un air vaillant et de questionner d'un ton entendu le capitaine sur l'entreprise du lendemain, pour ne pas être indigne de ses compagnons.

L'officier envoyé à la recherche de Dolokhov rencontra Denissov sur la route et lui dit que Dolokhov allait arriver et que de son côté tout marchait bien.

Denissov se dérida instantanément et appela Petia.

« Eh bien, parle-moi de toi », dit-il.

VII

Petia, à son départ de Moscou, avait quitté ses parents pour rejoindre son régiment et, bientôt après, avait été désigné comme officier d'ordonnance auprès d'un général commandant un important détachement. Depuis qu'il avait été promu officier et surtout depuis son incorporation dans l'armée active avec laquelle il avait pris part à la bataille de Viazma, Petia était dans un état constant de surexcitation joyeuse à se savoir un grand et dans une crainte perpétuelle de manquer l'occasion d'une vraie action héroïque. Il était heureux de ce qu'il avait vu et vécu à l'armée ; mais en même temps il lui semblait toujours que c'est justement là où il n'était pas que se déployait le vrai héroïsme. Et il brûlait d'y être.

Lorsque, le 21 octobre, son général exprima le désir d'envoyer quelqu'un au détachement de Denissov, Petia demanda d'un air si suppliant à être désigné que le général ne put refuser. Mais se souvenant de la conduite insensée de Petia à la bataille de Viazma où, au lieu de se rendre par la route là où il avait été envoyé, il avait galopé jusqu'aux premières lignes sous le feu des Français et avait tiré deux coups de pistolet, il lui interdit formellement de prendre part à quelque opération de Denissov que ce fût. C'est pour cela que Petia avait rougi et s'était troublé quand Denissov lui avait demandé s'il pouvait rester. Avant d'avoir atteint la lisière de la forêt, Petia estimait que, pour remplir exactement sa mission, il devait revenir immédiatement. Mais quand il eut vu les Français, Tikhon, qu'il eut appris qu'on allait sûrement attaquer dans la nuit, avec la versatilité des jeunes gens qui changent vite d'avis, il avait décidé à part lui que ce général pour qui, jusqu'alors, il avait eu beaucoup d'estime n'était que peu de chose, un Allemand, que Denissov était un héros, le capitaine aussi un héros, et Tikhon aussi, et que ce serait honteux de sa part de les quitter dans un moment difficile.

La nuit tombait quand Denissov, Petia et le capitaine arrivèrent à la cabane. Dans la pénombre, on distinguait des chevaux sellés, des cosaques, des hussards qui dressaient des huttes dans la clairière et (pour que les Français ne vissent pas la fumée) allumaient un feu qui rougeoyait dans un ravin boisé. Dans l'entrée de la cabane, un cosaque, les manches retroussées, coupait du mouton. À l'intérieur, trois officiers du détachement de Denissov installaient une porte en guise de table. Petia enleva ses vêtements mouillés qu'il donna à sécher et se joignit aussitôt aux officiers pour les aider à préparer la table pour le repas.

Dix minutes plus tard, la table recouverte d'une serviette était prête. Il y avait de la vodka, une flasque de rhum, du pain blanc, un rôti de mouton et du sel.

Assis à la table avec les officiers et déchiquetant la viande de mouton succulente avec ses mains sur lesquelles coulait la graisse, Petia était plein d'un amour tendre et exalté d'enfant pour tout le monde et partant était convaincu que les autres le payaient de retour.

« Alors, qu'en pensez-vous, Vassili Fédorovitch, dit-il à Denissov, ça ne fait rien que je reste avec vous pour un jour ? » Et sans attendre la réponse, il se répondit lui-même. « Puisqu'on m'a envoyé pour me renseigner, eh bien, je me renseigne… Seulement laissez-moi aller à l'endroit le plus… le plus important… Je n'ai pas besoin de récompenses… Je voudrais… » Petia serra les dents et regarda autour de lui en relevant la tête et en agitant la main.

« Le plus important… répéta Denissov en souriant.

– Seulement, je vous en prie, laissez-moi commander pour de bon, que je commande vraiment, poursuivit Petia, voyons, qu'est-ce qu'il vous en coûte ? Ah ! vous cherchez un couteau ? » dit-il à un officier qui voulait couper de la viande. Et il lui tendit son couteau de poche.

L'officier lui en fit compliment.

« Gardez-le, je vous en prie. J'en ai beaucoup de pareils… dit Petia en rougissant. Mon Dieu ! J'avais complètement oublié, s'écria-t-il tout à coup. J'ai de merveilleux raisins secs, vous savez, sans pépins. Nous avons un nouveau cantinier et il a d'excellentes choses. J'en ai acheté dix livres. Je suis habitué aux douceurs. En voulez-vous ?… » Et Petia courut dans l'entrée où était son cosaque et rapporta des musettes qui pouvaient contenir cinq livres de raisins secs. « Mangez, messieurs, mangez.

– Ou peut-être avez-vous besoin d'une cafetière ? demanda-t-il au capitaine. J'en ai acheté une merveilleuse à notre cantinier ! Il a de très belles choses. Et il est très honnête. C'est l'essentiel ! Je vous la ferai parvenir sans faute. Ou peut-être encore n'avez-vous plus de pierres à feu, elles sont peut-être usées, ça arrive. J'en ai pris avec moi, là… (il montra les musettes) j'en ai une centaine. Je les ai achetées très bon marché. Prenez, je vous en prie, ce qu'il vous faut, ou toutes si vous voulez… » Et soudain, effrayé d'être allé trop loin, Petia s'arrêta et rougit.

Il chercha à se rappeler s'il n'avait pas fait d'autres bêtises. Et passant en revue les souvenirs de la journée, il s'arrêta à celui du tambour français. « Nous, nous sommes bien ici, mais lui ? Où l'a-t-on mis ? Lui a-t-on donné à manger ? Ne lui a-t-on pas fait de mal ? » pensa-t-il. Mais depuis qu'il s'était aperçu qu'il avait exagéré au sujet des pierres, il n'osait plus demander.

« Je pourrais bien leur demander ? pensa-t-il, mais on me dira : c'est un gamin, c'est pourquoi il a eu pitié d'un autre gamin. Je leur ferai voir demain quel gamin je suis ! Est-il honteux de le demander ? Ma foi, tant pis ! » Et aussitôt, rougissant et regardant les officiers avec la crainte de voir de la moquerie sur leurs visages, il dit :

« Peut-on appeler le garçon qu'on a fait prisonnier ? lui donner quelque chose à manger… peut-être…

– Oui, il fait de la peine, ce gamin, dit Denissov qui ne trouvait visiblement rien de honteux dans ce rappel. Qu'on le fasse venir ici. Il s'appelle Vincent Bosse. Qu'on le fasse venir.

– Je vais l'appeler, dit Petia.

– Vas-y, vas-y. Il fait de la peine, ce gamin », répéta Denissov.

Petia était près de la porte au moment où Denissov dit cela. Il se faufila parmi les officiers et revint vers lui.

« Permettez-moi de vous embrasser, mon cher ami, dit-il. Ah ! comme c'est beau ! comme c'est bien ! » Et après avoir embrassé Denissov, il courut dehors.

« *Bosse ! Vincent !* cria-t-il en s'arrêtant sur le seuil.

– Qui demandez-vous, monsieur ? » s'enquit une voix dans l'obscurité. Petia répondit que c'était le garçon français fait prisonnier dans la journée.

« Ah ! Vessenni ? » dit le cosaque.

Les cosaques avaient déjà changé le nom de Vincent en Vessenni et les paysans et les soldats en Vissenia. Dans les deux cas, cette allusion au printemps[1] s'accordait avec l'apparence du tout jeune garçon.

« Il se chauffait là-bas devant le feu. Hé, Vissenia ! Vissenia ! Vessenni ! crièrent dans l'obscurité des voix mêlées de rires.

– C'est un petit gars dégourdi, dit un hussard près de Petia. Nous lui avons donné à manger tout à l'heure. C'est terrible ce qu'il avait faim ! »

Des pas se firent entendre dans l'obscurité et, ses pieds nus clapotant dans la boue, le tambour apparut à la porte.

« *Ah ! c'est vous !* dit Petia. *Voulez-vous manger ? N'ayez pas peur, on ne vous fera pas de mal*, ajouta-t-il en posant la main sur son bras d'un geste timide et amical. *Entrez, entrez.*

– *Merci, monsieur* », répondit le tambour d'une voix tremblante, et il essuya ses pieds sales contre le seuil. Petia avait envie de lui dire beaucoup de choses mais il n'osait pas. Passant d'un pied sur l'autre, il se tenait auprès de lui dans l'entrée. Puis il lui prit la main dans l'obscurité et la serra.

« *Entrez, entrez* », répéta-t-il seulement dans un murmure tendre. « Ah ! que pourrais-je faire pour lui ! » se dit-il, et ouvrant la porte il laissa passer le gamin devant lui.

Lorsque le tambour fut entré dans la pièce, Petia s'assit loin, trouvant humiliant de s'occuper de lui. Il tâtait seulement l'argent de sa poche et se demandait s'il ne serait pas honteux de le lui donner.

1. *Vesna* en russe.

VIII

Du tambour, à qui Denissov fit donner de la vodka et de la viande de mouton et qu'il fit habiller d'un manteau russe pour ne pas le renvoyer avec les autres prisonniers mais le garder auprès de lui, l'attention de Petia fut détournée par l'arrivée de Dolokhov. Petia avait beaucoup entendu parler dans l'armée de la bravoure extraordinaire de Dolokhov et de sa cruauté envers les Français, aussi, depuis qu'il était entré dans l'isba, il ne le quittait pas des yeux et redressait la tête pour ne pas être indigne d'une société telle que la sienne.

La tenue de Dolokhov surprit Petia par sa simplicité.

Denissov portait le tchekmène[1], toute sa barbe et, sur la poitrine, une médaille de saint Nicolas le Thaumaturge, et dans sa façon de parler, dans toutes ses manières, il soulignait la particularité de sa situation. Dolokhov qui, à Moscou, portait naguère un costume persan, avait maintenant au contraire l'apparence du plus guindé des officiers de la garde. Rasé de près, il était vêtu d'une redingote ouatée de la garde, avec la croix de Saint-Georges à la boutonnière et une simple casquette mise bien droit. Il enleva dans un coin sa bourka trempée et s'approchant de Denissov sans saluer personne, le questionna aussitôt sur l'affaire. Denissov lui fit part des vues que les gros détachements avaient sur le convoi, de la mission de Petia et de la réponse qu'il avait faite aux deux généraux. Puis il raconta tout ce qu'il savait de la position du détachement français.

« Parfait, mais il faut savoir quelles troupes sont là et leur importance, dit Dolokhov, il faudra y aller. Sans savoir à coup sûr combien ils sont, on ne peut se lancer dans cette affaire. J'aime faire les choses proprement. Voyons, un de ces messieurs ne veut-il pas venir avec moi dans leur camp ? J'ai même un uniforme avec moi.

1. Vêtement d'origine caucasienne.

– Moi, moi… j'irai avec vous ! s'écria Petia.

– Tu n'as pas du tout besoin d'y aller, dit Denissov en s'adressant à Dolokhov, et quant à lui, je ne le laisserai partir pour rien au monde.

– Allons, bon ! s'écria Petia, pourquoi donc ne puis-je pas y aller…

– Parce que tu n'as rien à y faire.

– Mon Dieu, vous m'excuserez parce que… Parce que… je vais y aller, voilà tout. Vous m'emmenez ? demanda-t-il à Dolokhov.

– Pourquoi pas ?… répondit distraitement Dolokhov en dévisageant le tambour français.

« Y a-t-il longtemps que tu as ce gaillard ? demanda-t-il à Denissov.

– Nous l'avons pris aujourd'hui mais il ne sait rien. Je le garde.

– Et les autres, qu'en fais-tu ? demanda Dolokhov.

– Comment ce que j'en fais ? Je les expédie contre reçu ! s'écria Denissov qui rougit tout à coup. Et je peux dire sans hésiter que je n'ai pas une seule mort sur la conscience. N'est-il pas plus simple d'envoyer trente hommes ou trois cents sous escorte en ville plutôt que de salir, je le dis carrément, l'honneur du soldat ?

– C'est bon pour ce jeune comte de seize ans de dire ces gentillesses, dit Dolokhov avec un sourire froid, mais toi, il y a beau temps que tu aurais dû laisser ça.

– Mais je ne dis rien, je dis seulement que j'irai sans faute avec vous, fit timidement Petia.

– Quant à nous, mon vieux, il est temps de laisser là ces gentillesses, poursuivit Dolokhov comme s'il prenait un plaisir particulier à parler de ce sujet qui irritait Denissov. Voyons, pourquoi as-tu gardé celui-là ? dit-il en hochant la tête. Parce que tu as pitié de lui ? On les connaît, tes reçus. Tu envoies cent hommes et il en arrive trente. Ils meurent de faim ou on les tue. Alors quelle différence y a-t-il qu'on les fasse prisonniers ou non ? »

Le capitaine plissant ses yeux clairs hochait la tête avec approbation.

« C'est égal, il n'y a pas à discuter. Je ne veux pas avoir cela sur la conscience. Tu dis qu'ils mourront. Eh bien, admettons. Pourvu que ce ne soit pas par ma faute. »

Dolokhov rit.

« Qui les a empêchés de me prendre vingt fois ? Et s'ils y arrivent, ce sera la même corde pour moi que pour toi avec ton esprit chevaleresque. » Il se tut. « Mais au travail. Qu'on envoie mon cosaque avec les bâts ! J'ai deux uniformes français. Alors, vous venez avec moi ? demanda-t-il à Petia.

– Moi ? Oui, oui, sans faute », s'écria Petia en rougissant presque jusqu'aux larmes et en jetant un regard à Denissov.

De nouveau, pendant la discussion entre Dolokhov et Denissov à propos de ce qu'il fallait faire des prisonniers, Petia s'était senti mal à l'aise et agité ; mais cette fois encore il n'était pas parvenu à bien saisir de quoi ils parlaient. « Si c'est ce que pensent de grandes personnes, des gens connus, c'est donc qu'il faut qu'il en soit ainsi, c'est donc que c'est bien, pensait-il. Ce qu'il faut surtout, c'est que Denissov n'aille pas croire que je vais lui obéir, qu'il peut me commander. Je vais sans faute avec Dolokhov dans le camp français. Puisqu'il le peut, je le peux aussi ! »

À toutes les représentations de Denissov qui lui demandait de ne pas y aller, Petia répondit qu'il avait aussi l'habitude de tout faire proprement et non au petit bonheur, et qu'il ne pensait jamais au danger qu'il pouvait courir.

« Parce que – convenez-en – si on ignore combien ils sont, la vie de centaines d'hommes peut en dépendre, tandis qu'ainsi il n'y a que nous deux. Et puis j'en ai grande envie et j'irai sans faute, sans faute, vous ne pourrez plus me retenir, disait-il, ça n'en serait que pis... »

IX

Après avoir mis des capotes et des shakos français, Petia et Dolokhov se dirigèrent vers la clairière d'où Denissov avait observé le camp et, sortant de la forêt dans une obscurité complète, descendirent dans le ravin. Une fois là, Dolokhov ordonna aux cosaques qui l'accompagnaient d'attendre à cet endroit et prit le trot allongé sur la route en direction du pont. Petia, défaillant d'émotion, avançait, côte à côte avec lui.

« Si nous sommes pris, ils ne m'auront pas vivant, j'ai un pistolet, chuchota-t-il.

– Ne parle pas russe », répondit vivement Dolokhov dans un murmure, et au même instant retentit dans l'obscurité le cri : « *Qui vive ?* » et le cliquetis d'un fusil.

Le sang monta au visage de Petia et il saisit son pistolet.

« *Lanciers du 6*e », dit Dolokhov sans ralentir ni accélérer l'allure de son cheval. La silhouette noire d'une sentinelle se profilait sur le pont.

« *Mot d'ordre ?* Dolokhov retint son cheval et alla au pas.

– *Dites donc, le colonel Gérard est ici ?* demanda-t-il.

– *Mot d'ordre ?* répéta sans répondre la sentinelle en barrant la route.

– *Quand un officier fait sa ronde, les sentinelles ne demandent pas le mot d'ordre*… cria Dolokhov, s'emportant soudain et poussant son cheval contre la sentinelle. *Je vous demande si le colonel est ici ?* »

Et sans attendre la réponse de la sentinelle qui s'était rangée de côté, Dolokhov monta la colline au pas.

Apercevant l'ombre noire d'un homme qui traversait la route, il l'arrêta et lui demanda où étaient le commandant et les officiers. Cet homme, un soldat qui avait un sac sur l'épaule, s'arrêta, s'approcha tout contre le cheval de Dolokhov en le touchant de la main et raconta simplement et amicalement que le commandant et les officiers étaient plus haut sur la colline, à droite, dans la cour de la ferme (c'est ainsi qu'il appelait la maison seigneuriale).

Après avoir suivi la route, des deux côtés de laquelle on entendait des conversations en français autour de feux de bivouac, Dolokhov tourna dans la cour de la maison seigneuriale. Le portail franchi, il descendit de cheval et s'approcha d'un grand feu flambant autour duquel étaient assis quelques hommes qui parlaient entre eux à haute voix. Sur un côté, quelque chose cuisait dans une marmite et un soldat en bonnet de police et capote bleue, à genoux et vivement éclairé par les flammes, le remuait avec une baguette de fusil.

« *Oh ! c'est un dur à cuire*, disait un des officiers assis à l'ombre de l'autre côté du feu.

– *Il les fera marcher, les lapins…* » dit un autre en riant. Tous deux se turent et scrutèrent les ténèbres en entendant les pas de Dolokhov et de Petia qui s'approchaient avec leurs chevaux.

« *Bonjour, messieurs !* » dit Dolokhov d'une voix forte et nette.

Les officiers remuèrent dans l'ombre et l'un d'eux, un homme de haute taille avec un long cou, contourna le feu et s'approcha de Dolokhov.

« *C'est vous, Clément ?* dit-il. *D'où diable…* » mais il n'acheva pas, reconnaissant son erreur, et les sourcils légèrement froncés, il salua Dolokhov comme un inconnu, lui demandant en quoi il pouvait être utile. Dolokhov raconta qu'il rejoignait son régiment avec son camarade et demanda en s'adressant à tout le monde à la fois si personne ne savait où se trouvait le 6e lanciers. Personne ne savait rien ; et il sembla à Petia que les officiers les examinaient, Dolokhov et lui, avec hostilité et suspicion. Pendant quelques secondes, il y eut un silence général.

« *Si vous comptez sur la soupe du soir, vous venez trop tard* », dit avec un rire étouffé une voix de l'autre côté du feu.

Dolokhov répondit qu'ils avaient mangé et qu'ils devaient poursuivre leur chemin la nuit même.

Il remit les chevaux au soldat qui remuait le contenu de la marmite et s'accroupit devant le feu, près de l'officier au long cou. Cet officier regardait fixement Dolokhov et lui demanda encore une fois à quel régiment il appartenait. Dolokhov ne répondit pas, faisant semblant de n'avoir pas entendu la question, et tout en allumant une pipe française qu'il tira de sa poche, demanda aux officiers jusqu'à quel point la route en avant était libre de cosaques.

« *Les brigands sont partout* », répondit un officier de l'autre côté du feu.

Dolokhov dit que les cosaques n'étaient redoutables que pour des isolés comme lui et son camarade ; mais ils n'osaient sans doute pas s'attaquer à de gros détachements, ajouta-t-il d'un ton interrogateur. Personne ne répondit.

« Eh bien, maintenant il va partir », se disait à chaque instant Petia qui, debout devant le feu, écoutait la conversation.

Mais Dolokhov reprit la conversation et demanda carrément combien ils avaient d'hommes par bataillon, combien de bataillons, combien de prisonniers. En questionnant sur des prisonniers russes qu'emmenait le détachement, il dit :

« *La vilaine affaire de traîner des cadavres, après soi. Vaudrait mieux fusiller cette canaille* », et il éclata d'un rire si étrange qu'il sembla à Petia que les Français allaient tout de suite découvrir la supercherie et, malgré lui, il fit un pas en arrière. Personne ne répondit aux paroles et au rire de Dolokhov, et un officier français qu'on ne voyait pas (il était étendu, roulé dans son manteau) se souleva et murmura quelque chose à un camarade. Dolokhov se mit debout et appela le soldat qui tenait les chevaux.

« Va-t-on ou non amener les chevaux ? » se demanda Petia en se rapprochant malgré lui de Dolokhov.

On amena les chevaux.

« *Bonjour, messieurs* », dit Dolokhov.

Petia voulait dire *bonsoir* et ne put articuler le mot. Les officiers parlaient entre eux à voix basse. Dolokhov fut long à se mettre en selle car son cheval ne voulait pas rester en place ; puis il franchit le portail au pas. Petia marchait à ses côtés, voulant et n'osant se retourner pour voir si les Français les poursuivaient.

Une fois sur la route, Dolokhov ne revint pas en arrière par les champs mais traversa le village. À un endroit, il s'arrêta et tendit l'oreille.

« Tu entends ? » dit-il.

Petia reconnut des sons de voix russes, vit autour des feux les sombres silhouettes des prisonniers. Après être descendus jusqu'au pont, Petia et Dolokhov passèrent devant la sentinelle qui, sans dire un mot, arpentait le pont d'un air sombre, et atteignirent le ravin où attendaient les cosaques.

« Eh bien, maintenant, adieu. Dis à Denissov que ce sera à l'aube, au premier coup de feu, dit Dolokhov, et il voulut s'éloigner, mais Petia le retint par le bras.

– Non ! s'écria-t-il, vous êtes un tel héros ! Ah ! comme c'est bien, comme c'est beau ! Comme je vous aime.

– Bon, bon », dit Dolokhov, mais Petia ne le lâchait pas et dans l'obscurité Dolokhov le vit se pencher vers lui. Il voulait l'embrasser. Dolokhov l'embrassa, rit et tournant bride disparut dans l'obscurité.

X

En revenant à la cabane, Petia trouva Denissov dans l'entrée. Ému, inquiet et rageant contre lui-même pour l'avoir laissé partir, Denissov l'attendait.

« Dieu merci ! cria-t-il. Ah ! Dieu merci ! répéta-t-il en écoutant le récit enthousiaste de Petia. Le diable t'emporte, je n'ai pas dormi à cause de toi ! dit-il. Dieu merci, va te coucher. Nous avons encore le temps de faire un somme jusqu'au matin.

– Oui… Non, dit Petia. Je n'ai pas encore sommeil. Et puis je me connais, si je m'endors, c'est fini. Et j'ai l'habitude de ne pas dormir la veille d'une bataille. »

Petia resta encore quelque temps dans l'isba à évoquer avec joie les détails de son expédition et à se représenter vivement ce qui allait se passer le lendemain. Puis, voyant que Denissov s'était endormi, il se leva et sortit.

Dehors il faisait encore tout à fait nuit. La pluie avait cessé, mais les arbres s'égouttaient encore. Près de la cabane, on distinguait les masses noires des huttes des cosaques et des chevaux attachés ensemble. Derrière, les deux fourgons faisaient une tache noire entourés de chevaux et, dans le ravin, rougeoyait le feu qui achevait de se consumer. Les cosaques et les hussards ne dormaient pas tous : çà et là on entendait, mêlés au bruit des gouttes d'eau qui tombaient et au bruit tout proche des chevaux qui mangeaient, des voix assourdies, comme un chuchotement.

Petia s'avança dehors, regarda autour de lui dans l'obscurité et s'approcha des fourgons. Sous les fourgons, quelqu'un ronflait et, autour, des chevaux sellés mangeaient leur avoine. Dans le noir, Petia reconnut son cheval qu'il avait baptisé Karabakh, bien qu'il fût de race petite-russienne et s'approcha de lui.

« Eh bien, Karabakh, nous allons faire du bon travail demain, dit-il en lui soufflant dans les naseaux et en l'embrassant.

– Alors, vous ne dormez pas, monsieur ? dit un cosaque assis sous le fourgon.

– Non; mais... c'est Likhatchov que tu t'appelles, je crois ? Je viens tout juste de rentrer. Nous sommes allés chez les Français. » Et Petia de lui raconter en détail non seulement son expédition, mais aussi pourquoi il y était allé et pourquoi il estimait qu'il vaut mieux risquer sa vie que d'agir au petit bonheur.

« Allons, vous devriez dormir un peu, dit le cosaque.

– Non, j'ai l'habitude, répondit Petia. Dis donc, les pierres de vos pistolets ne sont-elles pas usées ? J'en ai apporté avec moi. Vous n'en avez pas besoin ? Prends-en. »

Le cosaque avança la tête de dessous le fourgon pour mieux examiner Petia.

« Parce que j'ai l'habitude de tout faire soigneusement, dit Petia. Il y en a qui agissent n'importe comment, sans se préparer, et après ils le regrettent. Je n'aime pas ça, moi.

– C'est vrai, dit le cosaque.

– Et puis encore une chose, mon cher, aiguise-moi je t'en prie mon sabre ; il est émous… » (Mais Petia n'osa pas mentir : le sabre n'avait jamais été aiguisé.) « Peux-tu me faire cela ?

– Pourquoi pas, on peut. »

Likhatchov se leva, fouilla dans les bâts et Petia entendit bientôt le sifflement martial de l'acier contre la pierre à aiguiser. Il grimpa sur le fourgon et s'assit sur le bord. Le cosaque aiguisait le sabre sous le fourgon.

« Ils dorment, les gars ? dit Petia.

– Les uns oui, les autres non.

– Et le gamin, que devient-il ?

– Vessenni ? Il s'est couché là-bas dans l'entrée. La peur, ça vous fait dormir. Ce qu'il était content ! »

Après cela Petia resta longtemps silencieux à écouter les bruits. Dans l'obscurité, des pas retentirent et une silhouette noire apparut.

« Qu'est-ce que tu aiguises ? demanda un homme en s'approchant du fourgon.

– Le sabre de monsieur.

– À la bonne heure, dit l'homme que Petia supposa être un hussard. C'est chez vous qu'elle est restée, la tasse ?

– Tiens, la voilà, près de la roue. » Le hussard prit la tasse. « Je crois qu'il va bientôt faire jour », dit-il en bâillant, et il s'éloigna.

Petia aurait dû savoir qu'il était dans la forêt, avec le détachement de Denissov, à une verste de la route, qu'il était installé sur un fourgon enlevé aux Français, près duquel étaient attachés des chevaux, qu'au-dessous de lui était assis le cosaque Likhatchov qui lui aiguisait son sabre, que la grande tache noire, à droite, était la cabane et la tache rouge vif, en bas, à gauche, le feu qui s'éteignait, que l'homme venu chercher la tasse était un hussard qui avait soif : mais il ne le savait pas et ne voulait pas le savoir. Il était dans un royaume enchanté où rien ne ressemblait à la réalité. La grande tache noire était peut-être la cabane et peut-être était-ce une caverne qui conduisait dans les entrailles de la terre. La tache rouge était peut-être un feu mais peut-être aussi l'œil d'un monstre énorme. Peut-être était-il vraiment assis sur un fourgon, mais il pouvait fort bien l'être sur une très haute tour, et si l'on en tombait, on mettrait toute une journée pour atteindre la terre, tout un mois – on tomberait toujours sans jamais l'atteindre. Peut-être était-ce simplement le cosaque Likhatchov qui était assis sous le fourgon, mais il se pouvait fort bien que ce fût l'homme le meilleur, le plus brave, le plus merveilleux, le plus parfait du monde et que personne ne connaissait. Peut-être était-ce en effet un hussard qui était passé en allant chercher de l'eau et qui s'était éloigné vers le ravin, mais peut-être en disparaissant de vue était-il disparu pour de bon et n'avait-il jamais existé.

Quoi que Petia pût voir maintenant, rien ne l'étonnerait. Il était dans un royaume enchanté où tout était possible.

Il regarda le ciel. Et le ciel était tout aussi enchanté que la terre. Le ciel se dégageait et, au-dessus de la cime des arbres, des nuages couraient vite comme pour découvrir les étoiles. Parfois on avait l'impression que tout était balayé et qu'apparaissait un ciel noir et pur. Parfois que ces taches noires étaient de petits nuages. Parfois il semblait que le ciel s'élevait haut, très haut au-dessus de la tête ; parfois il descendait si bas qu'on aurait pu le toucher de la main.

Petia commençait à fermer les yeux et à se balancer.

Les gouttes tombaient. On entendait parler à voix basse. Des chevaux hennirent et se battirent. Quelqu'un ronflait.

« Zig, zig, zig, zig… » sifflait le sabre qu'on aiguisait. Et soudain Petia entendit un orchestre harmonieux qui jouait un hymne inconnu, d'une suavité solennelle. Petia était musicien comme Natacha et plus que Nicolas, mais il n'avait jamais étudié la musique, il ne pensait jamais à elle, aussi les mélodies qui lui venaient spontanément à l'esprit lui paraissaient-elles particulièrement nouvelles et attrayantes. La musique devenait de plus en plus distincte. La mélodie s'amplifiait, passait d'un instrument à un autre. C'était ce qu'on appelle une fugue, bien que Petia n'eût pas la moindre idée de ce qu'est une fugue. Chaque instrument, semblable tantôt au violon, tantôt aux trompettes – mais mieux et plus purement que le violon et les trompettes – chaque instrument jouait son propre air et, sans l'achever, se fondait en un autre qui commençait presque la même chose, puis en un troisième, un quatrième, et ils se fondaient tous en un seul, et de nouveau s'éparpillaient pour se fondre encore, tantôt en un chant solennel d'église, tantôt en un chant éclatant de victoire.

« Ah ! mais c'est en rêve, se dit Petia en basculant en avant. C'est dans mes oreilles. Mais peut-être est-ce ma propre musique. Allons, encore. Joue, ma musique ! Allons !… »

Il ferma les yeux. Et de différents côtés, comme venant de loin, des sons vibrèrent, s'accordant, s'éparpillant, se mêlant, et de nouveau tout se fondit dans le même hymne suave et solennel. « Ah ! comme c'est merveilleux ! Autant que je veux et comme je veux », se dit Petia. Il essaya de diriger ce chœur immense d'instruments.

« Allons, doucement, plus doucement, en sourdine maintenant. » Et les sons lui obéissaient. « Et maintenant plus d'ampleur, plus gaiement. Encore, encore plus joyeusement. » Et d'une profondeur inconnue montaient des sons solennels qui s'amplifiaient. « Allons, les voix, joignez-vous ! » ordonna Petia. Et de loin arrivèrent des voix d'abord masculines, puis féminines. Les voix s'enflaient, s'enflaient toujours dans un mouvement régulier, solennel. Petia écoutait avec crainte et joie leur beauté indicible.

Le chant se fondait dans la marche solennelle et triomphale, et les gouttes tombaient, et le sabre sifflait zig, zig, zig… et de nouveau des chevaux se battirent et hennirent sans troubler le chœur mais en s'y associant.

Petia ne savait pas depuis combien de temps cela durait : il savourait sa joie, s'en étonnait sans cesse et regrettait de n'avoir personne avec qui la partager. Il fut réveillé par la voix affable de Likhatchov.

« C'est prêt, Votre Honneur, vous allez pouvoir fendre un Français en deux. »

Petia revint à lui.

« Il fait jour, vraiment il fait jour ! » s'écria-t-il.

Les chevaux jusqu'alors invisibles se voyaient maintenant jusqu'à la queue et à travers les branches dénudées filtrait une lumière délavée. Petia se secoua, sauta sur ses pieds, tira de sa poche une pièce d'un rouble qu'il donna à Likhatchov, brandit son sabre pour l'essayer et le remit dans son fourreau. Les cosaques détachaient les chevaux et resserraient les sangles.

« Voilà le commandant », dit Likhatchov.

Denissov qui sortait de la cabane appela Petia et donna l'ordre de se préparer.

XI

Dans la pénombre, chacun prit rapidement son cheval, on resserra les sangles et tous gagnèrent leur place. Denissov, debout près de la cabane, passait les dernières consignes. Les fantassins du détachement, dans le bruit de cent pieds pataugeant dans la boue, s'engagèrent les premiers sur la route et disparurent bientôt entre les arbres dans le brouillard du petit jour. Le capitaine donnait des ordres aux cosaques. Petia tenait son cheval par la bride, attendant avec impatience l'ordre de se mettre en selle. Son visage lavé à l'eau froide et surtout ses yeux brûlaient, un frisson courait dans son dos et tout son corps était agité d'un tremblement rapide et régulier.

« Eh bien, vous êtes prêts ? dit Denissov. Amène les chevaux. »

On amena les chevaux. Denissov s'emporta contre le cosaque parce que les sangles étaient trop lâches et, après une semonce, monta à cheval. Petia posa la main sur l'étrier. Son cheval, par habitude, voulut le mordre à la jambe, mais Petia qui ne sentait pas son poids se mit vivement en selle et, se retournant vers les hussards qui s'ébranlaient derrière lui dans l'obscurité, s'approcha de Denissov.

« Vassili Fédorovitch, vous me chargerez de quelque chose ? Je vous en prie... je vous en supplie... » dit-il. Denissov semblait avoir oublié l'existence de Petia. Il lui jeta un regard.

« Je ne te demande qu'une chose, dit-il sévèrement, c'est de m'obéir et de ne te fourrer nulle part. »

Pendant tout le trajet, Denissov ne dit plus un mot à Petia et marcha en silence. Quand ils arrivèrent à la lisière de la forêt, il faisait déjà sensiblement plus clair dans les champs, Denissov échangea quelques mots à voix basse avec le capitaine, et les cosaques défilèrent devant Petia et lui. Quand tous furent passés, Denissov remit son cheval en marche et s'engagea dans la descente. Se tassant sur la croupe et glissant, les chevaux descendaient avec leurs cavaliers dans le ravin. Petia avançait à côté de Denissov. Le tremblement qui secouait tout son corps s'accentuait toujours. Il faisait de plus en plus clair, seul le brouillard voilait encore les objets lointains. Une fois en bas, Denissov se retourna et fit un signe de tête au cosaque qui se tenait derrière lui.

« Le signal ! » prononça-t-il. Le cosaque leva le bras, un coup de feu partit. Et au même instant on entendit en avant le galop des chevaux qu'on lançait, des cris venant de différents côtés et encore des coups de feu.

À l'instant même où retentirent le premier galop et les cris, Petia, piquant son cheval et rendant les rênes, s'élança en avant sans écouter Denissov qui lui criait quelque chose. Il lui semblait que tout s'était éclairé comme en plein jour au moment où avait retenti le signal. Il galopa vers le pont. Devant lui sur la route galopaient les cosaques. Sur le pont il se heurta à un cosaque resté en arrière et poursuivit son chemin. Devant lui des hommes

– c'étaient sans doute des Français – couraient du côté droit au côté gauche de la route. L'un d'eux tomba dans la boue sous les pieds du cheval de Petia.

Près d'une isba, des cosaques étaient massés qui faisaient quelque chose. Un cri terrible partit du centre de l'attroupement. Petia galopa vers cette foule et la première chose qu'il vit fut le visage pâle d'un Français dont la mâchoire inférieure tremblait et qui retenait la hampe d'une pique dirigée contre lui.

« Hourra !... les gars... ce sont les nôtres... » cria Petia, et rendant les rênes à son cheval échauffé, il s'élança devant lui le long de la rue.

En avant on entendait une fusillade. Les cosaques, les hussards et les prisonniers russes en loques qui couraient des deux côtés de la route poussaient tous des clameurs confuses. Un Français à l'air crâne, en capote bleue et tête nue, le visage rouge et crispé, se défendait à la baïonnette contre des hussards. Lorsque Petia arriva, il était déjà tombé. « J'arrive de nouveau trop tard » pensa Petia en un éclair, et il galopa vers l'endroit d'où parvenait une fusillade nourrie. Les coups de feu partaient de la cour de la maison seigneuriale où, la veille au soir, il était allé avec Dolokhov. Les Français s'y étaient embusqués derrière la haie, dans le jardin touffu envahi de buissons, et tiraient sur les cosaques massés devant le portail. En approchant du portail, Petia aperçut, à travers la fumée de la poudre, Dolokhov qui, le visage d'une pâleur verdâtre, criait quelque chose à ses hommes. « À revers ! Attendez l'infanterie ! » criait-il au moment où Petia l'accosta.

« Attendre ?... Hourraaa !... » cria Petia, et sans tarder un instant, il galopa vers l'endroit d'où partaient les coups de feu et où la fumée de la poudre était la plus épaisse. Une salve retentit, des balles perdues et d'autres sifflèrent et claquèrent. À la suite de Petia, les cosaques et Dolokhov franchirent au galop le portail. Dans l'épaisse fumée mouvante, les Français, les uns jetaient leurs armes et couraient hors des buissons au-devant des cosaques, d'autres dégringolaient la colline s'enfuyant vers l'étang. Petia galopait sur son cheval à travers la cour et, au lieu de tenir les rênes, agitait étrangement et rapidement les deux bras et de plus en plus s'affaissait de côté sur sa selle. Son cheval, butant contre un brasier qui se consumait dans la clarté matinale, s'arrêta brusquement et Petia tomba lourdement sur la terre humide. Les cosaques virent ses bras et ses jambes s'agiter convulsivement, bien que sa tête ne bougeât pas. Une balle lui avait traversé le crâne.

Après avoir parlementé avec le commandant français qui sortit de la maison avec un mouchoir au bout de son épée et déclara qu'ils se rendaient, Dolokhov mit pied à terre et s'approcha de Petia qui gisait immobile, les bras étendus.

« Il a son compte », dit-il en fronçant les sourcils, et il se dirigea vers le portail à la rencontre de Denissov qui arrivait.

« Tué ! » s'exclama Denissov en apercevant déjà de loin la position du corps de Petia indiscutablement privé de vie, position qu'il connaissait si bien.

« Il a son compte », répéta Dolokhov comme s'il prenait plaisir à prononcer ce mot, et il alla vivement vers les prisonniers entourés des cosaques qui avaient mis pied à terre. « Pas de prisonniers ! » cria-t-il à Denissov.

Denissov ne répondit pas ; il s'approcha de Petia, descendit de cheval et, les mains tremblantes, tourna vers lui le visage de Petia maculé de sang et de boue qui pâlissait déjà.

Il se rappela : « Je suis habitué aux douceurs. De merveilleux raisins secs, prenez tout. » Et les cosaques se retournèrent avec surprise en entendant les sons semblables à un aboiement avec lesquels Denissov se détourna vivement, s'approcha de la haie et s'y cramponna.

Au nombre des prisonniers russes libérés par Denissov et Dolokhov se trouvait Pierre Bezoukhov.

XII

Le commandement français n'avait donné, depuis le départ de Moscou, aucun ordre nouveau au sujet du convoi des prisonniers dont faisait partie Pierre. Ce convoi n'était plus, le 22 octobre, avec les troupes et les bagages avec lesquels il était parti de Moscou. La moitié des chariots chargés de biscuits qui les suivaient pendant les premières étapes avait été capturée par des cosaques, l'autre moitié était partie en avant ; il ne restait plus un seul des cavaliers démontés qui les précédaient ; ils avaient tous disparu. L'artillerie qu'on voyait en tête pendant les premières étapes avait été remplacée par l'énorme convoi de bagages du maréchal Junot qu'escortaient des Westphaliens. Un convoi d'équipement de cavalerie suivait les prisonniers.

Depuis Viazma, les troupes françaises, qui jusqu'alors marchaient en trois colonnes, avançaient en foule. Les signes de désordre que Pierre avait remarqués à la première étape après Moscou avaient maintenant pris des proportions extrêmes.

La route qu'on suivait était jonchée des deux côtés de cadavres et de chevaux ; des hommes déguenillés, traînards de différentes formations, se succédant sans cesse, tantôt se joignaient à la colonne en marche, tantôt restaient de nouveau en arrière.

Plusieurs fois pendant le trajet, il y avait eu de fausses alertes et les soldats de l'escorte saisissaient alors leurs fusils, tiraient et s'enfuyaient à toutes jambes en s'écrasant l'un l'autre ; mais ensuite ils se rassemblaient de nouveau et s'injuriaient en se reprochant mutuellement leur vaine panique.

Ces trois groupes qui marchaient ensemble – le dépôt de cavalerie, le convoi des prisonniers et les bagages de Junot – formaient encore un tout, bien que les uns comme les autres fondissent rapidement.

Au dépôt qui, au début, comptait cent vingt chariots, il n'en restait pas plus de soixante ; les autres avaient été soit capturés, soit abandonnés. Dans le convoi de Junot, plusieurs chariots avaient également été pillés par un coup de main de traînards du corps de Davout. En écoutant parler les Allemands, Pierre avait appris que ce convoi avait reçu une escorte plus forte que les prisonniers et qu'un de leurs camarades, un soldat allemand, avait été fusillé par ordre du maréchal lui-même parce qu'on avait trouvé sur lui une cuillère en argent appartenant à celui-ci.

Mais, des trois groupes, celui qui avait fondu le plus était le convoi des prisonniers. Sur les trois cent trente hommes partis de Moscou, il en restait maintenant moins de cent. Plus encore que les selles du dépôt de cavalerie et les bagages de Junot, les prisonniers encombraient les convoyeurs. Les selles et les cuillères de Junot, ils le comprenaient, pouvaient servir à quelque chose, mais pourquoi les soldats affamés et grelottants devaient monter la garde et surveiller des Russes aussi affamés et grelottants qu'eux, des Russes qui mouraient et qu'ils avaient ordre d'abattre quand ils restaient en route, cela était non seulement incompréhensible mais même odieux. Et comme s'ils craignaient, dans la triste situation où ils se trouvaient eux-mêmes, de se laisser aller au sentiment de pitié qu'ils éprouvaient pour les prisonniers et d'aggraver ainsi leur propre situation, ils les traitaient avec une sévérité particulièrement maussade.

À Dorogobouje, alors que les convoyeurs, enfermant les prisonniers dans une écurie, étaient partis piller leurs propres magasins, quelques-uns des prisonniers avaient creusé un passage sous le mur et s'étaient évadés mais avaient été repris et fusillés.

Le règlement établi au départ de Moscou, selon lequel les officiers prisonniers devaient marcher à part des soldats, était depuis longtemps abandonné ; tous ceux qui pouvaient marcher allaient ensemble et Pierre avait, dès la troisième étape, retrouvé Karataiev et le chien violacé aux pattes torses qui avait choisi celui-ci pour maître.

Le surlendemain du départ de Moscou, Karataiev avait été repris de la fièvre qui l'avait fait hospitaliser à Moscou et à mesure qu'il s'affaiblissait, Pierre s'éloignait de lui. Il ne savait pas pourquoi, mais depuis que Karataiev avait commencé à décliner, il devait faire un effort sur lui-même pour l'approcher. Et en s'approchant, en l'entendant gémir faiblement comme il en avait l'habitude lorsqu'il se couchait aux étapes, en sentant l'odeur maintenant plus forte qu'il répandait, Pierre s'en allait le plus loin possible et ne pensait pas à lui.

En captivité, dans le baraquement, Pierre avait appris, non pas avec sa raison mais de tout son être, par la vie, que l'homme est créé pour le bonheur, qu'il porte son bonheur en lui-même, que ce bonheur est dans la satisfaction des aspirations humaines naturelles, et que tout le malheur lui vient non pas d'un manque mais d'un excès ; mais maintenant, durant ces trois dernières semaines de marche, il avait encore appris une vérité nouvelle, consolante : il avait appris qu'il n'y a au monde rien de redoutable. Il avait appris que, de même qu'il n'est au monde aucune situation où l'homme soit parfaitement heureux et libre, ainsi il n'en est aucune où il soit absolument malheureux et privé de liberté. Il avait appris qu'il est une limite à la souffrance et une limite à la liberté, et que cette limite est très proche ; que l'homme qui souffrait parce que, dans son lit de roses, un pétale s'était replié, souffrait tout autant qu'il souffrait lui-même en ce moment en s'endormant sur le sol nu et humide, glacé d'un côté et chauffé de l'autre ; que lorsque, autrefois, il mettait d'étroits escarpins de bal, il souffrait tout autant que maintenant qu'il marchait sans chaussures (les siennes étaient depuis longtemps hors d'usage), les pieds nus et couverts de plaies. Il avait appris que lorsqu'il s'était marié de son plein gré, croyait-il, il n'était pas plus libre que maintenant qu'on l'enfermait la nuit dans une écurie. De tout ce que, plus tard, il appelait lui aussi des souffrances mais qu'il ne ressentait presque pas sur le moment, le pis était ses pieds nus, couverts d'ampoules et de plaies. (La viande de cheval était savoureuse et nourrissante, l'arrière-goût laissé par le salpêtre qu'on employait en guise de sel était même agréable, il n'y avait pas de grands froids, dans la journée en marchant on avait toujours chaud et la nuit il y avait des feux ; les poux qui le dévoraient lui tenaient chaud.) Une seule chose avait été pénible les premiers temps, c'étaient ses pieds.

À la deuxième étape, quand il avait examiné ses plaies à la lueur du feu, Pierre avait cru qu'il ne pourrait plus marcher, mais quand tout le monde se remit en route, il suivit en boitillant, puis, une fois réchauffé marcha sans souffrir, bien que le soir l'aspect de ses pieds fût encore plus horrible. Mais il ne les regardait pas et pensait à autre chose.

Maintenant seulement, Pierre comprenait toute la puissance de la vitalité de l'homme et le pouvoir salutaire qui lui est donné de déplacer son attention, semblable à cette soupape de sûreté des chaudières qui laisse échapper le trop-plein de vapeur dès que la pression dépasse la normale.

Il ne voyait ni n'entendait fusiller les prisonniers traînards, bien que plus de cent d'entre eux eussent déjà péri de cette façon. Il ne pensait pas à Karataiev qui s'affaiblissait de jour en jour et qui manifestement devait bientôt subir le même sort. Encore moins pensait-il à lui-même. Plus sa situation devenait difficile, plus l'avenir était lourd de menaces, plus indépendants de sa situation étaient les pensées, les visions et les souvenirs joyeux et consolants qui lui venaient.

XIII

Le 22, à midi, Pierre montait une côte sur une route boueuse et glissante en regardant ses pieds et les aspérités du chemin. De temps à autre, il jetait un coup d'œil sur la foule familière qui l'entourait, puis reportait les yeux sur ses pieds. Les deux lui étaient également proches et familiers. Seri, le chien violacé aux pattes torses, trottait allégrement sur le bord de la route ; par moments, pour montrer son adresse et son contentement, il levait une patte de derrière et sautillait sur les trois autres, puis, de nouveau sur les quatre, se jetait en aboyant sur les corbeaux posés sur la charogne. Seri était plus gai et mieux portant qu'à Moscou. De tous côtés il y avait de la chair de différents animaux – depuis celle de l'homme jusqu'à celle de chevaux – à différents stades de décomposition ; et quant aux loups, le passage des hommes les tenait à distance, si bien que Seri pouvait se repaître à satiété.

Il pleuvait depuis le matin et il semblait que la pluie allait cesser d'un instant à l'autre, le ciel se dégager, quand, après une brève accalmie, elle reprenait de plus belle. La route saturée de pluie n'absorbait plus l'eau et des ruisseaux coulaient dans les ornières.

Pierre marchait en regardant autour de lui, comptant ses pas par trois sur les doigts. S'adressant à la pluie, il répétait mentalement : allons, encore, encore plus fort.

Il croyait ne penser à rien ; mais loin et tout au fond, son âme pensait quelque chose d'important et de consolant. Ce quelque chose était une conclusion infiniment subtile que lui avait suggérée sa conversation de la veille avec Karataiev.

La veille, à l'étape de nuit, transi auprès du feu éteint, Pierre s'était levé et était allé vers le feu voisin qui brûlait mieux. Devant ce feu était assis Platon, couvert de la tête aux pieds de sa capote comme d'une chasuble, et de sa voix nette, agréable mais affaiblie par la maladie, il racontait aux soldats une histoire que Pierre connaissait. Il était minuit passé. C'était l'heure où Karataiev, fouetté par un accès de fièvre, était particulièrement animé. Quand Pierre s'approcha du feu, qu'il entendit la voix faible et malade de Platon, qu'il vit son visage pitoyable brillamment éclairé par la flamme, il sentit un coup désagréable au cœur. Il fut effrayé de la pitié qu'il ressentait pour cet homme et voulut s'en aller, mais il n'y avait pas d'autre feu, et s'efforçant de ne pas regarder Platon, il s'assit.

« Alors, comment va ta santé ? demanda-t-il.

– Ma santé ? Si on se plaint de sa maladie, Dieu n'accorde pas la mort, dit Karataiev qui reprit aussitôt le récit commencé.

– … Et voilà que, mon bon ami, poursuivit-il avec un sourire sur son visage maigre et pâle et un éclat particulier de joie dans les yeux, et voilà que, mon bon ami… »

Pierre connaissait depuis longtemps cette histoire, Karataiev la lui avait racontée à lui seul cinq ou six fois, et toujours avec un sentiment particulier de joie. Mais si bien qu'il la connût, il l'écouta maintenant comme quelque chose de nouveau, et la douce exaltation qu'éprouvait visiblement Karataiev en la racontant se communiqua à lui. Il s'agissait d'un vieux marchand qui vivait avec sa famille dignement et dans la crainte de Dieu, et qui un jour s'était rendu avec un camarade, un riche marchand, à la foire de Makarié.

Descendus dans une auberge, les deux marchands s'étaient endormis et, le lendemain, le camarade du premier fut trouvé égorgé et dévalisé. On trouva un couteau ensanglanté sous l'oreiller du vieux marchand. On le jugea, on lui donna le fouet et après lui avoir arraché les narines – comme il se doit, disait Karataiev – on l'envoya au bagne.

« Et voilà que, mon bon ami (c'est à ce moment du récit que Pierre était arrivé), dix ans passent, ou plus. Le petit vieux vit au bagne. Il se soumet comme il se doit, il ne fait rien de mal. Il demande seulement la mort à Dieu. Bon. Et voilà qu'une nuit ils se rassemblent, les bagnards, comme qui dirait nous autres ici, et le vieux avec eux. Et on en vient à se raconter pourquoi on est là, de quoi on est coupable devant Dieu. On raconte donc : l'un a une âme sur la conscience, un autre deux, celui-ci a incendié, celui-là est un fugitif, il est là comme ça, pour rien. On demande au vieux : "Et toi, grand-père, pourquoi subis-tu ta peine ? – Moi, mes bien chers frères, qu'il dit, je souffre pour mes péchés et pour ceux des autres. Mais je n'ai ni tué ni pris le bien d'autrui, je donnais toujours aux mendiants. Moi, mes bien chers frères, je suis un marchand; et j'avais une grande fortune. Voici ce qui m'est arrivé." Et il leur a raconté comment tout s'est passé, dans l'ordre. "Je ne m'afflige pas, qu'il dit, pour moi. C'est donc que Dieu m'a choisi. Une chose seulement, je plains ma vieille et les enfants." Et il s'est mis à pleurer, le petit vieux. Seulement, voilà-t-il pas qu'il s'est trouvé dans leur bande celui-là même qui avait tué le marchand. "Où ça s'est passé, grand-père ? qu'il demande. Quand, en quel mois ?" Il a demandé toutes les précisions. Et son cœur lui a fait mal. Il s'approche comme ça du vieux et bang ! il tombe à ses pieds. "C'est à ma place, petit vieux, que tu souffres. C'est la vérité vraie; c'est injustement, camarades, que cet homme souffre. C'est moi qui ai fait le coup et qui t'ai glissé le couteau sous l'oreiller pendant que tu dormais. Pardonne-moi, grand-père, pour l'amour du Christ." »

Karataiev se tut en souriant joyeusement et, les yeux fixés sur le feu, arrangea les bûches.

« Alors le vieux dit : "Dieu te pardonnera; quant à nous, nous sommes tous des pécheurs devant Dieu, je souffre pour mes propres péchés." Et le voilà qui pleure à chaudes larmes. Eh bien, figure-toi, petit faucon, poursuivit Karataiev, tout rayonnant d'un sourire exalté de plus en plus clair, comme si ce qu'il avait à raconter maintenant renfermait tout le charme et tout le sens du récit; et figure-toi, petit faucon, cet assassin s'est dénoncé aux autorités. "J'ai fait périr six personnes, qu'il dit (c'était un grand scélérat), mais celui qui me fait le plus de peine, c'est ce petit vieux. Qu'il ne pleure plus par ma faute." Il a tout expliqué : on l'a noté, on a envoyé le papier où il se doit. C'était loin, le temps de juger, le temps de faire tous les papiers comme il faut, d'une autorité à l'autre. L'affaire est allée jusqu'au tsar. Enfin arrive un ordre du tsar : "Qu'on relâche le marchand et qu'on lui donne le dédommagement qui a été fixé." Le papier est arrivé, on cherche le vieux. "Où est ce petit vieux qui a souffert pour rien, innocent qu'il était ? Il y a un papier du tsar." On l'a cherché. » La mâchoire inférieure de Karataiev eut un tremblement. « Mais Dieu lui avait déjà pardonné, il était mort. C'est comme ça, petit faucon », acheva Karataiev, et il resta longtemps souriant en silence à regarder devant lui.

Ce n'était pas ce récit par lui-même mais son sens mystérieux, cette joie exaltée qui illuminait le visage de Karataiev pendant qu'il racontait, le sens mystérieux de cette joie, c'était cela qui, confusément et joyeusement, remplissait maintenant l'âme de Pierre.

XIV

« *À vos places !* » cria soudain une voix.

Parmi les prisonniers et l'escorte, une agitation joyeuse se fit et l'attente de quelque chose d'heureux et de solennel. De tous côtés on cria des ordres, et sur la gauche, dépassant au trot les prisonniers, apparurent des cavaliers bien équipés, montés sur de bons chevaux. Tous les visages prirent cette expression tendue qu'on voit à l'approche de hautes autorités. Les prisonniers se massèrent en troupeau, on les repoussa en dehors de la route ; l'escorte s'aligna.

« *L'Empereur ! l'Empereur ! Le maréchal ! Le duc !* » et aussitôt après le passage des soldats bien nourris de l'escorte, une voiture attelée à la daumont de chevaux gris arriva avec fracas. Pierre aperçut, l'espace d'un instant, le beau visage calme, blanc et gras d'un homme coiffé d'un tricorne. C'était un des maréchaux. Le regard du maréchal s'arrêta sur la silhouette massive de Pierre et dans l'expression avec laquelle il fronça le sourcil et détourna la tête, Pierre crut lire de la compassion et le désir de la dissimuler.

Le général qui commandait le convoi, le visage rouge, effrayé, galopait derrière la voiture en poussant son maigre cheval. Quelques officiers avaient formé un groupe, les soldats les entourèrent. Tous avaient le visage ému et tendu.

Pierre entendit :

« *Qu'est-ce qu'il a dit ? Qu'est-ce qu'il a dit ?...* »

Pendant le passage du maréchal, les prisonniers s'étaient serrés en troupeau et Pierre aperçut Karataiev qu'il n'avait pas encore vu ce matin-là. Karataiev était assis dans sa méchante capote, adossé à un bouleau. Son visage, outre l'expression de joyeux attendrissement qu'il avait la veille en racontant l'histoire des souffrances du marchand innocent, rayonnait d'une douce solennité.

Karataiev regardait Pierre de ses bons yeux ronds maintenant embués de larmes et l'appelait visiblement pour lui dire quelque chose. Mais Pierre avait trop peur pour lui-même. Il fit semblant de ne pas voir son regard et s'éloigna en hâte.

Quand les prisonniers se remirent en marche, Pierre se retourna. Karataiev était assis au bord de la route, contre le bouleau ; et deux Français parlaient, debout auprès de lui. Pierre ne se retourna plus. Il montait en boitillant la côte.

En arrière, à l'endroit où était assis Karataiev, un coup de feu claqua. Pierre entendit distinctement ce coup de feu mais, à l'instant même où il l'entendit, il se souvint de n'avoir pas encore terminé le calcul des étapes restant jusqu'à Smolensk qu'il avait commencé avant le passage du maréchal. Et il se remit à compter. Deux soldats français dont l'un tenait encore à la main son fusil fumant, le dépassèrent en courant. Ils étaient pâles tous deux, et dans l'expression de leur visage – l'un d'eux jeta un coup d'œil timide à Pierre – il y avait quelque chose qui ressemblait à ce qu'il avait vu chez le jeune soldat, au moment de l'exécution. Pierre regarda le soldat et se souvint que, l'avant-veille, il avait brûlé sa chemise en la faisant sécher devant le feu et qu'on s'était moqué de lui.

Le chien se mit à hurler en arrière, à l'endroit où était assis Karataiev. « Quel imbécile, pourquoi hurle-t-il ? » pensa Pierre.

Les soldats, ses camarades, qui marchaient à côté de lui ne se retournèrent pas non plus vers l'endroit d'où étaient partis le coup de feu, puis le hurlement du chien ; mais tous les visages avaient pris une expression sévère.

XV

Le dépôt, les prisonniers, les bagages du maréchal firent halte au village de Chamchevo. Tout se pressa auprès des feux. Pierre s'approcha d'un feu, mangea un morceau de viande de cheval, s'étendit le dos à la flamme et s'endormit aussitôt. Il dormait de nouveau du même sommeil qu'à Mojaïsk, après Borodino.

De nouveau, les événements réels se confondaient avec le rêve et de nouveau quelqu'un, lui-même ou un autre, lui disait des pensées, et c'étaient les mêmes pensées qu'à Mojaïsk.

« La vie est tout. La vie est Dieu. Tout se déplace et se meut et ce mouvement est Dieu. Et tant qu'il y a la vie, il y a la joie de la conscience intime de la divinité. Aimer la vie c'est aimer Dieu. Le plus difficile et le plus méritoire est d'aimer cette vie dans ses souffrances, dans ses souffrances imméritées. »

« Karataiev ! » se souvint Pierre.

Et brusquement Pierre vit devant lui, comme s'il était vivant, le doux vieillard depuis longtemps oublié qui, en Suisse, lui enseignait la géographie. « Attends », dit le vieillard. Et il montra à Pierre un globe terrestre. Ce globe était une sphère vivante, mouvante, qui n'avait pas de dimensions. Toute sa surface se composait de gouttes d'eau étroitement serrées entre elles. Et toutes ces gouttes bougeaient, se déplaçaient, et tantôt plusieurs se fondaient en une seule, tantôt une seule se divisait en de nombreuses autres. Chaque goutte cherchait à s'étaler, à occuper le plus grand espace, mais les autres, voulant en faire autant, la serraient, parfois l'absorbaient, parfois se confondaient avec elle.

« Voilà la vie », dit le vieux professeur.

« Comme c'est simple et clair, pensa Pierre. Comment ai-je pu ne pas le savoir plus tôt ? »

« Au centre est Dieu et chaque goutte cherche à s'étendre pour Le refléter dans les plus grandes dimensions. Et elle grandit, se répand, se resserre et disparaît à la surface, descend au fond et remonte de nouveau. Voici Karataiev, il s'est répandu et il a disparu – *Vous avez compris, mon enfant ?* dit le professeur.

– *Vous avez compris, sacré nom !* » cria une voix, et Pierre se réveilla.

Il se souleva et s'assit. Devant le feu, un Français accroupi qui venait de repousser un soldat russe était en train, les manches retroussées, de faire griller un morceau de viande au bout d'une baguette de fusil. Ses mains rouges, velues, aux veines saillantes, aux doigts courts, tournaient adroitement la baguette. Son visage basané et sombre aux sourcils froncés était vivement éclairé par la lueur des braises.

« *Ça lui est bien égal*, grommela-t-il en se tournant vivement vers un soldat, debout derrière lui… *brigand. Va !* » Et, tout en faisant tourner sa baguette, il jeta un regard sombre sur Pierre. Pierre se détourna et fouilla l'ombre des yeux. Un soldat russe prisonnier, celui que le Français avait repoussé, était assis près du feu et passait la main sur quelque chose. En regardant de plus près, Pierre reconnut le roquet violacé qui, la queue frétillante, était installé près du soldat.

« Ah ! tu es revenu ? dit Pierre. Ah ! Pla… » commença-t-il, et il n'acheva pas. Dans son imagination surgirent soudain, simultanément, s'entremêlant, le souvenir du regard que posait sur lui Platon assis sous l'arbre, celui du coup de feu qu'il avait entendu à cet endroit, du hurlement du chien, des visages coupables des deux Français qui l'avaient dépassé au pas de course, le fusil fumant, de l'absence de Karataiev à cette étape, et il fut sur le point de comprendre que Karataiev avait été tué, mais, au même instant, venu Dieu sait d'où, surgit dans son âme le souvenir de la soirée qu'il avait passée, un été, avec une belle Polonaise au balcon de sa maison de Kiev. Et sans être parvenu quand même à relier les souvenirs de la journée et sans en tirer aucune conclusion, Pierre ferma les yeux, et le tableau de la nature estivale s'associa au souvenir de baignades, de la sphère fluide et mouvante, et il s'enfonça quelque part dans l'eau, si profondément que l'eau se referma au-dessus de sa tête.

Avant le lever du soleil, il fut éveillé par des clameurs et une fusillade violente et nourrie. Des Français passèrent en courant devant Pierre.

« *Les cosaques !* » cria l'un d'eux, et un instant après une foule de visages russes entoura Pierre.

Longtemps il fut sans comprendre ce qui lui arrivait. De tous côtés, il entendait les clameurs de joie de ses camarades.

« Frères ! Camarades, amis ! » criaient en pleurant de vieux soldats qui étreignaient cosaques et hussards. Les hussards et les cosaques entouraient les prisonniers et leur offraient à l'envi qui des vêtements, qui des chaussures, qui du pain. Pierre sanglotait, assis au milieu d'eux, incapable d'articuler un mot ; il étreignit le premier soldat qui s'approcha de lui et l'embrassa en pleurant.

Dolokhov, debout au portail de la maison en ruine, faisait défiler devant lui la foule des Français désarmés. Ces derniers, émus de tout ce qui était arrivé, parlaient entre eux à haute voix ; mais quand ils passaient devant Dolokhov qui donnait de légers coups de cravache sur ses bottes et les considérait de son regard froid, impénétrable, ne présageant rien de bon, les conversations cessaient. Le cosaque de Dolokhov, debout de l'autre côté, comptait les prisonniers en marquant les centaines d'un trait de craie sur le portail.

« Combien ? lui demanda Dolokhov.

– On en est à la deuxième centaine, répondit le cosaque.

– *Filez, filez* », répétait Dolokhov qui avait appris cette expression des Français, et quand son regard rencontrait celui des prisonniers qui passaient, il flambait d'un éclat cruel.

Denissov, le visage sombre, marchait tête nue derrière les cosaques qui portaient vers une fosse creusée dans le jardin le corps de Petia Rostov.

XVI

À partir du 28 octobre, avec le commencement des grands froids, la fuite des Français ne fit que prendre un caractère plus tragique, avec les hommes qui gelaient ou se grillaient à en mourir devant les feux de bivouac et l'Empereur, les rois et les ducs qui continuaient à voyager en pelisse dans des voitures chargées de biens pillés, mais, au fond, le processus de la fuite et de la décomposition de l'armée française n'avait subi aucun changement depuis le départ de Moscou.

Entre Moscou et Viazma, des soixante-treize mille hommes de l'armée française, sans compter la garde (qui de toute la guerre ne fit que piller), de ces soixante-treize mille hommes, il n'en resta que trente-six mille (sur ce nombre cinq mille au plus étaient tombés dans les combats). Tel est le premier terme de la progression qui avec une rigueur mathématique détermine les suivants.

L'armée française fondit et s'anéantit dans la même proportion de Moscou à Viazma, de Viazma à Smolensk, de Smolensk à la Bérézina, de la Bérézina à Vilna, indépendamment du froid plus ou moins intense, de la poursuite, des obstacles rencontrés en route et de toutes les autres circonstances prises séparément. Après Viazma, les troupes françaises, au lieu de former trois colonnes, se serrèrent en un troupeau et marchèrent ainsi jusqu'à la fin. Berthier écrivait ce qui suit à son Empereur (on sait combien les chefs se permettent de s'écarter de la vérité en décrivant la situation d'une armée) :

« *Je crois devoir faire connaître à Votre Majesté l'état de ses troupes dans les différents corps d'armée que j'ai été à même d'observer depuis deux ou trois jours dans différents passages. Elles sont presque débandées. Le nombre des soldats qui suivent les drapeaux est en proportion du quart au plus dans presque tous les régiments, les autres marchent isolément dans différentes directions et pour leur compte, dans l'espérance de trouver des subsistances et pour se débarrasser de la discipline. En général ils regardent Smolensk comme le point où ils doivent se refaire. Ces derniers jours on a remarqué que beaucoup de soldats jettent leurs cartouches et leurs armes. Dans cet état de choses, l'intérêt du service de Votre Majesté exige, quelles que soient ses vues ultérieures, qu'on rallie l'armée à Smolensk en commençant à la débarrasser des non-combattants, tels que les hommes démontés, et des bagages inutiles et du matériel de l'artillerie qui n'est plus en proportion avec les forces actuelles. En outre les jours de repos, des subsistances sont nécessaires aux soldats qui sont exténués par la faim et la fatigue ; beaucoup sont morts ces derniers jours sur la route et dans les bivouacs. Cet état de choses va toujours en augmentant et donne lieu de craindre que si l'on n'y prête un prompt remède, on ne soit plus maître des troupes dans un combat. Le 9 novembre, à 30 verstes de Smolensk.* »

S'étant engouffrés dans Smolensk qui leur apparaissait comme la terre promise, les Français s'entre-tuèrent en s'arrachant les vivres, pillèrent leurs propres magasins et, quand tout fut pillé, s'enfuirent plus loin.

Tous marchaient sans savoir où ils allaient ni pourquoi. Moins que tous le savait Napoléon, avec son génie, car il ne recevait d'ordres de personne. Néanmoins, lui et son entourage continuaient de suivre leurs vieilles habitudes : on rédigeait des instructions, des lettres, des rapports, des *ordres du jour* ; on se traitait de « *Sire, Mon Cousin, Prince d'Eckmühl, Roi de Naples* », etc. Mais ordres et rapports n'existaient que sur le papier car ils étaient inexécutables et, malgré les titres de Majesté, d'Altesse et de cousins qu'ils se donnaient, ils sentaient tous qu'ils étaient des hommes pitoyables et vils qui avaient fait beaucoup de mal pour lequel ils devaient maintenant payer. Et tout en affectant de s'occuper de l'armée, chacun ne pensait qu'à soi, à la possibilité de s'en aller et de sauver sa peau au plus vite.

XVII

Les mouvements des armées russe et française pendant la retraite de Moscou au Niemen ressemblent à une partie de colin-maillard, où deux joueurs ont les yeux bandés ; l'un d'eux agite de temps à autre une sonnette pour signaler sa présence à celui qui le poursuit. Au début, il l'agite sans crainte, mais quand les choses tournent mal pour lui, il s'efforce de ne pas faire de bruit, fuit son adversaire et souvent, croyant le fuir, va se jeter tout droit dans ses mains.

Au début, les armées de Napoléon signalaient encore leur présence – c'était pendant la première période de la marche sur la route de Kalouga – mais ensuite, une fois sur la route de Smolensk, elles coururent en retenant de la main le battant de la sonnette et souvent, croyant s'enfuir, elles allaient tout droit se heurter aux Russes.

Étant donné la rapidité de la fuite des Français et de la poursuite des Russes ainsi que l'épuisement des chevaux qui en résultait, le principal moyen de connaître à peu près la position de l'armée ennemie – les reconnaissances de cavalerie – faisait défaut. En outre, en raison des fréquents et rapides changements de position des deux armées, les renseignements, quels qu'ils fussent, ne pouvaient parvenir à temps. Si, le 2, on apprenait que l'armée ennemie se trouvait à tel endroit le 1er, le 3, quand on pouvait entreprendre quelque chose, cette armée avait déjà fait deux étapes et occupait une tout autre position.

Une armée fuyait, l'autre la poursuivait. Au départ de Smolensk de nombreuses routes s'offraient aux Français ; et il semblerait qu'ici, pendant une halte de quatre jours, ils auraient pu apprendre où était l'ennemi, dresser un plan efficace et entreprendre quelque chose de nouveau. Mais après ces quatre jours de halte, leurs foules s'élancèrent derechef non pas à droite, non pas à gauche, mais, sans aucune manœuvre ni plan, sur la vieille route, et la plus mauvaise de toutes, de Krasnoïe et d'Orcha – sur la piste déjà foulée.

Attendant l'ennemi derrière et non devant eux, les Français fuyaient en s'étirant et en laissant entre eux des intervalles de vingt-quatre heures de marche. En tête de tous fuyait l'Empereur, puis les rois, puis les ducs. L'armée russe, croyant que Napoléon prendrait à droite pour franchir le Dnieper, ce qui eût été la seule chose raisonnable, obliqua elle aussi vers la droite et déboucha sur la grande route de Krasnoïe. Et là, comme au jeu de colin-maillard, les Français se heurtèrent à notre avant-garde. Découvrant l'ennemi à l'improviste, les Français perdirent leur sang-froid, s'arrêtèrent, saisis d'une panique soudaine, mais ensuite reprirent leur fuite, abandonnant leurs camarades qui les suivaient. Là, comme à travers les rangs russes, défilèrent trois jours durant, l'une après l'autre, les formations françaises, d'abord le corps du vice-roi, puis celui de Davout, puis celui de Ney ; ils s'abandonnaient les uns les autres, abandonnaient tous leurs bagages, l'artillerie, la moitié des hommes, et ils s'enfuyaient en contournant les Russes, de nuit seulement, sur la droite.

Ney, qui fermait la marche parce que (en dépit de leur malheureuse situation, ou précisément à cause d'elle, ils avaient envie de punir le plancher sur lequel ils s'étaient fait mal en tombant) il s'était attardé à faire sauter les murs de Smolensk qui ne gênaient personne, Ney, qui fermait la marche avec son corps de dix mille hommes, accourut à Orcha auprès de Napoléon avec mille hommes seulement, après avoir abandonné ses troupes et ses canons et s'être faufilé en tapinois, la nuit, à travers bois pour franchir le Dnieper.

D'Orcha ils continuèrent à fuir vers Vilna, jouant toujours à colin-maillard avec l'armée qui les poursuivait. À la Bérézina, de nouveau, ce fut le désarroi ; beaucoup se noyèrent, beaucoup se rendirent, mais ceux qui avaient pu traverser la rivière reprirent leur course en avant. Leur chef suprême endossa une pelisse et, montant dans un traîneau, partit seul à fond de train, abandonnant ses compagnons. Ceux qui le purent partirent aussi, ceux qui ne le purent pas se rendirent ou moururent.

XVIII

Il semblerait que précisément pour cette fuite des Français, alors qu'ils faisaient tout ce qui pouvait les perdre, alors qu'aucun des mouvements de cette foule, depuis le détour sur la route de Kalouga jusqu'à la fuite du chef de l'armée, n'avait le moindre sens – il semblerait que, pour cette période de la campagne tout au moins, il est impossible aux historiens qui attribuent l'action des masses à la volonté d'un seul homme, de rester fidèles à leurs conceptions en décrivant cette retraite. Mais non. Des montagnes de livres ont été écrits par des historiens sur cette campagne et partout on fait valoir les ordres de Napoléon et la profondeur de ses plans, les manœuvres de son armée et les directives géniales de ses maréchaux.

La retraite à partir de Malo Iaroslavetz, alors qu'on lui laisse l'accès libre vers une contrée aux ressources abondantes et que lui est ouverte cette route parallèle par laquelle Koutouzov le poursuivra plus tard, cette retraite inutile le long d'une route dévastée nous est expliquée par diverses considérations profondes. C'est sur la foi de considérations tout aussi profondes qu'on nous décrit sa retraite de Smolensk à Orcha. Puis on nous décrit son héroïsme à Krasnoïe où, dit-on, il se prépare à accepter la bataille et à la diriger lui-même, et où il se promène avec un bâton de bouleau et dit :

« *J'ai assez fait l'Empereur, il est temps de faire le général* », et, malgré cela, aussitôt après, il reprend sa fuite en abandonnant à leur sort les fragments disloqués de son armée qui se trouvent derrière lui.

Puis on nous décrit la grandeur d'âme des maréchaux, surtout de Ney, grandeur d'âme qui consiste à faire la nuit un détour par la forêt pour franchir le Dnieper et à accourir à Orcha sans drapeaux, sans artillerie et sans les neuf dixièmes de ses hommes.

Et enfin l'ultime départ du grand empereur quittant son héroïque armée nous est représenté par les historiens comme un trait de grandeur et de génie. Même ce dernier acte, la fuite, qui, dans le langage humain, s'appelle la dernière des infamies, cet acte dont on apprend à chaque enfant à avoir honte trouve aussi sa justification dans le langage des historiens.

Lorsqu'il n'est plus possible de tendre davantage le fil si élastique des raisonnements historiques, lorsque l'acte est en opposition par trop flagrante avec tout ce que l'humanité nomme le bien et même la justice, les historiens font appel à la notion de grandeur qui sauve tout. La grandeur semble exclure le critère du bien et du mal. Pour celui qui est grand il n'est pas de mal. Il n'est aucune horreur qui puisse être imputée à crime à celui qui est grand.

« *C'est grand !* » disent les historiens et, dès lors, il n'y a plus ni bien ni mal, il y a ce qui est *grand* et ce qui n'est pas *grand*. Ce qui est *grand* est bien, ce qui n'est pas *grand* est mal. Être *grand* c'est, d'après eux, le propre de ces êtres d'exception qu'ils appellent des héros. Et Napoléon, s'enfuyant dans sa chaude pelisse pour rentrer chez lui en abandonnant à leur perte non seulement ses compagnons mais (de son propre aveu) des hommes qu'il a entraînés là, sent *que c'est grand* et son âme est en paix.

« *Du sublime* (il voit quelque chose de *sublime* en lui-même) *au ridicule il n'y a qu'un pas* », dit-il. Et le monde entier répète pendant cinquante ans : « *Sublime ! Grand ! Napoléon le grand ! Du sublime au ridicule il n'y a qu'un pas.* »

Et il ne vient à l'idée de personne que reconnaître pour grand ce qui échappe à la mesure du bien et du mal, c'est seulement reconnaître son propre néant et son incommensurable petitesse.

Pour nous à qui le Christ a donné la mesure du bien et du mal, rien ne peut échapper à cette mesure. Et il n'est pas de grandeur là où il n'y a pas de simplicité, de bonté et de vérité.

XIX

Quel Russe, lisant les descriptions de la dernière période de la campagne de 1812, n'a pas éprouvé un pénible sentiment de dépit, de déception et de confusion ? Qui ne s'est pas posé ces questions : comment n'a-t-on pas capturé, anéanti tous les Français, quand toutes les trois armées supérieures en nombre les encerclaient, quand les Français débandés, mourant de faim et de froid, se rendaient en foule et quand (comme nous le raconte l'histoire) le but des Russes consistait précisément à les arrêter, à les couper et à les faire tous prisonniers ?

Comment se fait-il que cette armée russe qui, inférieure en nombre aux Français, a livré la bataille de Borodino, comment se fait-il que cette armée qui entourait les Français de trois côtés et avait pour but de les capturer n'ait pas atteint son but ? Est-il possible que les Français aient sur nous une si immense supériorité que, les encerclant avec des forces supérieures, nous n'ayons pu les battre ? Comment cela a-t-il pu se produire ?

L'histoire (celle qu'on appelle de ce nom) répond à ces questions en disant que cela s'est produit parce que Koutouzov, et Tormassov, et Tchitchagov, et tel, et tel autre n'ont pas exécuté telle ou telle manœuvre.

Mais pourquoi n'ont-ils pas exécuté toutes ces manœuvres ? Pourquoi, si la faute de n'avoir pas atteint le but assigné leur incombait, n'ont-ils pas été jugés et châtiés ? Mais même en admettant que la faute de L'INSUCCÈS des Russes incombe à Koutouzov, à Tchitchagov, etc., on ne peut tout de même pas comprendre pourquoi, dans les conditions où se trouvaient les armées russes à Krasnoïe et à la Bérézina (dans les deux cas, les forces des Russes étaient supérieures), pourquoi on n'a pas fait prisonnière l'armée française avec les maréchaux, les rois et l'empereur, puisque tel était le but des Russes ?

Expliquer cet étrange phénomène en affirmant (comme le font les historiens militaires russes) que Koutouzov a empêché l'attaque est sans fondement, car nous savons que la volonté de Koutouzov n'a pu empêcher l'armée d'attaquer à Viazma et à Taroutino.

Pourquoi cette armée russe qui, avec des forces inférieures, a remporté la victoire à Borodino sur un ennemi dans toute sa puissance, une puissance supérieure, a-t-elle été vaincue à Krasnoïe et à la Bérézina par des foules de Français en déroute ?

Si le but des Russes consistait à couper la retraite à Napoléon et à le capturer avec les maréchaux, si ce but non seulement n'a pas été atteint mais que toutes les tentatives dans ce sens ont été brisées de la façon la plus honteuse, alors la dernière période de la campagne est à bon droit présentée par les Français comme une série de victoires et c'est tout à fait à tort que les historiens russes la présentent comme victorieuse.

Les historiens militaires russes, dans la mesure où la logique est pour eux obligatoire, arrivent malgré eux à cette conclusion et en dépit des phrases sur la bravoure et le dévouement, etc., ils sont obligés malgré eux de reconnaître que la retraite des Français à partir de Moscou est une série de victoires pour Napoléon et de défaites pour Koutouzov.

Mais, laissant tout à fait de côté l'amour-propre national, on sent que cette conclusion porte en elle-même une contradiction, car la série des victoires des Français les a conduits à un anéantissement total, tandis que la série des défaites des Russes les a conduits à l'anéantissement total de l'ennemi et à la libération de leur patrie.

La source de cette contradiction réside dans le fait que les historiens qui étudient les événements d'après la correspondance des souverains et des généraux, d'après les relations, les rapports, etc., supposent à la dernière période de la guerre de 1812 un but faux qui n'a jamais existé, but qui aurait consisté à couper la retraite à Napoléon et à le capturer avec ses maréchaux et son armée.

Ce but n'a jamais existé et ne pouvait exister, car il n'avait aucun sens, premièrement parce que l'armée en déroute de Napoléon s'enfuyait de Russie avec toute la rapidité possible, c'est-à-dire qu'elle faisait cela même que pouvait souhaiter tout Russe. Pourquoi donc entreprendre des opérations contre les Français qui s'enfuyaient aussi vite qu'ils le pouvaient ?

Deuxièmement, il était absurde de se mettre en travers du chemin d'hommes qui consacraient toute leur énergie à fuir. Troisièmement, il était absurde de perdre des hommes pour anéantir l'armée française qui s'anéantissait sans cause extérieure, selon une telle progression que, sans aucun obstacle sur son chemin, elle ne pouvait ramener au-delà de la frontière plus d'hommes qu'elle n'en ramena au mois de décembre, c'est-à-dire un centième de l'armée totale.

Quatrièmement, il était absurde de vouloir faire prisonniers empereur, rois, ducs, hommes dont la capture aurait au plus haut point gêné les Russes, comme l'ont reconnu les diplomates les plus habiles de cette époque (J. de Maistre et autres). Il était encore plus absurde de vouloir capturer des corps français alors que nos propres troupes avaient fondu de moitié avant Krasnoïe et qu'il aurait fallu en distraire une division pour escorter les prisonniers alors que nos propres soldats ne touchaient pas toujours leur ration complète et que les prisonniers déjà capturés étaient décimés par la faim.

Tout ce plan profondément médité qui aurait consisté à couper la retraite à Napoléon et à le capturer avec son armée était semblable à celui d'un jardinier qui, pour chasser le bétail qui piétine ses plates-bandes, courrait vers le portail et frapperait ce bétail sur la tête. La seule excuse qu'on pourrait invoquer pour la défense de ce jardinier serait sa fureur. Mais on ne pourrait pas même en dire autant des auteurs de ce projet, car ce n'est pas eux qui ont eu à souffrir du piétinement des plates-bandes.

Mais outre qu'il était absurde de couper la retraite à Napoléon et à son armée, cela était impossible.

C'était impossible, premièrement parce que, de même qu'on sait par expérience que le mouvement des colonnes sur un espace de cinq verstes dans une seule bataille ne concorde jamais avec les plans, ainsi la probabilité d'une rencontre de Tchitchagov, de Koutouzov et de Wittgenstein à une heure et à un endroit fixés était si faible qu'elle équivalait à une impossibilité, comme le pensait Koutouzov lui-même qui, dès la réception du plan, avait dit que les diversions sur de grandes distances ne donnent jamais les résultats escomptés.

Deuxièmement, cela était impossible car, pour paralyser la force d'inertie avec laquelle battait en retraite l'armée de Napoléon, il aurait fallu incomparablement plus de troupes que n'en avaient les Russes.

Troisièmement, c'était impossible parce que le terme militaire « couper » n'a aucun sens. On peut couper une tranche de pain, non une armée. Couper une armée – lui barrer la route – est impossible, car il y a toujours beaucoup de place tout autour pour tourner l'obstacle et il y a la nuit pendant laquelle on ne voit rien, ce dont les savants militaires auraient pu se convaincre, fût-ce par les exemples de Krasnoïe et de la Bérézina. D'autre part, il est absolument impossible de faire quelqu'un prisonnier sans son consentement, comme il est impossible d'attraper une hirondelle, quoiqu'on puisse la prendre quand elle se pose sur votre main. On peut faire prisonniers ceux qui se rendent, comme les Allemands, selon les règles de la stratégie et de la tactique. Mais l'armée française, à juste titre, il n'y voyait aucun avantage car une même mort par la faim et le froid l'attendait dans la fuite et dans la captivité.

Quatrièmement et surtout, c'était impossible parce que jamais, depuis que le monde est monde, aucune guerre ne s'est déroulée dans des conditions aussi terribles que celle de 1812, et l'armée russe en poursuivant les Français tendait toutes ses forces et ne pouvait faire davantage sans se détruire elle-même.

Pendant la marche de l'armée russe de Taroutino à Krasnoïe, elle perdit cinquante mille hommes en malades et en traînards, c'est-à-dire un nombre égal à la population d'un grand chef-lieu de province. La moitié des effectifs fut éliminée sans combat.

Et c'est de cette période de la campagne, alors que des hommes sans chaussures ni manteaux chauds, insuffisamment ravitaillés, dépourvus d'alcool, couchent pendant des mois dans la neige par un froid de quinze degrés ; alors qu'il n'y a que sept ou huit heures de jour et que le reste du temps règne la nuit pendant laquelle la discipline est sans effet ; alors que ce n'est plus comme dans une bataille, où l'on introduit les hommes pour quelques heures dans la zone de la mort dans laquelle il n'y a plus de discipline, mais que les hommes vivent pendant des mois en luttant à tout instant contre la mort par la faim et le froid ; alors qu'en un mois la moitié de l'armée est anéantie – c'est de cette période de la campagne précisément que les historiens nous racontent comment Miloradovitch a dû exécuter une marche de flanc dans telle direction et Tormassov dans telle autre, tandis que Tchitchagov se déplaçait vers tel endroit (se déplaçait avec de la neige au-dessus du genou) et comment un tel a culbuté et coupé l'ennemi, etc., etc.

Les Russes à demi morts firent tout ce qu'on pouvait et devait faire pour atteindre un but digne de la nation, et ce n'est pas leur faute si d'autres Russes, bien au chaud dans des maisons, se proposaient de faire ce qui était impossible.

Toute cette étrange contradiction, aujourd'hui incompréhensible, entre le fait et la relation historique provient seulement de ce que les historiens qui ont écrit sur cet événement écrivaient l'histoire des beaux sentiments et des belles paroles des divers généraux, et non pas celle des faits.

Ils trouvent fort intéressants les paroles de Miloradovitch, les récompenses reçues par tel ou tel général et leurs projets ; tandis que la question des cinquante mille hommes restés dans les hôpitaux et dans les tombes ne les intéresse même pas, car elle ne fait pas l'objet de leur étude.

Et cependant il suffit de se détourner de l'étude des rapports et des plans d'ensemble et d'examiner le mouvement de ces centaines de mille hommes qui prenaient une part directe et immédiate à l'événement pour que toutes les questions qui jusque-là paraissaient insolubles reçoivent brusquement, avec une facilité et une simplicité extraordinaires, une solution incontestable.

Le but qui aurait consisté à couper la retraite à Napoléon et à son armée n'a jamais existé ailleurs que dans l'imagination d'une dizaine de personnes. Il ne pouvait exister car il était absurde et l'atteindre était impossible.

Le peuple n'avait qu'un but : purger son sol de l'envahisseur. Ce but s'atteignait, premièrement, de lui-même, puisque les Français s'enfuyaient et qu'il suffisait donc de ne pas arrêter leur mouvement. Deuxièmement, ce but s'atteignait par l'action de la guerre populaire qui anéantissait les Français, et troisièmement parce que la grande armée russe suivait les Français à la trace, prête à employer la force en cas d'arrêt de leur mouvement.

L'armée russe devait agir à la façon du fouet sur la bête qui fuit. Et le conducteur expérimenté savait que le meilleur moyen est de tenir le fouet levé et menaçant et non pas de cingler à la tête la bête en fuite.

QUATRIÈME PARTIE

I

À la vue d'une bête mourante, l'homme est saisi d'effroi : ce qu'il est lui-même – sa substance – s'anéantit sous ses yeux, cesse d'exister. Mais lorsque le mourant est un homme, et un homme aimé, à l'horreur ressentie devant la destruction de la vie viennent s'ajouter un déchirement et une blessure morale qui, à l'instar d'une blessure physique, parfois tue, parfois se cicatrise, mais est toujours douloureuse et craint tout contact extérieur qui l'irrite.

Depuis la mort du prince André, Natacha et la princesse Maria sentaient cela l'une comme l'autre. Moralement courbées et fermant les yeux devant le terrible nuage de la mort descendu sur elles, elles n'osaient plus regarder la vie en face. Elles préservaient soigneusement leur blessure ouverte des contacts offensants, douloureux. Tout, une voiture passant trop vite dans la rue, l'annonce du dîner, la question d'une femme de chambre sur la robe à préparer; plus encore, un mot de sympathie peu sincère et tiède, tout irritait douloureusement la blessure, semblait un outrage et rompait ce silence indispensable dans lequel elles s'efforçaient toutes deux d'entendre le chœur terrible et sévère qui ne s'était pas encore tu dans leur imagination, et les empêchait de scruter ces mystérieux et infinis lointains qui s'étaient un instant découverts devant elles.

En tête-à-tête seulement, elles ne sentaient ni offense ni douleur. Elles parlaient peu entre elles. Si elles parlaient, ce n'était que des sujets les plus insignifiants. L'une et l'autre évitaient également de toucher à tout ce qui pouvait concerner l'avenir.

Reconnaître la possibilité d'un avenir leur semblait une injure à sa mémoire. Elles évitaient encore plus soigneusement dans la conversation tout ce qui pouvait avoir un rapport avec le défunt. Il leur semblait que ce qu'elles avaient vécu et éprouvé ne pouvait s'exprimer par des mots. Il leur semblait que toute allusion verbale aux détails de sa vie rompait la grandeur et la sainteté du mystère qui s'était accompli sous leurs yeux.

La discrétion constante de leurs paroles, le souci incessant d'éviter soigneusement tout ce qui pouvait amener la conversation sur lui : ces arrêts à la limite de ce qu'il ne fallait pas dire avaient pour seul effet de faire apparaître, avec une pureté et une clarté encore plus grandes devant leur imagination, ce qu'elles éprouvaient.

Mais le chagrin pur, parfait, est aussi impossible que la joie pure et parfaite. La princesse Maria, par sa situation qui la rendait seule maîtresse de son sort, tutrice et éducatrice de son neveu, fut la première appelée par la vie hors de la douleur dans laquelle elle avait vécu les deux premières semaines. Elle reçut de sa famille des lettres auxquelles il fallut répondre; la chambre qu'occupait le petit Nicolas était humide et il commençait à tousser. Alpatitch arriva à Iaroslavl, apportant des comptes et lui proposant et conseillant de rentrer à Moscou, dans la maison de la Vozdvijenka restée intacte et qui n'exigeait que peu de réparations. La vie ne s'était pas arrêtée et il fallait vivre. Si pénible qu'il fût à la princesse Maria de quitter le monde de contemplation solitaire où elle avait vécu jusqu'alors, quelque regret et quelque scrupule qu'elle eût de laisser Natacha seule, les exigences de la vie la réclamaient et, malgré elle, elle s'y plia. Elle vérifiait les comptes avec Alpatitch, conférait avec Dessales au sujet de son neveu et prenait des dispositions pour son départ pour Moscou.

Natacha restait seule et, depuis que la princesse Maria s'occupait de son départ, elle l'évitait.

La princesse Maria demanda à la comtesse de laisser Natacha partir avec elle pour Moscou et les parents acceptèrent cette proposition avec joie, car ils voyaient les forces physiques de leur fille décliner de jour en jour et estimaient qu'un changement d'air et les soins des médecins de Moscou lui feraient du bien.

« Je n'irai nulle part, répondit Natacha quand on lui fit cette proposition, je demande seulement qu'on me laisse tranquille », et elle s'enfuit, retenant à grand-peine des larmes moins de chagrin que de dépit et de colère.

Depuis qu'elle s'était sentie abandonnée par la princesse Maria et seule dans sa douleur, Natacha passait la plus grande partie de son temps enfermée dans sa chambre, pelotonnée dans un coin du divan, déchirant et chiffonnant nerveusement quelque objet de ses doigts fins crispés et les yeux fixes posés obstinément là où s'était arrêté son regard. Cette solitude l'épuisait, la rongeait ; mais elle lui était indispensable. Dès que quelqu'un entrait chez elle, elle se levait vivement, changeait de position et d'expression du regard, prenait un livre ou un ouvrage, attendant avec une impatience visible le départ de l'importun.

Il lui semblait sans cesse qu'elle était sur le point de comprendre, de pénétrer ce sur quoi, chargé d'une terrible interrogation au-dessus de ses forces, était fixé son regard intérieur.

À la fin de décembre, vêtue d'une robe de lainage noir, les cheveux négligemment noués sur la nuque, Natacha, maigre et pâle, était pelotonnée dans le coin de son divan, roulant et déroulant nerveusement les bouts de sa ceinture, et regardait l'angle de la porte.

Elle regardait là où il était parti, de l'autre côté de la vie.

Et cet autre côté de la vie auquel autrefois elle ne pensait jamais, qui, autrefois, lui paraissait si lointain et si irréel, lui était maintenant plus proche et plus familier, plus compréhensible que ce côté-ci, où tout était soit vide et ruine, soit souffrance et outrage.

Elle regardait là où elle savait qu'il était ; mais elle ne pouvait le voir autrement qu'il n'était ici. Elle le voyait de nouveau tel qu'il était à Mitistchi, à Troïtsa, à Iaroslavl.

Elle voyait son visage, entendait sa voix et répétait ses paroles et celles qu'elle lui avait dites, et par moments elle imaginait, pour lui et pour elle, d'autres paroles qui auraient pu être dites alors.

Le voici étendu dans un fauteuil, vêtu de sa robe de chambre de velours fourrée, la tête appuyée sur sa main maigre et pâle. Sa poitrine est terriblement creusée et ses épaules relevées. Ses lèvres sont fortement serrées, ses yeux brillent et, sur son front pâle, une ride apparaît et disparaît. L'une de ses jambes est parcourue d'un tremblement rapide et à peine perceptible. Natacha sait qu'il lutte contre une torturante douleur. « Qu'est-ce que cette douleur ? Pourquoi cette douleur ? Que ressent-il ? Comme il a mal ! » pense Natacha. Il a remarqué son attention, a levé les yeux et sans sourire s'est mis à parler.

« Une chose est atroce, dit-il, c'est de se lier pour toujours à quelqu'un qui souffre. C'est un éternel supplice. » Il posa sur elle un regard scrutateur. Natacha, comme toujours, répondit sans prendre le temps de réfléchir à sa réponse, elle dit : « Cela ne peut continuer ainsi, cela passera, vous vous rétablirez complètement. »

Elle le revoyait maintenant et revivait tout ce qu'elle éprouvait alors. Elle se souvint du long regard triste, grave qu'il avait eu à ces mots et elle comprit le sens de reproche et de désespoir de ce long regard.

« J'ai reconnu, se disait-elle maintenant, que ce serait affreux s'il continuait toujours à souffrir. Je ne l'ai dit que comme ça, parce que cela aurait été affreux pour lui, mais il l'a compris autrement. Il a pensé que ce serait affreux

POUR MOI. Il tenait encore à la vie, il avait peur de la mort. Et j'ai parlé si brutalement, si bêtement. Je pensais tout autre chose. Si j'avais dit ce que je pensais, j'aurais dit : qu'il soit mourant, qu'il soit toujours mourant sous mes yeux, j'aurais été heureuse en comparaison de ce que je suis maintenant. Maintenant… Il n'y a rien, personne. Le savait-il ? Non. Il ne le savait pas et il ne le saura jamais. Et maintenant il ne sera plus jamais possible de réparer cela. » Et de nouveau il lui disait les mêmes mots, mais, cette fois, en imagination, Natacha lui répondait autrement. Elle l'arrêtait et disait : « C'est affreux pour vous mais pas pour moi. Vous savez que, sans vous, la vie ne m'est rien et que souffrir avec vous est pour moi le plus grand bonheur. » Et il prenait sa main et la serrait comme il l'avait serrée en ce terrible soir, quatre jours avant sa mort. Et en imagination elle lui disait encore d'autres mots de tendresse et d'amour qu'elle aurait pu lui dire alors. « Je t'aime… je t'aime… je t'aime… » disait-elle en crispant convulsivement les mains, en serrant les dents avec une violence farouche.

Et une douleur pleine de douceur l'étreignit et déjà les larmes lui montaient aux yeux, mais soudain elle se demandait : à qui disait-elle cela ? Où est-il et QUI est-il maintenant ? Et de nouveau tout disparaissait sous une stupeur sèche, dure, et de nouveau, les sourcils froncés sous l'effort, elle regardait là où il était. Et il lui semblait être sur le point de pénétrer le mystère… Mais à l'instant même où, semblait-il, l'inconnaissable allait lui être révélé, le bruit du loquet de la porte frappa douloureusement son oreille. Vivement et sans précaution, le visage effrayé, la pensée ailleurs, Douniacha, la femme de chambre, entra dans la pièce.

« Voulez-vous aller chez votre papa, vite, dit Douniacha avec une expression spéciale et animée. Un malheur, Pierre Ilitch… une lettre », et elle eut un sanglot.

II

Outre l'éloignement général qu'elle éprouvait pour tout le monde, Natacha éprouvait particulièrement alors ce sentiment pour sa famille. Tous les siens, son père, sa mère, Sonia, étaient pour elle si proches, si familiers, si quotidiens que toutes leurs paroles, tous leurs sentiments lui semblaient une offense pour ce monde où elle vivait depuis quelque temps, et elle était non seulement indifférente mais les regardait même avec hostilité. Elle entendit Douniacha parler de Pierre Ilitch, de malheur, mais elle ne comprit pas.

« Quel malheur leur est-il arrivé, quel malheur peut-il y avoir ? Pour eux, tout continue comme avant, dans l'habitude et le calme », se dit Natacha.

Quand elle entra dans le salon, son père sortait vivement de la chambre de la comtesse. Son visage était crispé et trempé de larmes. On voyait qu'il s'était précipité hors de cette chambre pour pouvoir donner libre cours aux sanglots qui l'étouffaient. À la vue de Natacha, il fit un geste brusque et éclata en sanglots douloureux et convulsifs qui défigurèrent tout son visage rond et mou.

« Pe... Petia... Petia, va, elle... elle... t'appelle... » Et en sanglotant comme un enfant, à petits pas rapides et mal assurés, il s'approcha d'une chaise et s'y laissa presque tomber en se couvrant le visage de ses mains.

Brusquement, ce fut comme si une décharge électrique parcourait tout l'être de Natacha. Elle ressentit un coup terrible et douloureux au cœur. Elle éprouva une affreuse souffrance ; elle eut l'impression que quelque chose se déchirait en elle et qu'elle allait mourir. Mais, à la suite de cette douleur, elle se sentit instantanément délivrée de l'interdiction de vivre qui pesait sur elle. En voyant son père et en entendant derrière la porte les cris terribles, sauvages de sa mère, elle s'oublia aussitôt elle-même et oublia son chagrin. Elle courut à son père mais agitant la main dans un geste d'impuissance, il lui montra la porte de sa mère. La princesse Maria, pâle, la mâchoire inférieure tremblante, apparut sur le seuil et prit la main de Natacha en lui disant quelque chose. Natacha ne la voyait ni ne l'entendait. Elle franchit la porte d'un pas rapide, s'arrêta un instant comme si elle luttait avec elle-même et courut vers sa mère.

La comtesse était étendue dans un fauteuil, se tordant étrangement, et se frappait la tête contre le mur. Sonia et des servantes lui tenaient les mains.

« Natacha ! Natacha !… Ce n'est pas vrai, ce n'est pas vrai… Il ment… Natacha ! criait-elle en repoussant celles qui l'entouraient. Allez-vous-en tous, ce n'est pas vrai ! On l'a tué !… ha, ha, ha !… ce n'est pas vrai ! »

Natacha posa un genou sur le fauteuil, se pencha sur sa mère, la prit dans ses bras, la souleva avec une force inattendue, tourna vers elle son visage et se serra contre elle.

« Maman !… ma chère petite maman !… Je suis là, mon amie. Maman », lui chuchotait-elle sans s'arrêter un instant.

Elle ne lâchait pas sa mère, luttait tendrement avec elle, réclamait des coussins, de l'eau, défaisait et déchirait sa robe.

« Mon amie, ma chérie… Maman… ma petite maman », murmurait-elle inlassablement en lui couvrant de baisers la tête, les mains, le visage et sentant ses larmes couler irrésistiblement en lui chatouillant le nez et les joues.

La comtesse serra la main de sa fille, ferma les yeux et se calma un instant. Soudain elle se leva avec une vivacité inaccoutumée, jeta autour d'elle un regard égaré et apercevant Natacha lui serra de toutes ses forces la tête entre ses mains. Puis elle tourna vers elle son visage contracté de douleur et la regarda longuement.

« Natacha, tu m'aimes, dit-elle dans un murmure confiant. Natacha, tu ne me tromperas pas ? Tu me diras toute la vérité ? »

Natacha la regardait, les yeux pleins de larmes, et ses yeux et son visage n'étaient qu'une imploration de pardon et d'amour.

« Mon amie, ma petite maman », répétait-elle en tendant toutes les forces de son affection pour la décharger de l'excès de douleur qui l'accablait.

Et, de nouveau, dans une lutte impuissante contre la réalité, la mère, se refusant à croire qu'elle pouvait vivre alors que son garçon chéri florissant de vie était tué, s'évadait de la réalité dans le monde de la folie.

Natacha ne sut pas comment passèrent cette journée, la nuit, la journée du lendemain et la nuit suivante. Elle ne dormit pas et ne quitta pas sa mère. Son amour tenace, patient, non pas comme une explication, non pas comme une consolation mais comme un appel à la vie semblait à chaque instant envelopper la comtesse de toutes parts. La troisième nuit, la comtesse se calma quelques instants et Natacha ferma les yeux, la tête appuyée sur l'accoudoir du fauteuil. Le lit grinça, Natacha rouvrit les yeux. La comtesse était assise dans son lit et parlait doucement.

« Comme je suis contente que tu sois arrivé. Tu es fatigué, veux-tu du thé ? » Natacha s'approcha d'elle. « Tu as embelli, tu es devenu un homme, poursuivit la comtesse en prenant la main de sa fille.

– Maman, que dites-vous ?...

– Natacha, il n'est plus, il n'est plus ! » Et étreignant sa fille, la comtesse pleura pour la première fois.

III

La princesse Maria ajourna son départ. Sonia, le comte s'efforçaient de remplacer Natacha, en vain. Ils voyaient qu'elle seule pouvait empêcher sa mère de sombrer dans un désespoir sans borne. Pendant trois semaines Natacha ne quitta pas sa mère, elle dormait dans un fauteuil dans sa chambre, la faisait boire et manger et lui parlait inlassablement, car seule sa voix tendre et caressante calmait la comtesse.

La blessure morale de la mère ne pouvait se cicatriser. La mort de Petia lui avait arraché la moitié de sa vie. Un mois après la nouvelle de sa mort, arrivée alors qu'elle était une femme fraîche et alerte de cinquante ans, c'est une vieille femme à demi morte et qui ne prenait plus aucune part à la vie qui sortit de sa chambre. Mais la même blessure qui avait à moitié tué la comtesse, cette nouvelle blessure avait rappelé Natacha à la vie.

La blessure morale qui provient d'un déchirement de l'être intérieur, si étrange que cela paraisse, se referme peu à peu, de même qu'une blessure physique. Et, une fois que la profonde blessure s'est refermée et paraît cicatrisée, la blessure morale comme la blessure physique ne guérit que sous la poussée intérieure de la force vitale.

C'est ainsi que guérit la blessure de Natacha. Elle croyait sa vie finie. Mais soudain son amour pour sa mère lui montra que l'essence de sa vie – l'amour – était encore vivante en elle. L'amour se réveilla et la vie se réveilla avec lui.

Les derniers jours du prince André avaient lié Natacha et la princesse Maria. Le nouveau malheur les rapprocha encore davantage. La princesse Maria avait remis son départ et, les trois dernières semaines, soigna Natacha comme un enfant malade. Les dernières semaines que Natacha avait passées dans la chambre de sa mère avaient brisé ses forces physiques.

Un jour, dans l'après-midi, la princesse Maria, voyant Natacha grelotter de fièvre, l'emmena chez elle et la fit coucher sur son lit. Natacha s'étendit, mais quand la princesse Maria tira les rideaux et voulut sortir, elle l'appela auprès d'elle.

« Je n'ai pas envie de dormir. Marie, reste avec moi.

– Tu es fatiguée, tâche de dormir.

– Non, non. Pourquoi m'as-tu emmenée ? Elle va me demander.

– Elle va beaucoup mieux. Elle a si bien parlé aujourd'hui », répondit la princesse Maria.

Natacha, allongée sur le lit, examinait dans la pénombre de la pièce le visage de la princesse Maria.

« Lui ressemble-t-elle ? pensait-elle. Oui et non. Mais elle est à part, étrangère, tout à fait nouvelle, inconnue. Et elle m'aime. Qu'y a-t-il dans son âme ? Rien que de bon. Mais quoi ? Que pense-t-elle ? Comment me voit-elle ? Oui, elle est merveilleuse. »

« Macha, dit-elle en l'attirant timidement par la main, Macha, ne me crois pas mauvaise. Non ? Macha, ma chérie, comme je t'aime. Soyons tout à fait, tout à fait amies. »

Et Natacha, la prenant dans ses bras, couvrit de baisers les mains et le visage de la princesse Maria. Cette manifestation des sentiments de Natacha remplissait la princesse Maria de confusion et de joie.

Depuis ce jour s'établit entre la princesse Maria et Natacha cette amitié passionnée et tendre qui n'existe qu'entre femmes. Elles ne cessaient de s'embrasser, se disaient des mots tendres et passaient ensemble la plus grande partie de leur temps. Si l'une sortait, l'autre était inquiète et avait hâte de la rejoindre. Ensemble, elles se sentaient en plus grande harmonie que séparément, chacune seule avec elle-même. Le sentiment qui s'était créé entre elles était plus fort que l'amitié : c'était le sentiment exclusif de ne pouvoir vivre l'une sans l'autre.

Parfois elles restaient silencieuses des heures entières ; parfois, déjà au lit, elles commençaient à causer et causaient jusqu'au matin. Elles parlaient surtout du passé lointain. La princesse Maria parlait de son enfance, de sa mère, de son père, de ses rêves ; et Natacha, qui jusqu'alors se détournait avec une calme incompréhension de cette vie de dévouement, de soumission, de la poésie de l'abnégation chrétienne, Natacha, se sentant maintenant liée par l'amour à la princesse Maria, aimait jusqu'à son passé et comprenait ce côté de la vie qui lui échappait auparavant. Elle ne pensait pas à appliquer à sa propre vie la soumission et l'abnégation car elle était habituée à rechercher d'autres joies, mais maintenant elle comprenait et aimait dans une autre cette vertu qui lui était autrefois incompréhensible. La princesse Maria, qui écoutait les récits de Natacha sur son enfance et son adolescence, découvrait elle aussi un côté jusqu'alors incompréhensible de la vie, de la foi dans la vie, dans les joies de la vie.

Elles s'abstenaient toujours de parler de LUI pour ne pas altérer par des mots, comme il leur semblait, l'élévation du sentiment qui était en elles, et cette réticence à son égard avait pour conséquence que peu à peu, sans y croire, elles l'oubliaient.

Natacha avait maigri, pâli et était physiquement si affaiblie que tout le monde parlait sans cesse de sa santé, et cela lui faisait plaisir. Mais parfois elle était saisie non seulement de peur de la mort, mais aussi de peur d'être malade, de s'affaiblir, de perdre sa beauté, et malgré elle il lui arrivait d'examiner attentivement son bras nu, surprise de sa maigreur, ou de contempler longuement, le matin, dans la glace, son visage tiré, pitoyable, lui semblait-il. Il lui semblait qu'il devait en être ainsi et pourtant elle se sentait effrayée et triste.

Une fois, elle monta rapidement l'escalier et se trouva à bout de souffle. Aussitôt elle se découvrit inconsciemment un prétexte pour redescendre, puis remonter en courant, afin d'éprouver ses forces et de s'observer.

Une autre fois, elle appela Douniacha et sa voix trembla. Elle l'appela encore une fois, bien qu'elle entendît ses pas elle l'appela de cette voix de poitrine qu'elle avait autrefois pour chanter et qu'elle écouta.

Elle ne le savait pas, elle ne l'aurait pas cru, mais sous la couche de vase qui recouvrait son âme et qui lui semblait impénétrable perçaient déjà de fines et tendres tiges d'herbe qui devaient s'implanter et de leurs pousses vivantes recouvrir si bien le chagrin qui l'étouffait que, bientôt, il serait invisible et imperceptible. La blessure se cicatrisait de l'intérieur.

À la fin de janvier, la princesse Maria partit pour Moscou et le comte insista pour que Natacha l'accompagnât afin de consulter les médecins.

IV

Après l'engagement de Viazma, où Koutouzov ne put retenir ses troupes désireuses de culbuter, de couper l'ennemi, etc., le mouvement des Français en fuite et des Russes qui les poursuivaient eut lieu sans combat jusqu'à Krasnoïe. Cette fuite était si rapide que l'armée russe qui courait après les Français n'arrivait pas à les suivre, que les chevaux de la cavalerie et de l'artillerie s'arrêtaient et que les renseignements sur les mouvements des Français étaient toujours faux.

Les soldats de l'armée russe étaient si fourbus par ces marches qu'ils ne pouvaient avancer plus vite.

Afin de comprendre le degré d'épuisement de l'armée russe, il convient de se rendre clairement compte du fait que n'ayant pas perdu en blessés et en tués, pendant toute la marche depuis Taroutino, plus de cinq mille hommes et à peine une centaine faits prisonniers, cette armée, sortie de Taroutino avec cent mille hommes, en comptait cinquante mille en arrivant à Krasnoïe.

Le mouvement rapide des Russes à la poursuite des Français agissait sur l'armée russe d'une façon aussi destructrice que la fuite sur les Français. La seule différence était que l'armée russe avançait de son plein gré, sans la menace mortelle suspendue sur l'armée française, et que les traînards français malades tombaient aux mains de l'ennemi tandis que les traînards russes restaient chez eux. La cause principale de la fonte des effectifs de l'armée de Napoléon était dans la rapidité de son mouvement et la preuve incontestable en est la fonte correspondante des effectifs de l'armée russe.

Toute l'activité de Koutouzov, comme à Taroutino et à Viazma, tendait seulement – autant qu'il était en son pouvoir – à ne pas arrêter ce mouvement, funeste pour eux, des Français (comme on le voulait à Pétersbourg et comme le voulaient les généraux de l'armée russe), mais à le favoriser et à faciliter le mouvement de ses propres troupes.

Mais par surcroît, depuis que la fatigue s'était manifestée dans l'armée, depuis les pertes énormes qu'elle subissait du fait de la rapidité de son mouvement, une autre raison encore incitait Koutouzov à ralentir le mouvement de son armée et à gagner du temps. Le but de l'armée russe était de suivre les Français. La direction que prendraient les Français était inconnue, aussi plus nos troupes avançaient sur les talons des Français, plus elles faisaient de chemin. Ce n'est qu'en les suivant à une certaine distance qu'on pouvait couper par le plus court les zigzags que faisaient les Français. Toutes les habiles manœuvres que proposaient les généraux se traduisaient par des déplacements des troupes, par un allongement des étapes alors que le seul but raisonnable était de les raccourcir. Et c'est vers ce but que, pendant toute la campagne, de Moscou à Vilna, tendit l'activité de Koutouzov, non par hasard, non par à-coups, mais avec un tel esprit de suite qu'il n'en dévia pas une seule fois.

Koutouzov savait, non par sa raison ou sa science mais par toute sa nature russe, il savait et sentait ce que sentait chaque soldat russe, que les Français étaient vaincus, que l'ennemi fuyait et qu'il fallait le reconduire ; mais en même temps il sentait avec ses soldats tout le poids de cette campagne, sans exemple par sa rapidité et par la saison.

Mais les généraux, surtout ceux qui n'étaient pas Russes, désireux de se distinguer, d'étonner, de faire prisonnier, Dieu sait pourquoi, un duc ou un roi, ces généraux croyaient – maintenant que toute bataille eût été répugnante et absurde – que c'était précisément le moment de livrer bataille et de vaincre quelqu'un. Koutouzov se contentait de hausser les épaules quand, l'un après l'autre, ils lui soumettaient des projets de manœuvres avec des soldats à moitié affamés, mal chaussés, sans vêtements chauds, qui, en un mois, sans combat, avaient fondu de moitié et avec lesquels, même si la fuite se poursuivait dans les meilleures conditions, il fallait parcourir jusqu'à la frontière une distance plus grande que celle qu'ils avaient déjà parcourue.

Ce désir de se distinguer et de manœuvrer, de culbuter l'ennemi se manifestait particulièrement lorsque l'armée russe se heurtait à l'armée française.

C'est ce qui arriva à Krasnoïe où l'on pensait ne trouver qu'une des trois colonnes françaises et où l'on tomba sur Napoléon en personne à la tête de seize mille hommes. Malgré tous les efforts de Koutouzov pour éviter ce choc coûteux et pour épargner ses troupes, les soldats exténués de l'armée russe s'employèrent, trois jours durant, à achever les bandes défaites des Français.

Toll avait rédigé le dispositif : *die erste Colonne marschiert,* etc. Et, comme toujours, rien ne se fit conformément au dispositif. Le prince Eugène de Wurtemberg, d'une hauteur, tirait à la cible les foules de Français qui fuyaient, et réclamait des renforts qui n'arrivaient pas. Les Français, contournant les Russes dans la nuit, s'éparpillaient, se cachaient dans les bois, et, chacun selon ses moyens, se faufilaient en avant.

Miloradovitch, qui disait ne rien vouloir savoir des besoins matériels de son détachement, qui était toujours introuvable quand on avait besoin de lui, « *chevalier sans peur et sans reproche* » comme il se nommait lui-même et amateur de pourparlers avec les Français, envoyait des parlementaires exigeant la capitulation, perdait son temps et faisait autre chose que ce qu'on lui avait ordonné.

« Je vous donne cette colonne, mes enfants », dit-il en s'avançant vers ses troupes et en montrant aux cavaliers les Français. Et les cavaliers, sur leurs chevaux qui pouvaient à peine avancer et qu'ils poussaient à coups d'éperons et de sabres, s'approchaient après de grands efforts de la colonne dont on leur avait fait cadeau, c'est-à-dire d'une foule de Français gelés, engourdis et affamés ; et la colonne dont on leur avait fait cadeau jetait les armes et se rendait, ce qu'elle désirait faire depuis longtemps.

À Krasnoïe, on fit vingt-six mille prisonniers, on prit des centaines de canons, un bout de bois appelé bâton de maréchal, on discutait pour savoir qui s'y était distingué et l'on était content, mais on déplora vivement de ne pas avoir pris Napoléon ou du moins un héros quelconque, un maréchal, et on se le reprocha mutuellement et surtout on le reprocha à Koutouzov.

Ces hommes, entraînés par leurs passions, n'étaient que les instruments aveugles de la loi de la plus triste nécessité : mais ils se croyaient des héros et s'imaginaient que ce qu'ils faisaient était la chose la plus méritoire et la plus noble. Ils accusaient Koutouzov et disaient que, depuis le début de la campagne, il les empêchait de vaincre Napoléon, qu'il ne pensait qu'à satisfaire ses passions et ne voulait pas quitter les Filatures où il se trouvait bien, qu'à Krasnoïe il avait arrêté le mouvement parce qu'en apprenant la présence de Napoléon il avait complètement perdu la tête, qu'on pouvait le supposer de connivence avec Napoléon, qu'il avait été soudoyé par celui-ci[1], etc.

Non seulement les contemporains aveuglés par leurs passions parlaient ainsi, mais encore la postérité et l'histoire ont déclaré Napoléon *grand*, tandis que de Koutouzov on a dit – les étrangers – que c'était un vieux courtisan rusé, débauché, faible, et – les Russes – un être mal défini, une sorte de pantin utile par son nom russe.

V

En 1812 et en 1813, on dénonçait ouvertement les fautes de Koutouzov. L'empereur était mécontent de lui. Et, dans une histoire récemment écrite par ordre supérieur,

1. *Mémoires de* WILSON. (Note de l'auteur.)

il est dit que c'était un courtisan rusé et menteur qui redoutait le seul nom de Napoléon et qui, par ses fautes à Krasnoïe et à la Bérézina, avait privé les armes russes de la gloire – une victoire complète sur les Français[1].

Tel est le sort des hommes qui ne sont pas grands, non du *grand homme* que l'esprit russe ne reconnaît pas, mais de ces rares hommes, toujours solitaires, qui, devinant la volonté de la Providence, y soumettent leur propre volonté. La haine et le mépris des foules punissent ces hommes de leur pénétration des lois suprêmes.

Pour les historiens russes (chose étrange et terrible à dire !) Napoléon – cet instrument le plus insignifiant de l'histoire – qui, jamais et nulle part, même pas en exil, n'a fait preuve de dignité humaine – Napoléon est un objet d'admiration et d'enthousiasme : il est *grand.* Mais Koutouzov, cet homme qui, du commencement à la fin de son action en 1812 de Borodino à Vilna, ne s'est pas démenti une fois, ni par un seul acte ni par une seule parole, cet homme qui offre dans l'histoire un exemple exceptionnel d'abnégation et de prescience de la signification de l'événement, Koutouzov leur apparaît comme un personnage mal défini, et piteux, et en parlant de lui, en 1812, ils semblent toujours avoir un peu honte.

Et cependant il est difficile de se représenter un personnage historique dont l'action ait tendu aussi immuablement, aussi constamment vers un seul et même but. Il est difficile d'imaginer un but plus noble et qui concorde davantage avec la volonté de tout un peuple. Il est encore plus difficile de trouver dans l'histoire un autre exemple où le but que se serait assigné un personnage historique ait été atteint aussi totalement que celui vers lequel tendait toute l'activité de Koutouzov en 1812.

Koutouzov n'a jamais parlé de quarante siècles qui nous contemplent du haut des pyramides, des sacrifices

1. *Histoire de 1812*, par BOGDANOVITCH : caractéristique de Koutouzov et considérations sur l'insuffisance des résultats des combats de Krasnoïe. (Note de l'auteur.)

qu'il faisait à la patrie, de ce qu'il avait l'intention de faire ou qu'il avait fait : en général, il ne parlait pas de lui, ne cherchait à jouer aucun rôle, semblait toujours être le plus simple et le plus ordinaire des hommes, et disait les choses les plus simples et les plus ordinaires. Il écrivait à ses filles et à Mme de Staël, lisait des romans, aimait la société des jolies femmes, plaisantait avec les généraux, les officiers et les soldats, et ne contredisait jamais ceux qui voulaient lui démontrer quelque chose. Lorsque le comte Rostoptchine, au pont de la Iaouza, vint au galop vers lui avec des reproches personnels sur la responsabilité de la perte de Moscou et lui dit : « Comment aviez-vous promis de ne pas abandonner Moscou sans combat ? » Koutouzov répondit : « Mais non, je ne livrerai pas Moscou sans combat », quoique Moscou fût déjà abandonnée. Lorsque Araktcheiev, envoyé par l'empereur, vint lui dire qu'il faudrait nommer Ermolov au commandement de l'artillerie, Koutouzov répondit : « Oui, je viens justement de le dire moi-même », quoique, un instant auparavant, il eût dit tout autre chose. Que lui importait, à lui qui seul comprenait alors tout le sens grandiose de l'événement, au milieu de la foule incompréhensible qui l'entourait, que lui importait de savoir à qui le comte Rostoptchine attribuerait les épreuves de la capitale, à lui-même ou à Koutouzov ? Encore moins pouvait-il s'intéresser de savoir qui serait nommé chef de l'artillerie.

Non seulement dans ces cas-là, mais constamment, ce vieil homme qui, par l'expérience de la vie, était arrivé à la conviction que les idées et les mots qui servent à les exprimer ne sont pas ce qui mène les hommes, disait des mots parfaitement dénués de sens, les premiers qui lui venaient à l'esprit.

Mais ce même homme qui faisait si bon marché de ce qu'il disait n'a pas une fois de toute son activité dit un mot qui ne fût pas en accord avec ce but unique qu'il poursuivit pendant toute la guerre. Malgré lui, avec à n'en pas douter la pénible conviction qu'il ne serait pas compris, il a maintes fois, dans les circonstances les plus diverses, exprimé sa pensée. À partir de la bataille de Borodino, point de départ de son désaccord avec son entourage, il était le seul à dire que LA BATAILLE DE BORODINO EST UNE VICTOIRE, et il le répéta, de vive voix et dans ses rapports et dans ses relations, jusqu'à sa mort. Il était le seul à dire que LA PERTE DE MOSCOU N'EST PAS LA PERTE DE LA RUSSIE. En réponse aux offres de paix de Lauriston, il a dit QUE LA PAIX EST IMPOSSIBLE CAR TELLE EST LA VOLONTÉ DU PEUPLE; il était le seul, pendant toute la retraite des Français, à dire que TOUTES NOS MANŒUVRES SONT INUTILES, QUE TOUT SE FERAIT DE SOI-MÊME MIEUX QUE NOUS NE LE DÉSIRONS, QU'IL FAUT FAIRE UN PONT D'OR À L'ENNEMI, QUE NI LA BATAILLE DE TAROUTINO NI CELLE DE VIAZMA NI CELLE DE KRASNOÏE NE SONT NÉCESSAIRES, QU'IL FAUT ARRIVER À LA FRONTIÈRE AVEC ASSEZ DE TROUPES, QU'IL NE DONNERAIT PAS UN SOLDAT RUSSE POUR DIX FRANÇAIS.

Et il est le seul, cet homme qu'on nous représente comme un courtisan, cet homme qui ment à Araktcheiev pour complaire à l'empereur, il est le seul, ce courtisan, à dire à Vilna, encourant ainsi la défaveur de l'empereur, que POURSUIVRE LA GUERRE À L'ÉTRANGER EST NUISIBLE ET INUTILE.

Mais les paroles seules ne suffiraient pas à prouver qu'il comprenait alors la signification de l'événement. Tous ses actes, sans la moindre exception, sont orientés vers un seul et même but qui est triple : 1° tendre toutes les forces pour affronter les Français, 2° les vaincre, et 3° les chasser de Russie en allégeant autant que possible les souffrances du peuple et de l'armée.

C'est lui, ce Koutouzov temporisateur dont la devise est : patience et longueur de temps, ce Koutouzov ennemi des actions décisives, qui livre la bataille de Borodino en revêtant ses préparatifs d'une solennité sans exemple. C'est lui, ce Koutouzov qui, à la bataille d'Austerlitz, dit avant même qu'elle ne soit commencée, qu'elle sera perdue, lui qui, à Borodino, en dépit des généraux qui prétendent la bataille perdue, en dépit de l'exemple sans précédent dans l'histoire d'une armée contrainte à la retraite après la bataille gagnée, c'est lui qui, seul à l'encontre de tous, affirme jusqu'à sa mort que la bataille de Borodino est une victoire. C'est lui seul qui, pendant toute la retraite, insiste pour ne pas livrer de combats désormais inutiles, pour ne pas déclencher une nouvelle guerre et ne pas franchir les frontières de la Russie.

Aujourd'hui, il est facile de comprendre la signification de l'événement si l'on n'attribue pas à l'action de masse les buts qu'avaient en tête une dizaine d'hommes, car l'événement dans son ensemble, avec ses conséquences, se découvre devant nous.

Mais comment ce vieil homme, seul à l'encontre de l'opinion générale, a-t-il pu alors deviner si justement le sens populaire de l'événement qu'il ne l'a pas trahi une seule fois de toute son activité ?

La source de cet extraordinaire don de pénétration du sens des événements en cours était ce sentiment national qu'il portait en lui dans toute sa pureté et toute sa force.

C'est seulement parce que le peuple a reconnu en lui ce sentiment que, par des voies si étranges, à l'encontre de la volonté du tsar, il a choisi ce vieillard en disgrâce pour représentant de la guerre populaire. Et seul ce sentiment l'a porté à cette suprême hauteur humaine, du sommet de laquelle, commandant en chef, il concentrait toutes ses forces non pas pour tuer et exterminer des hommes mais pour les sauver et les plaindre.

Cette figure simple, modeste et, partant, d'une authentique grandeur ne pouvait être coulée dans ce moule mensonger du héros européen, prétendu conducteur d'hommes, qu'a inventé l'histoire.

Il ne peut y avoir de grand homme pour son valet de chambre car le valet de chambre a sa conception à lui de la grandeur.

VI

Le 5 novembre fut le premier jour de la bataille dite de Krasnoïe. Dans la soirée, alors qu'après maintes discussions et fautes de généraux qui avaient conduit les troupes ailleurs qu'il ne fallait, après l'envoi d'aides de camp porteurs de contrordres, il fut évident que l'ennemi fuyait partout et que la bataille ne pouvait avoir et n'aurait pas lieu, Koutouzov quitta Krasnoïe et partit pour Dobroïe où avait été transféré ce jour-là le quartier général.

La journée était claire, il gelait. Koutouzov, accompagné d'une énorme suite de généraux mécontents de lui et qui chuchotaient derrière son dos, se dirigeait vers Dobroïe sur son gros cheval blanc. Tout le long de la route se pressaient, se chauffant autour des feux, des groupes de Français faits prisonniers dans la journée (leur nombre se monta ce jour-là à sept mille). Non loin de Dobroïe, une énorme foule de prisonniers déguenillés, drapés et emmitouflés dans ce qui leur était tombé sous la main, bourdonnait de voix, debout sur la route, auprès d'une longue file de canons français dételés. À l'approche du commandant en chef, les conversations se turent et tous les yeux se fixèrent sur Koutouzov qui, dans sa casquette à bord rouge et son manteau ouaté relevé en bosse sur ses épaules voûtées, avançait lentement. Un des généraux lui expliquait où avaient été capturés les canons et les prisonniers.

Koutouzov semblait préoccupé et n'entendait pas les paroles du général. Il plissait les yeux d'un air mécontent et examinait attentivement et fixement les prisonniers dont l'aspect était particulièrement piteux. La plupart des soldats français étaient défigurés par leur nez et leurs joues gelés et presque tous avaient des yeux rouges, gonflés et suppurants.

Dans un petit groupe de Français, au bord de la route, deux soldats – l'un avait le visage couvert de plaies – déchiquetaient de leurs mains un morceau de viande crue. Il y avait quelque chose d'horrible et de bestial dans le regard rapide qu'ils lancèrent à ceux qui passaient et dans l'expression hargneuse avec laquelle le soldat aux plaies, après un coup d'œil sur Koutouzov, se détourna aussitôt et poursuivit sa besogne.

Koutouzov regarda longuement et attentivement ces deux soldats ; le visage encore plus assombri, il plissa les yeux et hocha pensivement la tête. À un autre endroit il remarqua un soldat russe qui, riant et tapant un Français sur l'épaule, lui disait gentiment quelque chose. Koutouzov hocha de nouveau la tête avec la même expression.

« Que dis-tu ? demanda-t-il au général qui continuait son rapport et attirait l'attention du commandant en chef sur les drapeaux pris aux Français qui se dressaient sur le front du régiment Préobrajenski.

– Ah ! les drapeaux », dit Koutouzov, s'arrachant avec une peine visible à l'objet de ses préoccupations. Il jeta autour de lui un regard distrait. Des milliers d'yeux le regardaient de toutes parts dans l'attente de ce qu'il allait dire.

Devant le régiment Préobrajenski, il s'arrêta, poussa un profond soupir et ferma les yeux. Quelqu'un de la suite fit signe aux soldats qui tenaient les drapeaux d'approcher et d'encadrer le commandant en chef. Koutouzov resta quelques instants silencieux et, se pliant visiblement à contrecœur aux exigences de sa position, leva la tête et se mit à parler. Une foule d'officiers l'entoura. Il parcourut d'un regard attentif le cercle des officiers dont il reconnut quelques-uns.

« Je vous remercie ! » dit-il en se tournant vers les soldats, puis de nouveau vers les officiers. Dans le silence qui s'était fait autour de lui, on entendait distinctement chacune de ses paroles prononcées avec lenteur : « Je vous remercie tous pour votre difficile et fidèle service. La victoire est complète, et la Russie ne vous oubliera pas. Gloire à vous à jamais ! » Il se tut en regardant autour de lui.

« Baisse, baisse-lui donc la tête, dit-il à un soldat, qui tenait une aigle française et l'avait inclinée par mégarde devant le drapeau du régiment Préobrajenski. Plus bas, plus bas, voilà, comme ça. Hourra ! mes enfants, s'écria-t-il en s'adressant aux soldats avec un mouvement vif du menton.

– Hourra-a-a-ah ! » rugirent des milliers de voix.

Pendant que les soldats criaient, Koutouzov, courbé sur sa selle, inclina la tête et son œil s'alluma d'un éclat doux et comme moqueur.

Et tout à coup sa voix et l'expression de son visage changèrent : ce n'était plus le commandant en chef qui parlait, mais un vieil homme tout simple qui visiblement voulait faire part à ses camarades d'une chose importante entre toutes.

Un mouvement se fit dans la foule des officiers et dans les rangs des soldats, pour mieux entendre ce qu'il allait dire.

« Écoutez, amis. Je sais, c'est dur pour vous, mais que faire ! Patientez, nous n'en avons plus pour longtemps. Quand nous aurons reconduit nos visiteurs, nous nous reposerons. Le tsar n'oubliera pas vos services. C'est dur pour vous mais vous êtes quand même chez vous ; tandis qu'eux, voyez où ils en sont, dit-il en montrant les prisonniers. Pis que les derniers des mendiants. Tant qu'ils étaient forts, nous ne les plaignions pas, mais maintenant eux aussi on peut les plaindre. Ce sont aussi des hommes. N'est-ce pas, mes enfants ? »

Il regardait autour de lui et dans les regards fixés sur lui, attentifs, respectueusement surpris, il lut l'approbation de ses paroles : son visage s'éclaira de plus en plus d'un bon sourire de vieillard qui plissait en étoiles les coins de ses lèvres et ses yeux. Il se tut un instant et, comme perplexe, baissa la tête.

« Mais, aussi, qui leur a demandé de venir chez nous ? C'est bien fait pour eux, sacrés enfants de p… », dit-il tout à coup en relevant la tête. Et brandissant sa cravache, il partit au galop, pour la première fois de toute la campagne, au milieu des soldats qui, rompant les rangs, riaient joyeusement à gorge déployée et hurlaient des hourras.

Les paroles de Koutouzov ne furent probablement pas comprises des troupes. Nul n'aurait su répéter le contenu du discours du feldmaréchal, d'abord solennel, puis à la fin empreint d'une simplicité de vieillard ; pourtant, non seulement le sens profond en fut compris, mais ce sentiment de triomphe allié à la pitié pour l'ennemi et à la conscience de son bon droit qu'avait exprimé précisément ce juron plein de bonhomie cordiale, ce même sentiment qui habitait l'âme de chaque soldat s'exprima par de joyeuses acclamations qui se prolongèrent longtemps. Quand, après cela, un des généraux demanda au commandant en chef s'il fallait faire avancer sa voiture, Koutouzov en lui répondant eut un sanglot inattendu qui trahit sa violente émotion.

VII

Le 8 novembre, dernier jour des combats de Krasnoïe, la nuit tombait déjà quand les troupes arrivèrent à leurs bivouacs. Toute la journée avait été calme, froide, avec de rares et légères chutes de neige ; vers le soir, le temps s'était levé. À travers les flocons de neige, on voyait le ciel étoilé d'un noir violacé, et le froid se fit plus intense.

Un régiment de fusiliers, parti de Taroutino à trois milles, arriva au nombre de neuf cents hommes, l'un des premiers à l'endroit fixé pour le bivouac, dans un village situé sur la grande route. Les fourriers venus à la rencontre du régiment annoncèrent que toutes les isbas étaient occupées par des Français malades et morts, la cavalerie et les états-majors. Il n'en restait plus qu'une pour le commandant du régiment.

Le commandant du régiment se rendit à son isba. Le régiment traversa le village et, près des dernières maisons, mit les fusils en faisceaux sur la route.

Comme une énorme bête aux membres multiples, le régiment se mit aussitôt à l'œuvre pour préparer son gîte et sa nourriture. Une partie des soldats se dispersa, avec de la neige jusqu'aux genoux, dans la forêt de bouleaux qui se trouvait à droite du village, et aussitôt en parvinrent le bruit des haches, des briquets, le craquement des branches qu'on cassait et des voix joyeuses ; une autre partie s'affairait autour de l'emplacement des chariots régimentaires et des chevaux rassemblés en troupeau, préparant les marmites, les biscuits et donnant à manger aux chevaux ; d'autres s'égaillèrent dans le village, organisant le logement des officiers d'état-major, enlevant les cadavres de Français qui occupaient les isbas et s'appropriant des planches, le bois sec, la paille des toits pour les feux et les clôtures tressées pour s'abriter.

Une quinzaine de soldats, derrière les isbas, au bout du village, ébranlaient en criant gaiement la haute clôture d'un hangar dont on avait déjà enlevé la toiture.

« Allons, allons, tous à la fois, pousse ! » criaient des voix, et dans les ténèbres de la nuit un énorme pan de clôture poudré de neige oscillait avec un craquement provoqué par le froid. Les pieux du bas craquaient de plus en plus souvent et enfin la clôture s'écroula en entraînant les soldats qui pesaient sur elle. Des cris de joie bruyante et de gros rires s'élevèrent.

« Attrapez ! par deux ! amène ici le levier ! comme ça. Où te fourres-tu ?

– Allons, tous ensemble... Attention, les gars ! Au signal ! »

Tous se turent et une voix douce agréablement veloutée entonna une chanson. À la fin de la troisième strophe, au moment même où expirait le dernier son, vingt voix crièrent unanimement : « Hou-ou-ou-ou ! Ça vient ! D'un coup ! Pesez dessus, les enfants !... » mais malgré les efforts conjugués, la clôture avait peu cédé et, dans le silence qui se fit, on entendait des halètements pénibles.

« Hé là, vous autres, de la sixième ! Sacrés diables ! Donnez-nous un coup de main... on vous revaudra ça. »

Une vingtaine de soldats de la sixième compagnie qui allaient au village se joignirent à ceux qui poussaient ; et la clôture, longue d'une dizaine de mètres et haute de deux, toute tordue, écrasant et meurtrissant les épaules des soldats qui soufflaient, oscilla le long de la rue du village.

« Avance, quoi… Pousse… Qu'est-ce que t'attends ? Bon, ça va… »

Les joyeux et grossiers jurons ne cessaient pas de retentir.

« Qu'est-ce que vous faites ? dit soudain la voix autoritaire d'un soldat qui se heurtait aux porteurs.

– Les chefs sont là ; le général lui-même est dans l'isba et vous, sacrés diables, grossiers personnages ! Je vais vous en faire voir ! cria le sous-officier, et à toute volée il frappa le dos du premier soldat qui lui tomba sous la main. Vous ne pouvez pas faire moins de boucan ? »

Les soldats se turent. Celui que le sous-officier avait frappé essuya en geignant son visage ensanglanté qu'il s'était écorché en heurtant la clôture.

« Ce qu'il cogne dur, le diable ! Il m'a mis toute la gueule en sang, dit-il dans un murmure timide quand le sous-officier se fut éloigné.

– T'aimes donc pas ça ? » dit une voix rieuse ; et mettant une sourdine à leurs voix, les soldats poursuivirent leur chemin. Le village une fois dépassé, ils se remirent à parler aussi fort, entremêlant leurs propos des mêmes jurons sans but.

Dans l'isba devant laquelle ils étaient passés, des chefs s'étaient réunis, et en prenant le thé on discutait avec animation des événements de la journée et des manœuvres envisagées pour l'avenir. On se proposait de faire une marche de flanc sur la gauche, de couper le vice-roi et de le capturer.

Lorsque les soldats apportèrent la clôture, les feux des cuisines flambaient déjà de différents côtés. Le bois craquait, la neige fondait et les ombres noires des soldats allaient et venaient sur tout le terrain occupé, délimité par la neige foulée.

Haches et briquets s'activaient de tous côtés. Tout se faisait sans qu'il fût besoin de commander. On apportait des provisions de bois pour la nuit, on dressait des huttes pour les chefs, on faisait bouillir les marmites, on rangeait fusils et fourniment.

La clôture apportée par la huitième compagnie fut placée en demi-cercle du côté du nord, étayée par des bouts de bois, et on alluma devant elle un feu. On sonna la retraite, on fit l'appel, on mangea et on s'installa pour la nuit autour des feux, qui raccommodant ses chaussures, qui fumant sa pipe, qui, tout nu, s'épouillant au-dessus des flammes.

VIII

Il semblerait que, dans les conditions pénibles, presque incroyables d'existence où se trouvaient alors les soldats russes – sans chaussures d'hiver, sans vêtements chauds, sans toit au-dessus de leur tête, dans la neige par dix-huit degrés au-dessous de zéro, sans même leur pleine ration journalière, les vivres ne pouvant pas toujours suivre l'armée – il semblerait que les soldats eussent dû offrir le spectacle le plus triste et le plus morne.

Au contraire, jamais, dans les meilleures conditions matérielles, l'armée n'offrit un spectacle plus gai, plus animé. La raison en était que, chaque jour, tout ce qui perdait courage ou s'affaiblissait était éliminé de l'armée. Tout ce qui était physiquement et moralement faible était depuis longtemps resté en arrière et il ne demeurait que la fleur de l'armée – par la force de l'esprit et du corps.

À la huitième compagnie installée à l'abri de la clôture s'étaient rassemblés le plus de soldats. Deux sous-officiers s'étaient joints à eux et le feu y flambait plus clair qu'ailleurs. On devait apporter du bois pour avoir le droit de s'asseoir à l'abri de la clôture.

« Hé, Makeiev, qu'est-ce qu'il t'arrive… où traînes-tu ? Ou bien est-ce les loups qui t'ont mangé ? Apporte du bois, criait un soldat rouquin au teint rubicond que la fumée faisait cligner des yeux et grimacer mais qui ne s'écartait pas du feu. Vas-y toi au moins, gourde, apporte du bois », dit-il à un autre. Le rouquin n'était ni sous-officier ni caporal, mais il était vigoureux, aussi commandait-il plus faible que lui. Le petit soldat maigre au nez pointu qu'on venait de traiter de gourde se leva docilement et alla exécuter les ordres ; mais à ce moment apparut dans la lumière du feu la mince et belle silhouette d'un jeune soldat qui apportait une brassée de bois.

« Donne ça ici. Voilà qui est parfait ! »

On cassa le bois, on le tassa, on attisa le feu en soufflant et en agitant les capotes, et la flamme chuinta et crépita. Les soldats se rapprochèrent et allumèrent leurs pipes. Le jeune et beau soldat qui avait apporté le bois mit les mains sur les hanches et se prit à battre vivement et adroitement la semelle pour réchauffer ses pieds gelés.

« Ah ! maman, la rosée est fraîche, et bonne, et le fusilier… chantonnait-il avec une sorte de hoquet à chaque mot.

– Hé, tes semelles vont fiche le camp ! cria le rouquin en remarquant que la semelle du danseur pendait. Quel vice que de danser ! »

Le danseur s'arrêta, arracha le morceau de cuir qui pendait et le jeta dans le feu.

« T'as raison, mon vieux », dit-il ; et s'asseyant il tira de son havresac un bout de drap bleu français et s'en enveloppa le pied. « La chaleur les cuit, ajouta-t-il en tendant ses pieds vers le feu.

– On va bientôt en distribuer des neuves. On dit que quand on aura achevé la besogne, on distribuera des affaires en double.

– Dis donc, ce Petrov, le diable l'emporte, il est resté en route, dit un sous-officier.

– Il y a longtemps que je l'avais à l'œil, répondit l'autre.

– Mais quoi, c'était un piètre soldat…

– Et à la troisième compagnie, il paraît qu'hier il en manquait neuf à l'appel.

– Quand on a les pieds gelés, comment voulez-vous qu'on aille loin ?

– Eh, dis pas de bêtises ! rétorqua le sous-officier.

– Est-ce que tu aurais envie d'en tâter aussi ? dit d'un ton de reproche le vieux soldat qui avait parlé des pieds gelés.

– Et alors ? dit soudain d'une voix aiguë et tremblante en se dressant de l'autre côté du feu le soldat au nez pointu qu'on avait traité de gourde. Même celui qui est gros il maigrit, et pour les maigres c'est la mort. Tiens, moi par exemple. J'en peux plus, dit-il tout à coup résolument en s'adressant au sous-officier ; fais-moi envoyer à l'hôpital ; je suis tout courbatu ; autrement je resterai de toute façon en route…

– Ça va, ça va », dit tranquillement le sous-officier.

Le petit soldat se tut et la conversation se poursuivit.

« On en a pris pas mal de ces Français aujourd'hui ; mais on peut dire que pas un n'a de vraies bottes, ça n'a de bottes que le nom, dit un des soldats pour commencer une autre conversation.

– C'est les cosaques qui les ont tous déchaussés. Quand on nettoyait l'isba pour le colonel, on les emportait dehors. Ça fait peine à voir, les gars, dit le danseur. On les a triés ; eh bien, il y en avait un qui était encore vivant, crois-tu, il baragouinait quelque chose à sa façon.

– Ce sont des gens propres, les gars, dit le premier. Blancs, tiens, blancs comme un bouleau, et il y en a de gaillards, dis donc, des nobles.

– Qu'est-ce que tu croyais donc ? On recrute chez ceux de toutes les conditions.

– Mais ils ne savent pas parler comme nous, dit le danseur avec un sourire perplexe. Je lui dis : “De quelle couronne es-tu ?” et lui baragouine dans sa langue. Drôles de gens !

– Ce qui est pas ordinaire, mes amis, poursuivit celui qui s'étonnait de leur blancheur, les paysans racontaient qu'à Mojaïsk, quand on a commencé à enlever les morts, là où qu'on s'est battu, les leurs y étaient peut-être depuis un mois. Eh bien, ils sont là, qu'ils racontent, les leurs, blancs comme du papier, propres, ils ne sentent rien de rien.

– C'est-y à cause du froid ? demanda un soldat.

– Ce que t'es malin ! Le froid ! Il faisait chaud. Si c'était le froid, les nôtres ne seraient pas faisandés non plus. Et pourtant ils racontent que quand on s'approchait d'un des nôtres c'était tout pourri et plein d'asticots. On devait se mettre le mouchoir sous le nez et on les traînait en détournant la gueule ; pas moyen d'y tenir. Alors que les leurs étaient blancs comme du papier ; et ça sent rien de rien. »

Tous se turent un instant.

« C'est pour sûr la nourriture, dit le sous-officier, ils bouffaient comme les maîtres. »

Personne n'objecta rien.

« Ce paysan racontait qu'à Mojaïsk, là où qu'on s'est battu, on a amené du monde de dix villages, qu'on les a charriés pendant vingt jours et qu'on n'a pas pu les enlever tous, les morts. Qu'est-ce qu'il y avait comme loups, il paraît...

– Ça c'était une vraie bataille, dit le vieux soldat. Y a que ça comme bon souvenir ; mais depuis... tout n'a été que de la souffrance pour les gens.

– C'est vrai, tonton. Avant-hier on s'est rencontré, mais allez donc, ils se laissent pas approcher. Ils ont vivement jeté leurs fusils. Et à genoux. Pardon, qu'ils disent. C'est des soldats pour la frime seulement. On raconte que Polion lui-même, Platov l'a pris deux fois. Mais il ne sait pas le mot. Il l'attrape et allez donc, l'autre se change entre ses mains en oiseau et s'envole. Et pas moyen non plus de le tuer.

– Ce que tu es malin pour mentir, Kisselev, tel que je te vois.

– Comment mentir, c'est la vérité vraie.

– Si c'était de moi, une fois que je l'aurais attrapé je l'enterrerais. Et je te planterais dedans un pieu de tremble. Qu'est-ce qu'il a fait périr comme monde.

– N'importe comment, il aura son compte. Il y reviendra plus », dit en bâillant le vieux soldat.

La conversation tomba, les soldats se couchèrent.

« Voyez-moi ces étoiles, c'est pas croyable ce que ça brille ! dit un soldat en admirant la voie lactée.

– Ça, les gars, c'est signe de bonne récolte.

– Il va falloir encore du bois.

– On se réchauffe le dos et on a le ventre gelé. C'est drôle.

– Oh ! Seigneur !

– Qu'as-tu à pousser, il est là pour toi tout seul, le feu, peut-être ? Regardez-moi ça… ce qu'il s'est étalé. »

Dans le silence qui s'établissait, on entendit le ronflement de quelques-uns qui s'étaient endormis ; les autres se tournaient et se retournaient pour se réchauffer et échangeaient quelques mots de temps à autre. D'un feu éloigné d'une centaine de pas parvint un éclat de rire joyeux.

« Ce qu'ils rigolent à la cinquième, dit un soldat. Et que de monde, c'est fou. »

Un soldat se leva et alla à la cinquième compagnie.

« On y rigole bien, dit-il en revenant. Deux Français se sont amenés. Un est tout gelé, l'autre tout faraud, c'est fou ! Il chante des chansons.

– Oh ? si on allait voir… » Quelques soldats se dirigèrent vers la cinquième compagnie.

IX

La cinquième compagnie campait à la lisière même de la forêt. Un énorme feu flambait au milieu de la neige, éclairant les branches des arbres alourdies de givre.

Au milieu de la nuit, les soldats de la cinquième compagnie entendirent dans la forêt des pas sur la neige et un craquement de branches.

« Les gars, un ours », dit un soldat. Toutes les têtes se levèrent ; on tendit l'oreille et l'on vit surgir de la forêt, dans la vive clarté du feu, deux formes humaines étrangement vêtues et qui se soutenaient l'une l'autre.

C'étaient deux Français qui s'étaient cachés dans la forêt. En parlant d'une voix enrouée dans une langue incompréhensible aux soldats, ils s'approchèrent du feu. L'un, le plus grand, portait un shako d'officier et paraissait à bout de forces. Arrivé auprès du feu, il voulut s'asseoir mais s'écroula par terre. L'autre, un petit soldat trapu, un mouchoir noué sous le menton, était plus fort. Il releva son compagnon et en montrant sa bouche dit quelque chose. Les soldats entourèrent les Français, étendirent une capote pour le malade et apportèrent aux deux du gruau et de la vodka.

L'officier français épuisé était Ramball ; celui qui portait un mouchoir était son ordonnance, Morel.

Quand Morel eut bu la vodka et mangé une gamelle de gruau, il devint soudain d'une gaieté fiévreuse et parla sans arrêt aux soldats qui ne le comprenaient pas. Ramball refusa la nourriture et restait étendu en silence devant le feu, appuyé sur un coude, en regardant les soldats russes avec des yeux rouges et vides d'expression. De temps à autre, il poussait un long gémissement, puis se taisait de nouveau. Morel montrant ses épaules, fit comprendre aux soldats que c'était un officier et qu'il fallait le réchauffer. Un officier russe qui s'approcha du feu envoya demander au colonel s'il ne voulait pas prendre chez lui un officier français pour lui permettre de se réchauffer ; et lorsqu'on revint dire que le colonel permettait qu'on lui amenât l'officier, on dit à Ramball d'y aller. Il se leva et voulut marcher, mais vacilla et il serait tombé si un soldat à côté de lui ne l'avait soutenu.

« Alors ? On ne t'y reprendra plus ? dit à Ramball un soldat en clignant ironiquement de l'œil.

– Hé, imbécile ! Ferme-la ! On voit bien que tu es un cul-terreux, un vrai cul-terreux », dit-on de tous côtés sur un ton de reproche au soldat qui avait plaisanté. On entoura Ramball, deux soldats le soulevèrent sur leurs mains entrecroisées et on l'emporta à l'isba. Ramball passa ses bras autour du cou des soldats et pendant qu'on le portait disait plaintivement :

« *Oh ! mes braves, oh ! mes bons, mes bons amis ! Voilà des hommes ! Oh ! mes braves, mes bons amis !* » et comme un enfant, il posa la tête sur l'épaule de l'un d'eux.

Cependant Morel était assis à la meilleure place, entouré de soldats.

Morel, un petit Français trapu aux yeux congestionnés et larmoyants, un mouchoir noué à la façon des paysannes par-dessus sa casquette, était vêtu d'une méchante pelisse de femme. Visiblement gris, le bras passé autour du cou du soldat assis à ses côtés, il chantait d'une voix rauque et entrecoupée une chanson française. Les soldats se tenaient les côtes en le regardant.

« Dis donc, dis donc, apprends-la-moi ? Je l'attraperai vite. Comment est-ce ?... disait le chanteur facétieux qu'enlaçait Morel.

Vive Henri quatre
Vive le roi vaillant !

chanta Morel en clignant de l'œil.

Ce diable à quatre...

– Vivarika ! Vif serouvarou ! didiablaka... répéta en agitant la main le soldat qui avait en effet saisi l'air.

– Ce qu'il est dégourdi ! Ho, ho, ho, ho ! » De gros rires joyeux s'élevèrent de tous côtés. Morel, le visage plissé, riait aussi.

« Eh bien, vas-y encore, encore !

Qui eut le triple talent
De boire, de battre
Et d'être un vert galant...

– Ça sonne bien aussi. – Allez, vas-y, Zaletaiev.

– Ku… articula avec effort Zaletaiev. Kiu-u-u… fit-il en avançant soigneusement les lèvres, letriptala de dou de ba detrvagala, chanta-t-il.

– Ah ! ce que c'est fameux ! En voilà un Français… Oh !… ho, ho, ho, ho ! – Alors, tu veux manger encore ?

– Donne-lui donc du gruau ; affamé comme il est, il lui en faut pour se rassasier. »

On lui redonna du gruau ; et Morel s'attaqua en souriant à la troisième gamelle. Des sourires joyeux s'épanouissaient sur les visages de tous les jeunes soldats qui le regardaient. Les vieux, qui jugeaient indigne d'eux de s'occuper de pareilles bêtises, restaient étendus de l'autre côté du feu, mais de temps à autre se soulevaient sur un coude pour jeter en souriant un regard sur Morel.

« C'est aussi des hommes, dit l'un d'eux en se roulant dans sa capote. L'absinthe elle aussi pousse sur sa racine.

– Oh ! oh ! Seigneur, Seigneur ! Que d'étoiles ! C'est signe de gel… » et tout se tut.

Les étoiles, comme si elles savaient que maintenant personne ne les verrait plus, s'en donnèrent à cœur joie dans le ciel. Tantôt lançant des feux, tantôt s'éteignant, tantôt scintillant, elles parlaient entre elles en chuchotant avec vivacité de quelque chose de joyeux mais de mystérieux.

X

L'armée française fondait régulièrement selon une rigoureuse progression mathématique. Et même ce passage de la Bérézina sur lequel on a tant écrit ne fut qu'une des phases successives de la destruction de cette armée et non un épisode décisif de la campagne. Si l'on a tant écrit et si l'on écrit tant encore sur la Bérézina, du côté des Français, cela vient uniquement de ce que, sur le pont rompu de la Bérézina, les épreuves que l'armée française subissait jusqu'alors progressivement se concentrèrent soudain en un moment et en un spectacle tragique qui s'est gravé dans toutes les mémoires. Du côté des Russes, on a tant parlé et écrit sur la Bérézina uniquement parce que, loin du théâtre de la guerre, à Pétersbourg, un plan avait été conçu (par Pfuhl) pour attirer Napoléon dans un traquenard stratégique sur la Bérézina. Chacun était persuadé que, dans la réalité, tout se passerait conformément au plan, aussi affirmait-on que c'était précisément le passage de la Bérézina qui avait perdu les Français. En fait, les conséquences de ce passage furent bien moins désastreuses pour les Français que leurs pertes en canons et en prisonniers à Krasnoïe, comme en font foi les chiffres.

La seule signification du passage de la Bérézina consiste en ce que ce passage a administré la preuve évidente et indubitable de l'erreur de tous les plans tendant à couper l'ennemi et du bien-fondé de la seule façon d'agir possible, celle que réclamait Koutouzov, c'est-à-dire qui consistait à suivre seulement l'ennemi. La foule des Français fuyait avec une vitesse sans cesse accrue, toute son énergie tendue à atteindre son but. Elle fuyait comme une bête blessée et elle ne pouvait s'arrêter en route. Cela est prouvé non pas tant par l'organisation du passage que par le mouvement sur les ponts. Lorsque les ponts furent rompus, soldats sans armes, habitants de Moscou, femmes et enfants qui se trouvaient dans les convois français, tous, sous l'influence de la force d'inertie, au lieu de se rendre, fuirent droit devant eux, dans les barques, dans l'eau glacée.

Ce mouvement était sensé. La situation des fuyards comme celle des poursuivants était également mauvaise. En restant avec les siens, chacun comptait, dans le malheur, sur l'aide des camarades, sur la place bien déterminée qu'il occupait parmi les siens. Mais en se rendant aux Russes on restait dans la même misère, tout en se trouvant relégué dans la dernière catégorie quant à la satisfaction des besoins vitaux. Les Français n'avaient pas besoin de renseignements sûrs pour savoir que des prisonniers dont les Russes ne savaient que faire malgré tout leur désir de les sauver, la moitié mouraient de froid et de faim ; ils sentaient qu'il ne pouvait en être autrement. Les chefs russes les plus enclins à la pitié et ceux qui éprouvaient le plus de sympathie pour les Français, les Français eux-mêmes au service de la Russie ne pouvaient rien pour les prisonniers. Ce qui perdait les Français, c'était le dénuement dans lequel se trouvait l'armée russe. On ne pouvait ôter le pain et les vêtements aux soldats affamés dont on avait besoin, pour les donner à des Français qui étaient inoffensifs, qu'on ne haïssait pas, qui n'étaient pas coupables, mais qui n'en étaient pas moins des bouches inutiles. Certains le faisaient pourtant ; mais ce n'était qu'une exception.

En arrière, c'était la perte certaine ; en avant l'espoir. Les vaisseaux étaient brûlés ; il n'était pas de salut hors de la fuite en commun, et toutes les forces des Français tendaient vers cette fuite.

Plus les Français fuyaient, plus lamentables étaient leurs débris, surtout après la Bérézina, sur laquelle, par suite du plan établi à Pétersbourg, on avait fondé des espoirs particuliers, et plus se déchaînaient les passions des chefs russes qui s'accusaient mutuellement et surtout accusaient Koutouzov. On croyait que l'insuccès du plan de Pétersbourg lui serait attribué, aussi le mécontentement contre lui, le mépris et les railleries à son égard se manifestaient-ils avec une violence sans cesse accrue. Les railleries et le mépris s'exprimaient bien entendu dans une forme respectueuse, une forme telle que Koutouzov ne pouvait même pas demander de quoi on l'accusait. On ne lui parlait pas sérieusement ; quand on lui faisait un rapport ou qu'on lui demandait une autorisation, on faisait semblant d'accomplir un triste rite et, derrière son dos, on clignait de l'œil et à chaque instant on cherchait à le tromper.

Tous ces gens, précisément parce qu'ils étaient incapables de le comprendre, étaient d'accord pour affirmer qu'il était inutile de discuter avec le vieillard ; qu'il ne comprendrait jamais toute la profondeur de leurs plans ; qu'il répondrait en répétant ses phrases habituelles (il leur semblait que ce n'étaient que des phrases) sur le pont d'or, sur l'impossibilité de franchir la frontière avec une bande de vagabonds, etc. Tout cela, ils l'avaient déjà entendu de lui. Et tout ce qu'il disait, par exemple qu'il fallait attendre les vivres, que les hommes n'avaient pas de chaussures, tout cela était si simple au regard de leurs propositions si compliquées et si savantes qu'il leur semblait évident qu'il était vieux et stupide et eux, des chefs de génie mais sans pouvoir.

C'est surtout après la jonction avec l'armée du brillant amiral Wittgenstein, le héros de Pétersbourg, que cet état d'esprit et ces commérages de l'état-major prirent des proportions extrêmes. Koutouzov le voyait et en soupirant se contentait de hausser les épaules. Une fois seulement, après la Bérézina, il se fâcha et écrivit la lettre suivante à Bennigsen qui adressait à l'empereur des rapports particuliers :

« En raison de votre état de santé, veuillez, Excellence, au reçu de la présente, vous rendre à Kalouga et y attendre les ordres de Sa Majesté Impériale et une nouvelle affectation. »

Mais, après le renvoi de Bennigsen, le grand-duc Constantin Pavlovitch, qui avait fait le début de la campagne, puis avait été éloigné par Koutouzov, revint à l'armée. Cette fois en arrivant le grand-duc fit part à Koutouzov du mécontentement de l'empereur devant les médiocres succès de nos troupes et la lenteur des mouvements. L'Empereur lui-même comptait arriver prochainement à l'armée.

Ce vieil homme qui avait autant d'expérience de la cour que de la guerre, ce Koutouzov qui, en août de la même année, avait été choisi pour commandant en chef à l'encontre de la volonté de l'empereur, lui qui avait éloigné de l'armée le grand-duc héritier, lui qui, de sa propre initiative et contre le gré de l'empereur, avait prescrit l'abandon de Moscou, ce Koutouzov comprit sur-le-champ que son temps était révolu, que son rôle était terminé et qu'il ne possédait plus son prétendu pouvoir. Et ce n'est pas seulement d'après l'attitude de la cour qu'il le comprit. D'une part, il voyait que les opérations militaires dans lesquelles il avait joué son rôle étaient finies et il sentait sa mission accomplie. D'autre part, il commença en même temps à ressentir dans son vieux corps la fatigue et le besoin d'un repos physique.

Le 29 novembre, Koutouzov fit son entrée à Vilna, dans sa bonne ville de Vilna, comme il disait. Deux fois, au cours de sa carrière, il en avait été le gouverneur. Dans la riche ville demeurée intacte, outre le confort de l'existence dont il était privé depuis longtemps, il retrouva de vieux amis et des souvenirs. Et se détournant soudain de tout souci militaire et politique, il se plongea dans une vie calme et réglée, pour autant que les passions qui bouillonnaient autour de lui le laissaient en paix, comme si tout ce qui se passait et avait encore à se passer dans l'histoire ne le concernait en rien.

Tchitchagov, un des plus ardents partisans des plans visant à couper et à culbuter l'ennemi, qui voulait d'abord faire une diversion en Grèce, puis à Varsovie, mais ne voulait jamais aller là où on l'envoyait, Tchitchagov connu pour l'audace des propos qu'il tenait à l'empereur, Tchitchagov qui considérait Koutouzov comme son obligé parce que, en 1811, ayant été envoyé en Turquie pour conclure la paix en dehors de celui-ci et s'étant rendu compte qu'elle était déjà conclue, il avait reconnu devant l'empereur que le mérite en revenait à Koutouzov ; ce fut ce Tchitchagov qui l'accueillit le premier à Vilna, devant le château où il devait descendre. Tchitchagov, en petite tenue d'amiral, le poignard au côté, sa casquette sous le bras, remit à Koutouzov son rapport et les clefs de la ville. La déférence dédaigneuse que les jeunes témoignaient à ce vieillard gâteux se reflétait au plus haut point dans toute l'attitude de Tchitchagov, qui était déjà au courant des accusations portées contre Koutouzov.

En parlant avec Tchitchagov, Koutouzov dit entre autres choses que les voitures chargées de vaisselle qui lui avaient été enlevées à Borissovo étaient intactes et lui seraient rendues.

« *C'est pour me dire que je n'ai pas sur quoi manger... Je puis au contraire vous fournir de tout dans le cas même où vous voudriez donner des dîners* », répondit en s'échauffant Tchitchagov, qui désirait par chacune de ses paroles prouver qu'il avait raison et qui par conséquent attribuait le même souci à Koutouzov. Koutouzov eut son fin sourire pénétrant et répondit en haussant les épaules : « *Ce n'est que pour vous dire ce que je vous dis.* »

À Vilna, Koutouzov, contre la volonté de l'empereur, arrêta la majeure partie des troupes. D'après son entourage, il se laissa aller et s'affaiblit singulièrement pendant son séjour dans cette ville. Il s'occupait à contrecœur des affaires de l'armée, s'en remettant de tout à ses généraux et, dans l'attente de l'empereur, menait une vie dissipée.

Parti de Pétersbourg le 7 décembre avec sa suite, le comte Tolstoï, le prince Volkonski, Araktcheiev et autres, l'empereur arriva à Vilna le 11 décembre et, dans son traîneau de voyage, se rendit directement au château. Devant le château, malgré un froid intense, une centaine de généraux et d'officiers d'état-major attendaient en grande tenue, ainsi qu'une garde d'honneur du régiment Semenovski.

Le courrier qui précédait l'empereur arriva au galop avec une troïka couverte d'écume et cria : « Le voilà ! » Konovnitzine s'élança dans le vestibule pour prévenir Koutouzov qui attendait dans la petite loge du suisse.

Une minute plus tard, la massive silhouette du vieillard en grande tenue de parade, la poitrine constellée de toutes ses décorations et son gros ventre barré d'une écharpe, apparut en se balançant sur le perron. Koutouzov remit son chapeau à l'ordonnance, puis, ses gants à la main, descendit les marches péniblement, de biais, et prit le rapport préparé pour l'empereur.

Des va-et-vient, des chuchotements, une autre troïka passant à toute allure, et tous les yeux se portèrent sur le traîneau qui arrivait et où l'on distinguait déjà la silhouette de l'empereur et celle de Volkonski.

Tout cela, malgré une habitude de cinquante ans, causa au vieux général un trouble physique ; il se tâta fébrilement, arrangea son chapeau et à l'instant même où l'empereur descendant du traîneau leva les yeux sur lui, il se redressa, se mit au garde à vous et lui tendant le rapport parla de sa voix mesurée et insinuante.

L'empereur enveloppa Koutouzov de la tête aux pieds d'un regard rapide, fronça un instant les sourcils mais, se dominant aussitôt, s'avança et ouvrant les bras étreignit le vieux général. Une fois de plus, par une réaction habituelle et sous le coup de sa pensée intime, cette accolade produisit sur Koutouzov son effet ordinaire : il eut un sanglot.

L'empereur salua les officiers, la garde du régiment Semenovski et, après avoir serré encore une fois la main du vieillard, entra avec lui dans le château.

Resté seul avec le maréchal, l'empereur lui exprima son mécontentement quant à la lenteur de la poursuite, aux erreurs commises à Krasnoïe et à la Bérézina, et lui fit part de ses projets pour la future campagne à l'étranger. Koutouzov ne fit ni objections ni remarques. La même expression soumise et passive avec laquelle, sept ans plus tôt, il écoutait les ordres de l'empereur sur le champ de bataille d'Austerlitz, s'était figée sur son visage.

Lorsque Koutouzov sortit du cabinet et que de son pas lourd et plongeant, la tête baissée, il traversa le salon, une voix l'arrêta :

« Votre Altesse », dit quelqu'un.

Koutouzov leva la tête, et regarda longtemps dans les yeux le comte Tolstoï qui, debout devant lui, tenait un petit objet sur un plateau en argent. Koutouzov semblait ne pas comprendre ce qu'on lui voulait.

Soudain il comprit, eût-on dit : un sourire à peine perceptible passa sur son gros visage et, avec un profond salut respectueux, il prit l'objet sur le plateau. C'était la croix de Saint-Georges de première classe.

XI

Le lendemain, le maréchal donna un dîner et un bal que l'empereur honora de sa présence. Koutouzov s'était vu décerner la croix de Saint-Georges de première classe ; l'empereur le comblait d'honneurs ; mais son mécontentement contre Koutouzov était connu de tous. Les convenances étaient observées et l'empereur en donnait l'exemple ; mais chacun savait que le vieillard était coupable et qu'il n'était bon à rien. Lorsque, au bal, par une vieille tradition du temps de Catherine, Koutouzov, à l'entrée de l'empereur dans la salle de bal, fit déposer à ses pieds les drapeaux pris à l'ennemi, l'empereur eut une grimace mécontente et prononça quelques mots parmi lesquels certains crurent entendre : « Vieux comédien. »

Le mécontentement de l'empereur contre Koutouzov s'accrut à Vilna, surtout parce que, de toute évidence, celui-ci ne voulait ou ne pouvait comprendre l'importance de la campagne envisagée.

Quand, le lendemain matin, l'empereur dit aux officiers réunis autour de lui : « Vous n'avez pas seulement sauvé la Russie, vous avez sauvé l'Europe », tous comprirent dès lors que la guerre n'était pas finie.

Seul Koutouzov ne voulait pas le comprendre et disait ouvertement son opinion, c'est-à-dire qu'une nouvelle guerre ne saurait améliorer la situation et accroître la gloire de la Russie, qu'elle ne pouvait qu'aggraver la situation et rabaisser ce suprême degré de gloire où elle se trouvait actuellement, selon lui. Il s'efforçait de démontrer à l'empereur l'impossibilité de recruter de nouvelles troupes ; il parlait de la pénible situation de la population, de la possibilité d'insuccès, etc.

Avec un tel état d'esprit, le maréchal n'apparaissait tout naturellement que comme une gêne et un frein dans la guerre projetée.

Afin d'éviter des conflits avec le vieillard, une solution se présenta d'elle-même qui consistait, comme à Austerlitz et comme au début de la campagne avec Barclay, à retirer au maréchal, sans l'alarmer, sans le lui annoncer, cette assise de son pouvoir où il se tenait et à le remettre à l'empereur en personne.

Dans ce dessein, on procéda progressivement à une refonte de l'état-major et toute la puissance effective de l'état-major de Koutouzov fut détruite et remise entre les mains de l'empereur. Toll, Konovnitzine, Ermolov reçurent de nouvelles affectations. Chacun disait à haute voix que le maréchal était très affaibli et sa santé compromise.

Il fallait que sa santé fût compromise pour qu'il remît les pouvoirs à son remplaçant. Et en effet sa santé était très mauvaise.

Aussi naturellement, aussi simplement et aussi progressivement que lorsque Koutouzov était passé de Turquie à la Chambre des finances pour lever les milices, puis à l'armée au moment précis où il était indispensable, aussi naturellement, progressivement et simplement, maintenant que son rôle était terminé, apparut à sa place l'homme nouveau dont on avait besoin.

La guerre de 1812, outre sa signification nationale, chère au cœur des Russes, devait en avoir une autre, une signification européenne.

À la marche des peuples d'Occident en Orient devait succéder la marche des peuples d'Orient en Occident, et pour cette nouvelle guerre il fallait un homme nouveau ayant d'autres qualités que Koutouzov, une autre façon de voir, animé par d'autres mobiles.

Alexandre Ier était tout aussi indispensable pour la marche des peuples d'Orient en Occident et pour le rétablissement de leurs frontières que l'avait été Koutouzov pour le salut et la gloire de la Russie.

Koutouzov ne comprenait pas le sens des mots : Europe, équilibre, Napoléon II. Il ne pouvait le comprendre. Le représentant du peuple russe, maintenant que l'ennemi était anéanti, la Russie libérée et portée au sommet de sa gloire, n'avait plus rien à faire, en tant que Russe. Au représentant de la guerre populaire il ne restait plus qu'à mourir. Et il mourut.

XII

Pierre, comme il arrive le plus souvent, ne ressentit tout le poids des privations physiques et des contraintes subies en captivité qu'une fois que ces privations et ces contraintes eurent pris fin. Après sa libération, il se rendit à Orel et, le lendemain de son arrivée, alors qu'il se disposait à partir pour Kiev, il tomba malade et resta alité trois mois à Orel; il avait, disaient les médecins, une fièvre bilieuse. Malgré les soins qu'ils lui prodiguèrent, malgré les saignées et les médicaments, il se rétablit.

Tout ce qui lui était arrivé, depuis sa libération jusqu'à sa maladie, ne lui laissa presque aucune impression. Il se souvenait seulement d'un temps gris et maussade, tantôt pluvieux, tantôt neigeux, d'une angoisse physique, de douleurs dans les pieds, dans le côté; il se souvenait d'une impression générale de malheurs, de souffrances des hommes; il se souvenait de l'inquiétante curiosité des officiers, des généraux qui lui posaient des questions; de ses démarches pour trouver une voiture et des chevaux et, surtout, il se souvenait de l'incapacité où il était alors de penser, de sentir. Le jour de sa libération, il avait vu le cadavre de Petia Rostov. Le même jour, il avait appris que le prince André avait survécu plus d'un mois à la bataille de Borodino et qu'il n'était mort que récemment, à Iaroslavl, chez les Rostov. Le même jour, Denissov, qui avait appris cette nouvelle à Pierre, avait fait allusion dans la conversation à la mort d'Hélène, le croyant depuis longtemps au courant. Tout cela n'avait alors paru à Pierre qu'étrange. Il se sentait incapable de comprendre la signification de toutes ces nouvelles. Il avait seulement hâte de quitter au plus vite ces lieux où les hommes s'entretuaient pour quelque refuge tranquille et, une fois là, de se ressaisir, de se reposer et de réfléchir à toutes ces choses étranges et nouvelles qu'il avait apprises pendant ce temps. Mais, dès son arrivée à Orel, il était tombé malade. Revenu à lui après sa maladie, Pierre vit autour de lui deux de ses domestiques arrivés de Moscou, Terenti et Vaska, ainsi que l'aînée des princesses qui, vivant à Eletz dans le domaine de Pierre et ayant appris sa libération et sa maladie, l'avait rejoint pour le soigner.

Pendant sa convalescence, Pierre ne s'affranchit que lentement des impressions des derniers mois devenues pour lui familières et ne s'habitua que progressivement à l'idée que personne ne le ferait aller nulle part le lendemain, que personne ne lui enlèverait son lit bien chaud et qu'il était sûr d'avoir son dîner, son thé et son souper. Mais en rêve il se vit encore longtemps dans les mêmes conditions de captivité. C'est aussi peu à peu seulement qu'il comprit les nouvelles apprises lors de sa libération : la mort du prince André, la mort de sa femme, l'anéantissement des Français.

Le sentiment joyeux de liberté, cette liberté totale, inaliénable, propre à l'homme, dont il avait eu pour la première fois conscience à la première étape après Moscou, emplissait l'âme de Pierre pendant sa convalescence. Il s'étonnait que cette liberté intérieure, indépendante des circonstances extérieures, semblât se doubler maintenant comme d'un excès, d'un luxe de liberté extérieure. Il était seul dans une ville étrangère, n'y connaissant personne. Personne n'exigeait rien de lui ; personne ne l'envoyait nulle part. Tout ce qu'il désirait, il l'avait ; la pensée de sa femme qui le hantait constamment l'avait quitté puisqu'elle n'était plus.

« Ah ! comme c'est bien ! Comme c'est agréable ! se disait-il quand on lui avançait une table servie avec du bouillon odorant, ou quand, le soir, il se couchait dans un lit moelleux et propre, ou quand il se souvenait que sa femme et les Français, c'en était fini. Ah ! comme c'est bien, comme c'est agréable ! » Et, par une vieille habitude, il se demandait : « Et maintenant ? que vais-je faire ? » Et aussitôt il se répondait : « Rien. Je vivrai. Ah ! comme c'est agréable ! »

Cela même qui le tourmentait autrefois, ce qu'il avait cherché constamment, le but de la vie, n'existait plus pour lui maintenant. Ce n'est pas par hasard, non pas seulement en ce moment, que ce but de la vie qu'il cherchait n'existait plus pour lui, il sentait qu'il n'y avait pas de but et qu'il ne pouvait y en avoir. Et c'est cette absence de but qui lui donnait cette conscience pleine et joyeuse de liberté qui faisait alors son bonheur.

Il ne pouvait avoir de but car il avait maintenant la foi – non pas la foi en des règles ou des paroles ou des idées, mais la foi en un Dieu vivant, toujours présent. Autrefois il cherchait Dieu dans les buts qu'il se proposait. Cette recherche d'un but n'était que la recherche de Dieu ; et soudain il avait compris en captivité, non par des mots, non par raisonnement mais par perception directe ce que, longtemps auparavant, lui disait sa nounou : que Dieu est ici, là, partout. Il avait appris en captivité que le Dieu de Karataiev est plus grand, plus infini et plus impénétrable que l'Architecte de l'univers des maçons. Il éprouvait le sentiment de qui trouve à ses pieds ce qu'il cherchait alors qu'il forçait la vue en regardant au loin. Toute sa vie, il avait regardé quelque part au loin, par-dessus la tête de ceux qui l'entouraient, alors qu'il devait, sans forcer la vue, regarder seulement devant lui.

Autrefois il ne savait voir nulle part le grand, l'inconnaissable et l'infini. Il sentait seulement qu'il devait être quelque part et il le cherchait. Dans tout ce qui était proche, compréhensible, il ne voyait que le borné, le mesquin, le quotidien, l'absurde. Il s'armait d'une longue-vue mentale et regardait au loin, là où ce quotidien mesquin, se perdant dans un lointain brumeux, paraissait grand et infini pour la seule raison qu'on ne le distinguait pas nettement. C'est ainsi qu'il voyait la vie de l'Europe, la politique, la franc-maçonnerie, la philosophie, la philanthropie. Mais même alors, à ces moments qu'il considérait comme une faiblesse, son esprit pénétrait aussi dans ce lointain et il y voyait les mêmes choses mesquines, quotidiennes, absurdes. Or, maintenant, il avait appris à voir le grand, l'éternel et l'infini en tout, et tout naturellement, pour le voir, pour jouir de sa contemplation, il avait abandonné la longue-vue avec laquelle il regardait jusqu'alors par-dessus la tête des hommes et il contemplait avec joie autour de lui la vie éternellement changeante, éternellement grande, inconnaissable et infinie. Et plus il regardait de près, plus il était calme et heureux. La terrible question : pourquoi ? qui autrefois détruisait toutes les constructions de son esprit ne se posait plus pour lui. Maintenant à cette question : Pourquoi ? une simple réponse était toujours prête dans son âme : parce que Dieu existe, ce Dieu sans la volonté de qui pas un cheveu ne tombe de la tête de l'homme.

XIII

Pierre n'avait presque pas changé dans sa manière d'être. En apparence, il était exactement le même que toujours. Comme naguère, il était distrait et semblait occupé non de ce qu'il avait devant les yeux mais de quelque chose de personnel, de particulier. La différence entre son état passé et son état présent était qu'autrefois, quand il oubliait ce qu'il avait devant lui, ce qu'on lui disait, il semblait, en contractant douloureusement son front, s'efforcer, mais en vain, de distinguer quelque chose très loin de lui. Maintenant, de même, il oubliait ce qu'on lui disait et ce qu'il avait devant lui ; mais maintenant, avec un imperceptible sourire comme ironique, il scrutait cela même qui était devant lui, écoutait ce qu'on lui disait, quoique de toute évidence il vît et entendît tout autre chose. Autrefois, il paraissait malheureux tout en étant un homme de cœur ; aussi, malgré soi, s'éloignait-on de lui. Maintenant, un sourire plein de joie de vivre jouait toujours au coin de ses lèvres et dans ses yeux rayonnait l'intérêt pour les autres, comme la question : étaient-ils aussi contents que lui ? Et on se plaisait dans sa compagnie.

Autrefois, il parlait beaucoup, s'échauffait en parlant et écoutait peu ; maintenant, il se passionnait rarement dans sa conversation et savait si bien écouter qu'on lui confiait volontiers ses secrets les plus intimes.

La princesse, qui n'avait jamais aimé Pierre, qui nourrissait pour lui des sentiments particulièrement hostiles depuis qu'elle s'était, après la mort du vieux comte, sentie son obligée, et qui était venue à Orel avec l'intention de lui prouver que, malgré son ingratitude, elle croyait de son devoir de le soigner, la princesse, à son grand dépit et à sa surprise, sentit bientôt, après un bref séjour à Orel, qu'elle l'aimait. Pierre ne faisait rien pour gagner ses bonnes grâces. Il se contentait de l'examiner avec curiosité. Autrefois, elle sentait dans son regard de l'indifférence et de l'ironie et, en sa présence comme en présence des autres, elle se contractait moralement et ne montrait que le côté combatif de sa vie ; maintenant, elle sentait au contraire qu'il cherchait à pénétrer jusqu'au tréfonds de son être ; et, avec méfiance d'abord, puis avec gratitude, elle lui montrait les bons côtés cachés de son caractère.

L'homme le plus rusé n'aurait pu s'insinuer plus habilement dans la confiance de la princesse en réveillant en elle les souvenirs de la meilleure époque de sa jeunesse et en y témoignant de la sympathie. Pourtant toute la ruse de Pierre était qu'il cherchait sa propre satisfaction en éveillant des sentiments humains chez la princesse aigrie, sèche et fière à sa façon.

« Oui, il est très, très bon quand il se trouve sous l'influence non pas de mauvaises gens mais de personnes comme moi », se disait-elle.

Le changement qui s'était opéré en Pierre fut également remarqué à leur façon par ses domestiques, Terenti et Vaska. Ils le trouvaient maintenant beaucoup plus simple. Souvent Terenti, après avoir déshabillé son maître et lui avoir souhaité bonne nuit, tardait à s'en aller, ses chaussures et ses vêtements à la main, dans l'espoir qu'il engagerait la conversation. Et le plus souvent, Pierre retenait Terenti en voyant qu'il avait envie de parler.

« Voyons, dis-moi un peu... comment faisiez-vous pour trouver à manger ? » demandait-il. Et Terenti commençait un récit sur la détresse de Moscou, sur le défunt comte, et restait longtemps, les vêtements sur le bras, à raconter et parfois à écouter Pierre, et lorsqu'il s'en allait dans l'antichambre, c'était avec l'agréable conscience d'intimité avec son maître et d'amitié pour lui.

Le médecin qui soignait Pierre et qui venait le voir tous les jours, bien qu'il se crût obligé, comme tout médecin, de se donner l'air d'un homme dont chaque instant est précieux pour l'humanité souffrante, s'attardait des heures auprès de lui, lui racontant ses histoires préférées et lui faisant part de ses observations sur les mœurs des malades en général et des dames en particulier.

« Oui, voilà quelqu'un avec qui il est agréable de causer, ce n'est pas comme chez nous en province », disait-il.

Il y avait à Orel quelques officiers français prisonniers et le médecin en amena un, un jeune Italien.

Cet officier prit l'habitude de venir voir Pierre, et la princesse plaisantait sur les tendres sentiments que l'Italien témoignait à Pierre.

L'Italien n'était visiblement heureux que lorsqu'il pouvait aller chez Pierre causer avec lui, lui raconter son passé, sa vie de famille, sans amour, et épancher son indignation contre les Français et surtout contre Napoléon.

« Si tous les Russes vous ressemblent tant soit peu, disait-il à Pierre, *c'est un sacrilège que de faire la guerre à un peuple comme le vôtre.* Vous qui avez tant souffert par la faute des Français, vous n'avez même pas de rancune contre eux. »

Et cette affection passionnée de l'Italien, Pierre ne l'avait gagnée elle aussi qu'en éveillant en lui les meilleurs côtés de son âme et en les admirant.

Les derniers temps du séjour de Pierre à Orel, il reçut la visite de sa vieille connaissance, le franc-maçon comte Willarski, celui-là même qui l'avait reçu à la loge en 1807. Willarski avait épousé une Russe très riche qui possédait d'importants domaines dans la province d'Orel, et il occupait un poste provisoire dans le ravitaillement de la ville.

En apprenant la présence de Bezoukhov à Orel, Willarski, bien qu'il ne l'eût jamais connu intimement, vint le voir avec ces démonstrations d'amitié et d'intimité qu'on fait d'habitude en se rencontrant dans un désert. Willarski s'ennuyait à Orel et était heureux de rencontrer un homme de son milieu qui s'intéressait, supposait-il, aux mêmes choses que lui.

Mais, à sa surprise, Willarski constata bientôt que Pierre retardait beaucoup sur les événements et qu'il était tombé, selon sa définition, dans l'apathie et l'égoïsme.

« *Vous vous encroûtez, mon cher* », lui disait-il. Malgré cela, il prenait plus de plaisir qu'autrefois à la société de Pierre et venait le voir chaque jour. Quant à Pierre, en regardant Willarski et en l'écoutant maintenant, la pensée que tout récemment encore il était comme lui, lui paraissait étrange et incroyable.

Willarski était un homme marié, père de famille, occupé des domaines de sa femme, de ses fonctions, de sa famille. Il considérait que toutes ces occupations représentaient une entrave dans la vie et qu'elles étaient méprisables puisqu'elles avaient pour but son bien-être personnel et celui de sa famille. Les questions militaires, administratives, politiques, maçonniques absorbaient constamment son attention. Et Pierre, sans chercher à lui faire changer sa façon de voir, sans le blâmer, admirait, avec son ironie maintenant immuablement bienveillante et joyeuse, cet étrange cas qu'il connaissait si bien.

Dans ses rapports avec Willarski, avec la princesse, avec le médecin, avec tous ceux qu'il rencontrait maintenant, il y avait chez Pierre un trait nouveau qui lui valait la sympathie générale : il reconnaissait à chacun le droit de penser, de sentir, et d'envisager les choses à sa façon ; il reconnaissait l'impossibilité de convaincre par des mots. Cette particularité légitime de chaque homme, qui autrefois troublait et irritait Pierre, était maintenant le fondement de la sympathie et de l'intérêt qu'il portait aux autres. La différence, parfois la contradiction absolue, entre les opinions des gens, leur vie, et entre eux réjouissait Pierre et suscitait chez lui un bon sourire ironique.

Dans les affaires pratiques, Pierre sentait maintenant avec surprise qu'il possédait le point d'appui qui autrefois lui faisait défaut. Autrefois, toute question d'argent, surtout les demandes d'argent auxquelles, en homme très riche, il était très souvent en butte, le plongeaient dans un trouble et un embarras sans issue. « Faut-il donner ou ne pas donner ? se demandait-il. J'ai de l'argent et lui en a besoin. Mais l'autre en a encore plus besoin. Lequel en a besoin le plus ? Et peut-être tous deux sont-ils des imposteurs ? » et dans toutes ces suppositions, il ne trouvait autrefois aucune issue et donnait à tous, tant qu'il pouvait donner. Il se trouvait jadis dans le même embarras chaque fois que se posait une question relative à ses intérêts, quand l'un disait qu'il fallait faire telle chose et l'autre telle autre.

Maintenant, à sa surprise, il trouvait que, dans toutes ces questions, il n'y avait plus ni doute ni embarras. Il y avait maintenant en lui un juge qui, en vertu de lois inconnues de lui, décidait ce qu'il fallait et ce qu'il ne fallait pas faire.

Il était aussi indifférent qu'autrefois aux questions d'argent, mais maintenant il savait à n'en pas douter ce qu'on doit et ce qu'on ne doit pas faire. La première sentence de ce nouveau juge fut rendue à l'occasion de la visite d'un colonel français prisonnier qui lui parla d'abondance de ses exploits et, à la fin, exigea presque de lui quatre mille francs pour les envoyer à sa femme et à ses enfants. Pierre refusa sans la moindre peine ni le moindre effort, surpris lui-même d'avoir pu faire si simplement et si facilement une chose qui auparavant lui paraissait d'une difficulté insurmontable. En même temps qu'il refusait au colonel, il décida qu'il devait absolument employer la ruse en quittant Orel afin de faire accepter de l'argent à l'officier italien qui en avait visiblement besoin. Une nouvelle preuve de la fermeté qu'il avait acquise dans les questions pratiques fut pour lui sa décision au sujet des dettes de sa femme et de la restauration éventuelle de sa maison de Moscou et de ses villas.

Son intendant principal vint le voir à Orel et Pierre dressa avec lui l'état général de ses revenus changés. L'incendie de Moscou lui coûtait, d'après les calculs de l'intendant, deux millions de roubles environ.

L'intendant, en contrepartie de ces pertes, lui représenta, chiffres à l'appui, que, malgré ces pertes, ses revenus non seulement ne diminueraient pas mais se trouveraient même augmentés s'il refusait de régler les dettes laissées par la comtesse, ce à quoi il ne pouvait être obligé, et s'il renonçait à remettre en état ses maisons de Moscou et son domaine de la banlieue, qui coûtaient quatre-vingt mille roubles par an sans rien rapporter.

« Oui, oui, c'est vrai, dit Pierre en souriant gaiement. Oui, oui, je n'ai besoin de rien de tout cela. Ma ruine m'a rendu beaucoup plus riche. »

Mais, en janvier, Savelitch arriva de Moscou, parla de la situation de la ville, du devis établi par l'architecte pour la remise en état des maisons de Moscou et de la banlieue, et en parla comme d'une chose décidée. En même temps, Pierre reçut des lettres du prince Vassili et d'autres amis de Pétersbourg. Dans ces lettres, il était question des dettes de sa femme. Et Pierre décida que le projet de l'intendant qui l'avait tant séduit était inacceptable, qu'il devait aller à Pétersbourg pour liquider les affaires de sa femme et qu'il fallait rebâtir à Moscou. Pourquoi cela était nécessaire, il ne le savait pas ; mais il était certain qu'il le fallait. Ses revenus, à la suite de cette décision, se trouvaient réduits des trois quarts. Mais c'était nécessaire ; il le sentait.

Willarski allait à Moscou et ils convinrent de voyager ensemble.

Pierre avait éprouvé, pendant toute la durée de sa convalescence à Orel, un sentiment de joie, de liberté, de vie ; mais lorsque, au cours de son voyage, il se trouva au grand air, qu'il vit des centaines de visages nouveaux, ce sentiment grandit encore. Durant tout le trajet, il éprouva la joie d'un écolier en vacances. Tous les gens – le postillon, le maître de poste, les paysans sur la route ou dans les villages – prenaient pour lui un sens nouveau. La présence et les réflexions de Willarski qui ne cessait de se plaindre de la pauvreté de la Russie, de son retard sur l'Europe, de son ignorance, ne faisaient qu'exalter la joie de Pierre. Là où Willarski ne voyait que stagnation, Pierre voyait une force vitale d'une puissance prodigieuse, cette force qui, dans ces étendues enneigées, entretenait la vie de ce peuple entier, particulier et uni. Il ne contredisait pas Willarski et, comme s'il était d'accord avec lui (car une feinte approbation était le moyen le plus simple d'éviter une discussion qui ne pouvait mener à rien), il l'écoutait en souriant joyeusement.

XIV

De même qu'il est difficile d'expliquer pour quoi, vers où se hâtent les fourmis d'une fourmilière saccagée, les unes s'éloignant en traînant des brindilles, des œufs et des cadavres, d'autres y revenant – pourquoi elles se heurtent, se poursuivent, se battent – de même il serait difficile d'expliquer les raisons qui incitèrent les Russes, après le départ des Français, à se rassembler à l'endroit qui naguère s'appelait Moscou. Mais de même qu'en regardant les fourmis éparpillées autour de leur fourmilière dévastée, on voit, malgré sa destruction complète, à la ténacité, à l'énergie, à l'activité de ces innombrables insectes, que tout est détruit sauf quelque chose d'indestructible, d'immatériel qui constitue toute la force de la fourmilière, de même Moscou, en octobre, quoiqu'il n'y eût ni autorités, ni églises, ni sanctuaires, ni richesses, ni maisons, était la même Moscou qu'en août. Tout était détruit, hormis quelque chose d'immatériel mais de puissant et d'indestructible.

Les mobiles des gens qui affluaient de toutes parts vers Moscou après son évacuation par l'ennemi étaient les plus divers, personnels, et, les premiers temps, pour la plupart sauvages, primitifs. Un seul mobile était commun à tous, le désir de regagner ce lieu qui autrefois s'appelait Moscou pour trouver à y employer son activité.

Au bout d'une semaine, Moscou comptait déjà quinze mille habitants, au bout de deux, vingt-cinq mille, et ainsi de suite. Augmentant sans cesse, ce chiffre dépassa, à l'automne 1813, celui de la population de 1812.

Les premiers Russes qui entrèrent à Moscou furent les cosaques du détachement de Wintzingerode, des paysans des villages avoisinants et les habitants qui en fuyant la ville s'étaient cachés dans les environs. Entrant dans Moscou ruinée et la trouvant pillée, ils se prirent à piller aussi. Ils continuèrent ce qu'avaient fait les Français. Des convois de paysans venaient à Moscou pour emporter dans leurs villages tout ce qui avait été abandonné dans les maisons et dans les rues. Les cosaques emportaient ce qu'ils pouvaient dans leurs bivouacs ; les propriétaires prenaient tout ce qu'ils trouvaient dans d'autres maisons et le transportaient chez eux sous prétexte que c'était à eux.

Mais les premiers pillards furent suivis par d'autres, puis par d'autres encore, et de jour en jour, à mesure qu'augmentait leur nombre, le pillage devenait de plus en plus difficile et prenait des formes plus précises.

Les Français avaient trouvé Moscou vide, mais avec toutes les formes organiques d'une vie normale organisée, avec ses diverses fonctions du commerce, de l'artisanat, du luxe, de l'administration, de la religion. Ces formes étaient privées de vie mais elles existaient encore. Il y avait des marchés, des boutiques, des magasins, des entrepôts, des halles, la plupart pleins de marchandises ; il y avait des fabriques, des ateliers artisanaux ; il y avait des palais, de riches maisons particulières pleines d'objets de luxe ; il y avait des hôpitaux, des prisons, des administrations publiques, des églises, des cathédrales. Plus se prolongeait le séjour des Français, plus ces formes de la vie urbaine se désagrégeaient et, à la fin, tout ne fut plus qu'un seul champ de dévastation et de pillage.

Le pillage des Français, plus il se prolongeait, plus il épuisait les richesses de Moscou et les forces des pillards. Le pillage des Russes par lequel commença leur retour dans la capitale, plus il se prolongeait, plus le nombre des participants augmentait, plus rapidement il rétablissait la richesse de Moscou, et la vie normale de la ville.

Outre les pillards, les gens les plus divers, poussés qui par la curiosité, qui par les devoirs du service, qui par l'intérêt – propriétaires, clergé, grands et petits fonctionnaires, marchands, artisans, paysans – affluaient de tous côtés à Moscou comme le sang au cœur.

Au bout de huit jours, déjà, les paysans venus avec des chariots vides pour emporter des objets volés étaient requis par les autorités pour le transport des cadavres hors de la ville. D'autres paysans, ayant appris la malchance de leurs camarades, apportaient en ville du blé, de l'avoine, du foin, faisant baisser les prix les uns des autres jusqu'à un taux inférieur au précédent. Des équipes de charpentiers, dans l'espoir de gains élevés, arrivaient chaque jour à Moscou, et de tous côtés on bâtissait ou réparait les maisons incendiées. Des marchands ouvraient des boutiques dans des baraquements. Des cabarets, des auberges s'installaient dans des maisons incendiées. Le clergé avait rétabli le service dans de nombreuses églises échappées aux flammes. Des donateurs apportaient des objets du culte pillés. Les fonctionnaires installaient dans de petites pièces leurs bureaux recouverts de drap et les armoires avec leurs dossiers. Les autorités supérieures et la police procédaient à la distribution des biens laissés par les Français. Les propriétaires des maisons où se trouvaient beaucoup d'objets provenant d'autres maisons se plaignaient de l'injustice qu'il y avait à centraliser tous les biens au Palais à Facettes; d'autres soutenaient que les Français avaient transporté les objets de différentes maisons à un seul endroit et qu'il était donc injuste de laisser à un propriétaire ce qu'il avait trouvé chez lui. On vitupérait la police, on la soudoyait; on décuplait l'estimation des biens du Trésor brûlés; on réclamait des secours. Le comte Rostoptchine écrivait ses proclamations.

XV

À la fin de janvier, Pierre arriva à Moscou et s'installa dans une aile de sa maison demeurée intacte. Il rendit visite au comte Rostoptchine, à certaines de ses connaissances revenues à Moscou et, le lendemain, se disposa à partir pour Pétersbourg. Tout le monde célébrait la victoire; tout bouillonnait de vie dans la capitale ruinée et renaissante. Chacun était enchanté d'accueillir Pierre; chacun voulait le voir et tous le questionnaient sur ce qu'il avait vu. Pierre se sentait les dispositions les plus amicales à l'égard de tous ceux qu'il rencontrait; mais, malgré lui, il se tenait avec tout le monde sur la réserve de façon à ne s'engager en rien. À toutes les questions qu'on lui posait – qu'elles fussent importantes ou des plus insignifiantes – qu'on lui demandât où il allait habiter, s'il comptait rebâtir, quand il partait pour Pétersbourg et s'il se chargerait d'une petite caisse, il répondait : oui, peut-être, je pense, etc.

Il avait appris au sujet des Rostov qu'ils étaient à Kostroma, et la pensée de Natacha lui venait rarement. Même quand elle venait, ce n'était que comme l'agréable souvenir d'un passé depuis longtemps révolu. Il se sentait libre non seulement des contingences de la vie mais aussi de ce sentiment que, comme il lui semblait, il avait suscité délibérément.

Le surlendemain de son arrivée, il apprit par les Droubetzkoï que la princesse Maria était à Moscou. La mort, les souffrances, les derniers jours du prince André venaient souvent à l'esprit de Pierre et lui revinrent maintenant avec une intensité nouvelle. Ayant appris au cours du dîner que la princesse Maria était à Moscou et habitait sa maison de la Vozdvijenka demeurée intacte, il se rendit chez elle le soir même.

En chemin, il ne cessa de penser au prince André, à leur amitié, à leurs différentes rencontres et surtout à la dernière, à Borodino.

« Est-il possible qu'il soit mort dans l'état d'esprit aigri dans lequel il était alors ? Est-il possible qu'avant sa mort l'explication de la vie ne se soit pas révélée à lui ? » pensait-il. Il se souvint de Karataiev, de sa mort, et malgré lui il se prit à comparer ces deux hommes, si différents et pourtant si semblables à l'affection qu'il leur portait et aussi parce que tous deux avaient vécu et étaient morts.

Dans les dispositions les plus sérieuses, Pierre arriva à la maison du vieux prince. Cette maison était demeurée intacte. On y voyait des traces de délabrement mais son caractère était inchangé. Le vieux laquais qui accueillit Pierre avec un visage sévère, comme pour faire sentir au visiteur que l'absence du prince ne changeait rien aux habitudes de la maison, dit que la princesse était montée dans ses appartements et qu'elle recevait le dimanche.

« Annonce-moi ; on me recevra peut-être, dit Pierre.

– À vos ordres, répondit le laquais, veuillez passer dans la galerie aux portraits. »

Quelques instants après, le laquais revint accompagné de Dessales. Dessales dit à Pierre, de la part de la princesse, qu'elle serait très heureuse de le voir et qu'elle le priait, s'il voulait bien excuser son sans-gêne, de monter chez elle.

Dans une petite pièce basse de plafond éclairée d'une seule bougie, il trouva la princesse et une autre personne en robe noire. Pierre se souvenait que la princesse avait toujours auprès d'elle des dames de compagnie, mais qui elles étaient, il l'ignorait et ne se le rappelait pas. « C'est une de ses compagnes », pensa-t-il en jetant un regard à la dame en noir.

La princesse se leva vivement à son entrée et lui tendit la main.

« Oui, dit-elle en scrutant son visage changé, après qu'il lui eut baisé la main, voilà comment nous nous retrouvons. Les derniers temps aussi, il parlait souvent de vous, dit-elle en reportant les yeux de Pierre sur la dame de compagnie avec une timidité qui un instant frappa Pierre.

– J'ai été si heureuse d'apprendre que vous étiez sauvé. C'est la seule nouvelle réconfortante que nous avons eue depuis longtemps. » De nouveau, avec plus d'inquiétude encore, la princesse jeta un regard à la dame de compagnie et voulut dire quelque chose ; mais Pierre l'interrompit.

« Figurez-vous que je ne savais rien de lui, dit-il. Je le croyais tué. Tout ce que j'ai appris, je l'ai su par d'autres, de seconde main. Je sais seulement qu'il s'est trouvé chez les Rostov. Quel destin ! »

Pierre parlait vite, avec animation. Il jeta un coup d'œil sur la dame de compagnie, vit un regard attentif, amical, curieux fixé sur lui et, comme il arrive souvent dans la conversation, il sentit sans savoir pourquoi que cette dame de compagnie en robe noire était une personne gentille, bonne, qui ne gênerait pas son entretien intime avec la princesse Maria.

Mais lorsqu'il prononça les derniers mots au sujet des Rostov, l'embarras sur le visage de la princesse Maria s'accentua encore. Ses yeux allèrent de nouveau du visage de Pierre à celui de la dame en noir qui lui dit :

« Vous ne me reconnaissez donc pas ? »

Pierre regarda derechef le pâle visage fin aux yeux noirs et à la bouche étrange. Quelque chose de proche, d'oublié depuis longtemps et de plus que cher le regardait de ses yeux attentifs.

« Mais non, ce n'est pas possible ? pensa-t-il. Ce visage sévère, maigre et pâle, vieilli ? Ce ne peut être elle. Ce n'est qu'un reflet. » Mais à ce moment la princesse Maria dit : « Natacha. » Et le visage aux yeux attentifs sourit avec peine, avec effort, comme s'ouvre une porte rouillée, et par cette porte ouverte parvint soudain à Pierre une bouffée de ce bonheur depuis longtemps oublié auquel, en ce moment surtout, il ne pensait pas. Cette bouffée vint à lui, l'enveloppa et l'engloutit tout entier. Lorsqu'elle sourit, le doute ne fut plus possible. C'était Natacha, et il l'aimait.

Dès le premier moment, Pierre, malgré lui, dit et à elle, et à la princesse Maria, et surtout à lui-même le secret qu'il ignorait encore. Il rougit de joie et de souffrance. Il voulait cacher son émotion. Mais plus il cherchait à la cacher, plus clairement – plus clairement que par les mots les plus précis – il disait à lui-même, à elle, à la princesse Maria qu'il l'aimait.

« Non, ce n'est qu'un effet de surprise », pensa Pierre. Mais dès qu'il voulut reprendre la conversation avec la princesse Maria, il regarda de nouveau Natacha et une rougeur plus violente encore lui couvrit le visage – et une émotion plus violente encore, faite de joie et de peur, envahit son âme. Il s'embrouilla dans ses paroles et s'arrêta au milieu d'une phrase.

Pierre n'avait pas remarqué Natacha parce qu'il ne s'attendait nullement à la voir ici, mais s'il ne l'avait pas reconnue c'est que le changement qui s'était opéré en elle depuis la dernière fois qu'il l'avait vue était immense. Elle avait maigri et pâli. Mais ce n'était pas cela qui la rendait méconnaissable : il était impossible de la reconnaître au premier abord, en entrant, parce que sur ce visage, dans ces yeux où brillait toujours un sourire secret de joie de vivre, il n'y avait maintenant, quand il était entré et l'avait regardée pour la première fois, pas même l'ombre d'un sourire ; il n'y avait que les yeux attentifs, bons et chargés d'une triste interrogation.

Le trouble de Pierre ne se traduisit pas par du trouble chez Natacha, mais seulement par un plaisir qui éclaira presque imperceptiblement tout son visage.

XVI

« Elle est venue passer quelque temps avec moi, dit la princesse Maria. Le comte et la comtesse arrivent ces jours-ci. La comtesse est dans un état affreux. Mais Natacha elle-même avait besoin de voir un médecin. On l'a forcée à m'accompagner.

– Oui, y a-t-il une famille qui n'ait pas sa douleur, dit Pierre en s'adressant à Natacha. Vous savez que c'est arrivé le jour même de notre libération. Je l'ai vu. Quel charmant garçon c'était ! »

Natacha le regardait et, en réponse à ses paroles, seuls ses yeux s'ouvrirent et s'éclairèrent encore.

« Que peut-on dire qui soit consolant ? dit Pierre. Rien. Pourquoi un garçon si gentil, si plein de vie devait-il mourir ?

– Oui, il serait difficile de vivre de nos jours sans la foi… dit la princesse Maria.

– Oui, oui. Cela c'est la pure vérité, interrompit précipitamment Pierre.

– Pourquoi ? demanda Natacha en le regardant attentivement dans les yeux.

– Comment pourquoi ? dit la princesse Maria. La pensée seule de ce qui nous attend là-bas… »

Natacha, sans l'écouter jusqu'au bout, posa de nouveau sur Pierre un regard interrogateur.

« Et aussi parce que, reprit Pierre, seul celui qui croit qu'il existe un Dieu qui nous guide peut supporter une perte telle que la sienne et… la vôtre. »

Natacha avait déjà ouvert la bouche pour dire quelque chose, mais soudain elle s'arrêta. Pierre se hâta de se détourner et, s'adressant de nouveau à la princesse Maria, il la questionna sur les derniers jours de son ami. Le trouble de Pierre avait maintenant presque entièrement disparu ; mais en même temps il sentait qu'avait disparu toute son ancienne liberté. Il sentait que pour chacune de ses paroles, chacun de ses actes, il y avait maintenant un juge au jugement de qui il tenait plus qu'à celui du monde entier. Il parlait et, à chacune de ses paroles, pesait l'impression qu'elle produisait sur Natacha. Il ne disait pas exprès ce qui aurait pu lui plaire ; mais quoi qu'il dît, il se jugeait de son point de vue à elle.

La princesse Maria commença à contrecœur, comme il arrive toujours, à parler de l'état dans lequel elle avait trouvé le prince André. Mais les questions de Pierre, son regard animé et anxieux, son visage frémissant d'émotion l'amenèrent peu à peu à entrer dans les détails qu'elle craignait pour elle-même de réveiller dans son imagination.

« Oui, oui, c'est cela, c'est cela… disait Pierre, penché de tout son corps vers la princesse Maria et écoutant avidement son récit. Oui, oui ; donc il s'est apaisé ? adouci ? Il cherchait tant et toujours, de toutes les forces de son âme, une seule chose : être parfaitement bon, qu'il ne pouvait craindre la mort. Les défauts qu'il avait – s'il en avait – ne venaient pas de lui. Alors il s'est adouci ? Quel bonheur qu'il vous ait revue », dit-il à Natacha en se tournant brusquement vers elle et en la regardant, les yeux pleins de larmes.

Le visage de Natacha tressaillit. Elle fronça le sourcil et un instant baissa les yeux. Elle hésita une seconde avant de parler.

« Oui, ce fut un bonheur, dit-elle d'une voix douce et grave, pour moi ce fut certainement un bonheur. » Elle se tut un instant. « Et lui… lui… il disait qu'il le désirait au moment même où je suis venue à lui… » La voix de Natacha se brisa. Elle rougit, crispa les mains sur ses genoux et soudain, faisant visiblement un effort sur elle-même, releva la tête et se mit à parler rapidement :

« Nous ne savions rien en quittant Moscou. Je n'osais pas demander de ses nouvelles. Et tout à coup Sonia m'a dit qu'il était avec nous. Je ne pensais rien, je ne pouvais me représenter dans quel état il était ; j'avais seulement besoin de le voir, d'être avec lui », disait-elle en tremblant et en haletant. Et, sans se laisser interrompre, elle raconta ce qu'elle n'avait jamais encore raconté à personne : tout ce qu'elle avait vécu pendant les trois semaines de voyage et le séjour à Iaroslavl.

Pierre l'écoutait, la bouche ouverte et sans détacher d'elle ses yeux pleins de larmes. En l'écoutant, il ne pensait ni au prince André, ni à la mort, ni à ce qu'elle racontait. Il l'écoutait et il la plaignait seulement pour la souffrance qu'elle éprouvait en ce moment en racontant.

La princesse, le visage contracté sous l'effort qu'elle faisait pour retenir ses larmes, était assise près de Natacha et écoutait pour la première fois l'histoire de ces derniers jours de l'amour de son frère et de Natacha.

Ce récit douloureux et joyeux était, on le voyait, un besoin pour Natacha.

Elle parlait en mêlant les détails les plus insignifiants aux secrets les plus intimes et semblait ne jamais pouvoir finir. Plusieurs fois elle répéta la même chose.

La voix de Dessales se fit entendre derrière la porte, demandant si le petit Nicolas pouvait entrer pour dire bonsoir.

« Et c'est tout, tout... » dit Natacha. Elle se leva vivement au moment où le petit Nicolas entrait et courut presque vers la sortie, se heurta la tête contre la porte dissimulée par une portière et, avec un gémissement de douleur, d'affliction, s'enfuit.

Pierre regardait la porte par laquelle elle était sortie et ne comprenait pas pourquoi il restait soudain seul au monde.

La princesse Maria mit fin à sa rêverie en attirant son attention sur son neveu qui était entré.

Le visage du petit Nicolas, qui ressemblait à celui de son père, émut si fort Pierre, dans l'instant d'attendrissement de l'âme où il se trouvait, qu'après l'avoir embrassé, il se leva en hâte et, tirant son mouchoir, s'éloigna vers la fenêtre. Il voulut prendre congé de la princesse Maria mais elle le retint.

« Non, il nous arrive souvent à Natacha et à moi de ne pas nous coucher avant deux heures du matin ; restez, je vous en prie. Je vais faire servir à souper. Descendez ; nous vous rejoignons tout de suite. »

Avant que Pierre fût sorti, la princesse lui dit : « C'est la première fois qu'elle a parlé ainsi de lui. »

XVII

On conduisit Pierre dans la grande salle à manger éclairée, quelques instants plus tard, des pas se firent entendre, et la princesse Maria entra dans la pièce avec Natacha. Natacha était calme, bien que son visage eût repris son expression sévère, sans sourire. La princesse Maria, Natacha et Pierre éprouvaient également cette sensation de gêne qui suit d'habitude une conversation sérieuse et intime. Reprendre la même conversation est impossible ; on a scrupule à dire des futilités et il est désagréable de se taire, car on a envie de parler et en gardant le silence on semble feindre. Ils s'approchèrent sans mot dire de la table. Les laquais avancèrent les chaises, puis les rapprochèrent. Pierre déplia sa serviette froide et, résolu à rompre le silence, regarda Natacha et la princesse Maria. Elles avaient manifestement pris la même décision ; dans leurs yeux à toutes deux brillaient la satisfaction de vivre et l'aveu qu'outre le chagrin, il y a aussi des joies.

« Vous prenez de la vodka, comte ? dit la princesse Maria, et ces mots chassèrent soudain les ombres du passé.

– Parlez-nous donc de vous, dit la princesse Maria, on raconte sur vous des choses si extraordinaires.

– Oui, répondit Pierre avec le sourire de douce ironie qui lui était maintenant habituel. On me raconte à moi-même des choses extraordinaires et que je n'aurais jamais imaginées. Maria Abramovna m'a invité chez elle et n'a pas cessé de me raconter tout ce qui m'était arrivé ou avait dû m'arriver. Stepan Stepanitch m'a aussi appris ce que je devais raconter. J'ai remarqué en général qu'il est de tout repos d'être un homme intéressant (j'en suis un actuellement) ; on m'invite et on me raconte tout. »

Natacha sourit et voulut dire quelque chose.

« On nous a raconté, interrompit la princesse Maria, que vous avez perdu deux millions à Moscou. Est-ce vrai ?

– Et je suis devenu trois fois plus riche », dit Pierre. Malgré les dettes de sa femme et la nécessité de rebâtir qui avaient changé sa situation, Pierre continuait à raconter qu'il était trois fois plus riche.

« Ce que j'ai gagné sans aucun doute, c'est la liberté… commença-t-il d'un ton sérieux ; mais il se ravisa, s'apercevant que c'était là un sujet de conversation trop égoïste.

– Vous faites reconstruire ?

– Oui, Savelitch le veut.

– Dites-moi, vous ne saviez pas encore le décès de la comtesse quand vous êtes resté à Moscou ? » demanda la princesse Maria, et elle rougit aussitôt car elle s'aperçut qu'en posant cette question après qu'il s'était dit libre, elle donnait à ses paroles un sens qu'elles n'avaient peut-être pas.

« Non, répondit Pierre qui ne parut pas avoir trouvé gênante l'interprétation donnée par la princesse Maria à son allusion à sa liberté. Je l'ai appris à Orel et vous ne pouvez savoir combien j'en ai été frappé. Nous n'étions pas des époux modèles, dit-il vivement, jetant un regard à Natacha et lisant sur son visage la curiosité de savoir comment il parlerait de sa femme. Mais cette mort m'a profondément frappé. Quand deux personnes se querellent, les torts sont toujours des deux côtés. Et votre propre faute devient soudain affreusement lourde envers quelqu'un qui n'est plus. Et puis une mort pareille… sans amis, sans consolation. Je la plains beaucoup, beaucoup, conclut-il et il remarqua avec plaisir une joyeuse approbation sur le visage de Natacha.

– Oui, vous voilà de nouveau célibataire et bon à marier », dit la princesse Maria.

Pierre devint tout à coup écarlate et pendant longtemps s'efforça de ne pas regarder Natacha. Lorsqu'il s'y décida, elle avait un visage froid, sévère et même méprisant, lui sembla-t-il.

« Mais vous avez vraiment vu Napoléon, vous lui avez parlé, comme on nous l'a raconté ? » demanda la princesse Maria.

Pierre rit.

« Pas une fois, jamais. Il semble toujours à tout le monde qu'être prisonnier, c'est être l'hôte de Napoléon. Non seulement je ne l'ai pas vu, mais je n'ai même pas entendu parler de lui. J'étais en bien plus mauvaise compagnie. »

Le souper tirait à sa fin et Pierre, qui avait d'abord refusé de parler de sa captivité, se laissa peu à peu entraîner à en faire le récit.

« Mais c'est vrai, n'est-ce pas, que vous êtes resté pour tuer Napoléon ? lui demanda Natacha avec un léger sourire. Je l'ai deviné quand nous vous avons rencontré à la tour Soukharev ; vous vous souvenez ? »

Pierre avoua que c'était vrai, et à partir de cette remarque, guidé peu à peu par les questions de la princesse Maria et surtout par celles de Natacha, il se laissa aller à un récit détaillé de ses aventures.

D'abord il parla avec cette nuance doucement ironique qu'il avait maintenant à l'égard des autres et surtout de lui-même ; mais ensuite, quand il en vint au récit des horreurs et des souffrances qu'il avait vues, il se laissa aller sans s'en apercevoir et parla avec l'émotion contenue de qui revit par le souvenir des impressions saisissantes.

La princesse Maria regardait avec un doux sourire tantôt Pierre, tantôt Natacha. Dans tout ce récit, elle voyait seulement Pierre et sa bonté. Natacha, appuyée sur un coude, l'expression sans cesse changeante en fonction du récit, ne quittait pas Pierre un instant des yeux, revivant visiblement avec lui ce qu'il racontait. Non seulement son regard mais ses exclamations et les brèves questions qu'elle posait montraient à Pierre que dans ce qu'il racontait elle comprenait précisément ce qu'il voulait faire comprendre. On voyait qu'elle comprenait non seulement ce qu'il racontait, mais aussi ce qu'il voulait et ne pouvait exprimer par des mots. L'épisode de l'enfant et de la femme dont la défense avait provoqué son arrestation, Pierre le raconta de la façon suivante :

« C'était un spectacle affreux, des enfants étaient abandonnés, certains dans les flammes… Sous mes yeux on en a retiré un… des femmes qu'on dépouillait, à qui on arrachait leurs boucles d'oreilles… »

Pierre rougit, embarrassé.

« C'est alors qu'est survenue une patrouille et on a emmené tous ceux qui ne pillaient pas, tous les hommes. Et moi aussi.

– Vous ne racontez certainement pas tout ; vous avez dû faire quelque chose… dit Natacha, et après un silence… : de beau. »

Pierre poursuivit son récit. Quand il parla de l'exécution, il voulut omettre les détails horribles, mais Natacha insista pour qu'il ne tût rien.

Pierre commença à parler de Karataiev (il s'était levé de table et marchait de long en large, Natacha le suivait des yeux), mais il s'arrêta.

« Non, vous ne pouvez comprendre tout ce que j'ai appris de cet illettré, de ce simple.

– Si, si, parlez, dit Natacha. Où est-il ?

– On l'a tué presque sous mes yeux. » Et Pierre raconta les derniers temps de leur retraite, la maladie de Karataiev (sa voix tremblait sans cesse) et sa mort.

Pierre racontait ses aventures comme il ne les avait jamais encore évoquées. Il voyait maintenant comme un sens nouveau à tout ce qu'il avait vécu. Maintenant, en racontant tout cela à Natacha, il éprouvait cette rare joie que donnent les femmes en écoutant un homme – non pas les femmes INTELLIGENTES qui en écoutant s'efforcent soit de retenir ce qu'on leur dit afin d'enrichir leur INTELLIGENCE et, à l'occasion, de le redire, soit de l'arranger à leur façon et de faire connaître au plus vite leurs réflexions intelligentes, produit de leur petite cuisine intellectuelle ; mais cette joie que donnent les vraies femmes qui ont le don de choisir et d'assimiler ce qu'il y a de meilleur dans les manifestations de l'homme. Natacha, sans le savoir, était tout attention ; elle ne perdait pas un mot, pas une inflexion de voix, pas un regard, pas un tressaillement de muscle sur le visage de Pierre, pas un geste de lui. Elle saisissait au vol le mot qui naissait et le portait tout droit dans son cœur ouvert, devinant le sens secret de tout le travail intérieur de Pierre.

La princesse Maria comprenait le récit, y prenait part, mais elle voyait maintenant autre chose qui absorbait son attention ; elle voyait une possibilité d'amour et de bonheur entre Natacha et Pierre. Et cette pensée qui lui venait pour la première fois remplissait son âme de joie.

Il était trois heures du matin. Les laquais, le visage triste, sévère, venaient changer les bougies, mais personne ne les remarquait.

Pierre termina son récit. Natacha continuait à le regarder fixement et attentivement avec des yeux brillants, animés, comme si elle voulait comprendre encore ce qui restait à dire et qu'il n'avait peut-être pas exprimé. Pierre, plein d'une confusion heureuse, la regardait de temps à autre et cherchait quelque chose à dire pour changer la conversation. La princesse Maria se taisait. Il ne venait à l'idée de personne qu'il était trois heures du matin et qu'il était temps d'aller se coucher.

« On parle de malheur, de souffrances, dit Pierre. Mais si maintenant, à l'instant même, on me disait : "Veux-tu rester ce que tu étais avant ta captivité ou revivre tout cela depuis le début ?" Qu'on me rende la captivité et la viande de cheval. Nous croyons qu'une fois que nous sommes rejetés hors de l'ornière habituelle, tout est perdu ; mais c'est alors seulement que commence quelque chose de nouveau, de bon. Tant qu'il y a de la vie, il y a du bonheur. Il y a beaucoup, beaucoup de choses devant nous. C'est à vous que je le dis, ajouta-t-il en s'adressant à Natacha.

– Oui, oui, dit-elle, répondant à tout autre chose ; moi aussi, je ne désirerais rien d'autre que de tout revivre depuis le début. »

Pierre la regarda attentivement.

« Oui, rien d'autre, confirma Natacha.

– Ce n'est pas vrai, ce n'est pas vrai, cria Pierre. Ce n'est pas ma faute si je suis vivant et si je veux vivre ; ni la vôtre non plus. »

Soudain Natacha laissa tomber sa tête dans ses mains et pleura.

« Qu'as-tu, Natacha ? demanda la princesse Maria.

– Rien, rien. » Elle sourit à Pierre à travers ses larmes. « Adieu, il est temps de nous coucher. »

Pierre se leva et prit congé.

La princesse Maria et Natacha se retrouvèrent comme toujours dans leur chambre à coucher. Elles parlèrent de ce qu'avait raconté Pierre. La princesse Maria ne dit pas ce qu'elle pensait de Pierre. Natacha ne parla pas non plus de lui.

« Eh bien, bonne nuit, Marie, dit Natacha. Tu sais, je crains souvent qu'à force de faire le silence sur lui (le prince André) comme si nous avions peur d'abaisser notre sentiment, nous ne l'oubliions. »

La princesse Maria poussa un profond soupir et par ce soupir reconnut que Natacha disait vrai ; mais en paroles elle ne lui donna pas raison.

« Peut-on oublier ? dit-elle.

– Cela m'a fait tant de bien de tout raconter, c'était et pénible, et douloureux, et si doux. Cela m'a fait tant de bien, dit Natacha ; je suis sûre qu'il l'aimait vraiment. C'est pour cela que je lui ai raconté… ça ne fait rien que je le lui aie raconté ? demanda-t-elle soudain en rougissant.

– À Pierre ? Oh ! non ! Comme il est bon, dit la princesse Maria.

– Tu sais, Marie, dit tout à coup Natacha avec le sourire espiègle que la princesse Maria ne lui avait pas vu depuis longtemps. Il est devenu si propre, si lisse, si frais ; on dirait qu'il sort d'un bain ; tu comprends ? moralement d'un bain. N'est-ce pas ?

– Oui, dit la princesse Maria, il a beaucoup gagné.

– Et sa petite redingote courte, et ses cheveux coupés ; tout à fait, oui, tout à fait comme s'il sortait d'un bain… comme papa autrefois…

– Je comprends qu'IL (le prince André) n'ait aimé personne autant que lui, dit la princesse Maria.

– Oui, et il est différent de lui. On dit que les hommes sont amis quand ils sont tout à fait différents. Cela doit être vrai. N'est-ce pas, il ne lui ressemble en rien ?

– Non, et il est merveilleux.

– Eh bien, bonne nuit », répondit Natacha. Et le même sourire espiègle, comme s'il s'y était oublié, demeura longtemps sur son visage.

XVIII

Pierre fut longtemps sans pouvoir dormir ce jour-là ; il se promenait de long en large dans sa chambre, tantôt, les sourcils froncés, réfléchissant à quelque chose d'ardu, haussant soudain les épaules et tressaillant, tantôt souriant d'un air heureux.

Il pensait au prince André, à Natacha, à leur amour, et tantôt il était jaloux de Natacha et de son passé, tantôt il se reprochait sa jalousie, tantôt il se la pardonnait. Il était six heures du matin qu'il se promenait encore dans la pièce.

« Que faire puisqu'on n'y peut rien ? Que faire ? C'est donc qu'il faut qu'il en soit ainsi », se dit-il, et se déshabillant en hâte, il se coucha, heureux et ému mais dépourvu de doute et d'hésitation.

« Il faut, si étrange, si impossible que soit ce bonheur, il faut tout faire pour que nous soyons mari et femme », se dit-il.

Quelques jours avant cela, Pierre avait fixé à vendredi son départ pour Pétersbourg. À son réveil, jeudi, Savelitch vint lui demander ses ordres pour préparer les bagages.

« Pourquoi Pétersbourg ? Qu'est-ce que Pétersbourg ? Qui y a-t-il à Pétersbourg ? se demanda-t-il malgré lui. Oui, il y a longtemps, avant que cela arrive, je pensais aller je ne sais pourquoi à Pétersbourg, se souvint-il. Pourquoi pas ? j'irai peut-être. Comme il est bon, attentif, comme il se souvient de tout ! pensa-t-il en regardant le vieux visage de Savelitch. Et quel sourire agréable ! »

« Alors, tu ne veux toujours pas être affranchi, Savelitch ? demanda-t-il.

– Qu'ai-je besoin de liberté, Votre Excellence ? On a vécu du temps de feu le comte, Dieu ait son âme, et avec vous non plus on n'a pas à se plaindre.

– Et tes enfants ?

– Les enfants feront comme nous, Votre Excellence : avec de tels maîtres on peut vivre.

– Et mes héritiers ? dit Pierre. Si jamais je me mariais… Ça peut bien arriver, ajouta-t-il avec un sourire involontaire.

– Et j'oserais dire que ce serait une bonne chose, Votre Excellence. »

« Comme cela lui paraît simple, pensa Pierre. Il ne sait pas combien c'est redoutable, combien c'est dangereux. Trop tôt ou trop tard… C'est terrible ! »

« Alors quels sont vos ordres ? Monsieur le comte part demain ? demanda Savelitch.

– Non, je vais remettre à un peu plus tard. Je te préviendrai. Excuse-moi de t'avoir donné du tracas », dit Pierre et en voyant le sourire de Savelitch, il pensa : « Comme c'est étrange tout de même, il ne sait pas qu'il ne s'agit plus de Pétersbourg, et qu'il faut avant tout que cela se décide. D'ailleurs il le sait sans doute et fait seulement semblant. Vais-je lui parler ? Lui demander ce qu'il en pense ? Non, une autre fois, plus tard. »

Pendant le déjeuner, Pierre dit à la princesse qu'il était allé la veille chez la princesse Maria et qu'il y avait trouvé – pouvez-vous imaginer qui ? – Natacha Rostov.

La princesse eut l'air de ne rien voir de plus extraordinaire dans cette nouvelle que si Pierre lui avait dit avoir vu Anna Semenovna.

« Vous la connaissez ? demanda Pierre.

– J'ai rencontré la princesse, répondit-elle. J'ai entendu dire qu'on voulait la marier avec le jeune Rostov. Ce serait très bien pour les Rostov ; il paraît qu'ils sont complètement ruinés.

– Non, connaissez-vous Mlle Rostov ?

– J'ai seulement entendu en son temps cette histoire. C'est bien regrettable. »

« Non, elle ne comprend pas ou bien elle fait semblant, pensa Pierre. Il vaut mieux ne rien dire à elle non plus. »

La princesse avait elle aussi préparé des provisions pour le voyage de Pierre.

« Comme ils sont bons tous, se dit Pierre, de s'occuper de tout cela maintenant qu'à coup sûr ils n'y ont aucun intérêt. Et tout cela pour moi ; voilà ce qui est étonnant. »

Le même jour, Pierre reçut la visite du chef de police venu lui demander d'envoyer un homme de confiance au Palais à Facettes pour prendre en charge les objets qu'on restituait à leurs propriétaires.

« Celui-là aussi, pensa Pierre en regardant le visage du chef de police, quel charmant, quel bel officier et comme il est bon ! ACTUELLEMENT, s'occuper de telles vétilles. Et dire qu'on prétend qu'il n'est pas honnête et qu'il monnaie ses fonctions. Quelle sottise ! D'ailleurs pourquoi ne le ferait-il pas ? Il a été éduqué dans ce sens. Et tout le monde le fait. Mais quel bon, quel agréable visage, et il sourit en me regardant. »

Pierre alla dîner chez la princesse Maria.

En passant dans les rues, au milieu des décombres des maisons, il s'étonnait de la beauté de ces ruines. Des conduits de fumée, des pans de murs écroulés, rappelant pittoresquement le Rhin et le Colisée, s'étendaient cachés les uns par les autres dans les quartiers incendiés. Les fiacres qu'on rencontrait et leurs clients, les charpentiers en train de tailler des poutres, les marchandes et les boutiquiers, tous regardaient Pierre d'un air gai, rayonnant et semblaient dire : « Ah, le voilà ! Nous verrons ce qui va en sortir de tout cela. »

En entrant dans la maison de la princesse Maria, Pierre fut pris de doutes, se demandant s'il était vraiment venu ici la veille, s'il avait vu Natacha et lui avait parlé. « Peut-être l'ai-je imaginé. Peut-être vais-je entrer et ne voir personne. » Mais il fut à peine dans le salon que, de tout son être, à l'abolition instantanée de sa liberté, il sentit sa présence. Elle avait la même robe noire aux plis souples et la même coiffure que la veille, mais elle était tout autre. Si elle avait été ainsi la veille lorsqu'il était entré dans la pièce, il n'aurait pu un seul instant ne pas la reconnaître.

Elle était telle qu'il l'avait connue presque enfant, puis fiancée au prince André. Un éclat joyeux et interrogateur brillait dans ses yeux ; son visage avait une expression amicale et étrangement espiègle.

Pierre dîna et il serait resté toute la soirée ; mais la princesse Maria allait aux vêpres et il partit en même temps qu'elles.

Le lendemain, il arriva de bonne heure, dîna et passa toute la soirée. Bien que la princesse Maria et Natacha fussent manifestement heureuses de le voir ; bien que tout l'intérêt de sa vie se concentrât maintenant pour Pierre dans cette maison, vers le soir tous les sujets se trouvèrent épuisés et la conversation passa sans cesse d'un sujet banal à l'autre, et tomba souvent. Pierre resta ce soir si tard que la princesse Maria et Natacha échangeaient des regards, se demandant visiblement s'il allait partir. Pierre le voyait et ne pouvait partir. Il commençait à se sentir mal à l'aise, mais il restait toujours là car IL NE POUVAIT PAS se lever et s'en aller.

La princesse Maria n'en voyant pas la fin se leva la première et, prétextant une migraine, prit congé.

« Alors vous partez demain pour Pétersbourg ? dit-elle.

– Non, je ne pars pas, dit précipitamment Pierre avec surprise et comme froissé. Mais si, pour Pétersbourg ? Demain ; mais je ne vous dis pas adieu. Je passerai prendre vos commissions », ajouta-t-il, debout devant la princesse Maria, rougissant et ne s'en allant pas.

Natacha lui tendit la main et sortit. La princesse Maria, au contraire, au lieu de s'en aller, se laissa tomber dans un fauteuil et regarda Pierre gravement et attentivement de ses yeux lumineux et profonds. La fatigue qu'elle manifestait tout à l'heure avait maintenant complètement disparu. Elle poussa un profond et long soupir comme si elle se préparait à une longue conversation.

Tout le trouble et l'embarras de Pierre avaient instantanément disparu avec le départ de Natacha et avaient fait place à une grande animation. Il rapprocha vivement un fauteuil de celui de la princesse Maria.

« Oui, je voudrais vous dire, dit-il, répondant à son regard comme à des paroles. Princesse, aidez-moi. Que dois-je faire ? Puis-je espérer ? Princesse, mon amie, écoutez-moi. Je sais tout. Je sais que je ne suis pas digne d'elle ; je sais qu'il est impossible de parler de cela en ce moment. Mais je veux être un frère pour elle. Non, ce n'est pas cela… je ne veux pas, je ne peux pas… »

Il s'arrêta et se frotta le visage et les yeux :

« Eh bien, voici, reprit-il en faisant un visible effort pour parler d'une façon cohérente. Je ne sais pas depuis quand je l'aime. Mais je n'aime qu'elle seule, je n'ai aimé qu'elle seule de toute ma vie et je l'aime tant que je ne peux me représenter la vie sans elle. Je n'ose pas demander sa main maintenant ; mais la pensée qu'elle pourrait être à moi et que je peux laisser échapper cette chance… cette chance… est terrible. Dites-moi, puis-je espérer ? Dites-moi, que dois-je faire ? Chère princesse, dit-il après un instant de silence et lui touchant la main comme elle ne répondait pas.

– Je réfléchis à ce que vous venez de me dire, répondit la princesse Maria. Voici ce que je vais vous dire. Vous avez raison, lui parler d'amour maintenant… » La princesse s'arrêta. Elle voulait dire : lui parler d'amour maintenant est impossible ; mais elle s'arrêta parce qu'elle voyait depuis deux jours, au changement soudain de Natacha, que non seulement elle ne serait pas offensée si Pierre lui déclarait son amour, mais qu'elle ne désirait que cela.

« Lui en parler maintenant… est impossible, dit quand même la princesse Maria.

– Mais que dois-je faire alors ?

– Remettez-vous-en à moi, dit la princesse Maria. Je sais… »

Pierre la regardait dans les yeux.

« Eh bien, eh bien… dit-il.

– Je sais qu'elle vous aime… », puis se reprenant : « Qu'elle vous aimera. »

Elle n'eut pas plus tôt prononcé ces mots que Pierre bondit sur ses pieds et, le visage effrayé, lui saisit la main.

« Qu'est-ce qui vous fait croire cela ? Vous croyez que je peux espérer ? Vous le croyez ?

– Oui, je le crois, dit la princesse Maria en soupirant. Écrivez aux parents. Et remettez-vous-en à moi. Je lui parlerai quand ce sera possible. Je le souhaite. Et mon cœur me dit que cela se fera.

– Non, ce n'est pas possible ! Comme je suis heureux ! Mais ce n'est pas possible… Comme je suis heureux ! Non, ce n'est pas possible ! disait Pierre en baisant les mains de la princesse Maria.

– Allez à Pétersbourg, cela vaut mieux. Et moi je vous écrirai, dit-elle.

– À Pétersbourg ? partir ? Oui, très bien, partir. Mais je peux venir vous voir demain ? »

Le lendemain, Pierre vint faire ses adieux. Natacha était moins animée que les jours précédents ; mais, ce jour-là, lorsqu'il la regardait dans les yeux, il sentait qu'il disparaissait, qu'il n'y avait plus ni lui ni elle, il n'y avait que le sentiment du bonheur. « Est-ce possible ? Non, ce n'est pas possible », se disait-il à chacun des regards, à chacun des gestes, à chacune des paroles de Natacha qui emplissaient son âme de joie.

Lorsqu'en prenant congé d'elle, il prit sa main fine et maigre, il la retint malgré lui dans la sienne un peu plus longtemps qu'il ne fallait.

« Est-il possible que cette main, ce visage, ces yeux, tout ce trésor de charme féminin qui m'est étranger, est-il possible que tout cela doive être pour toujours à moi, que cela me devienne familier comme je le suis pour moi-même ? Non, c'est impossible !... »

« Adieu, comte, lui dit-elle à haute voix. Je vous attendrai avec impatience », ajouta-t-elle tout bas.

Et ces simples mots, le regard et l'expression du visage qui les accompagnaient furent pour Pierre, pendant deux mois, une source inépuisable de souvenirs, de commentaires et de rêves heureux. « JE VOUS ATTENDRAI AVEC IMPATIENCE... Oui, oui, comment a-t-elle dit ? Oui, JE VOUS ATTENDRAI AVEC IMPATIENCE. Ah ! comme je suis heureux ! Ah ! vraiment, comme je suis heureux ! » se disait Pierre.

XIX

Dans l'âme de Pierre, il ne se passait cette fois rien de semblable à ce qu'il avait ressenti dans des circonstances analogues au moment de ses fiançailles avec Hélène.

Il ne se répétait pas, comme alors, avec une honte cuisante les paroles qu'il avait prononcées, il ne se disait pas : « Ah ! pourquoi n'ai-je pas dit cela, et pourquoi, pourquoi lui ai-je dit : *je vous aime !* » Maintenant, au contraire, chacune de ses paroles à elle, chacune de ses paroles à lui, il se les répétait en imagination avec toutes les nuances du visage et du sourire, et il ne voulait rien en retrancher ni rien y ajouter : il ne voulait que les répéter encore. Il n'y avait cette fois en lui pas l'ombre d'un doute, il ne se demandait pas si ce qu'il avait entrepris était bien ou mal. Un seul doute terrible lui venait parfois. Tout cela n'est-il pas un rêve ? La princesse Maria ne s'est-elle pas trompée ? Ne suis-je pas trop présomptueux et trop sûr de moi ? J'ai confiance ; et si tout à coup, ce qui doit arriver, la princesse Maria lui parle et qu'elle sourie et réponde : « Comme c'est étrange ! Il a dû se tromper. Ne sait-il donc pas qu'il n'est qu'un homme, rien qu'un homme, tandis que moi ?… Je suis tout autre chose, je suis un être supérieur. »

Seul ce doute venait souvent visiter Pierre. Il ne faisait pas non plus maintenant le moindre projet. Le bonheur qui l'attendait lui semblait si incroyable qu'il suffisait qu'il s'accomplît, après il ne pouvait rien y avoir. Tout finissait.

Une folie joyeuse, soudaine, dont Pierre se croyait incapable, s'était emparée de lui. Tout le sens de la vie, non seulement pour lui mais pour le monde entier, lui semblait résider dans son amour et dans la possibilité d'être aimé d'elle. Parfois il lui semblait que tous les autres n'étaient occupés que d'une chose, de son bonheur futur. Il lui semblait parfois qu'ils se réjouissaient tous comme lui et s'efforçaient seulement de dissimuler cette joie en feignant d'être pris par d'autres préoccupations. Dans chaque mot et chaque geste, il voyait une allusion à son bonheur. Il étonnait souvent ceux qui le rencontraient par ses regards et ses sourires significatifs, heureux, qui exprimaient un accord secret. Mais lorsqu'il comprenait que les autres pouvaient ignorer son bonheur, il les plaignait de tout son cœur et éprouvait le désir de leur expliquer par quelque moyen que tout ce qui les occupait n'était que pure futilité et vétilles ne méritant pas attention.

Lorsqu'on lui proposait un poste ou qu'on discutait de questions d'ordre général touchant la politique ou la guerre, croyant que de telle ou telle issue de l'événement dépendait le bonheur de tous, il écoutait avec un bon sourire de compassion et étonnait ses interlocuteurs par ses étranges remarques. Mais ceux qui lui semblaient comprendre le vrai sens de la vie, c'est-à-dire son sentiment, comme les malheureux qui de toute évidence ne le comprenaient pas, tous, à cette époque, lui apparaissaient dans la lumière si éclatante du sentiment qui rayonnait en lui que, sans le moindre effort, d'emblée, en rencontrant n'importe qui, il voyait en lui tout ce qui était bon et digne d'amour.

En examinant les affaires et les papiers de sa défunte femme, il n'éprouva aucun sentiment pour sa mémoire sauf de la pitié à l'idée qu'elle n'avait pas connu le bonheur qu'il connaissait maintenant. Le prince Vassili, particulièrement fier de son nouveau poste et d'une haute décoration, lui semblait être un vieillard bon, touchant et pitoyable.

Pierre évoquait souvent par la suite cette époque de folie heureuse. Tous les jugements qu'il s'était formés alors sur les hommes et les événements demeurèrent pour toujours justes à ses yeux. Non seulement il ne désavoua pas par la suite cette façon de voir les gens et les choses, mais, au contraire, dans ses doutes et ses contradictions intérieures, il avait souvent recours à la façon de voir qu'il avait eue à cette époque de sa folie et elle se révélait toujours juste.

« Peut-être, pensait-il, paraissais-je alors vraiment étrange et ridicule ; mais je n'étais pas si fou qu'il semblait. Au contraire, j'étais alors plus intelligent et plus clairvoyant que jamais, et je comprenais tout ce qui vaut la peine d'être compris dans la vie parce que j'étais heureux. »

La folie de Pierre consistait en ce qu'il n'attendait pas comme autrefois d'avoir découvert, pour aimer les gens, des raisons personnelles qu'il appelait leurs qualités, mais que son cœur débordait d'amour et qu'en aimant les gens sans raison, il découvrait des raisons indiscutables qui les rendaient dignes d'être aimés.

XX

Depuis le premier soir où Natacha, après le départ de Pierre, avait dit à la princesse Maria avec un sourire joyeusement moqueur que c'était tout à fait, oui, tout à fait comme s'il sortait d'un bain, et sa petite redingote, et ses cheveux coupés, depuis cet instant quelque chose de secret, d'inconnu d'elle-même mais d'irrésistible s'était éveillé dans son âme.

Tout, son visage, sa démarche, son regard, sa voix, se transforma brusquement. Une force vitale, des espoirs de bonheur dont elle ne se doutait pas montèrent à la surface, qui exigeaient satisfaction. Depuis le premier soir, Natacha parut avoir oublié tout ce qui lui était arrivé. Dès lors, elle ne se plaignit pas une fois de sa situation, ne dit pas un mot du passé et ne craignit plus de faire de joyeux projets d'avenir. Elle parlait peu de Pierre, mais quand la princesse Maria faisait allusion à lui, un éclat depuis longtemps éteint se rallumait dans ses yeux et ses lèvres se plissaient en un étrange sourire.

Le changement qui s'était opéré en Natacha surprit d'abord la princesse Maria ; mais quand elle en comprit la signification, ce changement lui fit de la peine. « Est-il possible qu'elle ait si peu aimé mon frère pour avoir pu l'oublier si vite ? » pensait-elle quand elle réfléchissait seule au changement survenu. Mais quand elle était avec Natacha, elle ne lui en voulait pas et ne lui faisait pas de reproches. La force vitale réveillée qui s'était emparée de Natacha était à n'en pas douter si irrésistible, si inattendue pour elle-même, qu'en sa présence la princesse Maria sentait qu'elle n'avait pas le droit de lui faire des reproches, même en son for intérieur.

Natacha était tout entière donnée à son sentiment nouveau avec une telle plénitude et une telle sincérité qu'elle n'essayait même pas de cacher qu'elle n'éprouvait plus de chagrin mais était joyeuse et gaie.

Lorsque, après son explication nocturne avec Pierre, la princesse Maria revint dans sa chambre, Natacha était sur le seuil de la porte.

« Il a parlé ? Oui ? Il a parlé ? » répéta-t-elle. Et une expression joyeuse en même temps que pitoyable, qui demandait pardon pour sa joie, se fixa sur son visage.

« J'ai voulu écouter à la porte ; mais je savais que tu me dirais tout. »

Si compréhensible, si touchant que fût pour la princesse Maria le regard que posait sur elle Natacha ; si peinée qu'elle fût de voir son émotion, au premier abord les paroles de Natacha la blessèrent. Elle pensa à son frère, à son amour.

« Mais que faire, elle ne peut être autrement », pensa-t-elle ; et avec un visage triste et un peu sévère, elle répéta à Natacha tout ce que lui avait dit Pierre. En apprenant qu'il allait partir pour Pétersbourg, Natacha s'étonna.

« Pour Pétersbourg ! » répéta-t-elle comme si elle ne comprenait pas. Mais, s'apercevant de l'expression triste de la princesse Maria, elle devina la cause de sa tristesse et fondit soudain en larmes. « Marie, dit-elle, apprends-moi ce que je dois faire ; j'ai peur d'être mauvaise. Ce que tu diras je le ferai ; apprends-moi…

– Tu l'aimes ?

– Oui, chuchota Natacha.

– Pourquoi pleures-tu alors ? Je suis heureuse pour toi, dit la princesse Maria, qui pour ses larmes lui avait déjà complètement pardonné sa joie.

– Ce ne sera pas bientôt, un jour. Pense quel bonheur ce sera quand je serai sa femme et que tu auras épousé Nicolas.

– Natacha, je t'ai demandé de ne pas parler de cela. Parlons de toi. »

Elles se turent.

« Seulement pourquoi donc aller à Pétersbourg ! » dit soudain Natacha, et elle se répondit précipitamment à elle-même : « Non, non, il le faut… N'est-ce pas, Marie ? Il le faut… »

ÉPILOGUE

PREMIÈRE PARTIE

I

Sept ans s'étaient passés depuis 1812. L'océan démonté de l'histoire de l'Europe était rentré dans ses rives. Il semblait apaisé ; mais les forces mystérieuses qui meuvent l'humanité (mystérieuses parce que les lois qui définissent leur mouvement nous sont inconnues) continuaient d'agir.

Quoique la surface de l'océan de l'histoire parût immobile, le mouvement de l'humanité continuait, aussi ininterrompu que celui du temps. Divers groupements humains se formaient, se désagrégeaient ; des causes de formation et de dislocation d'États, de migrations de peuples se préparaient.

L'océan de l'histoire ne se portait plus par à-coups d'une rive à l'autre : il bouillonnait dans les profondeurs. Les personnages historiques n'étaient plus portés par les vagues d'une rive à l'autre ; maintenant ils semblaient tourner sur place. Les personnages historiques qui, auparavant, à la tête des armées, traduisaient le mouvement des masses par des ordres de guerres, de campagnes, de batailles, traduisaient maintenant le mouvement bouillonnant par des considérations politiques et diplomatiques, des lois, des traités…

Cette activité des personnages historiques, les historiens l'appellent réaction.

En décrivant l'activité de ces personnages historiques, cause, selon eux, de ce qu'ils appellent la RÉACTION, les historiens les réprouvent sévèrement. Tous les gens connus de cette époque, d'Alexandre et de Napoléon à Mme de Staël, Photius, Schelling, Fichte, Chateaubriand et autres comparaissent devant leur sévère tribunal et sont acquittés ou condamnés selon qu'ils ont travaillé au PROGRÈS ou à la RÉACTION.

En Russie, d'après leurs descriptions, une réaction s'opérait également à cette époque et le principal responsable en était Alexandre Ier, ce même Alexandre Ier qui, selon leur propre témoignage, avait été le principal artisan des initiatives libérales de son règne et du salut de la Russie.

Dans la littérature russe d'aujourd'hui, du collégien au savant historien, il n'est personne qui ne jette sa petite pierre à Alexandre pour les fautes qu'il a commises pendant cette période de son règne.

« Il aurait dû agir de telle et telle façon. Dans tel cas il a bien agi et dans tel autre, mal. Il s'est admirablement conduit au début de son règne et en 1812 ; mais il a mal agi en accordant une constitution à la Pologne, en faisant la Sainte-Alliance, en donnant le pouvoir à Araktcheiev, en encourageant Golitzine et le mysticisme, puis Chichkov et Photius. Il a mal agi en cassant le régiment Semenovski, etc. »

Il faudrait noircir dix pages pour énumérer tous les griefs que lui font les historiens au nom de cette connaissance du bien de l'humanité qu'ils possèdent.

Que signifient ces griefs ?

Les actes pour lesquels les historiens approuvent Alexandre Ier, tels que les initiatives libérales de son règne, la lutte contre Napoléon, la fermeté dont il a fait preuve en 1812 et la campagne de 1813, ne découlent-ils pas des mêmes sources qui ont fait de la personnalité d'Alexandre ce qu'elle était – raisons de sang, d'éducation, conditions de vie – que les actes qu'ils condamnent, tels que la Sainte-Alliance, la restauration de la Pologne, la réaction des années 1820 ?

En quoi consistent au juste ces griefs ?

En ceci qu'un personnage historique tel qu'Alexandre Ier, un personnage placé au sommet de la puissance humaine, comme dans le foyer de l'éblouissante lumière de tous les rayons historiques convergeant vers lui ; un personnage qui subissait ces influences les plus puissantes du monde, intrigues, mensonges, flatteries, illusion sur soi-même, qui sont inséparables du pouvoir ; un personnage qui se sentait, à chaque instant de son existence, responsable de tout ce qui se passait en Europe, un personnage non pas imaginaire mais vivant, ayant comme tout homme ses habitudes, ses passions, ses aspirations au bien, au beau, au vrai – que ce personnage, il y a cinquante ans, a été non pas sans vertu (les historiens ne le lui reprochent pas), mais n'a pas eu du bien de l'humanité la conception d'un professeur d'aujourd'hui, lequel, depuis sa jeunesse s'occupe de science, c'est-à-dire lit des livres, fait des cours et note ses lectures et ses cours dans un cahier.

Mais, en supposant même qu'Alexandre Ier, il y a cinquante ans, se soit trompé dans l'idée qu'il se faisait du bien des peuples, force nous est de supposer que l'historien qui juge Alexandre, apparaîtra également, au bout d'un certain temps, comme s'étant trompé dans l'idée qu'il avait du bien de l'humanité. Cette supposition est d'autant plus naturelle et inévitable qu'en suivant l'évolution de l'histoire, nous voyons avec chaque année, avec chaque nouvel auteur, changer le point de vue sur le bien de l'humanité ; de sorte que ce qui apparaissait comme un bien devient dix ans plus tard un mal ; et inversement. Bien plus, nous trouvons en même temps dans l'histoire des vues absolument opposées sur ce qui était un mal et ce qui était un bien : les uns font à Alexandre un mérite de la constitution donnée à la Pologne et de la Sainte-Alliance, les autres lui en font grief.

On ne peut dire de l'activité d'Alexandre et de Napoléon qu'elle ait été utile ou nuisible car nous ne pouvons préciser en quoi elle l'a été. Si cette activité déplaît à quelqu'un, ce n'est que parce qu'elle ne concorde pas avec sa conception bornée de ce qu'est le bien. Selon que le bien me paraît être le fait qu'en 1812 la maison de mon père à Moscou s'est conservée intacte, ou la gloire des armes russes, ou la prospérité de l'université de Pétersbourg ou d'autres villes, ou la liberté de la Pologne, ou la puissance de la Russie, ou l'équilibre de l'Europe, ou une certaine forme de civilisation européenne, le progrès, je dois reconnaître que l'activité de chaque personnage historique a eu, outre ces buts, d'autres buts d'ordre plus général et qui me sont incompréhensibles.

Mais admettons que ce qu'on appelle la science ait la possibilité de concilier toutes les contradictions et qu'elle possède, pour les personnages historiques et les événements, un critère infaillible du bien et du mal.

Admettons qu'Alexandre eût pu agir en tout autrement qu'il ne l'a fait. Admettons qu'il eût pu, selon les prescriptions de ceux qui l'accusent, de ceux qui prétendent connaître le but final du mouvement de l'humanité, appliquer le programme d'intérêt national, de liberté, d'égalité et de progrès (il n'en est pas, semble-t-il, de plus nouveau) que lui dicteraient ses censeurs d'aujourd'hui. Admettons que ce programme eût été possible, élaboré, et qu'Alexandre l'eût suivi. Que serait-il advenu dans ce cas de l'activité de tous ceux qui s'opposaient aux tendances du gouvernement d'alors, activité qui, selon les historiens, était bonne et utile ? Cette activité n'aurait pas existé ; il n'y aurait pas eu de vie ; il n'y aurait rien eu.

Si l'on admet que la vie humaine peut être dirigée par la raison, la possibilité de vie en est détruite.

II

Si l'on admet, comme le font les historiens, que les grands hommes conduisent l'humanité vers des buts déterminés, soit la grandeur de la Russie ou celle de la France, soit l'équilibre de l'Europe, soit la propagation des idées de la Révolution, soit le progrès général ou quoi que ce soit d'autre, il est impossible d'expliquer les phénomènes historiques sans recours à la notion de HASARD et de GÉNIE.

Si le but des guerres européennes du début de ce siècle était la grandeur de la Russie, ce but pouvait être atteint dans toutes les guerres précédentes et sans l'invasion. Si ce but était la grandeur de la France, il pouvait aussi bien être atteint sans la Révolution et sans l'Empire. Si le but était la propagation des idées, l'imprimerie l'aurait beaucoup mieux atteint que les soldats. Si ce but était le progrès de la civilisation, il est très facile d'admettre qu'en dehors de l'anéantissement des hommes et de leurs richesses, il est d'autres moyens plus efficaces pour répandre la civilisation.

Pourquoi donc les choses se sont-elles passées ainsi et non autrement ?

Parce qu'elles se sont passées ainsi. « Le HASARD a créé la situation ; le GÉNIE en a tiré parti », dit l'histoire.

Mais qu'est-ce que le HASARD ? Qu'est-ce que le GÉNIE ?

Les mots HASARD et GÉNIE ne désignent rien qui existe réellement, aussi ne peuvent-ils être définis. Ces mots désignent seulement un certain degré dans la compréhension des phénomènes. J'ignore pourquoi se produit tel phénomène ; je pense que je ne peux le savoir ; par conséquent, je ne veux pas le savoir et je dis : c'est le HASARD. Je vois une force qui produit un effet hors de proportion avec les capacités communes des hommes ! je ne comprends pas pourquoi cela se produit et je dis : c'est le GÉNIE.

Pour un troupeau, le mouton que, chaque soir, le berger conduit dans un enclos spécial pour le nourrir et qui devient deux fois plus gros que les autres, doit paraître un génie. Et le fait que, chaque soir, ce soit précisément ce mouton-là qui entre non pas dans la bergerie commune mais dans un enclos spécial où il reçoit de l'avoine, et que ce soit ce mouton-là qui, tout suintant de graisse, est tué pour sa viande, ce fait doit apparaître comme une conjonction frappante du génie avec toute une série de hasards extraordinaires.

Mais il suffit aux moutons de cesser de croire que tout ce qui leur arrive n'arrive que pour atteindre leurs buts moutonniers ; il leur suffit d'admettre que ces événements peuvent avoir d'autres buts qui leur échappent, et ils verront aussitôt unité, enchaînement logique dans ce qui arrive au mouton engraissé. Même s'ils ne savent pas dans quel dessein il a été engraissé, ils sauront du moins que tout ce qui lui est arrivé ne s'est pas produit par hasard et ils n'auront plus besoin de faire appel à la notion de HASARD et de GÉNIE.

C'est seulement en renonçant à connaître le but proche et compréhensible, et en reconnaissant que le but final nous est incompréhensible, que nous verrons une suite logique dans la vie des personnages historiques, que nous découvrirons la cause de la disproportion entre leur action et les capacités moyennes des hommes, et que nous n'aurons plus besoin des mots HASARD et GÉNIE.

Il suffit de reconnaître que le but de l'agitation des peuples européens nous est inconnu et que nous ne connaissons que des faits consistant en massacres d'abord en France, puis en Italie, en Afrique, en Prusse, en Autriche, en Espagne, en Russie et que le mouvement d'Occident en Orient et d'Orient en Occident constitue l'essence commune de ces événements, pour que non seulement nous n'ayons plus besoin de voir rien d'exceptionnel et de GÉNIAL dans le caractère de Napoléon et dans celui d'Alexandre, mais que nous ne puissions même plus nous représenter ces personnages autrement que comme des hommes pareils à tous les autres ; et non seulement nous n'aurons plus besoin d'expliquer par le

HASARD les menus événements qui ont fait de ces hommes ce qu'ils étaient, mais il sera évident que tous ces menus événements étaient indispensables.

En renonçant à connaître le but final, nous comprendrons clairement que, de même qu'il est impossible d'imaginer pour aucune plante une fleur et une semence mieux conformes à sa nature que celles qu'elle produit, ainsi il est impossible d'imaginer deux autres hommes, avec tout leur passé, qui conviendraient aussi exactement, jusque dans les moindres détails, à la mission qu'ils avaient à remplir.

III

Le fait fondamental, essentiel des événements européens du début de ce siècle est le mouvement belliqueux des masses des peuples d'Europe d'Occident en Orient, puis d'Orient en Occident. Le premier en date de ces mouvements fut le mouvement d'Occident en Orient. Afin de permettre aux peuples d'Occident de pousser leur mouvement jusqu'à Moscou, il était indispensable : 1° qu'ils s'unissent en un groupe guerrier d'une importance qui leur permît d'affronter le choc avec le groupe guerrier de l'Orient ; 2° qu'ils s'affranchissent de toutes les traditions et habitudes établies, et 3° qu'en opérant leur mouvement belliqueux ils eussent à leur tête un homme qui pût, et pour lui-même et pour eux, justifier les duperies, les pillages et les massacres qui devaient accompagner ce mouvement.

Et, à partir de la Révolution française, l'ancien groupement insuffisamment important se détruit, les habitudes et les traditions anciennes s'abolissent ; pas à pas s'élaborent un groupement d'envergure nouvelle, des habitudes et des traditions nouvelles, et se prépare l'homme qui doit se placer à la tête du mouvement futur et porter toute la responsabilité de ce qui doit s'accomplir.

Cet homme sans convictions, sans habitudes, sans traditions, sans nom, qui n'est même pas Français, par un concours de hasards, semble-t-il, des plus étranges, s'avance parmi tous les partis qui agitent la France et, sans se rallier à aucun d'eux, est porté à une place en vue.

L'ignorance de ses compagnons, la faiblesse et la nullité de ses adversaires, la sincérité dans le mensonge et la médiocrité brillante et présomptueuse de cet homme, le placent à la tête de l'armée. La haute valeur des soldats de l'armée d'Italie, la répugnance à se battre de ses adversaires, sa témérité et sa présomption puériles lui assurent la gloire militaire. Un nombre incalculable de prétendus hasards l'accompagne partout. La disgrâce dans laquelle il tombe auprès des dirigeants français joue en sa faveur. Ses tentatives pour changer la voie qui lui est tracée échouent : on refuse ses services en Russie et il ne réussit pas davantage quant à la Turquie. Pendant la guerre d'Italie, il est plusieurs fois au bord de sa perte et chaque fois il échappe de la façon la plus imprévue. Les armées russes, celles-là mêmes qui peuvent anéantir sa gloire, ne pénètrent pas en Europe, en raison de diverses considérations diplomatiques, tant qu'il y est.

À son retour d'Italie, il trouve à Paris le gouvernement à ce stade de décomposition où ceux qui en font partie sont inévitablement balayés et anéantis. Et d'elle-même une issue se présente dans cette périlleuse situation, une expédition absurde, insensée en Afrique. De nouveau, les mêmes prétendus hasards lui font escorte. Malte l'imprenable se rend sans un coup de feu ; ses dispositions les plus imprudentes sont couronnées de succès. La marine ennemie qui, plus tard, ne laissera pas passer une seule barque, livre passage à une armée entière. En Afrique, toute une série de forfaits sont commis sur des populations presque désarmées. Et ceux qui commettent ces forfaits, leur chef surtout, se persuadent que cela est admirable, que cela est glorieux, que cela est digne de César et d'Alexandre le Grand.

Cet idéal de GLOIRE et de GRANDEUR qui consiste non seulement à ne voir aucun mal dans ce qu'on fait, mais à s'enorgueillir de chacun des crimes qu'on commet en lui attribuant une signification incompréhensible, surnaturelle, cet idéal qui doit guider cet homme et ceux qui ont partie liée avec lui s'élabore en toute liberté en Afrique. Quoi qu'il fasse, tout lui réussit. La peste n'a pas de prise sur lui. La cruauté du massacre des prisonniers ne lui est pas imputée à crime. Son départ d'Afrique, d'une imprudence puérile et sans grandeur, l'abandon de ses compagnons dans le malheur, lui est compté pour un mérite, et de nouveau la marine ennemie le laisse échapper par deux fois. Alors que, l'esprit déjà complètement obnubilé par le succès des crimes perpétrés, prêt à jouer son rôle, il arrive sans aucun but à Paris, la décomposition du gouvernement républicain qui, un an plus tôt, pouvait le perdre, a maintenant atteint son dernier stade, et sa présence d'homme nouveau, étranger aux partis, ne peut maintenant que l'élever.

Il n'a aucun plan d'action ; il redoute tout ; mais les partis se raccrochent à lui et réclament son concours.

Lui seul, avec son idéal de gloire et de grandeur élaboré en Italie et en Égypte, avec sa folle adoration de lui-même, avec son audace dans le crime, avec sa sincérité dans le mensonge, lui seul peut justifier ce qui doit s'accomplir.

Il est nécessaire pour la place qui l'attend, et c'est pourquoi, presque indépendamment de sa volonté et en dépit de son irrésolution, de son absence de plan d'action, de toutes les fautes qu'il commet, il est entraîné dans un complot ayant pour objet de s'emparer du pouvoir, et le complot est couronné de succès.

On le pousse à une séance du Directoire. Effrayé, il veut fuir, se croyant perdu ; il simule un évanouissement ; il tient des propos insensés qui devraient le perdre. Mais les dirigeants de la France, naguère avisés et fiers, sentant maintenant leur rôle terminé, sont encore plus troublés que lui, prononcent des paroles tout autres qu'ils ne devraient prononcer pour conserver le pouvoir et perdre cet homme.

Le HASARD, des millions de HASARDS lui donnent le pouvoir, et tous les hommes, comme s'ils s'étaient donné le mot, contribuent à consolider ce pouvoir. Des HASARDS font les caractères des dirigeants de la France d'alors qui se soumettent à lui ; des HASARDS font le caractère de Paul Ier qui reconnaît son pouvoir ; le HASARD ourdit contre lui un complot qui non seulement ne lui nuit pas mais assoit son pouvoir. Le HASARD livre entre ses mains le duc d'Enghien et le pousse malgré lui à le faire tuer, convainquant ainsi la foule plus fortement que par tout autre moyen qu'il a le droit puisqu'il a la force. Le HASARD fait qu'il tend toutes ses forces pour une expédition contre l'Angleterre qui de toute évidence aurait causé sa perte, et jamais il n'exécute son projet, mais tombe inopinément sur Mack et les Autrichiens qui se rendent sans combat. Le HASARD et le GÉNIE lui donnent la victoire à Austerlitz et par HASARD tous les hommes, non seulement les Français mais l'Europe entière, à l'exception de l'Angleterre qui ne prendra même pas part aux événements qui doivent s'accomplir, tous les hommes, en dépit de leur horreur et de leur aversion premières pour ses crimes, reconnaissent maintenant son pouvoir, le titre qu'il s'est donné et son idéal de grandeur et de gloire qui apparaît maintenant à tous comme quelque chose d'admirable et de raisonnable.

Comme pour s'essayer et se préparer à leur mouvement futur, les forces de l'Occident se dirigent plusieurs fois, en 1805, 1806, 1807, 1809, vers l'Orient, toujours plus puissantes et plus nombreuses. En 1811, le groupement d'hommes formé en France se fond en une masse énorme avec les peuples du centre de l'Europe. À mesure que grandit ce groupe d'hommes, la force de justification de l'homme qui se trouve à la tête du mouvement se développe. Au cours de la période préparatoire de dix ans qui précède le grand mouvement, cet homme entre en rapport avec toutes les têtes couronnées de l'Europe. Les maîtres du monde ne peuvent opposer aucun idéal raisonnable à l'idéal napoléonien de GLOIRE et de GRANDEUR qui n'a pas de sens. L'un après l'autre, ils s'empressent de lui montrer leur néant. Le roi de Prusse envoie sa femme solliciter les bonnes grâces du grand homme ; l'empereur d'Autriche tient pour une faveur que cet homme reçoive dans son lit la fille des Césars ; le pape, gardien des trésors sacrés des peuples, fait servir sa religion à l'élévation du grand homme. Ce n'est pas tant Napoléon lui-même qui se prépare à remplir son rôle que tout son entourage qui le prépare à assumer toute la responsabilité de ce qui s'accomplit et doit s'accomplir. Il n'est pas un acte, pas un crime ou une duperie mesquine qu'il commette et qui ne se transforme aussitôt, dans la bouche de son entourage, en un acte sublime. La plus belle fête que les Allemands puissent organiser pour lui est de célébrer Iéna et Auerstaedt. Non seulement il est grand, mais ses aïeux, ses frères, ses beaux-fils, ses beaux-frères sont également grands. Tout concourt à le priver des derniers vestiges de sa raison et à le préparer à son terrible rôle. Et quand il est prêt, les forces sont prêtes aussi.

L'invasion déferle sur l'Orient, atteint son but final, Moscou. La capitale est prise ; l'armée russe est plus totalement anéantie que ne le furent jamais les armées adverses dans les guerres précédentes, d'Austerlitz à Wagram. Mais soudain, au lieu de ces HASARDS et de ce GÉNIE qui, avec tant de constance, l'ont conduit jusqu'alors, par une suite ininterrompue de succès, vers le but fixé, intervient un nombre incalculable de HASARDS contraires, depuis le rhume de cerveau à Borodino jusqu'aux froids et à l'étincelle qui a mis le feu à Moscou ; et à la place du GÉNIE apparaissent une sottise et une lâcheté sans exemple.

L'invasion fuit, revient en arrière, fuit encore, et désormais tous les hasards jouent non plus pour lui mais contre lui.

Un mouvement inverse s'opère d'Orient en Occident, qui présente de remarquables analogies avec le mouvement précédent d'Occident en Orient. Mêmes tentatives de mouvement d'Orient en Occident en 1805, 1807, 1809, précédant le grand mouvement; même concentration en une masse énorme, même ralliement au mouvement des peuples de l'Europe centrale; même hésitation à mi-chemin et même accélération de la vitesse à mesure qu'on approche du but.

Paris, le but extrême, est atteint. Le gouvernement de Napoléon et son armée sont détruits. Napoléon lui-même n'a plus de raison d'être; tous ses actes sont à n'en pas douter pitoyables et odieux; mais de nouveau un hasard inexplicable intervient : les alliés haïssent Napoléon en qui ils voient la cause de leurs malheurs; privé de sa force et de son pouvoir, convaincu de crimes et de perfidies, il devrait leur apparaître tel qu'il leur apparaissait dix ans plus tôt et qu'il leur apparaîtra un an plus tard, un bandit hors la loi. Mais par quelque étrange hasard personne ne voit cela. Son rôle n'est pas encore terminé. L'homme que, dix ans plus tôt et un an plus tard, on considérait comme un bandit hors la loi est envoyé dans une île, à deux jours de traversée de la France, île dont on lui donne la souveraineté, avec une garde et des millions qu'on lui paie on ne sait pourquoi.

IV

Le mouvement des peuples commence à regagner ses rives. Les vagues du grand déferlement se sont retirées et sur la mer calmée se forment des cercles sur lesquels voguent les diplomates qui s'imaginent être les auteurs de l'accalmie.

Mais la mer calmée se soulève soudain. Les diplomates croient que ce sont eux, leurs désaccords, qui sont la cause de cette nouvelle poussée des forces; ils s'attendent à une guerre entre leurs souverains; la situation leur paraît sans issue. Mais la vague dont ils sentent la montée ne déferle pas de là où ils l'attendent. C'est la même vague, le même point de départ – Paris. C'est l'ultime remous du mouvement parti de l'Occident ; remous qui doit résoudre les difficultés diplomatiques apparemment insolubles et mettre fin au mouvement guerrier de cette période.

L'homme qui a dévasté la France revient seul, sans complot, sans soldats, en France. Le premier garde venu peut se saisir de lui ; mais, par un singulier hasard, non seulement personne ne se saisit de lui, mais tous accueillent avec enthousiasme l'homme qu'on maudissait la veille et qu'on maudira un mois plus tard.

Cet homme est encore nécessaire pour justifier le dernier acte collectif.

L'acte est accompli. Le dernier rôle est joué. L'acteur est invité à retirer son costume et à se démaquiller ; on n'aura plus besoin de lui.

Et quelques années se passent, durant lesquelles cet homme, dans la solitude de son île, se joue à lui-même une pitoyable comédie, intrigue et ment pour justifier ses actes, alors que cette justification est désormais inutile, et il montre au monde entier ce qu'était ce que les hommes prenaient pour une force, alors qu'une main invisible le dirigeait.

L'ordonnateur, le drame joué et l'acteur déshabillé, nous le montre.

« Regardez en quoi vous avez cru ! Le voici ! Voyez-vous maintenant que ce n'est pas lui mais moi qui vous menais ? »

Mais, aveuglés par la violence du mouvement, les hommes furent longtemps sans comprendre cela.

Plus grande encore est la logique et la nécessité que présente la vie d'Alexandre Ier, ce personnage qui se trouvait à la tête du mouvement inverse d'Orient en Occident.

Que fallait-il à l'homme qui, éclipsant les autres, se trouverait à la tête de ce mouvement d'Orient en Occident ?

Il lui fallait le sentiment de la justice, un intérêt pour les affaires de l'Europe, mais à distance, sans que cet intérêt fût obscurci par des intérêts mesquins ; il lui fallait dominer moralement ses associés, les souverains de ce temps; il lui fallait une personnalité douce et séduisante; il lui fallait avoir subi une offense personnelle de la part de Napoléon. Et tout cela est réuni en Alexandre Ier; tout cela a été préparé par une foule de prétendus HASARDS de toute sa vie passée : et par son éducation, et par ses initiatives libérales, et par les conseillers qui l'entouraient, et par Austerlitz, et par Tilsitt, et par Erfurt.

Pendant la guerre nationale, ce personnage demeure inactif car on n'a pas besoin de lui. Mais dès que se manifeste la nécessité d'une guerre européenne générale, ce personnage apparaît au moment voulu à sa place et, ralliant les peuples européens, les conduit au but.

Ce but est atteint. Après la dernière guerre de 1815, Alexandre se trouve au faîte de la puissance qu'il soit humainement possible d'atteindre. Comment en use-t-il?

Alexandre Ier, le pacificateur de l'Europe, l'homme qui, dès son plus jeune âge, n'a aspiré qu'au bien de ses peuples, l'instigateur des réformes libérales dans sa patrie, maintenant que, semble-t-il, il possède le plus vaste pouvoir et par conséquent la possibilité de faire le bonheur de ses peuples, maintenant que Napoléon en exil échafaude des plans puérils et mensongers sur la manière dont il rendrait l'humanité heureuse s'il avait le pouvoir, Alexandre Ier, sa mission remplie et sentant sur lui la main de Dieu, reconnaît brusquement le néant de ce prétendu pouvoir, s'en détourne, le remet entre les mains d'hommes méprisables et qu'il méprise, et dit seulement :

« "Non pas pour nous, non pas pour nous, mais pour Ton nom!" Je suis un homme comme vous; laissez-moi vivre comme un homme et penser à mon âme et à Dieu. »

De même que le soleil comme chaque atome de l'éther est une sphère parfaite en soi et en même temps un atome seulement d'un tout inaccessible à l'homme dans son immensité, ainsi chaque individu porte en soi ses buts et cependant il les porte pour servir des buts généraux incompréhensibles à l'homme.

Une abeille posée sur une fleur a piqué un enfant. Et l'enfant a peur des abeilles et dit que leur but est de piquer les hommes. Le poète admire l'abeille qui butine dans le calice de la fleur et dit que le but de l'abeille est de recueillir l'arôme des fleurs. Un apiculteur, remarquant que l'abeille recueille le pollen et le suc et les porte à sa ruche, dit que le but de l'abeille est de récolter du miel. Un autre apiculteur, ayant étudié de plus près la vie de l'essaim, dit que l'abeille récolte le pollen et le suc pour nourrir le couvain et pour élever la reine, que son but est la continuation de l'espèce. Le botaniste remarque qu'en passant avec du pollen de la fleur dioïque sur la fleur femelle, l'abeille la féconde, et il voit en cela son but. Un autre, observant la migration des plantes, voit que l'abeille y contribue, et ce nouvel observateur peut dire que tel est le but de l'abeille. Mais la fin dernière de l'abeille ne se réduit ni au premier, ni au deuxième, ni au troisième des buts qu'est capable de découvrir l'esprit humain. Plus l'esprit humain s'élève dans la découverte de ces buts plus il est évident que la fin dernière lui est inaccessible.

La seule chose qui soit accessible à l'homme est d'observer la corrélation entre la vie de l'abeille et d'autres phénomènes de la vie. Il en est de même des buts des personnages historiques et des peuples.

V

Le mariage de Natacha qui, en 1813, épousa Bezoukhov fut le dernier événement heureux dans la vieille famille Rostov. La même année, le comte Ilia Andreitch mourut et, comme il arrive toujours, avec sa mort la vieille famille se disloqua.

Les événements de la dernière année : l'incendie de Moscou et la fuite de la ville, la mort du prince André et le désespoir de Natacha, la mort de Petia, la douleur de la comtesse, tout cela, pour ainsi dire coup sur coup, s'était abattu sur la tête du vieux comte. Il semblait ne pas comprendre et se sentir incapable de comprendre la signification de tous ces événements et, courbant moralement sa vieille tête, on eût dit qu'il attendait et sollicitait de nouveaux coups qui l'achèveraient. Il se montrait tantôt effrayé et désemparé, tantôt plein d'une animation et d'une activité factices.

Le mariage de Natacha l'occupa pendant quelque temps par son côté extérieur. Il commanda des dîners, des soupers et visiblement voulut paraître gai ; mais sa gaieté n'était plus communicative, elle éveillait au contraire de la compassion chez ceux qui le connaissaient et l'aimaient.

Après le départ de Pierre et de sa femme, il perdit toute animation et commença à se plaindre de sa tristesse. Bientôt il tomba malade et s'alita. Dès les premiers jours de sa maladie, malgré les assurances des médecins, il comprit qu'il ne se relèverait pas. La comtesse, sans se déshabiller, passa quinze jours dans un fauteuil à son chevet. Chaque fois qu'elle lui faisait prendre un médicament, il lui baisait la main sans rien dire et en étouffant un sanglot. Le dernier jour, il demanda pardon en sanglotant à sa femme et, en pensée, à son fils de les avoir ruinés, principale faute dont il se sentait coupable. Après avoir communié et reçu l'extrême-onction, il mourut doucement, et le lendemain la foule des connaissances venues rendre les derniers devoirs au défunt emplit l'appartement que louaient maintenant les Rostov. Toutes ces connaissances qui avaient tant de fois dîné et dansé chez lui, qui s'étaient tant de fois moquées de lui, disaient maintenant avec le même sentiment secret de reproche et d'attendrissement, comme pour se justifier devant quelqu'un : « Oui, on a beau dire, c'était un excellent homme. De nos jours, on n'en trouve plus de pareils… Et puis qui n'a pas ses faiblesses ?… »

Au moment précis où les affaires du comte étaient devenues si embrouillées qu'il était impossible d'imaginer comment tout finirait si cela durait encore un an, il mourut subitement.

Nicolas était avec l'armée russe à Paris lorsque lui parvint la nouvelle de la mort de son père. Il donna aussitôt sa démission et sans attendre prit un congé et partit pour Moscou. La situation financière de la famille se précisa définitivement un mois après la mort du comte et surprit tout le monde par l'énormité de la somme qu'atteignaient les diverses petites dettes dont personne ne soupçonnait même l'existence. Il y avait deux fois plus de dettes que n'en valaient les biens.

Les parents et les amis conseillaient à Nicolas de refuser la succession. Mais Nicolas voyait dans cette renonciation une expression de blâme pour la mémoire sacrée de son père ; aussi ne voulut-il pas en entendre parler et il accepta la succession avec l'obligation de régler les dettes.

Les créanciers qui s'étaient si longtemps tus, liés du vivant du comte par l'influence indéfinissable mais puissante qu'exerçait sur eux sa bonté désordonnée, firent soudain valoir leurs droits. Une émulation se fit comme toujours parmi eux – c'était à qui serait payé le premier – et ceux-là mêmes qui, tels Mitenka et d'autres, détenaient des billets reçus comme cadeau et non en reconnaissance d'une dette, se montrèrent maintenant les plus exigeants des créanciers. On ne donnait à Nicolas ni délai ni répit et ceux qui semblaient plaindre le vieillard responsable de leurs pertes (si perte il y avait) s'acharnèrent maintenant sur le jeune héritier évidemment innocent qui s'était engagé de son plein gré à les désintéresser.

Aucun des arrangements envisagés par Nicolas ne réussit; les domaines furent vendus aux enchères à vil prix et la moitié des dettes n'en demeura pas moins impayée. Nicolas accepta les trente mille roubles que lui offrit son beau-frère Bezoukhov pour régler celles qu'il reconnaissait pour des dettes d'argent, de vraies dettes. Et afin de ne pas être mis en prison pour le reste comme l'en menaçaient les créanciers, il reprit du service.

Il ne pouvait rejoindre l'armée où il aurait été nommé commandant de régiment à la première vacance, car sa mère se raccrochait maintenant à son fils comme à sa dernière raison d'être ; aussi, malgré sa répugnance à rester à Moscou, dans le milieu de ceux qui l'avaient connu naguère, malgré son aversion pour les fonctions civiles, il accepta un poste de fonctionnaire et, quittant l'uniforme qu'il aimait, s'installa avec sa mère et Sonia dans un petit appartement de Sivtzev Vrajek.

Natacha et Pierre habitaient alors Pétersbourg et n'avaient qu'une vague idée de la situation de Nicolas. Nicolas ayant emprunté de l'argent à son beau-frère s'efforçait de lui cacher sa situation précaire. Sa situation était particulièrement mauvaise, car, avec ses douze cents roubles de traitement, il devait non seulement subvenir à ses propres besoins, à ceux de Sonia et de sa mère, mais encore faire vivre sa mère de façon qu'elle ne s'aperçût pas de leur pauvreté. La comtesse ne pouvait concevoir qu'on pût vivre sans le luxe auquel elle était habituée depuis son enfance, et sans cesse, ne comprenant pas combien c'était difficile pour son fils, réclamait tantôt la voiture qu'ils n'avaient plus, pour envoyer chercher une amie, tantôt un mets coûteux pour elle-même et du vin pour son fils, tantôt de l'argent pour faire un cadeau à Natacha, à Sonia et à Nicolas lui-même.

Sonia s'occupait du ménage, soignait sa tante, lui faisait la lecture, supportait ses caprices et sa secrète inimitié et aidait Nicolas à cacher à la vieille comtesse la gêne où ils se trouvaient. Nicolas se sentait envers Sonia, pour tout ce qu'elle faisait pour sa mère, une dette de reconnaissance qu'il lui était impossible de payer, il admirait sa patience et son dévouement mais s'efforçait de se tenir à distance.

Dans son for intérieur, il semblait lui faire grief d'être trop parfaite et irréprochable. Elle avait tout ce qu'on apprécie chez les gens, mais peu de ce qu'il fallait pour se faire aimer de lui. Et il sentait que plus il l'appréciait, moins il l'aimait. Il l'avait prise au mot, dans la lettre par laquelle elle lui rendait sa liberté, et maintenant il se conduisait avec elle comme si tout ce qu'il y avait eu entre eux était depuis longtemps oublié et ne pouvait en aucun cas revenir.

La situation de Nicolas allait en empirant. L'idée d'économiser sur son traitement se trouva être un rêve. Non seulement il ne mettait rien de côté, mais pour satisfaire les exigences de sa mère il faisait de petites dettes. Il ne voyait aucune issue à cette situation. L'idée d'épouser une riche héritière comme le lui proposaient des parents lui répugnait. L'autre issue – la mort de sa mère – ne lui venait jamais à l'esprit. Il ne désirait rien, n'espérait rien ; et tout au fond de son âme il éprouvait une délectation sombre et austère à supporter sans murmurer sa situation. Il s'efforçait d'éviter ses anciennes connaissances, avec leur compassion et leurs offres blessantes d'aide, il évitait toute distraction et tout plaisir, ne s'occupait de rien, même chez lui, sinon à faire des réussites à sa mère, à se promener en silence de long en large et à fumer pipe sur pipe. Il semblait entretenir soigneusement en lui l'humeur sombre dans laquelle seule il se sentait capable de supporter sa situation.

VI

Au début de l'hiver, la princesse Maria vint à Moscou. La rumeur publique lui apprit la situation des Rostov et la façon dont « le fils se sacrifiait pour sa mère » : c'est ainsi qu'on disait en ville. « Je n'attendais rien d'autre de sa part », se dit la princesse Maria, se sentant avec joie confirmée dans son amour pour lui. Étant donné ses relations d'amitié et presque de parenté avec toute la famille, elle jugeait de son devoir de leur rendre visite. Mais, au souvenir de ses relations avec Nicolas à Voroneje, elle redoutait cette visite. Faisant un grand effort sur elle-même, elle se rendit néanmoins chez les Rostov quelques semaines après son arrivée en ville.

Nicolas fut le premier à l'accueillir car on ne pouvait aller chez la comtesse qu'en traversant sa chambre. Au premier regard sur elle, le visage de Nicolas, au lieu d'exprimer la joie que la princesse Maria s'attendait à lui voir, prit une expression de froideur, de sécheresse et de hauteur qu'elle ne lui avait jamais vue. Nicolas s'enquit de sa santé, la conduisit à sa mère et au bout de cinq minutes quitta la pièce.

Lorsque la princesse sortit de chez la comtesse, elle croisa de nouveau Nicolas qui, avec une sécheresse particulièrement cérémonieuse, l'accompagna jusqu'à l'antichambre. Il ne répondit pas un mot aux remarques qu'elle fit sur la santé de la comtesse. « Que vous importe ? Laissez-moi en paix », disait son regard.

« Pourquoi vient-elle traîner par ici ? Que lui faut-il ? Je ne puis souffrir ces mijaurées et toutes ces amabilités ! dit-il à haute voix devant Sonia, visiblement incapable de réprimer son dépit, après que la voiture de la princesse se fut éloignée de la maison.

– Ah ! comment peut-on parler ainsi, Nicolas ? dit Sonia dissimulant avec peine sa joie. Elle est si bonne et maman l'aime tant. »

Nicolas ne répondit rien et il aurait voulu ne plus parler du tout de la princesse. Mais, depuis sa visite, la vieille comtesse parlait d'elle plusieurs fois par jour.

La comtesse faisait son éloge, exigeait que son fils allât la voir, exprimait le désir de la voir souvent elle-même, mais cependant finissait toujours par être de mauvaise humeur en parlant d'elle.

Nicolas s'efforçait dans ces occasions de garder le silence, mais son silence irritait la comtesse.

« C'est une jeune fille très digne et charmante, disait-elle, et tu dois lui rendre visite. Tu verras au moins quelqu'un ; tu dois, j'imagine, t'ennuyer avec nous.

– Mais je n'en ai nullement envie, maman.

– Autrefois tu voulais la voir et maintenant tu n'en as pas envie. Je ne te comprends vraiment pas, mon cher. Tantôt tu t'ennuies, tantôt tout à coup tu ne veux voir personne.

– Mais je n'ai pas dit que je m'ennuyais.

– Voyons, tu viens de dire toi-même que tu ne voulais même pas la voir. C'est une jeune fille très digne et qui t'a toujours plu ; et voilà que maintenant tu as des raisons. On me cache tout.

– Mais pas du tout, maman.

– Si encore je te demandais de faire quelque chose de désagréable, mais je ne te demande que d'aller lui rendre sa visite. Il me semble que même la politesse l'exige... Je te l'ai demandé et maintenant je ne me mêle plus de rien puisque tu as des secrets pour ta mère.

– J'irai si vous y tenez.

– Cela m'est égal ; c'est pour toi que je le désire. »

Nicolas soupirait, mordait sa moustache et étalait les cartes pour attirer l'attention de sa mère sur un autre sujet.

Le lendemain, le surlendemain, le jour suivant, la même conversation se renouvela.

Après sa visite aux Rostov et l'accueil froid et inattendu de Nicolas, la princesse Maria s'avoua qu'elle avait eu raison de ne pas vouloir aller chez eux la première.

« Je n'attendais rien d'autre, se disait-elle, appelant son orgueil à son secours. Il ne m'intéresse pas du tout et je voulais seulement voir la vieille comtesse qui a toujours été bonne pour moi et à qui je dois beaucoup. »

Mais ces raisonnements ne pouvaient lui rendre son calme : un sentiment semblable à un remords venait la tourmenter quand elle pensait à sa visite. Quoique fermement décidée à ne plus aller chez les Rostov et à oublier tout cela, elle se sentait sans cesse dans une situation fausse. Et lorsqu'elle se demandait ce qui au juste la tourmentait, elle devait s'avouer que c'étaient ses relations avec Rostov. Le ton froid, poli qu'il avait eu ne venait pas de son sentiment pour elle (elle le savait), il cachait quelque chose. Ce quelque chose, il fallait le tirer au clair ; et elle sentait que d'ici là elle ne pourrait être tranquille.

Un jour, au milieu de l'hiver, elle était installée dans la salle de classe de son neveu dont elle surveillait les devoirs, lorsqu'on vint lui annoncer Rostov. Fermement décidée à ne pas trahir son secret et à ne pas montrer son trouble, elle appela Mlle Bourienne et en sa compagnie entra dans le salon.

Au premier coup d'œil qu'elle jeta sur le visage de Nicolas, elle vit qu'il n'était venu que pour remplir un devoir de politesse et elle résolut fermement de s'en tenir au ton qu'il adopterait à son égard.

Ils parlèrent de la santé de la comtesse, d'amis communs, des dernières nouvelles de la guerre, et lorsque se furent écoulées les dix minutes qu'exige la politesse pour que le visiteur puisse se lever, Nicolas se leva pour prendre congé.

La princesse, avec l'aide de Mlle Bourienne, avait très bien soutenu la conversation; mais, au tout dernier moment, alors qu'il se levait, elle fut si lasse de parler de ce qui ne lui importait nullement et la question de savoir pourquoi à elle seule la vie réservait si peu de joies l'accapara au point que, dans un accès de distraction, ses yeux lumineux fixés devant elle, elle resta assise immobile sans remarquer qu'il s'était levé.

Nicolas la regarda et, voulant paraître ne pas s'apercevoir de sa distraction, dit quelques mots à Mlle Bourienne, puis regarda de nouveau la princesse. Elle était toujours immobile et son tendre visage exprimait la souffrance. Il eut soudain pitié d'elle et sentit confusément que c'était peut-être lui la cause du chagrin qui se reflétait sur son visage. Il eut envie de l'aider, de lui dire quelque chose qui lui fît plaisir; mais il ne put rien trouver à lui dire.

« Adieu, princesse », dit-il. Elle revint à elle, rougit et poussa un profond soupir.

« Ah ! pardon, dit-elle comme si elle se réveillait. Vous partez déjà, comte; alors au revoir ! Et le coussin pour la comtesse ?

– Attendez, je l'apporte tout de suite », dit Mlle Bourienne qui sortit de la pièce.

Tous deux se taisaient en se regardant de temps à autre.

« Oui, princesse, dit enfin Nicolas en souriant tristement, il semble que c'est récent et pourtant que d'eau a passé sous les ponts depuis que nous nous sommes vus pour la première fois à Bogoutcharovo. Nous paraissions être tous alors dans le malheur, mais je donnerais beaucoup pour faire revenir ce temps… mais on ne peut le faire revenir. »

La princesse le regardait fixement dans les yeux de son regard lumineux pendant qu'il parlait. Elle semblait s'efforcer de comprendre le sens secret de ses paroles qui lui expliquerait le sentiment qu'il avait pour elle.

« Oui, oui, dit-elle, mais vous n'avez pas à regretter le passé, comte. Pour autant que je comprenne votre vie actuelle, vous vous en souviendrez toujours avec joie, car l'abnégation dont vous vivez maintenant…

– Je n'accepte pas vos éloges, l'interrompit-il vivement, au contraire, je ne cesse de m'adresser des reproches ; mais c'est là un sujet de conversation qui n'est ni intéressant ni gai. »

Et son regard reprit son expression sèche et froide. Mais la princesse avait retrouvé en lui l'homme qu'elle connaissait et qu'elle aimait, et elle ne parlait plus maintenant qu'à cet homme-là.

« Je pensais que vous me permettriez de vous dire cela, dit-elle. J'ai été si liée avec vous… et avec votre famille que je croyais que vous ne jugeriez pas ma sympathie déplacée ; mais je me suis trompée. » Sa voix trembla soudain. « Je ne sais pourquoi, reprit-elle en se ressaisissant, vous étiez différent autrefois et…

– Il y a mille raisons à ce POURQUOI (il accentua particulièrement ce mot). Je vous remercie, princesse, dit-il tout bas. C'est parfois dur… »

« Ainsi voilà pourquoi ! Voilà pourquoi ! dit une voix intérieure dans l'âme de la princesse Maria. Non, ce n'est pas seulement ce bon regard gai et franc, ce n'est pas seulement sa beauté physique que j'ai aimés en lui, j'avais deviné son âme noble, ferme, capable d'abnégation, se disait-elle. Oui, il est pauvre maintenant et je suis riche… Oui, c'est là la seule raison… Oui, s'il n'y avait pas cela… » Et se rappelant sa tendresse d'autrefois et regardant maintenant son bon visage triste, elle comprit brusquement la raison de sa froideur.

« Pourquoi donc, comte, pourquoi ? cria-t-elle presque, malgré elle, en se rapprochant de lui. Pourquoi, dites-le-moi. Vous devez me le dire. » Il gardait le silence. « J'ignore, comte, votre POURQUOI, poursuivit-elle. Mais j'ai de la peine, je… Je vous l'avoue. Vous voulez, pour une raison que j'ignore, me priver de votre amitié d'autrefois. Et cela me fait mal. » Elle avait des larmes aux yeux et dans la voix. « J'ai eu si peu de bonheur dans la vie que toute perte m'est pénible… Excusez-moi, adieu. » Elle se mit soudain à pleurer et se dirigea vers la porte.

« Princesse ! attendez, pour l'amour de Dieu, s'écria-t-il en cherchant à la retenir. Princesse ! »

Elle se retourna. Pendant quelques secondes, ils se regardèrent en silence, les yeux dans les yeux, et le lointain, l'impossible devint soudain proche, possible et inévitable…

. . . .

VII

EN automne 1814, Nicolas épousa la princesse Maria et alla s'installer avec sa femme, sa mère et Sonia à Lissi Gori.

En trois ans, sans rien vendre des biens de sa femme, il s'acquitta du reste de ses dettes et, ayant reçu un petit héritage d'une cousine, remboursa également Pierre.

Encore trois ans plus tard, en 1820, Nicolas avait si bien arrangé ses affaires qu'il acheta un petit domaine près de Lissi Gori et qu'il était en pourparlers pour le rachat du domaine paternel d'Otradnoïe, ce qui était son rêve le plus cher.

Ayant commencé d'administrer ses terres par nécessité, bientôt il se passionna pour l'exploitation au point que cela devint son occupation préférée et presque exclusive.

Nicolas était un propriétaire simple, il n'aimait pas les innovations, surtout les innovations anglaises qui devenaient alors à la mode, il se moquait des ouvrages théoriques de culture, n'aimait pas les haras, les produits coûteux, les ensemencements de céréales chères et en général ne s'occupait séparément d'aucune partie distincte de son exploitation. Il avait toujours devant les yeux son DOMAINE et non pas l'une quelconque de ses parties. Or, dans le domaine, l'essentiel était non pas l'azote ni l'oxygène du sol et de l'air, non pas une charrue et un engrais spéciaux, mais cet outil principal qui met en œuvre et l'azote et l'oxygène et l'engrais et la charrue, c'est-à-dire le travailleur, le paysan. Lorsque Nicolas prit en main l'exploitation et qu'il s'attacha à en étudier les éléments, le paysan attira particulièrement son attention ; il lui apparaissait non seulement comme un outil mais encore comme le but et comme le juge. Il commença par étudier le paysan, s'efforçant de comprendre ses besoins, de savoir ce qu'il considérait comme bon et comme mauvais, et il feignait seulement de prendre des dispositions et de donner des ordres, tandis qu'en réalité il ne faisait que s'initier auprès des paysans à leurs façons de faire, leur langage et leurs jugements sur ce qui est bien ou mal. Et une fois seulement qu'il eut compris les goûts et les aspirations du paysan, qu'il eut appris à parler son langage et à en comprendre le sens caché, qu'il se fut senti familiarisé avec lui, c'est alors seulement qu'il se mit hardiment à le diriger, c'est-à-dire à remplir à l'égard du paysan la fonction même qui lui incombait. Et l'administration de Nicolas donnait de brillants résultats.

En prenant en main l'administration de ses terres, Nicolas, d'emblée, sans se tromper, par une sorte de divination, nomma bailli, staroste, adjoint les hommes mêmes qu'auraient choisis les paysans s'ils avaient pu le faire, et ces chefs ne changeaient jamais. Avant d'analyser les propriétés chimiques du fumier, avant de se lancer dans le « DOIT » et « AVOIR » (comme il aimait à dire ironiquement), il se renseignait sur la quantité de bétail que possédaient les paysans et augmentait cette quantité par tous les moyens en son pouvoir. Il maintenait l'unité des familles de paysans, ne leur permettant pas de partager. Il pourchassait au même titre les paresseux, les débauchés et les faibles, et s'efforçait de les bannir de la communauté.

Lors des semailles, de la fenaison et de la moisson, il surveillait tout aussi soigneusement ses propres champs que ceux des paysans. Et il y avait peu de propriétaires dont les champs étaient si bien et si vite ensemencés et moissonnés et qui en tiraient autant de revenu que Nicolas.

Il n'aimait pas avoir affaire aux domestiques, les traitait de PARASITES et, au dire de tous, les avait relâchés et gâtés ; quand il s'agissait de prendre une décision au sujet d'un domestique, et en particulier quand il fallait sévir, il était indécis et prenait conseil de tous les habitants de la maison ; mais lorsqu'il était possible de donner au recrutement un domestique à la place d'un paysan, il le faisait sans la moindre hésitation. En revanche, il n'éprouvait jamais aucun doute quant aux dispositions à prendre concernant les paysans. Toute décision qu'il prendrait – il le savait – serait approuvée de tous, à l'exception d'un seul ou de quelques-uns.

Il ne se permettait pas plus de surcharger de travail ou de punir quelqu'un selon son seul bon plaisir que d'alléger son sort et de le récompenser parce que tel était son désir personnel. Il n'aurait pas su dire en quoi consistait le critère de ce qu'on doit et de ce qu'on ne doit pas faire ; mais ce critère était ferme et inébranlable dans son âme.

Il disait souvent avec dépit en parlant d'un échec ou d'un désordre : « AVEC NOTRE PEUPLE RUSSE », et il s'imaginait détester le paysan.

Mais de toutes les forces de son âme il aimait ce PEUPLE RUSSE et sa façon d'être, et c'est pour cela seulement qu'il avait compris et fait siens le seul genre et la seule méthode d'exploitation propres à donner de bons résultats.

La comtesse Maria était jalouse de cet amour de son mari et regrettait de ne pouvoir le partager ; mais elle ne pouvait comprendre les joies et les peines que lui procurait ce monde à part qui lui était étranger. Elle ne pouvait comprendre pourquoi il était si animé et si heureux quand, levé à l'aube et ayant passé toute la matinée dans les champs ou à l'aire, il rentrait des semailles, de la fenaison ou de la moisson prendre le thé avec elle. Elle ne comprenait pas ce qui l'émerveillait tant lorsqu'il parlait avec enthousiasme du riche paysan Mathieu Ermichine qui avait passé toute la nuit avec sa famille à transporter les gerbes et dont les meules étaient déjà prêtes alors que personne n'avait encore fait la moisson. Elle ne comprenait pas pourquoi, en allant et venant de la fenêtre au balcon, il souriait si joyeusement dans sa moustache et clignait de l'œil quand une pluie tiède et drue se déversait sur les pousses d'avoine desséchées, ou pourquoi, lorsqu'à la fenaison ou à la moisson un nuage menaçant était emporté par le vent, en revenant de l'aire tout rouge, hâlé, en nage, une odeur d'absinthe et de moutarde dans les cheveux, il disait en se frottant joyeusement les mains : « Eh bien, une petite journée encore, et tout sera rentré, et ma récolte et celle des paysans. »

Encore moins pouvait-elle comprendre pourquoi, avec son bon cœur, avec son constant empressement à prévenir ses désirs, il était presque pris de désespoir lorsqu'elle lui transmettait les demandes de paysannes ou de paysans qui s'adressaient à elle pour se faire dispenser de travaux, pourquoi lui, le bon Nicolas, il lui opposait obstinément un refus en la priant avec humeur de ne pas se mêler de ce qui ne la regardait pas. Elle sentait qu'il avait un monde à lui qu'il aimait passionnément et que ce monde avait ses lois qu'elle ne comprenait pas.

Lorsqu'il lui arrivait, s'efforçant de le comprendre, de lui parler du mérite qu'il avait à faire du bien à ses gens, il se fâchait et répondait : « Mais pas du tout ; cela ne me vient jamais à l'esprit ; et je ne ferai pas ça pour leur bien. C'est de la poésie et des contes de bonnes femmes, tout ce bien du prochain. Ce qu'il me faut c'est que nos enfants ne soient pas réduits à la misère ; je dois consolider notre fortune tant que je vis ; c'est tout. Et pour cela il faut de l'ordre, il faut de la sévérité… Voilà ! » disait-il en serrant son poing énergique. « Et de la justice aussi, bien entendu, ajoutait-il, parce que, si le paysan est nu et affamé et qu'il n'ait qu'un seul méchant cheval, il ne pourra travailler ni pour lui ni pour moi. »

Et sans doute parce que Nicolas s'interdisait de penser qu'il faisait quelque chose pour les autres, au nom de la vertu, tout ce qu'il faisait portait ses fruits : sa fortune s'accroissait rapidement ; les paysans des environs venaient lui demander de les acheter et, longtemps après sa mort, le peuple conserva pieusement la mémoire de son administration. « C'était un maître… L'intérêt du paysan d'abord, le sien ensuite. Mais aussi, pas de faiblesse. Rien à dire, c'était un maître ! »

VIII

La seule chose qui tourmentait parfois Nicolas dans son administration était son emportement, doublé de sa vieille habitude de hussard d'avoir la main leste. Les premiers temps, il ne voyait à cela rien de répréhensible mais, dans la deuxième année de son mariage, son opinion sur ce genre de justice sommaire changea brusquement.

Un jour, en été, il fit venir de Bogoutcharovo le staroste qui avait succédé à feu Dron et qui était accusé de diverses malversations et irrégularités. Nicolas alla lui parler sur le perron et, dès les premières réponses du staroste, on entendit dans le vestibule des cris et des coups. En rentrant déjeuner, Nicolas s'approcha de sa femme, assise la tête baissée devant son métier à broder, et se mit à lui raconter à son habitude tout ce qu'il avait fait le matin et, entre autres choses, lui parla du staroste de

Bogoutcharovo. La comtesse Maria, rougissant, pâlissant et pinçant les lèvres, baissait toujours la tête et ne répondait rien à son mari.

« Quel fieffé coquin, disait-il en s'échauffant à ce seul souvenir. Si encore il m'avait dit qu'il était ivre, qu'il n'avait rien vu... Mais qu'as-tu, Marie ? » demanda-t-il subitement.

La comtesse Maria leva la tête, voulut dire quelque chose, mais de nouveau baissa précipitamment les yeux et serra les lèvres.

« Qu'as-tu ? Qu'as-tu, mon amie ?... » La laide princesse Maria embellissait toujours quand elle pleurait. Elle ne pleurait jamais de douleur physique ou de dépit mais toujours de chagrin et de pitié. Et lorsqu'elle pleurait ses yeux lumineux prenaient un charme irrésistible.

Dès que Nicolas lui eut pris la main, elle ne put se contenir davantage et fondit en larmes.

« Nicolas, j'ai vu... il est coupable ; mais toi, pourquoi as-tu ?... Nicolas ! » et elle se couvrit le visage de ses mains.

Nicolas se tut, devint écarlate et s'écartant d'elle se mit à arpenter la pièce en silence. Il avait compris pourquoi elle pleurait ; mais il ne pouvait être d'un seul coup d'accord avec elle dans son âme, reconnaître que ce qui lui était familier depuis son enfance, ce qu'il considérait comme la chose la plus ordinaire, fût un mal.

« Est-ce de la sensiblerie, des contes de bonnes femmes ou a-t-elle raison ? » se demandait-il. Sans trancher cette question en lui-même, il jeta encore une fois un regard sur son visage qui reflétait la souffrance et l'amour, et soudain il comprit que c'était elle qui avait raison et qu'il était depuis longtemps coupable envers lui-même.

« Marie, dit-il doucement en s'approchant d'elle, cela n'arrivera plus jamais ; je t'en donne ma parole. Jamais », répéta-t-il d'une voix tremblante, comme un gamin qui demande pardon.

Les larmes coulèrent plus abondantes des yeux de la comtesse. Elle prit la main de son mari et la baisa.

« Nicolas, quand as-tu cassé ton camée ? dit-elle pour changer de conversation en regardant sa main à laquelle il portait une bague avec la tête de Laocoon.

– Aujourd'hui ; c'est encore la même histoire. Ah ! Marie, ne me rappelle plus cela. » Il rougit. « Je te donne ma parole d'honneur que cela n'arrivera plus. Et que ceci me serve toujours de rappel ! » dit-il en montrant la bague brisée.

Depuis lors, dès qu'une explication avec les starostes et les commis lui faisait monter le sang à la tête et que ses poings se serraient, Nicolas tournait à son doigt la bague cassée et baissait les yeux devant celui qui provoquait sa colère. Cependant, une ou deux fois par an, il s'oubliait, et alors en revenant vers sa femme il le lui avouait et promettait de nouveau que ce serait bien la dernière fois.

« Marie, tu dois me mépriser ? lui disait-il, je le mérite.

– Va-t'en, va-t'en vite quand tu sens que tu n'as pas la force de te retenir », disait avec tristesse la comtesse Maria en s'efforçant de consoler son mari.

Parmi la noblesse de la province, Nicolas était estimé mais on ne l'aimait pas. Les intérêts de la noblesse le laissaient indifférent. Et pour cela les uns le considéraient comme un homme fier, les autres comme un sot. Tout son temps, pendant la belle saison, depuis les semailles du printemps jusqu'à la moisson, était pris par les soins de son domaine. En automne, avec le même sérieux pratique qu'il apportait à l'administration de ses terres, il s'adonnait à la chasse, s'en allant pour un mois ou deux avec son équipage. En hiver, il visitait les autres villages et se consacrait à la lecture. Ses lectures consistaient principalement en des ouvrages historiques qu'il faisait venir tous les ans pour une certaine somme. Il se composait, disait-il, une bibliothèque sérieuse et se faisait un principe de lire tous les livres qu'il achetait. Il s'installait avec un air important dans son cabinet pour se consacrer à ces lectures, qu'il s'imposa d'abord comme un devoir et qui par la suite devinrent pour lui une habitude qui lui procurait un plaisir d'une espèce particulière ainsi que la conscience de s'occuper d'une chose sérieuse. À l'exception de ses voyages d'affaires, en hiver, il passait la plus grande partie de son temps à la maison, se rapprochant de sa famille et entrant dans les détails des rapports entre ses enfants et leur mère. Son intimité avec sa femme ne faisait que croître et chaque jour il découvrait en elle de nouveaux trésors spirituels.

Sonia, depuis le mariage de Nicolas, vivait dans sa maison. Dès avant son mariage, Nicolas, s'accusant lui-même et vantant les mérites de Sonia, avait raconté à sa femme tout ce qu'il y avait eu entre eux. Il avait demandé à la princesse Maria d'être bonne et amicale pour sa cousine. La comtesse Maria sentait tous les torts de son mari ; elle sentait ses propres torts envers Sonia ; elle pensait que sa fortune avait pesé dans le choix de Nicolas, elle n'avait rien à reprocher à Sonia, désirait l'aimer ; pourtant non seulement elle ne l'aimait pas, mais souvent elle découvrait dans son âme de mauvais sentiments à son égard qu'elle ne pouvait surmonter.

Un jour, elle parlait avec son amie Natacha de Sonia et de son injustice envers elle.

« Tu sais, dit Natacha, tu as beaucoup lu l'Évangile ; il y a un passage qui s'applique exactement à Sonia.

– Comment cela ? demanda avec surprise la comtesse Maria.

– "On donnera à celui qui a, mais à celui qui n'a pas on ôtera ce qu'il a", tu te souviens ? Elle est celui qui n'a pas : pourquoi ? je n'en sais rien ; elle n'a peut-être pas d'égoïsme, je ne sais, mais on lui ôtera ce qu'elle a et tout lui a été ôté. Je la plains profondément parfois ; je voulais tellement autrefois que Nicolas l'épousât ; mais j'ai toujours eu comme un pressentiment que cela ne se ferait pas. Elle est la FLEUR STÉRILE, tu sais, comme il y en a sur les fraisiers ? Parfois je la plains et parfois je me dis qu'elle ne sent pas cela comme nous le sentirions. »

Et bien que la comtesse Maria expliquât à Natacha qu'il fallait comprendre autrement ces paroles de l'Évangile, en regardant Sonia elle était d'accord avec l'interprétation de Natacha. En effet, on eût dit que Sonia ne souffrait pas de sa situation et était complètement résignée à son destin de FLEUR STÉRILE. Elle semblait tenir moins aux personnes qu'à la famille dans son ensemble. Comme les chats, elle s'était attachée non pas aux gens mais à la maison. Elle soignait la vieille comtesse, cajolait et gâtait les enfants, était toujours prête à rendre les menus services dont elle était capable ; mais, malgré soi, on acceptait tout cela avec trop peu de reconnaissance…

Les bâtiments de Lissi Gori avaient été restaurés, mais n'étaient plus tenus sur le même pied que du temps du vieux prince.

Les constructions commencées aux jours de gêne étaient plus que simples. L'énorme maison aux vieilles fondations de pierre était en bois, crépie seulement à l'intérieur. Les vastes pièces au plancher de bois blanc étaient meublées de simples divans et de fauteuils durs, de tables et de chaises en bouleau provenant du domaine et confectionnés par des menuisiers du cru. La maison était spacieuse, comprenant des chambres de domestiques et des appartements pour les invités. Les parents des Rostov et des Bolkonski se réunissaient à Lissi Gori avec leurs familles, avec jusqu'à seize chevaux, des dizaines de domestiques, et y séjournaient pendant des mois. En outre, quatre fois par an, pour la fête et l'anniversaire des maîtres de la maison, on avait jusqu'à cent invités pour un jour ou deux. Le reste de l'année, la vie coulait régulière et immuable, avec ses occupations habituelles, les thés, les déjeuners, les dîners, les soupers préparés avec les produits du domaine.

IX

C'était la veille de la Saint-Nicolas d'hiver, le 5 décembre 1820. Cette année-là, Natacha avec ses enfants et son mari séjournait chez son frère depuis le début de l'automne.

Pierre se trouvait à Pétersbourg où il s'était rendu pour ses affaires personnelles pour trois semaines, avait-il dit, et où il était maintenant depuis plus de six. On l'attendait d'un moment à l'autre.

Le 5 décembre, outre la famille Bezoukhov, les Rostov avaient encore un autre hôte, le vieil ami de Nicolas, le général en retraite Vassili Fédorovitch Denissov.

Le 6, jour de la solennité où il y aurait du monde, Nicolas savait qu'il devrait enlever son bechmet[1], endosser une redingote, mettre des chaussures étroites à bout effilé et se rendre à l'église qu'il avait récemment fait bâtir, puis recevoir des vœux, offrir des rafraîchissements, parler des élections de la noblesse et de la récolte ; mais la veille de ce jour il s'estimait encore en droit de vivre comme d'habitude. Avant le dîner, Nicolas vérifia les comptes du régisseur d'un village de la province de Riazan relevant d'un domaine du neveu de sa femme, écrivit deux lettres d'affaires et fit sa tournée à l'aire, aux étables et aux écuries. Après avoir pris des mesures contre l'ivresse générale à laquelle on s'attendait pour le lendemain à l'occasion de la fête paroissiale, il rentra dîner et sans avoir eu le temps d'échanger un mot en tête-à-tête avec sa femme, prit place à la longue table de vingt couverts autour de laquelle tout le monde était réuni. Il y avait là sa mère, la vieille Mme Belov qui lui tenait compagnie, sa femme, ses trois enfants, leur gouvernante, leur précepteur, son neveu avec le sien, Sonia, Denissov, Natacha, ses trois enfants, leur gouvernante et le vieux Michel Ivanitch, l'architecte du prince, qui vivait au repos à Lissi Gori.

La comtesse Maria était à l'autre bout de la table. Dès que son mari eut pris place, au geste dont, après avoir pris sa serviette, il déplaça rapidement les verres alignés devant lui, elle conclut qu'il était de mauvaise humeur, comme cela lui arrivait parfois surtout avant le potage et quand il se mettait à table en rentrant tout droit de son travail. Elle connaissait parfaitement cette humeur et quand

1. Vêtement d'origine caucasienne.

elle était bien disposée elle-même, elle attendait tranquillement qu'il eût fini son potage et alors seulement engageait la conversation et lui faisait avouer qu'il n'avait pas de raison d'être de mauvaise humeur; mais aujourd'hui elle oublia complètement cette observation; elle souffrait de le voir fâché sans raison contre elle et se sentit malheureuse. Elle lui demanda où il était allé. Il répondit. Elle demanda encore si tout allait bien dans le domaine. Son ton contraint le fit grimacer et il répondit hâtivement.

« Ainsi je ne me trompais pas, pensa la comtesse Maria; mais qu'a-t-il donc contre moi ? » Dans le ton sur lequel il lui avait répondu, la comtesse entendait de l'animosité à son égard et le désir de mettre fin à la conversation. Elle sentait que ses paroles manquaient de naturel; mais elle ne pouvait s'empêcher de poser d'autres questions encore.

La conversation, pendant le repas, grâce à Denissov, devint bientôt générale et animée, et la comtesse Maria ne parla plus à son mari. Quand on sortit de table et qu'on s'approcha de la vieille comtesse pour la remercier, la comtesse Maria embrassa son mari en lui tendant sa main à baiser et lui demanda pourquoi il était fâché contre elle.

« Tu as toujours d'étranges idées : je ne suis absolument pas fâché », dit-il.

Mais le mot « toujours » répondit à la comtesse Maria : oui je suis fâché et je ne veux pas dire pourquoi.

Nicolas s'entendait si bien avec sa femme que même Sonia et la vieille comtesse qui, par jalousie, souhaitaient un désaccord entre eux ne pouvaient trouver aucun prétexte à critique; mais même entre eux il y avait des moments d'animosité. Parfois, après les périodes les plus heureuses, ils étaient pris d'un sentiment d'éloignement et d'hostilité; ce sentiment se faisait le plus souvent jour pendant les grossesses de la comtesse Maria. En ce moment elle se trouvait dans cet état.

« Eh bien, *messieurs et mesdames*, dit Nicolas à haute voix et d'un ton comme enjoué (il sembla à la comtesse Maria que c'était exprès pour l'offenser), je suis debout depuis six heures du matin. Demain il me faudra bien me résigner, mais aujourd'hui je vais me reposer. » Et, sans rien dire de plus à la comtesse Maria, il s'en alla dans le petit fumoir et s'allongea sur le divan.

« C'est toujours ainsi, pensait la comtesse Maria. Il parle à tout le monde sauf à moi. Je vois, je vois bien que je lui répugne. Surtout dans cet état. » Elle regarda son gros ventre et, dans la glace, son visage amaigri d'une pâleur jaunâtre, aux yeux plus grands que jamais.

Et tout lui devint désagréable : et les éclats de voix et le rire de Denissov, et les propos de Natacha, et surtout le regard rapide que lui lança Sonia.

Sonia était toujours le premier prétexte à irritation que choisissait la comtesse Maria.

Après avoir tenu compagnie un moment à ses hôtes sans rien comprendre de ce qu'ils disaient, elle sortit doucement et passa dans la chambre des enfants.

Les enfants allaient sur des chaises à Moscou et l'invitèrent à les accompagner. Elle s'assit, joua avec eux, mais la pensée de son mari et de sa mauvaise humeur sans cause ne cessait de la tourmenter. Elle se leva et, marchant gauchement sur la pointe des pieds, se dirigea vers le petit fumoir.

« Peut-être ne dort-il pas ; je vais m'expliquer avec lui », se dit-elle. Le petit André, l'aîné de ses enfants, la suivit en marchant sur la pointe des pieds pour l'imiter. La comtesse Maria ne le remarqua pas.

« *Chère Marie, il dort, je crois ; il est si fatigué*, dit, dans le grand salon, Sonia qu'elle rencontrait partout (semblait-il à la comtesse Maria). André pourrait le réveiller. »

La comtesse Maria se retourna, vit le petit André qui la suivait, sentit que Sonia avait raison et, précisément pour cela, rougit et eut visiblement peine à retenir un mot dur. Elle ne dit rien et afin de ne pas lui obéir fit signe au petit André de ne pas faire de bruit mais de la suivre quand même et s'approcha de la porte. Sonia sortit par une autre porte. Dans la pièce où dormait Nicolas, on entendait sa respiration régulière que sa femme connaissait si bien dans ses moindres nuances. Entendant cette respiration, elle voyait devant elle son beau front lisse, sa moustache, tout ce visage que si souvent elle contemplait longuement quand il dormait, dans le silence de la nuit. Nicolas fit soudain un mouvement et gémit. Et au même instant le petit André cria de derrière la porte :

« Papa, maman est là. »

La comtesse Maria pâlit d'effroi et fit des signes à son fils. Il se tut et, pendant un instant, il y eut un silence redoutable pour la comtesse Maria. Elle savait combien Nicolas détestait être réveillé. Tout à coup, derrière la porte on entendit un nouveau gémissement, du mouvement, et la voix mécontente de Nicolas dit :

« Pas moyen d'être un instant tranquille. Marie, c'est toi ? Pourquoi l'as-tu amené ici ?

– Je m'étais seulement approchée pour voir, je n'ai pas remarqué… excuse-moi. »

Nicolas toussa et se tut. La comtesse Maria s'éloigna de la porte et ramena son fils dans la chambre des enfants. Cinq minutes plus tard, la petite Natacha aux yeux noirs, âgée de trois ans, la préférée de son père, apprenant par son frère que papa dormait et que maman était dans le fumoir, courut auprès de Nicolas à l'insu de sa mère. La petite fille aux yeux noirs fit hardiment grincer la porte, s'approcha du divan d'un pas énergique sur ses petits pieds mal assurés et ayant reconnu la position de son père qui dormait en lui tournant le dos, elle se dressa sur les pointes et déposa un baiser sur la main passée sous sa tête. Nicolas se retourna avec un sourire attendri.

« Natacha, Natacha ! chuchotait derrière la porte la comtesse Maria effrayée, papa a envie de dormir.

– Non, maman, il n'a pas envie de dormir, répondit avec conviction la petite Natacha, il rit. » Nicolas posa les pieds par terre, se leva et prit sa fille dans ses bras.

« Entre, Macha », dit-il à sa femme. La comtesse Maria entra dans la pièce et s'assit auprès de son mari.

« Je n'avais pas vu qu'elle me suivait, dit-elle timidement. J'étais venue comme ça. »

Nicolas tenant d'un bras sa fille, regarda sa femme et remarquant l'expression confuse de son visage, l'enlaça de son autre bras et lui posa un baiser sur les cheveux.

« Peut-on embrasser maman ? » demanda-t-il à Natacha.

Natacha eut un sourire timide.

« Encore », dit-elle avec un geste impératif en montrant l'endroit où Nicolas venait d'embrasser sa femme.

« Je ne sais pas pourquoi tu crois que je suis de mauvaise humeur, dit Nicolas, répondant à la question qui, il le savait, était dans l'âme de sa femme.

– Tu ne peux pas savoir comme je suis malheureuse, comme je suis seule, quand tu es ainsi. Il me semble toujours…

– Marie, voyons, ce sont des bêtises. Comment n'as-tu pas honte ? dit-il gaiement.

– Il me semble que tu ne peux pas m'aimer ; que je suis si laide… toujours… et surtout maintenant… dans cet ét…

– Ah ! comme tu es drôle ! Ce n'est pas la beauté qui fait l'amour, c'est l'amour qui fait la beauté. Il n'y a que les *Malvina* et autres qu'on aime parce qu'elles sont belles ; mais est-ce que j'aime ma femme ? Ce n'est pas que j'aime, c'est autre chose, je ne sais comment te le dire. Sans toi et quand une ombre passe entre nous comme en ce moment, je suis comme perdu et je ne suis plus capable de rien. Voyons, est-ce que j'aime mon doigt ? Je ne l'aime pas, mais essaie donc de me le couper…

– Non, moi ce n'est pas ainsi, mais je comprends. Alors tu ne m'en veux pas ?

– Je t'en veux terriblement », dit-il en souriant et se levant, il lissa ses cheveux et se prit à marcher de long en large.

« Sais-tu, Marie, à quoi je pensais ? » commença-t-il, se mettant aussitôt à penser tout haut devant sa femme, maintenant que la paix était faite. Il ne demandait pas si elle était prête à l'écouter, peu lui importait. Une idée lui était venue, donc, à elle aussi. Et il lui dit son intention de convaincre Pierre de rester avec eux jusqu'au printemps.

La comtesse Maria l'écouta, fit quelques remarques et se mit à son tour à penser tout haut. Ses pensées à elle concernaient les enfants.

« Comme on voit déjà la femme, dit-elle en français en montrant la petite Natacha. Vous nous reprochez, à nous femmes, notre manque de logique. La voilà, notre logique. Je dis : papa veut dormir, et elle répond : non, il rit. Et elle a raison, dit la comtesse Maria avec un sourire heureux.

– Oui, oui ! » Et Nicolas, prenant sa fille dans ses bras vigoureux, la souleva haut, la fit asseoir sur son épaule, la tenant par ses petites jambes, et se mit à se promener avec elle dans la pièce. Le père et la fille avaient le même visage béat.

« Tu sais, tu es peut-être injuste. Tu aimes trop celle-là, chuchota en français la comtesse Maria.

– Oui, mais que faire ?... Je m'efforce de ne pas le montrer... »

À ce moment, on entendit dans l'antichambre et le vestibule le bruit d'une porte tournant sur ses gonds et des pas qui semblaient annoncer une arrivée.

« Quelqu'un est arrivé.

– Je suis sûre que c'est Pierre. Je vais aller voir », dit la comtesse Maria qui sortit de la pièce.

Pendant son absence, Nicolas se permit de faire faire à sa fille un tour de galop dans la pièce. Tout essoufflé, il fit vivement descendre la petite qui riait et la serra sur sa poitrine. Ses sauts lui rappelèrent la danse, et en regardant le petit visage rond et heureux de l'enfant, il se demanda ce qu'elle serait quand, déjà vieux, il la mènerait dans le monde et, comme son père qui dansait parfois le Danilo Cooper avec sa fille, il danserait avec elle la mazurka.

« C'est lui, c'est lui, Nicolas », dit quelques instants plus tard la comtesse Maria en revenant. Maintenant notre Natacha revit. Il fallait voir sa joie et ce qu'il a pris aussitôt pour son retard. « Allons, viens vite, viens ! Séparez-vous enfin », ajouta-t-elle en souriant et en regardant la petite qui se serrait contre son père. Nicolas sortit, tenant sa fille par la main.

La comtesse Maria resta dans le fumoir.

« Jamais, jamais je n'aurais cru, murmura-t-elle pour elle-même, qu'on pût être si heureuse. » Son visage s'illumina d'un sourire; mais au même instant elle soupira et une douce tristesse se refléta dans son regard profond. Comme si, en dehors du bonheur qu'elle éprouvait, il y en avait un autre, inaccessible dans cette vie, dont elle s'était souvenue malgré elle en cet instant.

X

Natacha s'était mariée au début du printemps 1813 et, en 1820, elle avait déjà trois filles et un fils longtemps désiré, qu'elle nourrissait elle-même en ce moment. Elle avait engraissé et s'était épanouie, si bien qu'il était difficile de reconnaître dans cette vigoureuse mère la mince et vive Natacha d'autrefois. Les traits de son visage s'étaient précisés et avaient une expression de sérénité et de calme douceur. Dans son visage il n'y avait plus cette flamme toujours brûlante qui faisait autrefois son charme. Maintenant, souvent, on ne voyait d'elle que son visage et son corps, et plus du tout son âme. On ne voyait qu'une femelle forte, belle et féconde. La flamme d'autrefois ne s'allumait que très rarement en elle. Cela n'arrivait que lorsque, comme en ce moment, son mari revenait de voyage, lorsqu'un de ses enfants relevait de maladie ou qu'elle parlait avec la comtesse Maria du prince André (elle ne parlait jamais de lui avec son mari, le croyant jaloux du souvenir du prince André) et, très rarement, lorsque quelque chose l'incitait à chanter, ce qu'elle avait complètement abandonné depuis son mariage. Et dans ces rares moments où l'ancienne flamme se rallumait dans son beau corps épanoui, elle était encore plus séduisante qu'autrefois.

Depuis son mariage, Natacha vivait avec son mari à Moscou, à Pétersbourg, dans son domaine des environs de Moscou, chez sa mère, c'est-à-dire chez Nicolas. Dans le monde, on voyait peu la jeune comtesse Bezoukhov et ceux qui l'avaient vue étaient mécontents d'elle. Elle n'était pas gracieuse ni aimable. Non pas qu'elle aimât la solitude (elle ne savait pas si elle l'aimait ou non, il lui semblait même que non), mais portant, mettant au monde et allaitant ses enfants et prenant part à chaque instant de la vie de son mari, elle ne pouvait y parvenir qu'en renonçant au monde. Tous ceux qui avaient connu Natacha avant son mariage s'étonnaient du changement survenu en elle comme d'une chose extraordinaire. Seule la vieille comtesse qui, avec son instinct maternel, avait compris que tous les élans de Natacha n'avaient pour origine que le besoin d'avoir une famille, d'avoir un mari (comme elle le proclamait à Otradnoïe, moins par plaisanterie que sérieusement), seule la mère s'étonnait de l'étonnement des autres qui ne comprenaient pas Natacha et répétait qu'elle avait toujours su que Natacha serait une épouse et une mère modèles.

« Elle pousse seulement à l'extrême son amour pour son mari et ses enfants, disait la comtesse, au point que c'en est stupide. »

Natacha ne suivait pas cette règle d'or que prêchent les gens intelligents, surtout les Français, et qui veut qu'une jeune fille en se mariant ne se laisse pas aller, ne néglige pas ses talents, s'occupe plus encore qu'avant de sa personne, cherche à séduire son mari comme elle séduisait le fiancé. Natacha, au contraire, avait abandonné d'un seul coup toutes ses séductions et elle en possédait une singulièrement forte, le chant. Elle l'avait abandonné précisément parce que c'était son charme le plus puissant. Elle ne se souciait ni de bonnes manières, ni de délicatesse de langage, ni de poses avantageuses à prendre devant son mari, ni de ses toilettes, ni de ne pas gêner son mari dans ses exigences. Elle faisait tout le contraire de ces règles. Elle sentait que les séductions que son instinct lui avait appris à déployer autrefois n'auraient été maintenant que ridicules aux yeux de son mari à qui, dès le premier instant, elle s'était donnée tout entière, c'est-à-dire de toute son âme, sans y garder un seul petit coin secret pour lui. Elle sentait que son union avec son mari tenait non pas à ces sentiments poétiques qui l'avaient attiré vers elle, mais à quelque chose d'autre, d'indéfinissable, mais de solide comme l'union de sa propre âme avec son corps.

Se faire des boucles, mettre des paniers et chanter des romances afin d'attirer son mari lui eût semblé tout aussi étrange que de se parer pour sa satisfaction personnelle. Quant à se parer pour plaire à d'autres, cela lui eût peut-être été agréable – elle ne le savait pas – mais elle n'en avait absolument pas le temps. La raison principale pour laquelle elle négligeait et son chant et ses toilettes et la recherche dans son langage était qu'elle n'avait absolument pas le temps de s'en occuper.

On sait que l'homme a le don de se laisser entièrement absorber par un objet si insignifiant qu'il paraisse. Et l'on sait aussi qu'il n'est pas d'objet insignifiant dont l'importance, lorsque l'attention s'y concentre, ne puisse croître à l'infini.

L'objet dans lequel Natacha s'était absorbée entièrement était la famille, c'est-à-dire le mari qu'il fallait tenir en main de façon qu'il lui appartînt sans réserve, à elle et à la maison, et les enfants qu'il fallait porter, mettre au monde, nourrir et élever.

Et plus elle pénétrait, non avec sa raison mais de toute son âme, de tout son être, l'objet qui l'occupait, plus cet objet prenait d'ampleur sous son attention et plus ses forces lui paraissaient faibles et dérisoires, de sorte qu'elle les concentrait toutes sur une seule et même chose, sans pourtant parvenir à faire tout ce qu'elle croyait nécessaire.

Les propos et les discussions sur les droits de la femme, sur les rapports entre époux, sur leur liberté et leurs droits, quoiqu'on ne leur donnât pas encore le nom de PROBLÈMES, étaient alors exactement ce qu'ils sont aujourd'hui ; mais ces questions non seulement n'intéressaient pas Natacha, elle ne les comprenait tout simplement pas.

Ces questions n'existaient alors comme maintenant que pour ceux-là seulement qui ne voient dans le mariage que le plaisir que les époux reçoivent l'un de l'autre, c'est-à-dire un des éléments du mariage seulement et non pas toute sa signification, qui est la famille.

Ces discussions et les problèmes d'aujourd'hui, semblables à la question de savoir comment tirer le plus de plaisir d'un repas, ne se posaient pas plus alors qu'elles ne se posent aujourd'hui pour ceux qui pensent que le but d'un repas est de nourrir le corps et le but du mariage, la famille.

Si le but d'un repas est de nourrir le corps, celui qui mangera deux repas d'un seul coup en retirera peut-être plus de plaisir, mais il n'atteindra pas le but poursuivi, car il ne pourra pas digérer entièrement deux repas.

Si le but du mariage est la famille, celui qui voudra avoir beaucoup de femmes ou de maris en retirera peut-être beaucoup de plaisir, mais en aucun cas il n'aura de famille.

Toute la question, si le but d'un repas est de nourrir et le but du mariage de fonder une famille, consiste seulement à ne pas avoir plus de femmes ou de maris qu'il n'en faut pour la famille, c'est-à-dire plus d'une ou d'un. Natacha avait besoin d'un mari. Un mari lui avait été donné. Et le mari lui avait donné une famille. Et non seulement elle ne voyait pas la nécessité d'avoir un autre mari, un mari meilleur, mais comme toutes les forces de son âme tendaient à servir ce mari et la famille, elle ne pouvait se représenter et ne voyait aucun intérêt à se représenter ce qui aurait été s'il en avait été autrement.

Natacha n'aimait pas le monde en général, mais elle n'en tenait que d'autant plus à la société des siens, la comtesse Maria, son frère, sa mère et Sonia. Elle tenait à la société de ceux chez qui, ébouriffée, en robe de chambre, elle pouvait venir à grands pas de la chambre des enfants, montrer d'un air joyeux un lange taché de jaune au lieu de vert et entendre les assurances que maintenant l'enfant allait beaucoup mieux.

Natacha s'était à ce point laissé aller que ses robes, ses coiffures, ses paroles prononcées hors de propos, sa jalousie – elle était jalouse de Sonia, de la gouvernante, de toute femme belle ou laide – étaient le sujet habituel des plaisanteries de tous ses proches. D'après l'opinion générale, Pierre était sous la pantoufle de sa femme et c'était bien le cas. Dès les premiers jours de leur mariage, Natacha avait déclaré ses exigences. Pierre s'était étonné de cette façon de voir toute nouvelle pour lui de sa femme qui prétendait que chaque instant de sa vie lui appartînt à elle et à la famille. Pierre avait été surpris des exigences de sa femme mais en avait été flatté et s'y était soumis.

La dépendance de Pierre consistait en ce qu'il n'avait pas le droit non seulement de faire la cour mais même de parler en souriant à une autre femme, qu'il n'avait le droit d'aller ni dans les clubs ni à des dîners, « comme ça », pour passer le temps, qu'il n'avait pas le droit de dépenser de l'argent pour des fantaisies ni de partir longtemps en voyage sauf pour ses affaires, au nombre desquelles sa femme comptait également ses travaux intellectuels auxquels, sans rien y comprendre, elle attribuait une grande importance. En revanche, Pierre avait chez lui plein droit de disposer à son gré non seulement de lui-même mais de toute la famille. Natacha, dans l'intimité, se faisait l'esclave de son mari et toute la maison marchait sur la pointe des pieds quand Pierre travaillait, c'est-à-dire lisait ou écrivait dans son cabinet. Il suffisait à Pierre de manifester quelque préférence pour que ce qu'il aimait fût toujours fait. Il lui suffisait d'exprimer un désir pour que Natacha sautât sur ses pieds et courût l'exécuter.

Toute la maison était régentée par les prétendus ordres du mari, c'est-à-dire par les désirs de Pierre que Natacha s'efforçait de deviner. Le train de vie, le lieu de résidence, les amis, les relations, les occupations de Natacha, l'éducation des enfants, non seulement tout cela était réglé par la volonté exprimée de Pierre, mais Natacha cherchait à deviner ce qui pouvait découler des idées qu'il formulait dans la conversation. Et elle devinait juste le fond des désirs de Pierre et, l'ayant une fois deviné, elle s'en tenait fermement à son choix. Quand Pierre voulait revenir lui-même sur son désir, elle le combattait avec ses propres armes.

Ainsi, à une époque difficile à jamais mémorable pour Pierre, après la naissance d'un premier enfant chétif, lorsqu'ils durent changer trois fois de nourrice et que Natacha tomba malade de désespoir, Pierre lui parla un jour des idées de Rousseau, qu'il partageait entièrement, sur ce qu'avait de peu conforme à la nature le recours aux nourrices et le danger que cela représentait. Avec l'enfant suivant, malgré l'opposition de sa mère, des médecins et jusqu'à celle de son mari qui s'élevaient contre sa décision de nourrir elle-même trouvant la chose inouïe et néfaste, elle tint bon et depuis lors nourrit elle-même tous ses enfants.

Bien souvent, aux moments d'irritation, il arrivait aux époux de discuter, mais longtemps après la discussion, Pierre découvrait à sa joie et à sa surprise, non seulement dans les paroles mais dans les actes de sa femme, sa propre idée qu'elle avait combattue. Et non seulement il retrouvait la même idée, mais il la retrouvait dépouillée de tout l'excès qu'il avait mis à la formuler dans le feu de la discussion.

Après sept ans de mariage, Pierre avait la joyeuse et ferme conscience de ne pas être un mauvais homme, et il le sentait parce qu'il se voyait reflété dans sa femme. En lui-même il sentait le bon et le mauvais mélangés et atténués l'un par l'autre. Mais en sa femme ne se reflétait que ce qui était réellement bon ; tout ce qui n'était pas entièrement bon était rejeté. Et ce reflet se faisait non par le truchement de la pensée logique, mais par une autre voie mystérieuse, directe.

XI

Deux mois plus tôt, Pierre, déjà en séjour chez les Rostov, avait reçu une lettre du prince Fédor l'appelant à Pétersbourg pour discuter d'importantes questions qui y préoccupaient les membres d'une société dont Pierre était l'un des principaux fondateurs.

Ayant lu cette lettre comme elle lisait toutes les lettres de son mari, Natacha, malgré toute la peine que lui causait l'absence de celui-ci, lui proposa elle-même d'aller à Pétersbourg. À toutes les occupations intellectuelles, abstraites de son mari elle attribuait sans les comprendre une immense importance et craignait sans cesse d'être pour lui une entrave dans cette activité. Au regard timide et interrogateur qu'eut Pierre après avoir lu la lettre, elle répondit en le priant de partir mais de lui fixer seulement la date exacte de son retour. Et un congé de quatre semaines lui avait été accordé.

Depuis l'expiration de ce congé, il y avait quinze jours, Natacha se trouvait dans un état permanent de crainte, de tristesse et d'irritation.

Denissov, général en retraite mécontent de la situation présente, qui était arrivé pendant cette dernière quinzaine, regardait Natacha avec surprise et tristesse comme on regarde le portrait peu ressemblant d'un être autrefois cher. Un regard morne, plein d'ennui, des réponses hors de propos et des conversations sur les enfants, c'était tout ce qu'il voyait et entendait de l'ensorceleuse d'autrefois.

Natacha était, pendant tout ce temps, triste et irritée, surtout lorsque, pour la réconforter, sa mère, son frère, Sonia ou la comtesse Maria cherchaient à excuser Pierre et à trouver des raisons à son absence.

« Ce sont des bêtises, des sornettes, toutes ces idées qui ne mènent à rien et toutes ces sociétés stupides », disait Natacha en parlant de ces mêmes choses à la grande importance desquelles elle croyait fermement. Et elle s'en allait dans la chambre des enfants donner le sein à son fils unique Petia.

Personne ne pouvait lui dire tant de choses apaisantes, raisonnables que ce petit être de trois mois, pendant qu'il reposait contre son sein et qu'elle sentait le mouvement de ses lèvres et le souffle de son petit nez. Cet être disait : « Tu te fâches, tu es jalouse, tu voudrais te venger de lui, tu as peur, mais je suis là… » Et il n'y avait rien à répondre. C'était plus que la vérité.

Natacha, durant ces quinze jours d'inquiétude, avait eu si souvent recours à l'enfant pour la calmer, elle s'était tant occupée de lui, qu'elle l'avait suralimenté et qu'il était tombé malade. Sa maladie l'avait épouvantée, mais en même temps c'était justement ce qu'il lui fallait. En le soignant elle sentait moins son inquiétude au sujet de son mari.

Elle donnait le sein quand on entendit la voiture de Pierre arriver devant le perron, et la nounou, qui savait comment faire plaisir à sa maîtresse, entra sans bruit mais vivement, le visage rayonnant.

« C'est lui ? demanda Natacha dans un chuchotement rapide, craignant de faire un mouvement pour ne pas réveiller l'enfant qui s'endormait.

– Oui, ma chère, c'est lui », chuchota la nounou.

Le sang monta au visage de Natacha et ses pieds eurent un mouvement involontaire ; mais bondir et courir était impossible. L'enfant rouvrit les yeux, la regarda : « Tu es là », sembla-t-il dire en recommençant paresseusement de téter.

Lui retirant doucement le sein, Natacha le berça, le remit à la nounou et se dirigea à pas rapides vers la porte. Mais sur le seuil elle s'arrêta comme prise d'un remords pour avoir, dans sa joie, abandonné trop vite l'enfant, et elle se retourna. La nounou, les coudes levés, faisait passer l'enfant par-dessus le rebord de son berceau.

« Allez, allez, ma chère, soyez tranquille, allez », chuchota en souriant la nounou, avec cette familiarité qui s'établit entre nounou et maîtresse.

Et Natacha, d'un pas léger, courut dans le vestibule.

Denissov qui, avec sa pipe, passait du cabinet de travail dans le grand salon, reconnut alors pour la première fois Natacha. Une vive lumière brillante, joyeuse inondait à flots son visage transfiguré.

« Il est arrivé ! » lui dit-elle en courant, et Denissov se sentait ravi du retour de Pierre qu'il n'aimait guère. En entrant dans le vestibule, Natacha aperçut une haute silhouette en pelisse qui défaisait son foulard.

« C'est lui ! Lui ! C'est vrai ! Le voilà ! » se dit-elle, et s'élançant vers lui, elle l'étreignit, le serra contre elle, la tête de Pierre sur sa poitrine, puis l'écartant regarda son visage rose et heureux couvert de givre. « Oui, c'est lui ; heureux, content… »

Et soudain elle se souvint de toutes les affres de l'attente par lesquelles elle était passée pendant les quinze derniers jours : la joie qui illuminait son visage disparut ; elle se rembrunit et un flot de reproches et de paroles méchantes se déversa sur Pierre.

« Oui, tout va bien pour toi, tu es bien content, tu t'es amusé… Et moi ? Si au moins tu pensais aux enfants. Je nourris, mon lait s'est gâté… Petia a failli mourir. Et toi tu t'amuses. Oui, tu t'amuses… »

Pierre savait n'être pas coupable car il lui avait été impossible de rentrer plus tôt ; il savait que cette explosion de la part de Natacha était déplacée et que dans deux minutes cela serait passé, il savait surtout qu'il était, lui, gai et heureux. Il aurait voulu sourire mais il n'osa même pas y songer. Il prit un air piteux et courba la tête.

« Je n'ai pu, je te le jure ! Mais comment va Petia ?

– Maintenant il va bien, viens. Comment n'as-tu pas honte ! Si tu pouvais voir ce que je suis sans toi, comme je me tourmentais…

– Tu te portes bien ?

– Viens, viens », dit-elle sans lâcher sa main. Et ils s'en allèrent dans leur appartement.

Lorsque Nicolas et sa femme vinrent à la recherche de Pierre, il était dans la chambre des enfants et tenait sur l'énorme paume de sa main droite son fils qui s'était réveillé et qu'il était en train de bercer. Sur son large visage avec sa bouche sans dents, un joyeux sourire s'était arrêté. L'orage était depuis longtemps passé, un gai soleil éclatant brillait sur le visage de Natacha qui regardait avec attendrissement son mari et son fils.

« Et vous avez tout bien discuté avec le prince Fédor ? demanda-t-elle.

– Oui, très bien.

– Tu vois, il la tient (sa tête, voulait dire Natacha). Mais comme il m'a fait peur !

– Et la princesse, l'as-tu vue ? est-ce vrai qu'elle est amoureuse de ce… ?

– Oui, figure-toi. »

À ce moment entrèrent Nicolas et la comtesse Maria. Pierre, sans lâcher son fils, se pencha pour les embrasser et répondit à leurs questions. Mais manifestement, quoiqu'ils eussent bien des choses intéressantes à se dire, le bébé avec son bonnet et sa tête branlante absorbait toute l'attention de Pierre.

« Quel amour ! dit la comtesse Maria en regardant l'enfant et en jouant avec lui. Voilà une chose que je ne comprends pas, Nicolas, ajouta-t-elle en s'adressant à son mari, comment peux-tu ne pas être sensible au charme de ces petites merveilles ?

– Je ne le sens pas, je n'y peux rien, dit Nicolas en contemplant l'enfant d'un regard froid. C'est un morceau de chair. Viens, Pierre.

– Et pourtant c'est un père si tendre, dit la comtesse Maria pour excuser son mari ; mais seulement quand ils ont déjà un an ou à peu près…

– Pierre, lui, sait très bien s'occuper d'eux, dit Natacha ; il prétend que sa main est faite juste à la mesure du petit derrière d'un enfant. Regardez.

– Vrai, mais pas pour cela », dit tout à coup Pierre qui remit l'enfant à la nounou.

XII

Comme dans toute vraie famille, plusieurs mondes absolument différents vivaient à Lissi Gori, mondes qui, gardant chacun son caractère particulier et se faisant mutuellement des concessions, se fondaient en un ensemble harmonieux. Tout événement survenu dans la maison était également important, également joyeux ou triste pour tous ces mondes ; mais chacun d'eux avait ses raisons, absolument indépendantes des autres, de se réjouir ou de s'attrister de tel ou tel événement.

Ainsi le retour de Pierre était un événement important et joyeux et c'est comme tel qu'il fut accueilli par tous.

Les domestiques, qui sont les plus sûrs juges de leurs maîtres car ils les jugent non d'après leurs propos et l'expression de leurs sentiments mais d'après leurs actes et leur façon de vivre, se réjouissaient du retour de Pierre parce que quand il serait là, ils le savaient, le comte cesserait d'aller chaque jour à ses affaires et serait plus gai et mieux disposé, et encore parce que pour la fête tout le monde recevrait de riches cadeaux.

Les enfants et les gouvernantes se réjouissaient de l'arrivée de Bezoukhov parce que personne ne savait comme lui les associer à la vie commune. Il était seul à savoir jouer au clavecin cette écossaise (son unique morceau) qui pouvait accompagner, disait-il, n'importe quelle danse, et il apportait certainement des cadeaux pour tout le monde.

Le jeune Nicolas, qui était maintenant un garçon intelligent de quinze ans, maigre, maladif, avec des cheveux blonds bouclés et des yeux magnifiques, se réjouissait parce que l'oncle Pierre, comme il l'appelait, était pour lui l'objet d'une admiration et d'un amour passionnés. Personne n'avait cherché à lui inspirer un amour particulier pour Pierre et il ne le voyait que rarement. La comtesse Maria qui l'avait élevé mettait tout en œuvre pour que Nicolas aimât son mari autant qu'elle l'aimait elle-même, et Nicolas aimait son oncle ; mais il l'aimait avec une imperceptible nuance de mépris. Quant à Pierre, il l'adorait. Il ne voulait être ni hussard ni chevalier de Saint-Georges comme son oncle Nicolas, il voulait être savant, intelligent et bon comme Pierre. En présence de Pierre, il y avait toujours sur son visage un rayonnement de joie et il rougissait et perdait le souffle quand Pierre lui adressait la parole. Il ne laissait pas échapper un mot de ce que disait Pierre et ensuite, avec Dessales et seul avec lui-même, se rappelait chacune de ses paroles et cherchait à en découvrir le sens. La vie passée de Pierre, ses malheurs d'avant 1812 (dont il s'était fait, d'après ce qu'il en avait entendu raconter, une image vague et poétique), ses aventures à Moscou, sa captivité, Platon Karataiev (qu'il connaissait par les récits de Pierre), son amour pour Natacha (que le jeune garçon aimait lui aussi d'un amour particulier) et, surtout, son amitié pour son père dont Nicolas ne se souvenait pas, tout cela faisait pour lui de Pierre un héros et une idole.

Des bribes de conversation sur son père et Natacha, de l'émotion avec laquelle Pierre parlait du défunt, de cette tendresse précautionneuse, fervente avec laquelle Natacha parlait aussi de lui, le jeune garçon qui commençait à peine à pressentir l'amour, avait déduit que son père avait aimé Natacha et l'avait confiée en mourant à son ami. Or ce père dont il ne se souvenait pas était pour lui une divinité qu'on ne pouvait se représenter et à qui il ne pouvait penser sans un serrement de cœur et des larmes de tristesse et d'exaltation. – Et le jeune garçon était heureux de l'arrivée de Pierre.

Les invités étaient contents du retour de Pierre parce qu'il apportait toujours de l'animation et resserrait les liens de n'importe quelle société.

Les grandes personnes de la maison, sans parler de sa femme, étaient contentes de revoir l'ami auprès de qui la vie était plus facile et plus tranquille.

Les vieilles dames étaient contentes et des cadeaux qu'il rapportait et surtout de ce que Natacha allait renaître.

Pierre sentait ces différentes façons de voir à son sujet de ces mondes différents et avait hâte de donner à chacun ce qu'il attendait.

Pierre, l'homme le plus distrait, le plus oublieux qui fût, avait cette fois tout acheté d'après la liste que lui avait remise sa femme, sans oublier ni les commissions de la mère et du frère de celle-ci, ni le tissu pour la robe de Mme Belov, ni les jouets pour ses neveux. Il avait trouvé étrange, dans les premiers temps de son mariage, cette exigence de sa femme qui prétendait qu'il n'oubliât rien de ce qu'il s'était chargé d'acheter, et il avait été frappé de la voir sérieusement peinée lorsqu'il avait tout oublié à son premier voyage. Mais par la suite il s'y habitua. Sachant que Natacha ne donnait aucune commission pour elle-même et n'en donnait pour les autres que lorsqu'il s'offrait lui-même à les faire, il trouvait maintenant un plaisir inattendu d'enfant à acheter des cadeaux pour toute la maison, et jamais il n'oubliait rien. S'il méritait des reproches de Natacha, ce n'était que parce qu'il achetait trop et payait trop cher. À tous ses défauts, de l'avis de la plupart des gens, ou à ses qualités, de l'avis de Pierre, sa négligence, son laisser-aller, Natacha joignait maintenant encore l'avarice.

Depuis que Pierre avait commencé à vivre avec une famille qui entraînait de fortes dépenses, il avait constaté avec surprise qu'il dépensait deux fois moins qu'auparavant et que ses affaires compromises ces derniers temps (notamment par les dettes de sa première femme) commençaient à se rétablir.

Il dépensait moins parce que sa vie s'était stabilisée : ce luxe, le plus coûteux de tous, qui consiste en un genre de vie qu'on peut changer à tout instant, Pierre ne l'avait plus, et d'ailleurs il ne désirait plus l'avoir. Il sentait que son genre de vie était maintenant fixé une fois pour toutes jusqu'à sa mort, qu'il n'était pas en son pouvoir de le modifier et par conséquent ce genre de vie était peu coûteux.

Pierre, le visage joyeux et souriant, triait ses achats.

« Regarde-moi ça ! » disait-il en dépliant comme un boutiquier un coupon d'étoffe. Natacha, tenant sur ses genoux sa fille aînée, était assise en face de lui et reportait vivement ses yeux rayonnants de son mari à ce qu'il montrait.

« C'est pour Mme Belov ? Parfait. » Elle palpa l'étoffe pour en éprouver la qualité.

« Cela doit valoir un rouble le mètre. »

Pierre dit le prix.

« C'est cher, dit Natacha. Mais comme les enfants seront contents et *maman* aussi ! Seulement tu n'aurais pas dû m'acheter cela, ajouta-t-elle sans pouvoir retenir un sourire en admirant un de ces peignes en or garnis de perles qui commençaient alors à être à la mode.

– C'est Adèle qui m'a persuadé. Elle a tellement insisté pour que je l'achète, dit Pierre.

– Mais quand donc le mettrai-je ? » Natacha le planta dans ses cheveux. « Ce sera quand je mènerai Macha dans le monde ; on les portera peut-être de nouveau alors. Allons, viens. »

Et emportant les cadeaux, ils allèrent d'abord dans la chambre des enfants, puis chez la comtesse.

La comtesse était à son habitude installée avec Mme Belov devant une grande patience lorsque Pierre et Natacha, les paquets sous le bras, entrèrent dans le salon.

La comtesse avait maintenant la soixantaine passée. Ses cheveux étaient tout blancs et elle portait un bonnet qui lui encadrait tout le visage d'une ruche. Son visage était ridé, la lèvre supérieure rentrée et les yeux ternes.

Depuis la mort de son fils et celle de son mari, survenues si peu de temps l'une après l'autre, elle se sentait oubliée par hasard en ce monde, sans aucun but ni raison d'être. Elle mangeait, buvait, dormait, veillait, mais ne vivait pas. La vie ne lui apportait aucune impression. Elle n'en demandait rien que la paix, et cette paix elle ne pouvait la trouver que dans la mort. Mais tant que la mort ne venait pas, il lui fallait vivre, c'est-à-dire employer ses forces vitales. On observait au plus haut point chez elle ce qu'on observe chez les très jeunes enfants et les très vieilles gens. On ne voyait dans sa vie aucun but extérieur et seul y était manifeste le besoin d'exercer ses divers penchants et ses facultés. Elle avait besoin de manger, de dormir, de penser, de parler, de pleurer, de travailler, de se fâcher, etc., uniquement parce qu'elle avait un estomac, un cerveau, des muscles, des nerfs et un foie. Elle faisait tout cela sans aucune sollicitation extérieure, non pas comme les gens dans la force de l'âge chez qui le but poursuivi masque l'autre but, l'emploi de leurs forces. Elle ne parlait que parce qu'elle avait physiquement besoin de faire travailler ses poumons et sa langue. Elle pleurait comme un enfant parce qu'elle avait besoin de se moucher, etc. Ce qui pour les gens en pleine force apparaît comme un but était manifestement pour elle un prétexte.

Ainsi, le matin, en particulier si, la veille, elle avait mangé quelque chose de gras, elle éprouvait le besoin de se fâcher et alors elle choisissait le prétexte le plus facile, la surdité de Mme Belov.

De l'autre bout de la pièce, elle commençait à lui parler à voix basse.

« Je crois qu'il fait plus chaud aujourd'hui, ma chère », disait-elle dans un murmure. Et quand Mme Belov répondait : « Mais oui, ils sont arrivés », elle grommelait avec humeur : « Mon Dieu, qu'elle est sourde et sotte ! » Un autre prétexte était le tabac à priser qui lui semblait tantôt trop sec, tantôt trop humide, tantôt mal broyé. Après ces accès d'irritation, la bile lui montait au visage, et les femmes de chambre savaient à des indices certains quand Mme Belov serait de nouveau sourde, quand le tabac serait de nouveau humide, et quand elle aurait le teint jaune. De même qu'elle avait besoin de faire travailler sa bile, de même il lui fallait parfois exercer les facultés de penser qui lui restaient, et pour cela le prétexte était le jeu de patience. Quand elle avait besoin de pleurer, le prétexte était feu le comte. Quand elle avait besoin de s'inquiéter, le prétexte était Nicolas et sa santé ; quand elle avait besoin de dire des méchancetés, le prétexte était la comtesse Maria. Quand elle avait besoin de donner de l'exercice à ses organes vocaux – cela arrivait le plus souvent vers sept heures, après sa sieste dans sa chambre obscure – le prétexte était de répéter toujours les mêmes histoires et toujours aux mêmes auditeurs.

Cet état de la vieille dame, tous les habitants de la maison le comprenaient, bien que personne n'en parlât jamais et que tous fissent de leur mieux pour la satisfaire. Seuls les rares regards et le triste demi-sourire qu'échangeaient entre eux Nicolas, Pierre, Natacha et la comtesse Maria dénotaient qu'ils comprenaient son état.

Mais ces regards disaient autre chose encore ; ils disaient qu'elle avait terminé sa tâche dans la vie, qu'elle n'était pas toute dans ce qui se voyait aujourd'hui en elle, que nous serions tous comme elle et que c'était une joie de se soumettre, de se dominer pour cet être autrefois chéri, autrefois aussi plein de vie que nous, et maintenant digne de pitié. *Memento mori*, disaient ces regards.

Seuls dans la maison les gens tout à fait méchants et stupides et les petits enfants ne comprenaient pas cela et l'évitaient.

XIII

Lorsque Pierre et sa femme entrèrent dans le salon, la comtesse se trouvait dans cet état habituel où elle éprouvait le besoin de s'adonner au travail intellectuel d'une grande patience ; aussi, bien qu'elle eût dit par habitude les mots qu'elle disait à chaque retour de Pierre ou de son fils : « Il était temps, il était temps, mon cher ; nous commencions à nous impatienter, Dieu merci », et en recevant les cadeaux d'autres mots habituels : « Ce n'est pas le cadeau qui compte, mon ami, merci d'avoir pensé à une vieille comme moi… », on voyait que l'arrivée de Pierre la contrariait en ce moment en la distrayant de sa grande patience qu'elle n'avait pas encore fini d'étaler. Elle la termina et alors seulement s'occupa des cadeaux. Les cadeaux consistaient en un étui à jeu de cartes d'un très beau travail, en une tasse de Sèvres bleu vif à couvercle sur laquelle étaient peintes des bergères, et en une tabatière en or décorée du portrait du comte que Pierre avait commandé à un miniaturiste de Pétersbourg. (La comtesse le désirait depuis longtemps.) Elle n'avait pas envie de pleurer en ce moment, aussi regarda-t-elle le portrait avec indifférence pour s'occuper surtout de l'étui.

« Merci, mon ami, tu m'as fait plaisir, dit-elle comme elle disait toujours. Mais le mieux de tout c'est que tu es là toi-même. Sinon à quoi cela ressemble ; tu ferais bien de gronder ta femme. Qu'est-ce que ça veut dire ? Elle est comme folle sans toi. Elle ne voit rien, ne se souvient de rien. Regarde, Anna Timofeievna, ajouta-t-elle, l'étui que mon fils nous a apporté. »

Mme Belov admira les cadeaux et s'extasia sur son étoffe.

Pierre, Natacha, Nicolas, la comtesse Maria et Denissov avaient à se raconter bien des choses dont on ne parlait pas devant la comtesse, non parce qu'on lui cachait quelque chose mais parce qu'elle était si peu au courant qu'en abordant un sujet devant elle il aurait fallu répondre à ses questions posées mal à propos et répéter encore ce qu'on lui avait déjà répété plusieurs fois : que celui-ci était mort, que celui-là s'était marié, choses qu'elle ne pouvait pas retenir; cependant comme de coutume, ils étaient réunis au salon autour du samovar et Pierre répondait aux questions de la comtesse, sans intérêt pour elle et pour les autres, que le prince Vassili avait vieilli, que la comtesse Maria Alexeievna lui envoyait ses amitiés et la priait de ne pas l'oublier, et ainsi de suite.

Cette conversation, sans intérêt pour personne mais indispensable, continua pendant tout le thé. Autour de la table ronde et du samovar près duquel était assise Sonia, toutes les grandes personnes de la famille étaient réunies. Les enfants, les précepteurs et les gouvernantes avaient déjà pris le thé et l'on entendait leurs voix dans le fumoir attenant. Chacun occupait sa place habituelle; Nicolas s'installait près du poêle, devant une petite table sur laquelle on lui servait le thé. La vieille Milka, un lévrier, fille de la première Milka, la tête entièrement blanche où ressortaient encore davantage ses grands yeux noirs, était couchée sur un fauteuil à côté de lui. Denissov, avec ses cheveux bouclés, sa moustache et ses favoris mêlés de fille blancs, sa redingote de général déboutonnée, était assis près de la comtesse Maria. Pierre était entre sa femme et la vieille comtesse. Il racontait ce qui – il le savait – pouvait intéresser la vieille dame et qu'elle pouvait comprendre. Il parlait des événements mondains et de ceux qui, autrefois, formaient le cercle des contemporains de la vieille comtesse, un vrai cercle vivant, bien distinct, mais qui, maintenant, pour la plupart dispersés par le monde, terminaient comme elle leurs jours en glanant les derniers épis de ce qu'ils avaient semé au cours de leur existence. Pourtant c'étaient eux, ces contemporains, qui représentaient aux yeux de la comtesse l'unique monde sérieux et réel. À l'animation de Pierre, Natacha voyait que son voyage avait été intéressant, qu'il avait beaucoup de choses à raconter mais n'osait parler devant la comtesse.

Denissov, n'étant pas un membre de la famille, ne comprenant donc pas la réserve de Pierre et par surcroît, en mécontent qu'il était, s'intéressant beaucoup à ce qui se passait à Pétersbourg, poussait sans cesse Pierre à parler tantôt de la récente affaire du régiment Semenovski, tantôt d'Araktcheiev, tantôt de la Société biblique. Pierre se laissait par moments entraîner et commençait à raconter, mais Nicolas et Natacha le ramenaient chaque fois à la santé du prince Ivan et à la comtesse Maria Antonovna.

« Voyons, toutes ces folies, et Gossner, et Mme Tatarinov, demanda Denissov, se peut-il que cela continue ?

– Comment si cela continue ? s'écria Pierre, plus que jamais. La Société biblique, c'est maintenant tout le gouvernement.

– De quoi parlez-vous donc, *mon cher ami*? demanda la comtesse qui avait fini son thé et voulait visiblement trouver un prétexte pour se fâcher après sa collation. Comment dis-tu, le gouvernement, je ne comprends pas.

– Oui, vous savez, *maman*, intervint Nicolas qui savait comment il fallait traduire tout cela dans le langage de sa mère, c'est le prince Alexandre Nicolaievitch Golitzine qui a organisé une société, aussi est-il très puissant, paraît-il.

– Araktcheiev et Golitzine, dit imprudemment Pierre, c'est maintenant tout le gouvernement. Et quel gouvernement ! On voit partout des complots, on a peur de tout.

– Mais le prince Alexandre Nicolaievitch, en quoi est-il donc coupable ? C'est un homme très honorable. Je le rencontrais autrefois chez Maria Antonovna », dit d'un ton offensé la comtesse, et encore plus offensée de voir tous se taire, elle poursuivit : « Aujourd'hui on critique tout le monde. Une société évangélique, eh bien, où est le mal ? » et elle se leva (tout le monde l'imita) et, la mine sévère, s'en alla dans le fumoir s'installer à sa table.

Au milieu du triste silence qui s'était établi, on entendit dans la pièce voisine des rires et des voix d'enfants. Apparemment une joyeuse émotion agitait les enfants.

« C'est prêt, c'est prêt ! » lança la petite Natacha dans un hurlement joyeux dominant toutes les autres voix. Pierre échangea un regard avec la comtesse Maria et Nicolas (il voyait toujours Natacha) et eut un sourire heureux.

« Quelle merveilleuse musique ! dit-il.

– C'est Anna Makarovna qui a fini son bas, dit la comtesse Maria.

– Oh ! je vais aller voir, dit Pierre en sautant sur ses pieds. Sais-tu, ajouta-t-il en s'arrêtant à la porte, pourquoi j'aime particulièrement cette musique : ils sont les premiers à m'apprendre que tout va bien. Aujourd'hui, pendant le trajet, plus j'approchais de la maison, plus j'avais peur. Quand je suis entré dans le vestibule, j'ai entendu le petit André rire aux éclats ; allons, tout va donc bien…

– Je sais, je connais ce sentiment, confirma Nicolas. Mais je ne peux pas y aller, c'est une surprise qu'on me fait, ces bas. »

Pierre entra chez les enfants et les rires et les cris redoublèrent. On entendit sa voix : « Eh bien, Anna Makarovna, venez ici, au milieu de la pièce, et au commandement : un, deux, et quand je dirai trois… Toi, mets-toi là. Toi, dans mes bras. Allons, une, deux… » Il y eut un silence. « Trois ! » et une clameur extasiée de voix enfantines s'éleva dans la pièce.

« Deux, il y en a deux ! » criaient les enfants.

C'étaient deux bas que, par un secret qu'elle était seule à connaître, Anna Makarovna tricotait à la fois et que, devant les enfants, elle tirait toujours solennellement l'un de l'autre quand ils étaient terminés.

XIV

Peu de temps après, les enfants vinrent dire bonsoir. Ils embrassèrent tout le monde, les précepteurs et les gouvernantes s'inclinèrent et se retirèrent. Seul resta Dessales avec son pupille. Le gouverneur invita à voix basse celui-ci à descendre.

« *Non, monsieur Dessales, je demanderai à ma tante de rester* », répondit également à voix basse le jeune Nicolas Bolkonski.

« *Ma tante*, permettez-moi de rester », dit-il en s'approchant. Son visage exprimait l'imploration, l'émotion et l'enthousiasme. La comtesse Maria le regarda et se tourna vers Pierre.

« Quand vous êtes là, il ne peut plus s'en aller… lui dit-elle.

– *Je vous le ramènerai tout à l'heure, monsieur Dessales, bonsoir*, dit Pierre en tendant la main au Suisse, et souriant, il s'adressa au petit Nicolas. Nous ne nous sommes pas encore vus tous les deux. Marie, comme il commence à lui ressembler, ajouta-t-il à l'adresse de la comtesse Maria.

– À mon père ? » demanda le jeune garçon qui devint écarlate et regarda Pierre de bas en haut avec des yeux extasiés, brillants. Pierre lui répondit d'un signe de tête et reprit la conversation interrompue par les enfants. La comtesse Maria travaillait à un ouvrage de tapisserie ; Natacha ne quittait pas son mari des yeux. Nicolas et Denissov se levaient, réclamaient leurs pipes, fumaient, prenaient leur thé des mains de Sonia, assise morne et tenace auprès du samovar, et posaient des questions à Pierre. Le jeune garçon maladif aux cheveux bouclés, aux yeux brillants, s'était installé dans un coin, inaperçu de tous, et tournant seulement du côté de Pierre sa tête bouclée au cou mince qui émergeait d'un col rabattu, il tressaillait de temps à autre et murmurait quelque chose à part lui, visiblement en proie à un sentiment nouveau et fort.

La conversation roulait sur les commérages du jour provenant de la haute administration, en quoi la plupart des gens voient le principal intérêt de la politique intérieure. Denissov, mécontent du gouvernement à cause de ses déboires dans sa carrière, apprenait avec joie toutes les sottises qu'à son avis on commettait à présent à Pétersbourg et, en termes vigoureux et tranchants, commentait ce que disait Pierre.

« Autrefois il fallait être Allemand, maintenant il faut danser chez Mme Tatarinov et Mme Krüdener, lire... Eckhartshausen et compagnie. Oh ! j'aimerais y lâcher de nouveau notre gaillard de Bonaparte. Il leur ferait passer toutes leurs sottises. Voyons, à quoi ça ressemble de donner au soldat Schwarz le régiment Semenovski ? » criait-il.

Nicolas, quoique n'éprouvant pas comme Denissov le désir de tout trouver mauvais, jugeait également fort digne et important de critiquer le gouvernement et trouvait que le fait qu'A. eût été nommé ministre de telle chose, B. gouverneur de telle province et que l'empereur eût dit ceci et le ministre cela, que tout cela était des affaires de haute importance. Et il croyait nécessaire de s'y intéresser et d'interroger Pierre. Les questions de ces deux interlocuteurs maintenaient la conversation dans ce genre habituel de commérages concernant les hautes sphères gouvernementales.

Mais Natacha, qui connaissait toutes les attitudes et les pensées de son mari, voyait que Pierre voulait depuis longtemps, mais en vain, engager la conversation dans une autre voie et dire sa pensée intime, celle-là même pour laquelle il était allé à Pétersbourg, conférer avec son nouvel ami, le prince Fédor, et elle l'aida en lui demandant où en était son affaire avec celui-ci.

« De quoi s'agit-il ? demanda Nicolas.

– Toujours de la même chose, dit Pierre avec un regard circulaire. Tout le monde voit que tout va si mal que cela ne peut continuer et que le devoir de tous les honnêtes gens est de réagir dans la mesure de leurs moyens.

– Que peuvent donc faire les honnêtes gens ? dit Nicolas en fronçant légèrement le sourcil, que peut-on faire ?

– Voici quoi…

– Allons dans mon cabinet », dit Nicolas.

Natacha, qui sentait depuis longtemps qu'on allait l'appeler pour donner le sein, entendit la voix de la nounou et s'en alla dans la chambre des enfants. La comtesse Maria la suivit. Les hommes passèrent dans le cabinet de travail et le petit Nicolas Bolkonski, à l'insu de son oncle, y entra aussi et s'assit dans l'ombre, près de la fenêtre, à côté du bureau.

« Alors, que vas-tu faire ? dit Denissov.

– Toujours des chimères, dit Nicolas.

– Voici quoi, commença Pierre sans s'asseoir, tantôt arpentant la pièce, tantôt s'arrêtant, zézayant et faisant des gestes rapides pendant qu'il parlait. Voici quoi. La situation à Pétersbourg est la suivante : l'empereur ne s'occupe de rien. Il s'adonne entièrement à ce mysticisme (Pierre ne pardonnait maintenant le mysticisme à personne). Il ne cherche que la tranquillité et la tranquillité ne peut lui être donnée que par ces gens *sans foi ni loi* qui tranchent tout et étouffent tout, Magnitzki, Araktcheiev et *tutti quanti*… Tu conviendras que si tu n'administrais pas toi-même tes terres et ne voulais que ta tranquillité, plus ton bailli serait dur, plus vite tu atteindrais ton but, dit-il en s'adressant à Nicolas.

– Mais où veux-tu en venir ? dit Nicolas.

– Eh bien, tout s'effondre. Dans les tribunaux c'est le vol, dans l'armée rien que la trique : l'exercice, les colonies militaires ; on opprime le peuple ; on étouffe l'instruction. Ce qui est jeune, honnête, on le détruit ! Tout le monde voit que cela ne peut continuer. La corde est trop tendue et doit inévitablement se rompre, disait Pierre (comme on dit toujours en examinant les actes de n'importe quel gouvernement, depuis qu'existent des gouvernements). Je ne leur ai dit qu'une seule chose à Pétersbourg.

– À qui ? demanda Denissov.

– Vous savez à qui, dit Pierre en le regardant en dessous d'un air entendu : au prince Fédor et à tous les autres. Favoriser l'instruction et la bienfaisance, tout cela est bien, naturellement. C'est un excellent but et tout ; mais dans les circonstances actuelles il faut autre chose. »

À ce moment Nicolas s'aperçut de la présence de son neveu. Son visage s'assombrit ; il s'approcha de lui.

« Que fais-tu là ?

– Pourquoi ? Laisse-le, et Pierre poursuivit : cela ne suffit pas, leur ai-je dit : il faut maintenant autre chose. Quand on est là à attendre que cette corde tendue casse d'un instant à l'autre ; quand tout le monde attend un bouleversement inévitable, il faut nous donner la main et nous unir le plus étroitement et le plus nombreux possible pour faire front à la catastrophe générale. Tout ce qui est jeune, fort, est attiré là-bas et se corrompt. L'un est séduit par les femmes, l'autre par les honneurs, un troisième par la vanité, l'argent, et ils passent dans l'autre camp. Des gens indépendants, libres, comme vous et moi, il n'en reste plus du tout. Je dis : élargissez le cadre de la société ; que le *mot d'ordre* ne soit pas seulement la vertu mais l'indépendance et l'action. »

Nicolas, laissant son neveu, avança avec humeur un fauteuil, s'y assit, et tout en écoutant Pierre, il toussait d'un air mécontent et s'assombrissait de plus en plus.

« Mais quel est le but de l'action ? s'écria-t-il. Et quels seront vos rapports avec le gouvernement ?

– Voici lesquels ! Des rapports de collaboration. La société peut ne pas être secrète si le gouvernement le permet. Non seulement elle n'est pas hostile au gouvernement mais c'est une société de vrais conservateurs. Une société de gentlemen dans la pleine acception du mot. C'est seulement pour qu'un Pougatchov ne vienne pas égorger mes enfants et les tiens, et qu'un Araktcheiev ne m'envoie pas dans une colonie militaire, ce n'est que pour cela que nous nous tenons la main, avec l'unique but du bien général et de la sécurité publique.

– Oui, mais c'est une société secrète, donc hostile et nuisible, qui ne peut engendrer que le mal.

– Pourquoi ? Est-ce que le Tugendbund qui a sauvé l'Europe (on n'osait pas encore penser alors que c'était la Russie qui avait sauvé l'Europe) a eu des effets nuisibles ? Le Tugendbund est une ligue de vertu : c'est l'amour, l'entraide ; c'est ce que le Christ prêchait sur la croix… »

Natacha, qui était entrée au milieu de la conversation, regardait son mari avec joie. Elle se réjouissait non de ce qu'il disait. Cela ne l'intéressait même pas, car il lui semblait que tout cela était extrêmement simple et qu'elle le savait depuis longtemps (elle avait cette impression parce qu'elle en connaissait la source, l'âme de Pierre) ; elle se réjouissait à la vue de l'animation, de l'enthousiasme de toute sa personne.

Plus grande et plus enthousiaste encore était la joie avec laquelle, oublié de tous, le jeune garçon au cou mince émergeant de son col rabattu regardait Pierre. Chaque mot de Pierre lui brûlait le cœur et, d'un mouvement nerveux des doigts, il cassait sans s'en apercevoir la cire à cacheter et les plumes qui s'étaient trouvées à portée de sa main sur le bureau de son oncle.

« Ce n'est pas du tout ce que tu crois, mais voilà ce qu'était le Tugendbund allemand et ce qu'est celui que je propose.

– Allons, mon vieux, un Tugendbund c'est bon pour les mangeurs de saucisses, moi je n'y comprends rien et je n'arrive même pas à prononcer ça, dit la voix forte et décidée de Denissov. Tout va mal, tout est abominable, j'en conviens, seulement un Tugendbund, je ne comprends pas ça, et si on n'est pas content, eh bien, va pour un BOUNT[1], ça, ça me convient ! *Je suis votre homme.* »

Pierre sourit, Natacha éclata de rire, mais Nicolas fronça encore davantage les sourcils et entreprit de démontrer à Pierre qu'aucune révolution n'était à prévoir et que tout le danger dont il parlait n'existait que dans son imagination. Pierre démontrait le contraire et comme son intelligence était plus grande et plus subtile, Nicolas se sentit dans une impasse. Cela l'irrita encore davantage car, dans son for intérieur, non par raisonnement mais par quelque chose de plus fort que le raisonnement, il savait que son point de vue était incontestablement juste.

« Voici ce que je vais te dire, prononça-t-il en se levant et en posant d'un mouvement nerveux sa pipe dans un coin, puis enfin la jetant. Je ne peux pas te le prouver. Tu dis que tout va mal chez nous et qu'il y aura une révolution ; je ne vois pas cela ; mais tu dis que le serment est une convention, et moi je te réponds à cela : tu es mon meilleur ami, tu le sais, mais que tu formes une société secrète, que tu te dresses contre le gouvernement, quel qu'il soit, je sais que mon devoir est de lui obéir. Et si en ce moment Araktcheiev m'ordonnait de marcher contre vous avec un escadron et de vous sabrer, je n'hésiterais pas une seconde et je marcherais. Maintenant, penses-en ce que tu voudras. »

1. Jeu de mots sur *Bund* : ligue, en allemand, et *Bount* : révolte, en russe.

Après ces mots, il y eut un silence gêné. Natacha parla la première pour défendre son mari et attaquer son frère. Sa défense était faible et maladroite, mais son but fut atteint. La conversation reprit et non plus sur le ton désagréablement hostile des dernières paroles de Nicolas.

Lorsque tout le monde se leva pour aller souper, le jeune Nicolas Bolkonski s'approcha de Pierre, pâle, les yeux brillants, lumineux.

« Oncle Pierre… vous… non… Si papa était en vie… serait-il de votre avis ? » demanda-t-il.

Pierre comprit quel travail particulier, indépendant, complexe et puissant du sentiment et de la pensée avait dû s'accomplir dans ce jeune garçon pendant la conversation, et se souvenant de tout ce qu'il avait dit, il regretta qu'il l'eût entendu. Cependant il fallait lui répondre.

« Je pense que oui », dit-il à contrecœur, et il sortit du cabinet.

Le jeune garçon baissa la tête et sembla s'apercevoir alors pour la première fois des dégâts qu'il avait commis sur le bureau. Il rougit et s'approcha de Nicolas.

« Mon oncle, excusez-moi, c'est moi qui ai fait cela par mégarde », dit-il en montrant les plumes et la cire à cacheter brisées.

Nicolas eut un mouvement d'humeur.

« C'est bon, c'est bon », dit-il en jetant sous la table les morceaux de cire et les plumes. Et contenant avec un visible effort la colère qui montait en lui, il se détourna.

« Tu n'aurais de toute façon pas dû être ici », dit-il.

XV

Pendant le souper, on ne parla plus politique et sociétés, mais la conversation s'engagea sur le sujet le plus agréable à Nicolas, les souvenirs de 1812, qu'avait amené Denissov et où Pierre fut particulièrement charmant et amusant. Et l'on se sépara dans les dispositions les plus amicales.

Quand, après le souper, Nicolas s'étant déshabillé dans son cabinet de travail et ayant donné des ordres à son intendant qui attendait depuis longtemps, entra en robe de chambre dans la chambre à coucher, il trouva sa femme encore à son bureau : elle était en train d'écrire.

« Qu'écris-tu, Marie ? » demanda Nicolas. La comtesse Maria rougit. Elle craignait que ce qu'elle écrivait ne fût ni compris ni approuvé par son mari.

Elle aurait voulu le lui cacher, mais en même temps elle était contente d'avoir été découverte et de devoir le lui dire.

« C'est mon journal, Nicolas, dit-elle en lui tendant un cahier bleu couvert de sa grande écriture ferme.

– Un journal ?... » dit Nicolas avec une nuance d'ironie, et il prit le cahier. Il y était noté en français :

« 4 décembre. Aujourd'hui Andrioucha (son fils aîné) en se réveillant n'a pas voulu s'habiller et Mlle Louise m'a fait appeler. Il faisait un caprice et était buté. J'ai essayé de le menacer mais cela n'a fait que le fâcher encore. Alors j'ai pris sur moi, je l'ai laissé et je me suis mise avec la nounou à lever les autres enfants en lui disant à lui que je ne l'aimais plus. Il est resté longtemps silencieux, comme surpris ; puis, en chemise, il s'est jeté vers moi et a éclaté en sanglots au point que j'ai été longtemps sans pouvoir le calmer. On voyait que ce qui le faisait souffrir le plus, c'était de m'avoir fait de la peine ; puis quand, le soir, je lui ai donné son bulletin, il s'est remis à pleurer à chaudes larmes en m'embrassant. On peut tout obtenir de lui par la tendresse. »

« Qu'est-ce que c'est que ce bulletin ? demanda Nicolas.

– Je donne maintenant tous les soirs aux aînés des notes de conduite. »

Nicolas plongea son regard dans les yeux lumineux fixés sur lui et continua de feuilleter le cahier et de le lire. Le journal consignait tout ce qui, dans la vie des enfants, paraissait remarquable à la mère, ce qui révélait leur caractère ou suggérait des idées générales sur les méthodes d'éducation. C'étaient pour la plupart des détails des plus intimes ; mais ils ne paraissaient tels ni à la mère ni au père qui lisait pour la première fois ce journal des enfants.

Le 5 décembre, il était noté :

« Mitia n'a pas été sage à table. Papa a interdit de lui donner du dessert. On ne lui en a pas donné ; mais de quel air pitoyable et avide il regardait les autres manger ! Je pense que punir en privant de dessert ne fait que développer l'avidité. Le dire à Nicolas. »

Nicolas posa le cahier et regarda sa femme. Les yeux lumineux l'interrogeaient (approuvait-il ou n'approuvait-il pas le journal ?). Il ne pouvait y avoir de doute non seulement sur l'approbation de Nicolas mais même sur l'admiration qu'il éprouvait pour sa femme.

« Peut-être ne fallait-il pas le faire d'une façon si pédante, peut-être ne fallait-il pas le faire du tout », pensait Nicolas ; mais cette inlassable tension spirituelle ayant pour seul but le bien moral des enfants l'émerveillait. Si Nicolas avait pu se rendre compte de son sentiment, il aurait constaté que son amour solide, tendre et fier pour sa femme reposait avant tout sur cet étonnement qu'il éprouvait toujours devant la puissance de sa vie spirituelle, devant ce monde moral, élevé, presque inaccessible pour lui, dans lequel elle vivait toujours.

Il était fier qu'elle fût si intelligente et il sentait bien son infériorité devant elle dans le domaine spirituel et s'en réjouissait d'autant plus qu'avec son âme, non seulement elle lui appartenait mais était une partie de lui-même.

« Je t'approuve entièrement, mon amie, entièrement », dit-il d'un air pénétré. Et, après un bref silence, il ajouta : « Je me suis mal conduit aujourd'hui. Tu n'étais pas dans mon cabinet. Nous avons eu une discussion, Pierre et moi, et je me suis échauffé. Mais c'est impossible autrement. C'est un tel enfant. Je ne sais pas ce qu'il deviendrait si

Natacha ne lui tenait pas la bride. Peux-tu te figurer pourquoi il est allé à Pétersbourg ?... Ils ont organisé là-bas...

– Oui, je sais, dit la comtesse Maria. Natacha me l'a raconté.

– Eh bien, tu sais, reprit Nicolas, s'échauffant au seul souvenir de la discussion, il veut me faire croire que le devoir de tout honnête homme est de se dresser contre le gouvernement, alors que le serment et le devoir... Je regrette que tu n'aies pas été là. Ils me sont tous tombés dessus, et Denissov, et Natacha... Natacha est comique. Elle a beau le tenir sous sa pantoufle, dès qu'il s'agit de raisonner elle n'a rien à dire par elle-même, elle ne parle que son langage à lui », ajouta Nicolas, se laissant aller à ce penchant irrésistible qui pousse à critiquer les êtres les plus chers et les plus proches. Nicolas oubliait que, mot pour mot, ce qu'il disait de Natacha pouvait lui être appliqué par rapport à sa femme.

« Oui, je l'ai remarqué, dit la comtesse Maria.

– Quand je lui ai dit que le devoir et le serment priment tout, il s'est mis à démontrer Dieu sait quoi. Dommage que tu n'aies pas été là ; qu'aurais-tu dit ?

– À mon avis, tu as parfaitement raison. C'est ce que j'ai dit à Natacha. Pierre prétend que tout le monde souffre, se tourmente, se corrompt et que notre devoir est d'aider notre prochain. Bien entendu, il a raison, dit la comtesse Maria, mais il oublie que nous avons d'autres devoirs plus immédiats que Dieu lui-même nous a indiqués, et que nous pouvons risquer notre propre vie mais pas celle de nos enfants.

– Voilà, voilà, c'est exactement ce que je lui disais, reprit Nicolas qui croyait vraiment avoir dit cela même. Et eux ils ne savent répéter qu'une chose, l'amour du prochain et le christianisme, et tout cela devant le petit Nicolas qui s'était faufilé dans le cabinet et a tout cassé.

– Ah ! sais-tu, Nicolas, le petit Nicolas me tourmente si souvent, dit la comtesse Maria. C'est un garçon si exceptionnel. Et je crains de le négliger pour les miens. Nous avons tous des enfants, une famille; et lui, il n'a personne. Il est toujours seul avec ses pensées.

– Ma foi, il me semble que toi tu n'as rien à te reprocher à son sujet. Tout ce que peut faire pour son fils la plus tendre des mères, tu l'as fait et tu le fais pour lui. Et, bien entendu, j'en suis content. C'est un très brave garçon. Tout à l'heure il écoutait Pierre dans une sorte d'extase. Et figure-toi : nous nous levons pour aller souper, je vois qu'il a tout mis en miettes sur mon bureau, et il me l'a aussitôt dit. Je ne l'ai jamais pris à dire un mensonge. C'est un gentil garçon! répéta Nicolas à qui, au fond de son cœur, le petit Nicolas ne plaisait pas, mais qui aurait toujours voulu le reconnaître gentil.

– Ce n'est pourtant pas la même chose que s'il avait une mère, dit la comtesse Maria, je sens que ce n'est pas la même chose et cela me tourmente. C'est un merveilleux garçon; mais j'ai affreusement peur pour lui. La vie en société lui fera du bien.

– Eh bien, il n'y en a plus pour longtemps; cet été je l'emmènerai à Pétersbourg, dit Nicolas.

« Oui, Pierre a toujours été et restera toujours un rêveur, poursuivit-il en revenant à la conversation qui avait eu lieu dans le cabinet et qui visiblement l'avait troublé. Voyons, que m'importe tout ce qui se passe là-bas, qu'Araktcheiev ne soit pas à la hauteur et tout cela, qu'est-ce que ça pouvait me faire quand je me suis marié et que j'avais tant de dettes que je risquais de me faire mettre en prison, et une mère qui ne pouvait ni le voir ni le comprendre. Et ensuite il y a eu toi, les enfants, les affaires. Est-ce donc pour mon plaisir que je suis du matin au soir à mes affaires et au bureau? Non, je sais que je dois travailler pour assurer une vie tranquille à ma mère, te payer de ce que je te dois et ne pas laisser mes enfants aussi indigents que je l'ai été. »

La comtesse Maria avait envie de lui dire que l'homme ne vit pas seulement de pain, qu'il attachait trop d'importance à ces AFFAIRES; mais elle savait qu'il ne fallait pas le dire et que c'était inutile. Elle lui prit seulement la main et la baisa. Il interpréta ce geste de sa femme comme une approbation et une confirmation de ses idées et après avoir réfléchi quelque temps en silence, continua à penser tout haut.

« Tu sais, Marie, dit-il, Ilia Mitrofanitch (c'était l'intendant) est arrivé du village de Tambov et il dit qu'on offre déjà quatre-vingt mille roubles de la forêt. » Et Nicolas, le visage animé, parla de la possibilité de racheter très prochainement Otradnoïe. « Que je vive encore une dizaine d'années et je laisserai les enfants... dans une excellente situation. »

La comtesse Maria écoutait son mari et comprenait tout ce qu'il lui disait. Elle savait que, lorsqu'il pensait ainsi tout haut, il lui arrivait de lui demander ce qu'il avait dit et de se fâcher quand il s'apercevait qu'elle pensait à autre chose. Mais elle devait faire pour cela de grands efforts, car ce qu'il lui disait ne l'intéressait nullement. Elle le regardait et, non pas qu'elle pensât à autre chose, elle sentait autre chose. Elle éprouvait un amour soumis, tendre pour cet homme qui ne comprendrait jamais tout ce qu'elle comprenait et, peut-être pour cela, elle ne l'en aimait que plus fort, avec une nuance de tendresse passionnée. Outre ce sentiment qui l'absorbait tout entière et l'empêchait d'entrer dans les détails des projets de son mari, d'autres pensées lui traversaient l'esprit qui n'avaient rien de commun avec ce qu'il disait. Elle pensait à son neveu (ce que son mari avait dit de son émotion pendant que Pierre parlait l'avait fortement frappée) et divers traits de son caractère tendre, sensible lui revenaient à la mémoire ; et, en pensant à son neveu, elle pensait aussi à ses enfants. Elle ne comparait pas son neveu et ses enfants, elle comparait son sentiment pour eux et pour lui, et elle constatait avec tristesse que dans son sentiment pour le petit Nicolas quelque chose manquait.

Parfois l'idée lui venait que cette différence tenait à l'âge ; mais elle se sentait coupable envers lui et, au fond d'elle-même, se promettait de se corriger et de faire l'impossible, c'est-à-dire dans cette vie d'aimer et son mari et ses enfants et le petit Nicolas et tous ses semblables comme le Christ avait aimé l'humanité. L'âme de la comtesse Maria aspirait toujours vers l'infini, l'éternel et le parfait, et c'est pourquoi elle ne pouvait jamais connaître la paix. Son visage prit la grave expression de haute souffrance secrète de l'âme enchaînée par le corps. Nicolas la regarda.

« Mon Dieu ! Que deviendrons-nous si elle meurt, comme il me semble toujours quand elle a ce visage », pensa-t-il, et, debout devant les icônes, il récita ses prières du soir.

XVI

Natacha, restée seule, avec son mari, parlait aussi comme on ne parle qu'entre époux, c'est-à-dire en se comprenant avec une clarté et une rapidité extraordinaires et en se communiquant mutuellement les pensées par une voie contraire à toutes les règles de la logique, sans l'entremise des jugements, des déductions et des conclusions, mais par un moyen tout à fait particulier. Natacha était si habituée à parler ainsi avec son mari que le signe le plus sûr d'un désaccord entre eux était pour elle le cheminement logique de la pensée de Pierre. Lorsqu'il entreprenait de démontrer, de parler raisonnablement et avec calme, et qu'entraînée par son exemple, elle en faisait autant, elle savait que cela aboutirait inévitablement à une querelle.

Dès qu'ils étaient restés seuls et que Natacha, les yeux agrandis par le bonheur, s'était approchée doucement et lui saisissant brusquement la tête, l'avait serrée contre sa poitrine en disant : « Maintenant tu es tout à moi, tout à moi ! Tu ne m'échapperas plus ! » depuis cet instant s'était engagée cette conversation contraire à toutes les lois de la logique, contraire, ne fût-ce que parce qu'en même temps on parlait de sujets absolument différents. Cette façon d'aborder simultanément de nombreux sujets non seulement ne nuisait pas à la clarté de la compréhension, mais au contraire était le signe le plus certain d'une compréhension parfaite entre eux.

De même que dans les rêves tout est factice, absurde et contradictoire sauf le sentiment qui les commande, ainsi dans cet échange d'idées contraire à toutes les lois de la raison ce qui est logique et clair ce ne sont pas les paroles mais le sentiment qui les dicte.

Natacha racontait à Pierre comment vivait son frère, combien elle avait souffert, qu'elle ne vivait pas en absence de son mari, qu'elle aimait de plus en plus Marie et combien, à tous égards, celle-ci valait mieux qu'elle. En disant cela, Natacha avouait sincèrement la supériorité de Marie, mais en même temps elle exigeait de Pierre qu'il ne l'en préférât pas moins à Marie et à toutes les autres femmes, et que maintenant, surtout après avoir vu tant de femmes à Pétersbourg, il le lui redît encore.

Pierre, répondant à Natacha, lui raconta combien il lui avait été insupportable, à Pétersbourg, d'assister à des soirées et des dîners où il y avait des femmes du monde.

« J'ai perdu tout à fait l'habitude de parler aux dames, dit-il, cela m'ennuie tout simplement. D'autant plus que j'étais si occupé. »

Natacha le regarda fixement et enchaîna :

« Marie, c'est une telle merveille ! dit-elle. Comme elle sait comprendre les enfants. On dirait qu'elle voit leur âme. Hier par exemple, le petit Mitia a fait un caprice…

– Ah ! comme il ressemble à son père », interrompit Pierre.

Natacha comprit pourquoi il faisait cette remarque sur la ressemblance du petit Mitia et de Nicolas : le souvenir de sa discussion avec son beau-frère lui était désagréable et il voulait avoir à ce sujet l'opinion de Natacha.

« Nicolas a ce défaut de n'admettre rien qui ne soit accepté de tous. Mais je comprends, toi tu tiens précisément à *ouvrir une carrière*, dit-elle répétant l'expression employée par Pierre.

– Non, l'essentiel, dit Pierre, c'est que pour Nicolas les idées et les raisonnements sont un amusement, presque un passe-temps. Il se monte une bibliothèque et il s'est donné pour principe de ne pas acheter un nouveau livre sans avoir lu le précédent, et Sismondi, et Rousseau, et Montesquieu, ajouta-t-il avec un sourire. Tu sais combien je le… » poursuivit-il pour atténuer ses paroles ; mais Natacha l'interrompit, lui faisant sentir que c'était inutile.

« Alors tu dis que pour lui les idées sont un amusement…

– Oui, et pour moi, c'est tout le reste qui est un amusement. À Pétersbourg, je voyais tout le monde comme dans un rêve. Quand une idée m'occupe, tout le reste n'est qu'un amusement.

– Ah ! quel dommage que je ne t'aie pas vu dire bonjour aux enfants, dit Natacha. Laquelle a été la plus contente ? Lise certainement ?

– Oui, dit Pierre, et il continua de parler de ce qui l'occupait. Nicolas dit que nous ne devons pas réfléchir. Mais je ne peux pas. Sans même compter qu'à Pétersbourg je sentais (je peux te le dire à toi) que sans moi tout se désagrégeait, que chacun tirait de son côté. Mais j'ai réussi à les unir tous et puis mon idée est si simple et claire. Je ne dis pas que nous devons nous élever contre tel ou tel. Nous pouvons nous tromper. Je dis ceci : donnez-vous la main, ceux qui aiment le bien, et que le seul étendard soit la vertu agissante. Le prince Serge est un excellent homme et il est intelligent. »

Natacha ne doutait pas que l'idée de Pierre ne fût une grande idée, mais une chose la troublait. C'était qu'il fût son mari. « Est-il possible qu'un homme aussi important et aussi nécessaire à la société soit en même temps mon mari ? Comment cela a-t-il pu arriver ? » Elle avait envie de lui exprimer ce doute. « Quels sont ceux qui pourraient décider si vraiment il est tellement plus intelligent que tous les autres ? » se demandait-elle en passant en revue dans son esprit ceux que Pierre tenait en haute estime.

Il ne respectait personne d'entre eux, à en juger par ses paroles, tant que Platon Karataiev.

« Sais-tu à quoi je pense ? dit-elle. À Platon Karataiev. Que dirait-il ? T'approuverait-il en ce moment ? »

Pierre ne fut nullement surpris de cette question. Il comprit le cheminement de la pensée de sa femme.

« Platon Karataiev ? » dit-il, et il réfléchit, s'efforçant visiblement en toute sincérité de se représenter l'opinion que Karataiev aurait eue sur ce sujet. « Il n'aurait pas compris, quoique peut-être que si.

– C'est terrible ce que je t'aime ! dit soudain Natacha. C'est terrible ! Terrible !

– Non, il n'approuverait pas, dit Pierre après avoir réfléchi. Ce qu'il aurait approuvé c'est notre vie de famille. Il voulait tant voir partout l'harmonie, le bonheur, la paix, et je serais fier de nous montrer à lui. Vois-tu, tu parles de la séparation. Mais si tu savais quel sentiment particulier j'ai pour toi après une séparation…

– Allons bon… commença Natacha.

– Non, ce n'est pas cela. Je ne cesse jamais de t'aimer. Et on ne peut aimer davantage ; mais cela c'est à part… Mais enfin… »

Il n'acheva pas parce que leurs regards qui se rencontrèrent se dirent le reste.

« Quelles bêtises, dit tout à coup Natacha : la lune de miel, et que le vrai bonheur c'est les premiers temps. Au contraire, c'est maintenant que c'est le mieux. Si seulement tu ne partais pas. Tu te souviens comme nous nous disputions. Et c'était toujours ma faute. Toujours la mienne. Et pourquoi nous nous disputions, je ne m'en souviens même pas.

– Toujours pour la même raison, dit Pierre en souriant, la jalou…

– Ne le dis pas, je déteste ça », s'écria Natacha. Et un éclat froid, méchant s'alluma dans ses yeux. « Tu l'as vue ? ajouta-t-elle après un silence.

– Non, et même si je l'avais vue je ne l'aurais pas reconnue. »

Ils se turent.

« Ah ! tu sais ? Pendant que tu parlais dans le cabinet, je te regardais, reprit Natacha, cherchant visiblement à chasser le nuage qui menaçait. Vraiment tu lui ressembles comme deux gouttes d'eau, au petit. (Elle appelait ainsi son fils.) Ah ! il est temps d'aller le retrouver… C'est l'heure… Mais ça me fait de la peine de m'en aller. »

Ils restèrent quelques secondes silencieux. Puis soudain, en même temps, ils se tournèrent l'un vers l'autre et se mirent à parler. Pierre, avec complaisance et ardeur ; Natacha, avec un doux sourire heureux. S'étant heurtés, ils s'arrêtèrent tous deux, se cédant mutuellement le pas.

« Non, toi, que voulais-tu dire ? parle, parle.

– Non, c'est à toi, c'est comme ça, des bêtises », dit Natacha.

Pierre dit ce qu'il avait commencé. C'était la suite de ses considérations satisfaites sur son succès à Pétersbourg. Il lui semblait en ce moment être appelé à donner une nouvelle orientation à toute la société russe et au monde entier.

« Je voulais seulement dire que toutes les idées qui ont d'immenses conséquences sont toujours simples. Toute mon idée est que si les gens sans morale sont unis entre eux et représentent une force, les honnêtes gens n'ont qu'à en faire autant. C'est vraiment si simple.

– Oui.

– Et toi, que voulais-tu dire ?

– Rien, des bêtises.

– Si, tout de même.

– Mais rien, des vétilles, dit Natacha, rayonnant d'un sourire encore plus clair ; je voulais seulement parler de Petia : aujourd'hui la nounou s'est approchée pour me le prendre, il a ri, a fermé les yeux et s'est blotti contre moi ; il a dû croire qu'il s'était caché. Il est extrêmement mignon. Le voilà qui crie. Eh bien, au revoir ! » Et elle sortit de la pièce.

Dans le même temps, en bas, dans la chambre du jeune Nicolas Bolkonski, la veilleuse était comme toujours allumée (le jeune garçon avait peur de l'obscurité et l'on n'avait pu le corriger de ce défaut). Dessales dormait, soulevé haut par ses quatre oreillers, et son nez romain émettait un ronflement régulier. Le jeune Nicolas, qui venait de se réveiller baigné de sueur froide, était assis dans son lit, les yeux grands ouverts, et regardait devant lui. Un cauchemar l'avait réveillé. Il avait vu en rêve son oncle Pierre et lui coiffés de casques comme il y en avait dans son édition de Plutarque. Ils marchaient à la tête d'une immense armée. Cette armée se composait de lignes blanches obliques qui emplissaient l'air à la manière de ces toiles d'araignées qui voltigent en automne et que Dessales appelait *les fils de la Vierge*. Devant eux était la gloire, faite des mêmes fils mais un peu plus épais. Tous deux – oncle Pierre et lui – s'élançaient légers et joyeux de plus en plus près du but. Soudain les fils qui les entraînaient commencèrent à se détendre, à s'emmêler ; cela devint pénible. Et l'oncle Nicolas Ilitch s'arrêta devant eux dans une pose menaçante et sévère.

« C'est vous qui avez fait cela ? dit-il en montrant la cire à cacheter et les plumes cassées. Je vous aimais, mais Araktcheiev me l'a ordonné, et je tuerai le premier qui fera un pas en avant. » Le jeune Nicolas se tourna vers Pierre ; mais Pierre n'était plus là. Pierre était son père, le prince André, et son père n'avait ni contours ni forme, mais il était, et en le voyant le jeune Nicolas se sentit défaillir d'amour : il se sentit sans force, sans ossature et fluide. Son père le caressait et le plaignait. Mais l'oncle Nicolas Ilitch avançait de plus en plus sur eux. La terreur étreignit le jeune Nicolas et il se réveilla.

« Mon père, pensait-il. Mon père (malgré la présence dans la maison de deux portraits ressemblants, le jeune Nicolas ne se représentait jamais le prince André sous une forme humaine), mon père était avec moi et me caressait. Il m'approuvait, il approuvait oncle Pierre. Quoi qu'il dise, je le ferai. Mucius Scevola s'est brûlé la main. Mais pourquoi n'y aurait-il pas la même chose dans ma vie ? Je sais, ils veulent que j'étudie. Et j'étudierai. Mais un jour j'aurai fini ; et alors je le ferai. Je ne demande qu'une chose à Dieu : qu'il m'arrive ce qui est arrivé aux hommes de Plutarque, et je ferai comme eux. Je ferai mieux. Tout le monde le saura, tout le monde m'aimera, tout le monde m'admirera. » Et soudain Nicolas sentit les sanglots lui contracter la poitrine et il pleura.

« *Êtes-vous indisposé ?* demanda la voix de Dessales.

– *Non* », répondit Nicolas ; et il se coucha sur son oreiller. « Il est bon et gentil, je l'aime, se disait-il en pensant à Dessales. Et oncle Pierre ! Oh ! quel homme merveilleux ! Et mon père ? Mon père ! Mon père ! Oui, je ferai des choses dont même lui, IL aurait été content… »

DEUXIÈME PARTIE

I

L'objet de l'histoire est la vie des peuples et de l'humanité. Saisir directement et embrasser avec des mots, décrire la vie non seulement de l'humanité mais d'un seul peuple paraît impossible.

Les historiens d'autrefois usaient souvent d'un procédé tout simple pour décrire et saisir ce qui paraît insaisissable, la vie d'un peuple. Ils décrivaient l'activité des individus qui le dirigeaient et cette activité exprimait pour eux l'activité du peuple tout entier.

Aux questions : comment des individus faisaient-ils agir les peuples selon leur volonté et par quoi la volonté même de ces hommes était-elle dirigée, les historiens répondaient, à la première en attribuant à la volonté de la Divinité la soumission des peuples à la volonté d'un seul élu, et à la seconde, en posant en principe que cette même Divinité dirigeait la volonté de l'élu vers le but assigné.

Ainsi ces questions étaient résolues par la croyance en l'intervention directe de la Divinité dans les affaires de l'humanité.

La science moderne de l'histoire, dans sa théorie, a rejeté ces deux propositions.

Il semblerait qu'en rejetant la croyance des anciens à la soumission des hommes à la Divinité et à un but déterminé vers lequel les peuples sont conduits, la science moderne aurait dû étudier non pas les manifestations du pouvoir mais les causes qui le forment. Mais elle ne l'a pas fait. Rejetant en théorie les conceptions des historiens d'autrefois, elle les suit dans la pratique.

Aux hommes doués d'un pouvoir divin et guidés directement par la volonté de la Divinité, l'histoire moderne a substitué ou des héros doués de qualités exceptionnelles, surhumaines, ou simplement des hommes des mérites les plus divers, depuis les monarques jusqu'aux journalistes, qui mènent les masses. Aux anciens buts agréables à la Divinité qui s'imposaient à certains peuples : les peuples hébreu, grec, romain, et que les anciens croyaient être les buts du mouvement de l'humanité, l'histoire moderne a substitué ses propres buts, le bien des peuples français, allemand, anglais et, au plus haut degré de l'abstraction, le bien de la civilisation de l'humanité tout entière, humanité par laquelle on entend généralement les peuples qui occupent le petit coin nord-ouest du grand continent.

L'histoire moderne a répudié les anciennes croyances sans leur substituer une conception nouvelle, et la logique de la situation a obligé les historiens qui avaient prétendu rejeter le pouvoir divin des rois et le fatum des anciens, à revenir par une autre voie au même point : à reconnaître que 1° les peuples sont menés par des individus, et 2° qu'un but déterminé existe vers lequel s'acheminent les peuples et l'humanité.

Tous les ouvrages des historiens les plus modernes, depuis Gibbon jusqu'à Buckle, malgré leur apparente divergence et l'apparente nouveauté de leurs conceptions, se fondent sur ces deux postulats inévitables.

En premier lieu, l'historien décrit l'activité des individus qui, selon lui, menaient l'humanité : l'un considère comme tels les monarques seulement, les grands capitaines, les ministres; un autre, outre les monarques, y inclut les orateurs, les savants, les réformateurs, les philosophes et les poètes. En second lieu, le but vers lequel est conduite l'humanité est connu de l'historien : pour l'un, c'est la grandeur de l'État romain, espagnol, français ; pour l'autre, la liberté, l'égalité, la civilisation d'un certain genre de ce petit coin de l'univers appelé Europe.

En 1789, une fermentation se produit à Paris ; elle grandit, s'étend et se traduit par un mouvement des peuples d'Occident en Orient. Plusieurs fois ce mouvement se dirige vers l'Orient, se heurte à un mouvement inverse d'Orient en Occident ; en 1812, il atteint sa pointe extrême, Moscou, et, avec une remarquable symétrie, un mouvement inverse s'opère d'Orient en Occident qui, de même que le premier, entraîne dans son sillage les peuples du centre. Le mouvement inverse atteint le point de départ du premier mouvement, Paris, et s'arrête.

Pendant cette période de vingt ans, une immense étendue de champs reste en friche ; des maisons sont brûlées ; le commerce change de direction ; des millions de gens s'appauvrissent, s'enrichissent, se déplacent et des millions de chrétiens qui professent la loi de l'amour du prochain s'entre-tuent.

Que signifie tout cela ? Quelle en est l'origine ? Qu'est-ce qui incitait ces hommes à incendier des maisons et à tuer leurs semblables ? Quelles étaient les causes de ces événements ? Quelle force a poussé les hommes à agir ainsi ? Telles sont les questions involontaires, naïves et des plus légitimes que l'homme se pose lorsqu'il se trouve devant les monuments et les traditions de la période passée du mouvement.

Pour résoudre ces questions, nous nous tournons vers la science de l'histoire, qui a pour but d'apprendre aux peuples et à l'humanité à se connaître eux-mêmes.

Si l'histoire avait retenu les conceptions d'autrefois, elle dirait : la Divinité, pour récompenser ou pour punir son peuple, a donné le pouvoir à Napoléon et a guidé sa volonté pour l'accomplissement de ses fins divines. Et cette réponse serait complète et claire. On peut croire ou ne pas croire à la mission divine de Napoléon ; mais pour celui qui y croit, toute l'histoire de ce temps est compréhensible et il ne peut y avoir aucune contradiction.

Mais la science moderne de l'histoire ne peut répondre ainsi. La science n'admet pas la conception des anciens quant à l'intervention directe de la Divinité dans les affaires de l'humanité, et par conséquent elle doit donner d'autres réponses.

La science moderne de l'histoire répondant à ces questions dit : vous voulez savoir ce que signifie ce mouvement, quelle en est l'origine et quelle force a engendré ces événements ? Écoutez :

« Louis XIV était un homme très orgueilleux et présomptueux ; il avait telles maîtresses et tels ministres, et il gouvernait mal la France. Ses successeurs furent aussi des hommes faibles et eux aussi gouvernaient mal la France. Ils avaient tels favoris et telles maîtresses. D'autre part, certaines gens ont écrit à cette époque des livres. À la fin du XVIIIe siècle, une vingtaine d'hommes se trouvèrent réunis à Paris, qui se mirent à dire que tous les hommes sont égaux et libres. À la suite de quoi, dans toute la France on se mit à s'entre-tuer et à se noyer mutuellement. Ces gens tuèrent le roi et beaucoup d'autres. Dans le même temps, il y avait en France un homme de génie, Napoléon. Il remportait partout des victoires sur tout le monde, c'est-à-dire qu'il tuait beaucoup de gens parce qu'il était un grand génie. Et il s'en alla tuer, on ne sait pourquoi, des Africains, et il les tuait si bien et était si rusé, si intelligent qu'à son retour en France, il donna à tous l'ordre de lui obéir. Et tous lui obéirent. Devenu empereur, il partit de nouveau tuer du monde en Italie, en Autriche et en Prusse. Et là-bas aussi il en tua beaucoup. Or, en Russie, il y avait l'empereur Alexandre qui avait décidé de rétablir l'ordre en Europe et qui par conséquent faisait la guerre à Napoléon. Mais en 1807, il devint soudain son ami, puis en 1811, il se brouilla de nouveau avec lui, et de nouveau ils tuèrent beaucoup de monde. Et Napoléon amena six cent mille hommes en Russie et conquit Moscou ; puis tout à coup il s'enfuit de Moscou, et alors l'empereur Alexandre, aidé par les conseils de Stein et d'autres, unit l'Europe contre celui qui troublait sa tranquillité. Tous les alliés de Napoléon devinrent subitement ses ennemis ; et cette coalition marcha contre Napoléon qui avait recruté de nouvelles forces. Les alliés vainquirent Napoléon, entrèrent à Paris, forcèrent Napoléon à abdiquer et l'envoyèrent à l'île d'Elbe, sans le priver de son titre d'empereur et en lui témoignant tous les égards, bien que, cinq ans plus tôt et un an plus tard, tout le monde le considérât comme un bandit hors la loi. Et ce fut Louis XVIII, dont jusqu'alors et les Français et les alliés n'avaient fait que rire, qui régna. Quant à Napoléon, versant des larmes devant la vieille garde, il abdiqua et partit pour l'exil. Puis des hommes d'État et des diplomates habiles (en particulier Talleyrand qui avait réussi à occuper avant tout autre un certain fauteuil et avait ainsi étendu les frontières de la France) s'entretinrent à Vienne et par ces entretiens ils rendaient les peuples heureux ou malheureux. Tout à coup les diplomates et les monarques faillirent se brouiller ; ils étaient déjà prêts à donner de nouveau l'ordre à leurs armées de s'entre-tuer ; mais à ce moment Napoléon arriva avec un bataillon en France et les Français qui le haïssaient se soumirent tous aussitôt à lui. Mais les monarques alliés se fâchèrent et partirent de nouveau en guerre contre les Français. Et ils vainquirent le génial Napoléon et le transportèrent dans l'île de Sainte-Hélène, le tenant soudain pour un bandit. Et là l'exilé, séparé des êtres chers à son cœur et de sa France bien-aimée, mourut sur un rocher, d'une mort lente, et légua ses hauts faits à la postérité. Alors en Europe se produisit la réaction et tous les souverains opprimèrent de nouveau leurs peuples. »

On aurait tort de prendre cela pour de l'ironie, pour une caricature des récits historiques. Au contraire, c'est l'expression la plus atténuée de ces réponses contradictoires et ne répondant pas aux questions que fournit TOUTE l'histoire de cette époque, depuis les auteurs de mémoires et d'histoires d'un État jusqu'aux auteurs d'histoires universelles et d'histoires de la CIVILISATION, ce genre nouveau.

L'étrangeté et le comique de ces réponses viennent de ce que l'histoire moderne est semblable à un sourd qui répondrait à des questions que personne ne lui pose.

Si le but de l'histoire est de décrire le mouvement de l'humanité et des peuples, la première question qui, si elle reste sans réponse, rend tout le reste incompréhensible, est la suivante : quelle est la force qui meut les peuples ? En réponse à cette question, l'histoire moderne raconte d'un air soucieux, soit que Napoléon était un grand génie, soit que Louis XIV était très orgueilleux, soit encore que tels écrivains ont écrit tels livres.

Tout cela est fort possible et l'humanité est prête à en convenir ; mais ce n'est pas cela qu'elle demande. Tout cela pourrait être intéressant si nous admettions qu'un pouvoir divin souverain et toujours égal à lui-même gouverne les peuples par l'intermédiaire des Napoléon, des Louis et des écrivains ; mais nous n'admettons pas ce pouvoir et par conséquent, avant de parler des Napoléon, des Louis et des écrivains, il faut montrer le lien qui existe entre ces personnages et le mouvement des peuples.

Si une autre force a pris la place du pouvoir divin, il faut expliquer en quoi consiste cette force nouvelle, car c'est précisément dans cette force-là que réside tout l'intérêt de l'histoire.

L'histoire semble poser que cette force va de soi et que tout le monde la connaît. Mais, malgré tout le désir qu'on peut avoir de reconnaître cette force pour connue, celui qui lira un grand nombre d'ouvrages historiques doutera malgré lui que cette force nouvelle, comprise différemment par les historiens eux-mêmes, soit parfaitement connue de tous.

II

Quelle est la force qui meut les peuples ?

Les auteurs de biographies et les historiens d'une nation entendent par cette force un pouvoir propre aux héros et aux chefs. Selon leurs descriptions, les événements sont exclusivement engendrés par la volonté des Napoléon, des Alexandre, ou en général de ces personnages dont traite l'historien biographe. Les réponses données par ce genre d'histoires à la question sur la force qui engendre les événements sont satisfaisantes, mais seulement tant qu'il n'existe qu'un seul historien pour chaque événement. Mais dès que les historiens de nationalités et d'opinions différentes commencent à décrire le même événement, les réponses qu'ils donnent perdent aussitôt tout sens, car chacun d'eux comprend cette force non seulement différemment mais souvent d'une façon diamétralement opposée. Un historien affirme que l'événement est engendré par le pouvoir de Napoléon ; un autre, par celui d'Alexandre ; un troisième, par celui d'une tierce personne. En outre, les historiens de cette espèce se contredisent l'un l'autre jusque dans l'explication qu'ils donnent de la force sur laquelle se fonde le pouvoir d'un même personnage. Thiers, bonapartiste, dit que le pouvoir de Napoléon se fondait sur sa vertu et sur son génie. Lanfrey, républicain, l'attribue à ses escroqueries et à sa duperie envers le peuple. Si bien que les historiens de cette espèce, détruisant mutuellement leurs positions, détruisent par là même la notion de la force génératrice des événements et ne donnent aucune réponse au problème essentiel de l'histoire.

Les historiens qui s'occupent d'histoire universelle, qui ont affaire à tous les peuples, semblent reconnaître l'erreur des vues des historiens particuliers sur la force qui engendre les événements. Ils ne reconnaissent pas cette force pour un pouvoir propre aux héros et aux chefs, mais la considèrent comme la résultante de nombreuses forces diversement dirigées. En décrivant une guerre ou la conquête d'un peuple, ils cherchent la cause de l'événement non pas dans le pouvoir d'un seul personnage, mais dans l'action réciproque des nombreux personnages liés à l'événement.

Selon cette conception, le pouvoir des personnages historiques étant le produit de forces multiples ne peut plus dès lors, semblerait-il, être considéré comme une force engendrant spontanément les événements. Cependant les auteurs d'histoires universelles, dans la plupart des cas, ont de nouveau recours à la notion du pouvoir considéré comme une force engendrant spontanément les événements et se comportant à leur égard comme une cause. Selon leur exposé, tantôt le personnage historique est le produit de son époque et son pouvoir le produit seulement de forces différentes ; tantôt son pouvoir est la force qui engendre les événements. Gervinus, Schlosser par exemple et d'autres, tantôt démontrent que Napoléon est le produit de la Révolution, des idées de 1789, etc., tantôt déclarent tout net que la campagne de 1812 et d'autres événements qui leur déplaisent ne sont que le résultat de la volonté mal dirigée de Napoléon et que les idées mêmes de 1789 ont été arrêtées dans leur développement par l'arbitraire de Napoléon. Les idées révolutionnaires, l'état d'esprit général ont engendré le pouvoir de Napoléon. Et le pouvoir de Napoléon a étouffé les idées révolutionnaires et l'état d'esprit général.

Cette étrange contradiction n'est pas l'effet du hasard. Non seulement elle se rencontre à chaque pas, mais toutes les descriptions des auteurs d'histoires universelles sont faites d'une succession de contradictions de ce genre. Cette contradiction provient de ce que, une fois engagés sur le terrain de l'analyse, ces historiens s'arrêtent à mi-chemin.

Afin que les forces composantes donnent un certain composé ou une résultante, il est indispensable que la somme des composantes égale le composé. C'est cette condition précisément qui n'est jamais observée par les auteurs d'histoires universelles, et, par conséquent, pour expliquer la force résultante, ils doivent nécessairement admettre, outre des composantes insuffisantes, une autre force inexpliquée agissant selon le composé.

L'auteur d'histoires particulières, qu'il décrive la campagne de 1813 ou la restauration des Bourbons, déclare carrément que ces événements sont dus à la volonté d'Alexandre. Mais l'historien Gervinus, auteur d'une histoire universelle, réfutant cette thèse, cherche à démontrer que la campagne de 1813 et la restauration des Bourbons, outre la volonté d'Alexandre, ont eu pour cause l'action de Stein, de Metternich, de Mme de Staël, de Talleyrand, de Fichte, de Chateaubriand et d'autres. L'historien a de toute évidence décomposé le pouvoir d'Alexandre en ses éléments : Talleyrand, Chateaubriand, etc. ; la somme de ces composantes, c'est-à-dire l'action de Chateaubriand, de Talleyrand, de Mme de Staël et d'autres, n'égale évidemment pas toute la résultante, c'est-à-dire ce phénomène que des millions de Français se sont soumis aux Bourbons. Ainsi, pour expliquer comment de ces composantes a découlé la soumission de millions de gens, c'est-à-dire comment des composantes égales à un A ont donné une résultante égale à mille A, l'historien est bien obligé d'admettre encore une fois cette même force de pouvoir qu'il nie, en la reconnaissant pour la résultante des forces, c'est-à-dire qu'il doit admettre une force inexpliquée agissant d'après le composé. C'est précisément ce que font les auteurs d'histoires universelles. Et par suite ils sont en contradiction non seulement avec les auteurs d'histoires particulières, mais encore avec eux-mêmes.

Les campagnards qui n'ont pas d'idée précise sur les causes de la pluie disent, selon qu'ils souhaitent la pluie ou le beau temps : le vent a chassé les nuages, ou le vent a amené les nuages. Il en est exactement de même des auteurs d'histoires universelles : parfois, quand ils en ont envie, quand cela cadre avec leur théorie, ils disent que le pouvoir est le résultat des événements ; et parfois, quand ils ont besoin de prouver autre chose, ils disent que le pouvoir engendre les événements.

Une troisième catégorie d'historiens qu'on appelle historiens de la CIVILISATION, suivant la voie frayée par les auteurs d'histoires universelles qui reconnaissent parfois les écrivains et les dames pour des forces, comprennent cette force d'une tout autre façon encore. Ils la voient dans ce qu'on appelle la civilisation, dans l'activité intellectuelle.

Les historiens de la civilisation sont tout à fait conséquents avec leurs chefs de file, les auteurs d'histoires universelles, car si l'on peut expliquer les événements historiques par le fait que certaines personnes ont eu telles ou telles relations entre elles, pourquoi ne pas les expliquer par le fait que telles personnes ont écrit tels livres ? Ces historiens choisissent, dans le nombre infini d'indices accompagnant tout phénomène vivant, l'indice de l'activité intellectuelle et disent que c'est là la cause. Mais malgré tous leurs efforts pour montrer que la cause de l'événement résidait dans l'activité intellectuelle, il faut une bonne dose de complaisance pour convenir qu'il y a quelque chose de commun entre l'activité intellectuelle et le mouvement des peuples, mais en aucun cas on ne peut admettre que l'activité intellectuelle dirige les actes humains, car des phénomènes tels que les cruels massacres de la Révolution française découlant des prêches de l'égalité des hommes, et les pires guerres et exécutions découlant du prêche de l'amour, contredisent cette hypothèse.

Mais même en admettant la vérité de ces raisonnements spécieux dont ces histoires sont pleines ; en admettant que les peuples soient gouvernés par une force indéfinissable qu'on appelle IDÉE, le problème essentiel de l'histoire n'en demeure pas moins sans réponse, ou encore au pouvoir autrefois admis des monarques et à l'influence de conseillers et autres personnages introduite par les auteurs d'histoires universelles vient s'ajouter la force nouvelle de l'idée dont le lien avec les masses demande à être expliqué. On peut comprendre que Napoléon détenant le pouvoir, tel événement ait pu s'accomplir ; avec une certaine complaisance, on peut encore comprendre que Napoléon, concurremment avec d'autres influences, ait été la cause de l'événement ; mais que le *Contrat social* ait poussé les Français à se noyer les uns les autres, cela ne peut être compris sans l'explication du rapport causal de cette force nouvelle avec l'événement.

Il n'est pas douteux qu'un lien existe entre tout ce qui vit en même temps, et par conséquent il est possible de trouver un certain lien entre l'activité intellectuelle des hommes et leur mouvement historique, de même que l'on peut en trouver entre le mouvement de l'humanité et le commerce, les métiers, l'horticulture et ce que l'on voudra. Mais pourquoi l'activité intellectuelle des hommes apparaît aux historiens de la civilisation comme la cause ou l'expression de l'ensemble d'un mouvement historique, il est difficile de le comprendre. Une telle conception des historiens ne peut tout au plus être expliquée que de la façon suivante : 1° l'histoire est écrite par des savants, aussi leur est-il naturel et agréable de croire que l'activité de leur corporation est à la base du mouvement de l'humanité, de même qu'il est naturel et agréable aux cultivateurs, aux soldats de le croire aussi (s'ils ne l'expriment pas c'est uniquement parce que les marchands et les soldats n'écrivent pas l'histoire), et 2° l'activité spirituelle, l'instruction, la civilisation, la culture, l'idée, ce sont des notions vagues, mal définies, sous la bannière desquelles il est bien commode d'employer des mots ayant un sens encore moins précis et qu'il est donc facile d'adapter à n'importe quelle théorie.

Mais laissant de côté le mérite intrinsèque de ce genre d'histoire (peut-être est-il tout de même utile à quelqu'un ou à quelque chose), les histoires de la civilisation auxquelles se ramènent de plus en plus toutes les histoires universelles, ont ceci de remarquable qu'en étudiant sérieusement et en détail les différentes doctrines religieuses, philosophiques, politiques en tant que causes des événements, dès l'instant qu'elles ont à décrire un événement historique réel, comme par exemple la campagne de 1812, elles décrivent malgré elles cet événement comme produit par le pouvoir en disant tout net que cette campagne est le produit de la volonté de Napoléon. En parlant ainsi, les historiens de la civilisation se contredisent malgré eux, ils prouvent que cette force nouvelle qu'ils ont inventée n'exprime pas les événements historiques et que l'unique moyen de comprendre l'histoire est de faire intervenir ce pouvoir qu'ils semblent ne pas admettre.

III

Une locomotive est en marche. Il s'agit de savoir pourquoi elle marche. Un paysan dit : c'est le diable qui la fait avancer. Un autre dit que la locomotive avance parce que ses roues tournent. Un troisième affirme que la cause du mouvement est dans la fumée qu'emporte le vent.

On ne peut réfuter le paysan : il a trouvé une explication complète. Afin de le réfuter, il faut que quelqu'un lui prouve que le diable n'existe pas ou qu'un autre paysan lui explique que ce n'est pas le diable mais l'Allemand qui fait avancer la locomotive. Alors seulement la contradiction leur montrera qu'ils ont tort tous les deux. Mais celui qui dit que la cause est le mouvement des roues se réfute lui-même, car s'il s'est placé sur le terrain de l'analyse, il doit aller toujours plus loin : il doit expliquer la cause du mouvement des roues. Et tant qu'il ne sera pas arrivé à la cause dernière du mouvement de la locomotive, la compression de la vapeur dans la chaudière, il n'aura pas le droit de s'arrêter dans la recherche de la cause. Quant à celui qui a expliqué le mouvement de la locomotive par la fumée que rabat le vent, il y est de toute évidence arrivé de la manière suivante : en s'apercevant que l'explication par les roues ne donnait pas la cause, il a pris le premier indice venu et de son côté l'a donné pour la cause.

La seule notion qui puisse expliquer le mouvement de la locomotive est celle d'une force égale au mouvement visible.

La seule notion qui permette d'expliquer le mouvement des peuples est celle d'une force égale à l'ensemble de ce mouvement.

Cependant, par cette notion les divers historiens entendent des forces tout à fait différentes et nullement égales au mouvement visible. Les uns y voient une force inhérente aux héros, comme le paysan voit le diable dans la locomotive ; d'autres une force dérivée de certaines autres forces, comme le mouvement des roues ; d'autres encore une influence intellectuelle, comme la fumée emportée par le vent.

Tant qu'on écrira l'histoire d'individus, que ce soit celle de César, d'Alexandre ou de Luther et de Voltaire, et non l'histoire de TOUS, sans aucune exception, de TOUS les hommes qui prennent part à un événement, il ne sera pas possible de ne pas attribuer à des individus une force qui oblige d'autres hommes à tendre leur activité vers un but unique. Et la seule notion de cette nature que connaissent les historiens est le pouvoir.

Cette notion est l'unique manette qui permette de se rendre maître de la matière historique dans son état actuel, et celui qui briserait cette manette, comme l'a fait Buckle, sans avoir trouvé une autre méthode, ne ferait que se priver de la dernière possibilité de traiter la matière de l'histoire. L'inévitabilité de la notion de pouvoir lorsqu'il s'agit d'expliquer les phénomènes historiques est le mieux démontrée par les auteurs d'histoires universelles eux-mêmes et par les historiens de la civilisation qui affectent de rejeter la notion de pouvoir tout en s'en servant inévitablement à chaque pas.

La science historique est jusqu'à présent, à l'égard des questions touchant l'humanité, semblable à une monnaie en circulation, billets de banque et espèces sonnantes. Les biographies et les histoires d'une nation ressemblent aux billets de banque. Ils peuvent circuler et s'échanger en remplissant leur office sans dommage pour personne, et même avec utilité, tant que ne se pose pas la question de savoir sur quoi ils sont gagés. Il suffit de laisser de côté la question de savoir comment la volonté des héros peut déclencher les événements pour que les histoires de Thiers soient intéressantes, instructives et de surcroît nuancées de poésie. Mais de même que le doute quant à la valeur réelle des billets de banque naît soit de leur multiplication due à la facilité avec laquelle on les fabrique, soit parce qu'on veut les convertir en or, de même on se prend à douter de la vraie signification des histoires de ce genre soit parce qu'elles se multiplient trop, soit parce que quelqu'un demande en toute simplicité : quelle est la force qui a permis à Napoléon de faire cela ? c'est-à-dire quand on veut convertir un billet en circulation en l'or pur de la notion réelle.

Les auteurs d'histoires universelles et les historiens de la civilisation ressemblent à des gens qui, ayant reconnu l'inconvénient des billets de banque, décideraient de frapper pour les remplacer une monnaie sonnante avec un métal n'ayant pas la densité de l'or. Et la monnaie serait en effet SONNANTE mais SONNANTE seulement. Le billet pouvait encore tromper les ignorants ; tandis qu'une monnaie sonnante mais sans valeur ne peut tromper personne. De même que l'or n'est de l'or que lorsqu'il peut être employé non seulement pour l'échange mais pour lui-même, ainsi les auteurs d'histoires universelles ne seront de l'or que lorsqu'ils seront en mesure de répondre à la question essentielle de l'histoire : qu'est-ce que le pouvoir ? Les auteurs d'histoires universelles donnent à cette question des réponses contradictoires, tandis que les historiens de la civilisation l'écartent tout bonnement en répondant à autre chose. Et de même que les jetons ressemblant à l'or ne peuvent être employés que parmi ceux qui les acceptent pour de l'or et parmi ceux qui ignorent les propriétés de l'or, ainsi les auteurs d'histoires universelles et les historiens de la civilisation, en ne donnant pas de réponse aux questions essentielles de l'humanité, servent, pour des desseins particuliers, de monnaie courante aux universités et à la foule des lecteurs, amateurs de livres sérieux, comme ils les appellent.

IV

Ayant rejeté l'ancienne conception de la soumission imposée par la Divinité de la volonté du peuple à un élu et de la soumission de cette volonté à la Divinité, l'histoire ne peut faire un pas sans rencontrer des contradictions si elle ne choisit pas de deux choses l'une : ou revenir à l'ancienne croyance en l'intervention directe de la Divinité dans les affaires de l'humanité, ou expliquer avec précision la nature de cette force qui engendre les événements historiques et qui s'appelle le pouvoir.

Revenir à la première croyance est impossible : la foi est détruite ; aussi est-il indispensable d'expliquer la nature du pouvoir.

Napoléon a donné l'ordre de réunir une armée et de partir en guerre. Cette façon de voir nous est si familière, nous nous y sommes si bien habitués que la question de savoir pourquoi six cent mille hommes partent en guerre sur un mot de Napoléon nous paraît absurde. Il avait le pouvoir, donc ses ordres ont été exécutés.

Cette réponse est parfaitement satisfaisante si nous croyons qu'il tenait son pouvoir de Dieu. Mais dès l'instant que nous nous refusons à l'admettre, il est indispensable de définir ce qu'est le pouvoir d'un homme sur les autres.

Ce pouvoir ne peut être le pouvoir direct dû à la supériorité physique d'un être fort sur un être faible, supériorité fondée sur le recours ou la menace de recours à la force physique, comme le pouvoir d'Hercule ; il ne peut se fonder non plus sur la supériorité de la force morale, comme le croient dans leur naïveté certains historiens qui disent que les artisans de l'histoire sont des héros, c'est-à-dire des hommes doués d'une force exceptionnelle d'âme et d'intelligence appelée génie. Ce pouvoir ne peut être fondé sur la supériorité de la force morale car, sans parler des hommes-héros tels que les Napoléon, sur les qualités desquels les avis sont fort partagés, l'histoire nous montre que ni les Louis XV, ni les Metternich, qui gouvernaient des millions d'hommes, ne possédaient aucune force d'âme particulière, mais au contraire étaient pour la plupart moralement plus faibles que chacun de ces millions d'hommes qu'ils gouvernaient.

Si la source du pouvoir ne se trouve ni dans les qualités physiques ni dans les qualités morales de celui qui le détient, il est évident qu'elle doit se trouver en dehors de lui, dans le rapport du détenteur du pouvoir aux masses.

C'est exactement ainsi que comprend le pouvoir la science du droit, ce comptoir de change de l'histoire qui promet de convertir la conception historique du pouvoir en or pur.

Le pouvoir est la somme des volontés des masses reportée, par un consentement exprimé ou tacite, sur les élus de ces masses.

Dans le domaine de la science du droit, faite de considérations sur la façon dont il faudrait organiser l'État et le pouvoir s'il était possible de les organiser, tout cela est fort clair; mais appliquée à l'histoire, cette définition du pouvoir exige des éclaircissements.

La science du droit considère l'État et le pouvoir comme les anciens considéraient le feu, c'est-à-dire comme une chose existant en soi. Pour l'histoire, l'État et le pouvoir ne sont que des phénomènes, au même titre que, pour la physique de notre temps, le feu est non pas un élément mais un phénomène.

C'est cette différence fondamentale de conception entre l'histoire et la science du droit qui permet à la science du droit de s'étendre longuement sur la façon dont, à son avis, devrait être organisé le pouvoir et sur ce qu'est le pouvoir considéré comme existant immobile hors du temps ; mais aux questions de l'histoire sur la nature d'un pouvoir qui se transforme dans le temps, elle ne peut rien répondre.

Si le pouvoir est la somme des volontés reportée sur un dirigeant, Pougatchov est-il le représentant de la volonté des masses ? Dans le cas contraire, pourquoi Napoléon l'est-il ? Pourquoi Napoléon III arrêté à Boulogne était-il un criminel et pourquoi ensuite les criminels furent-ils ceux qu'il fit arrêter ?

Lors des révolutions de palais auxquelles prennent parfois part deux ou trois personnes, la volonté des masses se reporte-t-elle aussi sur le nouveau personnage ? Dans les relations internationales, la volonté d'un peuple se reporte-t-elle sur le conquérant ? En 1808, la volonté de la Ligue du Rhin s'est-elle reportée sur Napoléon ? La volonté de la masse du peuple russe s'est-elle reportée sur Napoléon en 1809, lorsque nos armées alliées aux Français allaient combattre les Autrichiens ?

À ces questions on peut répondre de trois façons :

Soit 1° en admettant que la volonté des masses est toujours transmise inconditionnellement à un ou à des gouvernants qu'elles ont choisis, et que par conséquent toute apparition d'un pouvoir nouveau, toute lutte contre le pouvoir une fois transmis, doit être considérée comme une violation du vrai pouvoir.

Soit 2° en admettant que la volonté des masses se reporte sur les dirigeants à des conditions déterminées et connues, et en montrant que toutes les limitations, les conflits et même les destructions du pouvoir sont dus à la non-observation par les gouvernants des conditions auxquelles le pouvoir leur avait été transmis.

Soit 3° en admettant que la volonté des masses se reporte sur les gouvernants sous condition, mais à des conditions inconnues, indéterminées, et que la formation d'autres pouvoirs, leur lutte et leur chute ne proviennent que de l'observation plus ou moins parfaite par les gouvernants des conditions auxquelles les volontés des masses se reportent d'un personnage sur d'autres.

C'est de cette triple façon que les historiens expliquent le rapport des masses aux gouvernants.

Seuls les historiens qui, dans leur naïveté, ne comprennent pas le problème de la nature du pouvoir, ces auteurs d'histoires particulières et de biographies dont il a été question plus haut, semblent reconnaître que la somme des volontés des masses se reporte sur les personnages historiques inconditionnellement ; c'est pourquoi en décrivant un pouvoir quelconque, ces historiens posent que ce pouvoir est le seul absolu et réel, et que toute autre force qui s'oppose à ce véritable pouvoir n'est pas un pouvoir, mais une atteinte au pouvoir, une violation.

Leur théorie, valable pour les périodes primitives et pacifiques de l'histoire, appliquée aux périodes complexes et orageuses de la vie des peuples, où surgissent simultanément divers pouvoirs qui luttent entre eux, présente cet inconvénient qu'un historien légitimiste démontrera que la Convention, le Directoire et Bonaparte ne représentent qu'une violation du pouvoir, tandis qu'un républicain et un bonapartiste démontreront, l'un que la Convention, l'autre que l'Empire furent les véritables pouvoirs et tout le reste des violations du pouvoir. Il est évident qu'ainsi, se réfutant mutuellement, les explications du pouvoir fournies par ces historiens ne peuvent convenir qu'à des enfants en bas âge.

Reconnaissant l'erreur de cette conception de l'histoire, une autre catégorie d'historiens dit que le pouvoir se fonde sur la transmission conditionnelle aux gouvernants de la somme des volontés des masses et que les personnages historiques ne détiennent le pouvoir qu'à condition de remplir le programme que leur a prescrit par un consentement tacite la volonté du peuple. Mais en quoi consistent ces conditions, les historiens ne nous le disent pas ou, s'ils le disent, c'est pour se contredire constamment les uns les autres.

Chaque historien, selon sa conception du but du mouvement d'un peuple, voit ces conditions dans la grandeur, la richesse, la liberté, l'instruction des citoyens de la France ou d'un autre État. Mais, sans même parler des contradictions des historiens sur la nature de ces conditions, en admettant même l'existence d'un programme commun à tous, nous constaterons que les faits historiques contredisent presque toujours cette théorie. Si les conditions du transfert du pouvoir consistent dans la richesse, la liberté, l'instruction du peuple, pourquoi alors les Louis XIV et les Ivan IV achèvent-ils paisiblement leur règne tandis que les Louis XVI et les Charles Ier sont exécutés par leur peuple ? À cette question les historiens répondent en disant que l'activité de Louis XIV, contraire au programme, a eu sa répercussion sur Louis XVI. Mais pourquoi alors n'a-t-elle pas eu de répercussion sur Louis XIV et Louis XV, pourquoi devait-elle se répercuter précisément sur Louis XVI ? Et quel est le délai de cette répercussion ? – À ces questions il n'y a pas et ne peut y avoir de réponse. Pareillement, selon cette conception, on explique aussi mal pour quelle raison la somme des volontés demeure pendant plusieurs siècles entre les mains des gouvernants et de leurs successeurs, puis tout à coup, dans l'espace de cinquante ans, se reporte sur la Convention, le Directoire, Napoléon, Alexandre, Louis XVIII, de nouveau sur Napoléon, Charles X, Louis-Philippe, le gouvernement républicain, Napoléon III. Pour expliquer ces rapides transferts des volontés d'un personnage à l'autre, surtout dans les relations internationales, les conquêtes et les alliances, les historiens doivent reconnaître malgré eux qu'une partie de ces phénomènes ne sont plus des transferts réguliers des volontés, mais des hasards dépendant tantôt de la ruse, tantôt d'une erreur, ou de la perfidie, ou de la faiblesse d'un diplomate, d'un monarque ou d'un chef de parti. Si bien que la plupart des phénomènes historiques, discordes intestines, révolutions, conquêtes n'apparaissent plus à ces historiens comme le produit d'un transfert de libres volontés, mais comme le produit de la volonté mal dirigée d'un ou de plusieurs individus, c'est-à-dire encore une fois comme des violations du pouvoir. Et par conséquent les événements historiques sont présentés par les historiens de cette catégorie comme des dérogations à la théorie.

Ces historiens font penser à ce botaniste qui, constatant que certaines plantes viennent de graines à deux cotylédons, soutiendrait que tout ce qui pousse ne pousse qu'en sortant de deux cotylédons ; et que le palmier, et le champignon, et même le chêne, se ramifiant au cours de leur croissance et ne présentant plus l'aspect de deux cotylédons, sont des dérogations à la théorie.

Les historiens de la troisième catégorie professent que la volonté des masses se reporte sur les personnages historiques sous condition, mais que ces conditions nous sont inconnues. Ils disent que les personnages historiques n'ont le pouvoir que parce qu'ils accomplissent la volonté des masses reportée sur eux.

Mais, dans ce cas, si la force qui meut les peuples réside non dans les personnages historiques mais dans les peuples eux-mêmes, quelle est donc la signification de ces personnages historiques ?

Les personnages historiques, disent ces historiens, expriment la volonté des masses ; l'activité des personnages historiques sert à représenter l'activité des masses.

Mais dans ce cas une question se pose : est-ce toute l'activité des personnages historiques qui sert à exprimer la volonté des masses ou seulement un de ses aspects ? Si toute l'activité des personnages historiques sert à exprimer la volonté des masses, comme le pensent certains, alors les biographies des Napoléon, des Catherine, avec tous leurs détails de commérages de cour, servent à exprimer la vie des peuples, ce qui est d'une évidente absurdité ; mais si seul un aspect de l'activité d'un personnage historique exprime la vie des peuples, comme le pensent d'autres historiens prétendus philosophes, alors pour déterminer quel aspect de son activité exprime la vie du peuple, il faut savoir d'abord en quoi consiste la vie d'un peuple.

En présence de cette difficulté, les historiens de cette catégorie imaginent l'abstraction la plus vague, la plus impalpable et la plus générale, avec laquelle on peut faire cadrer le plus grand nombre d'événements, et ils disent que c'est dans cette abstraction qu'est le but du mouvement de l'humanité. Les abstractions les plus courantes admises par presque tous les historiens sont : la liberté, l'égalité, l'instruction, le progrès, la civilisation, la culture. Assignant pour but au mouvement de l'humanité l'une quelconque de ces abstractions, les historiens étudient les hommes ayant laissé après eux le plus grand nombre de traces – rois, ministres, généraux, auteurs, réformateurs, papes, journalistes – dans la mesure où, à leur avis, tous ces personnages ont travaillé pour ou contre cette abstraction. Mais comme rien ne prouve que le but de l'humanité soit la liberté, l'égalité, l'instruction ou la civilisation, et comme le lien des masses avec les gouvernants et les réformateurs de l'humanité ne repose que sur l'hypothèse arbitraire qui veut que la somme des volontés des masses se reporte toujours sur les personnages qui nous semblent être en vue, l'activité de millions d'hommes qui se déplacent, incendient des maisons, abandonnent le travail de la terre, s'exterminent les uns les autres, ne trouve jamais son expression dans la description de l'activité d'une dizaine de personnages qui n'incendient pas de maisons, ne travaillent pas la terre, ne tuent pas leurs semblables.

L'histoire en fournit la preuve à chaque pas. La fermentation des peuples de l'Occident à la fin du siècle dernier et leur poussée vers l'Orient s'expliquent-elles par l'activité de Louis XIV, de Louis XV, de Louis XVI, de leurs maîtresses, de leurs ministres, par la vie de Napoléon, de Rousseau, de Diderot, de Beaumarchais et d'autres ?

Le mouvement du peuple russe vers l'Orient, vers Kazan et la Sibérie, s'exprime-t-il dans les détails du caractère morbide d'Ivan IV et dans sa correspondance avec Kourbski ?

Le mouvement des peuples à l'époque des croisades s'explique-t-il par l'étude de la vie des Godefroy et des Louis et de leurs dames ? Pour nous, ce mouvement des peuples d'Occident vers l'Orient, sans aucun but, sans chefs, avec une foule de vagabonds, avec Pierre l'Ermite, demeure incompréhensible. Et plus incompréhensible encore l'arrêt de ce mouvement alors que ses dirigeants historiques eurent nettement donné aux croisades un but raisonnable et sacré, la délivrance de Jérusalem. Papes, rois et chevaliers incitaient les peuples à délivrer la Terre sainte ; mais le peuple ne bougea pas car la cause inconnue qui l'avait mis en mouvement n'existait plus. L'histoire des Godefroy et des ménestrels ne peut assurément contenir la vie des peuples. Et l'histoire des Godefroy et des ménestrels reste l'histoire des Godefroy et des ménestrels, tandis que l'histoire de la vie des peuples et de leurs impulsions demeure inconnue.

L'histoire des écrivains et des réformateurs nous explique encore moins la vie des peuples.

L'histoire de la civilisation nous explique les impulsions et les conditions de vie et les pensées d'un écrivain ou d'un réformateur. Nous apprenons que Luther était d'un caractère emporté et qu'il a tenu tels et tels propos ; nous apprenons que Rousseau était méfiant et qu'il a écrit tels livres ; mais nous n'apprenons pas pourquoi, après la Réforme, les peuples se sont égorgés et pourquoi, pendant la Révolution française, les hommes se sont exécutés les uns les autres.

Si l'on réunit ces deux sortes d'histoires, comme le font les historiens modernes, on aura une histoire de monarques et d'écrivains, non l'histoire de la vie des peuples.

V

La vie des peuples n'est pas contenue dans la vie de quelques hommes ; car le lien entre ces quelques hommes et les peuples n'a pas été établi. La théorie qui veut que ce lien se fonde sur le transfert de la somme des volontés aux personnages historiques est une hypothèse non confirmée par l'expérience historique.

Cette théorie explique peut-être bien des choses dans le domaine de la science du droit, et peut-être est-elle indispensable à ses fins propres ; mais appliquée à l'histoire, dès qu'interviennent révolutions, conquêtes, guerres civiles, dès que commence l'histoire, cette théorie n'explique rien.

Cette théorie paraît irréfutable précisément parce que l'acte de transfert de la volonté du peuple ne peut être vérifié.

Quel que soit l'événement, quel que soit celui qui se trouve à la tête de l'événement, la théorie peut toujours dire que ce personnage a été placé à la tête de l'événement parce que la somme des volontés a été reportée sur lui.

Les réponses que cette théorie donne aux problèmes historiques sont semblables aux réponses de qui, à la vue d'un troupeau en marche et sans tenir compte de la qualité différente du fourrage dans les divers points du pâturage, ni de l'intervention du berger, jugerait de telle ou telle direction que prend le troupeau en fonction de l'animal qui marche en tête.

« Le troupeau va dans cette direction parce que l'animal de tête le conduit, et la somme des volontés de tous les autres animaux est reportée sur ce meneur du troupeau. » Ainsi répond la première catégorie des historiens qui admettent le transfert inconditionnel du pouvoir.

« Si les animaux qui marchent en tête du troupeau changent, c'est que la somme des volontés de tous les animaux se reporte d'un meneur sur un autre, selon que cet animal les conduit ou non dans la direction choisie par l'ensemble du troupeau. » Ainsi répondent les historiens qui professent que la somme des volontés des masses se reporte sur les dirigeants à des conditions qu'ils croient connues. (D'après cette méthode d'observation, il arrive bien souvent que l'observateur, selon la direction choisie par lui, prend pour meneur ceux qui, en cas de changement de la direction suivie par les masses, ne sont plus en tête mais sur le côté et parfois en arrière.)

« Si les animaux qui sont en tête changent constamment ainsi que la direction suivie par l'ensemble du troupeau, c'est que, pour atteindre la direction qui est connue, les animaux remettent leur volonté à ceux que nous distinguons des autres ; donc, pour étudier le mouvement du troupeau, il faut observer tous les animaux que nous distinguons et qui marchent de tous les côtés du troupeau. » Ainsi parlent les historiens de la troisième catégorie qui considèrent tous les personnages historiques, des monarques aux journalistes, comme l'expression de leur temps.

La théorie du transfert des volontés des masses aux personnages historiques n'est qu'une périphrase, une façon seulement d'exprimer par d'autres termes les termes mêmes du problème.

Quelle est la cause des événements historiques ? – Le pouvoir. Qu'est-ce que le pouvoir ? – Le pouvoir est la somme des volontés reportées sur un seul personnage. À quelles conditions la volonté des masses se reporte-t-elle sur un seul personnage ? – À la condition que ce personnage exprime la volonté de tous. C'est-à-dire que le pouvoir est le pouvoir. C'est-à-dire que le pouvoir est un mot dont le sens nous échappe.

Si le domaine de la connaissance humaine se limitait à la seule pensée abstraite, l'humanité, après avoir soumis à la critique l'explication du pouvoir que donne la SCIENCE arriverait à la conclusion que le pouvoir n'est qu'un mot et qu'en réalité il n'existe pas. Mais pour connaître les phénomènes, outre la pensée abstraite, l'homme dispose de l'instrument de l'expérience, à l'aide de laquelle il contrôle les résultats de la pensée. Et l'expérience dit que le pouvoir n'est pas un mot, mais un phénomène qui existe réellement.

Sans parler du fait qu'aucune description de l'activité collective des hommes ne peut se passer de la notion de pouvoir, l'existence du pouvoir est démontrée aussi bien par l'histoire que par l'observation des événements contemporains.

Chaque fois que se produit un événement, un homme ou des hommes apparaissent, par la volonté de qui cet événement semble s'être accompli. Napoléon III ordonne, et les Français vont au Mexique. Le roi de Prusse et Bismarck ordonnent, et leurs armées vont en Bohême. Napoléon Ier ordonne, et ses armées vont en Russie. L'expérience nous montre que, quel que soit l'événement, il est toujours lié à la volonté d'un ou de plusieurs hommes qui l'ont ordonné.

Les historiens, par cette vieille habitude qu'ils ont de croire à l'intervention divine dans les affaires de l'humanité, veulent voir la cause d'un événement dans l'expression de la volonté d'un personnage revêtu du pouvoir; mais cette conception n'est confirmée ni par le raisonnement ni par l'expérience.

D'une part, le raisonnement montre que l'expression de la volonté d'un homme – ses paroles – n'est qu'une partie de l'activité générale qui s'exprime dans un événement, par exemple une guerre ou une révolution; et, par conséquent, sans reconnaître l'existence d'une force incompréhensible, surnaturelle, le miracle, on ne peut admettre que des mots puissent être la cause directe du mouvement de millions d'hommes; d'autre part, en admettant même que des mots puissent être la cause d'un événement, l'histoire montre que l'expression de la volonté des personnages historiques, dans bien des cas, demeure sans effet, c'est-à-dire non seulement que leurs ordres ne sont pas exécutés, mais que souvent il se produit le contraire de ce qu'ils avaient ordonné.

Sans admettre l'intervention divine dans les affaires de l'humanité nous ne pouvons considérer le pouvoir comme la cause des événements.

Le pouvoir, du point de vue de l'expérience, n'est que la dépendance qui existe entre l'expression de la volonté d'un personnage et l'exécution de cette volonté par d'autres hommes.

Afin de comprendre les conditions de cette dépendance, nous devons rétablir avant tout la notion d'expression de la volonté en la rapportant à l'homme et non à la Divinité.

Si la Divinité donne des ordres, exprime sa volonté, ainsi que nous le montre l'histoire des anciens, l'expression de cette volonté ne dépend pas du temps et n'est provoquée par rien, car la Divinité n'est en rien liée à l'événement. Mais, en parlant des ordres, expression de la volonté des hommes qui agissent dans le temps et sont liés entre eux, nous devons, pour comprendre le lien entre les ordres et les événements, rétablir : 1° la condition de tout ce qui s'accomplit : la continuité du mouvement dans le temps, aussi bien des événements que du personnage qui ordonne, et 2° la condition d'un lien nécessaire entre celui qui ordonne et ceux qui exécutent ses ordres.

VI

Seule l'expression de la volonté de la Divinité, indépendante du temps, peut porter sur toute une série d'événements ne devant s'accomplir que dans quelques années ou dans quelques siècles, et seule la Divinité, sans aucune sollicitation, peut déterminer, par sa seule volonté, la direction du mouvement de l'humanité ; quant à l'homme, il agit dans le temps et participe lui-même à l'événement.

En rétablissant la première condition omise, la condition du temps, nous verrons qu'aucun ordre ne peut être exécuté sans avoir été précédé d'un ordre qui rend son exécution possible.

Jamais aucun ordre n'intervient spontanément et ne renferme toute une série d'événements ; chaque ordre découle d'un autre et ne se rapporte jamais à toute une série d'événements, mais toujours à un seul moment de l'événement.

Lorsque nous disons, par exemple, que Napoléon a ordonné à ses troupes de partir en guerre, nous réunissons en un ordre formulé à un moment donné une série d'ordres successifs qui dépendaient les uns des autres. Napoléon n'a pu ordonner la campagne de Russie et ne l'a jamais ordonnée. Il a ordonné un jour d'adresser tels papiers à Vienne, à Berlin et à Pétersbourg ; le lendemain, de faire parvenir tels décrets et tels ordres du jour à l'armée, à la marine et à l'intendance, etc., etc. ; il a donné des millions d'ordres qui ont formé une série d'ordres correspondant à la série des événements qui ont amené l'armée française en Russie.

Si Napoléon, au cours de tout son règne, donne des ordres concernant l'expédition d'Angleterre ; si à aucune autre de ses entreprises il ne consacre tant d'efforts et de temps, et que malgré cela, pendant tout son règne, il ne tente pas une fois d'exécuter son projet mais entreprend l'expédition contre la Russie dont l'alliance, selon sa conviction maintes fois exprimée, lui paraît utile, cela provient de ce que ses premiers ordres ne correspondaient pas à la série des événements, tandis que les seconds y correspondaient.

Afin qu'un ordre soit exécuté à coup sûr, il faut en donner un qui puisse être exécuté. Or, il est impossible de savoir ce qui peut ou ne peut être exécuté, non seulement pour la campagne de Napoléon contre la Russie où prennent part des millions d'hommes, mais même pour l'événement le moins complexe, car l'exécution de l'un et de l'autre peut toujours rencontrer des millions d'obstacles. Pour chaque ordre exécuté, il y en a toujours une quantité d'autres qui ne l'ont pas été. Les ordres impossibles ne se relient pas à l'événement et ne s'exécutent pas. Seuls ceux qui sont possibles se réunissent pour former des séries conséquentes d'ordres correspondant à des séries d'événements, et sont exécutés.

La fausse idée que nous nous faisons de l'ordre précédant un événement comme en étant la cause provient de ce qu'une fois l'événement accompli, et de mille ordres donnés seuls ayant été exécutés ceux qui se sont reliés aux événements, nous oublions ceux qui n'ont pas été exécutés parce qu'ils ne pouvaient pas l'être. En outre, la source principale de notre erreur à cet égard réside dans le fait que, dans un exposé historique, toute une innombrable série d'événements divers, infimes, comme par exemple tout ce qui a amené l'armée française en Russie, est réduite à un seul événement et que, par voie de conséquence, on réduit aussi toute une série d'ordres à la seule expression d'une volonté.

Nous disons : Napoléon a voulu la campagne de Russie et il l'a faite. Or, en réalité nous ne trouverons nulle part, dans toute l'activité de Napoléon, rien qui ressemble à l'expression de cette volonté, tandis que nous verrons des séries d'ordres ou d'expressions de sa volonté dirigés de la façon la plus diverse et la plus indéterminée. De l'innombrable série des ordres de Napoléon s'est formée une série déterminée d'ordres exécutés touchant la campagne de 1812, non parce que ces ordres se distinguaient en quoi que ce soit d'autres non exécutés, mais parce que cette série d'ordres a coïncidé avec la série des événements qui ont amené l'armée française en Russie ; il en est de même lorsqu'en se servant d'un pochoir on obtient telle figure, non pas parce qu'on a posé les couleurs à tel endroit ou de telle façon mais parce qu'on en a couvert de peinture toute la surface.

Si bien qu'en considérant dans le temps le rapport des ordres aux événements, nous trouvons qu'un ordre ne peut en aucun cas être la cause d'un événement et qu'entre les deux existe une certaine dépendance déterminée.

Afin de comprendre en quoi consiste cette dépendance, il est indispensable de rétablir l'autre condition omise de tout ordre émanant non de la Divinité mais de l'homme, et qui consiste en ceci que celui qui donne l'ordre participe lui-même à l'événement.

C'est ce rapport entre celui qui ordonne et ceux qui exécutent qui est précisément ce qu'on appelle le pouvoir. Ce rapport consiste en ceci :

Pour une action en commun, les hommes se rassemblent toujours en certains groupements où, malgré la différence des buts fixés dans l'action commune, le rapport entre ceux qui participent à l'action est toujours constant.

En s'unissant ainsi, les hommes sont toujours placés entre eux dans un tel rapport que le plus grand nombre prend la plus grande part directe et la minorité la plus petite part directe à l'action commune pour laquelle ils se sont rassemblés.

De tous les groupements que forment les hommes pour des actions communes, l'un des plus tranchés et des mieux définis est l'armée.

Toute armée se compose des membres les plus modestes dans la hiérarchie militaire, les soldats, qui sont toujours le plus grand nombre ; de ceux qui suivent dans cette hiérarchie, les caporaux, les sous-officiers, dont le nombre est inférieur aux premiers ; des grades supérieurs dont le nombre est encore moindre, et ainsi de suite jusqu'au commandement suprême qui est concentré en un personnage unique.

L'organisation militaire peut être très exactement figurée par un cône dont la base serait constituée par les soldats ; les sections supérieures à la base, les grades de l'armée dans l'ordre ascendant jusqu'au sommet du cône dont la pointe serait le commandant en chef.

Les soldats, qui sont la majorité, forment les points inférieurs du cône et sa base. Le soldat lui-même frappe, sabre, incendie, pille, et toujours il en reçoit l'ordre de ses supérieurs ; tandis qu'il ne donne jamais d'ordres lui-même. Le sous-officier (le nombre des sous-officiers est déjà moindre) agit personnellement moins souvent que le soldat ; mais déjà il commande. L'officier prend encore plus rarement part à l'action directe et commande encore plus souvent. Le général commande seulement le mouvement des troupes en leur indiquant un but et ne fait presque jamais usage d'une arme. Le commandant en chef, lui, ne peut jamais prendre une part directe à l'action et se borne à donner les directives générales au sujet du mouvement des masses. Le même rapport entre les individus se retrouve dans toute association humaine réunie pour une action commune, dans l'agriculture, dans le commerce et dans toute entreprise.

Ainsi donc, sans multiplier artificiellement les sections du cône, tous les grades de l'armée ou les titres et les situations de quelque administration que ce soit ou d'une organisation collective, de bas en haut, nous voyons se dégager une loi en vertu de laquelle, pour accomplir une action commune, les hommes se placent toujours entre eux dans un tel rapport que plus directement ils participent à l'action, moins ils peuvent commander et plus leur nombre est grand ; et moins directe est leur participation à l'action même, plus ils commandent et plus réduit est leur nombre ; jusqu'à ce que nous arrivions, nous élevant des couches inférieures, à un unique et dernier homme, qui participe le moins à l'événement et qui plus que tous les autres dirige son activité vers le commandement.

C'est ce rapport entre ceux qui commandent et ceux qui sont commandés qui constitue l'essence de la notion qu'on appelle le pouvoir.

En rétablissant les conditions de temps dans lesquelles s'accomplissent tous les événements, nous avons constaté qu'un ordre ne s'exécute que lorsqu'il se rapporte à une série correspondante d'événements. Et en rétablissant la condition indispensable d'un lien entre celui qui ordonne et celui qui exécute, nous avons constaté que, de par leur nature même, ceux qui ordonnent prennent le moins de part à l'événement proprement dit et que leur activité est exclusivement dirigée vers le commandement.

VII

Lorsqu'un événement s'accomplit, les hommes expriment leur avis, leurs vœux à ce sujet, et comme l'événement découle de l'action commune de nombreux individus, un des avis ou des vœux formulés se justifie ne fût-ce qu'approximativement. Lorsqu'un des avis formulés se justifie, cet avis s'associe dans notre esprit à l'événement comme étant l'ordre qui l'a précédé.

Des hommes traînent une poutre. Chacun donne son avis sur la façon de la traîner et l'endroit où la mettre. La besogne est achevée et il se trouve qu'elle a été faite comme l'a dit l'un d'eux. Il a commandé. Voilà l'ordre et le pouvoir dans leur forme primitive.

Celui qui a le plus travaillé de ses mains a pu le moins réfléchir à ce qu'il faisait, le moins supputer ce qui pourrait résulter de l'action commune et commander. Celui qui a le plus commandé, ayant agi en paroles, a évidemment pu moins travailler de ses mains. Plus est nombreux le rassemblement d'hommes dirigeant leur action vers un but unique, plus est tranchée la catégorie de ceux qui prennent à l'action commune une part directe d'autant moins grande que leur activité est orientée davantage vers le commandement.

L'homme, lorsqu'il agit seul, porte toujours en lui un certain nombre de considérations qui ont guidé, croit-il, son activité antérieure, qui lui servent de justification de son activité présente et qui le guident dans le choix de ses actions futures.

Il en est exactement de même des collectivités, qui laissent à ceux qui ne participent pas à l'action le soin d'imaginer les considérations, les justifications et les hypothèses relatives à leur action commune.

Pour des raisons qui nous sont connues ou inconnues, les Français se prennent à se noyer et à s'égorger entre eux. Et cet événement s'accompagne de sa justification, les volontés exprimées des hommes qui estimaient cela nécessaire au bien de la France, à la liberté, à l'égalité. On cesse de s'égorger, et cet événement s'accompagne de sa justification, la nécessité de l'unité de pouvoir, de la résistance à l'Europe, etc. Des hommes marchent d'Occident en Orient en tuant leurs semblables, et cet événement s'accompagne de phrases sur la gloire de la France, la bassesse de l'Angleterre, etc. L'histoire nous montre que ces justifications de l'événement n'ont aucun sens objectif, qu'elles se contredisent, comme le meurtre de l'homme à la suite de la reconnaissance de ses droits, et le massacre de millions d'hommes en Russie pour l'humiliation de l'Angleterre. Mais ces justifications aux yeux des contemporains ont une signification nécessaire.

Ces justifications dégagent la responsabilité de ceux qui sont à l'origine des événements. Ces buts provisoires sont semblables aux balais placés à l'avant des trains pour nettoyer la voie : ils dégagent la voie de la responsabilité morale des hommes. Sans ces justifications on ne pourrait élucider la question la plus simple qui se pose lors de l'examen de tout événement, c'est-à-dire d'où vient que des crimes collectifs, guerres, meurtres, etc. ?

Étant donné les formes complexes de la vie politique et sociale actuelle en Europe, est-il possible d'imaginer quelque événement que ce soit qui n'ait été prescrit, indiqué, ordonné par des souverains, des ministres, des parlements, des journaux ? Est-il une action collective qui ne trouve sa justification dans l'unité de l'État, l'intérêt national, l'équilibre européen, la civilisation ? De sorte que tout événement accompli coïncide inévitablement avec un désir exprimé et, recevant sa justification, apparaît comme le résultat de la volonté d'un ou de plusieurs hommes.

Quelle que soit la direction d'un navire, on verra toujours à l'avant le remous des vagues qu'il fend. Pour ceux qui se trouvent à bord, le mouvement de ce remous sera le seul mouvement visible.

C'est seulement en observant de près, d'instant en instant, le mouvement de ce remous et en le comparant au mouvement du navire que nous nous rendrons compte que chaque instant du mouvement du remous est déterminé par le mouvement du navire et que ce qui nous a induits en erreur, c'est que nous avançons nous-mêmes sans nous en apercevoir.

Nous ferons la même constatation en suivant d'instant en instant le mouvement des personnages historiques (c'est-à-dire en rétablissant la condition indispensable de tout ce qui s'accomplit, la continuité du mouvement dans le temps) et sans perdre de vue le lien indispensable entre les personnages historiques et les masses.

Lorsque le navire suit la même direction, le même remous se trouve devant lui ; lorsqu'il change souvent de direction, les remous qui clapotent devant lui changent souvent eux aussi. Mais où qu'il tourne, il y aura partout un remous qui précède son mouvement.

Quoi qu'il arrive, il semble toujours que c'est cela même qui a été prévu et ordonné. Où que se dirige le navire, le remous, sans diriger ni renforcer son mouvement, bouillonne à l'avant, et il nous apparaîtra de loin non seulement comme animé d'un mouvement indépendant, mais même comme dirigeant le mouvement du navire.

En considérant, parmi les expressions de la volonté des personnages historiques, celles-là seulement qui peuvent être rapportées aux événements, en tant qu'ordres, les historiens ont cru que les événements dépendent des ordres. Or, en examinant les événements mêmes et le rapport qui existe entre les personnages et les masses, nous avons constaté que les personnages historiques et leurs ordres dépendent des événements. La preuve incontestable de cette conclusion est que, quelque nombreux que soient les ordres, l'événement ne se reproduira pas s'il n'y a pas à cela d'autres causes ; mais dès que l'événement se produit – quel qu'il soit – parmi les volontés sans cesse exprimées par différents personnages, il s'en trouvera qui, d'après leur sens et le moment, peuvent être rapportées à l'événement comme des ordres.

Arrivés à cette conclusion, nous pouvons donner une réponse nette et précise aux deux problèmes essentiels de l'histoire :

1° Qu'est-ce que le pouvoir ?

2° Quelle est la force qui détermine le mouvement des peuples ?

1° Le pouvoir est le rapport d'un personnage déterminé avec d'autres personnages qui fait que ce personnage prend d'autant moins part à l'action qu'il exprime plus d'opinions, d'hypothèses et de justifications quant à l'action commune en cours.

2° Le mouvement des peuples est déterminé non par le pouvoir, non par l'activité intellectuelle, même pas par la réunion de l'un et de l'autre, comme l'ont pensé les historiens, mais par l'activité de TOUS CEUX qui prennent part à l'événement et qui se groupent toujours de telle sorte que ceux qui prennent la plus grande part directe à l'événement assument le moins de responsabilités ; et inversement.

Au point de vue moral, la cause de l'événement semble être le pouvoir; au point de vue physique, ceux qui se soumettent au pouvoir. Mais comme l'activité morale est inconcevable sans l'activité physique, la cause des événements ne réside ni dans l'une ni dans l'autre, mais dans la réunion des deux.

Ou, en d'autres termes, la notion de cause est inapplicable au phénomène que nous examinons.

En dernière analyse, nous arrivons au cercle éternel, à cette limite extrême à laquelle, dans tous les domaines de la pensée, aboutit l'esprit humain s'il ne joue pas avec son sujet. L'électricité produit la chaleur, la chaleur produit l'électricité. Les atomes s'attirent, les atomes se repoussent.

En parlant des effets les plus élémentaires de la chaleur, de l'électricité ou des atomes, nous ne pouvons pas dire quelle en est la cause et nous disons que telle est la nature de ces phénomènes, que c'est pour eux la loi. Il en est de même des phénomènes historiques. Pourquoi une guerre ou une révolution se produisent-elles ? nous l'ignorons; nous savons seulement que, pour accomplir telle ou telle action, les hommes se rassemblent en un certain groupement et qu'ils y participent tous ; et nous disons que telle est la nature des hommes, que c'est la loi.

VIII

Si l'histoire n'avait affaire qu'à des phénomènes extérieurs, il suffirait de poser cette loi simple et évidente, et notre raisonnement serait terminé. Mais la loi de l'histoire se rapporte à l'homme. Une particule de matière ne peut nous dire qu'elle n'éprouve aucun besoin d'attraction et de répulsion, et que cette loi est fausse ; mais l'homme qui est l'objet de l'histoire dit carrément : je suis libre et par conséquent non soumis aux lois.

La présence du problème, quoique inexprimé, du libre arbitre de l'homme se fait sentir à chaque pas de l'histoire.

Tous les historiens sérieux en sont arrivés malgré eux à ce problème. Toutes les contradictions, toutes les obscurités de l'histoire, la fausse voie que suit cette science ne proviennent que du fait que ce problème n'est pas résolu.

Si la volonté de chaque homme est libre, c'est-à-dire si chacun a pu agir à son gré, l'histoire n'est qu'une suite de hasards incohérents.

Si même un seul parmi les millions d'hommes sur une période de mille ans a eu la possibilité d'agir librement, c'est-à-dire selon son bon plaisir, il est évident qu'un seul acte libre de cet homme, contraire aux lois, abolit la possibilité de l'existence de quelque loi que ce soit pour l'ensemble de l'humanité.

Et s'il existe ne fût-ce qu'une seule loi régissant les actions humaines, il ne peut y avoir de libre arbitre, car la volonté des hommes doit alors être soumise à cette loi.

Dans cette contradiction réside le problème du libre arbitre qui, depuis les temps les plus reculés, a occupé les meilleurs cerveaux de l'humanité et qui, depuis les temps les plus reculés, se pose dans toute son immense importance.

Ce problème consiste en ceci qu'en regardant l'homme comme un sujet d'observation, sous quelque angle que ce soit – théologique, historique, éthique, philosophique –

nous retrouvons la loi générale de la nécessité à laquelle il est soumis comme tout ce qui existe. Or, en le regardant à travers nous-mêmes, comme quelque chose dont nous avons nous-même conscience, nous nous sentons libres.

Cette conscience est une source de connaissance de soi tout à fait distincte et indépendante de la raison. Grâce à la raison l'homme s'observe lui-même ; mais il ne se connaît qu'à travers la conscience.

Sans la conscience de soi, aucune observation et aucune application de la raison ne sont possibles.

Afin de comprendre, d'observer, de conclure, l'homme doit d'abord avoir conscience de soi comme existant. L'homme ne se conçoit existant que voulant, c'est-à-dire ayant conscience de sa volonté. Or, cette volonté qui constitue l'essence de sa vie, il ne la conçoit et ne peut la concevoir autrement que libre.

Si, en se soumettant lui-même à l'observation, l'homme voit que sa volonté est toujours dirigée par une seule et même loi (que l'observation porte sur la nécessité de prendre de la nourriture, ou sur le fonctionnement de son cerveau, ou sur n'importe quoi d'autre), il ne peut interpréter cette direction constante de sa volonté que comme une limitation de cette volonté. Ce qui ne serait pas libre ne pourrait être limité. La volonté de l'homme lui paraît limitée précisément parce qu'il ne la conçoit pas autrement que libre.

Vous dites : je ne suis pas libre. Or, j'ai levé et baissé le bras. Chacun comprend que cette réponse illogique est une preuve irréfutable de la liberté.

Cette réponse est l'expression de la conscience non soumise à la raison.

Si la conscience de la liberté n'était pas une source de connaissance de soi distincte et indépendante de la raison, elle serait subordonnée au raisonnement et à l'expérience ; mais dans la réalité une telle subordination n'existe jamais et est inconcevable.

Une série d'expériences et de raisonnements montre à chaque homme qu'en tant que sujet d'observation, il est soumis à certaines lois, et il s'y soumet et ne s'élève jamais contre la loi de la gravitation ou de l'imperméabilité une fois qu'il l'a reconnue. Mais la même série d'expériences et de raisonnements lui montre que la liberté absolue dont il a conscience en lui est impossible, que chacun de ses actes dépend de son organisation, de son caractère et des motifs qui agissent sur lui ; mais l'homme ne se soumet jamais aux conclusions tirées de ces expériences et de ces raisonnements.

Ayant appris par l'expérience et par le raisonnement qu'une pierre tombe, l'homme le croit implicitement et, dans tous les cas, attend que joue cette loi qu'il a reconnue.

Mais ayant appris tout aussi indubitablement que sa volonté est soumise à des lois, il n'y croit pas et ne peut y croire.

L'expérience et le raisonnement auront beau lui montrer que, dans les mêmes conditions, avec le même caractère, il agirait exactement comme il a agi précédemment, une fois sur le point d'accomplir pour la millième fois, dans les mêmes conditions, avec le même caractère, un acte qui a toujours eu le même résultat, il se sent aussi assuré de pouvoir agir à sa guise qu'avant l'expérience. Tout homme, le sauvage comme le penseur, quelque irréfutablement que le raisonnement et l'expérience lui aient démontré qu'il est impossible de concevoir deux actes différents dans les mêmes conditions, sent que sans cette absurde représentation (qui constitue l'essence de la liberté) il ne peut concevoir la vie. Il sent que, quelque impossible que ce soit, cela est ; car sans cette représentation de la liberté non seulement il ne comprendrait pas la vie, mais il ne pourrait vivre un seul instant.

Il ne pourrait pas vivre car toutes les aspirations des hommes, toutes leurs impulsions dans la vie, ne sont que des aspirations à accroître leur liberté. Richesse – pauvreté, gloire – obscurité, pouvoir – sujétion, force – faiblesse, santé – maladie, culture – ignorance, travail – loisirs, satiété – faim, vertu – vice, ne sont que des degrés plus ou moins élevés de la liberté.

Si la notion de liberté apparaît à la raison comme une absurde contradiction, comme la possibilité d'accomplir deux actes différents dans les mêmes conditions ou comme un effet sans cause, cela prouve seulement que la conscience n'est pas soumise à la raison.

C'est cette conscience de la liberté, inébranlable, irréfutable, non soumise à l'expérience et au raisonnement, reconnue par tous les penseurs et ressentie par tous les hommes sans exception, c'est cette conscience sans laquelle toute notion d'homme est impossible qui constitue l'autre face du problème.

L'homme est la création du Dieu tout-puissant, infiniment clément et omniscient. Qu'est-ce donc que le péché dont la notion découle de la conscience de la liberté ? Voilà le problème de la théologie.

Les actes des hommes sont régis par des lois générales, immuables, qu'exprime la statistique. En quoi consiste la responsabilité de l'homme devant la société, responsabilité dont la notion découle de la conscience de la liberté ? Voilà le problème du droit.

Les actes d'un homme sont tributaires de son caractère congénital et des motifs qui agissent sur lui. Qu'est-ce que la conscience et la notion du bien et du mal des actes découlant de la conscience de la liberté ? Voilà le problème de l'éthique.

L'homme, en liaison avec la vie générale de l'humanité, apparaît soumis aux lois qui régissent cette vie. Mais le même homme, indépendamment de ce lien, apparaît libre. Comment la vie passée des peuples et de l'humanité doit-elle être considérée, comme le produit de l'activité libre ou dirigée des hommes ? Voilà le problème de l'histoire.

C'est seulement à notre présomptueuse époque de vulgarisation des connaissances, grâce à cet instrument le plus puissant de l'ignorance qu'est le développement de l'imprimerie, que le problème du libre arbitre a été ramené sur un terrain où il ne peut même pas se poser. De nos jours, la plupart des hommes dits d'avant-garde, c'est-à-dire une foule d'ignorants, ont pris les travaux des naturalistes, qui s'occupent d'un aspect du problème, pour la solution de l'ensemble du problème.

Il n'y a pas d'âme et pas de liberté puisque la vie de l'homme se manifeste par le mouvement des muscles et que le mouvement des muscles est commandé par le système nerveux; il n'y a pas d'âme et pas de liberté puisque, à une époque inconnue, nous sommes issus du singe, disent-ils, écrivent-ils et impriment-ils, sans nullement se douter qu'il y a des millénaires toutes les religions, tous les penseurs non seulement avaient reconnu mais n'avaient même jamais nié cette même loi de la nécessité qu'ils s'efforcent avec tant de soin de démontrer aujourd'hui par la physiologie et la zoologie comparée. Ils ne voient pas que le rôle des sciences naturelles dans cette question ne consiste qu'à servir d'instrument destiné à en éclairer un des aspects seulement. Car dire que, du point de vue de l'observation, la raison et la volonté ne sont que des *sécrétions* du cerveau et que l'homme obéissant à la loi commune a pu évoluer d'une espèce animale inférieure en un laps de temps inconnu, c'est expliquer seulement sous un angle nouveau cette vérité reconnue il y a des millénaires par toutes les religions et tous les systèmes philosophiques que, du point de vue de la raison, l'homme est soumis aux lois de la nécessité, mais cela ne fait pas avancer d'un pouce la solution du problème qui a une autre face opposée, fondée sur la conscience de la liberté.

Si les hommes sont issus du singe à une époque inconnue, cela est aussi compréhensible que de dire qu'ils sont issus d'une poignée de terre à une époque connue (dans le premier cas, X c'est l'époque, dans le second c'est l'origine), et la question de savoir comment la conscience de la liberté de l'homme se concilie avec la loi de la nécessité à laquelle il est soumis ne peut être résolue par la physiologie et la zoologie comparée, car dans la grenouille, le lapin et le singe nous ne pouvons observer qu'une activité musculaire et nerveuse, tandis que dans l'homme nous observons et une activité musculaire et nerveuse, et la conscience.

Les naturalistes et leurs laudateurs qui croient résoudre ce problème sont semblables à des maçons qui auraient reçu l'ordre de crépir un des côtés d'une église et qui, profitant de l'absence du chef de chantier, dans un accès de zèle, enduiraient et les fenêtres, et les images saintes, et les échafaudages, et les murs non encore consolidés et qui se réjouiraient de voir combien, à leur point de vue de maçons, tout est uniforme et bien lisse.

IX

La solution du problème de la liberté et de la nécessité présente pour l'histoire, par rapport à toutes les autres branches de la connaissance qui ont tenté de le résoudre, cet avantage que, pour l'histoire, ce problème concerne non pas l'essence même de la volonté humaine, mais la représentation de la manifestation de cette volonté dans le passé et dans des conditions données.

L'histoire, quant à la solution de ce problème, se trouve, par rapport aux autres sciences, dans la situation d'une science expérimentale par rapport aux sciences spéculatives.

L'histoire a pour objet non la volonté même de l'homme mais la représentation que nous avons de cette volonté.

C'est pourquoi il n'existe pas pour l'histoire, comme pour la théologie, l'éthique et la philosophie, de mystère insondable dans la fusion de la liberté et de la nécessité. L'histoire étudie la représentation de la vie de l'homme où la fusion de ces deux contraires est déjà chose faite.

Dans la vie réelle, chaque événement historique, chaque action humaine se comprend avec beaucoup de clarté et de netteté, sans qu'on y sente la moindre contradiction, bien que chaque événement apparaisse en partie libre et en partie nécessaire.

Pour résoudre le problème de la fusion de la liberté et de la nécessité et de l'essence de ces deux notions, la philosophie de l'histoire peut et doit suivre une voie opposée à celle qu'ont suivie les autres sciences. Au lieu de commencer par définir en soi les notions de liberté et de nécessité, puis d'adapter aux définitions obtenues les phénomènes de la vie, l'histoire doit tirer de l'énorme quantité de phénomènes qui s'offrent à elle et qui se présentent toujours dans la dépendance de la liberté et de la nécessité, la définition des notions mêmes de liberté et de nécessité.

Sous quelque angle que nous examinions l'activité de nombreux hommes ou d'un seul, nous ne la concevons pas autrement que comme le produit en partie de la liberté humaine en partie des lois de la nécessité.

Que nous parlions de migrations de peuples et d'invasions de barbares, ou de la politique de Napoléon III, ou de l'acte qu'un homme a accompli une heure plus tôt et qui a consisté dans le choix d'une direction pour sa promenade entre plusieurs qui s'offraient à lui, nous n'y voyons pas la moindre contradiction. La part de liberté et de nécessité qui a commandé ces actes est clairement définie à nos yeux.

Bien souvent l'appréciation de la part plus ou moins grande de liberté dans un phénomène diffère selon le point de vue où nous nous plaçons pour l'examiner ; mais, toujours et invariablement, chaque acte humain ne nous apparaît pas autrement que comme un certain dosage de liberté et de nécessité. Dans chaque acte considéré, nous voyons une certaine part de liberté et une certaine part de nécessité. Et toujours, plus nous voyons de liberté dans n'importe quel acte, moins nous y voyons de nécessité ; et plus nous y voyons de nécessité, moins il nous y apparaît de liberté.

Le rapport entre la liberté et la nécessité diminue ou augmente selon le point de vue auquel on se place pour examiner l'acte ; mais ce rapport demeure toujours inversement proportionnel.

L'homme en train de se noyer qui se cramponne à un autre et l'entraîne avec lui, ou la mère affamée, épuisée par l'allaitement de son enfant, qui vole de la nourriture, ou l'homme habitué à la discipline qui, au commandement, dans le rang, tue un homme sans défense, paraissent moins coupables, c'est-à-dire moins libres et plus soumis à la loi de la nécessité, à celui qui sait les conditions où ils se trouvaient, et plus libres à celui qui ne sait pas que cet homme se noyait, que la mère avait faim, que le soldat était dans le rang, etc. Exactement de même, un homme qui, il y a vingt ans, a commis un meurtre et qui, depuis, a vécu tranquillement dans la société, sans nuire à personne, paraît moins coupable, son acte plus soumis à la loi de la nécessité, à celui qui examine son acte au bout de vingt ans, et plus libre à celui qui aurait jugé le même acte le lendemain de son accomplissement. Et exactement de même, l'acte d'un fou, d'un homme ivre ou surexcité paraît moins libre et plus nécessaire à celui qui sait son état mental, et plus libre et moins nécessaire à celui qui l'ignore. Dans tous ces cas, la notion de liberté augmente ou diminue et concurremment diminue ou augmente celle de nécessité, selon le point de vue où l'on se place pour juger l'acte. De sorte que plus la nécessité apparaît grande, moins grande est la liberté. Et inversement.

La religion, le bon sens de l'humanité, la science du droit et l'histoire elle-même comprennent de la même façon ce rapport entre la nécessité et la liberté.

Tous les cas sans exception dans lesquels augmente ou diminue l'idée que nous nous faisons de la liberté et de la nécessité n'ont que trois fondements :

1° le rapport de l'homme qui a accompli l'acte avec le monde extérieur,

2° avec le temps, et

3° avec les causes qui ont déterminé son acte.

1° Le premier de ces éléments d'appréciation est le rapport plus ou moins visible pour nous entre l'homme et le monde extérieur, l'idée plus ou moins claire de la place déterminée que chaque homme occupe par rapport à tout ce qui existe en même temps que lui. C'est à partir de ce point de vue qu'il est évident que l'homme qui se noie est moins libre et plus soumis à la nécessité que celui qui se trouve sur la terre ferme ; c'est à partir de ce point de vue que les actes d'un homme qui vit étroitement lié à d'autres hommes dans une contrée à population dense, que les actes d'un homme lié par sa famille, son travail, des entreprises, paraissent incontestablement moins libres et plus soumis à la nécessité que ceux d'un homme seul et isolé.

Si nous considérons l'homme seul, hors de ses rapports avec tout ce qui l'entoure, chacun de ses actes nous paraît libre. Mais si nous voyons ne fût-ce qu'un de ses rapports avec son entourage, si nous voyons le lien qui le rattache à quoi que ce soit, à celui qui lui parle, au livre qu'il lit, au travail qui l'occupe, même à l'air qui l'entoure, même à la lumière qui tombe sur les objets autour de lui, nous voyons que chacune de ces conditions exerce sur lui une influence et commande un aspect au moins de son activité. Et plus nous voyons de ces influences, plus diminue l'idée que nous nous faisons de sa liberté et plus augmente celle de la nécessité à laquelle il est soumis.

2° Le deuxième point de vue est le rapport plus ou moins visible de l'homme avec le monde dans le temps : l'idée plus ou moins nette de la place que son action occupe dans le temps. C'est le point de vue à partir duquel la chute du premier homme, qui a eu pour conséquence la naissance de l'espèce humaine, apparaît certes moins libre que le mariage de l'homme d'aujourd'hui. C'est ce point de vue à partir duquel la vie et l'activité des hommes ayant vécu il y a des siècles et liés à moi dans le temps ne peuvent m'apparaître si libres que la vie contemporaine dont les conséquences me sont encore inconnues.

La part plus ou moins grande de liberté et de nécessité est fonction à cet égard du plus ou moins grand laps de temps écoulé entre l'accomplissement de l'acte et le jugement porté sur lui.

Si j'examine un acte que je viens d'accomplir il y a une minute, dans des conditions à peu près identiques à celles où je me trouve à présent, mon acte m'apparaît incontestablement libre. Mais si je juge un acte que j'ai accompli un mois plus tôt, me trouvant dans d'autres conditions, je reconnais malgré moi que, s'il n'avait pas été accompli, bien des choses utiles, agréables et même nécessaires qui en sont découlées n'auraient pas eu lieu. Si je me reporte par le souvenir à un acte encore plus éloigné, remontant à dix ans et plus, ses conséquences m'apparaîtront encore plus évidentes ; et il me sera difficile de me représenter ce qui serait arrivé s'il n'avait pas eu lieu. Plus loin en arrière je me transporterai par le souvenir ou, ce qui revient au même, en avant par le jugement, plus mon appréciation de la liberté de mon acte sera douteuse.

Cette progression dans la conviction quant à la participation du libre arbitre aux affaires de l'humanité, nous la trouvons, exactement la même, dans l'histoire. Un événement contemporain qui vient de s'accomplir nous apparaît indiscutablement comme l'œuvre de tous les hommes connus ; mais dans un événement plus lointain nous voyons déjà ses conséquences inévitables, en dehors desquelles nous ne pouvons rien nous représenter d'autre. Et plus nous nous reportons en arrière dans l'examen des événements, moins arbitraires ils nous apparaissent.

La guerre austro-prussienne nous apparaît comme la conséquence incontestable des ruses de Bismarck, etc.

Les guerres napoléoniennes, bien que déjà avec quelque doute, nous apparaissent encore comme le résultat de la volonté des héros ; mais dans les croisades nous voyons déjà un événement qui occupe sa place déterminée et sans lequel l'histoire moderne de l'Europe serait dénuée de sens, bien que, tout de même, les chroniqueurs des croisades n'y aient vu que l'effet de la volonté de certains personnages. Lorsqu'il s'agit de migrations de peuples, il ne vient plus à l'esprit de personne, de nos jours, de dire que renouveler le monde européen ait dépendu de l'arbitraire d'Attila. Plus nous reportons en arrière dans l'histoire le sujet de l'observation, plus douteuse devient la liberté des hommes générateurs des événements, et plus évidente la loi de la nécessité.

3° Le troisième élément d'appréciation est la plus ou moins grande facilité que nous avons de saisir l'enchaînement infini des causes, qui est l'exigence inévitable de la raison et où chaque phénomène que nous comprenons, et partant chaque acte de l'homme, doit avoir sa place déterminée en tant que conséquence de ceux qui le précèdent et en tant que cause de ceux qui le suivent.

C'est ce point de vue à partir duquel nos actes et ceux des autres nous apparaissent, d'une part, d'autant plus libres et moins soumis à la nécessité que nous connaissons mieux les lois physiologiques, psychologiques et historiques déduites de l'observation auxquelles l'homme est soumis, et que nous avons plus sûrement pénétré la cause physiologique, psychologique ou historique d'un acte ; d'autre part, plus l'acte observé est simple et moins complexes le caractère et l'esprit de l'homme dont nous étudions l'acte.

Lorsque nous ne comprenons pas du tout la cause d'un acte, qu'il s'agisse d'un crime, d'une bonne action ou même d'un acte indifférent par rapport au bien et au mal, nous reconnaissons dans cet acte la plus grande part de liberté. Dans le cas d'un crime, nous réclamons avant tout la punition d'un tel acte ; dans le cas d'une bonne action, nous l'apprécions plus que tout autre. Dans un cas indifférent, nous reconnaissons la personnalité, l'originalité, la liberté les plus grandes. Mais si une seule des innombrables causes nous est connue, nous reconnaissons déjà une certaine part de nécessité et nous exigeons moins le châtiment du crime, nous reconnaissons moins de mérite dans l'acte vertueux, moins de liberté dans l'acte qui nous paraissait original. Le fait qu'un criminel a été élevé dans un milieu de malfaiteurs atténue déjà sa culpabilité. L'abnégation d'un père, d'une mère, abnégation qui comporte la possibilité d'une récompense, est plus compréhensible que l'abnégation gratuite et par conséquent nous paraît moins mériter la sympathie, être moins libre. Le fondateur d'une secte, d'un parti, un inventeur nous étonnent moins quand nous savons comment et par quoi leur activité a été préparée. Si nous disposons d'une longue série d'expériences, si notre observation est constamment orientée vers la recherche, dans les actes humains, des rapports entre les causes et les effets, ces actes nous apparaissent d'autant plus nécessaires et d'autant moins libres que nous rattachons plus sûrement les effets aux causes. Si les actes considérés sont simples et que nous avons disposé pour les observer d'une énorme quantité d'actes semblables, l'idée que nous nous faisons de leur nécessité sera encore plus complète. L'acte malhonnête du fils d'un père malhonnête, la mauvaise conduite d'une femme échouée dans un certain milieu, le retour d'un ivrogne à la boisson, etc., sont des actes qui nous paraissent d'autant moins libres que nous en comprenons mieux la cause. Si l'homme dont nous examinons les actes se trouve lui-même au plus bas degré du développement de l'intelligence, tels qu'un enfant, un fou, un simple d'esprit, alors sachant les causes de ses actes et le peu de complexité de son caractère et de son esprit, nous voyons cette fois une si grande part de nécessité et une part si réduite de liberté que dès que nous connaissons la cause qui doit produire l'effet, nous pouvons prédire l'acte.

C'est sur ces trois fondements seulement que reposent l'irresponsabilité dans le crime et les circonstances atténuantes reconnues par toutes les législations. La responsabilité paraît plus ou moins grande selon qu'on connaît plus ou moins bien les conditions où se trouvait l'homme dont on juge l'acte, selon le plus ou moins grand laps de temps écoulé entre l'acte et le jugement, et la compréhension plus ou moins parfaite des causes de l'acte.

X

Ainsi donc, l'idée que nous nous faisons de la liberté et de la nécessité diminue ou s'accroît progressivement selon le lien plus ou moins étroit entre une manifestation de la vie d'un homme et le monde extérieur, son plus ou moins grand recul dans le temps et sa plus ou moins grande dépendance des causes parmi lesquelles nous examinons cette manifestation.

De sorte que si nous examinons le cas d'un homme dont le lien avec le monde extérieur est le mieux connu, le laps de temps entre l'acte et le jugement le plus long et les causes de l'acte les plus accessibles, nous avons l'impression de la plus grande nécessité et de la liberté la plus réduite. Mais si nous considérons un homme dans la dépendance la moindre des conditions extérieures; si son acte a été accompli dans l'instant le plus proche de l'instant présent, et que les causes de son acte nous soient inaccessibles, nous aurons l'impression de la nécessité la plus réduite et de la plus grande liberté.

Mais dans un cas comme dans l'autre, nous aurions beau changer notre point de vue, préciser le lien qui rattache l'homme au monde extérieur, ou le considérer comme compréhensible, nous aurions beau augmenter ou réduire le laps de temps, comprendre ou non les causes, nous ne pourrions jamais nous représenter ni une liberté totale ni une nécessité totale.

1° Nous aurions beau nous représenter l'homme soustrait aux influences du monde extérieur, nous n'arriverions jamais à la notion de liberté dans l'espace. Chacun des actes de l'homme est inévitablement conditionné par son corps même et par ce qui l'entoure. Je lève le bras et je le baisse. Mon acte paraît être libre ; mais en me demandant si je pouvais lever le bras dans toutes les directions, je vois que je l'ai levé dans la direction où ce geste rencontrait le moins d'obstacles, tant de la part des corps qui m'entouraient que du fait de mon propre corps. Si de toutes les directions possibles j'en ai choisi une, je l'ai fait parce que dans cette direction il y avait le moins d'obstacles. Pour que mon geste eût été libre, il aurait été nécessaire qu'il ne rencontrât aucun obstacle. Pour nous représenter l'homme libre, nous devons nous le représenter hors de l'espace, ce qui est évidemment impossible.

2° Nous aurions beau rapprocher le moment du jugement de celui de l'acte, nous n'arriverions jamais à la notion de liberté dans le temps. Car si je considère un acte accompli il y a une seconde, je n'en dois pas moins reconnaître qu'il n'est pas libre car l'acte est enchaîné au moment où il a été accompli. Puis-je lever le bras ? Je le lève ; mais je me demande : pouvais-je ne pas le lever à ce moment maintenant passé ? Afin de m'en assurer je ne le lève pas dans le moment qui suit. Mais je ne l'ai pas levé au moment précis où je me suis posé la question de la liberté. Le temps a passé qu'il n'a pas été en mon pouvoir de retenir, et le bras que j'ai levé alors et l'air dans lequel j'ai fait ce mouvement ne sont plus l'air qui m'entoure maintenant et le bras que je ne lève pas en ce moment. Le moment où s'est fait le premier mouvement ne peut revenir et, à ce moment, je ne pouvais faire qu'un seul mouvement, et quelque mouvement que j'eusse fait, ce mouvement ne pouvait être qu'unique. Le fait qu'à la minute qui suit je n'ai pas levé le bras ne prouve pas que je pouvais ne pas le lever. Et comme je ne pouvais faire qu'un seul mouvement à un moment donné, il ne pouvait être autre. Pour se le représenter libre, il faut se le représenter dans le présent, à la limite du passé et de l'avenir, c'est-à-dire hors du temps, ce qui est impossible.

3° La difficulté de comprendre la cause aurait beau s'accroître, nous n'arriverons jamais à la représentation d'une liberté absolue, c'est-à-dire à l'absence d'une cause. Quelque incompréhensible que nous soit la cause de l'expression d'une volonté dans n'importe lequel de nos actes ou de ceux d'autrui, la première exigence de l'esprit est d'en supposer et d'en rechercher la cause sans laquelle aucun phénomène n'est concevable. Je lève le bras pour accomplir un acte indépendant de toute cause, mais le fait de vouloir accomplir un acte sans cause est la cause de mon acte.

Mais même si, nous représentant un homme absolument soustrait à toutes les influences, considérant seulement son acte instantané dans le présent et supposant qu'aucune cause ne l'a provoqué, nous admettons un résidu infinitésimal de nécessité égal à zéro, même alors nous n'arriverons pas à la notion de la liberté absolue de l'homme ; car un être imperméable aux influences du monde extérieur, se trouvant hors du temps et étant indépendant des causes, n'est plus un homme.

Exactement de même, nous ne pouvons jamais nous représenter un acte humain qui s'accomplisse sans l'intervention de la liberté et qui soit soumis à la seule loi de la nécessité.

1° Notre connaissance des conditions d'espace où se trouve un homme aurait beau s'étendre, cette connaissance ne peut jamais être complète car le nombre de ces conditions est infiniment grand, de même que l'espace est infini. C'est pourquoi du moment que TOUTES les conditions, toutes les influences qui s'exercent sur l'homme ne sont pas déterminées, il n'y a pas de nécessité absolue et il reste une certaine part de liberté.

2° Nous aurions beau allonger le laps de temps qui sépare le phénomène que nous examinons du jugement porté sur lui, ce laps de temps sera limité et le temps illimité, donc à cet égard encore il ne peut jamais y avoir de nécessité absolue.

3° Si compréhensible que nous soit l'enchaînement des causes de n'importe quel acte, nous ne connaîtrons jamais cet enchaînement tout entier car il est infini, et de nouveau nous n'aboutirons jamais à la nécessité absolue.

Mais en outre, même si, en admettant un résidu de liberté égal à zéro, nous constations dans un cas quelconque, comme par exemple dans celui d'un moribond, d'un embryon, d'un idiot, l'absence totale de liberté, nous détruirions par là la notion même de l'homme que nous considérons ; car dès l'instant qu'il n'y a plus de liberté, il n'y a pas d'homme non plus. C'est pourquoi se représenter un acte humain soumis à la seule loi de la nécessité, sans le moindre résidu de liberté, est aussi impossible que de se le représenter absolument libre.

Ainsi donc, pour nous représenter un acte humain soumis à la seule loi de la nécessité, sans liberté, nous devons admettre que nous connaissons le nombre INFINI des conditions dans l'espace, la période de temps INFINIE et la suite INFINIE des causes.

Afin de nous représenter l'homme absolument libre, non soumis à la loi de la nécessité, nous devons nous le représenter seul, HORS DE L'ESPACE, HORS DU TEMPS ET HORS DE LA DÉPENDANCE DES CAUSES.

Dans le premier cas, si la nécessité était possible sans la liberté, nous aboutirions à une définition de la loi de la nécessité par la nécessité même, c'est-à-dire à une forme sans contenu.

Dans le second cas, si la liberté était possible sans la nécessité, nous aboutirions à une liberté inconditionnée, hors de l'espace, du temps et des causes qui, par le fait même de n'être ni conditionnée ni limitée par rien, ne serait rien ou ne serait qu'un contenu sans forme.

Nous aboutirions d'une façon générale à ces deux principes qui forment toute la conception humaine du monde : l'essence inconnaissable de la vie et les lois qui définissent cette essence.

La raison dit : 1° l'espace avec toutes les formes que lui donne son apparence – la matière – est infini et inconcevable autrement. 2° Le temps est un mouvement infini sans un instant d'arrêt et il est inconcevable autrement.

3° L'enchaînement des causes et des effets n'a pas de commencement et ne peut avoir de fin.

La conscience dit : 1° seule je suis et tout ce qui existe n'est que moi ; donc je renferme l'espace ; 2° je mesure le temps qui fuit par un moment immobile du présent dans lequel j'ai conscience de vivre ; donc je suis hors du temps, et 3° je suis hors de toute cause car je me sens la cause de toutes les manifestations de ma vie.

La raison exprime les lois de la nécessité. La conscience exprime l'essence de la liberté.

La liberté que rien ne limite est l'essence de la vie dans la conscience de l'homme. La nécessité sans contenu est la raison humaine avec ses trois formes.

La liberté est ce qu'on examine. La nécessité est ce qui examine. La liberté est le contenu. La nécessité est le contenant.

C'est seulement en séparant les deux sources de la connaissance qui sont l'une à l'autre ce que le contenant est au contenu, que l'on arrive à des notions séparées, qui s'excluent mutuellement et qui sont incompréhensibles, de liberté et de nécessité.

C'est seulement en les réunissant que l'on arrive à une représentation de la vie de l'homme.

Hors ces deux notions qui se définissent mutuellement dans leur union – comme le contenant et le contenu –, aucune représentation de la vie n'est possible.

Tout ce que nous savons de la vie des hommes n'est qu'un certain rapport entre la liberté et la nécessité, c'est-à-dire entre la conscience et les lois de la raison.

Tout ce que nous savons du monde extérieur de la nature n'est qu'un certain rapport entre les forces de la nature et la nécessité, ou entre l'essence de la vie et les lois de la raison.

Les forces vitales de la nature sont en dehors de nous et de notre conscience, et nous les appelons pesanteur, inertie, électricité, force animale, etc. ; mais nous avons conscience de la force vitale de l'homme et nous l'appelons liberté.

Mais exactement de même que la force de la pesanteur, incompréhensible en soi, ressentie par tout homme, ne nous est compréhensible que dans la mesure où nous connaissons les lois de la nécessité auxquelles elle est soumise (depuis la première notion de pesanteur de tous les corps jusqu'à la loi de Newton), de même la force de la liberté, incompréhensible en soi, ressentie par chacun ne nous est compréhensible que dans la mesure où nous connaissons les lois de la nécessité auxquelles elle est soumise (depuis le fait que tout homme meurt jusqu'aux lois économiques les plus complexes).

Toute connaissance n'est qu'adaptation de l'essence de la vie aux lois de la raison.

La liberté de l'homme se distingue de toutes les autres forces en ce que l'homme a conscience de cette force; mais pour la raison elle n'en diffère en rien. Les forces de la pesanteur, de l'électricité ou de l'affinité chimique ne se distinguent entre elles qu'en ce qu'elles sont différemment définies par la raison. Exactement de même, la force de la liberté humaine ne se distingue, pour la raison, des autres forces de la nature que par la définition que lui donne cette raison. La liberté sans la nécessité, c'est-à-dire sans les lois de la raison qui l'ont définie, ne se distingue en rien de la pesanteur ou de la chaleur ou de la force de la végétation; elle n'est pour la raison qu'une sensation instantanée, indéfinissable de la vie.

Et de même que l'essence indéfinissable de la force qui meut les corps célestes, l'essence indéfinissable de la force de la chaleur, de l'électricité ou de la force de l'affinité chimique, ou de la force vitale, forme le contenu de l'astronomie, de la physique, de la chimie, de la botanique, de la zoologie, etc., ainsi l'essence de la force de la liberté forme le contenu de l'histoire. Mais de même que l'objet de toute science est la manifestation de cette essence inconnue de la vie, tandis que cette essence même ne peut être l'objet que de la métaphysique, ainsi la manifestation de la force de la liberté humaine dans l'espace, dans le temps et la dépendance des causes constitue l'objet de l'histoire ; tandis que la liberté elle-même est l'objet de la métaphysique.

Dans les sciences expérimentales, nous appelons lois de la nécessité ce qui nous est connu ; ce qui nous est inconnu, force vitale. La force vitale n'est que l'expression du résidu inconnu de ce que nous savons de l'essence de la vie.

De même, dans l'histoire, nous appelons ce qui nous est connu lois de la nécessité ; ce qui nous est inconnu, liberté. La liberté, pour l'histoire, n'est que l'expression du résidu inconnu de ce que nous savons des lois de la vie humaine.

XI

L'histoire étudie les manifestations de la liberté humaine par rapport au monde extérieur, dans le temps et dans la dépendance des causes, c'est-à-dire qu'elle définit cette liberté d'après les lois de la raison ; c'est pourquoi l'histoire n'est une science que dans la mesure où cette liberté est définie par ces lois.

Pour l'histoire, la reconnaissance de la liberté humaine en tant que force pouvant avoir une influence sur les événements historiques, c'est-à-dire non soumise à des lois, équivaut à ce qu'est pour l'astronomie la reconnaissance de la force libre du mouvement des corps célestes.

Cette reconnaissance exclut la possibilité de l'existence de lois, c'est-à-dire de toute connaissance. S'il existe fût-ce un corps qui se meut librement, les lois de Kepler et de Newton n'existent plus, non plus qu'aucune représentation du mouvement des corps célestes. S'il existe un seul acte libre de l'homme, il n'existe aucune loi historique et aucune représentation des événements historiques.

Pour l'histoire, il existe des lignes du mouvement des volontés humaines dont une extrémité se perd dans l'inconnu, tandis qu'à l'autre extrémité se meut, dans l'espace, le temps et la dépendance des causes, la conscience de la liberté des hommes dans le présent.

Plus le champ de ce mouvement s'élargit devant nos yeux, plus les lois de ce mouvement sont évidentes. Saisir et définir ces lois, telle est la tâche de l'histoire.

Du point de vue où se place aujourd'hui la science pour considérer son objet, dans la voie qu'elle suit en cherchant les causes des phénomènes dans le libre arbitre des hommes, la définition des lois est impossible pour la science, car quelles que soient les restrictions que nous apportions à la liberté des hommes, dès l'instant que nous l'avons reconnue pour une force non soumise à des lois, l'existence d'une loi est impossible.

Ce n'est qu'en limitant cette liberté à l'infini, c'est-à-dire en la considérant comme une quantité infinitésimale, que nous nous convaincrons de l'impossibilité absolue de pénétrer les causes, et dès lors, au lieu de rechercher ces causes, l'histoire se donnera pour tâche la recherche des lois.

La recherche de ces lois est commencée depuis longtemps et les nouvelles méthodes de pensée que l'histoire doit s'assimiler s'élaborent simultanément avec l'autodestruction vers laquelle s'achemine la vieille histoire en fractionnant de plus en plus les causes des phénomènes.

Cette voie, toutes les sciences humaines l'ont suivie. Arrivant à l'infiniment petit, les mathématiques, la plus exacte des sciences, abandonnent la méthode de fractionnement au profit de la nouvelle méthode de totalisation des inconnues infiniment petites. En renonçant à la notion de cause, les mathématiques recherchent une loi, c'est-à-dire des propriétés communes à tous les éléments inconnus infiniment petits.

Sous une autre forme mais par la même démarche de la pensée, les autres sciences ont suivi la même voie. Lorsque Newton a formulé la loi de la gravitation, il n'a pas dit que le soleil ou la terre avait la propriété d'attirer ; il a dit que tous les corps, du plus grand au plus petit, avaient la propriété de s'attirer l'un l'autre, c'est-à-dire, laissant de côté la question de la cause du mouvement des corps, il a formulé une propriété commune à tous les corps, des infiniment grands aux infiniment petits. C'est ce que font également les sciences naturelles : laissant de côté la cause, elles recherchent les lois. L'histoire est engagée dans la même voie. Et si elle a pour objet d'étudier le mouvement des peuples et de l'humanité, et non de décrire des épisodes de la vie de quelques hommes, elle doit, écartant la notion des causes, rechercher les lois communes à tous les éléments de liberté infiniment petits, égaux et indissolublement liés entre eux.

XII

Depuis qu'a été découvert et démontré le système de Copernic, la seule reconnaissance du fait que c'est la terre qui tourne et non le soleil a détruit toute la cosmographie des anciens. On pouvait, réfutant ce système, conserver l'ancienne conception du mouvement des corps, mais sans le réfuter on ne pouvait, semblait-il, continuer d'étudier les mondes de Ptolémée. Pourtant, même après la découverte de Copernic, les mondes de Ptolémée ont continué longtemps à être étudiés.

Depuis qu'il a été dit et démontré que le nombre des naissances ou des crimes obéit à des lois mathématiques et que des conditions géographiques et politico-économiques données déterminent telle ou telle forme de gouvernement, que des rapports déterminés entre la population et le sol produisent les mouvements du peuple, depuis lors les fondements sur lesquels s'édifiait l'histoire ont été détruits dans leur substance même.

On pouvait, réfutant les lois nouvelles, conserver l'ancienne conception de l'histoire, mais sans les réfuter il était impossible, semblait-il, de continuer d'étudier les événements historiques comme l'effet du libre arbitre des hommes. Car si telle forme de gouvernement s'instaure ou si tel mouvement de peuples se produit en fonction de telles conditions géographiques, ethniques ou économiques, la volonté des hommes qui nous apparaissent comme ayant instauré cette forme de gouvernement ou provoqué ce mouvement de peuples ne peut plus être considérée comme une cause.

Et cependant l'ancienne histoire continue d'être étudiée parallèlement avec les lois de la statistique, de la géographie, de l'économie politique, de la philologie comparée et de la géologie, qui sont en contradiction formelle avec ses postulats.

Longue et obstinée a été la lutte, en matière de philosophie de la nature, entre l'ancienne et la nouvelle conception. La théologie montait la garde autour de l'ancienne et accusait la nouvelle de détruire la Révélation. Mais lorsque la vérité eut triomphé, la théologie s'établit tout aussi fermement sur le nouveau terrain.

Aussi longue et obstinée est, de nos jours, la lutte entre l'ancienne et la nouvelle conception de l'histoire, et de même la théologie monte la garde autour de l'ancienne façon de voir et accuse la nouvelle de détruire la Révélation.

Dans un cas comme dans l'autre, la lutte déchaîne des deux côtés les passions et étouffe la vérité. D'un côté se font jour la peur et le regret de l'édifice élevé au cours des siècles ; de l'autre, la passion de la destruction.

Ceux qui combattaient la vérité naissante en matière de philosophie de la nature croyaient que s'ils admettaient cette vérité, ce serait la destruction de la foi en Dieu, en la création du monde, en le miracle de Josué fils de Naun. Les défenseurs des lois de Copernic et de Newton, Voltaire par exemple, croyaient que les lois de l'astronomie détruiraient la religion ; et comme d'une arme contre la religion, Voltaire se servait des lois de la pesanteur.

Exactement de même, il semble aujourd'hui qu'il suffit de reconnaître la loi de la nécessité pour que s'effondrent la notion de l'âme, du bien et du mal, et toutes les institutions de l'État et de l'Église édifiées sur cette notion.

Exactement de même aujourd'hui que Voltaire en son temps, les défenseurs de la loi de la nécessité se servent de cette loi comme d'une arme contre la religion ; alors que, exactement de même que la loi de Copernic en astronomie, la loi de la nécessité dans l'histoire non seulement ne détruit pas, mais consolide même le terrain sur lequel sont édifiées les institutions de l'État et de l'Église.

Comme alors en matière d'astronomie, ainsi aujourd'hui pour le problème de l'histoire, toute la différence des conceptions repose sur la reconnaissance ou la non-reconnaissance d'une unité absolue servant de commune mesure pour les phénomènes visibles. En astronomie, c'était l'immobilité de la terre ; en histoire, c'est l'indépendance de la personne, la liberté.

De même que pour l'astronomie la difficulté d'admettre le mouvement de la terre venait de la nécessité de renoncer à la sensation directe de l'immobilité de la terre et à la même sensation du mouvement des planètes, ainsi pour l'histoire la difficulté d'admettre la soumission de la personne aux lois de l'espace, du temps et des causes tient à la nécessité de renoncer à la sensation directe de l'indépendance de sa personne. Mais de même qu'en astronomie la nouvelle conception disait : « C'est vrai, nous ne sentons pas le mouvement de la terre, mais en admettant qu'elle est immobile nous aboutissons à une absurdité ; tandis qu'en admettant son mouvement que nous ne sentons pas, nous aboutissons à des lois » ; ainsi en histoire la nouvelle conception dit : « C'est vrai, nous ne sentons pas notre dépendance, mais en admettant notre liberté nous aboutissons à une absurdité ; tandis qu'en admettant notre dépendance du monde extérieur, du temps et des causes nous aboutissons à des lois. »

Dans le premier cas, il fallait renoncer à la conscience de l'immobilité dans l'espace, et admettre un mouvement que nous ne sentons pas ; dans le cas présent il est de même nécessaire de renoncer à la liberté dont nous avons conscience et de reconnaître une dépendance que nous ne sentons pas.

1865-1869.

TABLEAU GÉNÉALOGIQUE DES PRINCIPAUX PERSONNAGES

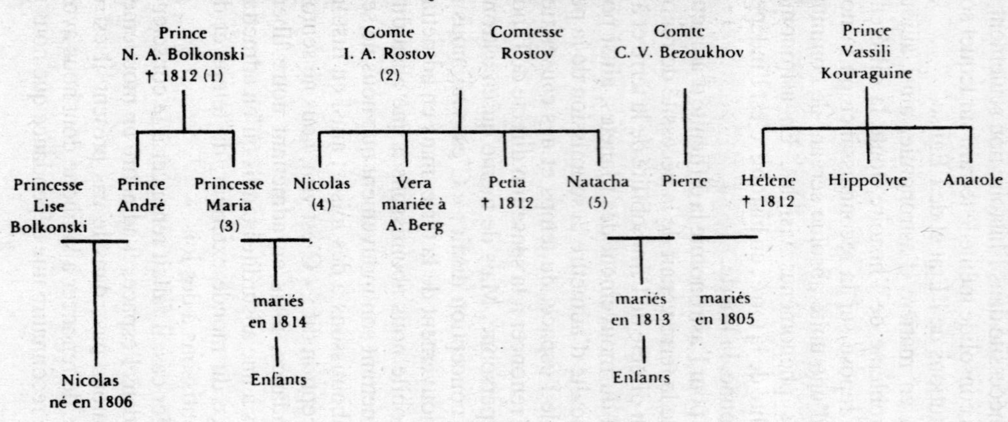

1. Prototype principal : le prince N. S. Volkonski (1753-1821), grand-père maternel de L. Tolstoï.
2. Prototype : le comte A. Tolstoï (1757-1820), grand-père paternel de L. Tolstoï.
3. Prototype : la comtesse M. N. Tolstoï, née Volkonski (1790-1830), mère de L. Tolstoï.
4. Prototype : le comte N. I. Tolstoï (1795-1837), père de L. Tolstoï.
5. Prototypes : T. A. Behrs (née en 1847), belle-sœur de L. Tolstoï, et la comtesse S. A. Tolstoï (née en 1845), sa femme.

QUELQUES MOTS À PROPOS DE *LA GUERRE ET LA PAIX*[1]

Au moment d'imprimer une œuvre à laquelle j'ai consacré cinq ans de travail ininterrompu et exclusif dans les conditions de vie les meilleures, je voudrais, comme préface à ce livre, exposer ma pensée à son sujet, et prévenir de cette façon les malentendus qu'il pourrait soulever chez mes lecteurs. Je voudrais qu'ils ne voient pas et ne cherchent pas dans mon livre ce que je n'ai pas voulu ou pas su y mettre, mais qu'ils tournent leur attention sur ce que précisément j'ai voulu y mettre, bien que dans les conditions de la publication de l'œuvre, je n'aie pas cru bon d'y insister. Ni le temps ni mon savoir-faire ne m'ont permis de réaliser pleinement mes intentions, et je profite de l'hospitalité d'une revue spéciale pour exposer, quoique incomplètement et brièvement, le point de vue de l'auteur sur son ouvrage, à l'intention des lecteurs que cela peut intéresser.

1° Qu'est-ce que *La Guerre et la Paix* ? Ce n'est pas un roman, encore moins un poème, et encore moins une chronique historique. *La Guerre et la Paix* est ce que l'auteur a voulu et pu exprimer dans la forme où cela s'est exprimé. Une semblable déclaration d'indifférence à l'égard des

1. Traduction et notes de Henri Mongault.

formes convenues de la production artistique en prose pourrait paraître de la présomption si elle était faite de propos délibéré, et si elle n'avait pas de modèles. L'histoire de la littérature russe depuis Pouchkine non seulement nous offre beaucoup d'exemples de semblables dérogations aux formes reçues en Europe, mais ne fournit même pas un seul exemple du contraire. Des *Âmes mortes* de Gogol à *La Maison des morts* de Dostoïevski, il n'y a pas dans la période moderne de la littérature russe une seule œuvre d'art en prose sortant un peu de l'ordinaire, qui se soit pleinement installée dans la forme du roman, du poème ou de la nouvelle.

2° Le caractère de l'époque, m'ont dit quelques lecteurs lors de la publication de la première partie de mon ouvrage, y est insuffisamment marqué. Je réponds à ce reproche ce qui suit : je sais en quoi consiste ce « caractère de l'époque » qu'ils ne trouvent pas dans mon roman, ce sont les horreurs du servage, les femmes que l'on mure, les fils adultes que l'on roue de coups, la Saltytchikha, etc.[1].

Mais ces traits qui vivent dans notre imagination, je ne les crois pas fidèles et n'ai pas cru devoir les représenter. En étudiant lettres, mémoires, traditions, je n'ai pas trouvé toutes ces horreurs plus grandes que celles que je peux rencontrer maintenant, comme à n'importe quelle époque. À cette époque comme aujourd'hui, on aimait, on jalousait, on cherchait la vérité, la vertu, on se livrait aux passions ; la vie intellectuelle et morale était aussi complexe et même parfois, dans les hautes sphères, plus raffinée que la nôtre. Si, dans notre esprit, nous prêtons à cette époque

1. Le prêtre Sylvestre, dans le *Domostroï*, donne un tableau du XVIe siècle en Russie, où les mœurs asiatiques régnaient encore : femmes murées dans le *térem* (manoir) et courbées sous l'obéissance ; pères de famille corrigeant leurs enfants et leurs esclaves à coups de bâton, de lanières ou d'autres instruments de fer ou de bois. La Saltytchikha est le nom de l'émeute populaire étrangement réprimée à Moscou en 1771 par le gouverneur Saltykov.

un caractère d'arbitraire et de violence grossière, la raison en est seulement que les traditions, mémoires, romans et nouvelles ne nous ont transmis que des cas typiques de violence et de brutalité. En conclure que le caractère dominant, à cette époque, était la brutalité est aussi injuste que le serait la réflexion d'un homme posté derrière une crête, et qui, voyant seulement la cime des arbres, en conclurait que, dans toute la région, il n'y a que des arbres. Cette époque, comme toute autre, a son caractère propre, dû au fait que l'aristocratie restait plus étrangère aux autres classes, dû à la philosophie régnante, au genre particulier d'éducation, à l'habitude d'employer la langue française, etc. C'est ce caractère que j'ai essayé de dépeindre dans la mesure de mes moyens.

3° L'emploi de la langue française dans une œuvre russe demande une explication. Pourquoi dans mon œuvre, non seulement les Russes, mais aussi les Français parlent-ils tantôt en russe, tantôt en français ? Le reproche qu'on m'a adressé pour avoir fait parler et écrire en français les personnages d'un livre russe, ressemble à celui que ferait un homme qui, regardant un tableau, y remarquerait des taches noires – des ombres – qui n'existent pas dans la réalité. Ce n'est pas la faute du peintre si l'ombre d'un des personnages de son tableau apparaît à certains comme une tache noire qui n'existe pas dans l'original ; il ne peut être coupable que si ces ombres sont figurées en mauvaise place et sans art. En m'occupant de l'époque du début de ce siècle, en dépeignant les personnages russes d'une certaine société, Napoléon et les Français qui ont pris une part si directe à la vie du temps, j'ai été involontairement entraîné à donner une tournure française à mon langage et à ma pensée. Aussi, tout en reconnaissant que j'ai vraisemblablement placé en mauvaise place et de façon grossière mes ombres sur mon tableau, je voudrais que ceux qui trouvent tout à fait ridicule de faire parler Napoléon tantôt en russe, tantôt en français, reconnaissent que si cela leur semble ainsi, c'est que tout comme l'homme qui regarde un portrait, ils voient non pas l'ensemble du visage avec son jeu de lumière et d'ombre, mais la seule tache noire qui se trouve en dessous du nez.

4° Les noms de mes personnages, Bolkonski, Droubetskoï, Bilibine, Kouraguine et autres, rappellent des noms bien connus en Russie. En introduisant des personnages non historiques à côté de personnages historiques, j'éprouvais à l'oreille une gêne à faire parler par exemple le comte Rostoptchine avec un prince Pronski, avec un Strielski, ou avec d'autres princes ou comtes dont j'inventais les noms simples ou doubles[1]. Bolkonski et Droubetskoï ne sont ni Volkonski ni Troubetskoï, mais ces noms ont un son familier et naturel dans le monde aristocratique. D'ailleurs, je ne pouvais pas trouver pour tous mes personnages des noms qui ne me paraîtraient pas sonner faux à l'oreille, comme Bezoukhov ou Rostov, et je n'ai tourné la difficulté qu'en prenant au hasard les noms les plus familiers à une oreille russe et en y changeant quelques lettres. Je serais désolé si la ressemblance de ces noms fictifs avec des noms réels pouvait faire supposer que j'ai voulu dépeindre tel ou tel personnage véritable ; et ceci surtout parce que le genre littéraire qui consiste à décrire des personnages existant ou ayant existé n'a rien de commun avec celui que je cultive.

Marie Dmitrievna Akhrossimova et Denissov sont les deux seuls personnages à qui j'ai donné sans le vouloir et sans y réfléchir des noms se rapprochant de ceux de deux personnages réels de la société d'alors. Cela a été une faute de ma part. Mais cette faute s'est limitée seulement au fait que j'ai mis dans mon roman ces deux personnages qui se distinguaient par des traits bien particuliers de caractère, et le lecteur conviendra sans doute que leur rôle n'a rien à voir avec la réalité. Quant aux autres personnages, ils sont entièrement de mon invention et n'ont

1. Exemples de noms doubles : Kousmine-Kataïev, Golonistchev-Koutouzov, Mouraviev-Karski, etc.

même pas pour moi de prototypes précis dans la tradition ou la réalité.

5° Un mot maintenant au sujet du désaccord existant entre ma description des événements historiques et les récits des historiens. Il est, non pas fortuit, mais inévitable. L'historien et l'artiste se proposent, en faisant le tableau d'une époque, des objets complètement différents. L'historien aurait tort de vouloir représenter un personnage historique dans sa totalité, dans la complexité de ses relations avec tous les côtés de la vie. De même l'artiste ne remplirait pas sa tâche s'il présentait toujours son personnage dans son attitude historique. Koutouzov n'est pas toujours sur son cheval blanc, une longue-vue à la main et montrant l'ennemi. Rostoptchine n'est pas toujours avec une torche à la main, en train d'incendier sa maison de Voronov[1] (ce qu'il n'a jamais fait) ; et l'impératrice Marie Féodorovna n'est pas toujours debout dans son manteau d'hermine, la main appuyée sur le code ; pourtant, c'est ainsi que se les représente l'imagination populaire.

Pour l'historien, qui envisage le rôle d'un personnage historique dans la réalisation de quelque but unique, il y a des héros. Pour l'artiste qui envisage les réactions d'un personnage dans toutes les conditions de la vie, il ne peut et il ne doit pas y avoir de héros, mais il doit y avoir des hommes.

L'historien est obligé parfois, en donnant une entorse à la vérité, de ramener toutes les actions d'un personnage historique à une idée unique qu'il a reportée sur ce personnage. L'artiste au contraire voit justement dans le fait que cette idée est unique une incompatibilité avec la tâche qu'il s'est proposée, et il s'efforce seulement de comprendre et de montrer, non pas un acteur célèbre de l'histoire mais un homme.

La différence est encore plus tranchée et plus essentielle quand il s'agit de la description des événements.

1. Résidence de Rostoptchine, à l'ouest de Moscou.

L'historien s'occupe des résultats d'un événement; l'artiste, de l'événement lui-même. L'historien décrivant une bataille dit : le flanc gauche de telle armée a été porté face à tel village, a battu l'ennemi, mais a dû reculer; alors la cavalerie lancée à l'attaque a culbuté l'ennemi, etc. Il ne peut pas s'exprimer autrement. Cependant, tous ces mots n'ont aucun sens pour l'artiste et même ne lui semblent pas concerner le fait lui-même. Car l'artiste, lui, tire l'image qu'il se fait de l'événement accompli tout aussi bien de son expérience que des lettres, mémoires ou récits qu'il a consultés ; et très souvent (pour une bataille) la conclusion que l'historien se permet de tirer de l'activité de telles ou telles armées se trouve ainsi contraire à la conclusion de l'artiste. La divergence des résultats s'explique par la divergence des sources où l'un et l'autre ont puisé. Pour l'historien, dans l'exemple de la bataille, les sources principales sont les rapports des divers chefs et du généralissime. L'artiste, lui, ne peut rien tirer de pareilles sources, elles ne lui disent rien. Bien plus, l'artiste s'en détourne parce qu'il y trouve un inévitable mensonge. En effet, il est inutile de dire que dans toute bataille les deux adversaires, presque toujours, décrivent l'action d'une façon entièrement opposée. Dans toute description de bataille il y a forcément un mensonge : ce mensonge provient de la nécessité de décrire en quelques mots l'action de quelques milliers d'hommes répandus sur quelques kilomètres et se trouvant tous dans un état de violente surexcitation, sous l'influence de la peur, de la honte, de la mort.

Dans les descriptions de bataille l'on nous dit d'ordinaire que telle troupe a été envoyée à l'attaque contre telle position, puis qu'elle a reçu l'ordre de reculer, etc., comme si l'on admettait que cette même discipline, qui soumet des milliers d'individus à la volonté d'un seul sur le terrain de manœuvres, aura la même action sur un autre terrain, où il s'agit de vie ou de mort. Tout homme qui est allé à la guerre sait combien c'est faux, et cependant c'est sur une supposition de ce genre que sont basés les rapports officiels qui servent à leur tour de base aux descriptions[1].

Faites le tour de toutes les troupes aussitôt après une bataille, ou même le lendemain ou le surlendemain, avant qu'aucun rapport ait été écrit, et demandez à n'importe quel soldat, sous-officier, officier, comment s'est passée l'affaire. Lorsqu'ils vous auront raconté ce qu'ils ont éprouvé et vu, vous aurez l'impression pénible, confuse, de quelque chose de grandiose, de complexe, de varié à l'infini ; mais vous n'apprendrez de personne, et encore moins du généralissime, comment, dans son ensemble, l'affaire s'est passée. Mais deux ou trois jours après commencent à arriver les rapports, les bavards commencent à raconter comment s'est passé ce qu'ils n'ont pas vu, enfin le rapport général est fabriqué, et c'est d'après lui que se fabrique l'opinion de l'armée. C'est un soulagement pour chacun d'échanger ses doutes et ses incertitudes contre ce tableau mensonger, mais clair et toujours flatteur. Après un mois ou deux, interrogez un de ceux qui participèrent à l'action, vous ne sentirez plus dans son récit cette manière brute et vivante qu'il contenait auparavant, car son récit est fait d'après le rapport ; il ne parle déjà plus que d'après le texte rédigé. Tels sont les récits qui m'ont été faits de la bataille de Borodino par beaucoup de gens intelligents qui ont pris part à cette bataille. Tous m'ont raconté la même chose, et tous d'après la description erronée de Mikhaïlovski-Danilevski, de Glinka et d'autres ; les détails mêmes qu'ils m'ont fournis, bien que, dans l'action, ils se fussent trouvés éloignés de quelques verstes les uns des autres, étaient identiques.

1. Après l'impression de la première partie de cette œuvre, et la description de la bataille de Schœngraben, on m'a rapporté l'opinion de Nicolas Nicolaïevitch Mouraviev-Karski, sur cette description de la bataille et ses paroles n'ont fait que fortifier ma conviction. N. N. Mouraviev, qui est un commandant en chef, a déclaré que son expérience personnelle l'avait convaincu que, durant une bataille, il est impossible d'exécuter à la lettre les ordres du général en chef. (Note de l'auteur.)

Après la prise de Sébastopol, le commandant d'artillerie Kryjanovski m'envoya les rapports des officiers d'artillerie de tous les bastions et me pria de condenser cette vingtaine de rapports en un seul. Je regrette de ne pas les avoir copiés. C'étaient les plus beaux spécimens qui soient de ce naïf et indispensable mensonge militaire sur lequel repose toute description. Je suis certain que beaucoup de mes camarades, auteurs de ces rapports, riront de bon cœur en lisant ces lignes, au souvenir de ce qu'ils ont écrit par ordre sur des choses qu'ils se trouvaient dans l'impossibilité de savoir. Tous ceux qui ont fait la guerre savent à quel point un Russe est capable de bien faire sa besogne au combat, et combien il est au contraire peu capable de décrire ses actes avec les vantardises et les mensonges de rigueur. Tout le monde sait d'ailleurs que dans nos armées, la mission d'établir relations et rapports est remplie surtout par des étrangers.

Tout cela je le dis pour montrer que le mensonge est inévitable dans les descriptions militaires qui servent de matériaux aux historiens militaires, et pour montrer par suite que le désaccord est souvent inévitable entre l'artiste et l'historien, dans la compréhension des événements historiques. Mais outre cette obligation de mentir dans l'exposé des événements historiques, j'ai rencontré chez les historiens de l'époque dont je me suis occupé, sans doute par suite de l'habitude de grouper les faits, de les donner en raccourci et de les accorder avec le caractère tragique des événements, un tour de récit particulier, emphatique dans lequel le mensonge et l'altération de la vérité portent, non seulement sur les faits eux-mêmes, mais encore sur leur signification. Souvent, en étudiant les deux principaux historiens de cette époque, Thiers et Mikhaïlovski-Danilevski, je me suis demandé avec perplexité comment de tels livres avaient pu être imprimés et trouver des lecteurs. Sans parler de l'exposé d'événements identiques fait du ton le plus sérieux et le plus pénétré, avec références à l'appui et diamétralement opposé chez l'un et chez l'autre historien, j'ai trouvé chez eux de telles descriptions que je ne sais pas s'il faut en rire ou en pleurer, lorsqu'on pense que ces deux livres sont les seuls monuments de cette époque et qu'ils ont des milliers de lecteurs. Je ne vais citer qu'un exemple, tiré de l'illustre historien Thiers. Après avoir raconté que Napoléon avait emporté avec lui de faux assignats, il dit :

« Relevant l'emploi de ces moyens par un acte de bienfaisance *digne de lui et de l'armée française*, il fit distribuer des secours aux incendiés. Mais les vivres étant trop précieux pour être donnés longtemps à des étrangers, la plupart ennemis, Napoléon aima mieux leur fournir de l'argent, et il leur fit distribuer des roubles papier[1]. »

Ce passage pris à part frappe par son étourdissante, on ne peut pas dire immoralité, mais simplement absurdité ; cependant, replacé dans le livre, il ne frappe pas, car il est tout à fait dans le ton général du récit, emphatique, solennel et dénué de sens précis.

Ainsi donc, la tâche de l'historien et celle de l'artiste sont tout à fait différentes, et mon désaccord avec les historiens dans la description des événements et le portrait des personnages ne doit étonner personne.

Mais l'artiste ne doit pas perdre de vue que l'idée que le peuple se fait des personnages et des événements ne provient pas de la fantaisie, mais de la façon dont les documents ont été groupés par les historiens ; c'est pourquoi, bien que comprenant différemment ces personnages et les événements, l'artiste, comme l'historien, doit se guider sur les documents historiques. PARTOUT OÙ, DANS MON ROMAN, PARLENT ET AGISSENT DES PERSONNAGES HISTORIQUES, JE N'AI RIEN INVENTÉ, MAIS ME SUIS SERVI DES MATÉRIAUX QUE J'AI TROUVÉS ET QUI ONT CONSTITUÉ AU COURS DE MON TRAVAIL TOUTE UNE BIBLIOTHÈQUE ; SI JE NE JUGE PAS À PROPOS DE DONNER ICI LES TITRES DES OUVRAGES, JE PUIS TOUJOURS M'Y RÉFÉRER.

6° Enfin, la sixième considération, la plus importante pour moi, concerne le peu d'importance qu'ont, d'après

1. En français dans le texte.

mes conceptions, ceux que l'on appelle les grands hommes dans les événements historiques.

L'étude d'une époque si tragique, si riche par l'énormité des événements et si proche de nous, dont les traditions sont restées si vivantes et si diverses, m'a convaincu jusqu'à l'évidence que notre intelligence n'est pas en état d'apercevoir les causes des événements en train de s'accomplir. Prétendre, ce qui semble très simple à tous, que les causes des événements de 1812 sont l'esprit de conquête de Napoléon et la fermeté patriotique du tsar Alexandre Pavlovitch est aussi absurde que de dire que la chute de l'empire romain est due à tel ou tel barbare qui a conduit ses peuples contre l'Occident, ou à tel ou tel empereur romain qui gouvernait mal ses États, ou bien de prétendre qu'une énorme montagne qu'on sapait s'est écroulée parce que le dernier ouvrier a donné un coup de pioche.

Un événement où des millions d'hommes se sont entretués, où plus d'un demi-million a trouvé la mort, ne peut pas avoir pour cause la volonté d'un seul homme ; pas plus qu'un ouvrier ne peut tout seul saper une montagne, un homme ne peut tout seul en forcer cinq cent mille à mourir. Mais alors où sont les causes ? Certains historiens les voient dans l'esprit conquérant des Français et dans le patriotisme des Russes. D'autres parlent des idées démocratiques propagées par les armées de Napoléon et de la nécessité où se trouvait la Russie d'entrer dans le concert européen, etc. Cependant, pourquoi donc des millions d'hommes se sont-ils entre-tués, alors qu'aucun d'eux ne pouvait s'en trouver mieux, et que tous étaient menacés de s'en trouver plus mal ? Qui le leur a ordonné ? Pourquoi donc ont-ils fait cela ? Voilà la question qui, semble-t-il, se pose clairement à chacun. On peut faire et on a fait un nombre infini de déductions rétrospectives sur les causes de cet absurde événement, mais l'énorme quantité de ces déductions, tendant au même but, démontre qu'il y a une infinité de causes et qu'aucune d'entre elles ne peut être appelée la vraie cause.

Pourquoi donc des millions d'hommes se sont-ils entre-tués, quand chacun sait, depuis que le monde est monde, que c'est là mal agir, moralement et physiquement ?

Parce que la chose était si inévitable qu'en la faisant ils obéissaient à cette loi élémentaire, zoologique, à laquelle obéissent les abeilles qui s'entre-tuent à l'automne, et les mâles des animaux qui s'exterminent les uns les autres. On ne peut donner d'autre réponse à cette effroyable question.

C'est là une vérité, non seulement évidente, mais innée en chaque individu, et elle n'aurait même pas besoin d'être démontrée s'il n'y avait dans l'homme un autre sentiment et la conscience pour le convaincre qu'il est libre à tout moment où il agit.

En considérant l'histoire à un point de vue général, nous sommes persuadés de l'existence d'une loi éternelle qui régit les événements. Mais en considérant l'histoire du point de vue personnel, nous avons la conviction du contraire.

L'homme qui tue son semblable, Napoléon qui donne l'ordre de franchir le Niemen, vous et moi qui présentons une requête afin d'obtenir une place, qui levons et abaissons le bras, nous sommes tous absolument certains que chacun de nos actes est fondé sur des causes raisonnables et sur notre libre arbitre, bref que c'est de nous qu'il dépendait d'agir ainsi ou autrement ; cette conviction nous est si naturelle et si chère que, malgré les démonstrations de l'histoire et de la statistique criminelle, qui nous convainquent de l'absence de libre arbitre chez autrui, nous étendons la conscience de notre liberté à tous nos actes.

La contradiction semble irréductible. Je suis certain, en accomplissant un acte, d'avoir mon libre arbitre ; mais si je considère mon acte comme une participation à l'ensemble de la vie de l'humanité (dans sa signification historique), je conclus qu'il était prédestiné et inévitable. D'où provient cette erreur ?

Les observations psychologiques sur la capacité de l'homme à accorder rétrospectivement et instantanément tout fait accompli avec une série de déductions prétendues libres (je m'expliquerai ailleurs plus en détail là-dessus) confirment l'hypothèse que la conscience que l'homme a d'être libre en accomplissant certains actes est fausse. Il y a pourtant d'autres observations psychologiques qui prouvent qu'il existe des actes où la conscience d'être libre n'est pas rétrospective, mais instantanée et indiscutable. Quoi qu'en disent les matérialistes, je puis indiscutablement agir ou m'abstenir d'agir, dès l'instant où je suis seul en cause. Je puis, à l'instant même, et de mon propre chef, lever ou abaisser ma main. Je puis cesser d'écrire. Vous pouvez aussi, à l'instant, cesser de me lire. Je puis sans aucun doute, par l'effet de ma seule volonté et malgré tous les obstacles, transporter maintenant ma pensée en Amérique ou la reporter sur un problème de mathématiques qui m'intéresse. Je puis, pour expérimenter ma liberté, lever ma main en l'air et la laisser retomber avec force. Mais auprès de moi se tient un enfant ; je lève ma main au-dessus de lui et je vais la laisser retomber sur lui avec la même force. JE NE PEUX PAS LE FAIRE. Un chien se jette sur cet enfant. JE NE PEUX PAS ne pas lever ma main sur ce chien. Je suis un soldat dans le rang et je ne peux pas ne pas suivre le mouvement de mon régiment. Je ne peux pas, durant la bataille, ne pas marcher à l'attaque avec mon régiment, et ne pas m'enfuir quand tous ceux qui m'entourent s'enfuient. Je ne peux pas, si je suis le défenseur d'un accusé devant un tribunal, ne pas parler et ne pas savoir d'avance ce que je dois dire. Je ne peux pas ne pas cligner des paupières quand je vois un coup dirigé contre mes yeux.

Il y a donc deux sortes d'actes. Les uns sont dépendants, les autres indépendants de ma volonté. Et l'erreur qui provoque la contradiction provient uniquement du fait que la conscience d'être libre qui accompagne légitimement chaque acte se rapportant à mon moi, à la partie la plus hautement abstraite de mon être, je la transporte sans en avoir le droit sur ceux de mes actes accomplis en liaison avec d'autres volontés et dépendant du concours d'autres volontés que la mienne. Il est fort malaisé de fixer les limites du domaine de la liberté et de la nécessité, et c'est le problème essentiel de la psychologie que de fixer cette limite. Mais si l'on observe les cas où apparaissent notre plus grande liberté et notre plus grande dépendance, il n'est pas possible de ne pas voir que plus notre activité est abstraite, plus elle est libre ; inversement, plus notre activité est liée à autrui, moins elle est libre.

Le lien le plus fort, le plus indestructible, le plus lourd, le plus constant qui nous rattache à nos semblables est ce qu'on nomme pouvoir, et le pouvoir, pris dans son sens véritable, n'est que l'expression de la plus grande dépendance où l'on se trouve à l'égard d'autrui.

À tort ou à raison, je me suis pleinement convaincu de cette vérité au cours de mon travail. Aussi, en décrivant les événements historiques de 1805, 1807 et surtout de 1812, où se révèle avec le plus de relief cette loi de la fatalité[1], je n'ai pas pu attribuer d'importance aux faits et gestes des hommes qui ont cru diriger ces événements, mais qui moins que tous les autres acteurs y ont introduit une activité humaine libre. Leur activité ne m'a intéressé que comme une illustration de cette loi de la fatalité, qui, selon ma conviction, régit l'histoire, et de cette loi psychologique qui pousse l'homme accomplissant l'acte le moins libre à imaginer après coup toute une série de déductions ayant pour but de lui démontrer à lui-même qu'il est libre.

Comte Léon TOLSTOÏ.

1. Il est à remarquer que tous ceux qui ont écrit sur les événements de 1812 y ont vu quelque chose de particulier et de fatal. (Note de l'auteur.)

ANNEXES

I

NOTICE BIBLIOGRAPHIQUE

Il ne saurait évidemment être question de donner ici une liste exhaustive des ouvrages publiés à ce jour sur l'homme et son œuvre. Nous nous bornerons à indiquer les quelques ouvrages fondamentaux nous permettant une approche de la personnalité de Tolstoï ou éclairant plus particulièrement son roman *Guerre et Paix*.

Ouvrages en français

BIRIOUKOV (P.). – *Léon Tolstoï, vie et œuvre.* Paris, Mercure de France, 1906-1909 (3 vol.).

BOYER (Paul). – *Chez Tolstoï. Entretiens à Iasnaïa Poliana.* Paris, Institut d'Études slaves, 1950.

CASSOU (Jean). – *Grandeur et Infamie de Tolstoï.* Paris, Grasset, 1932.

CHESTOV (Léon). – *Les Révélations de la mort : Dostoïevsky-Tolstoï.* Paris, Plon, 1923.

CHESTOV (Léon). – *L'Idée du bien chez Tolstoï et chez Nietzsche.* Paris, Vrin, 1949.

CRESSON (A.). – *Léon Tolstoï, sa vie, son œuvre.* Paris, Presses Universitaires, 1950.
GILLÈS (Daniel). – *Tolstoï.* Paris, Julliard, 1959.
GOURFINKEL (Nina). – *Tolstoï sans tolstoïsme.* Paris, Le Seuil, 1946.
HOFFMAN (M.) et Pierre (A.). – *La Vie de Tolstoï.* Paris, Gallimard, 1956.
LAFFITTE (Sophie). – *Léon Tolstoï et ses contemporains.* Paris, Seghers, 1960.
LINDSTROM (Thais S.). – *Tolstoï en France.* Paris, Institut d'Études slaves, 1952.
METZEL (Boris). – *Tolstoï.* Paris, Tallandier, 1950.
PORCHÉ (François). – *Portrait psychologique de Tolstoï.* Paris, Flammarion, 1935.
POZNER (Vladimir). – *Tolstoï est mort.* Paris, Plon, 1935.
ROLLAND (Romain). – *Vie de Tolstoï.* Paris, Hachette, 1929.
SUARÈS (André). – *Tolstoï vivant.* Paris, Cahiers de la Quinzaine, 1911.
TROYAT (Henri). – *Tolstoï.* Paris, Fayard, 1967.
WEISBEIN (Nicolas). – *L'Évolution religieuse de Tolstoï.* Paris, Librairie des Cinq Continents, 1960.
ZWEIG (Stefan). – *Tolstoï.* Paris, Éd. Attinger, 1928.

Ouvrages en russe

BIRIOUKOV (P. I.). – *Biographie de L. N. Tolstoï.* Berlin, 1921 (4 vol.).
BOURSOV (B.). – *Léon Tolstoï.* Moscou, 1960.
CHKLOVSKY (V.). – *Léon Tolstoï.* Moscou, 1963.
EÏKHENBAUM (B.). – *Léon Tolstoï.* Moscou, 1928.
ERMILOV (V.). – *Tolstoï-peintre et le roman « La Guerre et la Paix ».* Moscou, 1961.
GOUDZII. – *Léon Tolstoï.* Moscou, 1960.
GOUSSEV (N. N.). – *Matériaux pour une biographie de Léon Tolstoï.* Moscou, Éd. de l'Académie des Sciences,

3 vol. parus en 1954, 1957, 1963 (tome I : 1828-1855; tome II : 1856-1869; tome III : 1870-1881).
LÉONTIEV (Constantin). – *Analyse, style et atmosphère dans les romans du comte L. N. Tolstoï.* Saint-Pétersbourg, 1890.

II

TABLEAU CHRONOLOGIQUE DE LA VIE ET DE L'ŒUVRE DE LÉON TOLSTOÏ

1828 **28 août (9 sept.)** : Naissance de Léon Nikolaïevitch Tolstoï (dans la propriété de Iasnaïa Poliana, province de Toula).

1830 Mort de Maria Nikolaïevna, mère de Léon Tolstoï.

1837 Départ de la famille pour Moscou. Mort de Nikolaï Ilitch, père de Léon Tolstoï.

1840 Premier essai littéraire du jeune Tolstoï : un compliment en vers à sa tante Tatian a Ergolskaïa.

1841 Mort de la tutrice des enfants Tolstoï.
Les Tolstoï rejoignent à Kazan leur nouvelle tutrice, Pélaguéïa Iouchkova.

1844 Tolstoï entre à l'Université de Kazan, faculté des langues orientales.

1845 Tolstoï entre à la faculté de droit.

1847 Retour à Iasnaïa Poliana.	
1848 (oct.)-1849 (janv.) : Moscou.	
1849 Examens à l'Université de Saint-Pétersbourg (faculté des sciences). Après deux succès Tolstoï s'interrompt.	
1850	Projet littéraire : une nouvelle tirée de la vie des Tziganes.
1851 Départ pour le Caucase.	*Histoire de la veille.* *Enfance* (qui sera achevé en juillet 1852).
1852 Examen pour le grade d'élève officier.	*L'Incursion* (récit). Publication de son récit autobiographique Enfance dans *Le Contemporain.* *Le Roman d'un seigneur russe* (abandonné en 1856 ; un fragment paraîtra sous le titre : *La Matinée d'un seigneur).* Commencement de *Adolescence*, deuxième partie de son récit autobiographique (achevé en avril 1854).
1853 Campagne contre les Tchétchènes.	Commencement de *Les Cosaques* (achevé en 1862). *Notes d'un marqueur* (récit).
1854 Quitte le Caucase. Mutation dans l'armée de Crimée. Arrivée à Sébastopol.	Projette l'édition de la revue *Le Messager du soldat.* Écrit deux récits pour la revue : *L'Oncle Jdanov et le cavalier Tchernov* et

	Comment meurent les soldats russes.
1855 Arrivée à Saint-Pétersbourg. Fait la connaissance de nombreux écrivains (Tourguiéniev, Niékrassov, Gontcharov, Fet, Tioutchev, etc.).	Commencement de *Jeunesse* (troisième partie de son œuvre autobiographique, achevée en septembre 1856). Cycle de récits : *Sébastopol en décembre, Sébastopol en mai et Sébasto pol en août 1855.*
1856 Nommé officier. Démission de Tolstoï. Essaie d'affranchir ses paysans de Iasnaïa Poliana.	*La Tempête de neige, Le Dégradé* (récits) et *De ux hussards* (nouvelle).
1857 Premier voyage à l'étranger (France, Suisse, Allemagne).	*Le Terrain de chasse* (récit abandonné en 1865). *Albert* (récit achevé en mars 1858).
1858	*Lucerne* (récit). *Trois morts* (récit).
1859 Ouverture de l'école de Iasnaïa Poliana, destinée aux enfants de ses paysans.	Commence *Le Bonheur conjugal.*
1860 Second voyage à l'étranger (Allemagne, Suisse, France, Angleterre, Belgique). Fait la connaissance de Herzen.	Travaille à des récits tirés de la vie des paysans : *Idylle, Tikhon et Malania* (inachevés). *Les Décembristes* (roman inachevé) et *Polikouchka* (nouvelle achevée en décembre 1862).
1860-1863	*Kholstomer* (nouvelle achevée en 1885).
1861-1862	Publie la revue pédagogique *Iasnaïa Poliana.*
1862 Perquisition de la police à Iasnaïa Poliana. Tolstoï épouse Sophie Bers.	
1863	Commence *Guerre et paix* (roman achevé en 1869).

1864-1865 Parution des premières *Œuvres choisies* de Tolstoï en deux volumes.

1865-1866 *Le Messager russe* publie les deux premières parties du futur *Guerre et paix* sous le titre *1805*.

1866 Voyage à Borodino.

1868 Parution dans *Les Archives russes* de l'article de Tolstoï : « Quelques mots à propos de *Guerre et paix* ».

1870 Conçoit le projet de ce qui deviendra *Anna Karénine.*

1870-1872 Roman consacré à l'époque de Pierre le Grand (inachevé).

1873 Commencement de *Anna Karénine* (achevé en 1877).

1874 Activité pédagogique (livres russes de lecture, abécédaire…).

1875 Dans *Le Messager russe* début de la publication d'*Anna Karénine.*

1876 Fait la connaissance du compositeur P. I. Tchaïkovsky.

1878-1879 Roman historique sur l'époque de Nicolas Ier et des décembristes.

1878 Fait la connaissance des décembristes Svistounov, Mouraviev-Apostol, Béliaev, du critique Stassov à Pétersbourg. *Premiers souvenirs.*

1879 Tolstoï se documente pour écrire un roman sur la fin du XVIIe siècle-début du XVIIIe siècle.

1879-1880	*Confession.* *Étude sur la théologie dogmatique.*
1881 La famille Tolstoï se transfère à Moscou.	
1882 Achète à Moscou la maison du passage Dolgo-Khamovnitcheski.	« Mais que devons-nous faire ? » (article achevé en 1886). *La Mort d'Ivan Illitch* (nouvelle achevée en 1886).
1883-1884 Première tentative de quitter Iasnaïa Poliana.	Écrit le traité *Quelle est ma foi ?* Commence *Les Notes d'un fou* (inachevées).
1885-1886	Cycle de récits populaires pour *Le Médiateur.*
1886 Fait la connaissance de l'écrivain Korolenko.	Écrit un drame pour le théâtre populaire, *La Puissance des Ténèbres* (la mise en scène est interdite). Commence *Les Fruits de l'instruction* (comédie achevée en 1890).
1887 Fait la connaissance de l'écrivain Leskov.	Commence *La Sonate à Kreutzer* (achevée en 1889).
1888	Commence la nouvelle *Le Faux Coupon.*
1889	*Le Diable* (nouvelle) ; commence la *Nouvelle de Koni* (d'après le récit du juriste A. Koni), le futur *Résurrection* (achevé en 1899).